ISBN 978-0-331-52379-9
PIBN 11204856

Gesammelte Abhandlungen

zur

ätiologischen Therapie von ansteckenden Krankheiten.

Von

Stabsarzt Professor Dr. Behring,

commandirt zum Institut für Infektionskrankheiten.

Leipzig.

Verlag von Georg Thieme.

1893.

Inhaltsverzeichniss.

Seite.

Seite.

II. Theil. Experimentelle Arbeiten über Immunisirung und Heilung bei ansteckenden Krankheiten.

Einleitende Bemerkungen über die ätiologische Therapie von ansteckenden Krankheiten.

Von St.-A. Prof. Dr. **Behring**.

(Aus dem Institut für Infektionskrankheiten des Prof. Dr. Robert Koch in Berlin.)

---

1. Analyse des Inhalts der „Gesammelten Abhandlungen“ und ihre Charakterisirung als Beiträge zur ätiologischen Therapie von ansteckenden Krankheiten.

Wenn man von einer „ansteckenden“ Krankheit spricht, so ist es die Entstehungs- und Verbreitungsweise derselben, an welche in erster Reihe gedacht wird.

Wie man eine leicht brennbare Substanz mit einem Feuerfunken „anstecken“ und zum Brennen bringen kann, so wird ein diphtherieempfängliches Kind durch Spuren von diphtherischem Ansteckungsstoff „angesteckt“, und danach entwickelt sich bei ihm ein Process, welcher einhergeht mit der Production einer solchen Menge des gleichen ansteckenden Agens, dass unter geeigneten Bedingungen unzählige Individuen von demselben ergriffen werden. Die Diphtherie wird dann zu einer verheerenden Volkskrankheit, die nicht unähnlich verläuft einem Waldbrande, bei welchem das Unterholz zuerst an engbegrenzter Stelle ins Brennen geräth, bald aber auf weite Strecken in Flammen aufgeht.

Die Entstehung eines solchen Waldbrandes, sein Umsichgreifen, sein Erlöschen zeigt in der That soviel Analogieen mit der Entstehung, dem Umsichgreifen und dem Erlöschen der Diphtherie und anderer Volkskrankheiten, dass man sich kaum eine zutreffendere Charakterisirung der letzteren denken kann, als durch unser deutsches Wort „ansteckend“. Die Diphtherie, die Syphilis, die

Pocken, die Cholera, die Masern, der Scharlach, viele Hautkrankheiten, Geschlechtskrankheiten und manche in Hospitälern, auf Kriegsschauplätzen und bei sonstigen Anhäufungen der Menschen auftretende Krankheitsformen, wie Typhus und Ruhr, haben im Volke von jeher als „ansteckende“ Krankheiten gegolten; auch für die Tuberculose hat, schneller noch im Laienpublikum als in Gelehrtenkreisen, sich der Glaube an ihre Entstehung durch einen Ansteckungsstoff Bahn gebrochen, seitdem in dem Tuberkelbacillus ein dem gesunden Menschen ursprünglich nicht innewohnendes ursächliches Moment für die Lungenschwindsucht, für manche chronische Kehlkopfleiden und für viele Haut-, Gelenk- und Knochenkrankheiten nachgewiesen ist.

Diese Auffassungsweise sollte man nicht durch die Einführung von Fremdwörtern, zum Zweck einer allgemeinen Charakterisirung epidemischer und endemischer Seuchen, verdunkeln. Es kann nur nützlich sein, wenn im Volke das Bewusstsein davon wach erhalten wird, dass es bei einer Seuche zugeht, wie bei einem Brande: dass es leichter ist, eine Seuche zu verhüten, als sie zu beseitigen, dass man aber andererseits bei einer schon bestehenden Seuche ebenso wenig die Hände in den Schooss legen darf, wie man das thun wird bei einem verheerenden Feuer. Am leichtesten gelingt es, ein Feuer gewissermaassen im Keime zu ersticken; aber auch wenn es schon stark emporlodert, wird eine gut geschulte Feuerwehr den Schaden auf einen mässigen Umfang einzudämmen imstande sein.

Krankeitsschutz und Verhütung von Feuersgefahr kann man aber nicht schablonenmässig regeln. Wer sich und sein Haus vor Feuerschaden bewahren will, muss sehr verschiedene Ansteckungsquellen berücksichtigen. Wo man es brennen sieht, da wird man nicht feuerfangende Dinge in die Nähe bringen. Sehr leicht entflammbare Dinge aber, die dem Feuer ausgesetzt werden müssen, imprägnirt man mit Stoffen, die einen Schutz gewähren gegen das Verbrennen. Zuweilen ist die entzündende Kraft so gewaltig, dass dem Menschen nur noch das Gefühl der Ohnmacht übrig zu bleiben scheint; jedoch selbst gegenüber elementaren Ereignissen ist er nicht machtlos; selbst den zündenden Blitz wusste er unschädlich zu machen.

So bemüht sich der Erfindungsgeist des Menschen auch bei den ansteckenden Krankheiten durch Abschneidung und Eindämmung der Krankheitsheerde (Isolirmassregeln), durch Beseitigung und

Vernichtung der Ansteckungsstoffe (Desinfection) durch Imprägnirung der gefährdeten Individuen mit schützenden Stoffen (Immunisirung) die drohende Krankheit zu verhüten und die ausgebrochene zum Stillstand zu bringen.

Die im vorliegenden Bande gesammelten experimentellen Arbeiten von mir und von meinen Mitarbeitern können als Beiträge zur Lehre von der Verhütung und Heilung der ansteckenden Krankheiten betrachtet werden.

Es sind jetzt elf Jahre her, seit ich bei meinen Jodoformuntersuchungen auf experimentellem Wege mir Kenntniss zu verschaffen suchte von dem Wesen und den Ursachen derjenigen ansteckenden Krankheiten, welche von Läsionen der äusseren Haut und der Schleimhäute ihren Ausgang nehmen. Man wird bei der Lectüre meiner Jodoformarbeiten erkennen, wie ich durch meine Versuchsergebnisse zu einer den damals herrschenden therapeutischen Bestrebungen vielfach entgegengesetzten Stellungnahme gedrängt wurde. Unter dem Einfluss der zu jener Zeit fest begründeten Lehre von der belebten Natur der Ansteckungsstoffe wurden ohne weiteres die Heilwirkungen chemischer Agentien bei ansteckenden Krankheitsprocessen auf eine direkte Beeinflussung der lebenden Krankheitserreger zurückgeführt, und neue Heilmittel wurden fast ausschliesslich in der Classe der bacterienfeindlichen gesucht. Dem gegenüber zeigte ich, wie das Jodoform nicht als parasiticides, sondern als antitoxisches Mittel die thatsächlich bei seiner Anwendung zu beobachtenden günstigen Wirkngen bei ansteckenden Wundkrankheiten ausübt. Es bedarf gegenwärtig — wo angesichts der allgemeinen Heilwirkungen specifischer Antitoxine die Frage nach dem Wirkungsmodus der antitoxischen Mittel ein erhöhtes Interesse gewonnen hat — nicht erst einer besonderen Rechtfertigung dafür, dass ich jene Erstlingsarbeiten in diese Sammlung aufgenommen habe; ich darf aus bester Kenntniss der Sachlage behaupten, dass die specifisch antitoxische Heilmethode in ihrer gegenwärtigen Gestalt, in der Blutserumtherapie, von mir nicht gefunden worden wäre, wenn nicht die Erfahrungen voraufgegangen wären, welche ich gelegentlich meiner Jodoformuntersuchungen gemacht habe, und ich darf auch weiter es aussprechen, dass ein Verständniss der Wirkungsweise der specifischen Antitoxine kaum erlangt werden wird ohne Berücksichtigung der in meinen Jodoformarbeiten mitgetheilten Versuchsergebnisse.

Allerdings muss ich hinzufügen, dass die im Blute von immunisirten Thieren zu findenden specifischen Antitoxine auch nicht entdeckt worden wären ohne die späteren Studien über parasiticide und bacterienentwickelungshemmende Mittel, insbesondere aber über die specifisch-parasiticiden Eigenschaften des Blutes mancher Thiere. Nach dieser Richtung waren für mich die in der Arbeit „Ueber die Ursache der Immunität von Ratten gegen Milzbrand" (zweiter Theil p. 24ff.) niedergelegten experimentellen Resultate von grundlegender Bedeutung.

Von diesen beiden neu gewonnenen Gesichtspunkten aus, von meinen Erfahrungen über die specifisch-parasiticiden und über die specifisch-antitoxischen Eigenschaften chemischer Agentien sind alle meine ätiologisch-therapeutischen Versuche der letzten Jahre ausgegangen. Gegenwärtig hat die antitoxisch-therapeutische Richtung in denselben das Uebergewicht bekommen; ich bin aber weit davon entfernt, eine specifisch-antiparasitäre Therapie für aussichtslos zu halten.

Auch ohne dass ich im übrigen auf eine Analyse der experimentellen Arbeiten eingehe, wird es dem Leser, wie ich hoffe, leicht sein, den langsam, aber stetig sich entwickelnden Ideengang zu verfolgen, welcher für die Anordnung der Experimente in jedem Falle maassgebend war; und da ich stets den Grundsatz beobachtet habe, nur dann eine Arbeit zu publiciren, wenn nach meiner Meinung dieselbe einen Fortschritt in dem ärztlichen Wissen oder Können anbahnte, so hege ich die weitere Hoffnung, dass für jeden selbstständig auf dem Gebiet der Bekämpfung von ansteckenden Krankheiten arbeitenden Mediciner sowohl die im ersten Theil enthaltenen Angaben über desinficirende Mittel, wie die im zweiten Theil niedergelegten Resultate, betreffend die Immunisirung und Heilung, eines eingehenden Studiums werth sind.

Auf eine Besprechung des Zusammenhanges der einzelnen experimentellen Arbeiten untereinander kann ich an dieser Stelle verzichten; schon ein Blick auf das Inhaltsverzeichniss zeigt, wie ein einheitliches Band alle Arbeiten verknüpft: alle Arbeiten sind hervorgegangen aus dem Bestreben, auf Grund einer richtigen Erkenntniss der Entstehung einer Krankheit zu sicher wirkenden Heilmitteln für dieselbe zu gelangen.

Dagegen scheint es mir nicht überflüssig zu sein, in kurzen Zügen meine Stellungnahme zu anderen medicinischen Bestrebungen zu präcisiren.

Zu diesem Zweck füge ich hier einige Aufsätze an, welche unter dem Gesammttitel „Die ätiologisch-therapeutischen Bestrebungen der Gegenwart“ in No. 24—27 der Deutschen medicinischen Wochenschrift“ (1893) veröffentlicht worden sind.

In dem ersten Aufsatz grenze ich zunächst den uns hier interessirenden Theil des Gebietes der ansteckenden Krankheiten, nämlich: die nachweislich durch Bacterien erzeugten Krankheiten des Menschen, ab. Im zweiten skizzire ich ihre Bekämpfung durch hygienisch-prophylaktische und medicinisch-therapeutische Maassnahmen. In den folgenden Aufsätzen werden die verschiedenen therapeutischen Standpunkte der Gegenwart und ihre Begründung durch die Krankheitslehre ihrer Hauptvertreter erörtert. Zum Schluss wird die moderne ätiologisch-therapeutische Richtung, die specifisch-antitoxische Therapie, einer genaueren Analyse unterworfen.

2. Ueber „Infectionskrankheiten“ und über „ansteckende“ Krankheiten.

Bezüglich der Bezeichnung „Ansteckende Krankheiten“ bedarf es einer Erwähnung der Gründe, welche mich bestimmen, den Ausdruck „Infectionskrankheiten“ zu vermeiden, trotz des gegenwärtig allgemein gewordenen Gebrauchs jenes Ausdrucks für die uns hier beschäftigenden Krankheiten.

Noch in den medicinischen Lehrbüchern der vierziger Jahre dieses Jahrhunderts begegnen wir kaum dem Begriff „Infectionskrankheit“ in dem heutigen Sinne des Wortes. Für Schönlein existirt das Wort „Infectionskrankheit“ noch nicht in seiner „Allgemeinen und speciellen Pathologie und Therapie“ (1841). Den Milzbrand, den Tetanus neonatorum und den Croup führt er zusammen mit dem Hydrocephalus acutus unter den „Neurophlogosen“ auf; die Pneumonieen zusammen mit Arteritis, Phlebitis, Encephalitis, Bronchitis, Enteritis, Hepatitis, Nephritis, Metritis, Ovaritis unter den „Phlogosen“; die Pocken unter den Erysipelaceen zusammen mit Urticaria, Herpes zoster u. s. w.; unter den „Scropheln“ werden bei ihm Lymphscropheln, Rachitis, Osteomalacie in einem Kapitel abgehandelt; er kennt eine Pneumophthisis tuberculosa, aber auch eine cyanotische Lungenphthise; bei den Enterophthisen werden tuberculöse, scrophulöse, exanthematische und arthritische coordinirt. Wenn wir endlich etwas über die infectiösen Formen des Blasenkatarrhs erfahren wollen, dann müssen wir nachsuchen in der „Hämorrhoidalgruppe“, in dem Abschnitt „Blasenhämorrhoiden“, einer hämorrhoidalen Krankheitsform unterhalb des Diaphragma, welcher Krankheitsform oberhalb desselben Pulmonalhämorrhoiden, Gehirnhämorrhoiden u. s. w. entsprechen.

Bei Hufeland, in seinem „Enchiridion medicum“ vom Jahre 1842, stösst man zwar auf den Ausdruck „Infection“; derselbe wird aber ausschliesslich angewendet auf die Syphilis oder vielmehr die „venerische Krankheit“, innerhalb welcher Syphilis, Gonorrhoe und weicher Schanker noch nicht principiell unterschieden werden. Im übrigen ist ihm die venerische Krankheit eine „Dyskrasie“, und als solche coordinirt der „Bleichsucht“, „Blausucht“, „Gelbsucht“, dem „Scorbut“, den „Scropheln“, dem „Kropf“, der „englischen Krankheit“ und der „Fettsucht“. Die „Pocken“ sind ihm eine Hautkrankheit, welche in einem Kapitel mit den „Mitessern“, „Sommersprossen“ und „Muttermälern“ abgehandelt werden. Einige unserer Infectionskrankheiten, nämlich der „Typhus contagiosus“, die „levantinische oder Bubonenpest“, das „gelbe Fieber“, die „orientalische Brechruhr“, die „Hundswuth“, der „Milzbrand“ finden sich allerdings unter den „hitzigen Fiebern“ als „ansteckende Fieber“ abgesondert. Die asiatische Cholera müssen wir aber in der Classe der Ausleerungen aufsuchen, wo wir sie als Unterabtheilung des „Durchfalls“ in einer Reihe mit „Onanie“ (Samenfluss), „Speichelfluss“, „Ohrenfluss“ u. s. w. vorfinden. Was wir jetzt als „Wundinfectionen“ kennen, wurde zu Schönlein's und Hufeland's Zeit der niederen Chirurgie überlassen.

Die Abtrennung einer besonderen Gruppe von Allgemeinerkrankungen unter dem Namen „Infectionskrankheiten“ ist auf Virchow zurückzuführen. Derselbe sagt darüber in dem Aufsatz „Krankeitswesen und Krankheitsursachen“ (Archiv für pathol. Anat. und Phys. und für klin. Medicin Bd. LXXIX, 1880, p. 202): „Vielleicht ist es nicht ohne Interesse zu bemerken, dass ich es war, der das Wort „Infectionskrankheiten“ in die Wissenschaft eingeführt hat. Als es sich bei der Ordnung des Materials für das von mir herauszugebende Handbuch der speciellen Pathologie und Therapie darum handelte, für die im zweiten Bande desselben abzuhandelnden „Allgemeinkrankheiten“ eine mehr entsprechende Bezeichnung zu wählen, da habe ich diesen Namen aufgestellt. Ich habe den Begriff später noch mehr erweitert, wie meine . . . statistischen Schemata aufweisen. Ob ihm gegenwärtig oder später noch eine andere Begrenzung zu geben sein wird, mag dahingestellt bleiben, da die benachbarten Gruppen der Intoxicationen, der Zoonosen und der gewöhnlichen parasitären Krankheiten nicht ganz leicht abzugrenzen sind. . .

Was bedeutet Infection? Inficio heisst „ich verunreinige“ so gut wie μιαίνω. Die verunreinigende Substanz, materies inficiens, der Infectionsstoff ist also dasselbe wie „Miasma.“

Dass nun Virchow's Krankheitsgebiet der „Infectionskrankheiten“ nichts weniger als identisch ist mit dem heutigen Tages diesem Worte beigelegten Begriffsinhalt, wird sofort erkannt werden, wenn ich die oben citirten Schemata (Virchow: Ges. Abh. aus dem Gebiete der öffentlichen Gesundheitspflege und Seuchenlehre Bd. I, p. 594 und 612) hier kurz anführe. Danach gehören nicht zu den Infectionskrankheiten, sondern sind als „Zoonosen“ zu bezeichnen: a) Hundswuth, b) Milzbrand, c) Rotzkrankheit. Ferner gehören nicht dazu die durch Parasiten erzeugten Krankheiten, von welchen einzeln aufgezählt werden unter No. 25 die Trichinenkrankheit, No. 26 Wurmkrankheiten, No. 27 Schwämmchen, Aphthen, Soor.

Weiter gehören nicht dazu constitutionelle Krankheiten, wie „Skrofulosis“ und „Gangrän“ und alle Organkrankheiten, z. B. alle Entzündungen der Gefässe und serösen Häute, wie Phlebitis, Meningitis, Meningitis tuberculosa.

Von einzelnen Krankheiten, die vom Begriff der „Infectionskrankheiten ausgeschlossen sind, nenne ich bloss noch:

No. 76 Starrkrampf, tetanus et trismus, Wundstarrkrampf.

No. 81 Croup, angina membranacea, Kehlkopfbräune, häutige Bräune.

No. 83 Grippe, Influenza.

No. 85 Halsschwindsucht, phthisis laryngea et trachealis.

No. 88 Lungenentzündung, pneumonia, einschliesslich Lungenabscess.

No. 99 Lungenschwindsucht, phthisis pulmonum, Lungentuberculose.

No. 111 Brechdurchfall, cholera nostras, Brechruhr, Cholerine.

Wenn aber solche Krankheiten, wie der Tetanus, die Diphtherie, die Influenza, die Pneumonie, die Tuberculose, welche wir gegenwärtig zu den bestgekannten Bacterienkrankheiten rechnen, keine Infectionskrankheiten sein sollen, dann müssen wir entweder den Begriff dieses Wortes so gründlich umändern, dass von seiner ursprünglichen Form nur wenig übrig bleibt, oder wir müssen eine andere Bezeichnung für die Krankheitsgruppe suchen, in welche jene Krankheiten eingereiht werden können. Eine solche Bezeichnung kann aber ohne alle Schwierigkeit gefunden werden in der Krankheitsgruppe „Parasitäre Krankheiten", welche schon vor 50 Jahren den Aerzten in Deutschland bekannt war, und deren Beziehungen zu den „ansteckenden" oder „contagiösen" Krankheiten damals genau ebenso aufgefasst wurden, wie das heute geschieht.

Ich citire zum Beweise hierfür einen Mann, der das Folgende im Jahre 1846 schrieb (Henle, „Rationelle Pathologie"): „Die Krankheiten, die ein Parasit erzeugt und die durch zufällige oder absichtliche Ueberpflanzung des Parasiten mitgetheilt werden, sind eben dadurch ansteckend oder contagiös; der specifische Parasit ist der Ansteckungsstoff oder das Contagium dieser Krankheiten. Zwar ist der Name und Begriff der Contagion ursprünglich nicht für diese klare Art von Mittheilung einer Krankheit geschaffen, sondern für die Mittheilung gewisser Krankheiten durch eine räthselhafte und, wie man meinte, aus dem erkrankten Körper selbst producirte Materie, die man eher den Giften an die Seite stellen zu müssen glaubte.[1]) Es ist deshalb von vielen Seiten eine förmliche Art von Verwahrung eingelegt worden gegen die Vermischung der durch Parasiten erzeugten und mittels derselben übertragbaren Krankheitszustände mit den contagiösen Krankheiten der eben genannten mysteriösen Art. Dies ging so weit, dass man jede Krankheit, als deren Ursache bis dahin ein Contagium (im Sinne der Schule) gegolten hatte, aus der Reihe der contagiösen zu entfernen gebot, sobald eine sorgfältigere oder mit verbesserten Hülfsmitteln angestellte Untersuchung in dem Contagium ein belebtes, also parasitisches Wesen entdeckte. So bildete

[1]) Dies scheint mir auch der ursprüngliche Sinn von Virchow's „Infectionsstoffen" zu sein.

man sich ein, die Lehre von den contagiösen Krankheiten vor Verwirrung zu bewahren.

Ich bin fest überzeugt, dass dies vielmehr der Weg ist, diese Lehre zu ewiger Dunkelheit zu verdammen. Es klingt freilich fremdartig, von achtbeinigen oder zweizölligen Contagien zu hören. Allein diejenigen, welche hieran Anstoss nehmen, sollten erwägen, dass diese Schwierigkeit eine freiwillig geschaffene ist, die ebenso freiwillig dadurch aus dem Wege geräumt werden kann, dass man die Bedeutung der Wörter dem erweiterten Inhalte unseres Wissens von den mit denselben zu bezeichnenden Dingen anpasst. Thatsächlich ist das Wort Contagium erfunden, um etwas Materielles zu bezeichnen, das, in oder auf einem lebenden Individuum bereitet, den Krankheitsprocess, welchen dies Individuum durchmacht, auf ein anderes Individuum überträgt . . . .“

Wenn ich statt des von Virchow eingeführten Begriffs der „Infectionskrankheiten“, welcher die bestgekannten Bacterienkrankheiten des Menschen gar nicht in sich einschliesst, die durchaus eindeutige Bezeichnung „ansteckende parasitäre Krankheiten“ wähle, so ist das, wie man sieht, keine Neuerung, sondern nur ein Zurückgehen auf die Terminologie eines Autors, der in Deutschland am frühesten und klarsten diejenige ätiologische Krankheitslehre vertreten hat, welche wir jetzt auf Grund neuerer Forschungsergebnisse zu der unsrigen gemacht haben. Ich werde auf Henle's Auffassung von dem Wesen und den Ursachen der ansteckenden Krankheiten an anderer Stelle noch näher einzugehen haben und will hier bloss noch diejenige Stelle andeuten, welche die Diphtherie, der Tetanus, die Tuberculose, die Pneumonie in der Henle'schen Gruppirung einnehmen würden. Danach haben wir zunächst eine grosse Gruppe: Die parasitären Krankheiten.

In diese Gruppe gehören hinein:

1. die durch thierische Parasiten erzeugten,
2. die durch pflanzliche Parasiten erzeugten.

Die letzteren sind dann wiederum einzutheilen in:

a) Bacterienkrankheiten,

b) Schimmelpilzkrankheiten und andere durch pflanzliche Parasiten erzeugte Krankheiten.

Die Diphtherie würde also eine parasitäre Krankheit sein, welche durch pflanzliche Parasiten, und zwar durch Bacterien, erzeugt wird.

Die im Volksmunde als „ansteckend" geltenden Krankheiten sind zum grossen Theil als parasitäre erkannt, und es hat den Anschein, als ob mehr und mehr der Begriff „ansteckend" in der wissenschaftlichen Bezeichnung „parasitär" aufgehen wird; aber man erkennt leicht, dass die Bezeichnungen „ansteckend" und „parasitär" von ganz verschiedenen Principien der Krankheitseintheilung hergenommen sind. Eine parasitäre Erkrankung kann ansteckend im volksthümlichen Sinne dieses Wortes sein, muss aber nicht nothwendigerweise dieses sein; dagegen ist es aufs höchste wahrscheinlich, dass jede ansteckende (contagiöse) Krankheit auf belebte Krankheitsursachen zurückzuführen ist; freilich dürfen wir uns nicht verhehlen, dass der Beweis hierfür noch keineswegs überall geführt ist. So ist es denn kein Pleonasmus, wenn ich von „ansteckenden parasitären" und von „ansteckenden Bacterienkrankheiten" rede.

Ich glaube, dass wir auf diese Weise, anknüpfend an ganz geläufige und durch Henle gut begründete Vorstellungsreihen, zu einer naturgemässen Gruppirung der Diphtherie u. s. w. gelangen, in welche auch der allen Völkern und allen Zeiten bekannte Begriff der „Contagien" sich bequem einfügen lässt. Wie wenig, im Gegensatz hierzu, dies bei dem Gebrauch des Wortes „Infectionskrankheiten" der Fall ist, kann man aus folgender Darstellung Virchow's ersehen (Arch. Bd. 79, 1880 „Krankheitswesen und Krankheitsursachen", p. 209): „Gesetzt es gelänge, alle Contagien auf parasitäre Organismen zurückzuführen, würden deshalb alle contagiösen Krankheiten zu Infectionskrankheiten? Ich sage nein. Mit Recht hat man gefragt, ob die Krätze durch den Nachweis der Milbe aufgehört hat, eine ansteckende Krankheit zu sein. Ob das Contagium vivum ein Thier oder eine Pflanze ist, ändert in dem Princip der Contagientheorie nichts. Die Geschichte der Cestoden und Trichinen wird in der allgemeinen Pathologie ihren Platz stets neben der Geschichte der Bacterien und Monaden finden müssen. Aber freilich wird sie nicht in das Kapitel von den Infectionskrankheiten gehören. Sie wird dahin ebenso wenig gehören, als die Geschichte der Sarcine und der Gährungspilze, der Soor- und der Hautpilze. Denn Niemand wird aus der Fermentation im Magen oder aus irgend einer Herpesform eine Infectionskrankheit machen, ebenso wenig aus der Echinococcen- oder Finnenkrankheit."

Das ist durchaus einleuchtend: damit ist aber auch aufs deutlichste bewiesen, dass Virchow's Krankheitsgruppe der Infectionskrankheiten für eine ätiologische Krankheitslehre, in welcher die parasitären Krankheitsursachen zu ihrem Rechte, entsprechend ihrer gegenwärtig erkannten Bedeutung, kommen sollen, nicht verwerthbar ist. Da ist mit einer „Erweiterung“ des Begriffs der Infectionskrankheiten auch noch nichts geholfen: erst durch eine totale Umprägung oder Umwerthung desselben könnte man dahin gelangen, unsere ansteckenden Bacterienkrankheiten den Virchow-schen Infectionskrankheiten zuzurechnen.

3. Ueber die Bekämpfung der durch Bacterien erzeugten ansteckenden Krankheiten.

Die Geschichte der Medicin lehrt, dass die Art und Weise, wie ärztlicherseits die Bekämpfung der Krankheiten in Angriff genommen wird, in engem Zusammenhange steht mit der Krankheitslehre und diese wiederum mit der herrschenden Lebensauffassung. In Zeiten mit vorherrschend religiöser Strömung sehen wir die medicinischen Wunder, die Teufelsaustreibungen und Kirchengebete an der Tagesordnung; die Astrologie hat die Gestirne, die Alchemie den Stein der Weisen und Lebenselexire für die Medicin auszunützen gesucht. Der Beginn der socialen Aera aber macht sich in unserem Jahrhundert bemerkbar in der Zurückführung der Krankheiten auf das sociale Elend. Daneben freilich hat es zu allen Zeiten auch Aerzte gegeben, welche unbeirrt durch die Zeitströmung und unbeeinflusst durch religiöse, philosophische und mystische Speculationen die Krankheiten zum Gegenstand eines naturwissenschaftlichen Studiums machten und auf Grund eines solchen den Krankheitsschutz und die Krankheitsheilung anstrebten.

Wenn wir nach dieser Richtung die Zeit suchen, in welcher die Ideenkeime für die gegenwärtige medicinische Epoche zuerst sich entwickelten, so müssen wir in die zwanziger Jahre unseres Jahrhunderts zurückgehen.

Schon im Jahre 1821 ist Bretonneau tief durchdrungen von der ätiologischen Einheit vieler symptomatisch ganz differenter Krankheitsbilder, und in seinem offenen Briefe an Blache und Guersant, welchen ich in meiner „Geschichte der Diphtherie“ übersetzt habe, findet man eine Auffassungsweise der epidemisch und endemisch auftretenden Krankheiten, wie sie auch gegenwärtig nicht besser geschrieben werden könnte. Im allgemeinen aber fällt zu jener Zeit ein Vergleich der deutschen und der französischen medicinischen Litteratur über die Krankheitslehre, im Lichte der modernen Forschung betrachtet, sehr zu unseren Ungunsten aus.

Als R. Virchow im Jahre 1847 nach Oberschlesien geschickt wurde, um die dort herrschende Typhusepidemie in „wissenschaftlicher Beziehung" zu studiren, und als er das Resultat seiner Beobachtungen dann in den „Mittheilungen über die in Oberschlesien herrschende Typhusepidemie" bekannt gab, da fand man zwar geologische, culturhistorische und sociale Verhältnisse sehr eingehend berücksichtigt, auch Sectionsbefunde wurden mitgetheilt; aber die eigentlich medicinische Aufgabe wurde doch nicht in dem Grade gelöst, wie das von Bretonneau und Trousseau bei dem Studium der epidemisch auftretenden Angina und des Kehlkopfcroup geleistet wurde.

Bretonneau's und Trousseau's Untersuchungsergebnisse, die auf Grund von überaus sorgfältigen epidemiologischen, klinischen und anatomischen Studien gewonnen waren, hatten als medicinisch-wissenschaftliches Facit die Erkennung der vielfach verschiedenen Erscheinungsformen der in Frankreich grassirenden Krankheit nicht bloss als einer ätiologisch-einheitlichen, sondern auch als einer contagiösen, und als praktisches Facit die Isolirung der Kranken, die frühzeitige Behandlung derselben gleich nach dem Erkennen der ersten Krankheitssymptome, und die Vernichtung der als ansteckend erkannten Absonderungsproducte.

Virchow hat die ätiologische Seite der Frage auch behandelt. Er sagt: „Die ersten Erkrankungen erfolgten, als bei einer verhältnissmässig hohen Temperatur unter dem Zusammenstoss polarer und äquatorialer Luftströme wässerige Niederschläge in grosser Menge erfolgten, welche zu gleicher Zeit, durch die Störung, die sie in der Entwickelung der Nahrungspflanzen brachten, Hungersnoth bedingten und durch die Begünstigung mannigfacher chemischer Zersetzungen die in engen und ungesunden Wohnungen zusammengedrängte Bevölkerung unter die Bedingungen des Erkrankens versetzten. Später, im Winter, wuchs die Epidemie zu einer ganz extremen Höhe an, als bei der grossen Kälte die Einwohner sich noch mehr in ihre Wohnungen, die sie bis zum Ersticken heizten, einschlossen und auf ihre Oefen zurückzogen. Von da aus mag dann die Krankheit durch Ansteckung und

Verschleppung vielleicht sich auf die wohlhabenden Classen ausgebreitet haben. Hunger und Typhus waren demnach nur mittelbare Coëffecte derselben Ursache (der Witterung); der Hunger mag die Prädisposition zur Krankheit gesteigert, die Widerstandsfähigkeit des Nervenapparates vermindert, die Mortalität vermehrt haben, allein der Hunger war nicht eigentlich die Bedingung der Krankheit, so wenig als diese einzig und allein von der Witterung abhing."

Wenn wir aber in unserem utilitaristischen Zeitalter nach den praktischen Consequenzen dieses wissenschaftlichen Ergebnisses fragen, so geht Virchow über die Therapie im medicinischen Sinne schnell hinweg: von Arzneien erwartet er nicht viel. Der Schaden liegt tiefer, als dass Mixturen hier helfen könnten. Es bedürfe dazu vielmehr „socialer Reformen". Nur durch diese allein könne dem Elend der Oberschlesier gesteuert werden. Virchow's Receptformel lautet kurz: „volle und unumschränkte Demokratie", oder in anderer Ausdrucksweise „Bildung mit ihren Töchtern Freiheit und Wohlstand". Was Virchow dann von der Regierung verlangt zur Beseitigung der Typhusepidemie, ist zunächst eine nationale Reorganisation Oberschlesiens, demnächst die Einschränkung der katholischen Hierarchie, der Papierbureaukratie und ähnliches.

Hier finden wir die Anschauungen in voller Schärfe, welche noch lange Zeit einer naturwissenschaftlichen Betrachtungsweise der Krankheitsätiologie entgegenstanden: die Zurückführung der epidemischen Krankheiten auf das sociale Elend. Auch diese Anschauungen haben gewiss ihr Gutes gehabt. Aber wenn wir unsere gegenwärtige Meinung von dem Bedingtsein der epidemischen und endemischen Infectionskrankheiten im wesentlichen durch parasitäre Mikroorganismen für die richtigere gelten lassen, dann werden wir auch zugeben müssen, dass der Weg, welchen wir nach R. Koch's Vorgang zu ihrer Erforschung jetzt einschlagen, nämlich das durch sociale und socialpolitische Erwägungen ganz unbeirrte epidemiologische Studium, die klinische und anatomische Untersuchung des Einzelfalles und den Versuch der Isolirung eines belebten specifischen Krankheitserregers, im Verein mit dem weiteren Versuch, mittels desselben die gleiche oder eine ähnliche Krankheit bei Thieren zu erzeugen, — besser zum Ziele führt. Es liegt mir durchaus fern, die Bedeutung Virchow's für die Medicin herabzusetzen; aber so gross und unsterblich seine Verdienste um die reinliche Scheidung anatomisch differenter Krankheitsproducte, um die Beförderung logischen Denkens und einer scharfen Terminologie in der Medicin geworden sind[1]), für die Krankheitsätiologie und Therapie hat sein grosser und wohlverdienter Einfluss sich in productiver Weise nicht geltend gemacht, vielmehr die Aerzte in Deutschland veranlasst, bei der Tuberculose, bei der Diphtherie und manchen anderen Infectionen Krankheitsformen von gleicher Entstehungsart auf's strengste von einander zu scheiden und von allen ätiologisch-therapeutischen Bestrebungen Abstand zu nehmen.

Auch die in Deutschland bis zu R. Koch's Untersuchungen von sehr vielen Forschern in die Krankheitslehre hineingezogenen belebten Mikroorganismen konnten kein Gegengewicht gegen die symptomatische und pathologisch-anatomische Classificirung schaffen. Es fehlte überall der in Frankreich zuerst durch scharfsinnige Kliniker zur Herrschaft gelangte Begriff der Specifität der Krankheitsursachen, und den vermochten weder Chemiker, wie Liebig, noch Botaniker, noch Physiologen, noch pathologische Anatomen zu liefern. Mit vollem Recht sagt Frerichs 1851 in der Vorrede zu seinem Buch „Die Bright'sche Nierenerkrankung“ (p. VII): „Die Erscheinungen des modificirten Lebens, welche der Pathologie anheimfallen, wollen, um erkannt und begriffen zu werden, mit derselben Schärfe nach allen Seiten hin beobachtet sein, wie die des gesunden; von aussen her lassen sie sich nicht construiren; von fremden Gebieten kommt daher den Aerzten kein Mann der rettenden That.“

So ist es denn wohl kein Zufall, dass unsere heutige Lehre von der Aetiologie der Infectionskrankheiten von einem praktischen Arzt begründet wurde: das erste Werk R. Koch's, in welchem specifische belebte Krankheitserreger als Ursache der Infectionen nachgewiesen wurden, ist ge-

[1]) Auf diejenige Publication Virchow's, welche diese Verdienste am glänzendsten hervortreten lässt, und welche unter dem Titel „Krankheitswesen und Krankheitsursachen“ gleichzeitig als die gelungenste Streitschrift (gegenüber Klebs) und die inhaltreichste und klarste Auseinandersetzung von Virchow's Standpunkt in medicinisch-ätiologischen Fragen gelten kann, werde ich in einem der folgenden Aufsätze noch näher einzugehen haben.

schrieben in Wollstein in der Provinz Posen, von wo aus Koch als Kreisphysikus im Jahre 1878 seine „Untersuchungen über die Aetiologie der Wundinfectionskrankheiten“ bekannt gab.

Wenn Pasteur, ein Chemiker, auf dem gleichen Gebiete in Frankreich bahnbrechend wurde, dann darf nicht vergessen werden, dass er die Lehre von der specifischen Natur und Contagiosität epidemischer Krankheiten des Menschen schon ausgebildet vorfand; in Deutschland aber lagen die Verhältnisse zur Zeit des Auftretens von R. Koch noch so, wie sie Frerichs mit folgenden Worten schilderte (l. c. p. V ff.):

„Seit man von der Beschreibung der an der Oberfläche des kranken Organismus zu Tage tretenden Symptome und der hierauf begründeten Krankheitssystematik sich vorzugsweise der Aufsuchung des inneren Zusammenhanges der Erscheinungen zuwandte, hörten die Aerzte mehr und mehr auf, die Herren und Meister auf ihren eigenen Feldern zu sein. Als Wortführer traten fortan fast ausschliesslich die Vertreter verwandter Disciplinen auf: Anatomen, Chemiker, Histologen und Physiologen gaben den Ton an und versuchten zum Theil mit grosser Zuversicht die Probleme zu lösen, an deren Bewältigung die Aerzte seit Jahrtausenden vergeblich sich abmühten.

Wie es gelang, haben wir gesehen. Viel Schutt ist aufgeräumt worden, manche altersgraue Ruine, welche die Pietät der Aerzte nicht anzufassen wagte, ist zertrümmert, neues, zum Theil von unvergänglichem Werthe, trat an die Stelle. Allein übereilte, von hitzigen Köpfen geschaffene Theorieen fanden sich nebenher in grosser Zahl ein; geistreiche Phrasen wurden keck für erfahrungsgemäss begründete Anschauungen untergeschoben; der Missbrauch von Analogieen und Allegorieen, welchen man den älteren Autoren mit Recht zum Vorwurf gemacht hatte, erschien von neuem, nur in einem anderen Gewande, hier und da mit wahrhaft staunenswerther Unbefangenheit. Der Therapie erging es unterdessen übel genug.

Der Glaube an therapeutisches Können schwand überall, wo einseitige anatomische Anschauungen feste Wurzel schlugen; auf der anderen Seite brachten missverstandene chemische Theorieen nicht selten die wunderlichsten, an die Zeiten des Paracelsus und Sylvius erinnernden Vorschläge zu Markte; von den Praktikern, welche sich nicht mehr zu orientiren vermochten, ging mancher in das Lager der ausserhalb der Kritik stehenden Rademacherschen Erfahrungsheilkunde über."

Wir, die wir auf dem festen von R. Koch geschaffenen Grunde in der Lehre von den Infectionskrankheiten stehen, wollen uns nicht überheben. Unendlich viel bleibt noch zu thun. Aber das eine wird mehr noch als die Errungenschaften auf hygienischem und bacteriologischem Gebiet bei dem Vorgehen R. Koch's segensreich fortwirken:

Das Princip, dass der Arzt als solcher alle und jede Untersuchung immer im Hinblick auf die Frage vorzunehmen hat, ob dadurch direkt oder indirekt ein Fortschritt in der Verhütung und Heilung von Krankheiten angebahnt wird, und dass sein Urtheil über den Werth oder Unwerth medicinisch-wissenschaftlicher Arbeit allein nach diesem Maassstabe abzugeben ist.

Dass dabei die Freude an einer reinen, von der Aussicht auf praktische Ergebnisse nicht beeinflussten Wissenschaft, nicht getrübt zu werden braucht, wird wohl jeder erfahren haben, der das Glück hatte, unter der Leitung R. Koch's zu arbeiten.

So ist es denn auch kein Zufall, dass R. Koch zuerst aus dem Reichsgesundheitsamt in das hygienische Institut und von dort in sein jetziges Institut für Infectionskrankheiten übersiedelte, und dass hier das Thätigkeitsfeld noch mehr als an den früheren Arbeitsstätten R. Koch's für praktisch-medicinische Aufgaben nutzbar gemacht wird und ich glaube mich nicht zu täuschen, wenn ich annehme, dass ich schon vor zwei Jahren den Uebergang von der Hygiene zur Krankenbehandlung im neuen Institut — gelegentlich eines für Oberstabsärzte abgehaltenen hygienischen Cursus — im einleitenden Vortrage ziemlich richtig mit folgenden Worten schilderte:

„Die Hygiene sucht im Wasser, in der Luft und im Boden, in den Nahrungsmitteln, in der Bekleidung, in den einzelnen Berufsarten und Gewerben, im Verkehrswesen diejenigen Momente herauszufinden, welche zum häufigeren Auftreten von Krankheiten in Beziehung stehen, so dass dadurch die Morbiditäts- und Mortalitätsziffern in der Bevölkerung in erheblichem Grade beeinflusst werden: Zur Feststellung des Zusammenhanges solcher Krankheiten mit den oben aufgezählten Factoren benutzt die Hygiene alle durch die

Naturwissenschaften gegebenen Mittel der Untersuchung. Auf Grund der hierbei gewonnenen Aufschlüsse über die Krankheitsursachen sucht endlich die Hygiene Maassregeln aufzufinden, welche geeignet sind, den Gesundheitszustand in der Gemeinde und im Staat zu verbessern.

Nach allen diesen Richtungen sind unter der Leitung von Geheimrath Koch früher im Reichsgesundheitsamt. und seit dem Bestehen des hygienischen Instituts in dem letzteren, experimentelle Untersuchungen angestellt worden, deren Resultate unsere hygienischen Kenntnisse wesentlich vermehrt haben. Namentlich die Frage der Wasserversorgung im grossen, die hygienische Bedeutung von Luft und Boden, die Städtereinigung, die Bekleidung, Heizung und Ventilation, Schutzvorrichtungen gegenüber den mancherlei Schädlichkeiten in Industriebetrieben sind Gegenstand mühsamer und zeitraubender Studien gewesen. Auch schon ein flüchtiger Besuch des mit dem hygienischen Institut verbundenen Museums zeigt Ihnen, wie grosse Aufmerksamkeit allen Gebieten der Hygiene in den verflossenen Jahren zugewendet worden ist.

Indessen dasjenige Gebiet, welches durch R. Koch nicht bloss am meisten ausgebaut, sondern thatsächlich erst der Wissenschaft aufgeschlossen wurde, ist doch ein enger umgrenztes. Wir können es kurz zusammenfassen unter dem Titel: „Die Bekämpfung der Infectionskrankheiten“.[1])

Die Wichtigkeit der dahin gehörigen Untersuchungsergebnisse wird jetzt nirgends mehr bezweifelt; jedoch scheint es mir, als ob sie auch in den besten der neueren hygienischen Lehrbücher nicht genügend zum Ausdruck gebracht wird, wenn ich die Anordnung des Stoffes in denselben, und den Raum, den die einzelnen Kapitel einnehmen, berücksichtige. Die Luft in ihrer Bedeutung für die Athmung und für die Wärmeökonomie; Wasser, Fleisch, Milch, Brod, Bier, Wein, als Nahrungsmittel; der Boden mit seinen vielfachen Wirkungen durch Temperatur, Feuchtigkeit, Exhalationen; Heizung, Ventilation und Beleuchtung bewohnter Räume und die Construction von Wohnhäusern und Spitälern; die Bekleidung — alle diese Dinge haben unbestritten ein grosses Interesse für uns, und jede Vermehrung exacter Kenntnisse darüber, wird freudig begrüsst werden müssen. Es liegt aber auf der Hand, dass nicht

[1]) Gegenwärtig würde ich sagen: „Die Bekämpfung der ansteckenden Krankheiten“.

alles und jedes, was sich über diese einzelnen, für Leben und Gesundheit wichtigen Factoren, sagen lässt, hygienisch gleich bedeutsam ist. Fassen wir das Endziel der Hygiene, die Verbesserung des Gesundheitszustandes des Einzelnen und der Gesammtheit fest ins Auge, und nehmen wir zum Maassstab der Wichtigkeit hygienischer Untersuchungen dasjenige Ergebniss derselben, durch dessen Anwendung auf praktische Verhältnisse einer grösseren oder kleineren Zahl von gesunden Menschen die Gesundheit erhalten oder kranken dieselbe wiederverschafft wird, so dass dadurch ein nachweisbarer Einfluss auf die Sterblichkeitsziffern und auf die Zahlen für die durchschnittliche Lebensdauer ausgeübt wird, — dann finden wir, dass durch die Maassnahmen gegen das Entstehen und Umsichgreifen von Infectionskrankheiten schon jetzt mehr geleistet wird, als durch alle übrigen Bestrebungen zusammen.

Sehen wir aber den Inhalt hygienischer Lehrbücher, auch der besten und neuesten, genauer durch, so werden beispielsweise die bedeutsamen Beziehungen der Luft, des Bodens, des Wassers und der Nahrungsmittel zu den Infectionskrankheiten in der Regel in Form eines kurzen Appendix zu langen physikalischen, chemischen und physiologischen Beschreibungen gegeben, deren Zusammenhang mit dem Endzweck hygienischer Untersuchungen „der Verbesserung des Gesundheitszustandes" oft so locker ist, dass man ihn erst nach einigem Nachdenken auffindet.

Ich will nun versuchen, dieses Missverhältniss im Verlauf der Besprechung der Ihnen vorzuführenden hygienischen Kapitel zu vermeiden. Ausführliche Beschreibungen solcher Untersuchungsmethoden, die in der Regel bloss von einem sachverständigen Chemiker, Physiker oder Physiologen ausgeführt werden, finden Sie besser in jedem Lehrbuch, als ich sie Ihnen — zumal in dem kurzen, uns zur Verfügung stehenden Zeitraum — geben könnte; und ich hoffe Ihre Zustimmung zu erhalten, wenn ich in dieser Beziehung mich auf die Vorführung und Demonstration der wichtigsten Apparate und auf die Darlegung der leitenden Gesichtspunkte beschränke. Diejenigen Untersuchungen aber, deren Ergebnisse uns zu einer Verhütung und Beseitigung der menschlichen Infectionskrankheiten verhelfen, gedenke ich im Zusammenhange genauer zu besprechen.

Es handelt sich hier um dasjenige Gebiet, welches Herr Geh. Rath Koch aus der Hygiene herauszunehmen im Begriff steht, um es im neuen bacteriologischen Institut, unter Anlehnung an das Charitékrankenhaus, vornehmlich wissenschaftlich zu bearbeiten. In der That ist ja auch die Verbindung der Lehre von den Infectionskrankheiten und ihrer wissenschaftlichen und experimentellen Grundlage, der Bacteriologie, oder richtiger der Parasitologie, mit der eigentlichen Hygiene eine sehr zufällige. Ebenso gut hätte man dieselbe mit der pathologischen Anatomie oder mit der Pharmakologie verbinden können. Aber der Inhalt und die Bedeutung der experimentellen Parasitologie ist gegenwärtig schon so angewachsen, dass ein tieferes Eindringen in das Studium derselben und eine Aussicht auf eine productive Thätigkeit die volle Arbeit ihrer Vertreter in Anspruch nimmt.

Im letzten Jahrzehnt wurde bacteriologischerseits das Hauptinteresse der Aetiologie der Infectionskrankheiten entgegengebracht, und die Untersuchungen, welche uns Kenntniss von dem Wesen der belebten Krankheitserreger geben, nahmen den breitesten Raum in der experimentellen und in der Lehrthätigkeit auch des von R. Koch geleiteten hygienischen Instituts in Berlin ein. Namentlich was früher von dort aus nach aussen bekannt wurde, bezog sich fast ausschliesslich auf diese Thätigkeit. Gegenwärtig erkennt man, wie sich ein grosser Umschwung vollzogen hat, und wie die Untersuchungen über den Infectionsschutz des gefährdeten Individuums und über die Heilung des erkrankten das Interesse ärztlicher und nicht ärztlicher Kreise noch mehr hervorruft, als das im letzten Jahrzehnt in Bezug auf die Untersuchungen über die Krankheitsursachen der Fall war.

Dieser Umschwung ist für den Kundigen allerdings nicht überraschend gekommen.

Schon früher begann das Gefühl der Ohnmacht gegenüber den verheerenden Volkskrankheiten endemischer und epidemischer Natur zu schwinden. Man hatte von Lister gelernt, die bösartigen Hospitalkrankheiten zu vermeiden, die im Krieg und im Frieden einer grossen Zahl von Menschen in der Blüthe der Jahre das Leben raubten. Soweit haben sich hier die Verhältnisse geändert, dass, wenn früher der Tod von Operirten, oder von Wöchnerinnen an accidentellen infectiösen Krankheiten als ein mit Ergebung zu tragendes Unglück betrachtet wurde — dass gegenwärtig für solche Zufälle der behandelnde Arzt gesetzlich verantwortlich gemacht werden kann.

Dann erreichte man in grossen Städten durch Entfernung der inficirenden Abfallstoffe des Menschen, durch Assanirung des Bodens und durch gute Wasserversorgung eine bedeutende Abnahme, ja ein fast gänzliches Aufhören der Epidemieen von Abdominaltyphus.

Wenn die Leistungsfähigkeit dieser prophylaktischen Maassnahmen in der Statistik schon jetzt zahlenmässig einen prägnanten Ausdruck gefunden hat, so sind andere, welche sich gegen die Verbreitung der Tuberculose durch infectiöse Sputa, gegen die Verbreitung des Puerperalfiebers durch die Hände und Instrumente der Hebeammen richten, und die polizeilichen Vorschriften gegen die Uebertragung der Diphtherie noch auf ihre Wirkung zu prüfen. Dass aber eine günstige Wirkung auch hier überall erreicht werden wird, daran werden auch im grösseren Publikum jetzt kaum noch Zweifel gehegt werden.

Gegenüber dieser Art der Bekämpfung von Infectionskrankheiten durch Fernhaltung und Vernichtung der Krankheitsursachen in der Umgebung des Menschen stehen nun diejenigen Bestrebungen, welche dem einzelnen Menschen Infectionsschutz verleihen wollen und den inficirten Menschen zu heilen suchen.

Die Schutzimpfung gegenüber anderen menschlichen Infectionskrankheiten, als den Pocken, ist bis jetzt im grösseren Umfang noch kaum versucht, und die wenigen Versuche, beispielsweise bei der Cholera, sind keine glücklichen gewesen. Aber bei genügender Kenntniss und Würdigung auch nur der schon bekannten Untersuchungsresultate an Thieren, darf man behaupten, dass ein Infectionsschutz gegenüber der Tuberculose, der Cholera, der Diphtherie und anderen bösartigen Seuchen im Bereich des menschlichen Könnens liegt, und wir dürfen erwarten, dass ein solcher auch beim Menschen in absehbarer Zeit zur Ausführung gelangen wird.

Das sind Hoffnungen und Ueberzeugungen, die experimentell arbeitende Bacteriologen hegen. Aber man darf kaum fürchten, dass dieselben gegenwärtig auf gar zu grosse Zweifel stossen, wenn man den Meinungsumschlag einflussreicher Mediciner berücksichtigt, der sich in der Werthschätzung der bacteriologischen Laboratoriumsarbeit vollzogen hat.

Als im Jahre 1883 Binz, der erste Vorkämpfer bei uns in Deutschland für eine specifische antifermentative Therapie, einer planmässigen Laboratoriumsarbeit zum Auffinden specifischer Heilmittel gegenüber den menschlichen Infectionskrankheiten das Wort redete und von allen Seiten dabei Widerspruch fand, da sprach er, gegenüber der Verzichtleistung der Kliniker auf eine active Therapie durch Bekämpfung der Krankheitsursachen, folgende Worte:

„Wohl ist es möglich, dass die Menschheit eher ausstirbt, als der Pilz der Diphtherie und der Tuberculose, und dass sie wie der Würgengel des Exodus unnahbar einherschreiten werden, bis erst das Ende alles Lebens auch ihnen ein Ende macht. Aber noch viel möglicher scheint es mir, dass auch Diphtherie und Tuberculose ihr Specificum finden werden, gerade wie das Sumpffieber es gefunden hat.“

Gegenwärtig lassen Pasteur's im Laboratorium experimentell gefundene Heilungsmethode tollwuthinficirter Menschen und Robert Koch's Heilungen beginnender Tuberculose beim Menschen keinen Zweifel mehr an dem Werth der bacteriologischen Laboratoriumsversuche. Wenn aber von pathologisch-anatomischer Seite auf Grund von Sectionsbefunden bei mit dem Koch'schen Mittel behandelten Individuen die Gefahren desselben im Vergleich zu dem Heilwerth mehr betont wurden, so ist doch das eine überall als deutliche Ueberzeugungsänderung hervorgetreten, nämlich der Glaube an die Möglichkeit einer abortiven Heilung selbst einer so trostlosen Krankheit, wie es die Tuberculose ist. Man darf wenigstens das warme Vertrauen, mit dem auch Virchow nach dem Bekanntwerden der ersten Fälle von Tuberculose, die mit Liebreich's Mittel behandelt wurden, dieses letztere begrüsste, als einen Beweis dafür ansehen.

Nach alledem wird man es begreiflich finden, wie der Eifer, mit welchem die experimentelle wissenschaftliche Arbeit zum Zweck der Vermehrung unseres Könnens im Kampfe gegenüber den Infectionskrankheiten nicht erlahmt bei denjenigen, welche ihre Kräfte in den Dienst dieses Kampfes gestellt haben, und dass die Arbeits- und Kampfeslust nur wenig und nur vorübergehend beeinträchtigt werden kann durch die grossen Schwierigkeiten der Aufgabe.

Betrübender ist die Erfahrung, dass bei der Anwendung der experimentell gewonnenen Resultate auf den Menschen nicht bloss die in der Sache selbst liegenden Schwierigkeiten zu überwinden sind, sondern mehr noch der auf den verschiedensten Ursachen beruhende Widerstand der nächstbetheiligten Kreise — eine Erfahrung, welche nach der Bekanntgebung des Tuberkulins aufs neue gemacht werden musste.

Bei der, wie wir erfahren haben, von berufenster klinischer Seite proclamirten Resignation, specifische Heilmittel zu finden, sollte man glauben, dass ein Mittel, dessen specifische Leistungsfähigkeit gegenüber der verderblichsten aller Krankheiten nirgends bestritten wird, nicht mehr aus der Hand gegeben würde, und namentlich auf den Kliniken nach allen Richtungen geprüft werden müsste, bis die Indicationen für seine Anwendung und die beste Art derselben festgestellt ist; es konnte dies um so mehr geschehen, da bei geeigneter Auswahl der Fälle und bei vorsichtiger Dosirung Gefahren für den kranken Menschen ausgeschlossen werden können.

Aber selbst wenn man der Thatsache Rechnung trägt, dass für eine solche Mühe und Zeit erfordernde Arbeit die Neigung nicht sehr verbreitet ist, und dass hier und da Interessen persönlicher Art das Urtheil getrübt haben, so muss doch der Verlauf der therapeutischen Versuche, und die Stellungnahme des ärztlichen Publikums dazu, den Zweifel berechtigt erscheinen lassen, ob in weiteren Kreisen der Boden für die Nutzbarmachung eines solchen Mittels, wie des Tuberkulins, schon genügend vorbereitet ist.

Weil bei den ersten tastenden Versuchen nur ein Theil der behandelten Fälle günstig beeinflusst wurde; weil über die dauernde Heilung nach einigen Wochen oder Monaten ein abschliessendes Urtheil noch nicht gewonnen werden konnte; weil pathologische Anatomen in einigen Fällen in den Organen behandelter Phthisiker Veränderungen fanden, die von den gewöhnlichen Sectionsbefunden abweichen und dabei die Frage aufwarfen, ob das Tuberkulin nicht unter Umständen auch schaden könne — aus solchen Gründen wurde von vielen das Mittel bei Seite gelegt.

Andere Mediciner stiessen sich dann an die Mittheilung, dass färbbare Bacterienleiber in dem Tuberkulin gefunden wurden, und obwohl nirgends, nach unzähligen Injectionen, eine locale Reaction beobachtet worden ist, die auf die Möglichkeit einer infectiösen Wirkung tuberculöser oder anderer Art hindeutete, obwohl das, was über die Art der Herstellung des Mittels publicirt war, schon diese Möglichkeit ausschliessen musste, liess man sich durch angebliche Befunde von Ueberschwemmung des Blutes mit Tuberkelbacillen kopfscheu machen, bis der Nachweis geführt werden konnte, dass jene Befunde durch die Verwendung nicht genügend gereinigter Deckgläser vorgetäuscht worden waren, die vorher zu Sputumuntersuchungen gedient hatten.

In der That, die über jedes Maass hinausgehenden Hoffnungen, welche auf das Tuberkulin zuerst gesetzt wurden, wie die auf Mangel an Verständniss beruhende Verzichtleistung auf dasselbe, sind kein sehr erhebendes Zeugniss für die Reife vieler Mediciner, selbstthätig an der Verwerthung neu zu prüfender Heilmittel für den Menschen mitzuarbeiten.

Wenn man die so lange Zeit andauernden Schwankungen in der Werthschätzung der Jenner'schen Pockenimpfungen, der Lister'schen Wundbehandlung, der Pasteur'schen Tollwuthheilung berücksichtigt, und wenn man erwägt, dass die schliesslich sich bahnbrechende Anerkennung solcher epochemachender Leistungen nicht einem zuletzt erlangten Verständniss ihrer wissenschaftlichen Begründung und ihrer inneren Wahrheit zu verdanken ist, sondern einem mehr oder weniger blinden Autoritätsglauben, so liess sich ja freilich auch bei dem neuen Heilmittel ähnliches erwarten. Man kann die Thatsache bedauern, dass alle Heilpotenzen, welche nicht mit einer einfachen Receptformel zu haben und zu verordnen sind, nur in der Hand weniger Aerzte ihre nutzbringenden Wirkungen entfalten; aber man wird mit dieser Thatsache rechnen müssen."

4. Historisch-kritische Bemerkungen über therapeutische Standpunkte.

Im II. Bande seines Archivs (1849) schildert Virchow die „naturwissenschaftliche Methode und die Standpunkte in der Medicin."

Diese Schilderung liefert uns ein recht anschauliches Gemälde von den therapeutischen Systemen, Doctrinen und Bestrebungen, welche um die Mitte unseres Jahrhunderts sich in Deutschland bemerkbar machten.

Aber nicht bloss ein historisches Interesse hat Virchow's scharfsinnige und rücksichtslos-kritische Analyse der therapeutischen Standpunkte seiner Zeit: man wird vielmehr erkennen können, dass wir auch in der Jetztzeit noch vielfach nützlichen Gebrauch von derselben machen können.

Der zuerst von Virchow erörterte Standpunkt wird durch die Bezeichnung „Priestermedicin" charakterisirt. Unter voller

Anerkennung der Verdienste, welche sich die christliche Kirche seit Basilius dem Grossen, seit Benedict von Nursia und seit der Stiftung des Johanniterordens nicht bloss um das Hospitalwesen und die Armenkrankenpflege, sondern auch um die medicinische Wissenschaft selbst, erworben hat, — eine Anerkennung, die in späteren Jahren (1860—1877) in den gesammelten Artikeln „Ueber Krankenhäuser und Hospitalwesen" noch lebhafter zum Ausdruck gelangt —, kommt Virchow doch zu dem Schluss, dass „unsere Zeit weder für Asklepiaden oder Leviten. noch für Mönche oder Diakonissen" geschaffen ist, und dass „unsere Medicin, wie alle nützlichen Wissenschaften und Künste das einfach bürgerliche Gewand angethan hat, um es nicht wieder abzulegen." . . . „Sowohl in den natürlichen, als in den geoffenbarten Religionen ist man seit den ältesten Zeiten der Ansicht gewesen, dass die Krankheiten göttliche Schickungen seien, da sonst die Priester nichts dabei zu thun gehabt haben würden. Man hat es aber von Zeit zu Zeit vergessen, dass daraus der Schluss folgt, dass auch die Heilung ein Act göttlicher Einwirknng sein müsse. In unserer Zeit hat man sich sowohl katholischer-, als protestantischerseits dieser Schlussfolgerung wieder erinnert, obwohl, wie natürlich, von katholischer Seite mit grösserer Consequenz. Es hat indess Gott nicht gefallen, den Bestrebungen von Ringseis und Görres[1] eine lange Dauer und einen segensreichen Erfolg zu gewähren. und was eine mögliche protestantische Priestermedicin betrifft. so hoffen wir viel zu viel auf die unwiderstehliche Macht des Geistes. als dass wir sie im Voraus angreifen möchten."

Der zweite von Virchow angegriffene Standpunkt ist der therapeutische Nihilismus der Wiener Schule. „Wenn das Gerücht selbst den gefeierten Namen Skoda's unter den Verläugnern der Therapie nennt. so können wir doch keinen Augenblick anstehen, unser Bedauern über diese Richtung auszusprechen."

---

[1]) Ringseis (Joh. Nepomuk), 1785 in der Oberpfalz geboren, hatte gleichzeitig mit Schönlein in Landshut studirt und wurde dort 1817 zum Regierungs-Medicinalrath ernannt, von wo er 1826 bei Verlegung der Universität nach München in diese Stadt übersiedelte; er starb 1880. Er war neben Görres das Haupt und der Führer der ultramontanen Partei in München und von diesem Standpunkt aus hat er auch sein System der Medicin verfasst (1846), wonach der Kranke und der Arzt sich vor dem Heilversuch durch die Kirche entsündigen lassen müssten. (Hirsch, Gesch. d. med. Wiss. 1893).

Dieser therapeutische Nihilismus hat in dem von Roser und Wunderlich (Tübingen) veröffentlichten „Archiv für physiologische Heilkunde“ einen prägnanten Ausdruck in folgenden Worten gefunden: „Schon hat sich ein freimüthiger Skepticismus erhoben gegen die willkürlichen Annahmen, mit denen die frühere Medicin erfüllt war. . . Aber es ist dieser Skepticismus nur zu häufig ohne Principien, ohne Consequenz geblieben, er hatte bei gar vielen nur negative Folgen . . . Wir glauben, es ist jetzt an der Zeit, dass jener Skepticismus zu einem organisirten Systeme sich forme.“ (Hirsch, Gesch. d. med. Wiss. 1893. p. 716.)

Ein dritter Standpunkt, welcher seine Basis in der physiologischen Wirkung der Arzneimittel findet, wird in folgender Weise kritisirt (Virch. Arch. Bd. II, p. 17): „Trotz des ungeheuren und dauernden Beifalls, den dieses Princip gefunden hat, schliesst es offenbar einen höchst gefährlichen Irrthum ein, einen Irrthum, der auch eine Quelle des (dem medicinischen Nihilismus zu Grunde liegenden) Skepticismus gewesen ist. Da die Kenntniss von der Wirkung eines Arzneimittels nur insofern von Interesse ist, als man in irgend einer Krankheit eine Anwendung davon machen kann, so genügt es dem Praktiker zu wissen, dass unter bestimmten pathologischen Bedingungen eine bestimmte Wirkung auf die Darreichung eines Mittels folgt. Die sogenannte physiologische Schule der Therapeuten setzt aber voraus, dass die Medicin eine Erklärung davon verlange. Nun ist es ein sehr richtiger und nützlicher Grundsatz, bei allen Dingen an das Ende zu denken. Das Ende der absoluten Materia medica, der Arzneimittellehre an und für sich, ist der Anfang der Therapie. Wann wird nun das Ende kommen? Und soll die Therapie bis dahin stillstehen? Das wäre einmal wieder so recht urdeutsch! . . . .

„Häufig stellt man sich an, als hätte man die Sache recht beim Schopf gefasst, wenn man die Veränderungen, die irgend ein Mittel im Darm erfährt, oder die es an den Darmepithelien hervorbringt, passabel kennt, oder wenn man es gar im Harn oder Schweiss wiederfindet. . Niemand wird in Abrede stellen, dass das sehr schöne und wissenswerthe Erfahrungen sind, aber was hat der Praktiker davon, dass das Jod sich in allen Se- und Excreten nachweisen lässt, dass die pflanzensauren Salze als kohlensaure mit dem Urin weggehen, dass eine Reihe von Metallsalzen eigenthümliche Verbindungen mit Proteinsubstanzen eingehen und in solchen Verbindungen ins Blut gelangen? Weiss er dadurch etwa, wie das Jod, die pflanzensauren und metallischen Salze wirken? oder wo er sie anwenden soll? Gewiss nicht! . . .

„Ganz ähnliche Betrachtungen lassen sich an die Therapie des Diabetes knüpfen. Seitdem man eingesehen hat, dass die Nieren nur denjenigen Zucker absondern, der im Blute vorhanden ist, und dass alle Secretionsorgane dies ebenso thun, hat man sich immer darauf versetzt, die Quellen des Zuckers abzuschneiden, was man am vollständigsten durch exclusive stickstoffhaltige Diät zu erzielen hoffte. Nun ist aber leicht einzusehen, dass gelöster Zucker, ebenso wie jede andere gelöste Substanz aus dem Digestionscanal in das Blut übergehen muss und wirklich übergeht, und dass die grosse Menge, welche sich bei der Zuckerkrankheit findet, abhängig sein muss entweder davon, dass der Chymus nicht in der normalen Weise gebildet wird, oder davon, dass der in das Blut übergegangene Zucker in demselben nicht diejenige Veränderung erfährt, die er normal durchzumachen pflegt. A priori zu hoffen, dass eine dieser beiden möglichen Störungen durch eine exclusiv stickstoffhaltige Diät beseitigt werde, ist jedenfalls etwas utopisch, namentlich jetzt, wo die Versuche von Bensch gezeigt haben, dass die Milch von Hündinnen auch bei exclusiver Fleischnahrung Zucker enthält."

Es ist vielleicht nicht ohne Interesse, zu erfahren, wie zwei Jahrhunderte vor Virchow einer der bedeutendsten Aerzte aller Zeiten, wie Sydenham sich über die Frage nach dem Werthe wissenschaftlicher Erklärungsversuche für die Heilkunde aussprach. In seinem Briefe an Cole (Uebersetzung von J. Kraft. Ulm 1839, p. 82 ff.) sagt er: „Obgleich wir durch fleissiges Nachforschen die thatsächliche Wirkung und die Werkzeuge, deren sich die Natur bei ihren Unternehmungen bedient, ausfindig machen können, so wird uns doch die Art und Weise, wie sie solches bewirkt, wenn ich mich nicht täusche, immer verborgen bleiben" . . . und „ich begreife wahrlich nicht, wie es geschehen könne, dass einer seine ganze Lebenszeit vergeude, um sowohl sich selbst, als auch andere zu hintergehen, indem er sich auf solche Erfindungen verlegt, die mit der Praxis durchaus nichts gemein haben. Denn sowie nur jener ein redlicher und guter Steuermann ist[1]), welcher mehr

[1]) Hier ist dem Uebersetzer ein sinnentstellender Lapsus untergelaufen. Er sagt statt „ein" „kein" redlicher guter Steuermann. Im lateinischen

die nahen und unter dem Wasser verborgenen Felsen kennen und zu vermeiden lernen strebt, statt seinen Geist abmüht, um die Ursache der Ebbe und Fluth auszuforschen (was zwar einem Philosophen sehr anständig, doch dem, der Acht haben muss, dass das Schiff nicht scheitere, überflüssig ist), so wird auch derjenige Arzt, dessen Amt in nichts anderem, als in der Heilung der Krankheiten besteht, . . . in der Heilkunde gewiss geringe Fortschritte machen, wenn er nicht seine Geisteskräfte darauf richtet, die verborgene und verwickelte Art, durch welche die Natur die Krankheit erzeugt und unterhält, auszuforschen, dann aber passende Mittel anzuwenden sucht, statt sich bloss mit eitlen Grübeleien abzumühen, die zur Rettung des Menschen nicht das geringste beitragen. Die Vernachlässigung dieses Gesichtspunktes bewirkt, . . . dass das, was man Arzneiwissenschaft nennt, mehr eine Kunst zu fabeln und zu schwätzen ist, als zu heilen; ja man ist zuletzt dahin gekommen, dass das Heil der Kranken abhängig geworden ist von philosophischen Speculationen, je nachdem dieselben sich dem Endziel der ärztlichen Kunst annähern oder von demselben entfernen."

Noch an einer anderen Stelle, in dem Kapitel „Ueber Wassersucht" (Kraft Bd. II, p. 246), da wo er zwei Gattungen von schädlich wirkenden Medicinern charakterisirt, kommt Sydenham auf dieses Thema zu sprechen; hier sagt er: „Die zweite Gattung ist diejenige, welche entweder aus Leichtsinn, oder um sich einen Anstrich von Einsicht und Gelehrsamkeit zu geben, ihre eingebildeten und mühsam ersonnenen Grübeleien oder Speculationen, die zur Heilung der Krankheiten nicht das geringste beitragen, an den Tag legen, welche den Aerzten nicht nur den wahren Weg nicht zeigen, sondern vielmehr dieselben gleich Irrlichtern vom rechten Wege abziehen.

„Diesen nun gab die Natur nur so viel Verstand, dass sie von ihr gelehrt sprechen können, allein Vernunft gab sie ihnen nicht, womit sie einsehen hätten können, dass man ihr nicht anders als durch Erfahrung, und so weit sie selber den Schleier hebt, auf die Spur kommen könne. Indem uns die Schwäche der menschlichen

Text steht aber (Ausgabe Leipzig 1827 bei Voss): „Et sicuti haudquaquam faustus probusve vavus ad clavum gubernator fueri ille, qui non tam ad brevia et saxa submaxina agnoscenda evitandaque, quam ad causas fluxus refluxusque maris etc." Danach ist selbstverständlich „kein" durch „ein" zu ersetzen.

Natur nie bis zur innersten Einsicht kommen lässt, so müssen wir wohl innerhalb der engen Grenzen bleiben, in welche wir von unseren fünf Sinnen gezwungen werden.“

Welche Nutzanwendung Sydenham von dieser Erkenntniss in concreten Fällen macht, davon noch ein Beispiel. In demselben Kapitel „Ueber Wassersucht“ erzählt er von vielen wassersüchtigen Kranken, die er von ihrem Leiden befreit und zu gesunden Menschen gemacht habe; ausgehend von humoralpathologischen Anschauungen sieht er die Ursache der Wassersucht in einer fehlerhaften Blutmischung, nimmt jedoch hiervon diejenigen Fälle aus, in welchen Gefässverstopfungen einen auf bestimmte Körpergebiete beschränkten Wasseraustritt bewirken, ferner die Wasseransammlung im Ovarium der Frauen (II, p. 217); bei der Frage, wie nun dem Hydrops beizukommen ist, schildert er (p. 221—225) die Bedingungen, unter welchen derselbe durch Ableitung auf den Darm beseitigt werden kann, zählt die einzelnen Mittel auf und fährt dann (p. 225—231) fort: „Dass es heimliche und verborgene Oeffnungen gebe, durch welche das Wasser aus der Bauchhöhle in die Gedärme gebracht werden kann, ist in der That wahr, indem wir täglich beobachten, dass die wassertreibenden Abführmittel eine solche Menge von dem im Bauch eingeschlossenen Wasser durch den Stuhl mitabführen, als wenn es von allem Anfang her schon in den Gedärmen gewesen wäre. Wenn wir aber diese räthselhafte Erscheinung nicht so leicht erklären können, so fällt mir gerade jener weise Ausspruch des nach dem einstimmigen Urtheil aller Jahrhunderte weisesten und geschicktesten Arztes Hippokrates ein, der in seinem Buche sagt: „Einige Aerzte und Sophisten behaupten, es sei unmöglich, dass derjenige die Arzneiwissenschaft kenne, der nicht wisse, was der Mensch und wie er im Anfang entstanden und zusammengesetzt worden sei. Ich bin aber der Meinung, dass dasjenige, was einige Sophisten und Aerzte von der Natur gesagt und geschrieben haben, mehr auf die Malerei, als die medicinische Kunst Bezug habe. . .

„Um aber diesen gottbegnadeten Autor keines Irrthums beschuldigen zu können und vorzubeugen, dass die Empiriker ihre Unwissenheit dadurch bemänteln, so muss ich ganz frei behaupten, dass ich nach eifrigem Nachdenken, verbunden mit der Erfahrung, allerdings dafür halte, dass es unumgänglich nothwendig ist, dass der Arzt den Bau des menschlichen Körpers genau kenne, damit er sich sowohl von der Natur, als auch der Ursache einiger

Krankheiten eine deutlichere Idee und eine reinere Anschauung machen kann. Denn es ist unmöglich, dass derjenige, welcher die Construction der Nieren nicht kennt und die Gänge, welche von hier aus in die Blase laufen, beurtheilen könne, woher und wie die Symptome, welche ein in dem Becken oder in den Harngängen der Nieren festsitzender Stein hervorbringt, entstehen. Nicht weniger wichtig muss auch dem Wundarzte die Kenntniss der Structur des menschlichen Körpers sein, damit er bei seinen Operationen die Gefässe und solche Theile nicht berühre, deren Verletzung dem Kranken tödtlich sein könnte. Ebenso wenig ist er auch imstande, die ausgerenkten Beine einzurichten und in die natürliche Lage zurückzuführen, wenn er sich nicht an dem Gefüge der Knochen, das man Skelet nennt, ganz genau geübt und alles tief dem Gedächtnisse eingeprägt hat.

„Eine genaue Kenntniss der menschlichen Körperconstruction ist also durchaus nöthig, denn derjenige, der sie nicht hat, muss so zu sagen wie ein blinder Fechter gegen die Krankheiten kämpfen, oder wie einer, der sich ohne Compass auf die hohe See wagt. Diese Kenntniss erwirbt man sich jedoch schnell und leicht, indem sie vor anderen schweren den Vortheil hat, dass man sie sich durch Anschauung sowohl der menschlichen als thierischen Kadaver erwerben kann, und dies zwar mit leichter Mühe, so dass sie auch von denjenigen, welche weniger Geistes- und Beurtheilungskräfte besitzen, erlernt werden kann.

Man muss dabei aber eingestehen, dass bei allen acuten Krankheiten, die mehr als zwei Drittheile der überhaupt herrschenden ausmachen, so wie auch bei den meisten chronischen, etwas Unbegreifliches und eine ganz besondere Eigenschaft vorhanden ist, welche durch die Zergliederung, man mag sie noch so genau anstellen und den Körper auf das sorgfältigste betrachten, nicht erforscht und ans Licht gebracht werden kann. Daher ist es nicht nothwendig, dass man auf die Zergliederung des Körpers so viele Mühe verwendet, in dem Glauben, dass dadurch die Heilkunde mehr gewinne, als durch die fleissige Beobachtung desjenigen, was den Kranken nützt oder schadet. Ich bin daher der Meinung, dass jener göttliche Greis nur in dieser Hinsicht die Kenntniss des menschlichen Körpers für einen Arzt entbehrlich hielt . . .

„Sowie nun Hippokrates diejenigen tadelt, welche die Zergliederung und genaue Durchforschung des menschlichen Körpers höher schätzen, als die praktischen Uebungen, mit dem gleichen Rechte wird jeder vernünftige Mann unseres Jahrhunderts diejenigen tadeln müssen, welche glauben, dass die medicinische Wissenschaft auf keine Art mehr als durch Erfindungen der Chemie gehoben werden kann.

„Es wäre durchaus das Zeichen eines undankbarens Herzens, wenn man nicht mit Freuden den Vortheil anerkennen wollte, welchen wir der Chemie zu verdanken haben; denn sie verschafft uns manche Arzneimittel, welche, um unserer Heilanzeige zu genügen, trefflich passen, und die Chemie wird deshalb immer, so lange sie innerhalb der Grenzen der Pharmakopoe bleibt, eine lobenswerthe Kunst für den Arzt sein.

„Aber diejenigen, welche sich zu sehr damit abmühen und plagen, sind nicht von Irrthum und Fehlern frei zu sprechen . . . Demjenigen, welcher die Sache genauer überlegt, wird es wohl einleuchten, dass der Hauptfehler der praktischen Medicin nicht darin besteht, dass wir nicht wissen, auf welchem Wege wir dieser oder jener Heilabsicht Genüge leisten können, sondern darin, dass wir die Heilabsicht nicht hinlänglich genau erkennen, der wir Genüge leisten sollen. Denn der unerfahrenste Apothekerlehrling wird mir binnen einer halben Viertelstunde sagen können, durch welches Mittel ich Erbrechen, Abführen oder Schweiss hervorrufen, oder durch welche ich einen Erhitzten abkühlen kann; allein wer mir mit voller Gewissheit sagen kann, wo diese oder jene Art der Arzneimittel den ganzen Verlauf der Krankheit und Heilung hindurch in Gebrauch gezogen werden müsse, der muss nothwendig schon mehr in die praktische Medicin eingeweiht sein . . . .

„Obschon nun die medicinische Praxis, ihrem Entwickelungsgange gemäss, aus Hypothesen entstanden zu sein scheint, so haben demungeachtet die Hypothesen ihrerseits, wenn sie einigermaassen begründet sind, doch wiederum der Praxis eigentlich ihren Ursprung zu verdanken.

„Bei hysterischen Affectionen z. B. verordne ich Stahl und andere blutstärkende Mittel, und enthalte ich mich der abführenden (ausser in bestimmten Fällen), vielmehr gebe ich paregorische Mittel, aber nicht aus der Ursache, weil ich für ausgemacht halte, dass diese Krankheit von geschwächten oder darnieder gedrückten Lebenskräften abhänge, sondern weil mich langjährige Beobachtung des Verlaufs der Krankheitserscheinungen gelehrt hat, dass auf Abführmittel eine Verschlimmerung, auf entgegengesetzt wirkende Mittel eine Besserung eintrat. Aus dieser und anderen Beobachtungen entnahm ich mir nun meine Hypothese, so dass hier der Philosoph dem Empiriker nachhinkt. Denn, wenn ich mit der Hypothese angefangen hätte, so würde ich auf dieselbe Weise unsinnig gehandelt haben, wie derjenige, der den oberen Boden und die Balken eines Hauses eher herrichten wollte, als er den Grund gelegt hätte, was indessen nur denjenigen zu begegnen pflegt, welche so zu sagen in die Luft Schlösser bauen wollen; denn diese allein haben das Privilegium, vom oberen Ende anzufangen."

Solche verständigen Grundsätze haben es aber nicht gehindert, dass gleichwohl immer von neuem die speculative Richtung in der Medicin überwucherte. Die Anforderungen an die Ausbildung der praktischen Aerzte in der Anatomie, Histologie, pathologischen Anatomie, Physiologie, Chemie, Botanik, Bacteriologie u. s. w. lassen nur zu oft das richtige Verhältniss zwischen dem Endziel der ärztlichen Thätigkeit, nämlich der Krankheitsheilung, und zwischen den Mitteln, dieses Ziel zu erreichen, vermissen; jede der genannten Hilfswissenschaften ist zeitweise der Ausgangspunkt einer besonderen therapeutischen Schule gewesen, und ich fasse den dritten von Virchow angegriffenen, den physiologischen Standpunkt, nur als Repräsentanten für eine ganze Gruppe auf; für den chemischen, den anatomisch-lokalisirenden, den naturhistorischen, den naturphilosophischen. Alle diese Standpunkte, welche nacheinander in Broussais, Schönlein, Heusinger, Rokitansky, Lebert ihre Vertreter gehabt haben, erwiesen sich therapeutisch impotent, spielen aber ruhig ihre Rolle weiter in dem Studienplan unserer medicinischen Facultäten als „reine medicinische Wissenschaft", die mit der Therapie einen erkennbaren Zusammenhang nicht mehr besitzt.

Eine besondere Stellung wiederum nimmt der als vierter von Virchow kritisirte Standpunkt ein, der sogenannte „rationelle".

Worauf dieser hinauslief, kann aus folgenden Worten Henle's erkannt werden (Zeitschrift für rationelle Medicin von Henle und Pfeufer, 1842): „Die Basis der Medicin bildet die aus der Empirie gewonnene Erfahrung, allein diese Erfahrung ist nur ein historisches Wissen, sie giebt keinen Aufschluss über den inneren Zusammenhang der Erscheinungen, sie beantwortet nicht die Frage nach Ursache Wirkung; die empirischen Kenntnisse laufen unabhängig neben einander her, dann bemächtigt sich ihrer diejenige Wissenschaft, welche das ganze Gebiet unseres Denkens und Erkennens von einem obersten Princip abzuleiten sucht und verbindet sie in einem philosophischen System. Wenn die empirischen Kenntnisse sich vermehren, werden die Erklärungen aus einem herrschenden philosophischen Princip unzureichend, das Princip wird gestürzt. So zeigt sich in der Entwickelungsgeschichte der Medicin ein fortdauernder Wechsel zwischen aprioristisch-philosophischen und empirisch-kritischen Perioden, eine Exacerbation und Remission oder ein Paroxysmus und Apyrexie, So macht sich das Bedürfniss nach einem ruhig-stetigen Fortschritte der Wissenschaft geltend, und diesem genügt weder die eine, noch die andere Methode, sondern ein Mittelweg; dieser geht von der auf Physiologie, praktischer Anatomie und auf dem Experimente beruhenden Empirie, d. h. von naturwissenschaftlich festgestellten Thatsachen aus, und daran knüpft sich die rationelle, auf den Zusammenhang zwischen Ursache und Wirkung hingerichtete inductive oder experimentelle Forschung" . . .

Was hier von Henle als rationelle Medicin proclamirt wird, entspricht zum Theil den ätiologisch-therapeutischen Bestrebungen der Gegenwart. Hier wie dort lehnt sich die Therapie an eine ätiologisch begründete Krankheitslehre an, und dass Henle sich dabei auf dem richtigen Wege befand, kann heute als allgemein anerkannt betrachtet werden. Er hat in Deutschland für die ansteckenden Krankheiten den Grund gelegt für eine ontologische, specifische und heterogene Natur der Krankheitsursachen[1]). Damit aber trat er in die denkbar schärfste Oppo-

[1]) Der ontologische Standpunkt in Bezug auf die Krankheit ist wohl zu unterscheiden von dem, welcher sich auf die Krankheitsursache bezieht. Die Krankheitssymptome sind Lebensäusserungen des erkrankten Individuums selbst und nicht etwa eines „Wesens", welches während der Dauer einer Krankheit in demselben „haust" und an Stelle des normalen Spiritus rector den lebenden Organismus „besitzt." Wir finden derartige Auffassungen in der Lehre von dem „Besessensein" durch Teufel, Thiere u. s. w. und begegnen ihr von neuem in der Naturphilosophie dieses Jahrhunderts. Diese Art von Ontologie in der Krankheitslehre hat Henle aufs energischste bekämpft.

sition zu Virchow's Krankheitslehre, und so wird es begreiflich, dass Virchow in seiner Kritik gegenüber Henle harte Worte fand, wie die folgenden: „Diese Versuche, unter vollem Segeldruck einer „rationellen" Pathologie und Therapie zuzusteuern, wobei man unter rationell dasjenige versteht, was die Erscheinungen vernünftig erklärt, gleichen dem Unternehmen des Icarus. Was sollen da Erklärungen, wo noch das zu Erklärende fehlt? Stelle man doch erst fest, was die Mittel in Krankheiten wirklich machen. dann wird sich schon finden, wie sie es machen."

Wegen des zunächst noch mangelnden therapeutischen Erfolges hat L. Büchner, der berühmte Verfasser von „Kraft und Stoff", die rationelle Medicin scharf gegeisselt. „Die sogenannte rationelle Therapie (sagt er Virch. Arch. Bd. VI, p. 280) konnte nicht halten, was sie versprach ...... Wie konnte auch eine Zusammenstellung von Grundsätzen, die, wenn wir ehrlich gegen uns selbst sein und die mit Floskeln ärmlich verbrämte Wahrheit ans Licht ziehen wollen, aus nichts anderem bestand, als aus der Ermahnung, kalt zu machen, wo es zu warm, und warm, wo es zu kalt sei, hinwegzunehmen, wo zuviel, und hinzuzuthun, wo zu wenig, flüssig zu machen, wo etwas stockt. und wiederum zu verschliessen, wo es fliesst, aufzulösen, wo es zu fest, und zusammenzuziehen, wo es zu weich sei — wie konnte eine Zusammenstellung solcher Grundsätze, welche weit weniger aus der Erfahrung, als aus theoretischer Abstraction gezogen waren, welche allgemeine Eigenschaften der Arzneimittel voraussetzten, die diese oft gar nicht besitzen, und deren Ausführung endlich im einzelnen Falle auf ganz relativen Anschauungen beruhen musste — wie konnte sie, sagen wir, Anspruch auf wissenschaftliche Geltung machen? Jeder Versuch, diesem alten Schlendrian einen neuen Frack anzuziehen, musste misslingen, und vorurtheilsfreie Aerzte, deren Gewissen noch nicht durch Jahre lange Routine verhärtet ist, mögen heutzutage kaum mehr ohne eine Art von innerer Beschämung ein Recept nach diesen Begriffen verschreiben."

Virchow aber durfte damals folgende Prophezeiung (Bd. II, p. 23) wagen: „Ich gestehe offen, dass ich in dem Werk von Rademacher den Anfang einer Reform sehe, welche damit endigen wird, den empirischen Standpunkt in der Therapie gegen den bisherigen rationellen oder physiologischen einzutauschen". wobei er als das wesentliche von Rademacher's Werk das therapeutische Experiment am Menschen ansieht.

Freilich ist Virchow dabei mit Rademacher's empirischem Standpunkte im einzelnen ebenso wenig einverstanden, wie mit der Priestermedicin, mit dem therapeutischen Skepticismus und Nihilismus und mit der physiologischen und rationellen Therapie. Und wir müssen, wenn wir wissen wollen, wie Virchow sich positiv den von ihm vertretenen „eigentlich praktischen Standpunkt der Therapie" dachte, noch weiter seine Auseinandersetzungen studiren.

Ich habe mich der Mühe unterzogen, aus den zerstreuten Aufsätzen und aus den gesammelten Abhandlungen Virchow's (Ges. Abhandlungen zur wissenschaftlichen Medicin, bei Meidinger & Sohn, Frankfurt a. M. 1856, und Ges. Abhandlungen aus dem Gebiete der öffentlichen Medicin und der Seuchenlehre, in zwei Bänden, bei August Hirschwald in Berlin, 1879) ein Gesammtbild zu gewinnen, welches seine Grundauffassung von der Krankheitslehre und besonders auch von dem Standpunkt wiedergiebt, welchen er in der Therapie einnimmt; das Endresultat meiner diesbezüglichen Studien vorwegnehmend, kann ich sagen, dass der Schlüssel zum Verständniss für Virchow's Stellungnahme in allen grundsätzlichen Fragen der Therapie gegeben ist durch die Thatsache, dass er überall die ontologische Betrachtungsweise der Krankheitsursachen ablehnt und dafür die symptomatologische in den Vordergrund stellt. Dementsprechend ist sein therapeutischer Standpunkt ein „radical-symptomatischer". Ich werde im Folgenden hierauf näher einzugehen haben, wobei ich vorausschicke, dass ich selbst in der Lehre von dem Wesen der Krankheitsursachen und von ihrer Bekämpfung durch specifische Mittel auf einem ähnlichen Standpunkt stehe, wie z. B. Sydenham, der als Hauptvertreter der Ontologen gelten kann. Ich gestehe hier, dass ich mich zu diesem Standpunkt bekenne — trotz des abschreckenden Urtheils von Virchow, welcher gelegentlich (Arch. Bd. VI, p. 8) erklärt: „Sich selbst als Ontologen oder Specifiker überhaupt auszugeben, setzt entweder eine wesentliche Störung in der Erkenntniss oder bewusste Charlatanerie voraus."

Soweit überhaupt die Kunde von einem Denken in der Medicin zurückgeht, immer standen sich zwei Richtungen gegenüber; die Anhänger der einen Richtung behaupteten ein specifisches

Wesen der Krankheiten, welches dem lebenden Organismus, an welchem dieselben sich documentiren, feindlich gegenüberstehe und welches bedingt werde durch heterogene Krankheitsursachen. Die Anhänger der anderen Richtung bestreiten die Specifität der Krankheiten und sind der Meinung, dass dasjenige, was wir Krankheit nennen, nur eine quantitative Abweichung von dem normalen Verlaufe der Lebenserscheinungen ist. „Die Krankheit ist nur die gesetzmässige Manifestation bestimmter (an sich normaler) Lebenserscheinungen unter ungewöhnlichen Bedingungen und mit einfach quantitativen Abweichungen“ (Arch. Bd. II, p. 27). Die meisten Ontologen oder Specifiker nehmen auch an, dass es Mittel giebt, welche auf den ganzen Verlauf eines Krankheitsprocesses alterirend und heilend einzuwirken vermögen; die Gegner dieser Richtung erklären es für absurd, nach solchen specifischen Heilmitteln auch nur zu suchen: „Eine vernünftige Auffassung specifischer Heilmittel,“ sagt Virchow (Bd. II, p. 27), „kann nur die Frage aufkommen lassen, ob für bestimmte Abschnitte der Krankheit ein bestimmtes, besonderes oder specifisches Heilverfahren, Arzneientitäten, aufgestellt werden dürfen.“ Und: „Sobald man zu der Ueberzeugung gelangt, dass es keine Krankheitsentitäten giebt, so muss man auch einsehen, dass man ihnen keine Arzneientitäten gegenüberstellen kann.“

Wie das alles von Virchow gemeint ist, dafür möchte ich einige concrete Beispiele anführen. Arch. Bd. II, p. 28 ff. wird inbezug auf die Therapie der Lungenentzündung Folgendes gesagt: „Es genügt nicht, jemanden, der nach einer Erkältung Pneumonie bekam, in eine gewöhnliche Temperatur zurückzuversetzen, denn nachdem einmal durch die Einwirkung der Kälte in den Ernährungsprocess der Wandungen der Luftwege eine Veränderung gesetzt ist, die sich durch Veränderungen an der Capillarcirculation und an den Diffusionsströmungen zwischen Blut und Gewebe charakterisirt, so ist damit eine Reihe neuer Krankheitsbedingungen aufgetreten, welche mit der Kälte nichts mehr zu thun haben. Die Anwesenheit einer verstopfenden Masse in den Luftwegen, die gestörte Circulation durch die Lungengefässe mit dem Rückstau gegen das Herz etc., die Verkleinerung der respirirenden Fläche, die Behinderung der Exspirationsbewegungen, die durch das Exsudat und die Respirationsstörung gesetzte Veränderung des Blutes, die verschiedenartig hervorgebrachte Alteration der Nervencentren — stellen ebenso viel neue Objecte für die Behandlung dar, denen gegenüber eine ontologische, specifische oder essentielle Methode eine geistige Verirrung wäre."

„Eine geistige Verirrung" ist also das Bestreben, die ganze Pneumonie durch ein einziges Mittel heilen zu wollen! Das ist ein hartes Urtheil für diejenigen, welche mit mir nicht bloss solche specifischen Heilmittel suchen, sondern auch der Meinung sind, dass es bloss noch fleissiger Arbeit und genügender Mittel bedarf, um dieselben in die ärztliche Praxis einzuführen.

Ich muss bei sorgfältiger Analyse der eben citirten Stelle sagen, dass mir der Unterschied von Virchow's „eigentlich praktischem Standpunkt" von demjenigen, welchen Büchner (s. oben) persiflirt, nicht recht klar geworden ist. Die „neuen Objecte der Behandlung" bei der einen Krankheit, der Pneumonie, erfordern, wenn man die „Abschnitte" zählt, nach Virchow mindestens acht verschiedene Mittel; wir haben zuerst ein Antifebrile nothwendig, dann ein Mittel, welches die „Gefässverstopfung" aufhebt, eines, welches auf die Blutcirculation und das Herz wirkt, eines oder mehrere, welche die Respirationsstörungen beeinflussen; dann bleibt noch das Exsudat und die Blutveränderung und, last not least, die Alteration der Nervencentren übrig; es ist nicht ganz leicht, sich vorzustellen, wie Virchow nach alledem in der Praxis eine Lungenentzündung behandeln würde; keinesfalls könnte die Behandlung eine andere sein, als eine rein symptomatische.

Sowie man dagegen die Pneumonie als eine ätiologisch-einheitliche Krankheit ansieht, die durch ein von Mikroorganismen erzeugtes specifisches Gift ausgelöst wird, sobald als man ferner davon ausgeht, dass es nur darauf ankommt, dieses Gift im Blute unschädlich zu machen, dann hört der Gedanke an die Möglichkeit eines specifischen Mittels sofort auf, „eine geistige Verirrung" zu sein, dann wird er, falls es gelingt, ihn in die Wirklichkeit zu übersetzen, vielmehr zu einer geistigen That von ganz eminenter Bedeutung; eine solche kann aber nur auf dem Boden der von Henle angestrebten „rationellen" Medicin, oder wie man noch präciser es bezeichnen kann, „der ätiologischen Krankheitslehre" in Erscheinung treten.

Aber auch hier, in Bezug auf die jetzt herrschende Auffassung der Wirkung des Pneumoniegiftes, müssen wir erst über eine recht herbe kritische Bemerkung Virchow's zur Tagesordnung übergehen. In dem Artikel „Specifiker und Specifisches“ kritisirt er die Anschauung, dass beim Typhus ein etwaiges Typhusgift als Blutgift aufzufassen sei. „Sonderbare Verirrung (sagt er Arch. Bd. VI, S. 16), die zuletzt dahin führen würde, alle Vergiftungen als Krankheiten des Blutes zu betrachten und die specifische Beziehung der Gifte zu bestimmten Provinzen des Nervensystems als etwas Untergeordnetes zu erklären.“

Als die einzige Specifität, welche zulässig ist, gilt ihm die specifische Betheiligung der Organe in den verschiedenen Krankheiten. „Wenn die Krankheit (Arch. Bd. VI, pg. 11) das Leben unter ungewöhnlicher Form ist, und das Leben selbst den einzelnen Theilen inhärirt, so ist es gewiss folgerichtig die Krankheiten, (nicht die Krankheit) zu localisiren, ihnen specifisch-anatomische Sitze anzuweisen“, Sehen wir nun einmal auch hier wieder zu, welche Nutzanwendung von diesem Grundsatz für die Praxis zu machen ist.

Wir wissen jetzt, dass die Diphtherie eine durch das specifische Diphtheriegift erzeugte Krankheit ist, deren klinisches Bild überaus verschieden sein kann. Sie kann unter dem Bilde einer foudroyanten Blutvergiftung verlaufen, ohne Zeit zu gewinnen, irgend wo local markante Organveränderungen hervorzurufen; sie kann sich aber auch localisiren: im Rachen, in der Nase, im Kehlkopf, der Lunge, auf der äusseren Haut, in der Vagina; sie kann ausschliesslich, oder wenigstens vornehmlich, in Gestalt von Lähmungen der verschiedensten Art auftreten. Das Alles aber darf es bei einer Krankheit nach Virchow gar nicht geben, eine Krankheit mit so vielfachen Morphen muss man zerlegen, daraus eine grössere Zahl von Krankheiten machen, deren jede einen specifisch-anatomischen Sitz angewiesen bekommt. So wird zunächst die Bretonneau'sche Diphtherie verflüchtigt in einen anatomischen Begriff, der ausschliesslich eine Schleimhautnekrose bezeichnet. Solche Diphtherie findet man dann bei der epidemischen Pharynx- und Larynxangina, bei der Scarlatina, bei den Pocken, der Cholera, dem Typhus und der Ruhr; nun haben wir auf diese Weise schon sechs Diphtherieen, von denen aber jede Sorte noch Unterabtheilungen je nach der Oertlichkeit, an welcher sie auftritt, bekommt; dass aber diese verschiedenen Diphtherieen nicht alle mit einem einzigen Mittel zu heilen sind, ist dann leicht zu beweisen.

Da nach Virchow jede Krankheit nur dann als bestehend anerkannt wird, wenn sie localisirt auftritt, und zwar localisirt in Organen, so lag es für ihn nahe, dem „Rademacher'schen Werk“ ein warmes Interesse entgegenzubringen; trug doch gerade Rademacher am meisten demjenigen therapeutischen Grundsatz Virchow's Rechnung. welchen derselbe mit folgenden Worten präcisirte (Arch. B. IV, pg. 24): „In der That, wir glauben an die Wirksamkeit von Arzneien, weil wir die Beziehungen bestimmter Stoffe zu specifischen Orten im Körper für ausgemacht ansehen.“

Wenn wir die Erfahrungen der neuesten Zeit berücksichtigen, dann werden wir kaum geneigt sein, den absprechenden Ton Virchow's gegenüber den Vertretern einer specifischen und ätiologischen Auffassung der Krankheitslehre für gerechtfertigt zu halten; wir finden aber diese Sicherheit und Stärke in der Verurtheilung solcher gegnerischer Ansichten, die nach unseren jetzigen Kenntnissen nicht bloss berechtigt, sondern einzig und allein richtig sind, noch öfter wieder. So im Archiv Bd. II, p. 34, wo Virchow von der Chininwirkung redet, in folgendem: „Man begnügt sich beim Wechselfieber, die Anfälle durch Chinin zu unterbrechen, obwohl man unmöglich glauben kann, dass das in die Blutmasse nach der Voraussetzung aufgenommene Miasma . . . durch das Chinin sogleich beseitigt wird; es ist daher nothwendig anzunehmen, dass nur die Impressionabilität des Nervensystems geschwächt wird, und dass nach Verminderung dieser Impressionabilität die übrigen Veränderungen sich allmählich spontan verwischen.“ Ferner Archiv Bd. II, p. 28, gelegentlich der Besprechung des Zustandekommens einer Heilung: „Wenn z. B. Jemand sich einen Glassplitter in den Fuss tritt und Tetanus bekommt, so wird der letztere durch die Entfernung des Splitters und die Herstellung einer einfachen Wunde geheilt werden können, so lange noch nicht durch die ungeheure Steigerung der Nervenströmungen eine Veränderung an dem Nervenapparat gesetzt ist, welche die Erscheinungen des Tetanus hervorzubringen oder zu unterhalten vermag, eine Veränderung, wie wir sie durch Strychnin direkt erzeugen können. Der Heilplan muss also in dem Maasse wechseln, als die Bedingungen räumlich oder qualitativ andere werden.“

Diese und ähnliche Stellen hatte ich im Auge, als ich in meiner „Geschichte der Diphtherie“ p. 202 und an mehreren anderen Stellen von dem verderblichen Einfluss des Systematisirens in der Medicin sprach. Da ist da gar nicht zu entrinnen, wenn man nicht mit einem Schlage das ganze Netz von Voraussetzungen, Behauptungen und Schlüssen zerreisst. Wie sollte Jemand, der ein Anhänger oder auch bloss ein fleissiger Zuhörer von Virchow ist, auf den Gedanken kommen, für den Tetanus ein specifisches, vom Blute aus wirkendes Heilmittel zu suchen, wenn er sich eingeprägt hat, erstens, dass der Tetanus „eine gesetzmässige Manifestation an sich normaler Lebenserscheinungen," nämlich der „Nervenströmungen" ist; zweitens, dass das Krankhafte des Tetanus nur darin zu suchen ist, „dass durch den Glassplitter (oder einen anderen stark nervenreizenden Körper) diese Nervenströmungen in's Ungeheuere gesteigert werden"; drittens, „dass dieselbe krankhafte Erscheinung durch ein chemisches Mittel, das Strychnin ausgelöst werden kann, welches eine specifische Affinität zum Nervensystem hat?" Soviel Voraussetzungen und Behauptungen, soviel Irrthümer! Aber zum Unterschiede von den Irrthümern anderer, weniger einflussreicher Männer, sehen wir bei Virchow, wie mit einer an's Wunderbare grenzenden Consequenz die Lehre von dem localen, an bestimmte Organe gebundenen Sitz der Krankheiten und von der Unmöglichkeit, andere Heilmittel, als symptomatische und Organheilmittel, zu finden, der heutigen Generation von Aerzten als unfehlbares Dogma auferlegt wurde, und dass der Nichtbeachtung dieses Dogma mit Erfolg ein so kräftiges Anathema folgte, dass im Vergleich zu demselben die Bannsprüche der Kirchenfürsten noch milde zu nennen sind; denn was könnte noch Schlimmeres gesagt werden, als dass jeder Andersdenkende an „geistiger Verirrung" leidet!

Diese Consequenz hat schliesslich auch das stolze Wort Virchow's zur Wahrheit gemacht, welches das Verhältniss des pathologischen Anatomen zu dem praktisch thätigen Arzte definirt (Arch. Bd. VI, p. 15): „Der pathologische Anatom hat gegenüber dem praktischen Arzte dieselbe Stellung, welche der Arzt als Sachverständiger dem Richter gegenüber einnimmt."

Man kann vollen Respect haben vor den Erfolgen Virchow's in der wissenschaftlichen Welt, und man kann trotzdem einen wesentlichen Theil seiner Lebensarbeit bekämpfen. Als Virchow beim Beginn seiner medicinischen Laufbahn den Kampf aufnahm gegen die nach seiner Meinung schädlichen Richtungen in der Medicin, da war es vor allem Henle mit seinen richtigen ätiologischen Ideen, aber resultatlosen therapeutischen Bestrebungen, gegen welchen der Kampf eine besondere Schärfe annahm; die Uebertreibungen Hahnemann's, des damaligen Hauptvertreters der ontologischen Auffassung der Krankheiten und der specifischen Therapie, noch mehr aber der Missverstand und Unverstand von manchem der Nachfolger Hahnemann's, forderten dann gleichfalls die Kritik eines jeden heraus, der sich zu einer führenden Rolle in jener Zeit berufen fühlte, und zweifelsohne hat die lebhafte Ablehnung aller specifisch-therapeutischen Bestrebungen durch Virchow in mancher Richtung eine klärende Wirkung ausgeübt. Und wenn bis in die letzten Jahre hinein bei uns in Deutschland, bis zu dem Auftreten R. Koch's, nirgends ein Ausgangspunkt zu finden war, von dem aus eine ätiologische Therapie angebahnt werden konnte, so ist es noch fraglich, ob man nicht darin ein gütiges Geschick erblicken soll. Die Lehre von der Specificität der Krankheiten und von der Specificität der Heilmittel kann zu den grössten Wahrheiten gerechnet werden, die je in der Medicin ausgesprochen worden sind. Aber in den Händen der Homöopathen war sie so sehr entstellt und so übel zugerichtet, dass von ihr gesagt werden kann, was Bretonneau einmal von einer anderen grossen medicinischen Wahrheit sagte, die uns im folgendem auch noch beschäftigen wird: „Dans l'interêt de l'art médical mieux vaut qu'un fait majeur soit oublié que perverti“. In der That, besser war's für die Medicin, dass jene Lehre von den specifischen Heilmitteln durch Virchow's Einfluss zeitweise vergessen wurde, als dass sie in der von den Homöopathen entstellten Form fortvegetirte.

5. Geschichtliches zur ätiologischen Therapie.

Bei meinen geschichtlichen Studien musste ich recht weit zurückgehen, ehe ich auf einen medicinischen Autor stiess, den ich in der Methode des Auffindens und Prüfens von Heilmitteln als Muster und Vorbild ansehen konnte. Ausgezeichnete Mediciner mit originalen Ideen über Krankheitswesen und Krankheitsursachen, scharfe Beobachter der Krankheitserscheinungen und Meister in der Diagnostik, hervorragende Anatomen und Physiologen, Künstler in der operativen Technik zählt die Geschichte der Medicin in grosser

Zahl auf; aber Aerzte, die das volle Erbe des Hippokrates angetreten und vermehrt hätten, giebt es nur wenige, und unter diesen haben nur einige sich die Zeit genommen, ihre Erfahrungen auf rein therapeutischem Gebiet ausführlich der Nachwelt zu überliefern.

Um so grösser ist der Genuss und der Gewinn, wenn man doch schliesslich solche Klassiker der therapeutischen Wissenschaft herausfindet und sie als Lehrer und Erzieher auf sich einwirken lässt.

Einen dieser ärztlichen Klassiker, Bretonneau, lernte ich gelegentlich meiner geschichtlichen Studien über die Diphtherie näher kennen. Ein anderer, Sydenham, welchen ich zu den grössten Aerzten aller Zeiten rechne, imponirte mir zuerst, als ich in ihm den Begründer unserer jetzigen Anwendungsweise des besten specifischen Heilmittels, welches wir bisher besitzen, nämlich der Chinarinde, fand. In der Beschreibung der von ihm mit der Chinarinde gemachten Erfahrungen scheint mir vor allem beherzigenswerth gerade in der jetzigen Zeit dasjenige zu sein, was Sydenham über die Kämpfe sagt, welche er gegenüber den Vorurtheilen und dem Mangel an Verständniss seiner Zeitgenossen zu bestehen hatte, als er die Einführung dieses damals neuen Mittels sich angelegen sein liess; mir wenigstens will es scheinen, dass die Schwierigkeiten, welche gegenwärtig bei der Neueinführung therapeutischer Specifica zu überwinden sind, im wesentlichen nur eine Wiederholung der vor 200 Jahren von Sydenham beklagten darstellen.

Ich citire hier seine Ausführungen unter Benutzung der wortgetreuen Uebersetzung von J. Kraft (Ebner'sche Buchhandlung, Ulm 1838, 2 Bde.), wo nach eingehender Schilderung früherer Behandlungsmethoden der Wechselfieber, insbesondere derjenigen, welche durch künstliche Hervorrufung von Schweiss den Krankheitsprocess abkürzen sollten, Sydenham folgendermaassen fortfährt:

„Daher setze ich nun wegen der Unwirksamkeit dieser Methode sowohl als auch anderer, wie Abführungen, Aderlässe, katarrhalische Mittel, . . meine feste Hoffnung auf die Peruvianische Rinde, obwohl manche Laien und einige Gelehrte ein Vorurtheil gegen dieselbe haben. . . . . . Schädliche Nebenwirkungen der Peruvianischen Rinde bleiben, im ganzen genommen, ein seltener Fall und sind leicht zu beseitigen.

Wahrhaftig, wenn ich von der Dauer der Wirkung dieser Rinde

ebenso vollständig überzeugt wäre, als von ihrer Unschädlichkeit, ich trüge kein Bedenken, ihr die erste Stelle unter allen Arzneimitteln einzuräumen . . . Folgende sind aber, wie ich glaube, die Ursachen, wenn ich mich nicht täusche, durch welche die Fieberrinde so übel angeschrieben ist: erstens weil man die meisten üblen Zufalle, welche die Wechselfieber bei länger daran leidenden Kranken begleiten, ohne weiteres unserer Rinde zuschreibt, selbst wenn davon nur eine sehr kleine Dosis und diese nur ein einziges mal gebraucht worden war. Zweitens, weil sie mit einer verborgenen Kraft und nicht durch augenfällige Ausleerungen die Krankheit überwältigt; daher meint eine Menge Menschen, dass die Krankheitsmaterie, welche entfernt werden sollte, gleichsam wie ein Feind zwischen seine Mauern durch die zusammenziehende Kraft jener Rinde eingeschlossen, neue Unruhen hervorzubringen befähigt sei. Aber diese berücksichtigen nicht, dass die den Paroxysmus beschliessenden Schweisse zwar alles dasjenige, was sich in der Periode des Wohlbefindens angehäuft hat, vollkommen entfernen, so dass nur noch der Krankheitsgrundstoff übrig bleibt; seiner Zeit aber gelangt dieser wieder zur Reife. Die Rinde aber, den weichenden Paroxysmus vom Rücken her gleichsam angreifend, hebt Grund und Ursache, welche zum Fortbestand der Krankheit gehören, auf; demnach ist der Vorwurf, dass die Fieberrinde eine Zusammenziehung und Verstopfung bewirkt, ein nichtiger. (S. die lateinische Ausgabe von Gottl. Kühne, 1827, Bd. I., p. 261 u. 262.)

Auf welchen Grund hin wollen wir behaupten, dass die Rinde durch ihre zusammenziehende Kraft das Fieber vertreibe? Wer das beweisen wollte, müsste nothwendig zuvor darthun, dass andere zusammenziehende (adstringirende) Mittel eine gleiche Wirkung äussern könnten, was mir wenigstens mit den stärksten dieser Gattung bei keinem Versuch nach Wunsch gelungen ist. Ja, heilt die Rinde nicht auch die Kranken, welche, wie es zuweilen geschieht, nach ihrem Gebrauche gleichsam wie nach einem Abführmittel Leibesöffnung bekommen? . . .

Die peruvianische Rinde, im gewöhnlichen Leben Patavarpulver (pulvis patrum) genannt, wurde vor ungefähr 25 Jahren, wenn ich mich recht erinnere, hier in London zuerst gegen die Wechselfieber, am meisten gegen die viertägigen, mit Glück angewendet, und dies mit vollkommenem Recht, da jene Fieber von keinem anderen Heilmittel oder Heilverfahren früher solcher Gestalt bekämpft werden konnten, so dass sogar die Aerzte sich deshalb beschimpft sahen. Kurze Zeit darauf aber gerieth sie aus zwei gewichtigen Ursachen in vollkommene Vergessenheit.

Erstens, weil sie, einige Stunden vor Eintritt des Paroxysmus und während desselben gegeben, nach der damals angenommenen Sitte, manchmal offenbar dem Leben des Kranken ein Ende machte, wie es z. B. dem Londoner Bürger und städtischen Rathsherrn Namens Underwood und dem Capitän Potter und endlich einem Apotheker in der Black-Fryars Strasse wiederfuhr. Diese traurige Wirkung des Chinapulvers hat, so selten es sich auch in der Stadt zugetragen hat, doch selbst einige beherzte Aerzte von dessen Gebrauch abgeschreckt. Zweitens, weil der Kranke zwar durch dieses Pulver von dem darauffolgenden Paroxysmus befreit ward, jedoch meistens wieder binnen 14 Tagen einen neuen Anfall bekam, nämlich wenn die Krankheit noch neu war und durch die Länge der Zeit noch nicht an ihren Kräften verloren hatte. Aus diesen Gründen haben die meisten Menschen ihre früher von diesem Pulver gehegte Erwartung gänzlich aufgegeben; denn sie hielten es nicht für so belohnend, einige Tage früher von dem Paroxysmus befreit, dabei aber der durch das Pulver verschuldeten Lebensgefahr ausgesetzt zu sein. Nachdem ich aber schon seit vielen Jahren die ausserordentlich wirksame Kraft dieser Rinde ernstlich erforscht und weislich überlegt hatte, so musste ich mir gestehen. dass man durch kein anderes Mittel, als durch dieses, künftig die Wechselfieber bekämpfen könne, wenn es mit gleicher Sorgfalt als Behutsamkeit geschieht. Ich habe es daher sehr lange und viel bei mir erwogen, wie ich der mit dem Gebrauch des Pulvers verbundenen Gefahr und dem Rückfalle, der sich in wenigen Tagen wieder einzustellen pflegt, vorbeugen und den Kranken mit Hülfe dieses Mittels vollkommen gesund machen könnte.

Was nun erstens die bevorstehende Gefahr betrifft, so halte ich dafür, dass sie nicht sowohl durch die Fieberrinde, als vielmehr durch deren unrechten Gebrauch entstehe; denn weil die ungemeine Kraft der Fiebermaterie in den von dem Paroxysmus freien Tagen im Körper verblieben ist, so bewirkt besagtes Pulver, wenn es ganz kurze Zeit vor dem Anfalle gegeben wird, dass die Krankheitsmaterie auf dem natürlichen Weg, nämlich durch einen Fieberanfall, nicht herausgeschafft werden kann, und weil sie dann eingeschlossen, den Kranken in Lebensgefahr zu versetzen pflegt. Ich glaube also, diesem Uebel abhelfen und der von neuem sich erzeugenden Fiebermaterie zuvorkommen zu können, wenn ich, sobald der eine Paroxysmus zu wüthen aufgehört hatte, sogleich das Pulver anwendete, um dadurch den folgenden Anfall zu schwächen, und dann in den bestimmten Zwischentagen des Wechselfiebers dasselbe wiederholt gebrauchte, bis sich wieder ein neuer Anfall einstellen, und sich so allmählich und ganz ohne Gefahr das Blut mit der heilsamen Kraft der Fieberrinde gänzlich anfüllen würde.

Zweitens glaubte ich, dass man dem Rückfall, welcher meistens binnen 14 Tagen einzutreten pflegt und mir daher zu entstehen schien, weil das Geblüt mit der Kraft der Fieberrinde nicht hinlänglich angefüllt wurde, welche daher, so kräftig sie auch ist, doch nicht vermochte, die Krankheit auf einmal gänzlich zu heben, durch nichts besser zuvorkommen könne, als durch wiederholte Anwendung des Pulvers, auch wenn die Krankheit für den Augenblick schon aufgehört hat; aber immer nur in bestimmten Zwischenräumen, bevor die Kräfte der vorhergegebenen Dosis gänzlich verschwunden sind. Aus diesen Gründen verfiel ich auf folgende Methode, deren ich mich gegenwärtig bediene: Wenn ich z. B. Montags zu einem Kranken gerufen werde, der mit dem viertägigen Fieber behaftet ist,. und wenn der Anfall an dem nämlichen Tage eintreten soll, so unternehme ich garnichts, sondern sorge nur, wie ich dem Kranken Hoffnung mache, dass er von dem nächstfolgenden Anfall befreit werden wird, und dann verordne ich ihm in den zwei Tagen der Nachlassung, z. B. Dienstags und Mittwochs, die Fieberrinde auf folgende Art:

Man nehme Fieberrindenpulver, das feinste, zwei Loth, mache mit Nelkensyrup, so viel als nöthig ist, Pillen von mittlerer Grösse, von denen immer sechs Stück von vier zu vier Stunden zu nehmen sind.

Mit noch weniger Beschwerde für den Kranken und doch eben dem Nutzen kann man sich folgenden Pulvers bedienen:

Man nehme von der feingepulverten Chinarinde zwei Loth, giesse zwei Pfund Claretwein darauf und gebe davon alle vier Stunden dem Kranken acht bis neun Löffel voll.

Am Donnerstage, an welchem man den Anfall wieder erwartet, verordne ich nichts, weil er grösstentheils nicht zum Vorschein kommt, und der Ueberrest der Fiebermaterie durch den gewöhnlichen Schweiss, welcher den vorherigen Paroxysmus weggeschafft, von dem Geblüte abgeschäumt und ausgeworfen wird, und weil eine neue Anhäufung der Fiebermaterie oder des Zunders derselben durch den wiederholten Gebrauch der Rinde, welche an den von Paroxysmen freien Tagen gebraucht ward, verhindert worden ist.

Damit aber die Krankheit nicht wieder zurückkehre (was der zweite von den besagten Einwänden war), so gebrauche ich pünktlich wieder am achten Tage, nachdem der Kranke die letzte Dosis genommen hat, dieselbe Quantität des besagten Pulvers, nämlich zwei Loth in zwölf Theile getheilt, und dieses auf dieselbe Art, wie bei der früheren Methode. Obwohl aber das auf solche Weise einmal wiederholte Mittel sehr oft die Krankheit vertreibt, so ist doch der Kranke nicht ganz in Sicherheit gestellt, wenn er nicht dem Arzte gehorcht und das Pulver noch drei oder viermal auf dieselbe Art und in der nämlichen Zeit einnimmt, vorzüglich wenn das Geblüt durch irgend eine vorhergegangene Ausleerung geschwächt worden ist, oder wenn sich der Kranke unvorsichtig einer kühlen Luft ausgesetzt hat.

Obwohl aber dieses Mittel keine abführende Kraft besitzt, so geschieht es doch sehr oft, dass einige, als wenn sie zum Abführen eingenommen hätten, heftig purgiren, was einer besonderen Beschaffenheit des Körpers oder Idiosynkrasie zuzuschreiben ist. In diesem Falle ist nöthig, dass man dazu ein Laudanum gebrauche, um die Wirkung, die der Krankheit entgegengesetzt ist, hervorrufen zu können, damit das Pulver nicht eher durch den Stuhlgang fortgehe, als bis es seine Verrichtung vollbracht hat. In diesem Falle lasse ich also zehn Tropfen dieses Laudanums in Wein nehmen, und, wenn das Abweichen anhält, dasselbe nach jeder Dosis des Chinapulvers wiederholen.

Die besagte Methode gebrauche ich auch bei den übrigen Wechselfiebern, bei den dreitägigen, wie bei den viertägigen; greife beide gleich nach beendigtem Paroxysmus an und folge ihnen, so viel nämlich deren Beschaffenheit zulässt, an den Zwischentagen mit der erwähnten Arznei wiederholt hinten nach. Der Unterschied jedoch besteht darin, dass das viertägige Fieber sehr selten nur mit einer Unze, in Dosen getheilt, die anderen aber mit sechs Quentchen vertrieben oder wenigstens eingeschränkt werden können.

Obwohl aber die drei- und viertägigen Fieber nach einem oder dem anderen Anfalle gänzlich auszusetzen scheinen; so werden sie sich doch nicht selten zu der Gattung der anhaltenden Fieber umgestalten, so dass nur ein Nachlassen an jenen Tagen, wo ein gänzliches Ausbleiben statthaben sollte, erfolgt. Was sich vorzüglich ereignet, wenn der Kranke beständig im Bette gehalten und zu warm behandelt wird, oder wenn man ihn mit hitzigen Arzneien, die man zur Vertreibung des Fiebers durch den Schweiss anwendet, überhäuft. In diesem Falle benütze ich die Nachlassung, wie klein sie auch sei, denn dieses einzige ist mir noch übrig, und verordne gleich nach dem Paroxysmus, von dem Pulver alle vier Stunden, so viel ich für nothwendig halte, wie ich schon gesagt habe, ohne Rücksicht auf den Paroxysmus zu nehmen, da sonst in der kurzen Zwischenzeit die fieberheilende Kraft der Rinde dem Geblüte nicht mitgetheilt werden kann.

Noch herrschen einige Fiebergattungen unter uns, die, obschon sie nach dem zweiten und dritten Anfalle in die Classe der anhaltenden zu treten streben, doch unter die Wechselfieber gezählt werden müssen. Bei dieser äusserst hartnäckigen Fiebergattung trage ich kein Bedenken. die Fieberrinde zu gebrauchen, welche nach besagter Art wiederholt den Kranken gewiss in eine Apyrexie versetzen wird, wenn nur nicht die beständige Bettwärme oder der unzeitige Gebrauch hitziger Mittel das anhaltende Fieber unterstützt; in welchem Falle ich mehr als einmal beobachtet habe, dass die Fieberrinde nicht im geringsten nütze. Bei mir traf es sich niemals, dass der Wein, in welchem die Rinde gereicht wurde (was einer mit Recht vermuthen könnte), dem Fieberkranken schadete, im Gegentheile hörten die Hitze, der Durst und die übrigen Fieberzufälle, nachdem der Kranke eine hinreichende Quantität dieser Arznei eingenommen hatte, ungeachtet des Weines, grösstentheils bald auf. Hier ist aber zu beobachten, dass, jemehr sich das Fieber, sei es von selbst oder durch eine zu warme Behandlung, dem anhaltenden nähert, eine desto grössere Quantität von der Rinde zu gebrauchen ist. Ja bisweilen habe ich gesehen, dass diese Krankheit nur mit anderthalb oder zwei Unzen gehoben werden konnte. Da aber einige diese Rinde weder im Pulver, noch in einer Latwerge, noch endlich in Pillen vertragen können, so verordne ich einen kalten Aufguss von derselben, wie:

Nimm vier Loth Fieberrinde in eine halbe Maass Rheinwein, lasse es einige Zeit stehen — vielleicht etliche Tage — dann seihe es durch.

Wenn nun dieses Getränk öfters durch den Filtersack durchgeseiht ist, wird es eine sehr angenehme Farbe bekommen, so dass es auch die mehr delicaten Patienten gern einnehmen werden. Vier Unzen des besagten Aufgusses, auf einige Tage vertheilt, scheinen auch die Kraft eines Lothes dieser Rinde, in Pulver gereicht, zu haben. Da also dieser Aufguss unangenehm ist und den Magen nicht beschwert, so kann man ihn ebenso oft gebrauchen, als alle übrigen Formeln, bis die Paroxysmen dem Kranken den Rücken gewendet haben.

Es geschieht bisweilen, dass bei übler Beschaffenheit dieser Krankheit, und wenn sie noch keine ordentliche Gestalt angenommen hat, der Kranke wegen fast beständiger Neigung zum Brechen die Fieberrinde, man mag sie ihm unter was immer für einer Gestalt beigebracht haben, nicht behalten kann; in diesem Falle muss man erst die Brechneigung stillen, bevor die Rinde gereicht wird. Zu diesem Ende lasse ich in einer Zeit von sechs bis acht Stunden folgendes Mittel nehmen:

Nimm einen Löffel voll frisch ausgepressten Limoniensaft, einen Skrupel Wermuthsalz, mische es und lasse es nehmen. Dann nimm einen Löffel voll Zimmetwasser, sechzehn Tropfen der schmerzlindernden Essenz, und gieb es auf einmal ein. Kurz darauf, wenn das Erbrechen vorüber ist. schreite ich zum Gebrauche der Fieberrinde.

Für die Kinder, deren zartes Alter es kaum zulässt, dieses Mittel unter einer anderen Gestalt zu nehmen, wenigstens nicht in so grosser Menge, um dadurch die Krankheit zu überwältigen, pflege ich folgenden Julep zu verordnen:

Nimm Schwarzkirschenwasser und Rheinwein, von jedem vier Loth; drei Quentchen feingepulverte Fieberrinde; zwei Loth Nelkensyrup und mische es zu einem Syrup; lasse dann davon ein bis zwei Löffel voll nach Verhältniss des Alters alle vier Stunden so lange nehmen, bis der Anfall gänzlich ausbleibt; wozu man ein bis zwei Tropfen von dem flüssigen Laudanum wechselweise eintröpfeln kann, wenn ein Durchfall dazu kommen sollte.

Ueberdies ist zu bemerken, dass, weil bei den drei- und alltägigen Wechselfiebern wegen der kurzen Zwischenzeit der Anfälle die Fieberrinde nicht hinlängliche Zeit gewinnt, das Geblüt mit ihrer fieberheilenden Kraft zu sättigen, es geschehen kann, dass der Kranke dem nächsten Paroxysmus nicht zu entrinnen vermag, wie es bei dem viertägigen sich zu ereignen pflegt; sondern das Heilmittel wird erst oft nach zwei Tagen die versprochene Wirkung hervorbringen.

Noch ist aber zu bemerken, dass, wenn der Kranke ungeachtet aller oben angegebenen Behutsamkeit nichts desto weniger einen Rückfall erleidet, was bei dem viertägigen öfter geschieht als bei den drei- und alltägigen, ein kluger Arzt nicht zu hartnäckig bei der Methode beharren wird, während besagter Zwischenzeit die Fieberrinde zu gebrauchen; sondern er wird nach seinem Gutdünken eine andere Heilart ergreifen, wozu vorzüglich das Bitterdecoct, wie man es nennt, allgemein für sehr nützlich gehalten wird.

Was die Diät und das übrige Verhalten betrifft, so muss man den Kranken weder von einer Speise noch einem Getränke abhalten, von was immer für einer Art sie auch seien, wenn sie nur der Magen vertragen kann; doch Obst und kaltes Getränke immer ausgenommen, weil sie sehr zu Schwächung des Geblüts und zu Rückfällen des Fiebers beitragen. Daher mag er die leicht verdaulichen Fleischspeisen, wie auch Wein für das gewöhnliche Getränk, mässig geniessen, wodurch allein ich manchmal die Kranken hergestellt habe; auch solche, deren Körper wegen des häufigen Rückfalls des Fiebers gegen die Fieberrinde gleichsam verhärtet waren und ihrer heilsamen Kraft Trotz boten.

Der Kranke muss sich aber nicht unachtsam kühler Luft aussetzen, bevor das Blut nicht seine Kraft wieder erlangt hat.

Hier ist aber zu beobachten, dass wenn ich, wie ich bei den Wechselfiebern angeführt habe, rathe, dass man den Kranken nach gehobener Krankheit flüssig abführen soll, ich dieses nur von jenen Fiebern verstanden haben will, welche entweder durch sich selbst oder durch ein anderes Mittel als die Fieberrinde geheilt worden sind. Denn wenn die Heilung durch dieses Mittel, von dem ich jetzt spreche, durchgeführt wird, so bedarf sie keiner Abführung, ja sie wäre sogar nachtheilig. Die besagte Rinde ist ohne Gebrauch der Abführungsmittel so kräftig, dass sie nicht nur die Anfälle, sondern auch die Mischungen, die im Körper vorkommen, hebt. Daher muss man alle Ausleerungen, von welcher Beschaffenheit sie auch sind, meiden, da die gelindeste Abführung den Kranken der Gefahr neuer Krankheit aussetzt oder vielleicht wirklich in die Krankheit selbst stürzt.

Hier muss ich aber auch erwähnen, dass in früheren Jahren manchmal noch eine wichtige Complication zu den Wechselfiebern gekommen ist. Die Anfälle derselben fingen nicht mit Schauder und Frost an, worauf Fieber folgte, sondern der Kranke war fast von solchen Zufällen ergriffen, als wäre er von einem wahren Schlage getroffen, was jedoch nichts anderes war, so viel er auch mit diesem Affecte Aehnlichkeit hatte, als das Fieber selbst, welches den Kopf angriff, wie man es aus der Farbe des Urins und anderen Kennzeichen ersehen konnte; denn der Urin war bei den Wechselfiebern meistentheils von dunkelrother Farbe, wie bei denen, die an der Gelbsucht litten, obschon nicht gar so roth, und setzte einen Bodensatz ab, welcher fast einem Ziegelpulver ähnlich war. In diesem Falle, so sehr Ausleerungen, wessen Gattung sie immer seien, angezeigt zu sein scheinen, um die Feuchtigkeit vom Gehirn abzuleiten, wie es bei einem eigentlichen Schlage zu geschehen pflegt; so müssen sie doch gänzlich unterlassen werden, weil sie der ursprünglichen Ursache dieses Zufalls, nämlich dem Wechselfieber, ganz entgegengekehrt sind und daher den Tod beschleunigen, wie ich es auch selbst gesehen habe. Man muss im Gegentheil vielmehr abwarten, bis der Anfall von selbst verschwindet, worauf die Rinde, wenn man sie nicht eher reichen konnte, sogleich eingegeben und in der von Unruhen freien Zeit fleissig wiederholt werden muss, bis der Kranke vollkommen gesund ist.

Das ist es, was ich von dem Gebrauche der Fieberrinde hauptsächlich zu sagen hatte, ohne es sonderlich auszuschmücken. Da nun die, welche der Fieberrinde ausser der nöthigen Feuchtigkeit, damit sie hinabgeschluckt werden könne, noch mehr beisetzen, entweder der Unwissenheit, wie ich glaube, oder eines Betruges zu beschuldigen sind, so wird ein rechtschaffener Mann nie einen Betrug ausüben, wie sehr ihn auch sein eigener Vortheil dazu verleiten möchte. Wenn man übrigens auf das hätte sehen wollen, was ich seit vier Jahren in meiner Geschichte der hitzigen Krankheiten angab, auf welche Art nämlich die Fieberrinde in den Zwischenzeiten der Anfälle gebraucht werden müsse und wie sie zu wiederholen sei, wenn der Kranke schon genesen, so würden vielleicht viele von denen, welche nun schon die Erde bedeckt, noch leben.

Ist nicht alles dieses so geschrieben, dass nach abermaligem Verlauf von mehreren Jahrhunderten der, welcher sich in das Studium dieser Lehren vertieft, von neuem sich an der Ursprünglichkeit und Wahrheit derselben erfrischen wird? Und woher kommt es wohl, dass man eine ähnliche Prognose unseren Arzneimittelprüfungen der letzten 50 Jahre nicht stellen kann? Ich möchte glauben, dass ein sehr wichtiger Grund dafür in der Arbeitstheilung zu suchen ist, welche in der Schulmedicin der modernen Zeit Platz gegriffen hat. Welcher Arzt nimmt sich jetzt noch die Mühe, die Zusammensetzung, Herkunft, Wirkungsweise und Dosirung der medicinischen Droguen selber zu prüfen? Ist nicht, wenn man die heutige Arzneimittelherstellung, die Arzneimitteldosirung und die Auswahl der neu in den Arzneischatz aufzunehmenden Medicamente genauer betrachtet, das Verhältniss ein ähnliches, wie in einem Fabrikbetriebe, wo es Leute giebt, die zwar die herzustellenden Präparate anzufertigen verstehen, aber nicht wissen, wozu sie gut sind, und aus welchem Grunde die Sache so und nicht anders gemacht wird, während wiederum andere Leute zwar den Zweck und die Anwendungsweise der Präparate kennen und anordnen, jedoch die Handgriffe zur Anfertigung nicht kennen, wo endlich nicht selten, ohne Schaden für den Betrieb, an der Spitze des Ganzen eine Persönlichkeit steht, die mit einem weder durch technische noch durch theoretische Sachkenntniss getrübten Blick die Marschroute für das Ganze vorzeichnet? In den ausgetretenen Bahnen eines fabrikmässigen Betriebes geht so etwas ganz gut; wo es aber gilt, Neues zu entdecken, da wird eine derartige Arbeitstheilung zwischen Chemikern, Apothekern, sogenannten rein wissenschaftlichen Medicinern (Physiologen, Pharmakologen, Anatomen u. s. w.), Klinikern und praktischen Aerzten schwerlich zum Ziele führen. Auch die in der Sammelforschung und in der medicinisch-therapeutischen Statistik organisirte Arbeitstheilung hat noch nicht einen wahren Fortschritt in der Krankheitsheilung zu Tage gefördert.

Wie weit nun Sydenham bei seiner Arzneimittelprüfung davon entfernt war, sich auf andere zu verlassen und die Lehrmeinungen seiner Zeit für die Beurtheilung der Heilkräfte und der Herstellungsweise der Medicamente als maassgebend zu erachten, wie wenig er auch geneigt war, die Autorität der Apotheker anzurufen, das erfahren wir fast auf jeder Seite seines Buches. „Simplex sigillum veri“ war ihm ein streng beachteter Grundsatz. Wo er ohne Medicamente auskommen konnte, da enthielt er sich derselben und ersetzte sie durch eine entsprechende Diät. So hatte er bei chronischem Gelenkrheumatismus eine Molkencur bewährt gefunden. Dazu sagt er (l. c. Bd. II, p. 366): „Wenn nun jemand diese Heilart, weil sie einfach ist und des Ruhmes der Kunst entbehrt, verachten wollte, diesem würde ich sagen, dass erstens nur schwache Geister eine Sache gering schätzen, weil sie einfach und bekannt ist; zweitens dass ich bereit bin, auch mit Verlust meiner Achtung dem allgemeinen Besten der Menschen zu dienen.“

Ganz besonders charakteristisch für sein Vorgehen bei der Arzneimittelprüfung finde ich jedoch folgende Stelle aus seinem Brief an Wilhelm Cole, in welchem von der Wirkung der Eisenpräparate bei den mannigfachen Schwächezuständen der Frauen die Rede ist (l. c. Bd. II, p. 116 ff.):

„Am bequemsten, wenn ich mich nicht irre, wird der Stahl in Substanz gereicht; denn wie ich weder selbst je beobachtet, noch von andern sagen gehört habe, dass er so eingenommen jemandem geschadet habe, so überzeugte mich auch vielfältige Erfahrung, dass die blosse Substanz des Stahles die Heilung sowohl glücklicher als auch in kürzerer Zeit vollende, als wenn er, wie es gewöhnlich geschieht, auf was immer für eine Art zubereitet wird, da sowohl bei diesem als auch andern vorzüglichen Heilmitteln der Uebereifer der Chemiker bisweilen nur das zuwege gebracht hat, dass die Mittel nicht nur weniger kräftig, sondern dass auch durch verkehrte und nutzlose Bearbeitung dieselben unwirksam gemacht wurden. Ich habe gehört (was, wenn es wahr ist, meine Meinung sehr unterstützen wird), dass das Eisenerz selbst, wie es aus dem Innern der Erde ausgegraben wird, noch roh und unbearbeitet, kräftiger gegen diese Krankheit wirkt, als das durch das Feuer geschmolzene und so gereinigte Eisen. Jedoch kann jeder glauben, was ihm beliebt; ich habe es noch nicht versucht, ob sich die Sache so oder anders verhält. Aber so viel weiss ich gewiss, dass noch kein Mittel bekannt ist, dessen Kräfte nicht von der Natur gegeben sind, wesswegen auch die Alten einige vorzüglichere Arzneien göttliche Mittel genannt haben. Dass aber jede Arznei durch ihre angeborene Kraft vorzüglich und befähigt ist, Wunderbares hervorzubringen, in welcher Gestalt sie auch eingegeben wird, dafür erwähle ich jenes edle Paar zu Zeugen, den Mohnsaft oder das Opium und die Fieberrinde. Denn die medicinische Erfahrung besteht nicht sowohl in der Zubereitung als vielmehr in der Auswahl und zweckmässigen Anwendung derjenigen Arzneien, welche die Natur durch ihr eigenes Feuer zubereitet und ausgearbeitet hat, und die sie reichlich darbietet. Wir haben nur Sorge zu tragen, dass die Medicamente in eine solche Gestalt umgewandelt werden, in der entweder ihr Wesen, oder wenigstens ihre Kraft und Wirksamkeit unserm Körper besser mitgetheilt werden kann. Nächst dem Stahl in Substanz gebrauche ich vor allem gerne den Syrup desselben. Er wird bereitet aus Eisen- oder Stahlfeile, auf welche man kalten Rheinwein giesst, bis der Wein genug gesättigt ist, worauf dann die gefärbte Flüssigkeit mit einer hinlänglichen Quantität Zucker zu einem Syrup verkocht wird. Während der ganzen Zeit, in welcher die Kranke Stahlmittel einnimmt, pflege ich kein Purgirmittel in den Zwischenräumen zu geben, weil sowohl bei den hysterischen, wie bei den hypochondrischen Zuständen die Kräfte des Stahles von dem Purgirmittel unterbrochen und geschwächt zu werden scheinen . . . . Und ebenso scheint es mir, dass wenn man die Mineralwasser gebrauchen lässt, welche Eisentheile in sich halten, die letzteren weniger wirksam gemacht werden. Ich weiss zwar, dass einige genesen sind, denen man gleichzeitig Purgirmittel und Stahl verordnet hat; das geschah aber nicht durch die Klugheit des Arztes, als vielmehr durch kräftige Wirkung des Stahles, da die Heilung in weit kürzerer Zeit, wenn man jene unterlässt, vor sich geht. . . .

Hier darf ich nicht übergehen, dass einige glauben, dass das Eisen in diesen Wässern mit seinem Grundstoffe aufgelöst sei (was richtig ist, wenn wir das Eisen in flüssigem Zustand darin voraussetzen). Ich hege keinen Zweifel, dass sie einfache Wasser sind, denen ihre Kraft durch den Stoff, über welchen sie fliessen, mitgetheilt wurde. Hiervon wird sich jeder leicht überzeugen, wenn er eine hinlängliche Menge alter Hufnägel in einige Maass gemeinen Wassers legt. Er wird merken, dass es, wenn er Galläpfelpulver, Thee und dergl. dazusetzt, eben dieselbe Farbe bekommt, wie wenn es ein Mineralwasser wäre.

Ja dieses künstliche Wasser hat sogar dieselbe Wirkung wie das natürliche (man mag es nennen wie man will), wenn man es im Sommer und bei gesunder Luft zu sich nimmt. Sowie es aber geschieht, dass der kranke Zustand den eisenhaltigen Wassern nicht weicht, so müssen solche Kranke in warme Schwefelbäder gehen, wie unsere zu Bath sind. Der Kranke muss drei Morgen nacheinander davon trinken, am folgenden Tage in das Bad gehen und am nächsten Tage wieder davon trinken, und diese Cur zwei Monate hindurch wechselseitig gebrauchen. Denn sowohl bei diesen wie bei andern Wässern, die von ähnlicher Art sind, ist vorzüglich darauf zu sehen, dass der Kranke damit so lange fortfahre, bis er nicht nur einige Linderung verspürt, sondern, damit nicht alle Zufälle in kurzer Zeit wiederkehren, bis er vollkommen genesen ist."

Könnte man nicht auch heute noch mit Vortheil diese Angaben über die Eisenpräparate in unsere Arzneibücher aufnehmen? Recht bemerkenswerth ist an dieser Stelle, wie überall in Sydenham's Schriften, der Umstand, dass er alles gelehrte Beiwerk und die Berufung auf andere Autoren vermeidet; wo er nicht aus eigener Erfahrung heraus reden kann, da sagt er überhaupt nichts. Diese Eigenthümlichkeit theilt er mit Bretonneau; nur gelegentlich verräth sich die Belesenheit beider Autoren in historischen Auseinandersetzungen, in welchen sie den Spuren nachgehen, welche für ihre Ideen und Grundsätze sich in früheren Zeiten nachweisen lassen.

Wenn in dem Zurückgehen auf eigene Untersuchungen über die Herstellung und Wirkungsweise der Arzneien ein sehr wichtiger Grund für die therapeutischen Erfolge Sydenham's zu finden ist, so ist es doch nicht der wesentlichste. Diesen finde ich vielmehr in seiner Auffassung von dem Wesen, dem Sitz und den Ursachen der typisch verlaufenden Krankheiten.

In Bezug auf das Wesen der Krankheiten bekennt sich Sydenham als Ontologen. Den Sitz derselben verlegt

er in das Blut, er ist also Humoralpatholog. Die Krankheitsursache endlich erklärt er für specifisch. Daraus ergiebt sich dann von selbst, auch wenn er nicht dies noch besonders hervorgehoben hätte, dass er in der Therapie an Specifica glaubt.

Auf Sydenham müsste also in vollstem Maasse das Urtheil Virchow's Anwendung finden, dass er „an einer wesentlichen Störung in der Erkenntniss leide, oder in bewusster Weise Charlatanerie treibe.“ Ich denke jedoch, dass uns die Sache nicht so schlimm erscheinen wird, wenn wir Kenntniss davon genommen haben, wie Sydenham seinen Standpunkt in der Krankheitslehre begründet.

Hören wir zunächst, was er über das Wesen der Krankheiten sagt. Da heisst es in der lateinischen Ausgabe der „Opera universa medica“ (von Gottl. Kühn, Lipsiae, sumptibus Leopoldi Vossii MDCCCXXVII) pag. 12 ff.

Jede specifische Krankheit ist eine Erscheinungsform am lebenden Organismus, welche von einer quantitativen oder qualitativen (d. h. specifischen) Veränderung der flüssigen Bestandtheile des Körpers ihren Ursprung herleitet. („Adeo ut quilibet morbus specificus affectio sit ab hac vel illa exaltatione, vel specificatione succi cujusdam in corpore animato ortum ducens.“)

Der grösste Theil derjenigen Krankheiten, welche nach einem bestimmten Typus verlaufen, kann unter diesem Gesichtspunkt betrachtet werden, und sicherlich hält sich die Natur auch bei der Krankheitserzeugung ebenso an ihre eigenen Gesetze, wie sie das thut bei der Erzeugung von Pflanzen und Thieren. . . .

Ein gutes Beispiel dafür liefern uns jene specifischen Auswüchse an Bäumen, Sträuchern (mögen dieselben von Saftverderbniss oder von anderen Ursachen herzuleiten sein), welche bald in Gestalt eines Mooses, Vogelleims, Schwamms u. s. w. auftreten; alle diese Auswüchse sind Wesenheiten oder Species, die von dem Wirthsorganismus, mag derselbe Baum oder Strauch sein, gänzlich verschieden sind. Und wer nun jenen Erscheinungen recht nachdenkt, welche beispielsweise bei dem viertägigen Wechselfieber zu beobachten sind: wie das Fieber immer zur Herbstzeit sich einstellt, wie es eine gewisse Ordnung einhält im Fortgang und Ausgang; wie es seinen Kreislauf vom ersten bis vierten Tag nicht anders wie ein Zeiger der Uhr typisch wiederholt; wie noch andere gewissermaassen automatische Periodicitäten dabei zu beobachten sind, wenn nicht durch von aussen stammende störende Beeinflussung der Gang unterbrochen wird; wie ferner das Fieber mit Frost beginnt, in Hitzegefühl dann übergeht und mit Schweiss endigt: wer alles dieses wohl überlegt, sage ich, wird die Ueberzeugung bekommen, dass diese Krankheit ebenso gut als eine besondere Species anzusehen ist, wie eine Pflanzenspecies, die gleichfalls in gesetzmässiger Weise aus der Erde hervorkeimt, blüht und verwelkt und auch in allen übrigen Dingen specifische Charaktere an sich trägt. Jedoch es ist nicht immer ganz leicht, bei einer Krankheit den Zusammenhang der Ursachen und Phänomene herauszufinden, während von einer Pflanzenspecies überall in der Natur leicht die einzelnen Exemplare herauserkannt werden.

Indessen so viel ist klar, dass, im Gegensatz zu den in der Regel für sich selbst existirenden Pflanzen- und Thierspecies, die Krankheitsspecies in unlöslicher Abhängigkeit stehen von der Saftmasse des lebenden Organismus.

Was aber die Endursachen der Krankheiten betrifft, so sind dieselben für uns unergründlich.

Dagegen ist das Problem nicht unzugänglich, welches die Heilung der Krankheiten angeht.

Die Leute, welche immer nach den Endursachen forschen, pflegen die naheliegenden und nächstliegenden Bedingungen für die Entstehung der Krankheiten, welche man auch ohne Spitzfindigkeit herausfinden kann, und die doch dem Arzt nothwendig bekannt sein müssen, zu verachten; und so entgeht jenen Leuten die Fähigkeit, eine Krankheit von der anderen zu unterscheiden.

Die Darlegung seines humoral-pathologischen Standpunktes finden wir kurz vorher (l. c. pag. 12).

Es ist zu beachten, dass die Körperflüssigkeiten, wenn sie länger im Organismus zurückgehalten werden, als es der Norm entspricht (wahrscheinlich, weil sie von den natürlichen Kräften des Organismus nicht genügend verarbeitet werden, um für die Entfernung aus demselben reif zu werden), oder wenn sie infolge besonderer atmosphärischer Einflüsse eine krankhafte Beschaffenheit angenommen haben; endlich wenn sie — inficirt durch ein giftiges, contagiöses Agens — verpestet sind, eine substantielle Beschaffenheit annehmen, die sich zu einer specifischen steigern kann, und die sich durch mehrfache, aber eigenartige, essentielle Krankheitserscheinungen äussert. Für Leute, die weniger sorgfältig beobachten, könnte es scheinen dass solche Krankheitssymptome ihren Ausgang nehmen von der Beschaffenheit desjenigen Körpertheiles (Organs), in welchem die krankhaft veränderte Körperflüssigkeit ihren Sitz hat; oder von den Körpersäften, bevor dieselben krankhaft verändert sind; in Wirklichkeit aber hängen diese Symptome ab von dem essentiellen specifischen Agens, welches den Charakter ausgesprochener Specifität erst allmählich angenommen hat. (p. 12: „Observandum est itaque, quod si humores vel diutius quam par est in corpore fuerint retenti (quia scilicet natura eosdem concoquere nequeat, ac deinceps expellere) vel ab hac aut illa aëris constitutione labem morbificam contraxerint; vel denique contagio aliquo venenato infecti in ejusdem castra transierint; his inquam modis et his similibus, dicti humores in formam substantialem, seu speciem exaltantur, quae his aliisve affectibus, cum propria essentia convenientibus se prodit; quae quidem symptomata, licet minus cautis videantur oriri, vel a natura partis, quam humor obsedit, vel a natura humoris ipsius, antequam hanc induerat speciem, nihilominus re vera affectus sunt, ab essentia dictae speciei in hunc gradum recens evectae pendentes.“)

Hier finden wir gleichzeitig sein Bekenntniss betreffend die essentiellen und specifischen Krankheitsursachen, verbunden mit der Erklärung, dass die Actionskraft derselben wandlungsfähig ist.

Auch seinen Glauben an die Existenz von specifischen Heilmitteln gesteht er in ganz unzweideutigen Worten (l. c. pag. 14 ff.):

Sollte nun jemand fragen, ob die Heilkunde nicht auch die Aufgabe hat, specifische Heilmittel zu suchen, so antworte ich ohne Bedenken „ja“; . . . . wer aber der Meinung ist, dass wir schon eine grosse Zahl specifischer Mittel kennen, der wird, glaube ich, wenn er die Sache ein wenig genauer betrachtet, eingestehen müssen, dass dem nicht so ist. Nur ein einziges, die Fieberrinde, kann er aufweisen.... Denn es ist ein himmelweiter Unterschied zwischen jenen Arzneien, welche bloss dieser oder jener Indication entsprechen, und die in der That bei geschickter Benutzung heilen können; und zwischen denen, welche diese oder jene Krankheit specifisch und unmittelbar heilen, ohne Rücksicht auf einzelne, durch Krankheitssymptome gegebene Indicationen.

Wenn man nun die specifischen Arzneimittel in diesem unserem Sinne betrachtet, so wird nicht leicht jeder beliebige Mediciner solche aufzufinden imstande sein. („Specifica proinde medicamenta, si ad hanc mentem nostram restringantur, non cuivis contingunt.“)

Im folgenden giebt dann Sydenham seiner Ueberzeugung davon Ausdruck, dass es die Pflanzenwelt ist, in welcher wir nach specifischen Mitteln zu suchen haben. Jedoch nur dann, wenn man von der Erkenntniss der specifischen d. h. constant zu beobachtenden Krankheitsursachen ausgeht, könne man darauf rechnen, wirkliche Heilmittel zu finden (l. c. pag. 11):

Wie stark einerseits der Hang ist, voluminöse Werke allgemeinen Inhalts zu schreiben, wie schwer andererseits es ist, für jede einzelne Krankheit eine gut begründete Heilmethode zu geben, weiss jeder, der auch nur mittelmässig in der medicinischen Praxis bewandert ist. Wenn nur in jedem Jahrhundert einer auf diese Art sich verdient gemacht hätte, so würde die Heilkunde schon längst auf den höchsten Gipfel der für uns erreichbaren Vollkommenheit gelangt sein. Es ist aber unser Unglück, dass wir von der hippokratischen Heilmethode abgewichen sind, die auf der Erkenntniss solcher Krankheitsursachen, welche ausnahmslos den Krankheiten zugrunde liegen, basirt. Darauf beruht es, dass die Medicin von heutzutage mehr eine Kunst zu schwätzen ist, als zu heilen.

Obwohl schon diese Citate zur Genüge beweisen dürften, dass jemand Ontolog, Specifiker und Humoralpatholog sein kann, ohne deswegen sofort verdammt werden zu müssen, so möchte ich noch im Zusammenhange eine Stelle aus der Vorrede Sydenham's zu seinen Werken hier anführen, welche uns ein Bild giebt von der Klarheit und dem Scharfsinn desselben, und die es werth ist, dass jeder Arzt sie seinem Gedächtniss einprägt:

„Fortschritte in der Heilkunde beruhen nach meiner Meinung auf der Vermehrung unserer Kenntnisse in der Geschichte der Krankheiten, welche einerseits Auskunft giebt über die Symptome, durch welche die Krankheit sich documentirt, andererseits über das Krankheitswesen (historia graphica und historia naturalis morborum); zur Erlangung einer solchen Naturgeschichte aller Krankheiten muss man sich aber einer einheitlichen und erschöpfenden Methode bedienen.

Einwandsfreie Geschichte in dem Sinne zu schreiben, der uns von Baco von Verulam zuerst gelehrt worden ist, stellt aber grosse Anforderungen an den Autor, welcher sich dieser Aufgabe unterzieht, während freilich oberflächliche Beschreibungen in übergrosser Menge vorhanden sind . . . .

Ich will hier nur einiges berühren, worauf mit ganz besonderer Aufmerksamkeit zu achten ist bei der Geschichtsschreibung auf dem Gebiete der Krankheitslehre.

Erstens ist es nützlich, dass alle Krankheiten unter ganz bestimmte Arten (ad definitas ac certas species) gebracht werden, und zwar mit derselben Genauigkeit (ἀκριβείᾳ), welche von den Botanikern in ihren Phytologieen beobachtet wird. Man findet aber Krankheiten, welche sich in vielen Symptomen so sehr ähnlich verhalten, dass sie nicht bloss in die nämliche Krankheitsgruppe (sub eodem genere) gebracht worden sind, sondern sogar den gleichen Krankheitsnamen bekommen haben; gleichwohl sind sie in ihrem Wesen durchaus von einander verschieden, und dementsprechend verlangen sie auch eine gänzlich differente Art der Behandlung. Es ist bekannt, dass die botanische Bezeichnung „Carduus" (Distel) auf eine ganze Anzahl von Pflanzenspecies Anwendung findet; da würde nun derjenige Botaniker, welcher nur eine generelle Beschreibung der Carduus-Gruppe geben wollte, recht wenig accurat verfahren; vielmehr hat er den jeder einzelnen Species zukommenden und ihr eigenthümlichen Charakter, durch welchen die eine Species der Carduus-Gruppe von den anderen zu unterscheiden ist, genau anzugeben.

So ist es bei vielgestaltigen (*πολυειδης*) Krankheiten auch nicht ausreichend, bloss die am meisten in die Augen springenden Kennzeichen, welche einer ganzen Krankheitsgruppe zukommen, in Betracht zu ziehen . . Dass es in der That Krankheiten giebt, die von Autoritäten in der Medicin, trotz wesentlicher Verschiedenheit, mit demselben Namen belegt werden, das wird sich in meinen späteren Auseinandersetzungen zur Evidenz, wie ich hoffe, ergeben.

Man kann aber auch Krankheitseintheilungen finden, die der Hypothese eines geistreichen Mannes zu Liebe gemacht wurden und die nicht sowohl dazu dienen, die Krankheit in's rechte Licht zu setzen, als vielmehr das philosophische Genie des Autors.

Wie sehr unter solchen Verstössen gegen die „*ἀκριβεία*" (scrupulöse Genauigkeit) die Heilkunde gelitten hat, beweisen zahlreiche Beispiele, an denen sich nachweisen lässt, dass nur das Durcheinanderwerfen specifisch verschiedener Krankheiten daran Schuld ist, wenn unsere Materia medica zu vergleichen ist einem riesigen Walde, in dem man nicht ein und aus findet, und dass der Arzneischatz so wenig Nutzbringendes enthält.

Philosophische Speculationen und Hypothesen muss man in der Beschreibung der Krankheiten gänzlich zurücktreten lassen, dagegen die Krankheitsphänomene deutlich und wie sie sind, hervorheben, mögen sie auch noch so geringfügig erscheinen; man muss es da machen, wie der Porträtmaler, der auch die Muttermäler und Schönheitsflecken zum Ausdruck bringt (naevos et levissimas maculas exprimit); es ist gar nicht zu sagen, wie unentwirrbar das Netz von Irrthümern ist, welches Schriftsteller mit Hülfe von ihren physiologischen Hypothesen ausgesponnen haben, indem sie, ausgehend von ihren vorgefassten Meinungen, Krankheitsphänomene beschrieben haben, die, ausser in ihrem Gehirn, nirgends eine Existenz haben. Dazu kommt dann, dass solche Schriftsteller rein accidentelle Dinge bei einer Krankheit, bloss weil sie für ihre Hypothese eine Rolle spielen, über jedes Maass hervorheben und so aus der Mücke einen Elephanten machen, gleich als ob darauf das ganze Heil ankäme; alles aber, was nicht in ihre Hypothese hineinpasst, entweder ganz mit Stillschweigen übergehen, oder doch bloss ganz oberflächlich streifen.

Weiterhin ist bei der Beschreibung der Krankheiten streng zu unterscheiden zwischen den specifischen, nie fehlenden Phänomenen und den gelegentlich auftretenden. Manche Phänomene sind auch bloss auf die medicamentösen Eingriffe des Arztes zurückzuführen, so dass oft das verschiedene Aussehen einer und derselben Krankheit bei verschiedenen Patienten nicht sowohl der Krankheit selbst, sondern dem behandelnden Arzte zuzuschreiben ist. Ich füge noch hinzu, dass sogenannte interessante und seltene Fälle eigentlich nicht in die Geschichte der Krankheiten hineingehören, wie man ja auch nicht bei der Beschreibung beispielsweise der Salbei, die durch Raupenbisse erzeugten Veränderungen dieser Pflanze unter die charakteristischen Merkmale aufnehmen wird.

Endlich müssen die Jahreszeiten sorgfältig beachtet werden, insoweit dieselben mit dem Beginn und mit dem Verlauf der Krankheiten in einem wesentlichen Zusammenhang stehen. Ich läugne zwar nicht, dass viele Krankheiten zu jeder Jahreszeit auftreten; andere aber verhalten sich ähnlich wie manche Vögel und Pflanzen, die auch zufolge von einem unerklärlichen natürlichen Instinkt in ihren Lebenserscheinungen an die Jahreszeiten gebunden sind. . . .

Was die Individualität der Patienten betrifft, so ist zwar zuzugeben, dass durch dieselbe eine verschiedene Art der Krankheitsbehandlung indicirt sein kann; indessen die Natur verhält sich doch bei der Erzeugung von Krankheiten so gleichmässig, dass die Krankheitssymptome bei verschiedenen Individuen recht eintönig sind; und genau dieselben Symptome, welche eine bestimmte Krankheit bei einem Sokrates in Erscheinung treten lässt, lassen sich im allgemeinen auch bei jedem beliebigen anderen Menschen wiederfinden. Auch hier wieder liegt der Vergleich mit den Eigenschaften der pflanzlichen Species nahe. Denn wenn jemand z. B. ein Veilchen nach Farbe, Geruch, Gestalt, Geschmack u. s. w. sorgfältig beschrieben hat, so werden alle Veilchen auf der Erde, die derselben Species angehören, in dieser Beschreibung mit einbegriffen sein.

Sollte nun der Arzt nicht, wie er von den genau erkannten Krankheitserscheinungen diagnostische Merkmale ableitet, in gleicher Weise auch therapeutische entnehmen können? . . .“

Das sind alles Grundsätze, die nur ein auf dem Boden einer ontologischen Krankheitslehre stehender Arzt aufstellen und vertreten konnte. Sie mögen nicht in allen Stücken ganz einwandsfrei sein; aber ich habe bei meinen historischen Studien noch keine anderen Grundsätze gefunden, die für die ärztliche Aufgabe, Krankheiten zu heilen und zu verhüten, sich fruchtbarer erwiesen hätten.

6. Ueber specifische Heilmittel und über ätiologische Therapie.

Unter Berücksichtigung dessen, was bisher aus Sydenham's Werken über den Begriff der Specificität in der Krankheitslehre citirt worden ist, können wir uns schon ein einigermaassen zutreffendes Bild von den Eigenschaften eines specifischen Heilmittels im Sinne der älteren Aerzte machen. Ein specifisches Mittel für eine Krankheit kann man danach als ein solches definiren, welches die Krankheitsursache erfolgreich angreift und den durch die Krankheitsursache ausgelösten Krankheitsprocess dadurch zum Stillstand bringt. Die eigentliche Heilung der Krankheit nach Anwendung des specifischen Mittels ist dagegen eine Function des lebenden Organismus, und auch bei der specifischen Therapie bleibt der Satz zu Recht bestehen: „Natura sanat".

Sydenham hat noch an verschiedenen anderen Stellen seiner Werke sich darüber ausgesprochen, was er von specifischen Mitteln denkt; ganz besonders lehrreich sind aber seine Ausführungen in dem „Tractatus de podagra", wo er, nach der ausführlichen Schilderung seiner noch jetzt giltigen diätetischen Behandlungsmethode[1]) der Gicht, sich folgendermaassen äussert (l. c. Bd. I, p. 427 ff): „Hier habe ich nun alles aufgezählt, was ich bisher über die Heilung dieser Krankheit (des Podagra) habe erfahren können. Sollte mir aber jemand den Einwurf machen, dass es viele Mittel gebe, welche ganz specifisch auf das Podagra hinwirken, so gestehe ich sehr gerne ein, sie nicht zu kennen; und ich fürchte nur, dass andere diese Mittel ebenso wenig kennen wie ich", und: „Ein radicales und ganz vollständiges Heilverfahren, wodurch der Kranke zugleich auch von der Anlage zu dieser Krank-

---

[1]) Noch neuerdings (Deutsche medicin. Wochenschrift No. 22) ist Sydenham in seiner Bedeutung für die diätetische Behandlung von Leyden in seiner Arbeit „Ueber Ernährungstherapie" gewürdigt worden. Die praktisch so bedeutsamen Aufgaben der Ernährungstherapie sind in dieser Arbeit in klarer und erschöpfender Weise dargelegt. Bekanntlich ist es Leyden gewesen, der die auch in Amerika schon vor Jahren aufgenommene Ernährungstherapie in Deutschland als der erste gepflegt hat, nachdem er neben seinen geschichtlichen Studien, durch eine Reihe von Vorarbeiten aus seiner Klinik die nothwendigen Grundlagen dafür gewonnen hatte.

heit befreit werden könnte, liegt noch tief im Schoosse der Natur begraben; auch weiss man nicht, wann und von wem es an's Licht gezogen werden wird." „Aber," sagt Sydenham weiter, „ich glaube nicht zu viel zu versprechen, wenn ich mich durch langes Nachdenken, welches ich auf diesen Gegenstand verwendete, zu glauben veranlasst finde, dass einmal noch ein Mittel gegen diese Krankheit werde erfunden werden. Wenn nun dies einmal geschehen sollte, so werden die Dogmatiker durch ihre eigene Unwissenheit geschlagen werden, und man wird daraus klar sehen, wie sehr sie sowohl in der Auffindung der Krankheitsursache, als auch in Anwendung der Arzneimittel gefehlt haben." Sydenham nimmt sich selbst gar nicht aus von dem in diesen Worten liegenden Tadel, welcher seine diätetische Behandlung der Gicht als ein unvollkommenes und provisorisches Auskunftsmittel charakterisiren soll; „denn," fährt er weiter fort, „wie viele Jahrhunderte hindurch haben sich schon die gelehrtesten Männer Mühe gegeben, die Grundursache der Fieber auszuforschen, um ihr die entsprechende Behandlungsweise nach der von jedem ausgedachten Theorie anzupassen? Noch heutigen Tages pflegen die Praktiker, welche die verschiedenen Ursachen der Wechselfieber eigenartigen Blutmischungen zuschreiben, ihre Behandlung auf die Umänderung und Beseitigung der fehlerhaften Blutmischung zu lenken. Wie unglücklich und fruchtlos aber ihr Bestreben hierin ist, beweist uns vorzüglich der jetzt glücklichere Gebrauch der Chinarinde; denn mit ihrer Hülfe erreichen wir heut zu Tage, ohne gerade zu sehr auf die Blutmischung, die Diät und das übrige Verhalten Rücksicht zu nehmen, weit glücklicher unseren Endzweck, wenn wir nur dieses Mittel gehörig gebrauchen."

Man sieht, dass Sydenham recht hohe Anforderungen an ein specifisches Heilmittel stellt. Er will selbst das Quecksilber gegenüber der Syphilis nicht als ein solches gelten lassen, wie aus folgenden Worten hervorgeht (Lat. Ausgabe, p. 15): „Mercurius, et sarsae radices, in lue venerea, specifica vulgo audiunt; quae tamen pro specificis propriis atque immediatis non debent haberi, nisi argumentis satis validis atque irrefragilibus possit confici, mercurium nulla excitata salivatione, sarsae vero radices sine motis sudoribus tam egregiam operam praestitisse.“ Also, erst wenn jemand ganz einwandsfrei beweisen könnte, dass das Quecksilber, ohne seinerseits irgend welche Intoxicationserscheinungen hervorzurufen, die „lues venerea confirmata“ zu heilen vermag, würde Sydenham demselben den Rang eines specifischen und direkten Heilmittels concediren. „Nicht der darf auf den Namen eines wahren Arztes mit vollem Recht Anspruch erheben, wer bloss durch ein Medicament an die Stelle des einen kranken Zustandes einen anderen setzt, wobei zwar auch eine Heilung erfolgen kann, aber ohne dass dabei das Medicament die besondere Krankheitsspecies angreift, sondern nur der, welcher Heilmittel besitzt, die den specifischen Charakter einer Krankheit gänzlich aufheben.‘ („In vincendo itaque morbo is demum jure meritoque medici nomen sibi vindicat, penes quem est ejusmodi medicamentum, quo morbi species possit destrui.“)

Ein specifisches Heilmittel für eine bestimmte, gut charakterisirte Krankheit, muss also von solcher Art sein, dass es ohne jede krankmachende Nebenwirkung den Krankheitsprocess seines specifischen Charakters entkleidet und dadurch den Heilkräften der Natur freies Spiel gewährt.

Das thun allgemeine Heilmethoden nicht; weder diätetische, noch evacuirende; weder die Anwendung wärmezuführender, noch temperaturherabsetzender Mittel; weder die Zuführung von Flüssigkeiten, noch die Wegnahme derselben.

„Quid enim, obsecro, calor, frigus, humidum, siccumve, aut e secundis qualitatibus, quae ab his pendent, alia aliqua ad morbi curationem faciet, cujus essentia in harum nulla consistit?“

Ein specifisches Heilmittel muss nach Sydenham eine intime Beziehung haben zum Wesen der Krankheit. Das ist der springende Punkt, und da sind wir denn wieder angelangt bei dem Krankheitswesen, dessen Essentialität Sydenham behauptet und Virchow leugnet. Kein denkender Arzt wird sich der Aufgabe entziehen können, Stellung zu nehmen zu der Frage: Giebt es specifische Heilmittel im Sinne Sydenham's; lässt sich hoffen, dass deren mehrere noch gefunden werden, und wie kommt Virchow zu der Meinung, dass es ein Unsinn sei, nach specifischen Mitteln zu suchen, und dass die ontologische Betrachtungsweise der Krankheiten ein Zeichen geistiger Störung oder bewusster Charlatanerie ist? Diese Frage steht im innigsten Zusammenhang mit den beiden anderen: Giebt es specifische Krankheiten und giebt es specifische Krankheitsursachen? Ich muss daher, um die erste Frage zu beantworten, etwas näher eingehen auf das, was man Krankheitsursachen und Krankheitswesen nennt.

Das „Wesen“ und die „Ursache“ einer Existenz oder eines Processes kann man nicht sehen, und ebenso wenig kann man eine „Species“ sehen oder fassen. „Wesen“, „Ursache“ und „Species“ sind abstracte Begriffe. Gleichwohl zweifeln wir nicht an der Existenz von Ursachen, an der Zweckmässigkeit, Gleichgeartetes zu specificiren und das Wesentliche vom Unwesentlichen zu scheiden. Das hat man zu allen Zeiten in der Medicin beabsichtigt. Aber gerade daran, wie das geschah, giebt sich der charakteristische Zug der verschiedenen Zeitrichtungen und der verschiedenen Systeme kund.

Worin das „Wesen“, die „Entität‘, das „‘Ontologische‘‘, das „Essentielle“, oder die „Einheitlichkeit“ zu suchen sind, wird ganz verschieden beantwortet in verschiedenen Zeiten und von verschiedenen Beurtheilern. Das ist abhängig von dem jedesmaligen Stande der Erkenntnisstheorie. Naive und kindliche Gemüther personificiren alles; so ist auch die dem gesunden Leben eines Individuums zugrunde liegende Harmonie personificirt worden als „Archäus“ und „Spiritus rector“, ähnlich wie man die in dem Weltbildungsprocesse zu Tage tretende Einheitlichkeit in einem mit allen Vollkommenheiten ausgestatteten guten Geiste personificirte; und ebenso wie man im Weltprocess scheinbare Störungen und Unzweckmässigkeiten auf einen als Person gedachten Teufel zurückführte, so hat man auch die als „Krankheiten“ sich documentirenden Abweichungen von dem normalen Verlauf im Individualleben bösen Geistern und dem Teufel zugeschrieben.

Im Gegensatz zu diesen „Ursachen“ im religiösen und mystischen Sinne bezeichneten philosophische Mediciner die Ursache des normalen Lebens als „Lebenskraft“; die Ursache einer Krankheit aber waren Kräfte, die mit bösen Winden in den Menschen hineinfuhren und unter verschiedenen Gestalten gedachte Wesenheiten, die von dem gesunden lebenden Organismus Besitz ergriffen, daselbst ein Eigenleben führten und dadurch den Lebensäusserungen eines kranken Menschen einen fremdartigen, specifischen Charakter gaben. Jetzt sind es Bacterien bezw. die Bacteriengifte, von deren Existenz in einem Organismus die Krankheit abgeleitet wird.

Aber wie wir die Anschauung zurückweisen müssen, als im Widerstreit befindlich mit unserer modernen naturwissenschaftlichen Betrachtungsweise, dass die Krankheit eines Menschen das Zeichen eines Besessenseins von bösen Geistern ist, so müssen wir uns auch bewusst bleiben, dass die Bacterien keine Causa sufficiens sind für eine Krankheit, dass vielmehr Virchow ganz Recht hat, wenn er verlangt, dass das lebende Substrat, an welchem sich die krankhaften Functionen äussern, nicht ausser Acht zu lassen ist. Mit dieser Einschränkung gebraucht kann jedoch der Ausdruck „Krankheitsursache" für ein so wesentliches Entstehungsmoment einer Krankheit, wie es der Tuberkelbacillus für die Tuberculose, der Diphtheriebacillus für die Diphtherie u. s. w. sind, ohne Schaden auch weiter Anwendung finden.

Wenn in diesem Sinne auch ich den Diphtheriebacillus als die „Ursache" der Diphtherie des Menschen bezeichne, so fragt es sich weiter, ob wir in Anlehnung an die Art und Weise, wie R. Koch es uns gelehrt hat, die ansteckenden parasitären Krankheiten zu untersuchen, gut daran thun, die Krankheitsursachen zu specificiren und die Krankheitseintheilung auf Grund der specifischen Krankheitsursachen vorzunehmen. Ich möchte diese Frage erläutern an der Hand der Analyse derjenigen therapeutischen Richtung der Gegenwart, welcher ich den Namen „Die Blutserumtherapie" gegeben habe. Ich kehre damit gleichzeitig zu dem Ausgangspunkt der vorigen Erörterungen zurück — zu der Frage nach der Existenz von specifischen Heilmitteln im Sinne Sydenham's.

Die Blutserumtherapie, welche mehr als irgend eine andere Heilmethode den Anspruch machen darf auf den Namen einer „specifischen", setzt folgende Dinge voraus:

Erstens die Ueberzeugung von der Existenz specifischer Krankheiten und specifischer Krankheitsursachen.

Zweitens den Nachweis, dass die specifischen Krankheitsursachen bei den ansteckenden Krankheiten gebunden sind an Gifte, die ihrerseits von specifischen Mikroorganismen herstammen.

Drittens die Kenntniss folgender Thatsachen betreffend specifische Antitoxine:[1])

[1]) Ich würde vorziehen, statt des Wortes „Antitoxin" einen deutschen Ausdruck zu wählen, finde in unserer Sprache aber keinen geeigneten. Das Wort „Gegengift", an welches man denken könnte, hat den Nebenbegriff, dass das antitoxische Agens selbst auch ein Gift ist. Das trifft aber für meine specifischen Antitoxine nicht zu.

a) dass die Heilung einer specifischen Krankheit mit der Production specifisch-giftwidriger (antitoxischer) Agentien einhergeht;

b) dass diese specifisch-giftwidrigen Agentien im Blute kreisen;

c) dass dieselben im extravasculären Blute des geheilten Individuums nachweisbar sind durch einen specifischen Giftschutz für andere Individuen;

d) dass der durch die Einverleibung eines Antitoxins erzeugte Giftschutz auch gegen die krankmachende Wirkung desjenigen Parasiten immunisirt, von welchem das in Frage kommende Gift herstammt. und zwar nicht blos **vor** der Ansteckung mit dem Parasiten, sondern auch **nach** der Ansteckung und bei schon bestehender Krankheit.

Man sieht, wie die Specificität bei diesen Voraussetzungen eine grosse Rolle spielt. Es ist da die Rede zuerst von specifischen Krankheiten und von specifischen Krankheitsursachen; dann von specifischen Giften als Trägern der Krankheitsursachen und von specischen Parasiten, als Erzeugern der Krankheitsgifte; endlich von specifisch-giftwidrigen Agentien, den specifischen Antitoxinen.

Heute braucht man keine ernsthaften Kämpfe mehr zu führen für die Specificität der Krankheiten, der Krankheitsgifte, der Parasiten und der Antitoxine; wer auch immer mit einiger Sachkenntniss die Nachprüfung der dafür beigebrachten Beweise unternommen hat, weiss jetzt, dass es sich hierbei nicht um chimärische Existenzen, sondern um thatsächlich existirende Dinge handelt. Die Zeit ist vorbei, wo man es für nützlich hielt, alles Specifische aus der Krankheitslehre und aus der Heilkunde zu verbannen, und wo als einzig richtiger Weg, zum Verständniss krankhafter Vorgänge zu gelangen, derjenige betrachtet wurde, welcher von der Auffassung der Krankheit als einer bloss quantitativen Aenderung normaler Zellfunctionen den Ausgang nahm. Wir sehen jetzt den diphtherischen Krankheitsprocess nicht mehr als einen höheren Grad der Entzündung an und betrachten den Typhus abdominalis, den Typhus exanthematicus und die Febris recurrens nicht mehr als Phlogosen, die bloss infolge von eigenartigen äquatorialen und polaren Windströmungen verschiedene Krankheitsbilder liefern. Die Krankheitsursachen sehen wir nicht mehr als blosse Steigerungen normaler nutritiver und formativer Reize an, sondern sind geneigt, sie zu specificiren und an heterogene, gleichfalls specifische Wesenheiten zu knüpfen; insofern als diese Wesenheiten Gifte sind, specificiren wir auch diese, und wenn wir die Gifte als Producte von Mikroorganismen bei den ansteckenden Krankheiten anerkennen, dann nehmen wir nicht mehr an, dass der Diphtheriepilz sich in einen Typhuspilz und dieser in einen Cholerapilz umwandeln könne, sondern wir nehmen die Wesenheit von morphologisch gut charakterisirten Species an und gehen darin sogar so weit, dass wir selbst nahestehende Arten, wie die Milzbrandbacillen und die Heubacillen, auf's strengste voneinander scheiden. Wir schliessen dabei nicht die Möglichkeit aus, dass im Lichte eines „höheren" Standpunktes betrachtet — im Lichte eines im Laufe von Aeonen erfolgten Gewordenseins, auch der Grundsatz „παντα ῥει" seine Geltung haben mag; für unser kurzes Erdenleben aber halten wir es für zweckmässiger, das Gewordene als solches anzuerkennen, zu specificiren und in dem Aufsuchen von specifischen Charakteren eher zu viel als zu wenig zu thun.

Wissenschaftlich und philosophisch betrachtet, hat diese Stellungnahme nicht mehr Berechtigung, als die entgegengesetzte, von welcher aus man bei den von aussen stammenden Krankheitsursachen nicht die unterscheidenden Merkmale in den Vordergrund stellt, sondern das Gemeinsame derselben betont und dafür die lebenden Substrate des menschlichen Organismus mit ihren geheimnissvollen Kräften einer genaueren Specificirung für bedürftig erklärt.

Beide Standpunkte, wenn sie einseitig festgehalten werden, verdienen den Vorwurf, welchen man jeder einseitigen Betrachtungsweise machen kann. Vorläufig aber werden wir, die Anhänger der Koch'schen Art, die Dinge in den parasitären, ansteckenden Krankheiten zu sehen, noch eine ganze Weile dem Studium der Bacteriologie und der Krankheitsgifte unsere Kräfte zum Nutzen der Medicin widmen können; wir thun dies jedoch nicht deswegen, weil wir es für mehr wissenschaftlich, sondern weil wir es für mehr praktisch halten. Wir sind nämlich der Meinung, dass wir durch eine Beeinflussung der Krankheitsursachen in der Bekämpfung der Krankheiten weiter kommen, als durch einen Angriff auf die lebenden Zellen und Organe.

Wir studiren die Träger der krankmachenden Agentien, die Bacterien und die Bacteriengifte, um ihnen ihre schwachen Seiten abzugewinnen. Bei diesem Studium sind wir, je mehr dasselbe vertieft wurde, um so mehr zu höchst wunderbaren Specificitäten gekommen; und glücklicherweise hat es sich so gefügt, dass sich Mittel und Wege entdecken liessen, um specifisch wirkende Bacterien und specifische Gifte durch specifische Gegenmittel unschädlich zu machen. Es hat sich also unsere Betrachtungsweise schon jetzt als praktisch brauchbar erwiesen.

Die einseitig cellulare Krankheitslehre hat dagegen ihre ärztlich-medicinische Berechtigung noch nachzuweisen; bis jetzt ist es noch nicht gelungen, eine nachgewiesenermaassen kranke Zelle durch willkürliche Beeinflussung gesund zu machen, oder einer gesunden eine noch höhere Gesundheit zu verleihen; und ich möchte auch jetzt noch für nicht ganz unberechtigt halten, was ich vor zwei Jahren auf dem VII. internationalen Congress in London mit folgenden Worten zum Ausdruck brachte:

„Bis jetzt wissen wir nur, dass auch die bestgemeinten direkten Angriffe auf lebende Zellen und Organe, um sie zu modificirter Thätigkeit zu animiren oder zu irritiren, eher Aussicht haben, Zellen und Organe krank zu machen, als ihnen eine höhere Gesundheit und Widerstandsfähigkeit zu verleihen.

Vielleicht kommen wir auch in der allgemeinen Therapie der Infectionskrankheiten noch dazu, den Grundsatz für maassgebend zu erklären, welchen Lister für die locale Behandlung der Wundinfectionen mit so grossem Erfolge durchgeführt hat: Die heterogenen Schädlichkeiten und Krankheitsursachen fernzuhalten oder unschädlich zu machen, die lebende Zelle und das lebende Gewebe aber in Ruhe zu lassen."

Diese Art der Therapie, welche auf eine unschädliche Ausschaltung der specifischen Krankheitsursache aus einem specifischen Krankheitsprocess hinarbeitet, bezeichne ich als ätiologische Therapie.

Berlin, im Sommer 1893.

Gesammelte Abhandlungen

zur

ätiologischen Therapie von ansteckenden Krankheiten.

Erster Theil.

Experimentelle Arbeiten

über

Desinficirende Mittel.

Die Bedeutung des Jodoforms in der antiseptischen Wundbehandlung.

Von **Dr. Behring,**

Assistenzarzt II. Klasse im 2. Leibhusaren-Regiment No. 2 Posen.

Während das Jodoform in Bezug auf seine interne Verwendung in Deutschland, trotz einzelner überraschend günstiger Erfolge *(Busch)* [1]) und trotz der warmen Empfehlung von *Moleschott* keinen sicheren Platz sich hat erobern können, hat seine lokale Anwendung in letzter Zeit ausserordentlich an Terrain gewonnen.

In der Gynaekologie wurde es besonders bei Uteruskrebs gerühmt.

In der Behandlung primärer syphilitischer Affectionen verschaffte ihm *Lazanski's* gründliche Abhandlung (1875) aus *Pick's* Station die Verbreitung in weitere Kreise.

In der Chirurgie schien es eine neue Aera inauguriren zu sollen. *v. Mosetig-Moorhof's* glänzende Resultate, dann die Berichte von *Mikulicz* aus *Billroth's* Klinik waren geeignet, die allgemeine Aufmerksamkeit auf das Jodoform zu lenken; es bekam immer neue und begeistertere Anhänger; sowohl strenge Listerianer wie Antilisterianer wussten Rühmendes von ihm zu verkünden.

Allerdings ist inzwischen eine sehr starke Reaction

---

1) Bei *Binz,* Arch. f. exp. Path. u. Pharmak.

gegen das Jodoform eingetreten, jedoch bei der Mehrzahl der Chirurgen nicht deswegen, weil der Glaube an seine vorzüglichen Eigenschaften für die Wundbehandlung nicht mehr bestände; sondern weil in seinem Gefolge bedenkliche Intoxicationserscheinungen nicht selten beobachtet sind. Es hat dies dazu geführt, dass die Frage aufgeworfen ist, ob nicht die Anwendung des Jodoform überhaupt zu inhibiren sei. Die Entscheidung dieser Frage wird im Wesentlichen davon abhängen, ob man im Stande ist, die genauen ursächlichen Bedingungen für das Zustandekommen der Intoxication nach Jodoformgebrauch zu erforschen, womit dann ja vielleicht auch der Weg gezeigt werden würde, wie man die üblen Nebenwirkungen dieses Mittels zu verhüten hat.

Diese Untersuchung wird wesentlich experimenteller Natur sein müssen; es muss gezeigt werden, welche Schicksale das Jodoform im Organismus erleidet, welche Spaltungsproducte bei seiner etwaigen Zersetzung entstehen, und von welchem Einfluss die verschiedenen Arten seiner Incorporation sind.

Es sind von den neueren Autoren fast ausschliesslich die Jodwirkungen des Jodoforms berücksichtigt; von *Righini* [1]) in seiner grundlegenden Arbeit, von *Franchini* und den älteren Forschern überhaupt ist fast ausschliesslich an eine specifische Jodoformeinwirkung gedacht worden. — Inwieweit die Einen oder die Anderen Recht haben, wird nur durch das Experiment zu entscheiden sein; die Natur der Intoxicationserscheinungen beim Menschen fordert jedenfalls zu erneuter Prüfung dieser Dinge auf.

---

1) Nach grosser Mühe ist es mir gelungen, eine franz. Uebersetzung von *Righini's* Arbeit zu bekommen. Es hat mir den Eindruck gemacht, als ob die in neuerer Zeit fast ausschliesslich benutzten Referate über dieselbe nicht geeignet sind, ein Bild von den ausserordentlich exacten Untersuchungen dieses Forschers zu geben.

Aber für die Frage der weiteren Anwendbarkeit des Jodoforms wird auch die Gewissheit nicht ohne Bedeutung sein, dass in der That das Jodoform eine hervorragende Stelle in der Wundbehandlung zu beanspruchen hat, zumal *Kocher's* Mittheilungen dazu angethan sind, das Jodoform auch in dieser Richtung zu discreditiren.

Die Entscheidung über den Werth des Jodoforms wird aber nur auf Grund einer vergleichenden Betrachtung der Wundbehandlungsmittel und auf Grund des Verständnisses ihres Wirkungsmodus möglich sein.

Für das Jodoform galt bisher als sicher, dass dasselbe durch Abgabe von freiem Jod seine günstige Wirksamkeit entfalte, und diese Jodabscheidung wurde als zwar langsam, aber continuirlich erfolgend gedacht, wenn es sich in Lösung befindet.

Was die Wunden anlangt, so sollten in den darin vorhandenen Fetten die Lösungsmittel gegeben sein.

Da es nun sicher ist, dass freies Jod ein antibakterielles Mittel ist, so schien ein Verständniss für die antiseptische Wirkung des Jodoforms gegeben zu sein.

Diese Theorie entspricht aber nicht den thatsächlichen Verhältnissen.

Was das Verhalten des Jodoforms in seinen Lösungen betrifft, so hatte ich bei den in No. 9 dieser Zeitschrift mitgetheilten Untersuchungen die Beobachtung gemacht, dass die Einwirkung des hellen Tageslichts und insbesondere die des directen Sonnenlichts Jodausscheidung aus den Lösungen des Jodoform allerdings sehr leicht zu Wege bringt, dass jedoch *die Lösungsmittel als solche keine Jodausscheidung bewirken.*

Diese Beobachtung glaubte ich so auffassen zu müssen, dass das Licht den indifferenten Sauerstoff der Atmosphäre in den Lösungen activire, und dass dann der active Sauerstoff das Jodoform zersetze. — Dieser Auffassung stand auch für die ätherischen Oele, wie Terpentinöl, Benzin etc. und für die verharzenden Substanzen nichts im Wege; ebenso ist sie für andere organische Anhydride und namentlich für die aldehydartigen Substanzen z. B. das Bittermandelöl ohne Schwierigkeit acceptabel.

Ueber die *fetten Oele* und die *durch Erwärmen verflüssigten thierischen Fette* habe ich nun folgende Beobachtungen gemacht, welche ein ähnliches Verhalten mir zu beweisen scheinen.

1. Bei Sauerstoff und Lichtzutritt erfolgt in Jodoformlösungen *nur* an der dem Sauerstoff zugänglichen Flüssigkeitsschicht Jodabscheidung, und wenn Stärkekleisterpapier hineingetaucht wird, ist die Jodreaction nur in dem über dem Oel befindlichen Papierstück zu bemerken; nach der Herausnahme desselben zeigt auch der übrige Theil bald Jodreaction, wenn Licht und Sauerstoff darauf einwirken können.

2. In einer Jodoformlösung, die der Einwirkung des Lichts durchaus entzogen bleibt (in der Dunkelkammer) ist auch beim Erwärmen auf Körpertemperatur nach Tage langer Dauer keine Jodausscheidung zu constatiren.

3. Bei thunlichster Beschränkung des Sauerstoffzutritts ist auch bei Einwirkung des Lichts eine sehr bemerkbare Herabsetzung der Jodausscheidung zu bemerken.

Diese Beobachtungen, welche den neuerdings von Herrn Prof. *Binz* gemachten entsprechen, dürften den Beweis liefern, dass für die thatsächlich bestehende antiseptische Wirksamkeit des Jodoforms in anderen Dingen die Ursache gesucht werden muss, als in der bisher angenommenen gewissermassen spontanen Jodausscheidung, wenigstens für die Fälle, wo das Jodoform mit einem Verbande bedeckt ist, und wo es dem Einfluss des Lichtes nicht zugänglich ist.

In der schon erwähnten Jodoformarbeit habe ich mich bemüht in Kurzem den Wirkungsmodus anzudeuten und hervorgehoben, dass derselbe solange unverständlich bleiben muss, als man antiseptische Wirkung mit antibakterieller identificirt. — Dieser Punkt soll hier nun eine nähere Würdigung erfahren.

Von einer grossen Anzahl von Chirurgen wurde in übereinstimmender Weise erklärt, dass der Wundheilungsverlauf unter Anwendung des Jodoforms in sehr vielen Fällen ein günstigerer sei, als bei anderen Mitteln, und es wurde von den meisten dieser Vorzug dadurch erklärt, dass das Jodoform ein vorzügliches Antisepticum sei.

In neuester Zeit hat *Kocher* eine sehr ablehnende Stellung gegenüber diesen Behauptungen eingenommen, und man wird über sein Urtheil nicht ohne Weiteres hinweggehen dürfen angesichts der Thatsache, dass es in den letzten Jahren keine Seltenheit war, dass namentlich antiseptische Mittel eine Zeit lang in besonders gutem Ansehen gestanden haben, um allmählich dann wieder zu verschwinden; man kann gar nicht einmal sagen, um besseren Platz zu machen; denn sie alle waren ja eingeführt worden, um die leidige Carbolsäure zu verdrängen; und doch wird auch jetzt noch nicht mit allgemeiner Zustimmung behauptet werden können, dass irgend eine Wundbehandlungsmethode sich eines grösseren Ansehens erfreut, als der typische Listerverband mit der Carbolsäure.

In Anbetracht dieser Lage der Dinge dürfte es zweckmässig sein, die Frage, ob gutes Antisepticum, oder nicht, zunächst ganz aus dem Spiele zu lassen und die Frage so zu formuliren, ob das Jodoform Besseres in der Wundbehandlung leistet, als die bisher üblichen Mittel oder nicht. —

Wenn der Chirurg in den natürlichen Wundheilungsverlauf activ eingreift, so verfolgt er in der Regel entweder den Zweck, die Heilung zu sichern, oder den, die Heilung zu beschleunigen. Beides geht nicht immer Hand in Hand.

Die Sicherung der Heilung richtet ihr Augenmerk auf die Prophylaxe, auf die Verhütung accidenteller Wundkrankheiten. Während man dies nun vor *Lister* durch *entzündungswidrige* Mittel zu erreichen suchte, hat *Lister* diese *Aufgabe* durch *fäulnisswidrige* Mittel zu lösen gesucht, welche, wie bekannt, zum Theil selbst entzündungserregend wirken.

Lister stellte die Wundinfection durch Mikroorganismen als Ursache der accidentellen Wundkrankeiten und der schlechten Wundheilung in den Vordergrund, und er zeigte, dass man mit Berücksichtigung dieses Gesichtspunktes und indem man demselben bei der Wundbehandlung volle Rechnung trägt, mit grosser Sicherheit im Stande ist, die Wundinfection und damit einen üblen Wundheilungsverlauf zu verhüten. —

Aber wenn damit sein ausserordentliches Verdienst für die Praxis für immer gesichert ist, so braucht es doch nicht als ketzerisch betrachtet zu werden, wenn man sich darüber Gedanken macht, ob auch seine Theorie, ob die Idee, von der er ausging, eine durchaus richtige war.

Seine Idee gipfelte darin, dass es darauf ankomme, den Einfluss der fäulnisserregenden Mikroorganismen auf offene Wunden zu eliminiren und damit spontan entstandene, wie künstlich geschaffene Wunden unter dieselben Bedingungen zu bringen, wie z. B. subcutane Knochenbrüche. Es soll hierbei die noch strittige Frage unerörtert bleiben, ob subcutane Läsionen in der That dem Einfluss der Mikroorganismen entzogen sind.

In der That sind nun seine damaligen Anschauungen über die Naturgeschichte der Mikroorganismen nicht mehr die der heutigen Zeit, wie man sich bei der Lectüre seines XI. Artikels in der *Thamhayn*'-schen Uebersetzung überzeugen wird. — Und wenn *Lister* durch die Carbolsäurelösungen und durch seine Verbandmethode den Einfluss der Fäulnisserreger auf die Wunde zu eliminiren glaubte, so haben auch die Anschauungen darüber sehr merkwürdige Wandlungen erlitten. — Wie *Lister* sich die Carbolsäurewirkung dachte, geht aus folgenden Worten hervor (*Thamhayn* pag. 58): „Vor allem besitzt sie *tödtende Kraft* den die Zersetzung erregenden niederen Organismen gegenüber und das selbst noch in einer Verdünnung, welche die menschlichen Gewebe nicht mehr zu reizen vermag. Sie ist ferner flüchtiger Natur und wirkt auch im Gaszustande gleich antiseptisch, so dass also nicht nur die von ihr unmittelbar berührte Fläche, sondern auch die umgebende Luft einen Schutz in ihr findet."

Durch das von *Ranke* und *Fischer* constatirte, dann allgemein bestätigte Vorkommen von entwicklungsfähigen Spaltpilzen unter vollkommen wirksamem antiseptischem Verbande musste zunächst die Illusion aufgegeben werden, dass durch die gebräuchliche Anwendungsweise der antiseptischen Mittel die Fäulnisserreger vernichtet werden. Es wurde dann der Nichteintritt der Fäulniss durch die Annahme zu erklären gesucht, dass es nicht nothwendig sei, die Bakterien zu tödten, um sie unwirksam zu machen, dass es genüge, sie mit Hülfe der Antiseptica in eine Art „torpor" *(Buchner)* zu versetzen, oder wie man nach *v. Naegeli's* Vorgang sich ausdrückte, dass man sie „functionsunfähig" mache. Dieser Ausdruck stützt sich auf die Beobachtung, dass die Anwesenheit von Bakterien nicht zugleich auch das Vorhandensein von Fäulniss bedingt. Ob er gerade glücklich gewählt ist, scheint deswegen fraglich, weil man in diesem Sinne alle Mikroorganismen, die sich nicht in einer faulenden Substanz befinden, als functionsunfähig bezeichnen müsste. Wenn man in *v. Naegeli's* Werk genauer zusieht, so giebt es in der That wenig Dinge, die nicht im Stande sind, die Spaltpilze „functionsunfähig" zu machen.

Positive Anhaltspunkte für die Beurtheilung der Wirkung der antiseptischer Mittel liefern die Untersuchungen von *Koch*.

Nachdem schon frühere Untersuchungen (*Wernich, Schotte* und *Gaertner* u. A.) die antiseptische Insufficienz verschiedener Mittel in gewissen Fällen ergeben hatten, in denen gemäss der herrschenden Anschauung dieselben als wirksam sich hätten erweisen müssen, hat die Prüfungsmethode *Koch's*[1]) zu sehr auffallenden und unerwarteten Resultaten geführt.

Koch unterscheidet eine desinficirende und eine entwicklungshemmende Wirkung der Antiseptica. Desinfection nennt er die Vernichtung von Bakterien und Sporen, welche daran erkannt wird, dass dieselbe in günstiger Nährsubstanz sich nicht mehr entwickeln.

Die Entwicklungshemmung, welche *Koch* mit dem Begriff der Antisepsis identificirt, ist dadurch gekennzeichnet, dass die Mikroorganismen nicht getödtet, auch nicht an sich functionsunfähig sind, dass sie aber so lange nicht wachsen und sich nicht vermehren, auch so lange keine Zersetzung erregen, als sie und das Nährsubstrat, in welchem sie sich befinden, unter dem Einfluss des wirksamen *antiseptischen* Mittels stehen.

Wie die Sache zu denken ist, wird aus dem Folgenden hervorgehen.

Nachdem K. von dem stark entwicklungshemmenden Einfluss des Allylalkohols auf Milzbrandsporen (bei Verdünnung von 1 : 167000) gesprochen, sagt er: „Aus diesem letzteren Experiment liess sich entnehmen, dass der Allylalkohol den Milzbrandsporen *an und für sich keinen Schaden zugefügt,* sondern sie im wahren Sinne des Wortes nur in ihrer Entwicklung gehemmt hatte. Sobald in dem Tröpfchen allylalkoholhaltiger Nährflüssigkeit, welches dem Seidenfaden anhing, als er auf die Nährgelatine gelegt wurde, der Allylalkohol sich verflüchtigt hatte, ging die Entwicklung der Sporen ungestört von Statten."

Es ist nun aus den feststehenden Resultaten *Koch's* zu ersehen, dass zur Vernichtung der fäulnisserregenden Mikroorganismen Mengen und Concentrationsgrade bak-

1) „Mittheilungen aus dem Kaiserlichen Gesundheitsamt" 1881. „Ueber Desinfection". Vom Regierungsrath Dr. *Robert Koch* (pag. 234—283).

terienwidriger Mittel nothwendig sind, wie sie bei der antiseptischen Wundbehandlung nicht zur Anwendung kommen, und es ist damit der stringente Beweis erbracht, dass in der Chirurgie eine wirkliche Elimination [1]) der Mikroorganismen, wie *Lister* sich dieselbe dachte, nie erreicht worden ist.

Zur Erklärung der praktischen Resultate der antiseptischen Wundbehandlung bliebe demnach nur die entwicklungshemmende Wirkung; die in der That bei vielen Mitteln schon in geringeren Concentrationsgraden eintritt, übrig; jedoch ist diese auch bei der Carbolsäure in der üblichen Anwendung zum mindesten noch fraglich (*Koch* l. c. p. 252).

Koch's Untersuchungen ergaben aber auch, dass manche als gute Antiseptica geltende Mittel selbst in concentrirterem Mischungsverhältniss nicht einmal *entwicklungshemmend* wirken. So findet *Koch* es „unerklärlich", „wie das Chlorzink in den Ruf eines Desinfectionsmittels gekommen ist". Eine 5 procentige Chlorzinklösung hatte Milzbrandsporen, welche 1 Monat lang in derselben gelegen hatten, in ihrer Entwicklungsfähigkeit nicht beeinträchtigt und „es hat sich daher das Chlorzink als ein zur Desinfection ganz werthloses Mittel" erwiesen.

Wegen der besonderen Wichtigkeit der Sache sollen die folgenden Sätze wörtlich citirt werden.

„Zu 10 Cc. Blutserum wurde soviel von einer Chlorzinklösung gesetzt, dass die *Gesammtflüssigkeit* einen Gehalt von 1 pro mille Chlorzink besass; ein zweites Quantum Blutserum wurde auf 5 pro mille Chlorzinkgehalt gebracht. Alsdann wurden Seidenfäden mit Milzbrandsporen hineingelegt und mit Hülfe des Mikroskops die etwa eintretende

---

1) Es muss hier noch erwähnt werden, dass das *Fernhalten* der Bakterien von der Wunde, wie *Lister* es bei seiner ursprünglichen *Abscessbehandlung* beabsichtigte, nach *Ogston's* Funden ein pium desiderium ist.

Entwicklung der Sporen beobachtet. Schon nach 24 Stunden waren in beiden Gefässen die Sporen zu langen Fäden herangewachsen und ihre Vegetation stand nicht im Mindesten hinter denjenigen des Controlversuches zurück. *Also auch von einer irgendwie erheblichen entwicklungshemmenden Wirkung des Chlorzinks kann keine Rede sein.*"

Es verdient hier noch erwähnt zu werden, dass zur Beeinflussung der saprogenen Pilze stärkere antiseptische Agentien wahrscheinlich nothwendig sind, als für Milzbrandmikroorganismen.

Sehen wir nun zu, wie es sich mit dem Chlorzink in der Wundbehandlung verhält.

Die bedeutendsten Chirurgen sind darüber einig, dass das Chlorzink in concentrirteren Lösungen (5—10 Proc.) ein zur Behandlung septischer Wunden hervorragend geeignetes Mittel ist, und gerade bei den schlimmsten Formen der Wundsepsis, wie bei der Nosocomialgangrän *(Koenig)* wird es mit Vorliebe in Anwendung gezogen. Gerade wo nach der üblichen Anschauung ein besonders energisch desinficirendes Verfahren indicirt ist, hat sich das Chlorzink als wirksam erwiesen; es hat debei zugleich weniger unangenehme Nebenwirkungen als andere analog wirkende *Aetzmittel.* — Aber auch für ganz verdünnte Lösungen (2 pro mille) ist durch *Kocher* eine fäulnisswidrige Wirkung durch experimentelle Untersuchungen (mit Dr. *Amuat*) und durch die klinische Erfahrung nachgewiesen, und es scheinen diese schwachen Chlorzinklösungen noch besondere Vorzüge zu haben [1]).

Wenn nun die Erfahrung lehrt, dass auch solche Mittel, welche überhaupt keinen irgendwie nennenswerthen Einfluss auf die fäulnisserregenden Mikroorganismen haben, mit Erfolg in der antiseptischen Wundbehandlung Verwendung finden, so wirft sich von selbst die Frage auf, ob nicht auch ohne active Beeinflussung der Bakterien auf

1) Sammlung klin. Vortr. Heft 203 u. 4.

den Zersetzungsprocess in den Wunden derart eingewirkt werden kann, dass er seine schädlichen Wirkungen auf den Organismus und auf den Wundheilungsverlauf verliert. Und diese Frage ist von einiger Wichtigkeit, denn der Endzweck des chirurgischen Handelns ist ja nicht der, Bakterien zu tödten, sondern der, die schädlichen Wirkungen des Wundzersetzungsprocesses zu verhüten.

Es ist das *eine* der durch die Bakterienforschungen nicht gelösten Fragen, die sich den folgenden anschliesst, die *Thiersch* vor einigen Jahren aufwarf[1]), indem er sagte: „Leider giebt es noch viele ungelöste Fragen auf diesem Gebiet. Sind die Bakterien die einzigen Fäulnisserreger, giebt es verschiedene Bakterien oder nur verschiedene Entwicklungsstufen ein und derselben Art, sind alle Bakterien schädlich oder giebt es auch harmlose, wirken sie schädlich an sich, mechanisch oder als Giftstoff, oder ist ihre Wirkung nur eine mittelbare, indem sie aus dem Substrat, auf das sie wirken, giftige Stoffe abscheiden, können sie ohne Weiteres die Säfte des gesunden Körpers zerlegen, oder bedürfen sie eines für sie durch pathologische Vorgänge vorbereiteten Nährbodens, ja selbst die Cardinalfrage, was ist Fäulniss, wodurch unterscheiden sich die ihr zukommenden Spaltungsprocesse von den durch den physiologischen Stoffwechsel vermittelten, „scheint uns zur Zeit noch ungelöst".

Bei unbefangener Beurtheilnng wird man gestehen müssen, dass durch die eifrigsten und erfolgreichsten Bakterienforschungen diese den Practiker vorzugsweise interessirenden Fragen auch heute der Beantwortung nicht viel näher gebracht sind.

Dagegen ist von einem anderen Zweige der wissenschaftlichen Forschung, von der physiologischen Chemie sehr Wesentliches zum Verständniss des Fäulnissprocesses beigesteuert worden, und namentlich darf die von *Thiersch*

---

1) *Volkmann's* klin. Vortr. 84 u. 85.

als Cardinalfrage bezeichnete als der Lösung nahe gebracht betrachtet werden.

Die Forschungen *Hoppe-Seyler's* sind es namentlich, die hier grundlegend geworden sind, insofern, als er die Einzelprocesse in den verschiedenen Phasen der Fäulniss in wesentlichen Dingen zur Erkenntniss gebracht hat

Die hier in Betracht kommenden genaueren Daten sind auch weiteren medicinischen Kreisen zugänglich geworden durch *Hiller's* Werk „Die Lehre von der Fäulniss" (1878). Neuerdings sind sie auch in der „physiologischen Chemie" von *Hoppe-Seyler* (1881) einheitlich zusammengestellt.

Was die Fäulniss der Proteinkörper betrifft, welche in den Wunden vornehmlich in Frage kommt, so kann Folgendes als feststehend gelten.

In den Proteinsubstanzen, die der Fäulniss anheimfallen, erfolgt zunächst eine Lockerung der chemischen Constitution, welche unter Wasseraufnahme (Hydration) vor sich geht. Diese Veränderung kann durch Fermente (z. B. Trypsin) und auch durch Alkalien in der Siedehitze geschehen; für Spaltpilze sind die relativ unveränderten Proteinkörper kein geeigneter Nährboden.

In den in Zersetzung begriffenen Proteinkörpern treten Mikroorganismen in Action. Mit der fäulnisserregenden Wirkung derselben ist eng verbunden die Entstehung von Wasserstoff, welcher Reductionen ausführt, die dem Fäulnissprocess das ihm eigenthümliche Gepräge geben; denn die der Fäulniss charakteristischen Producte sind solche, die auch durch nascirenden Wasserstoff entstehen können und die zur Diagnose der Fäulniss als verwerthbar geltenden Merkmale und Mittel sind nur unter der Voraussetzung richtig, dass in der That Reductionen und Reductionsproducte den Fäulnissprocess charakterisiren [1]).

---

1) Es gilt dies auch für die von *Helmholtz* angegebene („Wesen der Gährung und Fäulniss", Arch. f. Anat. u. Phys. 1843) durch

Aber ganz reine Reductionen ohne gleichzeitige Oxydationen bekommt man sehr selten.

Dieser hervorstechende Charakter der Fäulniss wird nämlich nur dann „in ungetrübtem Bilde wahrgenommen, wenn der Zutritt von atmospärischem Sauerstoff abgehalten ist". Ist derselbe zugegen, so treten neben oder statt der Reductionen kräftigste Oxydationen auf. Wie dieser Vorgang chemisch zu denken ist, geht am besten aus folgenden Worten *Hoppe-Seyler's* hervor (Phys. Chem. pag. 126): „Ist der indifferente Sauerstoff der Atmosphäre zugegen, so hat er zunächst auf die Bewegung der Atome bei der Einwirkung von Wasser und Ferment keinen Einfluss, dagegen wird er stets dem Wasserstoff im Entstehungszustande zur Beute und es werden keine Reductionsproducte gebildet, sondern unter Wärmeentwicklung entsteht Wasser, zugleich nimmt das frei werdende Atom jedes Sauerstoff-Molecüles den Charakter des activen Sauerstoffs im Ozon an".

„Die Entstehung von Wasserstoffgas erfolgt stets in der Weise, dass jederseits in den beiden auf einander wirkenden Körpern, dem Wasser wie dem organischen Stoffe, ein Atom Wasserstoff frei wird; treten diese (H_2) mit einem Atom Sauerstoff in Verbindung, so bleibt vom Molecül O_2 *ein* Atom übrig, der Sauerstoff ist also reducirt, und das Atom O im Entstehungszustande ist stets der kräftigsten Oxydationen fähig. Die ganze Macht der Wirkung des Ozons (O_3) liegt in dem Atom O, welches abgegeben wird, wenn das Molecül in den gewöhlichen Sauerstoff O_2 übergeht".

Der nascirende Sauerstoff hat dann die Wirkung, die wir durch Desinfection künstlich zu erreichen suchen; er verhindert die Reductionen und damit die eigentliche

---

Lakmustinctur blaugefärbte Glutinlösung. Die Entfärbung derselben (durch Reduction) zeigt vorhandene Fäulniss an, bevor noch stinkende Producte dieselbe dem Geruchsinn offenbaren.

Fäulniss; dass dies ein vorzugsweise antibakterieller Vorgang wäre, wird sich nicht behaupten lassen.

„Es ist gewiss recht auffallend“ (Phys. Chem. pag. 992), „dass man auf diese Wirkung des Sauerstoffs noch nicht geachtet hat. Auf alle mögliche und unmögliche Art hat man die natürlichen Desinfectionen an der Erdoberfläche zu erklären gesucht, aber meines Wissens nicht beachtet, dass der Sauerstoff dieselben ausführt. Allerdings ist die Wirkung des Ozons in dieser Richtung geschätzt, aber nicht beachtet, dass es zur Ozonbildung nicht zu kommen braucht, dass die Gegenwart des indifferenten Sauerstoffs genügt, die Fäulniss zu modificiren, zur Bildung anderer Producte zu führen und sie selbst aufzuheben.

Die Cloakenwässer der grossen Städte leitet man auf Rieselfelder und meint, der Ackerboden hielte die faulenden Substanzen fest. Diese Erklärung ist ganz ungenügend, die faulenden Substanzen werden vielmehr einem Ueberschuss von Sauerstoff an sehr grosser Oberfläche dargeboten“.

Wir haben nun alle Ursache, die bei der Fäulniss entstehenden *Reproductionsproducte* als vorzugsweise für den thierischen Organismus schädlich zu betrachten. Abgesehen von der empirischen Thatsache, dass sich gerade da die giftigsten Producte der Wundsepsis bilden, wo die faulenden Substanzen in den Wunden dem Sauerstoff nicht genügend zugänglich sind, also bei Secretverhaltungen, während andererseits auch ohne künstliche Antisepsis die zweckmässig geleitete *offene* Wundbehandlung nicht selten überraschend gute Resultate liefert, abgesehen von den Erfahrungen, die man über die desinficirende Fähigkeit der Ventilation gemacht hat u. A., dürfte auch die neuere wissenschaftliche Forschung einen Beleg dafür liefern, wenn sie zeigt, dass die giftigsten septischen Producte,

---

1) *S. R. Kobert, Schmidt's* Jahrbücher 1881, No. 7.

die Ptomaine [1]) den schon in minimalen Dosen deletär wirkenden Alkaloiden an die Seite zu stellen sind, deren Natur als Reductionsproducte feststeht.

Wenn demnach bei Wundkranken schwere allgemeine Krankheitserscheinungen auftreten, wie sie unter dem Bilde der Septicämie und Pyämie bekannt sind, so wird man dieselben auf das Vorhandensein vorwiegend reducirender Processe in der Wunde zurückführen müssen, und die Behandlung der Wunde in solchen Fällen mit kräftigen *Oxydationsmitteln,* wie wir sie im Glüheisen, in den ätzenden Säuren, im Chlorzink u. s. w. besitzen, ist bekannt genug und man scheut dabei nicht die reaktive Entzündung, die man bei dieser Behandlungsweise mit in Kauf nehmen muss [1]).

In unserer Zeit, wo man der Prophylaxe mit Erfolg sich zugewendet hat, kommt es seltener zur Anwendung jener Mittel, zur *Antisepsis bei schon bestehender Sepsis*; die

---

1) Bei dieser Behandlung brauchen die Bakterien nicht getödtet zu werden. Die ätzenden Mittel, selbst diejenigen, welche auf die Mikroorganismen an sich tödtend oder entwicklungshemmend einwirken, wären im Sinne einer *antibakteriellen* Behandlung möglichst ungünstig gewählt; sie sind fast durchweg in Wasser löslich, erfahren demnach durch die Wundflüssigkeiten eine Verringerung ihres ursprünglichen Concenstrationsgrades. Ausserdem aber bilden sie mit den organischen Substanzen chemische Verbindungen, wodurch eine weitere Herabsetzunng ihrer Concentration erfolgt. *Koch*, welcher auf letzteren Punkt auch besonders Gewicht legt, betrachtet demnach folgerichtig die Bildung chemischer Verbindungen als Ursache einer Verminderung des antiseptischen Werthes solcher Mittel (pag. 268). Allerdings hebt er an einer anderen Stelle (pag. 272) auch wiederum die Bildung von Niederschlägen als zuweilen geeignet hervor, *durch Verminderung des Nährwerthes* gerade entwicklungshemmend zu wirken; eine so entstandene Entwicklungshemmung stellt er dann aber, wie es scheint, nicht in eine Reihe mit *antiseptischer Wirkung,* was einigermassen auffallen muss, da sonst Entwicklungshemmung und Antisepsis bei K. immer gleiche Bedeutung haben, und da auch von K. eine andere Bezeichnung für jene Art der Entwicklungshemmung nicht gegeben wird.

Aufgabe des Chirurgen ist heut zu Tage in der Regel die, die Wundsepsis und deren schädliche Folgen zu verhüten.

So lange man jedoch nach *Lister's* Vorgang dies einzig auf dem Wege der Elimination der Bakterienwirkung zu erstreben suchte, musste für die Wahl der hierzu dienenden Mittel eine kräftige bakterienwidrige Beschaffenheit derselben massgebend sein.

Nun kennen wir aber keine bakterienwidrigen Mittel, die nicht auch im Stande sind, die Vitalität des lebenden Protoplasma zu beeinträchtigen und im Allgemeinen darf angenommen werden, dass mit der bakterienfeindlichen Wirkung der einzelnen Mittel auch gradweise ihre Fähigkeit, das Protoplasma des Thierkörpers zu schädigen, zunimmt; sie alle besitzen eine kräftige chemische Affinität zum organischen Gewebe und insbesondere auch zu den die Gefässe constituirenden Elementen. Nach *Cohnheim's* Lehre wird aus diesem Grunde ihre entzündungserregende Eigenschaft leicht einzusehen sein, und da die Entzündung den Boden für die Sepsis zu bereiten geeignet ist, so wird der scheinbar paradoxe Ausspruch „die Antiseptica können Ursache der Sepsis werden", nicht wunderbar erscheinen (*Kocher* l. c. pag. 23).

Jedenfalls ist es sicher, dass gerade die energisch wirkenden antiseptischen Mittel zumal im stärkeren Mischungsverhältniss durch diese Eigenschaft der Antiseptica die Heilung der Wunden recht sehr in die Länge ziehen können.

Darüber hat sich kaum Jemand weniger getäuscht, als *Lister* selbst. Er betonte fort und fort, dass die Carbolsäure für die Wundheilung an sich ein Uebel sei, und dass die Heilung am besten vor sich gehe, wenn die Wunde allein gelassen werde („to be let alone").

Dieser Ueberzeugung giebt er unzweideutigen Ausdruck, wenn er erzählt (*Thamhayn* X. Bericht), dass er Anfangs bei selbstgeschaffenen Wunden die unverdünnte Säure, später kräftige Lösungen in Oel, darauf kräftige wässrige und schliesslich 1 procentige Lösungen in Anwendung brachte und dabei constatiren konnte, dass die Heilerfolge um so günstiger waren, je schwächer die Lösungen — und an einer anderen Stelle (VIII. Bericht) „die Berührung der Wundfläche mit Carbolsäure steigert die seröse Exsudation, und es ist nicht zu leugnen, dass, wenn dem Auswaschen der Wunde nicht ein sehr sorgfältiger antiseptischer Verband folgt, sie bezüglich der prima reunio unter viel ungünstigere Verhältnisse gebracht wird, als wenn sie unterbleibt".

Diese Erfahrungen, welchen er noch die Verzögerung der Benarbung hinzufügt, bewogen ihn nach Ersatzmitteln für die Carbolsäure sich umzusehen und er machte Versuche mit Chlorzink und der Borsäure[1]). Aber er kehrte immer wieder zur Carbolsäure zurück und zwar einmal, weil sie die relativ grösste antiseptische Sicherheit zu bieten schien, dann aber auch weil ihre Mischungsfähigkeit sehr beachtenswerthe Vorzüge aufweist.

Durch eingehende Versuche stellte *Lister* fest, dass die Carbolsäure in verschiedenen Medien verschieden fest gebunden ist. Wasser giebt die Säure sehr leicht und bald ab; Glycerin und Spiritus binden sie schon fester, fette Oele lassen sie nur schwer los, und endlich gewöhnliches Harz hält sie so ausserordentlich zähe zurück, dass sie erst unter dem Einfluss der Körperwärme ganz allmählich und sehr langsam verdunstet.

Vermöge der Ausnutzung dieser Eigenschaften der Carbolsäure konnte es *Lister* gelingen, einen antiseptisch wirksamen Verband herzustellen, ohne eine entzündliche Reizung der Gewebe dabei in Kauf nehmen zu müssen.

Die Geschichte des antiseptischen Verbandes von *Lister* ist ausserordentlich lehrreich, und eine noch so

---

1) *Lindpaintner's* Uebersetzung des Berichts über „Borsaureverband" 1875. München.

geringfügig scheinende Aenderung an demselben ist immer ein Wagniss[1]).

Aber man hat gewiss Recht, wenn man, statt auf so künstlichem Wege die Uebelstände der Carbolsäure abzuschwächen, sich nach solchen Mitteln umschaut, mit deren Hülfe man in einfacherer Weise die Gefahren der Sepsis vermeidet, ohne eine Entzündung der Gewebe mit in Kauf nehmen zu müssen.

Sind nun solche Mittel denkbar?

Aus den Erläuterungen über die Natur des Fäulnissprocesses und über die für den Organismus schädlichen Momente in demselben ist es einleuchtend, dass man die durch die Antisepsis erstrebte Wirkung erreichen kann, wenn es gelingt, den nascirenden Wasserstoff daran zu hindern, an den organischen Substanzen in der Wunde Reductionen auszuführen. — Durch die nach den früheren Erörterungen am nächsten liegende Heranziehung des atmosphärischen Sauerstoffes ist dies zwar möglich und geschieht in der That mit mehr weniger Erfolg in der offenen Wundbehandlung, aber da er gasförmig und in den Wundflüssigkeiten nicht sehr löslich ist, so wird es nicht immer gelingen, ihn zu allen in Zersetzung begriffenen Theilen gelangen zu lassen; ausserdem stehen hier vielleicht weniger regulirbare secundäre chemische Processe einer entzündungs- und reactionslosen Heilung hindernd im Wege. —

Besser schon eignen sich in den Wundflüssigkeiten lösliche Mittel hierzu, die im Stande sind, den Fäulnissprocess in unserem Sinne zu modificiren, ohne selbst entzündungserregend zu wirken, und wie mir scheint, gehören

---

1) Wohl Niemand hat bei uns in Deutschland die genaueste Kenntniss des *Lister*'schen Verbandes gefordert und entschiedener empfohlen, als *Volkmann*, und so viel mir bekannt, hat *Volkmann* gerade am wenigsten Ursache gefunden, seine Wundbehandlungsmethode zu ändern.

manche aromatischen Körper hierzu und ausserdem auch *Kocher's* schwache Chlorzinklösungen[1]).

Feste Körper, welche die Wirkung des Wasserstoffs zu paralysiren vermögen, wenn sie durch ihre Schwere und ihre Gestalt geeignet sind, mit allen Theilen der Wunden in Berührung zu sein, und wenn sie keine gewebsreizenden Eigenschaften besitzen, sind am einfachsten in der Handhabung und werden, wenn sie in ihrem physikalischen Zustande verharren, namentlich sich nicht in den Wundflüssigkeiten lösen, die dauerndste Wirkung ausüben, da sie dann nicht durch Wegspülung, durch zu starke Verdünnung u. A. an Wirksamkeit verlieren. —

Um unseren Anforderungen zu genügen, gehört nach chemischer Richtung hin ferner eine möglichst indifferente Natur, der Art, dass eine Beeinflussung derselben womöglich nur stattfindet in dem Moment, wo es gilt, die Entstehung schädlicher Reductionsproducte durch den nascirenden Wasserstoff zu hindern. —

Die Eigenschaften, die ich theoretisch an ein für unseren Zweck geeignetes Mittel stellte, man sieht es, sind dem Jodoform entnommen; sie bedürfen keiner weiteren Erläuterung bis auf die letzte, die für uns wichtigste, d. i. die Fähigkeit den nascirenden Wasserstoff so zu beeinflussen, dass derselbe nicht zur Bildung der schädlichen Fäulnissproducte kommt. In einer früheren Arbeit hatte ich die auffallend feste d. h. indifferente chemische Constitution des Jodoform hervorgehoben und gezeigt, dass nur durch die energische chemische Action nascirender Körper Jod aus Jodoform frei wird. Das frei werdende Jod in statu nascendi hat dann ähnliche Wirkung, wie wir sie beim nascirenden Sauerstoff aus Hoppe-Seyler's Schilderung gesehen haben[2]).

---

1) Vielleicht würde Wasserstoffsuperoxydlösung in dieser Richtung gute Dienste leisten.

2) In Bezug auf die näheren Details verweise ich auf meine frühere Arbeit, diese Ztschr. No. 9.

An dieser Stelle habe ich noch hinzuzufügen, dass neuere Untersuchungen, welche von Herrn Dr. *Wildt,* dem Dirigenten der hiesigen zoochemischen Station, in dessen Laboratorium ausgeführt wurden, ergeben haben, dass durch die Action reinen nascirenden Wasserstoffs eine Zerlegung von in Wasser vertheiltem Jodoform in der Weise stattfindet, dass leichter zersetzbare Jodverbindungen entstehen. *Es wird dabei Wasserstoff gebunden. Freies Jod entsteht jedoch nicht dabei, sondern erst, wenn oxydirende Körper hinzukommen.*

Die Beschreibung der bei Zerlegung des Jodoforms sich bildenden Jodverbindungen muss einer besonderen chemischen Arbeit vorbehalten bleiben, die durch Herrn Dr. *Wildt* zur Publication gelangen wird.

An dieser Stelle will ich nur noch hervorheben, dass das genannte Verhalten des Jodoforms gegen nascirenden Wasserstoff die nicht selten zu beobachtende vollkommen reactionslose Heilung von Wunden unter Jodoform erst ganz verständlich macht, da noch so geringe Mengen nascirenden Jods immerhin eine entzündliche Gewebsreizung nach sich ziehen müssten. Ferner aber bietet dieses chemische Verhalten des Jodoforms auch, wie mir scheint, gute Aussicht für das Verständniss der sogenannten „specifischen" Wirkung bei der Zersetzung der sauerstoffarmen, namentlich der festeren lymphatischen Gebilde, die der natürlichen Desinfection im Sinne *Hoppe-Seyler's* fast gar nicht zugänglich sind.

Die Resultate, zu welchen die bisherigen Betrachtungen, wie ich glaube, führen, möchte ich in folgender Weise formuliren.

I. Aus dem Verhalten concentrirter Chlorzinklösungen und der Aetzmittel überhaupt dürfte hervorgehen, dass in der That eine Wundbehandlung existirt, die nicht gut vom bisherigen Begriff der Antisepsis wird getrennt werden können, bei der jedoch von antibakterieller Behandlung nach dem thatsächlichen Untersuchungsmaterial, welches wir *Koch* verdanken, kaum die Rede sein kann.

Indessen könnte hier eine indirecte Beeinflussung der Fäulnisserreger durch Verminderung des Nährwerthes im Fäulnisssubstrat herangezogen werden, wie dieselbe bei manchen Conservirungsmethoden in der Oekonomie in Frage kommt, z. B. beim Räuchern, Einsalzen und Trocknen von Fleisch. — Es würde dann darauf hinauskommen, dass in den so behandelten Substanzen die Fäulnisserreger *„functionsunfähig"* werden, d. h. in die Wirklichkeit übersetzt, dass sie *nicht functioniren,* wie sie z. B. auch in der Luft oder in destillirtem Wasser nicht functioniren, oder wie wenn man einen Fisch auf dem Lande functionsunfähig nennen wollte, weil er da nicht schwimmen kann.

Es ist leicht einzusehen, dass es sich um eine Beeinflussuug des Fäulnisssubstrats handelt, nicht um ein actives Vorgehen gegen die Fäulnisserreger.

Aber es ist nicht zu erkennen, warum durchaus das keine Antisepsis sein soll, wenn durch chemische und physikalische Veränderung des Fäulnisssubstrats der Fäulnissprocess verhindert oder sistirt wird.

II. Das Verhalten des Jodoforms ist, wenn meine im Vorstehenden angedeutete Erklärung seiner Wirkungsweise in der Wundbehandlung durch anderweitige Untersuchungen sich als richtig erweist, geeignet zu zeigen, dass eine antiseptische, wie eine prophylaktische auf Asepsis der Wunde gerichtete Behandlung denkbar und thatsächlich in praxi vielfach ausgeführt ist, ohne eine active Beeinflussung der Fäulnisserreger, auch ohne erhebliche Veränderung des Fäulnisssubstrats, *lediglich durch eine Modification des Fäulnissprocesses und der Fäulnissproducte.*

Posen 1882.

II.

Ueber Jodoformintoxication.

Von Dr. **Behring**,
Assistenzarzt in Posen.

Bei dem Studium der Wirkungen des Jodoforms auf den Organismus beschäftigte mich vor Anderem die Frage, ob die bei chirurgischer Anwendung des Jodoforms beobachteten Intoxicationserscheinungen gleichzusetzen sind den nach dem Gebrauch anderer Jodpräparate bekannten, oder nicht.

Die Jodintoxication ist seit längerer Zeit Gegenstand experimenteller und klinischer Studien und ihre Erscheinungen dürfen als ziemlich genau bekannt angesehen werden.

Jodintoxication wird selten nach dem Gebrauch von Jodkalium beobachtet. Häufiger tritt sie auf bei Verunreinigung von Jodkalium mit jodsaurem Salz, wie *Rabuteau* nachgewiesen hat. Die jodsauren Verbindungen, die Jodtinctur, sowohl bei äusserer als bei innerer Anwendung, ferner in geringerem Grade auch das Jodnatrium sind im Stande, gut charakterisirte Vergiftungssymptome hervorzurufen. Vom Jodalbumen hat *Högyes* neuerdings das Gleiche nachgewiesen. Die Intoxicationserscheinungen, von welchen hier die Veränderungen an der Haut als weniger interessirend, nicht berücksichtigt werden sollen, sind im Wesentlichen bei allen Präparaten die gleichen, und man nimmt an, dass sie alle auf im Organismus abgespaltenes und vorübergehend frei werdendes Jod zu beziehen seien.

Experimentell wurde in neuerer Zeit die Intoxication mit Jodpräparaten namentlich von *Binz* studirt. Die Vergiftungserscheinungen stellten sich während der ersten 2 Tage nach der Application ein. Hier hervorzuhebende Symptome waren: Beschleunigung des Pulses und der Respiration, Abmagerung, Temperatursteigerung nicht constant, zuweilen Motilitätsstörungen, ferner cerebrale Symptome, die sich im Wesentlichen als ausgesprochene Indolenz, Somnolenz und Sopor darstellten. *Binz* schreibt diese letzteren Störungen einer directen Einwirkung des Jods auf die Gehirnganglienzellen zu. Andere Autoren [1]) leugnen eine *directe* Einwirkung des Jod auf die Centralorgane. Wie dem auch sei, das darf als sicher angenommen werden, dass die cerebrale Thätigkeit durch Resorption von Jodpräparaten sehr erheblich beeinflusst werden kann.

Beim Menschen ist die Jodintoxication am genauesten von *Rose* [2]) beschrieben worden, welcher bei einem jungen Mädchen eine Eierstockcyste, nach deren Punction, mit Jodtinctur, Wasser und Jodkalium ausspritzte. Es blieben etwa 8·0 Gr. freies Jod in der Cyste zurück. — Abgesehen von augenblicklich aufgetretenen heftigen Schmerzen waren die hier in Betracht kommenden Erscheinungen:

Nach 6 Stunden Erbrechen von Serum und heftiger Durst.

Am folgenden Tage erneutes Erbrechen mit Leibschmerzen, dann viel *Schlaf* und *Irrereden*.

An den folgenden Tagen waren die dominirenden Symptome Schmerzhaftigkeit der Magengegend, Erbrechen und viel Schlaf. Kein Fieber.

---

1) *Nothnagel — Rossbach*, 1878, p. 268.

2) Arch. f. path. Anat., Bd. XXXV.

Tod nach 9 Tagen. Die eigentliche Todesursache wurde durch die Section nicht aufgeklärt.

Nach *Binz* und in dem *Rose*'schen Falle sind unter den cerebralen Symptomen Depressionserscheinungen vorherrschend. Indessen kennt man auch Excitations- und Exaltations-Erscheinungen der Jodintoxication, und in dem *„constitutionellen Jodismus"* *Rilliet's* werden als Symptome besonders hervorgehoben: *Angstgefühl* und Unruhe, nervöses Herzklopfen, Gehörsstörungen, ferner eine Art von Benommenheit, für welche ein besonderer Name *„Ivresse iodique"* existirt.

Auch *Rabuteau* erwähnt u. A. bei einem Selbstversuch ein Gefühl von *„anxiété epigastrique"*, welches nachdem er 2·5 Gr. jodsaures Kali genommen, bis zum folgenden Tage anhielt.

Wenn auch nicht gar zu häufig, so sind demnach doch sicher constatirt Störungen, die auf eine — sei es directe oder indirecte — Einwirkung der Jodpräparate auf die nervösen Centralorgane aufgefasst werden müssen.

Diese Einwirkung ist beobachtet nach den verschiedensten Jodpräparaten und bei verschiedenster Applicationsweise.

Binz hat nun auch den Nachweis geführt, dass das *Jodoform* gleiche Erscheinungen bei Versuchstieren hervorzurufen im Stande ist, wie die anderen Jodpräparate.

Högyes hat seine Resultate im Wesentlichen bestätigt.

Bei den in den letzten Monaten publicirten Fällen von Intoxication nach äusserer Anwendung des Jodoforms stehen nun im Vordergrunde gerade höchst allarmierende Vergiftungssymptome, die auf eine Alteration der cerebralen Functionen zu beziehen sind.

Eine Reihe von diesen lassen sich ohne Schwierigkeit unter die bei Jodintoxicationen beobachteten einfügen; bei unbefangener Prüfung stellt sich aber eine andere

Reihe von cerebralen Functionsstörungen dar als von wesentlich verschiedener Natur.

Die bei der Jodintoxication aufgeführten Symptome gehören mehr weniger alle zu denjenigen, welche mit dem volksthümlichen Ausdruck der „*nervösen*“ bezeichnet werden, wie sie bei Constitutionsanomalien und bei acuten, namentlich fieberhaften Krankheiten vorkommen. Sie sind, wenn ich so sagen darf, eine Art *quantitativer* Veränderung der physiologischen Hirnthätigkeit. Fast ausnahmslos gehen sie einher mit Functionsstörungen anderer, namentlich der drüsigen Organe.

Nach Jodoformgebrauch sieht man nun zwar auch Aehnliches; ausserdem aber sind nicht wenige Fälle von wirklichen Psychosen beobachtet worden; theils Hallucinationen, theils ausgesprochene Melancholie mit der Uebergangsform in Tobsucht (*Schüle:* Melancholia agitata), im Ganzen diejenige Form der *Psychoneurosen*, welche *Schüle* [1]) als *acute typische Hirnneurose* bezeichnet.

Von derartiger Erkrankung ist aber nach anderen Jodpräparaten bisher nichts gesehen worden, und man wird dieselbe nicht als nur graduell von jenen *nervösen Störungen* verschieden betrachten dürfen; man ist vielmehr gezwungen, sie principiell und qualitativ von ihnen zu scheiden. — Zudem existiren eine grosse Anzahl von Fällen, wo keine Beziehung der Psychose zu irgend welchen somatischen Krankeitserscheinungen zu bemerken war, insbesondere auch nicht zu Symptomen der *Inanition* oder zur Höhe der Körpertemperatur. So fehlten endlich auch die Nebenerscheinungen nicht selten, die das bekannte Bild der Jodintoxication vervollständigen helfen, z. B. der Jod- (Jodoform?) Geschmack, Jod im Urin u. A.

Dagegen bestand fast ausnahmslos eine gewisse Coincidenz mit Störungen in der physiologischen Beschaffenheit des Pulses und der Pulsfrequenz. Aber einerseits

1) *Ziemssen's* Handb. der spec. Path. und Therapie, Bd. XVI.

muss hervorgehoben werden, dass nicht immer die Puls-*frequenz* nennenswerth erhöht war (z. B. bei *König* No. 24) und andererseits darf nicht vergessen werden, dass man in der Psychiatrie constatirt hat, dass bei Geisteskranken das *vasomotorische System ohne Ausnahme* auf eine andere Norm eingestellt ist, und dass „der gesetzmässige Parallelgang zwischen Temperatur- und Pulsphase verschoben bleibt“ [1]), so dass man den causalen Zusammenhang nicht *ohne Weiteres* so auffassen darf, dass eine Störung im Circulationssystem das Primäre ist, wie dies wohl von denjenigen geschieht, die die Beschaffenheit des Pulses behufs prophylactischer Maassnahmen verwerthen wollen.

Diese Ueberlegungen liessen mich daran Zweifel hegen, dass die Jodoformintoxication mit der Jodintoxication zu identificiren sei und event. nur deswegen ein modificirtes Bild gebe, weil das Jodoform sich länger im Organismus aufhalte *(Moleschott)*. Ich machte daher mich daran, durch eigene Thierversuche die Jodoformwirkung zu prüfen.

Mein früheres Studium der Jodoformwirkung *ausserhalb* des Organismus (D. Ztschr. No. 11) legte mir die Beobachtung einiger wichtiger Cautelen auf. —

Binz [2]) war bei seinen Versuchen über Jodoform zu dem Resultat gekommen, dass dasselbe sich in allen seinen Lösungen zersetzt *(„dissociirt“)* und er betont dabei, dass die Abwesenheit des Lichtes keinen wesentlichen Unterschied macht [3]). Ich kann diese Angabe nicht bestätigen; vielmehr fand ich, dass das Jodoform in seinen Lösungen *nur* unter der Einwirkung des Lichtes und bei Vorhandensein von Sauerstoff zersetzt wird. Meine hierauf bezüglichen Versuche wurden auf ihre Richtigkeit von Herrn Dr. *Wildt*, dem Dirigenten der hiesigen zooche-

---

1) *Wolff*, Allg. Ztschr. f. Psychiatrie, Bd. XXIV.

2) Arch. f. experim. Pathol. und Pharmakologie. Bd. VIII u. Bd. XIII.

3) l. c. Bd. XIII pag. 318.

mischen Station, in dessen Laboratorium geprüft. Als wichtigstes Resultat ergab sich, dass die Lösungsmittel für Jodoform, wie sie im thierischen Organismus vorkommen, oder bei Experimenten incorporirt werden, *als solche nicht im Stande sind, das Jodoform zu zersetzen* [1]).

Indessen bei Einwirkung des Tages- und insbesondere des directen Sonnenlichtes tritt schon nach kaum minutenlanger Dauer Zersetzung des Jodoforms in *allen* seinen Lösungen ein, und für diejenigen Versuche, bei welchen Jodoformlösungen zur Anwendung kamen, war daher besondere Vorsicht geboten. Denn es ist ja klar, dass *schon zersetztes* Jodoform nicht zur Incorporation geeignet ist, wenn man die *Jodoform*wirkung studiren will.

Da man wohl annehmen darf, dass nur in Lösung (abgesehen von verflüchtigten Bestandtheilen) das Jodoform befähigt ist, in die Circulation zu gelangen, so war auch dafür Sorge zu tragen, dass das Jodoform schon gelöst applicirt wurde, oder dass es im Organismus die nöthigen Lösungsmittel vorfand. Ich stellte meine Versuche an Kaninchen an, und ich hatte Grund zu zweifeln, dass dieselben so viel Fett im Intestinalkanal (als Pflanzenfresser), oder im subcutanen Gewebe besitzen, um das Jodoform in Lösung überzuführen. — Mit Berücksichtigung der erwähnten Cautelen hoffte ich reine Jodoformwirkung zu erzielen; aber ich musste mich überzeugen, dass bei den verschiedensten Applicationsweisen und bei verschiedensten Jodoformpräparaten das Jodoform schon in den ersten Resorptionswegen eine partielle Umsetzung erleidet, und meine *ersten* Versuche (6 Thiere) ergaben im Wesentlichen eine Bestätigung der von *Binz* publicirten Resultate, sowohl in Bezug auf die Symptome — nur dass ich auch bei Kaninchen bei meinen Versuchen

---

1) Inzwischen ist dieses Resultat von Herrn Professor *Binz* selbst als richtig befunden worden, wie ich durch eine briefliche Mittheilung desselben weiss. —

Depressionserscheinungen constatiren konnte — als auch auf die Ausscheidung des Jod und die Sectionsbefunde.

Das Zustandekommen der constatirten *Jod*intoxication konnte nicht durch eine Zersetzung des Jodoforms durch die Fette erklärt werden; so wird die Zersetzung denn wohl auf den Einfluss des lebenden Protoplasma bei Säuregegenwart *(Binz)* zurückzuführen sein [1]). —

Ich war daran, weitere Versuche aufzugeben, als mich folgender Fall durch seine Besonderheit frappirte.

Am 5. und 6. März cr. hatte ich einem weiblichen [2]) Kaninchen, von $4^3/_4$ Pfund Gewicht, je 0·2 Grm. Jodoform auf ca. 2·0 Vaseline per Rectum applicirt.

---

1) Bei früheren Untersuchungen über Jodoform hatte ich die Beobachtung gemacht, dass *Blut* ausserhalb des Gefässystems im Stande ist, Jod aus Jodoform frei zu machen. Die mikroskopisch hierbei zu beobachtenden Vorgänge sind folgende:

Bringt man ein Jodoformkrystall in Blut, so bewegen sich die rothen Blutkörperchen in grosser Zahl mit einer gewissen Vehemenz nach dem Krystall hin; dieser bekommt einen bläulichen Schimmer, während die rothen Blutkörperchen heller werden und annähernd scharlachrothe Färbung annehmen. Setzt man Stärkezellen zum Blute hinzu, so werden diese in kürzester Zeit violett und allmählich blau gefärbt. Die blaue Färbung nimmt aber dann später wieder ab und verschwindet langsam. Wie ich durch anderweite Versuche feststellen konnte, beruht dies darauf, dass das freie Jod von den Eiweisssubstanzen des Blutes fester gebunden wird.

Die Blutflüssigkeit in der Umgebung des Krystalls wird langsam röthlich, dann scharlachroth tingirt; es geht Hämoglobin in Lösung über. Spektroskopisch nach dem Jodoformzusatz kein abweichendes Verhalten.

Ich vermuthete zuerst, dass im Blute des lebenden Gefässsystems ein ähnlicher Vorgang zu Stande kommt, zumal ich bei einigen Versuchsthieren Hämoglobinurie auftreten sah, habe mich aber durch eigens hierauf gerichtete Untersuchungen überzeugt, dass wenigstens für gewöhnlich im lebenden Blut keine derartigen chemischen Processe ablaufen.

2) Ich habe ausschliesslich weibliche Kaninchen zu meinen Versuchen gewählt, um jedes Mal ohne Schwierigkeit durch Kathetrisation Urin zur Untersuchung bekommen zu können. — Männliche Kaninchen eignen sich in dieser Hinsicht weniger zu Versuchen.

Am 5. März, 3 Stunden nach der Injection Jod im Urin in Form von jodsauren Salzen und Jodmetall.

Jedesmal 5 Minuten nach der Jodoformapplication Kälte der peripheren Körpertheile, die ca. 2 Stunden lang fortdauerte.

Bemerkenswerthe Indolenz und ruhiges Verhalten in kauernder Stellung für ca. 2 Stunden.

Fresslust nicht nennenswerth vermindert.

Gewichtsverlust täglich bis zum 7. März um durchschnittlich 100·0 Grm.

Vom 7. ab tägliche Gewichtszunahme um durchschnittlich 30·0 Grm.

Am 9. kein Jod im Urin.

Am 12. Abends 10 Uhr, nachdem das Thier vorher nichts Abweichendes in seinem Verhalten gezeigt, bekommt es ganz eigenthümliche Zufälle. Es springt unmotivirt hin und her; streckt sich dann und zieht sich gleich darauf für einige Sekunden in die kauernde Stellung zusammen, welche ruhende Kaninchen einnehmen; dann springt es wieder auf, rennt mit Vehemenz mit dem Kopf gegen die Wände des abgesperrten Raumes, in welchem es sich befindet. Mein Bursche, in dessen Zimmer das Kaninchen aufbewahrt wurde, wird ganz ängstlich durch dieses seltsame Verhalten, welches etwa über 10 Minuten dauert.

Danach wird es ruhig und verhält sich wie die anderen Kaninchen.

Von Krämpfen keine Spur.

Am 13. März Morgens kein Jod im Urin.

Am 13. März Mittags 0·2 Jodof. zu 2·0 Vaseline per Rectum.

Wirkung wie in anderen Versuchen.

Am 16. März Jod aus dem Urin verschwunden.

Am 17. März Gewichtszunahme (gegen 16. März) 40·0 Grm.; am ganzen Tage nichts Auffallendes. 6 Uhr Abends Umherspringen wie am 13. März, nur noch heftiger, schreit, springt auf's heftigste gegen die Wände mit dem Kopf, dazwischen dieses Mal Zuckungen; beisst in's Holz. — Jagende Respiration. Nachdem das beinahe $^1/_2$ Stunde gedauert, verendet das Thier.

Bei der sofort gemachten Section fällt zunächst auf, dass während der Eröffnung der Bauchhöhle schon die Glieder starr werden; dann bald sehr starke Todtenstarre. —

Fettige Degeneration der Leber und Nieren (vornehmlich Rindensubstanz).

Lungen *ohne* Infiltration und Hämorrhagie. *Kein* Exsudat in der Pleurahöhle. —

Sehr bemerkenswerthe Retraction der Lungen.

Oedem der Pia. —

Bestimmte Todesursache nicht gefunden. —

So auffallend mir diese Erscheinungen waren, so wenig verständlich waren mir dieselben zunächst. Erst das nähere Studium der an Menschen beobachteten Intoxicationserscheinungen nach Jodoform ermöglichte mir eine Rubricirung derselben, wie andererseits aber auch wiederum jene mir den Schlüssel an die Hand gaben zum besseren Verständniss dieser.

Geht man die jetzt schon ganz stattliche Zahl der Fälle mit Vergiftungserscheinungen nach Jodoform genauer durch, so fallen 2 meist scharf von einander zu trennende Reihen cerebraler Störungen auf.

Die einen treten bald nach der Jodoformapplication ein, sind wesentlich „nervöser" Natur und verbunden mit somatischen Störungen. Nicht selten tritt in den schwereren dieser Fälle der Tod ein, in der Regel zwischen 3. und 9. Tag.

Die *anderen*, eigentliche Psychosen, schliessen sich entweder continuirlich den ersteren an, oder, und zwar häufiger, sie kommen wie aus heiterem Himmel; die Zeit ihres Auftretens ist in der Regel nach dem 8. Tage, um dann entweder nur kurze Zeit zu bestehen, oder aber um mit zeitweise freien Intervallen sich zu steigern, bis sie in der Regel am 17. Tage ihren Höhepunkt erreichen; danach tritt in manchen Fällen Collaps ein, in welchem die Kranken zu Grunde gehen; in anderen erfolgt allmähliche Besserung.

Ich will gleich vorausschicken, dass ich jene ersten, bald nach der Jodoformapplication auftretenden Störungen als *Jod*intoxication, die zweiten als eigentliche Jodoformintoxication aufzufassen Ursache habe, in dem Sinne, dass dieselben nur nach *Jodoform*gebrauch, nicht nach anderen Jodpräparaten zur Beobachtung kommen.

Zur Illustration dieser Verhältnisse eignen sich unter den publicirten Fällen am besten die von *König*[1]) einheitlich zusammengestellten 32, welche ich zuerst durchgehen will.

Es sind darunter nach meiner Auffassung:

I. Fälle von reiner Jodoformintoxication.

II. Fälle von reiner Jodintoxication.

III. Fälle, die beide Intoxicationsformen nach einander zeigen.

Der tabellarischen Zusammenstellung, welche dazu bestimmt ist, die hier in Betracht kommenden Dinge übersichtlicher zu machen, mögen folgende Bemerkungen vorausgehen.

1. Es befinden sich eine Reihe von Fällen in der Tabelle (s. S. 32 ff.), in denen das Jodoform mehrmals bei demselben Kranken zur Anwendung kam; dieselben sind durch einen horizontalen Strich vor der No. bei *König* ersichtlich gemacht. Man wird nur mit Berücksichtigung der Gesammtresultate entscheiden können, ob der Eintritt der Intoxication von der *ersten* Application des Jodoform oder von *einer späteren* ab zu rechnen ist.

2. Der Ausgang der einzelnen Fälle in Heilung resp.

---

1) Centralbl. f. Chir. No. 7 und 8.

Tabelle zu

Laufende Nummer.	No. bei *König*. Alter u. Geschlecht.	Krankheit und Art der Behandlung.	Application des Jodoform.
			I. Fälle von reiner
1.	No. 1. 18 jähriger Mann.	Tuberculöser Abscess oberhalb des Knies. Eröffnung.	1·0 Grm. Jodoform.
2.	No. 2. 47 jährige Dame.	Carcin. mamm. Amputation.	Jodof. und Jodof.-Gaze u. Lister.
3.	No. 3. 32 jährige Frau.	Fisteln bei Caries des Darmbeins. Auskratzen.	Ausfüllung mit Jodoform.
4.	No. 5. 62 jähriger Mann.	Caries des Fusses. Pirogoff.	Jodof. und Jodof.-Gaze, Lister.
5.	— No. 6. 24 jähriges Mädchen.	Osteosarcom des Oberkiefers. Resection.	Jodof. u. Jodof.-Gaze, dann Einblasen. 7. Tag: Von Neuem Jodoform.
6.	— No. 8. 35 jähriger Mann.	Ausgedehnte Hautverbrennung.	Alle 2 Tage Bepudern mit Jodof.
7.	No. 9. 68 jähriger Mann.	Tuberculose im Fuss. Amputation.	50·0 Grm. Jodof. (in 3 Verbänden)?
8.	No. 10. 48 jähriger Mann.	Verrenkungsbruch des Fussgelenks. Fussgelenksdrainage.	60·0 Grm. Jodof.
9.	No. 12. 72 jährige Frau.	Gangraena senilis.	Aufstreuen von Jodof. (dick).
10.	No. 13. 73 jährige Frau.	Carcinoma recti. Operation.	80—100 Grm., Drainage.
11.	— No. 15. 68 jähriger Mann.	Prostata hypertrophic. Keine Operation.	Zäpfchen von Jodof. mit Cacaobutter. Dann: Jodof. vaseline per Rectum.
12.	No. 16. 71 jähriger Mann.	Galvanocaustische Amputation des Penis.	Bestreuen des Schorfes und später (8 Tage) der Wunde mit Jodof.
13.	No. 18. 54 jährige Frau.	Tuberculose des Fusses. Auslöffelung der Markhöhle der Tibia.	40·0 Grm. Ausfüllung. Lister.
14.	— No. 19. 22 jährige Patientin.	Verjauchung des Kniegelenks. Amputation.	Jodof.-Pulver und Jodof.-Gaze. 50·0 bis zum 18. Tage.
15.	No. 20. 21 jähriger Mann.	Maschinenverletzung am Arm, zuerst conservativ, dann Exartic.	*Zuerst* 40·0 — 50·0 Jodof. nach Operation 15·0—20·0.
16.	No. 21. 43 jährige Frau.	Carcin. mamm. Exstirpation.	50·0—80·0 Jodof., Lister.

Seite 31.

Erkrankungstag und Krankheitserscheinungen.	Bemerkung.
Jodoformintoxication.	
(?) Nach einigen Tagen: Verfolgungswahn und Bettverlassen.	Gesund nach einigen Stun den, trotz Weiterbehand lung mit Jodof.
14. Tag: Verstimmtheit, Sinnestäuschungen.	Gesund am 20. Tage.
7. Nacht: Bettverlassen, Fluchtversuch, dann: mürrisches Wesen, verkehrte Antworten.	Gesund (? Tag).
9. Tag: Unruhe und Beängstigung, Bettverlassen, redet wirres Zeug.	Gesund: 17. Tag, (am 10. Tage Verbandwech sel mit Jodof.).
8. Tag: Schlaflosigkeit, Beängstigung, Furcht mitgenommen zu werden.	Allmähliche Besserung nac Entfernung des Jodof.
7. Tag: (?) „nach 2 Verbänden", redet wirres Zeug, absolut schlaflos, Bettverlassen, Zerreissen der Bettdecken.	Gesund, ca. 28. Tag.
8. Tag: Unruhe, Bettverlassen.	Schnelles Verschwinden de Symptome.
8. Tag: (circa 3 Wochen lang), Verwirrung, Unruhe, Schlaflosigkeit, Bettverlassen, Benommenheit.	Gesund ca 28. Tag.
(?) Zeitweilig Schlafsucht, Delirien, Gedächtnissschwäche; Wahnvorstellungen.	Tod, 6 Wochen später.
8. Tag: Unruhe, kennt Niemand, weiss nicht, wo sie ist, Umherwerfen.	Gesund in ca. 4 Wochen.
8. Tag nach Anwendung der *Salbe:* Verwirrtheit, Verfolgungswahn, Bettverlassen, Fluchtversuch.	Gesund „nach wenigen Tagen".
12. Nacht: Toben, am Tage Nahrungsverweigerung. Todesgedanken.	Gesund „nach 4—5 Tagen"
8. Nacht: Verwirrtheit und Unruhe, dann: Hallucinationen und Nahrungsverweigerung.	Gesund, 18. Tag.
19. Nacht: Tobsuchtsanfall, Hallucinationen. 8 Tage später: Heftiger Tobsuchtsanfall, Zerreissen.	Vom 27. Tage ab Besserun (es trat Gangrän ein).
2. Tag nach Operation Unruhe, Verwirrtheit, (?) *nach 1. Appl. des Jodof.* Aengstlichkeit; dann: Tobsucht.	Gesund, 15 Tage nach de Operation.
Nacht nach dem 10. Tage: Unruhe, Schimpfen, dann: Tobsucht, Zerreissen.	Tod 21. Tag, (Erysipel) (?

Fort-

Laufende	No. bei *König.* Alter u. Geschlecht.	Krankheit und Art der Behandlung.	Application des Jodoform.
7.	No. 22. 61 jähriger Mann.	Arthritis deformans. Resection.	Jodof. 80·0.
8.	No. 23. 70 jähriger Mann.	Tuberculöser Sequester des Femur. Extraction.	10·0—15·0 Jodof., Lister.
9.	No. 24. 69 jährige Frau.	Exstirpat. mamm.	? Jodoform. Reactionslose *Heilung nach 9 Tagen.*
0.	— No. 25. 61 jähriger Mann.	Caries im Knie. Amputation.	Jodof. und Jodof.-Gaze. 6 Tage später 25·0 Jodof.
1.	No. 26. 67 jährige Frau.	Tuberculös. Ellenbogengelenk. Resection.	10—15·0 Jodof., Lister.
2.	No. 27. 63 jähriger Mann.	Oberkiefer-Resection.	Bepudern mit Jodof., an den folgenden Tagen Einblasen.
			II. Fälle von reiner
3.	— No. 7. 22 jähriger Mann.	Complicirte Fractur des Unterschenkels. Grosser Schnitt.	Alle 3 Tage Verband mit Jodof. ca. 15·0.
4.	No. 28. 46 jährige Frau.	Struma. Exstirpation.	Jodof., Lister, 5. Tag Verbandwechsel mit Jodof.
5.	No. 29. 5 jähriger Knabe.	Grosse coxitische Abscesse. Incision.	60·0 Jodof.
6.	No. 30. 6 jähriger Knabe.	Periarticulärer Abscess am Hüftgelenk. Scharfer Löffel.	20·0 Jodof.; dann täglich Jodoformstäbchen.
7.	No. 31. 15 jähriger Mann.	Eiterung des Hüftgelenks. Resection.	30·0 Jodof., vom 4. Tage Lister.
8.	No. 32. 14 jähriger Knabe.	Käsiger Abscess des Hüftgelenks. Resection.	Jodoform „Kaffeelöffel", Jodof.-Gaze.
		III. Fälle von Jodintoxication mit	
9.	No. 4. 51 jähriger Mann.	Empyem.	Alle 3 Tage Gelatine-Jodoformstäbchen.
0.	No. 14. 14 jähriger Mann.	Ischiadicus-Dehnung.	Nach 16 Tagen Jodoform.

setzung.

Erkrankungstag und Krankheitserscheinungen.	Bemerkung.
9. Tag: Unruhe, Secessus inscii; dann: geistige Benommenheit. 17. Tag: Maniakalische Anfälle.	Tod 20. Tag, Collaps. Lungenödem.
9. Tag: Verfolgungswahn, dann Tobsucht.	Tod ca. 21. Tag, (in d 3. Woche nach dem Au bruch).
10. Nacht: Unruhe, Fluchtversuche. 17. Tag: Maniakalische Anfälle, Secessus inscii.	Tod 20. Tag, Lungenöde
8—10. Tag: Unruhe Nachts; am Tage Schlaf; Schmerzen. 11. Tag: Hallucinationen; dann Nahrungsverweigerung.	Tod 12. Tag, Collaps.
14. Tag: Unruhe, verwirrte Reden, Nahrungsverweigerung; dann: Nachts Fluchtversuch. 20. Tag: Freieres Bewusstsein.	Tod 21. Tag, Oedem d Pia.
7. Tag: Unruhe, Verfolgungswahn, Hallucinationen.	Tod 28. Tag, Pneumo sche Symptome.

Jodintoxication.

4. Nacht: Schlaflosigkeit, Unruhe, Aengstlichkeit; Tags vernünftig; Appetitlosigkeit, schlechtes Aussehen.	Besserung nach Weglass des Jodoforms.
2. Tag: Wiederholtes Erbrechen. P. 164, später wiederholtes Erbrechen. 5. Tag: Dyspnoë, grosse Unruhe, verwirrte Reden.	Tod 6. Tag, Lungenöde Section. *Frische pneumonis Heerde.*
? 6 Wochen lang Schlafsucht und starke Transpiration.	Gesund nach 6 Wocher
? Apathie Weinerlichkeit. Durst, Erbrechen. Fieber. (Blutiger Urin.)	Gesund 11. Tag. Täglich Verbandwechsel.
2. Tag: Erbrechen, Uebelkeit. 3. Tag: Flexionscontracturen. 4. Tag: Sopor, secessus inscii.	Vom 4. Tage ab Besseru der nervösen Symptom Später Septicämie und T
2. Tag: Unruhe, Fieber, Benommenheit, Lallen, Erbrechen. 3. Tag: Bewusstlosigkeit.	Tod 3. Tag. *Fettige Le und Nieren.*

nachfolgender Jodoformintoxication.

Widerwillen, Jodoform-Geruch u. Geschmack, Appetitlosigkeit, benommener Kopf.	13. Nacht Tobsucht u. Wahnideen u. Bettverlassen. Am Tage: Verwechseln bekannter Menschen.	Gesund, 16. Tag.
Nach 2 Tagen Schlaflosigkeit und sich steigernde Unruhe.	7. (9.?) Tag: Tobsucht, Bettverlassen.	Gesund, 16. Tag.

das letale Ende ist von der 1. Application des Jodoform an gerechnet.

3. Fall No. 27 und 28 bei *König* scheinen für die Beobachtung *Aschenbrandt's* zu sprechen; ob es sich hierbei um Jodwirkung oder Jodoformwirkung handelt, darauf komme ich noch an anderer Stelle zurück, wenn ich von den Bedingungen sprechen werde, unter welchen Intoxicationserscheinungen nach Jodoformgebrauch auftreten.

4. Fall No. 11 bei *König* weicht insofern von der Regel ab, als hier eine in die I. Kategorie gehörige Alteration, schon, wenn ich die Krankengeschichte richtig verstehe, am 2. Tage nach dem Jodoformgebrauch in Erscheinung tritt.

5. Fall No. 26 habe ich deswegen der II. Kategorie einreihen können, weil ich einen ganz ähnlichen genau kenne, der mit Sicherheit auf Jodintoxication zu beziehen ist.

6. Aus den Fällen von reiner Jodintoxication (II) geht hervor, dass Kinder und jüngere Personen vorzugsweise zur Jodintoxication geneigt sind; es entspricht das auch anderweitigen Beobachtungen. So giebt *Badin*[1]) an, dass Kinder und ältere Personen ein sehr verschiedenes Verhalten zeigen hinsichtlich der Hautveränderungen, Nierenerkrankung u. A. nach Jodpinselungen.

7. Für die Aufstellung der III. Kategorie waren besonders maassgebend gut charakterisirte Fälle, welche ich in anderen Publicationen fand; ob auch Fall No. 17 bei *König* hierher gehört, war deswegen schwer zu entscheiden, weil hier genauere Zeitangaben fehlen.

Aus der vergleichenden Zusammenstellung der von *König* publicirten Fälle scheint mir zur Evidenz hervorzugehen:

1. dass das Jodoform bei chirurgischer Anwendung im Stande ist, nach einer Art von Incubationsstadium von

---

1) De l'albuminurie consecutive aux applications de teinture d'iode chez l'enfant. Paris 1876.

ca. 8tägiger Dauer sehr gut charakterisirte Psychosen zu veranlassen, ohne somatische Krankheitserscheinungen, zuweilen mit Prodromalerscheinungen von unbestimmt „nervöser" Natur, zuweilen ohne solche, und dass die Dauer und Intensität der Psychosen kein bestimmtes Abhängigkeitsverhältniss von der Menge des zur Anwendung gekommenen Jodoforms zeigt, noch auch durch die fortgesetzte Anwendung desselben in nachweisbarer Weise beeinflusst wird;

2. dass es zu Intoxicationserscheinungen führen kann, welche mit den bekannten Symptomen der Jodvergiftung allergrösste Aehnlichkeit besitzen, dass dieselben sehr bald nach Anwendung des Jodoforms zu Tage treten und ihre Dauer wesentlich abhängig ist von dem Fortgebrauch des Jodoforms.

Gehen wir mit Rücksicht auf diese Ergebnisse die anderen auf Intoxication nach Jodoform bezüglichen Publicationen durch, so hat die Analyse derselben allerdings deshalb einige Schwierigkeit, weil die meisten Autoren z. Th. weniger den objectiven Befund der Fälle mittheilen, als vielmehr nach besonderen Gesichtspunkten geordnete Resultate.

Indessen es sind doch bei *Schede*[1]) die unter 1—4 genannten Erscheinungen der Jodintoxication, die unter 5 und 6, im Allgemeinen der dem Jodoform besonders zukommenden Intoxication ziemlich gut einfügbar.

Und auch bei *Kocher*[2]) sind die im Einzelnen mitgetheilten Fälle nach beiden Richtungen gut von einander zu trennen. Von den beiden Krankengeschichten scheint die erste in meine I. Kategorie, die 2. in meine III. zu gehören. — Bei *Kocher* ist als bis dahin noch nicht bekanntes Symptom der Jodoformintoxication Aphasie zu erwähnen, während die Motilitätstörungen in den ersten

1) Centralbl. No. 3, 1882.
2) eod. loc. No. 14 u. 15.

Tagen nach der Operation gemäss den klinisch und experimentell beobachteten Thatsachen der Jodintoxication sich ungezwungen anschliessen.

Bei *Küster*[1]) finde ich unter a) (Störungen der Verdauung) und b) (Fieber) die Krankheitserscheinungen und das zeitliche Auftreten derselben, sowie ihr promptes Aufhören nach dem Aussetzen des Jodoforms so genau dem Bilde entsprechend, welches auf im Organismus abgespaltenes Jod zu beziehen ist, dass man seine Charakteristik, ohne etwas wegzunehmen und ohne auch kaum etwas hinzuzufügen, für die Jodintoxication benutzen kann. Hervorgehoben sei, dass K. die *Häufigkeit* hohen Fiebers, zuweilen mit septicämischem Charakter betont und auf die Aehnlichkeit dieser Erscheinung mit der Carbolsäurewirkung hinweist. Seine Schilderung sub c) (Einwirkung auf das Centralnervensystem und d) (Wirkung als tödtliches Gift) umfasst zum Theil beide Intoxicationsformen.

Henry's[2]) erster Fall gehört unter I, der zweite unter II.

Auf die beiden Fälle von *Mikulicz*[3]) komme ich später bei Besprechung der Bedingungen für den Eintritt der Jodoformintoxication (an anderer Stelle) zu sprechen.

Höfftmann's Fälle (Centralbl. No. 7) gehören wohl beide unter I.

Zum Schluss möchte ich hervorheben, dass unter den Fällen von Intoxication nach Jodoform, welche ich *nicht* der eigentlichen, dem Jodoform besonders zukommenden, Intoxication zurechne, gewiss auch solche sich finden, bei denen die Psyche nicht als intact betrachtet werden kann. Wenn ich sie der Jodintoxication einfüge, so ist abgesehen von dem Charakter der cerebralen Erscheinungen an sich und der Zeit ihres Auftretens nach der Jodoformapplication ein wichtiges Kriterium für ihre Rubricirung das gleich-

---

1) Berl. klin. W. No. 14, 1882.
2) *v. Mosetig*, Jodoformverband, *Volkmann's* klin. Vortr. 211.
3) VIII. Chirurgencongress u. Wiener Klinik 1882, Heft 1.

zeitige Vorhandensein anderweitiger Krankheitssymptome.

Wo z. B. durch Wundprocesse oder andere Ursachen bedingtes hohes Fieber vorhanden ist, da wird es zuweilen schwer sein, sich von dem Gedanken loszumachen, dass die cerebralen Störungen in die Reihe derjenigen gehören, die den Klinikern unter dem Namen der *stupiden* und *versatilen* Form der Fieberdelirien bekannt sind.

Endlich darf nicht vergessen werden, dass Beobachtungen existiren von anscheinend wirklichen Psychosen, die von manchen Autoren der Chloroformnarkose, von anderen verstümmelnden Operationen als solchen [1]) zugeschrieben werden.

Solche Ueberlegungen werden zur Beurtheilung einzelner Fälle mit in Anspruch genommen werden müssen.

Uebrigens habe ich nur wenige genau beschriebene Fälle gefunden, bei denen ich mich hätte nach einer anderen Interpretation umthun müssen, als der, die in dem Vorhergehenden entwickelt wurde.

---

1) *Volkmann* (u. *Genzmer*), Klin. Vortr. No. 121.

Posen 1882.

III.

Ueber Jodoformvergiftung und ihre Behandlung.

Von Dr. **Behring,**

Assistenzarzt I. Cl. im Westpr. Kürassier-Regt. No. 5 in Winzig.

Bei dem häufigen Gebrauch, den ich vom Jodoform zur Wundbehandlung machte, habe ich zuweilen auch Störungen des Allgemeinbefindens beobachtet, die ich dem Jodoform zur Last legte. Auf Grund von weiter unten zu erwähnenden experimentellen Erfahrungen, verordnete ich in solchen Fällen eine 5 bis 10 % wässrige Lösung von Kali bicarb., so viel mir schien, mit gutem Erfolg. In letzter Zeit hatte ich nun Gelegenheit, zwei Fälle von psychischer Alteration nach Jodoformgebrauch zu behandeln, wobei das Kal. bicarb. als promptest wirkendes Antidot sich erwies.

Der erste Fall betrifft einen jungen Mann, bei welchem nach mehrwöchentlicher Anwendung des Jodoforms Schlaflosigkeit, Ideenflucht und eine auffallende Aenderung der Gemüthsstimmung eingetreten war.

Die Krankengeschichte des zweiten Falles bringe ich im Folgenden ausführlich.

Der 58jährige Lohngärtner R. aus B. hatte am 10. November 1883 durch Schlag mit einem Stock eine Kopfverletzung acquirirt. Der Stock war beim Schlage zersplittert. Die Kopfhaut war über dem rechten Scheitelbein in Ausdehnung von 5 cm vollständig durchtrennt, und es präsentirte sich nach dem Abrasiren der Haare eine weitklaffende Wunde mit überall sehr stark gequetschten Wundrändern. In der Mitte der Wunde sass ein Holzsplitter von der Dicke eines Gänsekiels und 1 1/2 cm Länge. Nach seiner Entfernung kam ich mit der Sonde auf rauhen Knochen. Die Blutung war in den ersten Stunden nach der Verletzung reichlich gewesen. Nach dem Abwaschen der Blutgerinnsel und nach Reinigung der Wunde füllte ich dieselbe reichlich mit Jodoformpulver aus, bedeckte das Jodoform mit Salicylwatte und legte einen Gazeverband darüber. Patient hatte am 20. November mässiges Fieber und klagte über Kopfschmerz und Appetitlosigkeit. Seit dem 21. November war das subjective Befinden besser; Patient hatte weder Uebelkeit noch Kopfschmerz; nur der Appetit wollte nicht kommen. Am 22. November war Patient ausser Bett und kam am 23. November den 3/4 stündigen Weg zum Verbandwechsel zu Fuss in meine Wohnung.

Ich fand die Wunde gut granulirend, mit zähschleimigem, gelb tingirtem Secret bedeckt, brachte von neuem Jodoform in die Wunde und liess den Patienten dann mit einem Kopfverband nach Hause gehen.

Am 29. November stellte sich Patient wieder vor. Der Appetit war immer noch mangelhaft. Da Patient jedoch im Uebrigen keine Klagen hatte, und er mir als Potator geschildert war, so legte ich dem keine besondere Bedeutung bei. Die Wunde war jetzt bis auf Markstückgrösse verkleinert; in ihrer Mitte markirte sich der frühere Sitz des Holzsplitters durch einen trichterförmigen in die Tiefe verlaufenden Gang.

Ich legte wiederum einen Jodoformverband an, und hatte jetzt im Ganzen 12,0 gr. Jodoform verbraucht.

Nachdem bis zum 30. November keinerlei bedenkliche Erscheinungen aufgetreten waren, erhielt ich am 2. December Morgens von dem Urheber der Kopfverletzung die Nachricht, er sei durch das auffallende Verhalten des R. sehr geängstigt: „der Mann thue, als ob er nicht mehr seinen richtigen Verstand habe". Der mich herausholende Fuhrmann erzählte noch, wie die Nachbarschaft durch das Gebahren des Patienten allarmirt sei, und welche Folgen es für den, der dem R. die Verletzung beigebracht, haben müsse, wenn dieser seinen Verstand verliere.

Ich fand den Patienten im Bett, hörte, dass die Nacht vom 30. November zum 1. December schlecht gewesen sei. Am Tage habe er dann viel wirres Zeug gesprochen, wollte gar nichts zu sich nehmen, und es habe ihn im Bett nicht geduldet. In der Nacht vom 1. zum 2. December aber habe er Fluchtversuche gemacht und die schon vorher beängstigenden Erscheinungen seien in Toben ausgeartet, das bis an den Morgen dauerte, — Als ich ankam, war Patient schon ruhiger; auf meine Fragen antwortete er aber widerwillig und mit häsitirender Sprache.

Bei Abnahme des Verbandes zeigte sich die nur noch 10 Pfennigstück grosse Wunde mit guten Granulationen vollständig ausgefüllt; vom Jodoform waren nur noch Spuren an der Verbandwatte zu bemerken. Der kräftig gebaute, aber etwas decrepide Patient fiel mir durch seinen wirren Blick und seine verfallenen Gesichtszüge auf. Die Zunge war stark belegt; sie zitterte beim Herausstrecken nicht. Auch an den Händen liess sich kein Tremor erkennen. Uebrigens hörte ich dann auf Befragen bei zuverlässigen Leuten, dass der p. R. im Dorfe durchaus nicht als Trinker gelte.

Die Körpertemperatur erreichte noch nicht 37°. Der eher kleine Puls hatte eine Frequenz von 104; die Radialarterie fühlte sich hart an. Die Untersuchung des Herzens, der Lungen und der Abdominalorgane ergab nichts Abnormes.

Der in meiner Wohnung untersuchte Urin des Patienten war klar, frei von Eiweiss; spec. Gewicht 1034;

Jodreaction bei zweifacher Verdünnung des Urins mit Wasser noch eben deutlich erkennbar[1]).

Ich legte einen Borsalbeverband auf die Kopfwunde und gab dem Patienten Solut. Kal. bicarb. 15,0 : 200,0, stündlich 1 Esslöffel. Im weiteren Verlauf des Tages war Patient noch unruhig, führte aber keine so beängstigende Reden, wie früher. Die nächste Nacht war leidlich gut. Am 3. December hatte er besseren Appetit und am 4. December erhielt ich die Nachricht, dass sein psychisches Verhalten wieder wie in seinen gesunden Tagen sei. Am 5. December legte ich in meiner Wohnung einen Verband mit Jodoform-Vaseline an; Patient war nunmehr wieder dauernd ausser Bett, und ich fand sein Befinden ganz normal.

Am 7. December war die Wunde definitiv mit glatter Narbe verheilt.

Zur Würdigung des Kal. bicarb. als Antidot gegen Jodoformvergiftung habe ich nun folgende Bemerkungen zu machen:

Im Laufe des Jahres 1882 hatte ich Kaninchenexperimente angestellt, um das Wesen der Jodoformvergiftung zu studiren, und ich gelangte damals zu dem Resultat, dass nach Jodoformgebrauch zwar Vergiftungserscheinungen be-

---

1) Um wenigstens eine annähernde quantitative Bestimmung des Jods im Urin in bequemer Weise zu erhalten, habe ich folgendes Verfahren als zweckmässig gefunden. Ich verdünne in einem Messglase den jodhaltigen Harn so weit, bis die Stärkereaction noch eben erkennbar bleibt. Da nun, wie man sich leicht überzeugen kann, die Reaction noch erfolgt, wenn 1,0 gr. Kal. jodat. in ca. 500 000 ccm Wasser gelöst ist, so lässt sich der Jodgehalt im Harn ohne Schwierigkeit berechnen. Freilich wird dabei nur das durch salpetrige Säure oder durch Chlorwasser im Harn freigemachte Jod gefunden. Aber ich habe mich am Kaninchenurin, in welchem Herr Dr. *Wildt* in Posen das Jod nach der *Hilger*'schen Methode bestimmte, überzeugt, dass das Resultat ein annähernd genaues ist, — jedenfalls genauer, als beim colorimetrischen Verfahren nach *Struve*.

obachtet sind, die man den bekannten Symptomen der Jodvergiftung anreihen muss, dass andrerseits aber auch gut charakterisirte Erkrankungen durch das Jodoform verursacht worden sind, welche von den nach Darreichung anderer Jodpräparate, insbesondere der Jodalkalien beobachteten, scharf zu trennen seien.

Bei meinen weiteren Bemühungen, der Ursache dieser Verschiedenheit auf den Grund zu kommen, musste alsbald der Umstand auffallen, dass das Jodoform *ohne* Alkali dem Organismus zugeführt, dagegen *mit* Alkali als Jodsalz wieder ausgeschieden wird.

Man hat sich nach *Binz* die, unter Mitwirkung des lebenden Protoplasmas, erfolgende Zerlegung des Jodoforms so vorzustellen, dass im Organismus aus 2 CHI_3 5 Th. HI und 1 Th. HIO_3 entstehen. Diese Säuren verbinden sich mit den Alkalien des Blutes zu Salzen und können als Jodsalz und jodsaures Salz ausgeschieden werden, in der Regel aber erfolgt unter vorübergehendem Freiwerden von Jod eine weitere Zerlegung der Jodsäure, bis auch diese als Jodsalz im Harn wieder erscheint.

Es muss demnach das Jodoform alkalientziehend wirken[1]).

Das Studium der Arbeiten über die Bedeutung der Alkalien für den thierischen Körper und namentlich der grundlegenden Versuche von *E. Salkowski* 1) über die Alkalientziehung bei Kaninchen durch verdünnte Mineralsäuren, befestigte dann mehr und mehr die Ueberzeugung, dass dies Moment von wesentlichster Bedeutung für das Verständniss der Jodoformvergiftung sei, ja dass, bei Kaninchen wenigstens, dasselbe zur Erklärung gerade der constanten Vergiftungserscheinungen allein ausreicht. Die so sehr auffallende Abmagerung der Thiere, der Eintritt des letalen Endes nach fast symptomenlosem Verlauf,

1) Diese alkalientziehende Wirkung des Jodoforms ist, wie ich später fand, auch von *Harnack* (Berl. klin. W. 1882 No. 20) hervorgehoben worden.

der negative Befund bei der Section in Bezug auf die eigentliche Todesursache, all das sind auch der Alkalientziehung eigenthümliche Erscheinungen.

Es würde danach beim Jodoform sich um einen Körper handeln, der zwar an sich nicht die Eigenschaft einer Säure besitzt, nach seiner Zerlegung im Organismus aber die alkalientziehende Wirkung einer solchen ausübt.

Es lag daher nahe genug, hier eine Versuchsreihe zu wiederholen, die früher von *Walter*[2]) angestellt war, und welche dazu gedient hat, der Lehre *Salkowski's* von der deletären Wirkung der Alkalientziehung durch verdünnte Mineralsäuren eine weitere Stütze zu geben. *Walter* zeigte nämlich, dass es gelingt, die mit Säuren behandelten Thiere zu retten, wenn man ihnen Alkalien zuführt. War daher meine Annahme richtig, so liess sich erwarten, dass die Vergiftung verhütet, resp. beseitigt wird, wenn man den Kaninchen gleichzeitig mit dem Jodoform auch Alkalien darreicht.

Und meine Versuche ergaben ein ganz unzweideutiges Resultat. Ich habe 4 Kaninchen bei gleichzeitiger Zufuhr von Jodoform und Alkalien am Leben erhalten und sah dieselben vollständig wieder gesund werden, während die Controlthiere (von demselben Wurf) in wenigen Tagen durch die gleiche Jodoformmenge zu Grunde gingen; und im weiteren Verfolg der Versuche konnte ich constatiren, dass selbst nahezu das Doppelte der sonst letal wirkenden Dosis ohne wesentlichen Schaden, wenngleich auch unter starker Abmagerung, von den Thieren vertragen wurde, wenn sie als Antidot eine Lösung von Kal. bicarb. erhielten. Diese verabfolgte ich per os, während ich das Jodoform, in erwärmter Vaseline gelöst, per anum applicirte. Als letal wirkende Dosis, (ohne Alkali) hatte ich *bei dieser Art der Einverleibung des Jodoforms* ca. 0,5 gr pro Kilo Thier gefunden, muss jedoch bemerken, dass jüngere Kaninchen auch relativ weniger Jodoform vertragen, und dass die Art der Ernährung von wesentlichem Einfluss auf die Grösse der tödtlichen Dosis ist.

Und noch auf eine Besonderheit muss ich aufmerksam machen. *Walter*[2]) hatte bei seinen Versuchen verdünnte Salzsäure gegeben und als Antidot eine Lösung von Natron bicarb. subcutan angewendet. Ich fand, dass Natronpräparate als Antidot gegen Jodoform sich weniger eignen. Die Thiere bekamen danach nicht selten Reizungserscheinungen Seitens des Darms und der Nieren, die bei der Section als starke Hyperämie sich präsentirten, und die, wie ich in zwei Fällen mich überzeugte, im Darm bis zu Ekchymosen sich steigern können. Aehnliches habe ich nach Anwendung von Kalipräparaten nicht gesehen, und es wird hierbei an die auch sonst gemachte Beobachtung zu denken sein, dass die Jod-Natriumpräparate zu Intoxicationssymptomen viel leichter Veranlassung geben, als die Verbindungen des Jods mit Kalium.

Durch die eben berichteten Erfahrungen glaube ich mich nun zu der Schlussfolgerung berechtigt:

1. dass das Jodoform alkalientziehend auf den Organismus der Kaninchen wirkt,

2. dass es in genügender Dosis durch diese Wirkung den Tod der Thiere herbeiführt,

3. dass man im Stande ist, durch geeignete Alkalizufuhr Kaninchen eine bemerkenswerthe Toleranz gegen das Jodoform zu verschaffen.

Eine Verallgemeinerung dieser Schlüsse ist aber, nach Analogie der über die Wirkung verdünnter Mineralsäuren eruirten Thatsachen zunächst nur für *pflanzenfressende Thiere* gestattet.

Ueber die Möglichkeit einer deletär wirkenden Alkalientziehung durch das Jodoform bei *Fleischfressern* habe ich keine eigenen Erfahrungen. Für diese Möglichkeit scheinen mir jedoch von *Zeller*[4]) neuerdings ausgeführte Versuche zu sprechen, welche zwar nicht das Jodoform, aber das demselben gleich constituirte Chloroform betreffen. *Zeller* wollte sich über die „Zersetzungsgrösse" des Chloroforms Aufschluss verschaffen, d. h. er versuchte festzustellen, wie viel von diesem Körper im Organismus zerlegt wird, und gab zu dem Zweck Hunden das Chloroform in Kapseln per os ein. Da fand er denn, dass die „Zersetzungsgrösse" schwankend ist bei verschiedenen Thieren, dass sicherlich aber ein sehr bedeutender Theil des Chloroforms als Chlorkali (Na Cl) im Harn wieder erscheint, ja bei einem Versuchsthier, welches 9,8 gr erhalten hatte, wurden nicht weniger als $^2/_3$ des Chlors in dieser Form durch den Harn ausgeschieden.

Da die Versuchsthiere ausser Wasser nur eine genau abgemessene und während der ganzen Versuchszeit in Qualität und Quantität gleiche Nahrung erhielten, so kann die Mehrausscheidung an Alkali nur auf Kosten des Organismus erfolgt sein. Ueber das Schicksal der Hunde macht *Zeller* aber folgende Bemerkung: „Kräftige Hunde vertragen eine einmalige Dosis von 7—10 gr zunächst ganz gut. Nach 8—14 Tagen zeigen sie indessen eine beträchtliche Abmagerung und gehen in vielen Fällen, ohne dass besondere Umstände hinzutreten, unter diesen cachectischen Zuständen zu Grunde".

Die in Z.'s, für einen ganz anderen Zweck angestellten, Untersuchungen durch die quantitative Analyse nachgewiesene Alkalientziehung und die auffallende Uebereinstimmung mit der krankmachenden Wirkung einer solchen, sind zu eclatant, als dass sie als blosser Zufall aufgefasst werden könnten.

Bezüglich des Jodoforms liegen Versuche von *Falkson*[5]) vor. Derselbe brachte das Jodoform Hunden in die Bauchhöhle, und danach starben die Thiere bei genügend grosser Dosis, die durchschnittlich mehrere Gramm pro Kilo Körpergewicht betrug, unter allmählich zunehmender Abmagerung nach ca. 4 bis 8 Tagen. *Falkson* beobachtete ausserdem aber auch noch eigenthümliche Störungen im

Bereich der motorischen Sphäre, von welchen er epileptiforme Anfälle, Parese der Hinterbeine und Coma nennt. Aehnliches habe ich — allerdings nur in zwei Fällen — auch bei Kaninchen gesehen. — Diese Erscheinungen können nach allem, was wir darüber wissen, *nicht* als Symptome einer herabgesetzten Alkalescenz des Blutes angesehen werden; ebensowenig aber als die Wirkung freigewordenen Jods.

Gegen die letztere Auffassung spricht einmal die Natur dieser Erscheinungen selbst, die von den nach anderen Jodpräparaten beobachteten ganz abweicht; besonders aber auch der Umstand, dass sie regelmässig erst mehrere, meist 3 bis 4 Tage, nach der Jodoformapplication sich einstellten.

Die Untersuchungen von *Binz* und *Högyes* beweisen, dass das Jodoform bei Katzen und auch bei Hunden einen evidenten Einfluss auf das Centralnervensystem ausübt, und wir haben alle Ursache mit *Binz* denselben auf vorübergehend frei werdendes Jod zu beziehen. Aber diese von den beiden genannten Forschern nachgewiesene Wirkung ist wesentlich depressorischen Charakters und äussert sich als Schläfrigkeit, bis zu tiefem Schlaf; sie tritt schon nach *kurzer* Zeit, bei interner und subcutaner Anwendung des Jodoforms meist schon nach 30 Minuten ein; und es ist ja auch a priori zu erwarten, dass die Jodwirkung dann am eclatantesten sein wird, wenn die grösste Jodmenge im Organismus circulirt, und nicht erst, wenn schon ein grosser Theil des Jods ausgeschieden ist; dazu kommt, dass um so mehr von dem zuerst vorhandenen, wirksamen Jodat zum indifferenten Jodid reducirt wird, je längere Zeit nach Einverleibunng und Resorption vergangen ist.

Das von *Falkon* beschriebene Krankheitsbild erinnert aber sehr lebhaft an die von *Forster* 3) bei Hunden beobachteten Störungen, welche in der Verarmung des Organismus an seinen Aschebestandtheilen ihre Ursache haben. *Forster* bezeichnet als solche Störungen einen allgemeinen Ermüdungszustand im Muskelsystem, Erhöhung der Reflexerregbarkeit, die sich zu Convulsionen und Wuthanfällen steigern kann, und schliesslich Lähmung der Nervencentralorgane. Die Thiere gehen an diesen Störungen des Nervensystemes zu Grunde, während die eigentlichen Stoffwechselvorgänge dabei keine wesentliche Beeinträchtigung erfahren.

Wir wissen nun durch die Untersuchungen *Walter's* [2]) dass Fleischfresser und in specie Hunde gegen deletär werdende Herabsetzung der Alkalescenz des Blutes eine viel grössere Resistenz besitzen, als Pflanzenfresser, und es ist sehr gut denkbar, dass an Stelle dessen die Verarmung an den unverbrennlichen Bestandtheilen mit ihren Folgen mehr in den Vordergrund tritt. Von vornherein ist anzunehmen, dass dies um so eher der Fall sein wird, wenn die durch das Jodoform bedingte Mehrausscheidung an mineralischen Bestandtheilen nicht einhergeht mit entsprechender Mehraufnahme an Salzen durch die Nahrung, und da verdient es besondere Beachtung, dass in Fällen von Jodoformvergiftung mit hervorragender Betheiligung des Nervensystems dem Symptom der Nahrungsverweigerung erfahrungsgemäss eine so ominöse Bedeutung beigelegt werden musste.

Für die Beurtheilung der Jodoformvergiftung wird danach ausser der Jodwirkung noch in Betracht zu ziehen sein die durch dasselbe bedingte Alkalientziehung und ev. die Verarmung des Organismus an unverbrennlichen Bestandtheilen. Ob ausser diesen Wirkungen, die das Jodoform seiner Natur gemäss entfaltet, auch noch aus demselben etwa entstehende intermediäre *organische* Verbindungen zur Erklärung von Vergiftungserscheinungen heranzuziehen sind, muss mindestens zweifelhaft erscheinen. *Binz* [6]) sagt darüber: „Sollte Jemand noch die Bildung von allerlei sonstigen intermediären Jodcompositionen im Organismus vermuthen, so ist hiergegen nichts einzuwenden. Unsere Auffassung von dem Verlauf der Jodwirkung wird dadurch wesentlich nicht geändert. Diese etwaigen Alkoholradicaljodide, Amidjödide, oder wie sie sonst heissen mögen, sind alle von unbeständigem Charakter und spalten sehr leicht ihr Jod ab, thun also dasselbe, wie das anscheinend so fest gefügte Jodoform".

Dagegen werden wir, wenigstens für manche Fälle beim Menschen, nicht die Annahme entbehren können, dass für die Jodoformwirkung gewisse Verhältnisse prädisponirend sein müssen, so dass schon geringere Mengen des Präparats Intoxicationserscheinungen hervorrufen können. *Ein* prädisponirendes Moment, welches bei chirurgischer Anwendung des Jodoforms oft genug in Frage kommt, lässt sich nun ganz bestimmt anführen, das ist eine vorausgegangene Anwendung des Chloroforms. Denn nachdem durch *Zeller* 4) bewiesen ist, dass ein grosser Theil des Chloroforms im Organismus zerlegt und als Chloralkali ausgeschieden wird, kann es nicht anders sein, als dass sich die Jodoformwirkung nach dieser Richtung hin zu der des Chloroforms hinzuaddirt.

Inwieweit auch andere medicamentöse Einflüsse, oder besondere Zustände des Organismus prädisponirend wirken, darüber Bestimmtes zu sagen, reichen unsere Erfahrungen noch nicht aus; aber ein Gedanke liegt zu nahe, um unausgesprochen zu bleiben, der nämlich, dass alte Leute, wie in allen Fällen, wo es sich um Wiederersatz integrirender Körperbestandtheile handelt, — und als solche sind zweifellos auch die mineralischen zu betrachten — sich jüngeren gegenüber im Nachteil befinden, und dass sie deswegen der deletären Wirkung des Jodoforms mehr ausgesetzt sein werden.

Zum Verständniss des antidotarischen Verhaltens des Kal. bicarb. gegenüber dem Jodoform braucht es indessen gar nicht einer Anerkennung der von mir im Vorhergehenden besonders urgirten Wirkungsweise des Jodoforms.

Wie man auch die Jodoformwirkung beurtheilen mag, in allen Fällen entspricht die künstliche Zufuhr von Alkalien zur Verhütung oder zur Beseitigung von Vergiftungserscheinungen einer rationellen Indication.

Bum 7), *v. Mosetig-Moorhof's.* Assistent, welcher die Fälle von Intoxication auf frei gewordenes Jod bezieht, sagt Folgendes:

„Es ist . . die Möglichkeit nicht ausgeschlossen, dass unter gewissen Bedingungen nicht die ganze Menge des freigewordenen Jods durch die Alkalien des Blutes gebunden werden kann; dies wird dort der Fall sein, wo entweder die Menge des in den Organismus eingeführten Jodoforms, daher auch die Menge des, nach der so rasch erfolgenden Resorption, freigewordenen Jods eine allzubedeutende ist, oder dort, wo die chemische Zusammensetzung des Blutes eine Veränderung erfahren hat, am sichersten in jenen Fällen, wo diese beiden Bedingungen zusammentreffen."

Auch von diesem Standpunkt aus ist die antidotarische Verwendung von Alkalien sicherlich sehr empfehlenswerth, wenngleich *Bum* selbst diese für die Praxis wichtige Schlussfolgerung nicht macht. —

Ich kann ausserdem noch ein direct unseren Gegenstand betreffendes Urtheil von Herrn Prof. *Binz* mittheilen, welches derselbe mir brieflich zukommen liess, als ich vor mehr als Jahresfrist ihm die Resultate meiner Thierversuche und insbesondere die therapeutische Wirkung der Alkalien mittheilte: „Dass Ueberschuss von Alkalien die Wirkung des aus dem CHI_3 entstehenden freien Jods eindämmte, ist mir verständlich; denn je alkalischer die Säfte und Gewebe sind, um so fester werden sie das Jod als Jodat und Jodid an sich halten, um so leichter es dem sauer reagirenden Gewebe streitig machen". —

Immerhin hielt ich es nicht für überflüssig, meine Versuchsresultate und die daran sich anschliessenden Erwägungen mitzutheilen, welche dazu geführt haben, die künstliche Zufuhr von Alkalien als Antidot gegen das Jodoform aufzufinden.

Litteratur-Verzeichniss.

1) *E. Salkowski:* „Ueber die Möglichkeit der Alkalientziehung beim lebenden Thier". *Virch.* Arch. 1873, Bd. 58, pag. 1—35.

2) *Fr. Walter:* „Ueber die Wirkung der Säuren auf den thierischen Organismus". Nach einem Referat aus „*Maly's* Jahresberichte der Thierchemie" Bd. VII, pag. 124 ff. In diesen Jahresberichten finden sich auch die übrigen Arbeiten über Alkalientziehung ausführlich referirt, insbesondere die von *Bunge, Kurz, Lassar, Gaethgens, Lunin.*

3) *J. Forster:* „Versuche über die Bedeutung der Aschebestandtheile in der Nahrung". Zeitschrift f. Biologie, Bd. IX, 297—380. Siehe auch „Die Lehre vom Harn'. Handbuch von *Salkowski* und *Leube,* 1882, pag. 166 ff.

4) *A. Zeller:* „Ueber die Schicksale des Jodoforms und Chloroforms im Organismus". Zeitschr. f. phys. Chemie, herausgegeben von *Hoppe-Seyler,* Bd. VIII. (Sep.-Abdr.)

5) *Falkson:* „Gefahren, Schattenseiten und Vorzüge der Jodoformbehandlung". v. *Langenbeck's* Arch., Bd. XXVIII, pag. 112—156.

6) *C. Binz:* „Toxikologisches über Jodpräparate etc". Arch. f. exp. Path. u. Pharmak., Bd. XIII, pag. 115.

7) *A. Bum:* „Zur Frage der Jodoform-Intoxication". Sep.-Abdr. aus der Wien. med. Presse 1882, pag. 4 u. 5.

Winzig in Schlesien 1884.

IV.

Ueber Jodoform und Acetylen.

Von Stabsarzt **Dr. Behring** in Bonn.

(Aus dem pharmakologischen Institut der Universität Bonn.)

In der Deutschen med. Wochenschr. habe ich mehrere experimentelle Untersuchungen[1]) über die Wirkungsweise des Jodoforms in Wunden veröffentlicht. Ich hebe aus denselben folgende Resultate hervor.

Das Jodoform entfaltet nur dann antiseptische Wirksamkeit, wenn es zersetzt wird.

Eine spontane Zersetzung des Jodoforms findet nicht statt, weder am Jodoform in Substanz, noch am gelösten Jodoform. Am Jodoform in Lösung kann man aber sehr bald Zersetzung und Jodausscheidung feststellen, wenn die Lösung dem hellen Tageslicht und insbesondere dem direkten Sonnenlicht ausgesetzt wird. Diese Beobachtung erklärte ich so, dass das Licht in den Lösungen den indifferenten Sauerstoff activire und hierdurch Jodausscheidung bewirke.[2])

Weiterhin konnte ich dann feststellen, dass solches Jodoform, welches im Wasser vertheilt ist, durch nascirenden Wasserstoff also die Fähigkeit bekommt, auch in *nicht*

---

1) Dtsch. med. Wochenschr. Jahrgang 1882, (I) No. 11, (II) No. 20 u. 21, (III) No. 23 und 24, 1884 (IV) No. 5.

2) l. c. (III) 1882, p. 321.

gelöstem Zustande sich chemisch zu zerlegen. Hierbei entsteht jedoch nicht freies Jod.[1])

Was das Verhalten des Jodoforms in Wunden betrifft, so wies ich darauf hin,[2]) dass die Bedingungen für die Zerlegung des Jodoforms und für seine antiseptische Wirkung da am günstigsten sind, wo in Folge von lebhaften Zersetzungsprocessen kräftige chemische Wirkungen ausgeübt werden; ich drückte mich hierüber in meiner ersten Arbeit so aus:[3]) „Das Jodoform hat die wunderbar glückliche Eigenschaft für die Chirurgie, dass es nur da activ wird, wo Zersetzung besteht; ich möchte es einem guten Aufpasser vergleichen, welcher sofort zuspringt, wenn seine Hilfe nöthig ist, wenn seine Hilfe nicht nöthig ist, sich dagegen ruhig und nicht störend verhält."

Was nun den genaueren Hergang bei der Zersetzung des Jodoforms betrifft, so fasste ich in der ersten Arbeit die chemische Einwirkung auf das Jodoform in Wunden analog der Jodoformzersetzung in Lösungen durch das Licht auf und theilte dem activen Sauerstoff dabei die Hauptrolle zu. Mehr und mehr führten meine Beobachtungen aber darauf hin — und ich sprach dies schon 1882 aus[4]) — dass die Zersetzung des Jodoforms in Wunden nach dem Typus des in Wasser vertheilten Jodoforms erfolge, aus welchem durch die Einwirkung nascirenden Wasserstoffs in Wasser lösliche Jodverbindungen entstehen; dass demnach dort die Umsetzung am energischsten vor sich geht, wo kräftige *Reductionen* ausgeführt werden. —

Um den *Beweis* für diese Deutung zu liefern, machte sich die Nothwendigkeit für mich geltend, nicht, wie ich bisher gethan, mit beliebigem Eiter oder mit Bacteriengemischen zu arbeiten, sondern mit solchen Reinculturen

---

1) desgl. p. 337.
2) l. c. (I) und (III).
3) l. c. (I), 1882, p. 147.
4) l. c. (III), 1882, p. 337.

von Bacterien, von welchen es feststeht, dass sie ausschliesslich reducirende oder ausschliesslich oxydirende Wirkung ausüben.

Solche Bacterienarten hatte nun *Heraeus*[1]) im hygienischen Institut zu Berlin unter Geh. Rath *Koch's* Leitung rein gezüchtet. Herr Geh. Rath *Koch* gewährte mir im December 1886 einen Arbeitsplatz im hygienischen Institut, und unter vielfacher Unterstützung seinerseits und Seitens der Herren Assistenten des Instituts machte ich mich daran, zunächst den Einfluss verschiedener Bacterien auf die Zersetzung des Jodoforms zu studiren. Es liessen sich dabei prägnante Unterschiede zwischen der reducirenden Bacterienart *Heraeus* α, welche ich mir aus Brunnenwasser rein züchtete, und zwischen solchen mit oxydirenden bezw. nitrificirenden Fähigkeiten — meiner Deutung entsprechend — feststellen. Ich beabsichtige diese ganze Untersuchungsreihe noch einmal, aber mehr von der chemischen Seite her, im hiesigen pharmakologischen Institut in Angriff zu nehmen und werde dann die Resultate ausführlich mittheilen. —

Gelegentlich dieser Untersuchungen und dann an Versuchen mit einer grossen Anzahl pathogener Mikroorganismen fand ich die mir nicht unerwartete Thatsache, dass bei der einfachen Mischung von Jodoform mit den Nährböden im Allgemeinen eine bemerkenswerthe Entwickelungshemmung nicht stattfindet — ein Resultat, welches den von *Heyn* und *Rovsing*[2]) publicirten Beobachtungen entspricht. Jedoch machen die Tuberkelbacillen eine Ausnahme, insofern als auch an Culturen, hergestellt durch Vermischung des Blutserums mit *krystallinischem* Jodoform, im Gegensatz zu den regulär sich entwickeln-

---

1) *W. Heraeus:* Ztschr. für Hygiene (*Koch* und *Flügge*) Bd. I. p. 192 ff. „Ueber das Verhalten der Bacterien im Brunnenwasser, wie über reducirende und oxydirende Eigenschaften der Bacterien.“

2) Fortschr. der Medicin 1887, Heft 2.

den Control-Culturen, selbst nach sechs Wochen langer Aufbewahrung im Brütschrank ein Wachsthum nicht zu beobachten war. Ferner aber — und das halte ich für besonders wichtig — findet eine unverkennbare Entwicklungshemmung statt, wenn das Jodoform im Nährboden ausserordentlich fein vertheilt wird. Diese feine Vertheilung gelang mir dadurch, dass ich eine *unzersetzte* alkoholische Jodoformlösung (1 : 60) sterilisirtem Wasser zufügte, wodurch gewissermassen eine Emulsion entsteht; von dieser Emulsion fügte ich soviel den Nährböden hinzu, dass dieselben 1 : 300, 1 : 600 und 1 : 900 Jodoform enthielten. Bei 1 : 300 wuchs Staphyloc. pyog. aureus z. B. erst 5 Tage später als die Controlculturen in Nährgelatine zu Colonien aus, und die Colonien blieben kümmerlich und lückenhaft. —

Aber auch unter Berücksichtigung des letzt erwähnten Resultats glaubte ich eine ausreichende Erklärung noch nicht gefunden zu haben für die thatsächlich bestehende eminente Fähigkeit des Jodoforms, den Wundheilungsprocess in kurzer Zeit, zumal bei Wunden, welche stinkenden Eiter absondern, in günstigem Sinne zu verändern.

Eine Desinfection, d. h. eine Vernichtung der Bacterien, findet eben durch das Jodoform nirgends statt, und auch da, wo ich im Eiter so viel Jodoform zersetzt fand, dass der in den Eiter eintauchende Dialysator eine Flüssigkeit enthielt, die noch nach 200facher Verdünnung unter Zusatz von rauchender Salpetersäure deutlich erkennbare Jodstärke-Reaction gab; — selbst da konnte ich sowohl durch mikroskopische Betrachtung im hohlen Objectträger, wie durch Platten-Culturen das Vorhandensein von vollkommen lebensfähigen Staphylokokken, bezüglich Streptokokken nachweisen.

Durch die Liebenswürdigkeit von Herrn *Dr. de Ruyter,* welcher hierüber auf dem letzten Chirurgen-Congress berichtet hat, kam ich in die Lage, mit demselben gemeinschaftlich diese Eiterversuche zu *wiederholen*, wie auch Versuche mit inficirtem Blutserum *in grösserem Massstabe* anzustellen und genauer die Zersetzungsgrösse des Jodoforms zu bestimmen. —

Zur Erklärung der Jodoformwirkung suchte ich daher nach weiteren Anhaltspunkten und fand solche in einer Arbeit von Herrn *Dr. Scheurlen*, jetzt Assistenzarzt in Stuttgart: *„Weitere Untersuchungen über die Entstehung der Eiterung; ihr Verhältniss zu den Ptomainen und zur Blutgerinnung.“* In dieser Arbeit, welche ich als druckfertiges Manuscript im Monat December 1886 erhielt, führt Herr *Scheurlen* den Nachweis, dass, ohne die Mitwirkung von Mikroorganismen, durch verschiedene Ptomaine — unter Beobachtung gewisser Cautelen — bei Kaninchen Eiter erzeugt werden kann. Herr *Sch.* machte auch die wichtige Entdeckung, dass die Eiter erzeugenden Ptomaine ohne Ausnahme die Blutgerinnung dauernd verhindern. Diese Ptomaine haben ferner die Fähigkeit, das Hämoglobin sofort zu zerstören. Unter Mitwirkung *Sch.*'s wiederholte ich diese Versuche, um zu sehen, ob die Gegenwart von Jodoform die Eiterbildung zu verhindern im Stande ist. Ich fand nun, dass alle eitererzeugenden Ptomaine — jedoch nicht deren Salze — mit dem Jodoform eine chemische Umsetzung erleiden und dann Eiter zu erzeugen nicht im Stande sind. Zuerst arbeitete ich mit dem von Herrn Prof. *Brieger* aus faulendem Fleischinfus dargestellten Cadaverin, von welchem Herr *Brieger* mir eine kleine Quantität überliess. Dann mit dem Pentamethylendiamin — identisch mit dem Cadaverin, — welches Herr Prof. *Ladenburg* in Kiel synthetisch darstellte, und von welchem derselbe mir ca. 3·0 g auf meine Bitte als Salz zuschickte. Zuletzt stellte ich mit Herrn *de Ruyter* gemeinschaftlich aus Eiter und aus inficirtem Blutserum Ptomaine dar. In der wechselseitigen Einwirkung zwischen dem Jodoform und den eitererzeugenden Ptomainen ist nun ein neues Moment zur Erklärung der Jodoformwirkung gegeben, dessen Tragweite noch festzustellen bleibt. —

Auch die Zerlegung des Jodoforms durch Ptomaine erfolgt, ohne dass das Jodoform gelöst ist, und muss, wie ich an anderer Stelle noch begründen werde, als Reductionswirkung aufgefasst werden. —

Um nun bezüglich der Frage weiter zu kommen, was aus dem Jodoform bezw. aus seinen beiden Componenten, dem Jod und dem CH, bei dieser Art der Zersetzung vorgeht, ging ich auf das Studium der Zersetzung des Jodoforms durch reducirende Mittel näher ein.

Es liegen darüber sehr schöne Beobachtungen vor, die in *Liebig's* Annalen, im Journal de Pharmacie et de Chimie, im Bulletin de la société chimique u. a. verstreut sind. Am meisten Interesse aber verdient eine Arbeit von *Cazeneuve*[1]) aus dem Jahre 1884, in welcher derselbe über die durch Silber, gepulvertes Zink und andere Reductionsmittel erfolgende Zerlegung des Jodoforms berichtet. Er ging von der jedem Chirurgen bekannten Beobachtung aus, dass die geringsten an den Fingern haftenden Spuren von Jodoform, wenn man die Finger mit Silber, z. B. mit einem silbernen Löffel, in Berührung bringt, einen ganz ausserordentlich widerlichen Geruch zur Folge haben, ein Geruch, der so arg ist, dass *Mikulicz*, wie ich glaube, mit Recht manche Intoxicationssymptome nach Jodoformgebrauch demselben zur Last legt. *Cazcneuve* fand, dass dieser Geruch im Wesentlichen vom Acetylen herrührt.

Durch Herrn Geh. Rath *Binz* veranlasst, habe ich mich nun im pharmakologischen Institut mit diesem Gegenstande näher beschäftigt und habe gefunden, dass auch bei der Zersetzung des Jodoforms durch nascirenden Wasserstoff Acetylen entsteht.

---

1) *Cazeneuve* „Formation de l'acétylène" Bulletin de la société chimique 1884 (7) p. 106 ff.

Wir wissen durch *Eulenberg,*[1]) dass das Acetylen ein das centrale Nervensystem heftig beeinflussendes Gift ist, und durch Vorversuche habe ich mich von der Richtigkeit dieser Angabe überzeugt. —

Auch hierüber wird im hiesigen pharmakologischen Institut weiter gearbeitet werden. —

---

1) *Eulenberg,* Handbuch der Gewerbehygiene 1876.

V.

Cadaverin, Jodoform und Eiterung.

Von Stabsarzt Dr. **Behring.**

Vor einem Jahre theilte ich in No. 20 der Deutschen med. Wochenschr. mit, dass ich im December 1886 die inzwischen veröffentlichte Arbeit *Scheurlen's*[1]) „Weitere Untersuchungen über die Entstehung der Eiterung, ihr Verhältniss zu den Ptomainen und zur Blutgerinnung" in druckfertigem Manuskript erhielt.

In dieser Arbeit bringt *Scheurlen* durch zahlreiche Thierversuche den Nachweis, dass ohne Betheiligung von Mikroorganismen durch verschiedene Ptomaine bei Kaninchen Eiter erzeugt werden kann.

Zu dieser meiner Mittheilung, auf welche Herr Prof. *Grawitz* in seiner Arbeit „Ueber die Bedeutung des Cadaverins für das Entstehen von Eiterung" Bezug genommen hat, fügte ich folgende Sätze hinzu:

„Unter Mitwirkung *Scheurlen's* wiederholte ich seine Versuche, um zu sehen, ob die Gegenwart von Jodoform die Eiterung zu verhindern im Stande ist. Ich fand nun, dass die eitererzeugenden Ptomaine — jedoch nicht deren Salze — mit dem Jodoform eine chemische Umsetzung erleiden und dann Eiter zu erzeugen nicht im Stande sind. Zuerst arbeitete ich mit dem von Herrn Prof. *Brieger* aus faulendem Fleischinfus dargestellten Cadaverin, von welchem Herr *Brieger* mir eine kleine Quantität überliess, dann mit dem Pentamethylendiamin — identisch mit dem Cadaverin — welches Herr Prof. *Ladenberg* in Kiel synthetisch darstellte, und von welchem derselbe mir ca. 3,0 gr auf meine Bitte als Salz zuschickte. Zuletzt stellte ich mit Herrn *de Ruyter* gemeinschaftlich aus Eiter und aus inficirtem Blutserum Ptomaine dar. In der wechselseitigen Einwirkung zwischen dem Jodoform und den eitererzeugenden Ptomainen ist nun ein neues Moment zur Erklärung der Jodoformwirkung gegeben, dessen Tragweite noch festzustellen bleibt."

In diesen Sätzen sind bezüglich des Cadaverins und Jodoforms folgende Behauptungen enthalten:

I. Cadaverin kann ohne die Mitwirkung von Mikroorganismen Eiter erzeugen.

II. Das Cadaverin und das Jodoform wirken derartig auf einander ein, dass beide Körper eine chemische Umsetzung erleiden.

III. Durch die chemische Einwirkung des Jodoforms auf das Cadaverin wird dem letzteren seine eitererzeugende Fähigkeit genommen.

IV. An dem Beispiel vom Cadaverin kann erkannt werden, wie das Jodoform Eiterung zu verhindern vermag, ohne eine desinficirende oder entwickelungshemmende Wirkung auf die Eiterbacterien auszuüben.

Durch die vorliegende Mittheilung soll nun der Beweis für die Richtigkeit jener Behauptungen angetreten werden.

I. Cadaverineiterung.

In der oben citirten Arbeit *Scheurlen's* ist das Verfahren zur Eitererzeugung durch Cadaverin genau beschrieben. Es besteht im Wesentlichen in Folgendem: Spindelförmig geblasene Glasröhrchen aus weichem Glase mit 1 ccm Inhalt werden mit ihrem Inhalt im Dampfkochtopf sterilirt, unter antiseptischen Cautelen von einer ca $1\,^1/_2$ cm langen Hautwunde aus unter die Haut gebracht und möglichst weit fortgeschoben; dann wird die Wunde vernäht, mit Jodoformcollodium bedeckt und die feste Verheilung abgewartet. Diese ist in der Regel nach einigen Tagen eingetreten. Nun werden die Spitzen der Röhrchen abgebrochen, so dass der Inhalt auf das subcutane Gewebe einwirken kann. Nach ca. 4 Wochen werden die Versuchsthiere getödtet und die Haut im Zusammenhang mit den Röhrchen abgezogen.

Wer nur einige Male solche Versuche gemacht hat, wird überrascht sein von der Einfachheit und Sauberkeit des Verfahrens und von der Eleganz und Beweiskraft der Demonstrationsobjekte.

Ich habe, wie schon erwähnt, mit *Scheurlen* gemeinschaftlich im Winter 1886/87 Versuche mit *Brieger*'schem Cadaverin ausgeführt, dann mit Cadaverin, welches ich mit Unterstützung von Herrn Dr. *Petri* im hygienischen Institut aus dem von Prof. *Ladenburg* erhaltenen Cadaverinsalz herstellte. Die Resultate dieser Versuche waren aber in Bezug auf die Eitererzeugung nicht so schön, wie *Scheurlen* sie in seinen eigenen Versuchen gesehen, weil ich wegen des spärlichen Materials, das ausserdem noch für die Jodoformreactionen in Anspruch genommen wurde, mit zu schwachen Lösungen arbeiten musste.

In Bonn erhielt ich dann von Prof. *Ladenburg* vor Jahresfrist in 2 Sendungen noch dessen ganzen Vorrath an Cadaverin in 10 % resp. 2 % Lösung. Bei den mit diesen Präparaten ausgeführten Versuchen gehörte aber auch etwas guter Wille dazu den Inhalt der Röhrchen als Eiter anzusprechen. Wie sich später herausstellte, trug die Schuld an dem unbefriedigenden Resultat nicht bloss die Verdünnung des Cadaverins, sondern auch die Anwesenheit von Silberoxyd in den Präparaten.

Durch die Vermittelung von Herrn Prof. *Ladenburg* übernahm es schliesslich die chemische Fabrik von *E. Merck* in Darmstadt, mir eine grössere Quantität Cadaverin herzustellen[1]). — Mit diesem Cadaverin wiederholte ich nun die Versuche, indem ich dasselbe unverdünnt und in stark concentrirter Lösung anwendete.

Erst jetzt bekam ich Resultate, die den von *Scheurlen* beschriebenen entsprechen, und die unzweifelhaft beweisen, dass das Cadaverin richtigen rahmartigen Eiter erzeugt, *welcher sich im Innern der Röhrchen befindet.* —

Bei subcutaner Injection wird bei Kaninchen durch stärkere Lösungen und durch reines Cadaverin ein Aetzschorf erzeugt, unter welchem man häufig keinen flüssigen Eiter findet. In denjenigen Fällen, in welchen keine so bedeutende Aetzung stattfand, dass es zur Abstossung eines Hautschorfs gekommen wäre, fielen immer die Haare aus und die Ernährung der Haut war beträchtlich geschädigt, ganz wie bei Ammoniakinjection. —

Dieser Umstand, sowie die Möglichkeit, dass der Stichcanal, dessen vollständige Verschliessung nicht selten in Folge der Aetzwirkung des Cadaverins verhindert wird, zur Eingangspforte für Mikroorganismen werden kann, liessen mir diese Versuchsanordnung zur Eitererzeugung durch Cadaverin nicht in dem Grade einwandsfrei erscheinen, wie die oben beschriebene, bei welcher durch die sehr allmählich vor sich gehende Einwirkung des Inhalts der Röhrchen, selbst durch sehr starke Cadaverinlösung, in der Regel eine Aetzwirkung vermieden wird.

Schwache Cadaverinlösungen werden bei subcutaner Injection schnell resorbirt, ohne nennenswerthe Reaction hervorzurufen.

II. und III. Cadaverin und Jodoform.

Das Cadaverin ist eine stark alkalisch reagirende wasserklare Flüssigkeit von ölartiger Consistenz und hat

---

1) Die Schwierigkeiten der Herstellung sind so bedeutend, dass allein die Kosten für die Herstellung einer Menge von 15,0 gr 100 Mark betrugen.

die Formel . . . . $C_5H_{14}N_2 = \begin{cases} CH_2—NH_2 \\ CH_2 \\ CH_2 \\ CH_2 \\ CH_2—NH_2. \end{cases}$

Aus der Luft nimmt es begierig Kohlensäure auf; um während des Arbeitens nicht hierdurch die Reinheit des Präparates beeinträchtigen zu lassen, habe ich meinen Vorrath in eine grosse Zahl von Röhrchen eingeschmolzen, die ich jedesmal zum Gebrauch öffne und nach Entnahme meines Bedarfes wieder zuschmelze.

Zu den von Prof. *Brieger*[2]) gekennzeichneten Merkmalen möchte ich noch hinzufügen, dass es mit leuchtender hellgelber Flamme verbrennbar ist.

Nach Prof. *Ladenburg*, welcher das Cadaverin mit dem von ihm synthetisch hergestellten Pentamethylendiamin identificirte, hat es intime Beziehungen zum Piperidin, einem Körper von der Zusammensetzung $C_5H_{11}N$, welches demnach im Gegensatz zu dem kettenförmigen Gefüge des Cadaverins ringförmige Verbindung der Kohlenstoffatome zeigt. Es ist

$$\begin{array}{ccc} & H_2 & \\ & C & \\ H_2C & & CH_2 \\ | & & | \\ H_2C & & CH_2 \\ & N & \end{array} = C_5H_{11}N$$

Pentamethylenimin und entsteht aus Pentamethylendiamin durch Abspaltung von NH_3[3 III]).

Bringt man *reines* Cadaverin zum Jodoform hinzu, so wird dasselbe mit gelber Farbe schon in der Kälte alsbald gelöst. Beim stärkeren Erwärmen tritt sofort eine dunkelbraunrothe Färbung der dickflüssigen Lösung ein. Bei Körpertemperatur (im Brütschrank) bräunt sich auch unter Ausschluss des Lichtes die Flüssigkeit allmählich. Wird dieselbe in geschlossenem Gefäss aufbewahrt, so entweichen beim Oeffnen des Stopfens stark ammoniakalisch riechende Dämpfe und erst nach einiger Zeit tritt wieder der dem Cadaverin eigenthümliche Spermageruch auf. Jodoformgeruch habe ich nicht wahrnehmen können. Die Reaction bleibt alkalisch; der Grad der Alkalescenz nimmt aber sehr beträchtlich ab. Ich hebe besonders hervor, dass diese Reactionen mit *unverdünntem* Cadaverin vorzunehmen sind.

Wird diese Flüssigkeit mit Wasser zusammengebracht, so entsteht eine Emulsion, die je nach der Dauer der Einwirkung des Cadaverins aus grösseren oder geringeren Jodoformresten in sehr fein vertheilter Form gebildet wird. Wartet man nun ab, bis sich durch Absitzen derselben die Flüssigkeit geklärt hat, oder filtrirt man, säuert das wasserklare Filtrat an und setzt ein salpetrigsaures Salz hinzu, so erfolgt eine sehr starke Bräunung, und durch Stärkekleister oder Chloroform kann eine massenhafte Jodabscheidung nachgewiesen werden.

Es sind demnach aus dem in Wasser unlöslichen Jodoform lösliche Jodverbindungen entstanden, d. h. Jodoform ist zersetzt worden.

Den Modus der Zersetzung haben wir uns — nach einer freundlichen Mittheilung des Herrn Prof. *Wallach* — vielleicht so vorzustellen, dass nach Analogie einer im hiesigen chemischen Institut studirten Reaction des Piperidins an die CH-Gruppe des Jodoforms drei Cadaveringruppen herantreten CH⟨Cad., Cad., Cad.⟩, dass die freigewordenen Jodatome mit H aus den Gruppen CH_2NH_2 (|) anderer Cadaverinmolecüle sich verbinden und jodwasserstoffsaures Cadaverin bilden; während wiederum auch theilweise der Jodwasserstoff reducirend wirkt und dadurch zur Entstehung von NH_3 einerseits und Jod andererseits Veranlassung wird nach der Formel: $CH_2 \cdot NH_2 + 2HI = CH_3 + NH_3 + I_2$ (mit Bindungsstrich | unter CH_2 bzw. CH_3). Die Ammoniakdämpfe, welche regelmässig nach Oeffnen des Glases entweichen, werden auf diese Weise verständlich; das frei werdende Jod bewirkt die Bräunung des Cadaverins oder seiner Spaltungsproducte.

Das für uns Bedeutsame möchte ich darin sehen, dass jedenfalls ein grosser Theil des Cadaverins bei dieser Reaction zersetzt wird, und dass wenigstens vorübergehend freies Jod gebildet werden muss.

Bringt man nun zu Cadaverin resp. Cadaverinlösung in Röhrchen Jodoform im Ueberschuss hinzu und führt dieselben in gleicher Weise, wie in den oben beschriebenen Versuchen, Kaninchen unter die Haut, so sieht man, wenn nach 4 Wochen die Röhrchen herausgenommen werden, dass sich keine Spur von Eiter gebildet hat. Die Röhrchen haben auch keine Umhüllung durch Bindegewebsneubildung erfahren. Der Inhalt der Röhrchen ist eiweisshaltig, aber ohne zellige Elemente und farblos. Dieses Resultat hatte ich schon im hygienischen Institut in Berlin bei den mit *Scheurlen* gemeinschaftlich ausgeführten Versuchen bekommen. Bei der Wiederholung der Versuche im hiesigen pharmakologischen Institut war das Resultat das gleiche [1]).

Von *E. Merck* liess ich mir ausser reinem Cadaverin auch jodwasserstoffsaures und salzsaures herstellen. Es sind das geruchlose feste Körper, die in jedem Verhältniss in Wasser sich lösen. Dieselben geben, auch in ganz concentrirten Lösungen in Röhrchen unter die Haut gebracht, keine Eiterung; subcutan injicirt rufen sie auch keinerlei entzündliche Reaction hervor. *Es mag daher ein Theil der Jodoformwirkung auf der Bildung von jodwasserstoffsaurem Cadaverin beruhen. Die Jodoformwirkung ist aber hierdurch nicht erschöpft; vielmehr haben wir alle Veranlassung, einen sehr wesentlichen Theil der Wirkung in der Zerstörung des Cadaverinmolecüls zu suchen;* und zwar liegt für mich die Veranlassung hierzu in folgenden Versuchen.

1) In der Sitzung der medic. Section der niederrh. Gesellschaft für Natur- und Heilkunde am 28. Mai cr. konnte ich Röhrchen demonstriren, welche 4 Wochen lang unter der Haut von 4 Kaninchen gelegen hatten, und die das verschiedene Verhalten von Cadaverin plus Jodoform bewiesen.

Ich habe entgegen der Angabe von Prof. *Brieger*, dass das Cadaverin ein nicht giftiges Ptomain sei, gefunden, dass das jetzt in meinen Händen befindliche, zuverlässig ganz reine Präparat in allerdings relativ grösseren Dosen Versuchsthiere tödtet und in nicht tödtlichen Dosen sehr markante Allgemeinwirkung ausübt. Diesse Wirkung kommt nun nicht bloss dem reinen Cadaverin und seinen Lösungen zu, sondern auch seinen Salzen, welche sogar noch prompter wirken, wahrscheinlich, weil die Resorption wegen des Ausbleibens der Aetzwirkung vollständiger und schneller vor sich geht, als beim reinen Cadaverin.

Mäuse sterben nach 0,03—0,045 gr Cad. hydrochl. nach wenigen Stunden, während welcher sie mit weggestreckten Extremitäten auf der Seite liegen. Die Athmung ist unregelmässig und oft lange aussetzend. *Bei der Section einer noch athmenden Maus,* 4 Stunden nach Injection von 0,045 gr Cad. hyprochl., fand ich eine kirschgrosse, mit hellem Urin ad maximum gefüllte Harnblase, starke Injection der Mesenterialgefässe, ziegelrothes Blut und minimale Blutaustretungen der rechten Lunge.

Eine andere Maus, welche 0,036 gr Cad. hydrochl. in 2 Injectionen erhielt, war während der ersten 24 Stunden scheinbar ganz gesund; nach 36 Stunden starb sie und lag 7 Stunden vor dem Tod in ähnlicher Weise, wie die erste, fast regungslos da. Bei dieser war der Darm aufgetrieben, die Darmwand stark injicirt, der Inhalt weich; die Harnblase sehr stark gefüllt.

Ein Kaninchen von 700 gr Gewicht starb nach 0,4 gr. Cad. hydrochl. in *einmaliger* Dosis (12% Lösung) nach ca. 8 Stunden. Während des Lebens waren excessive Athemnoth und starke Temperaturherabsetzung die Hauptsymptome.

In mehrmaliger kleinerer Dosis injicirt hatte Cad. hydrochl. bei einem Kaninchen von 900 gr Gewicht tödtlichen Ausgang nicht zur Folge, trotzdem die Gesammtmenge des in 24 Stunden injicirten Präparats 0,6 betrug.

Auch nennenswerthe Athemnoth trat nicht ein. Dagegen wurde die Temperatur auch bei diesem Kaninchen abnorm niedrig.

Bei einem jungen Hunde von 1200 gr Gewicht wurde durch 0,35 gr Cad. hydrochl. die Temperatur um 0,8⁰ herabgesetzt.

Bei Meerschweinchen konnte ich durch nicht giftige Dosen längere Zeit, in einem Falle 6 Stunden, die Temperatur um 5,0⁰ C (von 38,8 bis unter 34⁰) herabsetzen. Erst bei einmaliger Dosis von 0.35 gr Cad. chloric. traten bei dem 400 gr schweren Meerschweinchen allgemeine Vergiftungserscheinungen ein, wobei die Temperatur bis auf 30,5⁰ fiel[1]).

Diese specifischen Cadaverinwirkungen kommen der Jodoform-Cadaverinlösung nicht in gleicher Weise zu, und, abgesehen von den Gründen chemischer Natur, wird durch diese physiologische Thatsache die Annahme gestützt, dass mindestens ein grosser Theil des Cadaverins durch das Jodoform destruirt wird und seine specifische Wirksamkeit verliert.

Die hier geschilderten chemischen Reactionen sind von grösstem Interesse für das Verständniss der Jodoformwirkung nicht bloss, sondern auch für die Wirkungsweise der übrigen Jodpräparate, welche ja, wie tausendfältige Erfahrung lehrt, in manchen zymotischen Krankheiten, die mit der Bildung chemischer Gifte durch pathogene Bacterien im innigsten Zusammenhang stehen, ihre therapeutischen Wirkungen am glänzendsten entfalten. — Für die Jodmetalle hat *Binz* gezeigt, wie der Organismus die

---

1) Die choleraähnlichen Sectionsbefunde bei Meerschweinchen werde ich in einer besonderen Arbeit mittheilen. Bekanntlich ist das Cadaverin von *L. Brieger* als Product der Kommabacillen gefunden worden.

Aehnlich temperaturherabsetzend und giftig wirkt in fast den gleichen Dosen das Piperidin.

Mittel besitzt, unter gewissen Umständen aus denselben vorübergehend Jod frei zu machen 4). Aber es ist leicht verständlich, dass solche Jodpräparate, die freies Jod enthalten oder leicht abgeben, schon in geringeren Dosen und energischer wirksam sind, als die einfachen Jodsalze. Nun haben derartige Präparate aber die unangenehme Eigenschaft, in den ersten Einführungswegen unliebsame Nebenwirkungen zu zeigen; es muss daher als eine ausserordentlich werthvolle Eigenschaft des Jodoforms angesehen werden, dass dasselbe als indifferenter Körper in den thierischen Organismus eingeführt wird und gerade an solchen Stellen seine Jodwirkung bethätigt, wo der Organismus derselben als einer *Heilwirkung* am meisten bedürftig ist.

Allerdings bedarf es zum vollkommenen *Beweise* der supponirten Wirkungsart der Jodpräparate und speciell des Jodoforms in Krankheiten, die mit der Bildung basischer Gifte, der Ptomaine, einhergehen, erst noch eines eingehenden Studiums von Fall zu Fall; und dieses Studium, welches die genaue Kenntniss der einzelnen Giftkörper zur Voraussetzung hat, erfordert ein solches Mass subtiler chemischer Arbeit, dass die bahnbrechenden Untersuchungen Prof. *Brieger's* auf diesem Gebiet wohl noch geraume Zeit einzig dastehen werden.

Anmerkung (vom Jahre 1893). Die experimentellen Arbeiten der letzten 5 Jahre haben die Hoffnungen, welche ich auf die Alkaloidextractionen aus Bacterienculturen und aus den Cadavern solcher thierischer Individuen setzte, die an Bacterienkrankheiten verendet sind, nicht erfüllt. Immerhin müssen wir auch jetzt noch die Lehre von den Ptomainen als eine bemerkenswerthe Episode und Etappe in der Lehre von den Krankheitsgiften anerkennen.

Durch die Jodoform-Cadaverinreaction wird — wenigstens für medicinische Kreise — auch zum ersten Male gezeigt, wie das Jodoform ohne Mitwirkung des Lichts bei nicht höherer als Körpertemperatur durch organische Körper schnell und glatt zerlegt werden kann — eine Fähigkeit, die dem *lebenden* Organismus bekanntlich in eminentem Grade innewohnt, die aber in den bisher vom Jodoform bekannt gewordenen, chemischen Reactionen kein Analogon fand, ausser in der Zersetzung des Jodoforms durch nascirenden Wasserstoff, deren Zustandekommen ich vor nunmehr 6 Jahren beschrieben habe 5).

IV. Jodoform und Eiterung.

Es ist eine allgemein anerkannte Thatsache, dass das Jodoform in hohem Grade die Fähigkeit besitzt, virulenten Eiter in gutartigen zu verwandeln und die Eiterbildung zu beschränken.

Nehmen wir an, dass die krankmachenden Wirkungen virulenten Eiters nicht bloss von der Anwesenheit der Eiterbacterien abhängig sind, sondern auch von chemischen Producten derselben, nehmen wir ferner an, dass diese chemischen Producte in ähnlicher Weise wie das Cadaverin durch das Jodoform beeinflusst werden, so wird es verständlich, dass das Jodoform Heilwirkung bei bösartiger Eiterung ausüben kann, ohne dass dabei die Mikroorganismen direkt wesentlich geschädigt werden. Die erste Annahme wird in der heutigen Zeit auf begründeten Widerstand kaum stossen; die zweite habe ich durch Versuche wahrscheinlich gemacht, die ich zuerst allein im Berliner hygienischen Institut, später im Laboratorium der v. *Bergmann*'schen Klinik mit Dr. *de Ruyter* in grösserem Maassstabe unternahm.

Wir liessen grosse Mengen von Eiter und von Blutserum, welches mit Staphylococcen inficirt war, im Brütschrank auf Jodoform einwirken und fanden, dass von Tag zu Tag sich steigernde und allmählich sehr beträchtlich werdende Mengen von Jodverbindungen entstanden, die in Wasser löslich waren und nach Ansäuren durch ein salpetrigsaures Salz freies Jod abschieden.

Setzten wir dagegen steriles Blutserum mit Jodoform an, so konnten wir eine Zersetzung des Jodoforms nie constatiren.

Der Nachweis der aus dem Jodoform entstehenden, in Wasser löslichen Jodverbindungen kann im Eiter und im Blutserum direkt nicht geführt werden, da Eiweisskörper und gewisse Extractivstoffe etwa frei werdendes Jod so fest binden, dass dasselbe weder durch Chloroform ausgezogen, noch durch Stärkekleister erkennbar wird.

Von dieser das Jod bindenden Kraft mancher in thierischen Substanzen vorkommender Körper kann man sich leicht überzeugen, wenn man zu blauer Jodstärkekleisterlösung oder zu jodhaltigem Chloroform neutralisirte oder auch angesäuerte Fleischextractlösung hinzusetzt. Die Jodreaction wird man dann alsbald verschwinden sehen.

Nach mannigfachen Vorversuchen, bei denen Dr. *Petri* und Dr. *Froskauer* mich freundlichst unterstützten, habe ich schliesslich in der Dialyse ein zweckmässiges Mittel gefunden, um die stattgefundene Jodoformzersetzung in eiweisshaltiger Flüssigkeit nachzuweisen.

Ueber diese Jodoform-Eiterversuche hat *de Ruyter* auf dem vorjährigen Chirurgencongress berichtet, und schon damals, ohne dass noch die Zwischenglieder meiner Untersuchungen bekannt gegeben werden konnten, da ich das Erscheinen der für die vorliegenden Fragen so wichtigen *Scheurlen*'schen Arbeit erst abwarten wollte, hat die Mittheilung unserer gemeinschaftlichen Versuche durch *de Ruyter* das Interesse der Chirurgen erregt.

Durch die in I.—III. zusammengestellten Thatsachen hoffe ich, die Jodoformwirkung in ihrem Zustandekommen dem Verständniss noch näher gebracht zu haben.

Aber es bleiben noch recht viele Fragen offen, die eines eingehenden Studiums bedürftig und werth sind; wer sich über die Vielartigkeit der Probleme in Bezug auf die Jodoformwirkung orientiren will, findet in der wichtigen Arbeit von Prof. *Neisser*[6]) ein sorgfältig geordnetes Material in überreichlicher Fülle.

Mir kam es an dieser Stelle nur darauf an, einen orientirenden Ueberblick zu geben über die Versuche, welche ich im Laufe der letzten Jahre unternommen habe, um mir einen Einblick zu verschaffen in die Kräfte und Eigenschaften des Jodoforms, welche dasselbe befähigen, in *Wundinfectionskrankheiten* so hervorragende Heilwirkungen zu bethätigen 7):

Dass das Jodoform nach dem jetzt geltenden Sprachgebrauch kein Desinficiens, auch nicht einmal ein Antisepticum ist, das ist allerdings ein Mangel; denn pathogene Organismen, wie Milzbrandbacillen, die durch ihre Menge und Verbreitung schliesslich den thierischen Körper gewissermaassen ersticken, oder Erysipelcoccen, wenn sie kein Secret liefern, welches das Jodoformmolecül aufschliessen und dadurch wirksam machen kann, — solche Organismen können auch unter dem Jodoformverbande ihre verderbliche Thätigkeit fortsetzen.

Aber für die vielen, mit bösartiger Secretabsonderung und virulentem Eiter einhergehenden Wundkrankheiten hat uns von *Mosetig* im Jodoform ein *Heilmittel*, und zwar der besten eines kennen gelehrt; und für den praktischen Arzt wird der Werth dieses Heilmittels dadurch nicht geschmälert werden, dass es nach der heutigen Terminologie keinen Anspruch auf den Namen „*Antisepticum*“ machen darf.

Litteratur-Verzeichniss.

1) „Arbeiten aus der chirurg. Klinik der Univ. Berlin.“ III. Theil.

2) *L. Brieger.* „Weitere Untersuchungen über Ptomaine.“ Berlin 1885 und *L. Brieger.* „Untersuchungen über Ptomaine.“ Berlin 1886.

3) *I. A. Ladenburg* (verlesen von *A. Pinner*) Berichte der deutschen chemischen Gesellschaft J. g. XVI., Heft 8, pag. 1149. „Ueber die Imine“. (1883). — II. Derselbe: l. c. J. g. XVIII., Heft 16. pag. 2956. „Ueber die Imine.“ 2. Mittheilung (1885). — III. Derselbe: l. c. XVIII., 17, pag. 3100 *„Piperidin aus Pentamethylendiamin“* (1885). — VI. Derselbe: l. c. XIX., 14, p. 2585. „Ueber die Identität des Cadaverins mit dem Pentamethylendiamin.“ (*A. Pinner*). (1886).

4) *C. Binz. Virch.* Archiv für pathol. Anat., 62. Bd., p. 124. (1875).

5) *Behring.* „Die Bedeutung des Jodoforms in der antiseptischen Wundbehandlung.“ Deutsche med. Wochenschr. 1882, No. 23 u. 24.

6) *A. Neisser.* „Zur Kenntniss der antibacteriellen Wirkung des Jodoforms.“ Arch. f. pathol. Anat. Bd. CX., Heft 2 u. 3.

7) Die von *C. Binz* gegebene experimentelle Deutung des Verhinderns der Eiterung durch Jodoform (Arch. für pathol. Anatomie, 89. Bd., p. 389, 1882) kann nebenher bestehen oder findet vielleicht in diesen meinen Versuchen demnächst weitere Erläuterung.

Bonn 1888.

VI.

Jodoform zur inneren Anwendung.

Von **Oscar Kniffler**, aus Bonn.

(Aus dem Pharmakologischen Institut der Universität Bonn.)

A. Verschiedene Formen von Jodoform-Anwendung.

Die Anwendung des Jodoforms in der inneren Medicin hat mancherlei Unbequemlichkeiten und Schwierigkeiten. Giebt man es durch den Mund in ätherischer oder öliger Lösung oder in Pillenform, so werden die Patienten fortwährend durch den Geruch und den Geschmack des Jodoforms belästigt. Auch lassen sich so nur relativ geringe Mengen des Mittels anwenden. Die subcutane Injection ist wegen der Unlöslichkeit des Jodoforms in Wasser und seiner Schwerlöslichkeit in andern Flüssigkeiten, die von der Haut gut vertragen werden, nicht zweckmässig. Zwar hat *Gosselin* Monate lang Einspritzungen einer ätherischen Jodoformlösung bei Thieren gemacht, doch kann dies Verfahren bei Menschen nicht nachgeahmt werden. Auch sind Versuche mit Inhalationen verdunstenden Jodoforms gemacht worden, doch ist die Verdunstung des Jodoforms bei gewöhnlicher Temperatur trotz des starken Geruches so gering, dass man keine Jodoformeinwirkung danach beobachten kann.

Ueber die Wirkungen des Jodoforms auf den Gesammtorganismus des Menschen hat man — wahrscheinlich wegen der Unbequemlichkeit und Unsicherheit der Applikationsweise — nicht sehr übereinstimmende Erfahrungen. Was über die allgemeinen Jodoformwirkungen bekannt ist, entstammt grösstentheils den Beobachtungen der Chirurgen, die Jodoformmengen anwenden, wie sie in der innern Therapie nie gebraucht worden sind.

Jodoform löst sich leicht in gelber Vaseline und in Schweinefett, weniger leicht in Paraffin und in Rinderfett. Eine Jodoform-Schweinefett-Lösung hat *Behring* schon vor Jahren bei seinen Thierversuchen angewendet, indem er dieselbe den Thieren als Klysma beibrachte. In seiner Arbeit über Jodoformvergiftung und ihre Behandlung sagt er: „im weitern Verlaufe der Untersuchung konnte ich constatiren, dass selbst nahezu das Doppelte der sonst letal wirkenden Dosis ohne wesentlichen Schaden, wenngleich auch unter starker Abmagerung von den Thieren vertragen wurde, wenn sie als Antidot eine Lösung von Kali bicarbonicum erhielten. Diese verabfolgte ich per os, während ich das Jodoform in erwärmter Vaseline gelöst per anum applicirte.“ Die Herstellung derselben geschieht so, dass in einem glasirten Thongefässe das Schweinefett auf einem heissen Wasserbade geschmolzen wird. In das flüssige Fett wird dann so viel frisch gepulvertes Jodoform gebracht, dass auf 100 gr Fett 5 CHJ_3 kommen. In dem Wasserbade wird die Mischung etwa eine halbe Stunde erwärmt gehalten und das Jodoform unter stetem Umrühren mittelst eines Glasstabes darin gelöst. Beim Erkalten starr geworden, hat das Jodoformfett eine hellgelbe Farbe. Durch Einwirkung des Lichtes tritt alsbald eine Zersetzung des Jodoforms ein, die sich durch Braunfärbung der Lösung kennzeichnet. Vor der Einwirkung des Lichtes geschützt bleibt die Lösung unbegrenzte Zeit unzersetzt. Soll dieselbe zu Darminjectionen beim Menschen angewandt werden, so füllt man mit ihr, nachdem sie in einem Wasserbade wieder verflüssigt worden ist, am besten eine Glas-Spritze von 20 ccm Inhalt. Dieselbe enthält dann gerade 1 gr Jodoform. Zweckmässig versieht man die Spitze noch mit einem kurzen Ansatzrohr von Gummi, damit die Lösung möglichst hoch in den Darm gelangt. Die Einführung der Spritze kann durch den Kranken selbst geschehen. Bei Kaninchen, mit denen man experimentirt, nimmt man am besten eine Spritze von 5 ccm Inhalt, so dass das Tier 0·25 gr Jodoform jedesmal erhält. Ein Ansatzrohr ist hier unnöthig. Zweckmässig zieht man vor der Application die Haut von dem Anus soweit zurück, bis der Analring sich vorstülpt und führt dann die Spitze ein. Es ist vortheilhaft vorher einige Kothballen auszudrücken und nach der Applicirung des Jodoform-Klysmas den Anus einige Zeit zu komprimiren, damit die Thiere nichts von der Jodoformlösung verlieren. Dieselbe Spritze halb gefüllt lässt sich auch bei Meerschweinchen verwerthen. Diese Dosen können die Thiere lange Zeit gut vertragen.

B. Veränderungen des Jodoforms im Organismus.

Was die Ansichten über die Wirkungsweise und über die Veränderungen, die das Jod im Organismus erleidet, betrifft, so sind dieselben im Laufe der Zeit sehr verschieden gewesen.

Während das Jodoform schon 1822 von *Sérullas* entdeckt wurde und einige Jahre später *Dumas* seine chemischen Eigenschaften studirte, wandte ihm die verdiente Aufmerksamkeit erst *Righini in Novara* 1860 zu. Er behandelte in seiner berühmt gewordenen Monographie das Jodoform mit Rücksicht auf seine chemischen, physiologischen, pharmakologischen und therapeutischen Eigenschaften. Diese Arbeit wurde von *Janssens* aus dem Italienischen in das Französische übersetzt, der dieselbe im belgischen Journal für Pharmakologie und Therapie veröffentlichte. Erst durch die Uebersetzung des belgischen Gelehrten wurde man auch in Deutschland auf das Jodoform aufmerksam. Der italienische Autor beschäftigt sich im Beginn seiner Arbeit mit der Ausscheidung des Jodoforms in den verschiedenen Sekreten des Körpers. Doch sind ihm gerade hier die grössten Irrthümer unterlaufen. Zunächst behauptet er, dass die Ausscheidung des Jodoforms durch den Schweiss beträchtlicher sei, als durch den Urin, während hingegen aus unseren zahlreichen Untersuchungen, deren Resultate auch mit denen Anderer übereinstimmen, hervorgeht, dass die Ausscheidung des mit dem Jodoform incorporirten Jodes durch den Harn $^2/_3$ der Gesammtmenge beträgt.

Ebenso irrig ist seine Annahme in Bezug auf die Form, unter der das Jodoform im Urin ausgeschieden wird. Er sagt nämlich: „un grand nombre de sels tels que l'azotate de potasse, le ferrocyanure, l'iodoforme passent dans le sang et se retrouvent dans l'urine sans avoir subi d'altération.“ Er nimmt also an, dass verschiedene Salze wie das salpetersaure Kali, Eisencyan, Jodoform in das Blut übergehen und sich im Harn wieder vorfinden, ohne eine Veränderung erlitten zu haben. Dieser Meinung waren noch viele Andere später, die wohl einfach sich auf die Autorität *Righinis* verliessen, ohne eigene Untersuchungen angestellt zu haben. An einer andern Stelle giebt er allerdings das theilweise Vorhandensein von andern Jodverbindungen zu: „des faits qui précèdent il résulte clairement que l'iodoforme se trouve en résolution dans l'urine et qu'une partie de ce corps se répare sous forme d'acide hydriotique pour constituer des iodures.“ Er erwähnt ferner die sehr wichtige Thatsache, dass er den Harn von Individuen, die er mit Jodoform behandelt hatte, länger als ein Jahr aufbewahren konnte, ohne irgend ein Zeichen beginnender Fäulniss zu bemerken. Diese Erscheinung glaubte er auf den Einfluss des im Harne suspendirten Jodoforms schreiben zumüssen. Diese Ansicht *Righini's* von dem Vorhandensein des Jodoforms im Urin und in andern Secreten ist ebenso irrig, wie seine Annahme, dass das Jodoform zum grössten Theil unverändert ins Blut übergeht.

Righini's Behauptungen wurden unbeanstandet festgehalten bis zum Jahre 1877, als *Binz* durch seine experimentellen Untersuchungen die jetzt herrschenden Ansichten bezüglich der Jodoformwirkung zur Geltung brachte. Durch diese Arbeiten kam er unter Anderm zu dem Schlusse, dass das Jod des Jodoforms im Harn vorwiegend in Gestalt gelösten Jodmetalls wieder erscheine, besonders als Jodkalium, Jodnatrium und Jodmagnesium, unter Umständen auch als jodsaures Salz.

Später hat auch *Lustgarten* bewiesen, dass Jodoform im Harn nicht vorhanden ist, was übrigens schon aus dessen Unlöslichkeit bezw. Schwerlöslichkeit in dieser Flüssigkeit mit Wahrscheinlichkeit zu erschliessen war. Er gab nämlich eine Reaction an, die darauf beruht, dass Phenolalkali mit Jodoform in alkoholischer Lösung beim Erwärmen eine intensiv rothe Färbung zeigt (Rosolsäurebildung). Er unterwirft nun den Harn zum Nachweise des Jodoforms der Destillation. Das Destillat wird mit Kalilauge versetzt und mit Aether ausgeschüttelt. Die ätherische Lösung wird zur Trockne gebracht, der Rückstand mit Alkohol aufgenommen und diese Lösung zur Reaction angewandt. Geht man auf diese Weise vor, so gelingt es die minimalsten Mengen, 2—3 mgr Jodoform nachzuweisen. *Lustgarten* aber vermochte keine Spur von Jodoform im Harne des Menschen zu finden, die mit diesem Medicamente behandelt waren.

Es erübrigt noch an dieser Stelle, einige Worte über die Quantität der durch den Harn ausgeschiedenen Jodverbindungen zu sagen. Wie schon erwähnt, nahm *Righini* diese Ausscheidung als sehr gering an. Doch müssen wir die Menge des durch die Nieren ausgeschiedenen Jodes als $^2/_3$ des in den Körper eingeführten annehmen. In einem Selbstversuche, den ich unternahm, um die Wirkungen des Jodoforms auf den Organismus kennen zu lernen, führte ich auch quantitative Jodbestimmungen meines Harns nach *Hilger's* Methode aus, nachdem ich mir vorher an 2 Tagen hinter einander je 1 gr Jodoform per rectum applicirt hatte. Die Methode beruht darauf, dass eine vorher hergestellte Palladiumchlorürlösung das vorhandene Jod als Palladiumjodür, als schwarzbraunen Niederschlag ausfällt. Mittelst dieser, ziemlich genauen Methode konnte ich nachweisen, dass in der 24stündigen Harnmenge des ersten Tages 0·6 gr Jod ausgeschieden waren, am zweiten Tage 0·65, am dritten Tage 0·12 gr, also im Ganzen 1·37 gr Jod, das heisst mit andern Worten etwas mehr als $^2/_3$ des mit dem Jodoform incorporirten Jodes.

Diese Beobachtung stimmt auch mit der von *Zeller*. Derselbe fand nämlich, dass bei einem 22jährigen Mädchen, der man in die Wunde des resecirten Ellbogengelenkes 5 gr Jodoform gebracht hatte, die Jodausscheidung durch den Harn 3·84 gr betrug, also auch etwas mehr als $^2/_3$ der Gesammtmenge. Die Ausscheidung erfolgte allerdings erst innerhalb des Zeitraumes von fünf Wochen, wie es ja auch bei der langsamen Resorption des Jodoforms von äussern Wunden aus nicht anders zu erwarten war. Wenn *Zeller* freilich im weitern Laufe seiner Arbeit behauptet, dass die Resorption des Jodoforms vom *Darme* aus eine langsame und unvollkommene sei, so kann diese Behauptung höchstens für solche Fälle zutreffen, in denen das Jodoform ungelöst applicirt wird. Keinenfalls ist es richtig, dass das Jodoform vom Darme aus niemals stark toxische Wirkungen ausüben könne.

Fragen wir uns nach dem Orte, wo die Zersetzung des Jodoforms im Organismus stattfindet, so giebt uns *Righini* darauf eine nur sehr unvollkommene Antwort. Nach ihm wird das Jodoform durch die Eiweissstoffe der ersten Wege in Lösung gebracht und so in die venöse Blutmasse übergeführt, wo es dann mit einer Anzahl von Körpern zusammentrifft, die das Jodoform zerlegen: il s'y (dans le sang veineux) trouve en contact avec une grande quantité des principes excrémentitiels tels que l'acide carbonique, le carbonate d'ammoniaque, l'acide sulfhydrique et subit une métamorphose spéciale en se décomposant en partie pour former de l'iodure d'ammonium". Die Zersetzung des Jodoforms, die er im Blute annimmt, ist aber nur eine theilweise, da er Jodoform im Blute nachweisen zu können glaubt. Er sagt nämlich „le cruor séparé du sérum présentait l'odeur d'iodoforme" und weiter „le sérum, qui exhalait aussi l'odeur d'iodoforme, mais à un degré moindre que le cruor". Er behauptet also, dass der Cruor und das Serum nach Jodoform röchen, letzteres etwas weniger als ersteres.

Dagegen hat *Lustgarten* in der schon erwähnten Arbeit nachgewiesen, dass kein Jodoform im Blute von Individuen, die im Jodoform behandelt werden, vorhanden sei. Seine Untersuchungsmethode ist ähnlich wie beim Harn, nur mit dem Unterschiede, dass er die Blutprobe zur Verhinderung des Coagulirens gleich stark alkalisch macht und dann mit Wasserdämpfen destillirt. Die ätherische Ausschüttelung wird mit verdünnter Schwefelsäure versetzt zur Bindung etwa übergegangener Aminbasen. Die untere Grenze der auf diese Weise im Blut nachweisbaren Jodoformmenge beträgt 4—5 mgr. *Lustgarten* konnte mittelst dieser empfindlichen Methode auch im Blute von Hunden, die mit Jodoform *vergiftet* waren, keine Spur von Jodoform nachweisen.

Moleschott war der Meinung, dass das Jodoform sich erst im Blute zersetze, er glaubte, dass die mächtigere und raschere Wirkung des Jodoforms im Vergleich zu andern Jodpräparaten dadurch zu Stande käme, dass das Jodoform im Blute sich leichter decomponire und freies Jod abgäbe, welch letzteres dann in statu nascenti eine energische Wirkung auszuüben im Stande sei.

Auch hier zeigte uns *Binz* wiederum zuerst den richtigen Weg, um die Zersetzung des Jodoforms im Organismus zu studiren.

Gemäss seinen Untersuchungen ist das Fett des Darminhalts oder des Zellgewebes, abgesehen von dem Fett, welches als Lösungsmittel benutzt wird, ausreichend, um das Jodoform aufzulösen. Aufgelöstes Jodoform aber hat stets, gleichviel welches das Lösungsmittel sei, das energische Bestreben, sein 96·7 % Jod in Freiheit zu setzen. Ausserhalb des lebenden Körpers geschieht das unter dem Einfluss von Luft und Licht, innerhalb desselben unter dem Einfluss der lebenden Zellen. Das freigewordene Jod kann nun an Ort und Stelle seine Wirksamkeit äussern, wie z. B. in Operationswunden. In die Säfte eindringend wird es wieder gebunden durch das Alkali derselben. Dabei entsteht aber nicht nur Jodid (NaJ), wie man früher seitens der ärztlichen Forschung annahm, sondern gleichzeitig Jodat ($NaJO_3$), und zwar jedesmal 5 Mol. von jenem auf 1 Mol. von diesem. In sauer reagirenden Geweben wird aus beiden Salzen, die in alkalisch reagirenden sich gegenseitig nicht verändern, das Jod wieder frei; sogar schon eine Kohlensäurespannung, welche etwas über der des Blutes liegt, vermag das herbeizuführen. Das Jodat verliert ferner immer mehr seinen Sauerstoff, der nur lose an ihm hängt, wird also zu Jodid reducirt, es bleibt nur Jodid übrig, und damit hört der ganze Vorgang allmählich auf. Das Jod erscheint nur als Jodid im Harn und in andern Excreten. *Binz* hat diese Vorgänge in folgenden Formeln ausgedrückt:

1) $6\,\mathbf{J} + 6\,NaHCO_3 = 6\,CO_2 + 3\,H_2O + 5\,NaJ + NaJO_3$
2) $2\,NaJ + CO_2 + H_2O = Na_2CO_3 + 2\,HJ$
3) $2\,NaJO_3 + CO_2 + H_2O = Na_2CO_3 + 2\,HJO_3$
4) $5\,HJ + HJO_3 = 3\,H_2O + 6\,\mathbf{J}$.

Man sieht daraus, dass intermediär die beiden Säuren Jodwasserstoff und Jodsäure auftreten, welche neben einander nicht bestehen können, weil der Wasserstoff und der Sauerstoff energisch sich zu Wasser zusammen thun. In diesem Verhalten liegt die Ursache der Umsetzung.

Högyes, der zu denselben Resultaten wie vor ihm

Binz gelangte, glaubt noch die Bildung eines Zwischengliedes annehmen zu müssen, das er Jodalbuminat nennt. Er drückt sich darüber folgendermassen aus: „das Jodoform erleidet an der Applicationsstelle folgende Veränderungen: kommt es in ungelöstem Zustande an diese Stellen, so löst es sich in den Fettstoffen, mit welchen es zusammentrifft. Aus dieser Lösung, oder wenn es schon in Fett- oder Oellösung an diese Stelle gelangte, aus letzterer, wird Jod frei, welches sich mit dem Albumingehalte der Applicationsstelle in Jodalbumin verwandelt und neben Zurücklassung von wenigem oder gar keinem Albumingerinnsel und farblosen Oel der Fetttropfen als solches von der Applicationsstelle verschwindet, gewöhnlich ohne dass es dort Gewebsveränderungen zurückliesse.“ Doch ist dies Jodalbumin nach *Binz* kein selbständiges Glied in der Kette der Veränderungen, die das Jodoform eingeht, sondern er hält es für Eiweiss, dessen Alkali durch Jod in Jodat und Jodid verwandelt ist.

Auch spätere Untersucher, besonders *Behring*, haben sich dahin ausgesprochen, dass die Zerlegung des Jodoforms schon auf der Darmwand vor sich geht. *Behring* hat auch gezeigt, dass durch reducirende Mittel, wie nascirenden Wasserstoff und gewisse Ptomaine, ausserhalb des Organismus das Jodoform zerlegt wird, so dass die Annahme, das Jodoform werde durch die Kraft lebender Zellen an der Resorptionsstelle zerlegt, gut begründet erscheint.

Die Mittel betreffend, die das Jodoform zerlegen können, so brauchen wir für unsere Zwecke nur die zu berücksichtigen, welche auf das Jodoform *in Lösung* eine Wirkung ausüben.

Behring sprach zuerst die Ansicht aus, dass zur Zersetzung des gelösten Jodoforms bis zur Abscheidung von freiem Jod nicht nur Licht, sondern auch Sauerstoff nöthig sei, während man sonst allgemein annahm, dass das Licht allein genüge, um Jod aus der Lösung frei zu machen. Er drückt sich darüber mit folgenden Worten aus: „ich fand, dass das Jodoform in seinen Lösungen nur unter Einwirkung des Lichtes und Vorhandensein von Sauerstoff zerlegt wird.“ Diese Ansicht bestätigte einige Jahre später *Fischer* durch experimentelle Untersuchungen über Jodoformätherlösungen. Derselbe arbeitete mit gewöhnlichem Aether und andererseits auch mit vorsichtig über Kaliumhydroxyd rectificirtem Aether und setzte die Lösungen in weissen, ganz angefüllten Gläsern 6 Monate lang dem Lichte aus. Sein Resultat war, dass Jodoform, in reinem Aether gelöst, durch alleinigen Einfluss des Lichtes nicht zerlegt wird. Der gewöhnliche Aether bewirkt die Zersetzung des Jodoforms in Folge einer in ihm enthaltenen Verunreinigung, die sich durch Behandlung mit KOH beseitigen lässt. In reinem Aether bildet sich diese Verunreinigung, von der *Fischer* annimmt, dass sie H_2O_2 sei, sehr bald wieder durch den Einfluss der atmosphärischen Luft.

Behring wiederholte diese Versuche im chemischen Institute zu Bonn mit folgender Modifikation: Er nahm zum Lösen rectificirten Aether, welcher durch metallisches Natrium von Sauerstoff und Wasser freigehalten war; das mit der Lösung von Jodoformäther angefüllte Reagenzgläschen wurde sorgfältig gefüllt, verkorkt und der Korken mit einem Wachsüberzug versehen, um gegen äussern Luftzutritt geschützt zu sein. Wie ich aus einer Privatmittheilung weiss, konnte Herr Dr. *Behring* noch nach 1 Jahr keine Jodabspaltung aus dieser Lösung unter Einfluss des Lichtes constatiren; sie hatte fast strohgelbe Farbe behalten, während bekanntlich unter der Einwirkung des Lichtes bei vorhandenem Sauerstoff schon nach einigen Minuten dunkelbraune Färbung der ätherischen Jodoformlösung zu beobachten ist.

Andererseits ist das Licht ein ebenso wichtiger Faktor für die Zersetzung von Jodoformlösungen, da dieselben unter Luftzutritt ohne Lichteinwirkung kein freies Jod abspalten, auch wenn man die Lösung auf Körpertemperatur erwärmt.

In seiner schon erwähnten Arbeit über die Bedeutung des Jodoforms in der antiseptischen Wundbehandlung wies *Behring* noch eine zweite Art der Jodoformzersetzung nach. Er zeigte, dass das Jodoform zerlegt werde sowohl in Lösung als auch ungelöst durch nascirenden Wasserstoff, jedoch nicht bis zur Abspaltung von freiem Jod. Zu diesem Resultat gelangte er, indem er ausging von der Betrachtung des Wesens der Fäulniss organischer Substanzen. Die *chemischen* Vorgänge bei der Fäulniss sind bekanntlich besonders eingehend von *Hoppe-Seyler* studirt und unter Anderm auch in seiner physiologischen Chemie beschrieben worden. Er stellte fest, dass besonders Reductionen durch nascirenden Wasserstoff und Reductionsproducte den Fäulnissprocess charakterisiren. Es ist aber eine jedem Chirurgen bekannte Thatsache, dass ganz grosse Mengen von Jodoform in kurzer Zeit verschwinden, wenn sie in Wunden mit Absonderung von faulendem, stinkendem Eiter gebracht werden. Gerade wo die lebhafteste Fäulniss besteht, wird das Jodoform am energischsten zersetzt und am schnellsten resorbirt, während in Wunden mit geringer oder mangelhafter Secretabsonderung das Jodoform unverändert liegen bleibt. Besonders eclatant ist dieses eigenthümliche Verhalten, wenn zu eiternden Wunden ein Erysipel hinzutritt; von diesem Moment an bemerkt man nicht selten ein Aufhören der reichlichen Eiterabsonderung, und alsbald wird man auch beim Verbandwechsel die Beobachtung machen, dass das früher schnell zur Resorption gelangte Jodoform unverändert geblieben ist.

Es fragte sich nun, ob es vielleicht gerade die reducirenden Substanzen und die Reductionsproducte im Eiter sind, welche das Jodoform so schnell und ausgiebig zersetzen und dadurch resorptionsfähig machen. Diese Frage konnte bejahend entschieden werden, wenn es auch ausserhalb des Organismus gelang, die Zerlegung des Jodoforms durch reducirende Mittel zu bewirken, und es zeigte sich, dass dies im vollen Maasse der Fall ist. *Behring* nämlich führte zusammen mit dem Chemiker Dr. *Wildt* 1882 den experimentellen Nachweis für die jodoformzerlegende Wirkung des nascirenden Wasserstoffes, welcher ja ein hervorragendes Reductionsmittel ist. Unter Einwirkung desselben bildeten sich reichlich in Wasser lösliche Jodverbindungen; es entstand aber dabei kein freies Jod, sondern dasselbe trat erst auf bei Gegenwart oxydirender Körper. Wenn nun ähnlich der Zersetzungsvorgang in eiternden Wunden ist, so erklärt sich auch die reactionslose Heilung von Wunden unter dem Jodoformverbande, da freiwerdendes Jod in statu nascendi auch in geringer Menge schon eine entzündliche Gewebsreizung nach sich ziehen würde.

Diese experimentellen Resultate *Behring's* wurden bestätigt durch die Versuche *Neisser's*, der Palladiumbleche im H-Strome stark mit H beladen liess und sie seinen Jodoformculturen beifügte. Es ergab sich hier, dass die Jodoformspaltung sehr viel stärker als sonst vor sich ging. *Neisser* sagt dann weiter: „So sehen wir denn von neuem, dass bei Berücksichtigung aller der verschiedenen Factoren, deren zersetzende Wirkung auf das Jodoform wir kennen, sich ein einheitliches Bild der auf den Wunden sich abspielenden Processe kaum geben lässt; nur wird im allgemeinen festgehalten werden können, dass je stärkere Reductionsvorgänge, sei es seitens der Gewebe, sei es durch gewisse Bakterienarten im Spiele sind, um so stärker und schneller eine Zersetzung des Jodoforms und damit Bildung von nascirendem Jod bezw. Jodwasserstoff stattfinden wird.“ Und pag. 407 l. c. „So sind in der That, wie *Behring* schon vor Jahren betont hat, die Bedingungen für die antiseptische Wirkung des Jodoforms da am günstigsten, wo in Folge von lebhaftern

Zersetzungsprocessen die chemischen Wirkungen am kräftigsten ausgeübt werden."

Dass weiterhin auch Reproductions*producte* eine jodoformzersetzende Wirkung haben, ist von *Behring* in neuerer Zeit für mehrere Ptomaine, insbesondere für das Cadaverin gezeigt worden. In seiner Arbeit hierüber heisst es: „Bringt man reines Cadaverin zum Jodoform hinzu, so wird dasselbe mit gelber Farbe schon in der Kälte alsbald gelöst. Bei stärkerem Erwärmen tritt sofort eine dunkelbraunrothe Färbung der dickflüssigen Lösung ein. Bei Körpertemperatur (im Brutschrank) bräunt sich auch ohne Einfluss des Lichtes die Flüssigkeit allmählich. Wird dieselbe im geschlossenen Gefässe aufbewahrt, so entweichen beim Oeffnen des Stopfens stark ammoniakalisch riechende Dämpfe und erst nach einiger Zeit tritt wieder der dem Cadaverin eigenthümliche Spermageruch auf. Jodoformgeruch habe ich nicht nachweisen können. Die Reaction bleibt alkalisch, der Grad der Alkalescenz nimmt aber beträchtlich ab. Ich hebe besonders hervor, dass die Reactionen mit unverdünntem Cadaverin vorzunehmen sind. Wird diese Flüssigkeit mit Wasser zusammengebracht, so entsteht eine Emulsion, die je nach der Dauer der Einwirkung des Cadaverins aus grössern oder geringern Jodoformresten in sehr fein vertheilter Form gebildet wird. Wartet man nun ab, bis sich durch Absitzen derselben die Flüssigkeit geklärt hat, oder filtrirt man, säuert das wasserklare Filtrat an und setzt ein salpetrigsaures Salz hinzu, so erfolgt eine starke Bräunung und durch Stärkekleister oder Chloroform kann eine massenhafte Jodabscheidung nachgewiesen werden. Es sind demnach aus dem im Wasser unlöslichen Jodoform lösliche Jodverbindungen entstanden, d. h. Jodoform ist zersetzt worden." An einer andern Stelle derselben Arbeit sagt er: „Durch die Jodoform-Cadaverin-Reaction wird wenigstens für medicinische Kreise auch zum ersten Male gezeigt, wie das Jodoform ohne Mitwirkung des Lichtes bei nicht höherer als Körpertemperatur durch organische Körper schnell und glatt zerlegt werden kann, eine Fähigkeit, die dem lebenden Organismus bekanntlich in eminenter Weise innewohnt, die aber in den bis jetzt vom Jodoform bekannt gewordenen chemischen Reactionen kein Analogon fand, ausser in der Zersetzung des Jodoforms durch nascirenden Wasserstoff, deren Zustandekommen ich vor nunmehr 6 Jahren beschrieben habe."

Betrachten wir nun, was von diesen jodoformzersetzenden Mitteln der lebende Organismus besitzt, um das Jodoform, sei es gelöst oder ungelöst applicirt, zu zerlegen, so finden wir, dass fast alle vorher beschriebenen Momente sich im Darmtractus wiederfinden. Der hauptsächlichste Antheil für die Zerlegung des Jodoforms fällt auf die reducirende Thätigkeit des Protoplasmas der lebenden Zellen. Wir finden ferner im Darmtractus nach *Nencki* nascirenden Wasserstoff, der dort von Buttersäuregährung herrührt. Schliesslich tritt auch im Darm eine faulige Zersetzung von Eiweiss und Leim auf unter Entwicklung von Fäulnissorganismen, deren Producte dann ebenso wie das Cadaverin an der Zersetzung des Jodoforms mitarbeiten. Wir ersehen also hieraus, dass das Jodoform, wenn es in den Darmtractus applicirt wird, dort für seine prompte Zerlegung bessere Verhältnisse als sonst wo im Organismus vorfindet.

C. Anwendung des Jodoforms in der innern Medicin.

In der innern Medicin hat das Jodoform viel früher Verwendung und begeisterte Anhänger gefunden als in der Chirurgie; aber während trotz heftigster Angriffe von bakteriologischer und practisch-chirurgischer Seite das Jodoform in der Chirurgie mit den Jahren eine immer ausgebreitetere Anwendung findet und jetzt kaum noch ein practischer Arzt existirt, der es nicht täglich benutzt, hat die Anwendung des Jodoforms in der innern Medicin mit den letzten Jahren eher abgenommen. Während sich diese Erscheinung besonders in Deutschland vollzogen hat, so sehen wir in der ausländischen innern Medicin das Jodoform noch immer einigen Rang einnehmen, wenngleich auch dort seine Anwendung etwas abgenommen hat.

Righini hat in seiner Arbeit einige Krankengeschichten verzeichnet, die ich in verkürzter deutscher Uebersetzung hier anführen will.

„*Alexander Biginellis,* 18 Jahre alt. Mutter und 4 Brüder an Schwindsucht gestorben. Im Laufe des letzten Winters befiel ihn ein zuerst trockner, dann feuchter Husten, der den folgenden Sommer fortdauerte. Im August bekam er einen Blutsturz und kam deshalb in das Hospital von Verceil. Die Untersuchung der Lungen ergab Tuberculose und der behandelnde Arzt Dr. *Pisani* verordnete täglich 3 Jodoformpillen, jede von 10 ctgr. Schon nach 3 Tagen ergab die ausgeführte Untersuchung der Lungen leichte Besserung. Im Laufe der nächsten 3 Wochen wurde das Befinden immer besser, so dass der Patient am 15. Oktober das Hospital verliess mit der Ueberzeugung, vollkommen geheilt zu sein. Diese Ueberzeugung wurde gleicherweise von seinen Aerzten getheilt, denn die Athmung des Kranken war frei, Auswurf hatte ganz aufgehört, nur hatte er noch ganz selten einen leichten Husten.“ Dann beschreibt *Righini* noch einen Fall von geheilter Syphilis. Der betreffende Patient erhielt täglich $1^1/_2$ gr Jodoform in Eiweiss. Die heftigen dolores osteocopi, welche ihm fast allen Schlaf geraubt hatten, sein schlechter Appetit verschwand nach einer Behandlung von 20 Tagen, ohne dass ihm das Jodoform irgend welche Unbequemlichkeiten gemacht hätte. Der Patient hatte vorher vergeblich verschiedene Quecksilberkuren durchgemacht. *Righini* empfiehlt Jodoform bei Tuberculose, Skrophulose, Menstruationsanomalien, Tumoren, Panaritien, Impotenz, Secretionsstockungen im Uterus und in den Brustorganen, Ozaena, Blenorrhoea ophthalmica, hartnäckigem Exanthem, Lues.

In Deutschland wurde das Jodoform zum innern Gebrauch besonders durch *Moleschott* empfohlen. Er preist die Wirkung des Jodoforms bei Diabetes mellitus. Selbst in Fällen, wo trotz des Verbotes stärkemehlreiche Nahrung genommen wurde, wo Arbeit und Sorge die Heilung erschwerten und salicylsaures Natron vollkommen wirkungslos blieb, verminderte es bei 0·1—0·2 pro dosi die Zuckermenge ganz bedeutend, (in 2 von 5 Fällen wurde der Zucker sogar ganz beseitigt). Beim Aussetzen des Jodoforms bei noch nicht eingetretener völliger Heilung erscheint der Zucker wieder, um erneutem Jodoformgebrauch wieder zu weichen.

Die äusserliche Anwendung, besonders als Specificum gegen den Tuberkelbacillus, wurde besonders durch *P. Bruns* in Tübingen vertreten, und hat auch, soviel mir bekannt, jetzt bei der Mehrzahl der Chirurgen sich Anerkennung verschafft.

Siegmund wandte das Jodoform mit gutem Erfolge an bei frischen primären venerischen Geschwüren, syphilitischen Indurationen mit necrotischem Zerfall. Niemals konnte er einen Nachtheil des Jodoforms bemerken, weder örtlich noch allgemein.

Thomann wandte mit sehr günstigem Erfolge subcutane Jodoformeinspritzungen bei syphilitischen Affectionen an. Er verwendete das Jodoform suspendirt in Glycerin. Er wählte zur Behandlung frische Fälle, bei welchen, bei stark ausgeprägter Sklerose, die Leistendrüsen schon bedeutend geschwollen waren. Nach 10 bis 12 Einspritzungen beobachtete er Rückgang aller Krankheitserscheinungen. Oertlich traten keine Abscesse auf. Er gab bis zu 0·75 gr Jodoform pro dosi.

Küssner empfahl es besonders bei Tuberculose des Kehlkopfes und der Lungen. Er behandelte die Kehlkopftuberculose durch Einblasungen von feingepulvertem Jodoform und liess die Patienten daneben 3—4 mal täglich inhaliren nach folgender Vorschrift: von einer 10 % alkoholischen Lösung werden etwa 10 ccm in das am Inhalations-Apparate befindliche Glasnäpfchen von ppt. 30 ccm Inhalt gegossen, dasselbe dann bis zum Rande mit Wasser gefüllt und die so entstandene Emulsion eingeathmet. Es muss jedesmal frisch bereitet werden, da sich sonst das Jodoform zu Boden senkt. Danach erhielt er so günstige Erfolge, dass er das Jodoform als specifisches Mittel bei den erwähnten Affectionen empfahl. Betreffs der Lungenphthise konnte er noch keine bestimmten Resultate verzeichnen, doch ist er der Meinung, dass durch consequente Anwendung des Jodoforms manche Fälle von Lungenschwindsucht zur Heilung gebracht werden können, selbst solche, wo die äusseren Verhältnisse ungünstig seien.

Nach *Semon* reinigt Jodoformpulver local tuberculöse Geschwüre des Larynx, vermindert die Schmerzen und erleichtert die Dysphagie.

Kersch empfiehlt Jodoform als inneres Sedativum und Resolvens in Dosen von 1—5 mgr, 2—3 mal täglich, bei Lungentuberculose und skrophulösen Lymphdrüsenentzündungen.

Gosselin fand, dass mit Tuberkelvirus geimpfte Kaninchen, wenn ihnen täglich Jodoformlösung injicirt wurde, Monate lang gesund blieben, während nach Aussetzen des Jodoforms die Tuberculose sofort eintrat.

Chauvin und *Jorissenne* berichten 14 Fälle von Lungenblutungen, in denen sie mit Jodoform constante und überraschend schöne Erfolge erzielten. Sie verabreichten das Jodoform in Pillen täglich 3—5, in jeder Pille waren 0·05 gr CHJ_3. Das Jodoform wirkte in Fällen, wo das Ergotin in stärkerer Dosis nichts vermochte und belästigte die Patienten in keiner Weise.

Morel-Lavallée empfiehlt die Anwendung des Jodoforms subcutan bei Lupus vulgaris. Er injicirte täglich

2 ctgr Jodoform bei einem Erwachsenen, bei Kindern die Hälfte. Als Lösungsmittel benutzte er Vaseline, das die Haut nicht reizt.

Wir sehen demnach, dass das Jodoform schon lange, bevor es in der Chirurgie als antituberculöses Mittel seine Triumphe feierte, in der innern Medicin gerade bei tuberculösen Allgemeinerkrankungen und bei örtlicher Tuberculose, insbesondere bei Kehlkopftuberculose von vielen Aerzten gerühmt wurde.

In neuester Zeit scheint zwar die Allgemeinbehandlung der Tuberculose mit Jodoform den meisten Aerzten keine hervorragenden Heilresultate ergeben zu haben; aber man wird dabei berücksichtigen müssen, dass man in der Dosirung dieses Medikamentes in der innern Medicin so zaghaft geworden ist, dass von den üblichen Gaben ein Erfolg gar nicht erwartet werden kann. Während *Righini* noch von 1—2 ja bis 3 gr pro die verabreichten Jodoformgaben berichtet, ist die maximale Einzeldosis nach der heutigen Pharmakopoe 0·2 gr, und wenn man die empfohlenen Receptformeln durchsieht, so kommt man bald zu der Ueberzeugung, dass in der Praxis die Dosirung in der Regel meist beträchtlich geringer ist.

Es könnte also sehr wohl der Fall sein, dass man früher wirkliche Heilresultate mit grössern Jodoformgaben erzielt hat, während jetzt die geringere Dosirung keine deutlichen Erfolge erkennen lässt.

Diese Erwägungen waren es, welche mich auf Veranlassung von Herrn Stabsarzt *Behring*, dazu geführt haben, zuerst bei Thieren, dann am Menschen diejenigen Jodoformmengen zu bestimmen, welche bei der oben beschriebenen Anwendungsweise des Jodoforms noch gut vertragen werden, und weiterhin den Einfluss grösserer Jodoformgaben auf den tuberculös inficirten Organismus zu studiren.

D. Thierversuche.

Zu Ende des vergangenen Jahres und im Laufe dieses Jahres wurden von Herr *Dr. Behring* und mir im hiesigen Pharmakologischen Institute nach mehreren Vorversuchen die folgenden Thierversuche angestellt.

In der ersten Versuchsreihe, welche im November 87 begonnen wurde, erhielten 4 Meerschweinchen und 4 Kaninchen in eine Bauchtasche getrocknetes und dann pulverisirtes tuberkulöses Sputum, welches ausserordentlich viel Tuberkelbacillen enthielt. In einer zweiten Versuchsreihe, die im Februar dieses Jahres begann, wurden 6 Kaninchen und 4 Meerschweinchen benutzt. Die Thiere wurden alle mit einer Reincultur geimpft, die *Behring* aus dem hygieinischen Institut zu Berlin erhalten hatte. Jedes Thier erhielt 2—3 Platinösen einer Aufschwemmung dieser Reincultur in eine Bauchtasche. Ein Theil der Thiere wurde dann als Controlthiere benutzt, die übrigen mit Jodoform behandelt und zwar in der Weise, dass die Kaninchen täglich 0·25 gr Jodoform und die Meerschweinchen die Hälfte dieser Dosis per anum erhielten. Von Zeit zu Zeit wurden die Temperatur und das Gewicht gemessen und die Jodoformapplication ausgesetzt, falls die Verminderung des Gewichtes die drohende Vergiftung anzeigte. Die Beobachtungsdauer dehnte sich für beide Versuchsreihen über $^1/_2$ Jahr aus. Da die Versuchsresultate als abgeschlossen noch nicht betrachtet werden können, soll hier nur als vorläufiges Resumé Folgendes mitgetheilt werden.

Kaninchen und Meerschweinchen werden nach schon erfolgter Erkrankung an Tuberculose durch Jodoform nicht geheilt. Als Zeichen sicher erfolgter Erkrankung wurde stärkere Schwellung der Lymphdrüsen in der Leistengegend angesehen. Dieselbe konnte bei Kaninchen nach 4—6 Wochen, bei Meerschweinchen nach 3—4 Wochen constatirt werden. Durch tuberculöses Sputum erfolgte die Infection schneller und sicherer als durch Reinculturen der Tuberkelbacillen. Bei Meerschweinchen und Kaninchen wurde aber das tödtliche Ende durch die Jodoformbehandlung hinausgeschoben. Meerschweinchen, welche durchschnittlich in 6 Wochen an Tuberculose zu Grunde gingen, lebten bei Jodoformbehandlung etwa 4 Wochen länger.

Erfolgte der Beginn der Jodoformbehandlung gleichzeitig mit der Infection, so wurde bei einigen Kaninchen ein Ausbleiben einer Allgemeinerkrankung festgestellt. Bei Meerschweinchen konnte bis jetzt ein sicheres Resultat nicht erreicht werden, zum Theil deswegen, weil die Thiere an Jodoformvergiftung zu Grunde gegangen sind.

E. Selbstversuch.

Genaueres über die Resorption, die Ausscheidungsbedingungen und die Veränderungen, welche das Jodoform im Organismus hervorruft, wurden unter Anwendung quantitativer Untersuchungsmethoden im hiesigen Pharmakologischen Institute gemacht. In erster Linie kam hierbei die Untersuchung des Urins in Betracht, da man nach allem, was darüber bekannt war, die übrigen Secrete des Körpers vernachlässigen konnte, ohne dass das Resultat der Untersuchung dadurch erheblich gestört wurde.

Da es nun erforderlich schien, zunächst an einem *gesunden* Menschen zu experimentiren, so unterzog ich mich selbst diesem Versuche. Es kam zunächst darauf an, die durchschnittliche tägliche Menge, das specifische Gewicht und die Reaction des Urins festzustellen. Deshalb nahm ich in einer Vorperiode von 10 Tagen annähernd genau dieselbe Menge von flüssiger und fester Nahrung zu mir. Dann wurde der Urin von je 24 Stunden in einem reinen Gefässe gesammelt, gut durcheinander geschüttelt und mit ca. 300 gr die nothwendigen Bestimmungen ausgeführt, dabei stellte sich heraus, dass das specifische Gewicht durchschnittlich 1020 betrug. Der Grad der Acidität ferner war derart, dass 20 ccm des Harns 2·5 ccm einer

$^1/_{10}$ Normalkalilösung bis zu seiner Neutralisirung durchschnittlich verbrauchte. Nach Ablauf des Vorversuches nahm ich an 2 Tagen hinter einander je 1 gr Jodoform aufgelöst in 20 gr Schweinefett per rectum auf einmal. 4 Stunden nach der ersten Dosis war eine sehr deutliche Jodreaction nachweisbar. Der Jodnachweis wurde ausgeführt mittelst Chloroform, Kali nitrosum und verdünnter Schwefelsäure, worauf bei Vorhandensein von Jod im Harn eine schöne rosenrothe Färbung des Chloroforms entsteht.

Die Untersuchung des Urins nach dem Jodoformgebrauch ergab entgegen der Ansicht *Righini's* keine Vermehrung der Harnmenge. Es wurde aber constatirt eine Vermehrung der Acidität und eine Verminderung des specifischen Gewichtes. Ueber den quantitativen Jodnachweis ist schon oben gesprochen worden. Der qualitative Nachweis ergab in meinem Selbstversuche 50 Stunden nach der letzten Jodoform-Application die letzten Spuren Jod. Später angestellte Versuche haben ergeben, dass die Jodreaction im Harn noch früher auftritt als in 4 Stunden. Es ist mithin anzunehmen, dass die Schnelligkeit des Eintritts der Jodreaction im Urin abhängig ist von der Concentration, in welcher das Jod im Blute circulirt. Bei Kaninchen, die im Vergleich zu ihrer Grösse viel grössere Mengen Jodoform erhielten, konnte in vielen Fällen schon nach 30 Minuten Jod im Harn nachgewiesen werden. Die Menge indessen, die den Versuchs-Kaninchen applicirt wurde, in gleichem Maassstabe auf den Menschen übertragen, würde für diesen ca. 20 gr betragen.

Bei Anwendung von Jodkalium beginnt die Ausscheidung des Jods etwas schneller, und ist auch schneller beendigt. *Bachrach* theilt mit, dass nach seinen Beobtungen bei fieberfreien Menschen die Abscheidung von Jod nach Gebrauch von Jodkalium in den meisten Fällen nach 10—15 Minuten erfolge und dass der Jodnachweis gewöhnlich 12—24 Stunden dauere. Er fand bei seinen Versuchen auch, dass nach Einführung des Jodkaliums durch das Rectum die Jodreaction im Harn ebenso schnell auftrete, als wenn es durch den Mund gegeben wurde.

Ausser diesen Untersuchungen nahm ich auch eine quantitative Harnstoffbestimmung täglich vor. Es ergab sich hier Folgendes: während bei einer durchschnittlichen Harnmenge von 1400 ccm die tägliche Harnstoffausscheidung im Mittel 40 gr betrug, ging dieselbe in den Tagen der Jodoformanwendung auf 34·5 gr zurück, um nach Aufhören der Jodwirkung alsbald wieder zu steigen.

Was die gefundenen Zahlenwerthe sowohl bei meinem Selbstversuche als auch bei den Untersuchungen des Harns von dem Kranken N. anlangt, so möchte ich dazu bemerken, dass die Harnstoffuntersuchung nach der *Liebig*schen Methode vorgenommen wurde, so dass die Zahlen wohl etwas zu hohe sind. Indess ist einerseits der Fehler ja nur gering und andererseits bleibt das relative Verhältniss der Zahlen bestehen. Die Säure wurde so bestimmt, dass zu 20 ccm des zu untersuchenden Harns so viel Natronlauge zugesetzt wurde, bis mit Hülfe von Lackmustinktur die Reaction des Harns als neutral erkannt wurde.

Die gefundenen Resultate bei meinen Versuchen waren folgende:

Harnmenge	$\overset{+}{U}$	Spec. Gew.	1/10 Normal-Säure pro 20 ccm
1750	41·5	1022	4·0
1900	41	1021	3·5
1620	42	1023	3·6
1560	38	1019	3·4
1660	41	1024	3·8
1680[1])	37	1017	4·2
1500[1])	34·5	1014	4·5
1850	39	1018	4·0
1900	42	1022	3·2

1) An beiden Tagen je 1 gr CHJ_3.

Harnmenge	$\overset{+}{U}$	Spec. Gew.	$^1/_{10}$ Normal-Säure pro 20 ccm
1750	45	1025	3·7
1650	42·5	1023	2·8
1700	41	1022	3·0

Durch diesen Versuch wurden folgende Thatsachen festgestellt:

1) Die Resorption des Jodoforms geschieht schnell und prompt.

2) Der Urin zeigt eine Zunahme der Acidität nach dem Jodoform-Gebrauch. Es ist hierin wahrscheinlich ein Ausdruck zu sehen für die Verminderung der Alkaleszenz des Blutes und der übrigen Körperflüssigkeiten, wie sie theoretisch stattfinden muss, da das Jod des Jodoforms ohne Alkali in den Organismus aufgenommen und mit Alkali ausgeschieden wird.

Anmerkung. Viel deutlicher als beim Jodoform lässt sich beim Chloroform die Säurevermehrung im Urin nachweisen.

Wir haben alle Ursache anzunehmen, dass das dem Jodoform ganz analog constituirte Chloroform *im Wesentlichen* nicht anders im Organismus zersetzt und aus demselben ausgeschieden wird als ersteres. Auch das Chloroform gelangt ohne Alkali zur Resorption und wird zum grössten Theil wenigstens an Alkali gebunden wieder ausgeschieden; es lässt sich also erwarten, dass beim Verbrauch grösserer Chloroformmengen eine Säurezunahme im Blut und in den Geweben erfolge und dass dieselbe in einer Vermehrung der Acidität ihren Ausdruck finden wird.

Herr Stabsarzt *Behring* hat nun, wie ich durch private Mittheilung weiss, in der That bei chirurgisch Kranken der hiesigen Klinik gefunden, dass der Urin von Personen, welche chloroformirt worden waren, das Doppelte bis Dreifache an Natronlauge zur Neutralisation gebrauchte, als vor der Chloroformnarcose. Die Urinmenge nahm in der Regel nach der Narcose ab.

3) Das specifische Gewicht des Harns nimmt ab.

4) Die durch den Urin ausgeschiedene nachweisbare Jodmenge beträgt $^2/_3$ der eingeführten.[1]

---

1) Vgl. S. 94.

5) Die Ausscheidung des Jodes, welches nach Jodoformgebrauch im Organismus circulirt, erfolgt weniger schnell als nach Application von Jodsalzen.

6) Die Harnstoff-Absonderung wird vermindert.

F. Krankengeschichte N.

Diese Resultate, die aus meinem Selbstversuche hervorgingen, sind bei einer längern Beobachtungsdauer an einem Kranken, den Herr Stabsarzt *Dr. Behring* behandelte und den ich mit beobachten durfte, in jeder Richtung bestätigt und vermehrt worden.

Die Krankengeschichte dieses Mannes dürfte interessant genug sein, um hier angeführt zu werden. Derselbe wurde von Herrn *Dr. Behring* in der niederrheinischen Gesellschaft für Heilkunde am 28. Mai 1888 vorgestellt, nachdem er 3 Monate lang in Behandlung wegen Tuberkulose der Lunge gewesen war. Bei der Vorstellung befand sich der Patient in gutem Ernährungszustande, wog ohne Kleider 123 Pfund, war fieberfrei und bei der Untersuchung war ausser einer etwas rauhen Stimme, einer Narbe an der Lippe und einer geschwollenen submaxillaren Lymphdrüse nichts Abnormes an ihm zu bemerken. Bei der Untersuchung der Lungen liess sich in der rechten Spitze kürzerer Percussionsschall, abgeschwächtes Athmen und verlängerte Exspiration erkennen. Was die Narbe an seiner Lippe betrifft, so rührt dieselbe von einem Geschwür her, das vor 9 Monaten entstanden war und erst in letzter Zeit nach Besserung des Allgemeinbefindens geheilt war. Eben wegen dieses Geschwüres und der erwähnten geschwollenen Lymphdrüse kam der Patient in Behandlung.

Die Krankengeschichte ist folgende: „Der Patient *Nish* wurde am 29. November 1887 wegen eines Lippengeschwüres und einer bei Druck nicht schmerzhaften Lymphdrüse an der rechten Halsseite ins Krankenhaus aufgenommen. Auf Grund der Krankengeschichte und der Beobachtung im Hospital konnte Syphilis mit Wahrscheinlichkeit als Ursache ausgeschlossen werden. Unter örtlicher Behandlung mit Jodoform und Sublimat und allgemeiner mit Jodkalium, vernarbte das Geschwür fast vollständig und *Niss* wurde nach 6 Wochen entlassen.

Nach einigen Wochen klagte er über allgemeine Schwäche und Athembeschwerden, es trat von Neuem und in grösserer Ausdehnung Geschwürsbildung von der Narbe ausgehend auf, und als sich Patient wieder vorstellte, wurde auch Lungenkatarrh und Fieber festgestellt, worauf wiederum die Aufnahme ins Krankenhaus am 28. Februar 1888 erfolgte.

Hier wurde ein allgemeiner Lungenkatarrh mit vorzugsweiser Betheiligung der rechten Lungenspitze gefunden, in welcher sich in kürzer Zeit die unverkennbaren Zeichen einer an Grösse schnell zunehmenden Caverne bemerkbar machten. Die Untersuchung des Auswurfs ergab sehr reichliche Anwesenheit von Tuberkelbacillen. Während der anfänglich mehr abwartenden Behandlung nahm das zuerst mässige Fieber immer mehr zu, es stellten sich Nachtschweisse und Diarrhöen ein; das Körpergewicht nahm rapide ab und es wurde mit Rücksicht auf die Aussichtslosigkeit der üblichen Mittel bei der hier vorliegenden rapide verlaufenden tuberkulösen Schwindsucht, die als vom Lippengeschwür ausgehende Impftuberkulose betrachtet wurde, die Behandlung mit Jodoform beschlossen, und zwar in Form von Jodoformfettlösung, welche mit einem Gehalt von 0·75 bis 1·5 gr Jodoform in den Mastdarm eingespritzt wurde.

Das Fieber, die Schweisse, Husten und Auswurf, die Zahl der Tuberkelbacillen in letzterem nahmen langsam aber stetig ab. Seit Anfang Mai war Patient fieberfrei und ausser Bett, das Körpergewicht stieg von 112 Pfund ohne Kleider bei der Aufnahme auf 130 Pfund am Entlassungstage (23. Juni cr.) und an der Stelle, wo die Lungencaverne gesessen hatte, sind ausser abgeschwächtem Athmen und katarrhalischen Nebengeräuschen deutliche Krankheitszeichen nicht zu erkennen. Im Verlaufe der Behandlung erhielt der Patient im Ganzen etwa 30 gr Jodoform; immer wurden die Klysmata gut resorbirt und vertragen, ohne dass sich irgendwie Belästigungen, wie sie bei sonstigen Jodoformapplicationen vorkommen, herausstellten. Nur wurde manchmal Neigung zur Stuhlverhaltung beobachtet, während früher die Stühle diarrhoischer Natur waren. Die tägliche Dosis von Jodoform betrug anfänglich 1—1·5 gr pro die, später wurde dieselbe herabgesetzt auf 0·5—0·75 gr pro die. Wenn 3 gr Jodoform verbraucht waren, wurde eine mehrtägige Pause gemacht, um so die Gefahren der Accumulation der Jodmengen zu vermeiden. Die therapeutischen Wirkungen, die sich allmählich bemerkbar machten, konnten festgestellt werden als Nachlass der nächtlichen krampfhaften Hustenanfälle, besserer Schlaf und Verminderung des Auswurfes. Bei diesem Kranken wurde ganz constant eine beträchtliche Verminderung der Harnstoffmenge im Urin nachgewiesen, was durch zahlreiche Einzelbestimmungen sicher gestellt wurde. Gleichfalls wurden die anderen oben erwähnten Veränderungen im Urin wahrgenommen und bestätigt. Die regelmässige mikroskopische Untersuchung des Auswurfes liess in der ersten Zeit eine auffallende Abnahme der Tuberkelbacillen erkennen. Während früher in jedem Gesichtsfelde 20—40 Stück und oft ganze Nester beobachtet wurden, ging ihre Zahl bald auf 3—4 in jedem Gesichtsfelde zurück, und die Nester verschwanden ganz. Zur Zeit der Vorstellung lagen die Verhältnisse so, dass überhaupt gar kein Auswurf mehr vorhanden war. Wenn aber im Verlaufe von 3—5 Tagen expectorirt wurde, so fanden sich auch regelmässig einige wenige Bacillen darin. Vier Wochen nach der Vorstellung waren die Bacillen vollständig verschwunden und an Stelle der frühern Cavernen waren krankhafte Veränderungen mit Sicherheit nicht mehr nachweisbar.

Folgende Zahlenwerthe wurden bei der Harnuntersuchung vom 4./III.—16./III. gefunden. Es wurden zwar mehr Harnuntersuchungen vorgenommen, doch mit Unterbrechungen, weshalb für die vorliegende Mittheilung nur die Zeitperiode gewählt wurde, in der am längsten unterbrochen der Harn des Kranken untersucht worden ist.

Harnmenge	$\overset{+}{U}$	Spec. Gew.	Säure	JK	Patient erhält	
2400*	52	1023	3·5	0·7	*1 gr	CHJ_3
2100*	51·5	1022	3·8	0·65	*1 gr	„
2050*	43·8	1016	4·0	0·57	*1 1/2 gr	„
2000*	45·7	1020	4·5	0·62	*2 gr	„
2100	48·8	1021	4·0	0·65		
1500	52·6	1025	3·2			
2600	55·6	1024	2·8			
2300*	50·5	1021	3·9	0·5	*0·75 gr	„
1600*	49·7	1021	4·2	0·45	*0·75 gr	„
2000	54·6	1024	2·5			
2100*	48·2	1020	3·8	0·3	*0·75 gr	„
2200*	49	1021	4·9	0·65	*0·75 gr	„
2000	54	1023	3·2	0·2		

Was die Wirkungen auf den Gesammtorganismus anlangt, so war das Allgemeinbefinden des Kranken in keiner Weise gestört. Es schien sich *mir* bei meinem Selbstversuch allerdings ein metallischer Geschmack im Munde bemerkbar zu machen, doch hat der Patient bei seiner viel längern Jodoformbehandlung nichts dergleichen gespürt. Sein Appetit war gesteigert, was allerdings auch eine indirecte Wirkung des Mittels sein kann. Entschieden trat aber bei dem Patienten eine *schlafmachende* Wirkung zu Tage. Vom Geruch des Jodoforms ist er niemals belästigt worden.

Es scheint, als ob Fett in der That eines der besten Absorptionsmittel für den Jodoformgeruch ist. Wenn man sich nur davor schützt, dass an den Fingern keine Jodoformpartikelchen hängen bleiben, so wird auch eine empfindliche Umgebung nichts von dem Geruche verspüren, wie das in so fataler Weise bei Jodoformpillen und Aetherlösungen sich bemerkbar macht. Von dem einmal ins Rectum gebrachten Jodoform hat man keinen Geruch mehr zu befürchten, falls man nur dafür gesorgt hat, dass das Ansatzrohr der Spritze nicht zu kurz ist, so dass vielleicht wieder etwas Jodoformlösung nach aussen zurückfliessen könnte.

G. Dosirung.

Versuchsthiere vertragen das Jodoform sehr gut, Kaninchen haben während der Zeit von 6 Wochen bis zu 10 gr pro Kilo Körpergewicht bekommen, Meerschweinchen sogar bis zu 15 gr, ohne dass irgendwie Krankheitserscheinungen aufgetreten wären. Nur wenn die einmal gegebene Dosis pro Kilo 0·75 gr Jodoform während mehrerer Tage überstieg, konnten Vergiftungserscheinungen beobachtet werden. Diese Jodoform-Mengen stimmen im Wesentlichen mit denen *Righini's* überein, der als tödtliche Dosis für ein Meerschweinchen 2 gr, für ein Lapin 3 gr, für einen Hund mittlerer Grösse 4 gr annahm. Wenn er nun angiebt: „l'iodoforme comme je l'ai démontré d'ailleurs, peut être administré dans la médicine humaine à la dose de 3 gr par jour sans provoquer aucun phénomène d'intolerance", so erscheint die Dosis gegenwärtig sehr hoch gegriffen zu sein, er selbst will 8 Tage hindurch täglich 3 gr genommen haben.

Nach unsern Erfahrungen wird man gut thun 1 gr pro die bei länger fortgesetztem Gebrauche nicht zu überschreiten. Die Maximaldosis der deutschen Pharmakopie mit 0·2 gr als Einzelgabe ist für allgemeine therapeutische Zwecke zu gering. Wenn, wie manche annehmen, eine Idiosynkrasie gegen das Jodoform besteht, so dürfte auch keine noch so gering bemessene Maximaldosis gegen unangenehme Erscheinungen von Seiten des Jodoforms schützen.

H. Löslichkeit des Jodoforms.

Bei dem Durchsehen der Literatur über das Jodoform fand ich nur ungenügendes angegeben betreffs seiner Löslichkeit, und zwar gerade derjenige Punkt, welcher für die chirurgische Praxis der wichtigste ist, wird meines Wissens nirgendwo erörtert. Die Pharmakopoe sagt: in Wasser ist das Jodoform fast unlöslich, aber löslich in 50 Theilen kalten und 10 Theilen siedenden Weingeistes, ferner in 5·2 Theilen Aether. Von der Löslichkeit in Oel sagt die Pharmakopoe nichts.

Ich habe die letztere Lücke auszufüllen gesucht, indem ich die Löslichkeit des Jodoforms in käuflichem Olivenöl bestimmte.

Es wurde eine abgewogene Menge Jodoform mit dem Olivenöl in eine dunkle Flasche gebracht. Das Jodoform wurde im Laufe des Tages mit dem Oel mehrmals geschüttelt und dann der grösste Theil des Oels abgegossen. Der Rest des Oels wurde mit Wasser ausgewaschen, zuletzt unter Zusatz von kohlensaurem Natrium. Darauf wurde der grösste Theil des Wassers aus der Flasche gegossen und die Flasche offen in einem Trockenapparat über Schwefelsäure drei Tage lang hingestellt. Es blieb jedoch immer noch Oel an dem Jodoformschüppchen hängen, und eine Wägung konnte daher kein genaues Resultat für die Jodoformbestimmung geben.

Deshalb wurde auf einem andern Wege vorgegangen. Es wurde zuerst eine 1 % Lösung von Jodoform in reinem Olivenöl gemacht, welches im Wasserbade bis auf 100° erhitzt worden war. Der noch heisse Kolben wurde in einen dunklen Schrank gestellt und darin tüchtig mehrmals geschüttelt. Am folgenden Tage war die Mischung bei 17° C. klar geblieben.

Das Nämliche geschah nun mit einer 3 % Lösung des Jodoforms in dem heissen Oel. Am folgenden Tage war eine kleine Menge Jodoform unter den eben angegebenen Verhältnissen ausgefallen.

In einem dritten Versuche ergab eine ebenso bereitete Lösung von 2·75% in 24 Stunden das Ausgefälltsein von sehr wenig ganz kleinen Krystallen. Man darf deshalb dieses Verhältniss ungefähr als die Sättigungsgrenze des Jodoforms in Olivenöl bezeichnen.

Das benutzte Olivenöl war ein im Ankauf als bestes bezeichnetes, geruchlos und ohne freie Säure. Bei Oelen anderer Herkunft wird das Verhältniss wahrscheinlich innerhalb gewisser Grenzen sich ändern.

Den Lösungen des Jodoforms in fetten Oelen oder Fett könnte man versucht sein vorzuwerfen, was *R. Koch* und *Wolffhügel* für das Carbolöl nachgewiesen haben, nämlich keine antiseptischen Eigenschaften zu besitzen (Mittheilungen aus dem kais. Gesundheitsamte, Band 1, Seite 251 u. 352). Der Vergleich würde jedoch nicht passen. Wenn man eine fette Jodoformlösung an Licht und Luft sich bräunen lässt und in die Flasche frei einen befeuchteten Kleisterstreifen einhängt, so bläut sich dieser binnen kurzer Zeit, wie ich das in der pharmakologischen Vorlesung des Herrn Geheimrath Prof Dr. *Binz* zu sehen Gelegenheit hatte. Das freie Jod dringt also aus dem Fett und Oel nach aussen in seine Nachbarschaft ein, und das ist alles, was wir bei seiner Anwendung zu verlangen haben. Das geschieht schon bei mässiger Zimmertemperatur; mithin wird es bei der um 20 Grad höheren des Organismus erst recht gesehen.

Zum Schlusse meiner Arbeit möchte ich nur darauf hinweisen, dass es mir nicht darum zu thun war, neue Anhänger für die Verwendung des Jodoforms in der innern Medicin zu gewinnen, sondern dass ich nur bezweckt habe, denjenigen, die von der grossen Heilkraft dieses Mittels auch bei innerlichen Affectionen, besonders der Tuberkulose, überzeugt sind, aber wegen der Schwierigkeit seiner Anwendung das Jodoform vielleicht weniger benutzt haben, als sie wünschten, eine Methode mitzutheilen, welche diese Schwierigkeiten gehoben und keine neuen geschaffen hat.

An dieser Stelle möchte ich mir erlauben, noch einmal Herrn Geheimrath Prof. Dr. *Binz* meinen aufrichtigen Dank für die Anregung zu dieser Arbeit und ebenso Herrn Stabsarzt Dr. *Behring* für die freundliche Unterstützung bei Anfertigung derselben auszusprechen.

Litteraturnachweis.

Bachrach, „Ueber Ausscheidung von Jodkali und ähnlichen Salzen durch den Harn im fieberfreien Zustande und im Fieber“, Inaug.-Diss. Berlin 1878.

Behring, „Ueber Jodoformintoxication“, D. med. Wochenschrift 1882, No. 20, 21.

— „Die Bedeutung des Jodoforms in der antiseptischen Wundbehandlung“, D. medicin. Wochenschrift 1882, No. 23, 24.

— „Ueber Jodoformvergiftung und ihre Behandlung“, D. medicin. Wochenschrift 1884, No. 5.

— „Ueber Jodoform und Acetylen“, D. medicin. Wochenschrift 1887, No. 20.

— „Cadaverin, Jodoform und Eiterung“, D. medicin. Wochenschrift 1888.

Binz, „Ueber Jodoform und Jodsäure“, Archiv für experiment. Pathol. und Pharmak. 1878, 8. S. 309.

— „Toxikologisches über Jodpräparate“, Archiv für experiment. Pathol. und Pharmak. 1880, 13. S. 113.

— „Das Verhalten der Auswanderung farbloser Blutzellen zum Jodoform“, Virchow's Archiv 1882, 89. S. 389.

— „Zur Jodoformfrage“, Therapeutische Monatshefte 1887, Mai.

Bruns und *Nauwerck*, „Ueber die antituberkulöse Wirkung des Jodoforms“, Mittheilungen aus der chirurgischen Klinik zu Tübingen 1887, III. Heft 1.

Chauvin und *Jorissenne*, „Referat für Anwendung des Jodoforms bei Lungentuberculose“, Therap. Monatshefte, Juni 1888.

Fischer, „Ueber Jodoformlösungen“, Pharm. Zeitg. 1887, 32. S. 149.

Gosselin, „Atténuation du virus de la Tuberculose, bei Verneuil „Études expérimentales et cliniques sur la Tuberculose“, Paris chez Masson 1887.

Högyes, „Ueber die physiologische Wirkung des Jodoforms und seine Umwandlung im Organismus“, Archiv f. experiment. Path. u. Pharmak. X, S. 227.

Jäckel, „Zur Jodoformfrage", Med. chir. Rundschau XXIII, 9, 10.

Kersch, „Beobachtungen und Untersuchungen über die in der Therapie gebräuchlichen Jodpräparate am Krankenbette", Memorab. IV, 9, S. 519.

Küssner, „Ueber die Bedeutung des Jodoforms für die Behandlung tuberk. Affectionen," D. med. Wochenschrift 1882, No. 17.

Lustgarten, „Ueber den Nachweis von Jodoform, Naphthol und Chloroform in thierischen Flüssigkeiten und Organen", Monatshefte für Chemie 1882, 715—722.

Lustgarten und *Mikulicz*, Sitzungsber. d. k. Akad. d. Wissensch. Wien, Bd. 85. Maiheft 1882.

Moleschott, „Ueber die Heilwirkungen des Jodoforms", Wiener med. Wochenschrift 1878, 24—26.

— „Jodoform gegen Diabetes mellitus", Wiener med. Blätter 1882, 17, 19.

Morel-Lavallée, „Jodoform bei Lupus vulgaris", Referat, Therap. Monatshefte, Juli 1888.

Neisser, „Zur Kenntniss der antibakteriellen Wirkung des Jodoforms", Virchow's Archiv f. path. Anat. und Physiol. 1887, 110.

Righini, „Jodoformognosie ou Monographie chimique physiologique, pharmaceutique de l'Jodoforme" traduit de l'Italien par le docteur E. Janssens, Journal de Médecine, de Chirurgie et de Pharmakologie, Bruxelles 1863.

Semon, „Jodoform as a local remedy in laryngeal phthisis", Virchow-Hirsch 1883.

Siegmund, „Zur Anwendung des Jodoforms bei venerischen und syphilitischen Krankheiten", W. med. Presse 1882, Nr. 13.

Thomann, „Ueber subcutane Jodoform-Einspritzungen bei Syphilis", Centralblatt f. die med. Wissenschaften 1881, Nr. 14.

Zeller, „Versuche über die Resorption des Jodoforms", Langenbeck's Archiv 1883, 28.

Bonn 1889.

VII.

Der antiseptische Werth der Silberlösungen.

Von Stabsarzt Dr. **Behring**, Bonn a/Rh.

Die Silberpräparate sind bisher in ihrer Wirkung auf Mikroorganismen wenig gekannt. In dem I Bande der Mittheilungen aus dem Reichsgesundheitsamt in der Arbeit von Prof. *R. Koch*: „Ueber Desinfection" sind die Silberverbindungen nicht erwähnt, und später finde ich nur von Prof. *Grawitz* über die antiseptischen Fähigkeiten derselben eine Notiz.

Prof. *Grawitz* fand, dass schon stark verdünnte Lösungen von Silbernitrat die Keimfähigkeit von Staphylococcus pyog. aureus aufheben; er scheint jedoch diese Beobachtung nicht weiter verfolgt zu haben, wie ich wegen folgender Bemerkung annehmen muss: „Es bedarf keiner besonderen Erwähnung, dass man bei Injection sehr dünner Lösungen, etwa 1 : 5000, wie sie *Thiersch* und *Nussbaum* zur Heilung von Krebsgeschwüren benutzt haben, zumal wenn man mehrere Spritzen Kochsalzlösung hinterdrein spritzt, nicht mehr auf die antiseptischen Eigenschaften des Silbernitrats rechnen kann, da dieses mit den Eiweisskörpern sofort weitere Verbindungen eingeht".

Ich selbst bin nur durch einen Zufall darauf gekommen, die im Folgenden zu beschreibenden Versuche anzustellen, dadurch nämlich, dass ich durch Prof. *Ladenburg* in Kiel für meine Versuche mit Pentamethylendiamin ein Präparat.

bekam, welches, ohne dass ich dies wusste, Silberoxyd gelöst enthielt. Die sehr auffallenden entwickelungshemmenden Eigenschaften dieses Präparats auf Milzbrandbacillen, Mikroc. pyog. aureus und andere Bacterien veranlassten mich, den Grad der antiseptischen Wirksamkeit in Nährlösungen und im Thierkörper genau festzustellen, und ich fand, dass im Blutserum und bei Thieren, welche mit Milzbrand inficirt waren, mit diesen Lösungen solche Erfolge erzielt werden können, wie sie bisher noch durch kein anderes antiseptisches Mittel erreicht sind.

Da ich die Pentamethylendiamin-Lösung für chemisch rein hielt, schrieb ich die antiseptische Wirkung selbstverständlich dem Pentam. zu. Aber der Umstand, dass die Resultate nicht gleichmässig waren, verhinderte mich immer, meine lange Zeit fortgesetzten Versuche als abgeschlossen zu betrachten.

In länger aufbewahrten Lösungen, namentlich wenn sie nicht auf's Sorgfältigste vor der Einwirkung des Lichts geschützt waren, schied sich nämlich ein schwarzspiegelnder Niederschlag aus, und mit der Menge des ausgeschiedenen Niederschlags nahm regelmässig die antiseptische Wirkung der Lösung ab.

Dieser Niederschlag nun erwies sich als Silber, und die weiteren Untersuchungen zeigten, dass die entwickelungshemmenden und bacterientödtenden Wirkungen meiner Pentamethylendiamin-Lösungen auf Rechnung der darin gelösten Silberverbindung zu setzen waren. Meine mit den Pentam.-Lösungen gemachten Erfahrungen waren zum Theil aber noch gut verwerthbar, nachdem ich mir von dem Procentgehalt an Silber durch die *Mohr*'sche Probe Kenntniss verschafft hatte.

A. Versuche in Nährlösungen.

Die Nährlösungen, welche allgemein zum Züchten von Bacterien angewendet werden, die Bouillon, die Nährgelatine und der Nähr-Agar enthalten bekanntlich eine nicht unbeträchtliche Menge an Chloriden. Eine von mir angefertigte Bouillon enthielt in 100 cbcm 9.45 Chlor = 0.75 NaCl, eine Bouillon von *Müncke* in Berlin 0.503 Chlor = 0.83 NaCl. — In allen Kochsalzlösungen fällt aber das Silber aus seinen Lösungen als Chlorsilber aus. In Folge der Bildung von ungelöstem Chlorsilber werden nun nicht nur die Nährlösungen trübe, sondern es wird auch die antiseptische Wirkung der Silberlösungen sehr beeinträchtigt [1]).

Die Resultate mit künstlichen Nährlösungen waren nicht gleichmässig, und ich glaube, dass ein wesentlicher Grund der Ungleichmässigkeit in der Verschiedenheit des Salzgehalts zu suchen ist. — Die Mehrzahl meiner Versuche habe ich daher mit flüssigem Blutserum angestellt. Diejenigen Versuchsreihen, in welchen ich mit Pentamethylendiamin-Lösungen arbeitete, deren Silbergehalt ich nicht mehr controliren kann, übergehe ich; ebenso will ich die mit Nährgelatine und Nährbouillon angestellten Versuche nicht im Einzelnen aufzählen, sondern nur erwähnen, dass bei meinen Versuchen mit silberhaltigen Pentam.-Lösungen annähernd dieselben Zahlen bei jenen künstlichen Nährlösungen wie beim Blutserum gefunden wurden.

Das Blutserum wurde in der bekannten Weise gewonnen. Im Schlachthause wurde in hohen sterilisirten Glascylindern Rinderblut aufgefangen und mit einem sterilisirten niedrigen Glascylinder, welcher einen weiteren Durchmesser hatte, als der hohe, überdeckt. Das Blutserum blieb 2 Tage im Eisschrank, vor Erschütterungen

---

1) Es wird in den meisten Lehrbüchern angegeben, dass Kochsalzlösung im Stande sei, Silberalbuminat zu lösen. — Für den durch Silberlösung im *Blutserum* erzeugten Niederschlag trifft dies aber nach meinen Beobachtungen so wenig zu, dass ich vielmehr bei Zusatz meiner klaren $^1/_4$ $^0/_0$igen Blutserum-Silberlösung zu 1 $^0/_0$iger Kochsalzlösung Opalescenz derselben beobachtete.

geschützt, stehen. Im Schlachthaus wurden dann von dem überstehenden Blutserum mit sterilisirter graduirter Pipette je 10 cbm in vorher sterilisirte Reagensgläser gefüllt. Beim Einfüllen wurde sorgfältig darauf geachtet, dass kein Blutserum am oberen Rande der Reagensgläser hängen blieb.

In einigen Fällen wurde das Blutserum absichtlich aus den Glascylindern in einem solchen Zustande in die Reagensgläser gefüllt, in welchem es noch gerade so viel rothe Blutkörperchen enthielt, dass es gut durchsichtig war.

Das flüssige Blutserum versetzte ich nun mit abgemessenen Mengen meiner Silberlösungen. Zur Erreichung recht genauer Dosirung erwies sich folgendes Verfahren als das zweckmässigste.

Eine Glasröhre aus dünnem Glase, deren Lichtung einen Durchmesser von 2 mm besitzt, wird in der Mitte kugelförmig ausgeblasen, so dass die Kugel $^1/_2$ cbcm Flüssigkeit fasst. *Ein* Ende des Glasrohrs bleibt unverändert, das andere wird etwa 6 cm lang in ein enges Capillarrohr ausgezogen. Man kann sich leicht davon überzeugen, dass Tropfen, die man aus dem Capillarrohr herausfallen lässt, stets genau die gleiche Grösse haben. Aus meinem Röhrchen fielen so grosse Tropfen, dass davon 80 genau einen Cubikcentimeter ausmachten.

Mittelst solcher Glasröhrchen fügte ich von meinen Silberlösungen mit genau festgestelltem Silbergehalt in die blutserumenthaltenden Reagensgläser so viel zum Blutserum hinzu, dass dasselbe den gewünschten Silbergehalt bekam, und löste durch Hin- und Herneigen des Reagensglases den zuerst sich bildenden Niederschlag auf.

Auf vorher bereit gehaltenen Deckgläschen wurden dann mit einer feinen Pincette kleinste Fasern von Seidenfäden gebracht, an welchen Milzbrandsporen angetrocknet waren. Diese dünnen Fädchen erhielt ich dadurch, dass ich mit einer Scheere von den Seidenfäden 1—2 mm lange Stückchen abschnit; beim Abschneiden zersplittern in der Regel die Fadenstücke in dünne Fasern.

Auf die mit den Seidenfäden beschickten Deckgläschen brachte ich mit einer mittelgrossen Platinöse einen Tropfen Blutserum und schloss. auf vorher etikettirten hohlen Objectträgern die Blutserum enthaltende Fläche der Deckgläschen mit Vaseline ein.

Die so präparirten hohlen Objectträger kamen dann in den Brütschrank. Jedesmal wurden zur Controle hohle Objectträger sonst ganz ebenso präparirt, aber mit dem Unterschied; dass an Stelle des silberhaltigen — reines Blutserum genommen wurde.

Trotzdem ich mehrere Hundert solcher hohler Objectträger im Laufe der Zeit genau beobachtet habe, erinnere ich mich doch nicht, jemals einen Misserfolg gehabt zu haben, während ich in den Versuchen mit Bouillon und Gelatine trotz aller Cautelen nicht selten in den Controlpräparaten ein Ausbleiben des Auskeimens der Milzbrandsporen zu verzeichnen hatte. Zur Erlangung sicherer Resultate habe ich daher Nährgelatine auf Platten ausgegossen, wobei ich für meine Zwecke die *Petri*'schen Doppelschalen am geeignetsten fand.

Versuche mit Silberoxyd-Pentamethylendiamin-Lösungen.

Von diesen Lösungen bereitete ich mir eine solche mit 1 $^0/_0$ Gehalt an reinem Silber für die Verdünnungen im Blutserum bis zu 20000 und eine solche mit 0,2 $^0/_0$ Silber für die Verdünnungen über 20000.

8. Juli	9. Juli	10. Juli	11. Juli
1 : 25000	nichts gewachsen	nichts	nichts
1 : 50000	„ „	lückenhaft gewachsen	
1 : 100000	gewachsen		
Controlpräparat	„		

11. Juli	12. Juli	13. Juli	14. Juli
1 : 30000	nichts	nichts	nichts
1 : 40000	"	"	"
1 : 60000	lückenhaft gewachsen	ziemlich reichlich gewachsen	
Controlpräparat	gewachsen	reichlich gewachsen	

Am 16. Juli wurden Seidenfädchen, welche 24 Stunden in 1 : 5000 und in 1 : 2500 in hohlen Objectträgern gelegen hatten, in frisches Blutserum übertragen. Ich bemerke bei dieser Gelegenheit, dass das Blutserum bei 1 : 2500 noch ganz durchsichtig ist; durch Kochsalzzusatz entsteht ein weisser käsiger Niederschlag. Nährgelatine und Bouillon zeigen schon bei 1 : 40000 eine deutliche Opalescenz.

16. Juli	17. Juli	18. Juli
Aus 1 : 2500	nichts	nichts
" 1 : 5000	"	gewachsen

Versuche mit Silbernitrat.

In diesen Versuchen geben die Zahlen immer den Gehalt an *reinem* Silber an. Um den Gehalt an Silber*nitrat* zu bekommen, muss man von den Zahlen den 3. Theil abziehen, so dass z. B. eine Verdünnung von 1 : 60000 *Silber* gleichzusetzen ist 1 : 40000 *Silbernitrat.*

Was die Trübung des Blutserums durch Silbernitrat betrifft, so ist bei 1 : 8000 das Blutserum noch so weit durchsichtig, dass man auf einer hell beleuchteten Papierfläche durch das Reagensglas hindurch Zahlen lesen kann. Durch Silbernitrat trübe gewordenes Blutserum wird vollkommen klar und durchsichtig, wenn man 5 Mal so viel Kali zusetzt, als Silber im Blutserum enthalten ist.

Ein durch Chlorsilber im Blutserum erzeugter Niederschlag wird durch Kalizusatz nicht so weit gelöst, dass das Blutserum klar und durchsichtig wird.

9. August	10. August	11. August
1 : 4000	nichts	nichts
1 : 8000	"	"
1 : 24000	"	
Controlpräparat	gewachsen	

10. August	11. August	12. August	13. August	Bemerkungen
1 : 8000	nichts	nichts	nichts	
1 : 10000	"	"	"	
1 : 16000	"	"	"	
1 : 20000	"	"	"	
1 : 40000	"	"	"	
1 : 50000	"	"	"	
1 : 80000	"	"	"	rothe Blutkörperchen noch erhalten
1 : 100000	"	an einer Stelle des Fadens gewachsen	lückenhaftes Wachsthum	"
1 : 200000	gewachsen			
Controlpräparat I	"			
" II	"			

10. August. In Blutserum-Silberlösung in einem Uhrschälchen 1 : 4000 wird ein Seidenfaden hineingelegt; nachdem derselbe 14 Stunden darin gelegen hat, wird er herausgenommen und auf steriles Blutserum gebracht.

10. August	11. August	12. August	13. August
Aus 1 : 4000	nichts	nichts	an einer Stelle des Seidenfadens einige vier- bis sechsgliederige Milzbrandfäden gewachsen.

Aus 1 : 10000 wird am 11. und am 12. August je ein Seidenfädchen auf frisches Blutserum gebracht.

11. August	12. August	13. August	14. August
Aus 1 : 10000 nach 24 Stunden	nichts	an einer Stelle gewachsen	lückenhaftes Wachsthum
	Aus 1 : 10000 nach 48 Stunden	nichts	nichts

Aus 1 : 20000 nach 48 Stunden und nach 72 Stunden werden Seidenfädchen in Bouillon im Reagensglas gebracht.

12. August	13. August	14. August
Aus 1 : 20000 nach 48 Stunden	dichtes Milzbrandfadengeflecht im Brütschrank	
	Aus 1 : 20000 nach 72 Stunden	Trübung durch Kokken Milzbrand?

13. August	14. August	15. August	16. August
Aus 1 : 8000 nach 70 Std.	nichts	nichts	Verunreinigung durch Kokken
„ 1 : 12000 nach 70 Std.	„	„	nichts
„ 1 : 50000 nach 70 Std.	„	Milzbrand? Verunreinigung durch Kokken	Milzbrandbacillen gewachsen

Versuche mit alkalischen Blutserum-Silberlösungen, welche vollkommen klar sind.

I. mit Kali: 10 ccm Blutserum,
10 ccm 1·5 % Silbernitratlösung,
20 ccm 2 % Kalilauge.

II. mit Ammoniak: 8 ccm Blutserum,
10 ccm 1·5 % Silbernitratlösung,
0·35 Ammoniak in 7 ccm destillirtem Wasser.

III. mit Kalkwasser: 7·0 ccm destillirtes Wasser,
65 ccm. Blutserum,
5 ccm 1·5 % Silbernitratlösung,
100 ccm Kalkwasser.

Es ergab sich, dass der antiseptische Werth dieser Lösungen um etwa 1/3 hinter dem der wässerigen Silbernitratlösung zurückbleibt.

Besonderer Erwähnung werth scheint folgender Versuch, welcher angestellt wurde, um das Verhalten *sporenfreier* Bacillen zu prüfen.

2 Uhrschälchen A und B werden mit *ammoniakalischer* Blutserum-Silberlösung halb gefüllt.

A 1: 5000
B 1: 25000

In beide Schälchen wird dann je ein Bacillen enthaltendes Milzstückchen von Maus XXXII in Hirsekorngrösse hineingeworfen.

Nach 20 Stunden, in welcher Zeit die Milzstückchen fast vollständig aufgelöst waren, wurden mit den noch erkennbaren Milzresten Mäuse sehr reichlich geimpft.

Junge Maus No. XXXVII

mit Milz aus 1: 25000 in eine Hauttasche an der Schwanzwurzel geimpft den 17. August, Abds. 6 Uhr; † 18. August, 12 Uhr Mittags (also nach 18 Stunden).

Maus No. XXXVIII.

mit Milz aus 1: 5000 geimpft den 17. August, Abends 6 Uhr; den 21. August lebt; wird für einen anderen Versuch verwendet.

Eine nach *Jacobi* mit Natron subsulfurosum hergestellte Silberchloridlösung, welche mit Blut keine Niederschläge giebt, und welche, subcutan injicirt, ausserordentlich schnell resorbirt wird, scheint weniger bei Milzbrandbacillen zu leisten.

Versuche mit Sublimat.

10. August	11. August	12. August	Bemerkungen
1: 5000	nichts	nichts	
1: 8000	"	"	
1: 10000	"	an einer Stelle gewachsen	
1: 20000	dichtes Fadengeflecht		rothe Blutkörperchen aufgelöst

11. August	12. August	13. August
Aus 1: 5000 nach 24 Stunden	im ganzen Präparat reichlich kurze und stark gekrümmte Fäden gewachsen	

Eine Wiederholung der Versuche am 20. August ergab, dass bei 1 : 8000 am dritten Tage noch lückenhaftes Wachsthum eintrat; ich muss aber bemerken, dass das Blutserum schon 8 Tage alt war.

Diese Zahlen — verglichen mit den für andere Antiseptica angegebenen — stellen schon die Silberverbindungen auf eine sehr hohe Stufe, aber das Resultat wird noch viel günstiger, wenn man Folgendes berücksichtigt:

Als unser bestes Antisepticum und Desinficiens gilt bisher die Quecksilber-Sublimatlösung. In Nährgelatine und in Nährbouillon hebt Sublimat die Entwickelung von Milzbrandbacillen noch vollständig bei 1 : 330000 auf, und Milzbrandsporen werden in 10 Minuten noch durch eine wässerige Sublimatlösung von 1 : 20000 getödtet.

Faulendes Pankewasser (in seiner Beschaffenheit einem ziemlich stark verunreinigten Rinnsteinwasser vergleichbar) erforderte zur Desinfection nach *R. Koch*[3] allerdings 1 : 2000, Kielwasser 1 : 1000, faulendes Blut 1 : 400 Sublimat zur wirksamen Desinfection. Dagegen wird wohl allgemein für steriles Blut an jenen hohen Zahlen festgehalten, welche durch Beobachtungen an den künstlichen Nährlösungen gewonnen wurden, und *Koch* selbst legt bei seinen Versuchen, in welchen er mit Milzbrand inficirte Thiere mit Sublimat behandelte, auch diese Zahlen zu Grunde. Ebenso wurden auch auf dem letzten Chirurgen-Congress in dem Bericht über die mit Sublimat imprägnirten Verbandstoffe diese Zahlen für diejenigen Verhältnisse, welche in der Chirurgie in Frage kommen, als zutreffend angenommen.

Bei meinen Versuchen zeigte es sich aber, dass auch in *sterilem* flüssigen Blutserum, sowohl in solchem, welches fast frei von Blutkörperchen ist, wie auch in solchem, welches noch ziemlich viel rothe Blutkörperchen enthält, Sublimat erst bei 1 : 8000 die Entwickelung von Milzbrandbacillen aufhebt, und dass Milzbrandsporen, welche 24 Stunden in solchem Blutserum gelegen hatten, welches 1 : 5000

Sublimat enthielt, ebenso schnell zu Fäden auswuchsen, nachdem sie in frisches Blutserum gebracht waren, wie die Sporen im Controlpräparat. Sublimat leistet also im Blut etwa 40 Mal weniger, als in den künstlichen Nährlösungen.

Die Silberlösungen werden demnach vom Sublimat überall da bedeutend übertroffen, wo wir es mit reichlichem Chlorgehalt zu thun haben; ferner verdient Sublimat in allen den Fällen den Vorzug, wo Oberflächen zu desinficiren sind, und in allen Flüssigkeiten von geringem Eiweissgehalt.

Aber überall da, wo wir es mit dem Blut selbst oder mit Flüssigkeiten zu thun haben, welche in ihrer Zusammensetzung dem Blute mehr ähnlich sind, als jenen künstlichen Nährlösungen, ist das Silber in seinen Lösungen unter allen bisher geprüften antiseptischen Mitteln das leistungsfähigste und leistet etwa 5 *Mal mehr, als Quecksilberchlorid.*

B. Versuche an Thieren.

Bisher ist der Beweis nicht gelungen, dass der Krankheitsverlauf bei Thieren, welche mit Milzbrand inficirt wurden, durch irgend ein chemisch wirkendes Medicament günstig beeinflusst werden kann. *Davaine* hat zwar behauptet, durch Jod-Präparate dies leisten zu können. Nach der von *Koch* im 1. Band der Mittheilungen aus dem Reichs-Gesundheitsamt (pag. 268) ausgeübten Kritik sind aber über die heilende Wirkung der Jod-Präparate bei Milzbrand keine weiteren Mittheilungen bekannt geworden.

Jedoch es steht nicht nur der Beweis dafür aus, dass es möglich ist, durch ein chemisches Mittel Milzbrand zu *heilen*, es konnte bisher auch der Beweis nicht geliefert werden, dass man überhaupt im Stande ist, durch ein chemisches Agens im lebenden Thierkörper die Entwickelung der Milzbrandbacillen aufzuhalten.

Die negativen Resultate der Versuche *Koch's* in dieser

Hinsicht sind bekannt, und sie sind reichlich für die Ansicht ausgenutzt worden, dass eine Antisepsis im lebenden Körper überhaupt nie möglich sein wird.

Unter Berücksichtigung dieser Sachlage glaube ich für die Resultate meiner Thierversuche einiges Interesse in Anspruch nehmen zu können.

Die grosse Mehrzahl der Thiere, welche ich mit Silber behandelte, erhielt dasselbe als Silberoxyd in Penthamethylendiamin-Lösung subcutan injicirt. Von denjenigen Lösungen, mit welchen ich die ersten 16 Kaninchen, 25 Mäuse uud 10 Meerschweinchen behandelte, lässt sich der Silbergehalt nicht mehr feststellen. Es hat daher wenig Werth, über diese Versuchsthiere im Einzelnen zu berichten, und ich begnüge mich, die Resultate kurz zusammenzufassen.

1. Nach Anwendung grosser Dosen fanden sich als allgemeine Vergiftungssymptome während des Lebens bei allen 3 Arten von Versuchsthieren krankes, struppiges und gedunsenes Aussehen, zusammengekauerte Haltung, dünner Koth, starker Durst — so dass Kaninchen und Meerschweinchen trotz nassen Futters (grünes Gras) aus einem Teller begierig Wasser soffen —, vermehrte Urinabsonderung, verminderte Fresslust.

In den stürmisch verlaufenden Fällen, welche vorzugsweise bei Mäusen vorkamen (bei Kaninchen zuweilen nach Injection der Lösungen in die Blutbahn) wurde starke Dyspnoe und allgemeine Prostration beobachtet. Die Thiere streckten die Extremitäten aus und blieben, wenn sie angestossen wurden, lange auf der Seite liegen.

In solchen Fällen, wo diese Symptome der Vergiftung gefunden wurden, waren Bacillen ausnahmslos weder im Blut noch in den Organen zu finden, auch dann nicht, wenn die an Silbervergiftung zu Grunde gegangenen Thiere länger gelebt hatten, als die Controlthiere.

2. Bei solchen Dosen, die den tödtlich wirkenden nahe kamen, lebten Kaninchen 1—3 Tage, 3 Meerschweinchen 2—3 Tage, mehrere Mäuse 12—24 Stunden länger, als die Controlthiere. Schliesslich aber sind alle diese Thiere an Milzbrand zu Grunde gegangen.

3. Durch kleinere Dosen wurde ein Vortheil für die Versuchsthiere überhaupt nicht erreicht; es schien sogar mehrmals, als ob die mit kleinen Dosen behandelten Thiere sich im Nachtheil im Vergleich zu den Controlthieren befänden.

In den nachfolgend aufgeführten Versuchsreihen wurde eine unzersetzte 2·2 %ige Pentameth.-Lösung angewendet, deren Gehalt an Silber auf 2 % durch die *Mohr*'sche Probe bestimmt wurde. Das Silber war, wie Herr Professor *Ladenburg* mir mittheilte, als Silberoxyd in der Lösung vorhanden.

I. Kaninchen.

	Nr. XVII, 1200 g. Inf. mit 1/4 Milz von Maus Nr. XXIV, den 24./VII. 10 Uhr Vm., † 26./VII. 1 1/2 U. Nm.
24./VII., 8 Uhr Vm. 0·025 (von der 2 % Lösung) subcutan. 3 Uhr Nm. 0·013 8 Uhr Abds. 0·012 25./VII. 0·02 26./VII. 9 1/2 Uhr Mrgs. 0·01 Ohrvene 1 Uhr Nm. 0·02 Ohrvene.	25./VII. An denjenigen Stellen der Haut, an welchen die Injectionen gemacht sind, fallen die Haare gänzlich aus, so dass die Haut in Thalerstück grossen Flächen kahl zum Vorschein kommt. Diese Stellen sehen succulent aus und fühlen sich feucht an. Der Koth fängt an dünn zu werden. Das Thier sieht struppig und krank aus; frisst aber noch gut; es hat grossen Durst. 26./VII. Grünliche Verfärbung der stark geschwollenen Umgebung der Hauttasche. Die Wundränder derselben sind verklebt. 10 Minuten nach der 2. Injection in die Ohrvene stirbt das Thier unter Erstickungssymptomen. — Sectionsbefund (3 Uhr Nm.). Mit missfarbiger Flüssigkeit imbibirte Geschwulst am Bauch. — In der Bauchhöhle ca. 3 ccm klare, seröse Flüssigkeit. Harnblase stark ausgedehnt und mit Flüssigkeit prall gefüllt. Milz klein, scharfrandig. Leber blass, derb. Gallenblase mit dunkelgrünlich gefärbter Galle prall gefüllt. Zwölffingerdarm stark

geröthet, etwas ausgedehnt, mit gallig gefärbtem Inhalt. Wenig weicher Koth im Darm. Zahlreiche Ekchymosen in den Lungen.

In der Geschwulstflüssigkeit keine Bacillen, auch keine anderen Bakterien. Im Herzblut, in Milz, Leber, Lungen keine Bacillen.

Nr. XVIII (Controlthier).
Inf. mit 1/4 Milz (Bauchtasche) von M. XXIV, 24./VII. 10 Uhr Vm.,
den 26./VII. Morgens † gefunden.

Sektionsbefund (26./VII. Morgens). Sehr starkes Oedem am Bauch. Ekchymosen in den Lungen.

Grosse, weiche Milz mit abgerundeten Rändern. Leber und Milz stark bluthaltig. Im Mastdarm feste Kothballen. Mässig viel Bacillen im Blut aus dem Herzen und in Strichpräparaten aus Leber und Milz. (In einem Gesichtsfeld bei *Leitz* Immers. 1/12, Ocul. O. 6—10 Bacillen.) Viel Bacillen in einem Strichpräparat aus den Lungen.

24./VII. 0·015
0·013
0·01

Nr. XIX, 950 g.
Inf. mit 1/4 Milz von Maus XXIV, den 24./VII.,
den 26./VII. Morgens † gefunden.

Sectonsbefund. Im Blut in einem Gesichtsfeld 2—3 Bacillen; in einem Strichpräparat aus der Milz 4—6.

24./VII. 0·02 subcutan
0·013
0·012
25./VII. 0·02

Nr. XX, 1000 g.
Inf. mit 1/4 Milz von Maus XXIV, den 24./VII.
10 Uhr Vm., † 26./VII. 9 Uhr Vm.

Sectionsbefund (10 Uhr Vm.). Mastdarm von Gas aufgetrieben, ohne Inhalt, wenig weicher Inhalt im übrigen Darm. —

Im Blut aus dem Herzen 1—2 Bacillen im Gesichtsfeld. Strichpräparat aus der Milz durchschnittlich 2 Bacillen im Gesichtsfeld.

Gleichzeitig mit Kaninchen Nr. XXI wurden von der Maus XXVII die Meerschweinchen Nr. XI, XII und XIII geimpft.

26./VII. 6 Uhr Nm.
0·014 subcutan

Nr. XXI, 900 g.
Inf. mit 1/4 Milz von Maus Nr. XXVII, den 26./VII. Abds. 8 Uhr, † 30./VII. 11 Uhr Vm.
(lebte 86 Stunden).

28./VII. Beide Ohren stark geschwollen.

Sectionsbefund. Keine Bauchgeschwulst. Im Mastdarm fester Koth. — Sulzige Flüssigkeit im Herzbeutel. Milz klein. Sehr

27./VII. M. 0·01 Ohrvene A. 0·006 do. 28./VII. 0·005 do. 29./VII. 0·01 subcutan.	blasse und blutarme Leber und Nieren. — Normale Lungen. Bacillen in der Milz in Häufchen zu 8—10 zusammengedrängt. Solcher Häufchen in einem Gesichtsfeld durchschnittlich 1—2.
	Nr. XXII, 1000 g. Inf. mit Milzsaft von Meerschw. Nr. XIII, den 28./VII. 2 U. Nm., † 29./VII. 10 U. Vm.
28./VII. 2 Uhr Nm. 0·01 ($1^0/_0$ Lösung).	28./VII. Das Thier wird alsbald nach der Einspritzung in die Ohrvene, welche sehr gut gelungen war, ausserordentlich kurzathmig, legt sich auf die Seite. Nach $^1/_4$ Stunde liegt es auf der Seite, die Hinterbeine nach hinten lang ausgestreckt; starke Dyspnoe. — Später liegt es meist auf der Seite.
29./VII. $9^1/_2$ Uhr 0·004 Ohrvene.	29./VII. Sitzt zusammengekauert und ist sehr kurzathmig. Nach der Einspritzung ähnlicher Zustand wie gestern. Tod unter Erstickungssymptomen 2 Stunden später. — Sectionsbefund. Im Herzblut und in Strichpräparaten aus Milz, Leber und Lunge keine Bacillen. — Mit Blut geimpfte Gelatine-Cultur im Reagensglas bleibt steril. — Maus Nr. XXX mit Blut geimpft bleibt am Leben. Gleichzeitig mit den folgenden 3 Thieren werden Meerschweinchen Nr. XV und XVI mit derselben Bouillon-Cultur inficirt.
	Nr. XXIII, 1700 g. Infection mit 2 ccm einer mit Wasser verriebenen Bouillon-Cultur subcutan den 3./VIII. 12 Uhr Mittags.
1./VIII. 0·005 in eine Vene des recht. Ohrs. 3./VIII. M. 0·005 Vene des linken Ohrs. Abends 0·005 desgl. 4./VIII. A. 0·01 subcutan in die inficirte Bauchgegend. 0·005 Ohrvene 5./VIII. 0·02 subcutan 0·01 do. 0·01 do.	4./VIII. Das ganze linke Ohr sehr stark geschwollen. Die Geschwulst des rechten Ohrs hat abgenommen. Abends. Das Thier sieht krank aus und hat dünnen Koth. Scheinbar grosser Durst. 5./VIII. Mässige Vermehrung der Anschwellung des rechten Ohrs. Das linke Ohr noch stark geschwollen. 25./VIII. Das Thier lebt. (Gewicht 1750 g).
	Nr. XXIV, 1100 g. Infection mit $1^1/_2$ ccm derselben verdünnten Bouillon-Cultur wie XXIII, den 3./VIII. 12 U. M., † 5./VIII. 9 U. Vm.
3./VIII. $12^1/_2$ Uhr Mitt. 0·005 Ohrvene 0·005 subcutan	5./VIII. Sehr starke Schwellung der Basis beider Ohren.

4./VIII. 0·005 Ohrvene 0·005 subcutan 0·005 do.	Sectionsbefund. Bacillen im Blut und in den Organen, auch in der Flüssigkeit der Ohrgeschwulst ziemlich reichlich Bacillen.
	Nr. XXV, 1000 g (Controlthier). Inf. mit 1 ccm wie Nr. XXIII und XXIV den 3./VIII. 12 U. M., † 5./VIII. 4 U. Nm. Sectionsbefund. Milzbrand.

II. Mäuse.

Von Mäusen führe ich nur wenige Versuchsreihen an; ein grosser Theil der Mäuse wurde dazu benutzt, um neue Lösungen auf ihre Wirkung zu prüfen, andere dienten dazu, bei Kaninchen und Meerschweinchen den mikroskopischen negativen Befund in Bezug auf Milzbrand durch Fehlschlagen der Impfung zu vervollständigen.

Die folgenden 7 Mäuse waren von gleichem Wurf und durchschnittlich 20 g schwer. Sie wurden sämmtlich am 12./VII. Nachmittags $3^1/_2$ Uhr in eine Tasche an der Schwanzwurzel mittelst einer dicken Platinnadel mit Gelatinecultur von Maus Nr. IV inficirt.

Die Pentamethylendiamin-Silberlösung war noch unzersetzt und ihr antiseptischer Werth stimmte fast genau überein mit derjenigen, welche später auf ihren Silbergehalt geprüft wurde, so dass die hier angegebenen Dosen mindestens annähernd richtig sein müssen. — Alle starben an Milzbrand.

	Nr. XIV.
12./VII. 12 U. M. 0·0015 8 U. A. 0·005	† 14./VII. 5 Uhr Nm. (lebte 50 Std.). 13./VII. Sieht krank und struppig aus.
	Nr. XV.
12./VII. 12 U. M. 0·0015 8 U. A. 0·001 14./VII. 12 U. M. 0·001	† 14./VII. 6 Uhr Nm. (lebte 51 Std.). 13./VII. Sieht krank und struppig aus.
	Nr. XVI.
12./VII. $3^1/_2$ Uhr Nm. 0·0015 8 U. A. 0·0015	† 14./VII. 4 Uhr Morgens (37 Stunden). 13./VII. Sieht krank und struppig aus.
	Nr. XVII.
12./VII. $3^1/_2$ Uhr Nm. 0·0015 8 U. A. 0·0005	den 14./VII. 4 U. Morg. † gefunden (? Std.). 13./VII. Sieht krank und struppig aus.
	Nr. XVIII.
12./VII. 8 Uhr A. 0·002	† 13./VII. 3 Uhr Nm. (23 Stunden).
	Nr. XIX.
12./VII. 8 Uhr A. 0·002	† 13./VII. $3^1/_2$ Uhr Nm. ($23^1/_2$ Stunden).
	Nr. XX Controlmaus. † 13./VII. $10^1/_2$ Uhr Vm. (18 Stunden).

Dass die Berechnung der Silbermenge als richtig anzunehmen ist, dafür spricht wegen der stärkeren Vergiftungserscheinungen nach etwas grösserer Dosis folgende Versuchsreihe, in welcher ganz genau auf ihren Silbergehalt geprüfte Pentameth.-Lösung zur Anwendung kam.

Die folgenden drei jungen Mäuse waren von einem Wurf und ca. 15 g schwer.

	Nr. XXXXI.
21./VIII. 7 Uhr A. 0·0035	Infection mit Blut von Meerschweinchen Nr. XXXII, den 21./VIII. 3 Uhr Nm., den 22./VIII. Morgens † gefunden.
	Kein Milzbrand.
	Nr. XXXXII.
21./VIII. 7 Uhr A. 0·004	21./VIII. Nach der Einspritzung liegt die Maus auf der Seite; starke Dyspnoe. Abends wird sie zusammengekauert gefunden. Beim Umlegen des Glases bleibt sie auf der Seite liegen.
	22./VIII. Vm. 7 Uhr liegt die Maus auf der Seite. Dyspnoe. Um 10 U. derselbe Befund.
	Wird getödtet. (1 Stunde nach Eintritt des Todes der Controlmaus.)
	Kein Milzbrand, weder im Blut noch in den Organen.
	Nr. XXXXIII (Controlmaus).
	† 22./VIII. 9 Uhr Vm. (Milzbrand).

III. Meerschweinchen.

Bei Meerschweinchen Nr. XI, XII, XIII und XIV, welche sämmtlich unter 400 g wogen, hatte sich gezeigt, dass von der 2 %igen Lösung ein grosser Theil des Silbers an der Injectionsstelle unter der Haut liegen blieb. Nach Abziehen der Haut kam an den Injectionsstellen eine 1 bis 2 mm dicke Schwarte zum Vorschein, welche zuerst eine bräunliche Färbung (durch theilweise reducirtes Silber?) darbot und, dem Licht ausgesetzt, in kurzer Zeit sich intensiv schwärzte. Die nächste Umgebung dieser Schwarte war missfarbig in ähnlicher Weise, wie bei einer durch Fäulniss veränderten Unterhaut-Fettgewebsschicht. Eigens zur Erklärung dieser Erscheinung unternommene Versuche bewiesen, dass keine wirkliche Fäulniss als Ursache anzusehen war, sondern dass das Pentamethylendiamin diese Farbenveränderung zu Stande bringt.

In den folgenden Versuchen kamen $^1/_2$ %ige bis höchstens $^3/_4$ %ige Lösungen zur Anwendung, welche besser resorbirt wurden.

P-Silberoxydlösung.	Nr. XV, 190 g.
3./VIII. 0·005 subcutan	Infection mit $^1/_2$ ccm mit Wasser verdünnter Bouillon-Cultur den 3./VIII. 11 Uhr Vm.
0·005 do.	† 4./VIII. 5 Uhr Abends (30 Stunden).
4./VIII. 0·005 do.	Sectionsbefund. Sehr starkes Oedem am Bauch. Milzbrand.

Nr. XVI, 230 g (Controlthier).
Inf. mit 1/2 ccm derselben Bouillon-Cultur wie Nr. XV, den 3./VIII. 11 Uhr M.
† 4./VIII. 6 Uhr Abends (31 Stunden).
Sectionsbefund. Milzbrand.

Nr. XVII, 290 g (Controlthier).
Inf. mit einem hirsekorngrossen Milzstückchen von Nr. XVI, den 4./VIII. 6 1/2 Uhr Abds. den 6./VIII. M. † gefunden. (ca. 30 Std.).
Sectionsbefund. Milzbrand.

4./VIII. 0·015
5./VIII. 0·01
0·01
0·005

Nr. XVIII, 270 g.
Infection mit Milzstückchen von Nr. XVI, den 4./VIII. 6 1/2 Uhr Abends, den 6./VIII. M. † gefunden (ca. 30 Std.).
Sectionsbefund. Das Thier erscheint im Ganzen geschwollen. Mässiges Oedem am Bauch. In der Bauchhöhle ca. 10 ccm klare seröse Flüssigkeit. Darm leer. Magen und Duodenum mit stark gefüllten Blutgefässen der Aussenwand, enthalten galligen Schleim. Leber, Milz und Nieren von fester Consistenz, ausserordentlich blass und blutleer. Negativer mikroskopischer Befund in Bezug auf Bacillen.
Maus Nr. XXXI mit Blut geimpft bleibt am Leben.

4./VIII. 0·01 in 2 ccm
5./VIII. 0·01
0·01
0·005

Nr. XIX, 350 g.
Infection wie Nr. XVII und XVIII, † 7./VIII. 12 Uhr Mittags (66 Stunden).
Sectionsbefund. Milzbrand.

Bei Nr. XX bis XXV erwiesen sich ammoniakalische Blutserum-Silberlösungen wegen der starken Reizerscheinungen als unzweckmässig zur Behandlung.

Höllensteinlösung.
13./VIII. 0·015 in 2 ccm
0·015 desgl.
14./VIII. 0·015 in 2 ccm
0·022 in 3 ccm

Nr. XXVI, 850 g.
Infection mit 2 Oesen Bouillon-Cultur, den 13./VIII. 6 Uhr Abends, den 15./VIII. M. † gefunden (ca. 34 Std.).
14./VIII. Morgens krank aussehend, fester Koth; Abends weicher Koth.
Sectionsbefund. Sehr wenig weicher Inhalt im Darm; ca. 5 ccm klare Flüssigkeit in der Bauchhöhle. Im Blut, in der Leber, Milz und in den Lungen keine Bacillen. Junge Maus (Nr. XXXII), mit 2 Oesen Blut geimpft, bleibt am Leben und wird am 19./VIII. für einen anderen Versuch verwendet.

	Nr. XXVII, 770 g. Inf. mit Milzstücken von Meerschweinchen Nr. XXIII, den 15./VIII. 7 1/2 Uhr Abends, † 17./VIII. 2 1/2 Uhr Nm.
15./VIII. 0·0125 (3/4 % Lösung) 0·0075	
16./VIII. 0·012 0·009 0·012	
17./VIII. 0·012	Sectionsbefund. Milzbrand. Bei Untersuchung derjenigen Stellen unter der Haut, an welchen die Einspritzungen gemacht wurden, finden sich dicke silberglänzend weisse Schwarten von Markstückgrösse und darüber. Dem Licht ausgesetzt, schwärzen sich die ausgeschnittenen Schwarten in kurzer Zeit. Es finden sich vereinzelt Bacillen in dem auf Deckgläschen ausgestrichenen Saft der Schwarte.

	Nr. XXVIII, 700 g. Inf. mit Milz von Meerschweinchen Nr. XXIII, den 15./VIII. 7 1/2 Uhr Abends, lebt.
15./VIII. 0·015 (2 ccm) 0·01	15./VIII. Nachmittags sieht das Thier krank und struppig aus, so dass es scheint, als ob es den folgenden Tag nicht mehr lebend gefunden werden sollte.
16./VIII. 0·012 (2 ccm) 0·012 0·012	16./VIII. Sieht krank aus. Fester Koth. Das Thier erscheint im Gegensatz zu den drei anderen Versuchsthieren, welche ganz munter sind, traurig und sieht gedunsen aus.
17./VIII. 0·012 (Mitt.) 0·0135	17./VIII. Sieht etwas munterer aus; erhält, nachdem bei XXVII Milzbrand constatirt war, weitere Einspritzungen.
18./VIII. 0·012	18./VIII. Sieht noch etwas gedunsen aus. Koth fängt an dünn zu werden; daher wird mit den Einspritzungen aufgehört.
	25./VIII. Lebt und scheint ganz gesund zu sein.

Ueberblicken wir die bei meinen Thierversuchen gewonnenen Resultate, so ergiebt sich, dass bei Kaninchen, Meerschweinchen und Mäusen durch genügend grosse Silbermengen die Entwicklung der Milzbrandbacillen im lebenden Thierkörper gehemmt wird.

Ein Kaninchen und ein Meerschweinchen sind dauernd am Leben geblieben. [1])

---

1) In einer nach Abschluss dieser Arbeit unternommenen Versuchsreihe mit Silberchlorid - Natron subsulfurosum - Lösung (3) blieb auch eine *Maus* am Leben. Die nach *Jacobi* zubereitete Silberchorid-Natron subsulfurosum-Lösung wird schnell und vollständig von der

Mehrere Thiere schienen zuerst sowohl die Intoxication durch Silber, als auch die Milzbrandinfection überstanden zu haben, sind aber, nachdem mit der Behandlung aufgehört wurde, doch an Milzbrand zu Grunde gegangen.

Es scheint, dass zur Verhütung des tödtlichen Ausgangs durch Milzbrand nicht diejenigen Silbermengen genügen, welche zur Entwickelungshemmung ausreichen, sondern dass dazu in den Körpersäften eine solche Menge Silber gelöst sein muss, welche im Stande ist, Milzbrandbacillen zu tödten. Nach den Versuchen ausserhalb des Thierkörpers lässt sich annehmen, dass dieser Zweck erreicht wird, wenn während einer Zeit von 2—3 Tagen das gelöste Silber in einer Concentration von 1 : 15 000 im Körper vorhanden ist.

Bei den mit subcutanen Injectionen behandelten Thieren lässt sich die im Körper circulirende Silbermenge deshalb nicht gut berechnen, weil einmal immer eine nicht zu bestimmende Quantität unter der Haut liegen bleibt, ferner aber auch, weil sich schwer sagen lässt, in welcher Weise nach der Resorption die Vertheilung des Silbers vor sich geht. Besser eignen sich diejenigen Fälle für unsere Rechnung, in welchen die Silberlösung direkt in die Blutbahn gebracht wurde — vorausgesetzt, dass man hier annehmen darf, dass das Silber einige Zeit im Blut circulirt. Nehmen wir bei Kaninchen Nr. XXVIII die Blutmenge zu ca. 150 an, so ist bei einmaliger Einspritzung von 0·005 die Concentration im Blut gleich 1 : 30 000. Da aber dieses Thier im Ganzen vier solcher Einspritzungen erhalten hat, so ist anzunehmen, dass vom 3. bis zum 5. August die Concentration von 1 : 15 000 erreicht und durch die Einspritzungen unter die Haut am 5. August auf dieser Höhe erhalten wurde.

Haut aus resorbirt, und man darf von derselben Mäusen nicht mehr als 0.0005 auf einmal subcutan injiciren.

Ob durch die Wahl solcher Silberlösungen, welche besser von der Haut aus resorbirt werden, als meine Pentamethylendiamin - Silberoxydlösungen, besonders aber besser als die Silbernitratlösungen die Erfolge in Bezug auf die Erhaltung des Lebens sich noch günstiger gestalten können, muss erst durch neue Versuche festgestellt werden.

Allgemeine Bemerkungen.

Als auf dem diesjährigen Congress für innere Medicin in Wiesbaden über die Therapie der Phthisis verhandelt wurde, hat die Ansicht des Referenten, dass „eine Antisepsis im lebenden Körper bis jetzt noch unausführbar sei" und dass „allein die Widerstandskraft des Organs (i. e. der Lungen) gegen den Bacillus den Sieg verbürge", Widerspruch nicht gefunden, und in der That scheint die lange Geschichte der Therapie der Phthisis die Richtigkeit dieser Sätze zu beweisen.

Wie aber hier für die Tuberculose ein directer Angriff gegen die Krankheitsursache als aussichtslos angenommen wurde, so scheint mehr und mehr es ein Axiom werden zu sollen, dass überhaupt „eine allgemeine innere Desinfection des Körpers immer unmöglich bleiben wird."

Die Kliniker sind entweder a priori davon überzeugt, oder sie sehen sich durch die Erfahrungen der Praxis zu dieser Resignation gezwungen.

Eine Zeit lang hatte zwar die Entdeckung von Mikroorganismen als die Ursache der Infectionskrankheiten die Hoffnung auch auf therapeutische Fortschritte durch einen directen Angriff gegen die Krankheitserreger angefacht. Jetzt aber kehrt, wie *Virchow* (4) sagt, die Frage, wie im lebenden Körper den Bacterien beizukommen sei, „folgerichtig wieder in den Gedankenkreis der Cellularpathologie zurück", und wenn hie und da noch eine andersartige Beeinflussung der Mikroorganismen als durch den Kampf der Zellen mit den Bacterien angenommen wird, so wird nicht an eine Beeinflussung durch medicamentöse bezw. durch chemisch wirkende Stoffe gedacht, nicht an eine directe Beeinflussung der Mikroorganismen, sondern an die in ihrer Wirkungsweise noch unerklärlichen Schutz-Vaccinen, wie sie *Pasteur* für mehrere infectiöse Krankheiten hergestellt hat.

Im Gegensatz zu dieser Verzichtleistung auf eine directe antiparasitäre Wirkung chemischer Stoffe im lebenden Organismus hat *Binz* auf Grund seiner experimentellen Arbeiten seit Ende der 60er Jahre den Standpunkt vertreten,[6] dass einige unserer besten Arzneimittel dadurch heilsam sind, dass sie die krankmachende *Ursache* abschwächen oder unschädlich machen. Auf dem 2. Congress für innere Medicin sprach er zum Schluss seines Vortrags „Ueber die Abortivbehandlung der Infectionskrankheiten“ sich in folgender Weise aus:

„Nicht mehr der Zufall, dem wir die Kenntniss der Chinarinde verdanken, leitet jetzt den Menschen im Kampfe gegen die unsichtbaren Feinde; planmässig werden die Kräfte aufgesucht, die in den Producten der Natur, wie in denen der chemischen Wissenschaft angehäuft sind; und was das letzte Jahrzehnt uns da an chininähnlichen Leistungen geliefert hat, bietet alle Hoffnung auf schliesslich mögliche directe Behandlung auch solcher Infectionen, die wir gegenwärtig noch als höchstens symptomatisch bekämpfbar kennen. Das mag noch geraume Zeit dauern, aber für die heutige Forschung soll es wenigstens nicht als unerreichbar gelten. Wollten wir sagen: das sind Zukunftsträume täuschenden Inhalts, oder wollten wir gar prophezeien, wie das gestern nahezu geschah, — „eine allgemeine Desinfection des Körpers werde immer vergeblich bleiben,“ — so würden wir damit dem eigenen Antheil an dieser Arbeit einen Riegel vorschieben, und mit Recht würde man uns die Frage vorhalten: „Woher wissen Sie denn, dass das Alles vergeblich bleiben wird?“

Binz hatte 1869 einen Anfang zu hierher gehörigen

Untersuchungen gemacht,[7] nachdem er die antiseptische Kraft des Chinins aufgefunden und als auf dessen Giftigkeit für niederste Organismen beruhend nachgewiesen hatte. Er vergiftete Hunde mit Heujauche und brachte ihnen dann starke Gaben Chinin bei. In 12 Versuchen blieb das so behandelte Thier 3 Mal am Leben, während die Controlthiere verendeten, und in den übrigen 9 Fällen, wo die Erhaltung des Lebens nicht gelang, war keiner, der nicht wenigstens *eine* hervorragende und gegenüber dem ohne Chinin gelassenen Thier sich deutlich abhebende Wirkung des Medicaments zeigte.

Selbstverständlich ist die Methode jener Versuche jetzt weit überholt. Niemand wird solche heutzutage nach ihr anstellen; aber dieselben haben damals geleistet, was möglich war, und haben neben den übrigen Arbeiten von *Binz* die Chininfrage in neue Bahnen gelenkt.

Indessen der strenge Beweis dafür, dass in der That Chinin, Quecksilber, Jod, salicylsaures Natron u. s. w. ausschliesslich dadurch wirken, dass sie eine Antisepsis im lebenden Körper ausüben, muss zum Theil schon deswegen schuldig geblieben werden, weil die parasitäre Natur der Malaria, der Syphilis, des Gelenkrheumatismus noch nicht genau erforscht sind; in allen Fällen aber fehlt zum vollen Beweise die zahlenmässige Angabe darüber, ob das wirksame Medicament in dem Verhältnisse, in welchem es in dem Organismus vorhanden ist, überhaupt auf die Infectionserreger eine Wirkung auszuüben vermag. Solange aber hierauf eine befriedigende Antwort nicht gegeben werden kann, so lange ist auch der Einwand, dass die Wirkung des Mittels auf irgend welchem indirecten Wege zu Stande komme, nur mit grösserer oder geringerer Wahrscheinlichkeit zurückzuweisen.

Eine scheinbare Stütze gewannen solche Einwände durch das Resultat der Versuche, welche *Koch* unternahm, um Milzbrand mit Sublimat zu behandeln. Es gelang nicht, die Versuchsthiere auch nur etwas länger am Leben zu erhalten, und es gelang auch nicht, die Zahl der Bacillen im Blut und in den Organen zu vermindern, trotzdem solche Mengen von Sublimat den Thieren beigebracht waren, welche nach den Erfahrungen ausserhalb des Thierkörpers zur Entwickelungshemmung der Milzbrandbacillen in demselben vollauf hätten genügen müssen.

Es ist daher von principieller Bedeutung, wenn auch nur für *eine* Infectionskrankheit, die wir ätiologisch als eine bacilläre mit Sicherheit kennen, der Nachweis geführt wird, dass sie durch ein chemisches Agens günstig beeinflusst werden *kann*, und zwar ausschliesslich durch directe Einwirkung auf den Krankheitserreger, wenn ferner gezeigt wird, dass antiparasitäre Mittel ganz dieselbe Wirkung im lebenden Organismus ausüben, wie ausserhalb desselben, so dass man im Stande ist, vorauszusagen, welche Mengen von dem Mittel nothwendig einverleibt werden müssen, wenn es eine antibacterielle Wirkung ausüben soll. Das aber glaube ich bei meiner Behandlung milzbrandinficirter Thiere mittelst Silberlösungen geleistet zu haben.

Dass für die Behandlung von *allgemeiner* Milzbrandinfection meine Versuche ein praktisch verwerthbares Resultat ergeben werden, glaube ich nicht. Die zur Entwickelungshemmung der Milzbrandbacillen im lebenden Organismus erforderlichen Silbermengen sind so gross, dass in der Mehrzahl der Fälle eine dauernde Schädigung oder Vernichtung des leidenden Organismus erfolgt.

Dagegen kann ich schon jetzt Anhaltspunkte für die Richtigkeit meiner Annahme liefern, dass *locale* Erkrankungen, welche durch Mikroorganismen erzeugt sind, durch Silberlösungen günstig beeinflusst werden können.

Ich habe frische Gonorrhoeen mit verschiedenen Silberlösungen mit einem Silbergehalt von 1 : 7500 behandelt und konnte in 5 Fällen beobachten, dass ausnahmslos nach 3 Injectionen im Secret die *Neisser*'schen Gonokokken nicht mehr nachweisbar waren.

Inwieweit auch die Krankheitsdauer durch Anwendung

stark verdünnter Silberlösungen abgekürzt werden kann, wird sich erst auf Grund zahlreicherer Beobachtungen sagen lassen.

In Bezug auf die Fähigkeit, das gonorrhoische Secret zum Verschwinden zu bringen, verhalten sich die Silberlösungen nicht gleich. Besseres, als die einfachen Silbernitrat-Lösungen leisten die alkalischen Lösungen, und von diesen wiederum habe ich den Eindruck bekommen, dass folgende Zusammensetzung die zweckmässigste war. Zu 7·5 ccm sterilen flüssigen Blutserums wurden 5 ccm 1·5 % Silbernitratlösung hinzugefügt. Der hierbei entstehende weisse käsige Niederschlag wurde durch 100 ccm gesättigten, kohlensäurefreien Kalkwassers fast vollständig gelöst, und zu dieser Lösung wurden dann 400 ccm destillirtes Wasser hinzugesetzt. Diese Flüssigkeit wird nach kurzer Zeit vollkommen klar. Der Gehalt an *reinem* Silber in derselben beträgt 0·05 : 500 = 1 : 10000.

Irgend welche Beschwerden haben die Einspritzungen bei meinen Patienten nicht verursacht. — Bei einem ausschliesslich mit dieser Lösung behandelten Patienten mit frischer Gonorrhoe war nach 36 Stunden das eitrige Secret verschwunden; er erhielt noch zweimal täglich eine Einspritzung an den beiden folgenden Tagen und wurde nach 5 Tagen geheilt aus der Behandlung entlassen. In anderen Fällen, bei welchen mit den Lösungen gewechselt wurde, konnte zwar auch regelmässig die Umwandlung des eitrigen Secrets in sehr spärliches wässriges innerhalb von 24 bis 48 Stunden beobachtet werden, aber wenn mit der Behandlung aufgehört wurde, kam nach einigen Tagen der Ausfluss wieder.

Bei den Einspritzungen ist sorgfältig darauf zu achten, dass die Silberlösungen unzersetzt sind. Ferner ist der Stempel der Spritze, welche aus Glas ohne Metallansatz bestehen muss, mindestens einmal täglich mit destillirtem Wasser auszuwaschen. Die Silberlösungen machen nämlich den Stempel brüchig, und so kann es kommen, dass abgebröckelte Bestandtheile mit der injicirten Flüssigkeit in die Harnröhre gelangen. Am besten eignet sich übrigens eine Spritze ohne Stempel, welche nach Art der *Koch*schen Injectionsspritze angefertigt ist.

Auf Grund meiner Studien über die Eigenschaften der Silberlösungen glaube ich als weiteres geeignetes Angriffsobject die Rachendiphtherie empfehlen zu sollen. Silberpräparate haben namentlich in früherer Zeit in der Therapie der Rachendiphtherie eine grosse Rolle gespielt; sie sind jetzt etwas in Misscredit gekommen, aber ich glaube kein grosses Wagniss zu unternehmen, wenn ich voraussage, dass sie in Form von stark verdünnten alkalischen Silberlösungen bald wieder zu Ehren werden aufgenommen werden.

Zum Schluss möchte ich noch kurz die ebenso interessante als wichtige Frage berühren, „*wie* kommt die antiseptische Wirkung des Silbers zu Stande?" Gestützt auf eigene Beobachtungen kann ich behaupten, dass kaum eins der antiseptischen Mittel bessere Aussicht für die Beantwortung dieser Frage darbietet, als das Silber, vorausgesetzt, dass das Studium derselben sich anschliesst an die von *Löw*[8] gefundenen Thatsachen, betreffend die Fähigkeit des lebenden Protoplasmas, aus stark verdünnten alkalischen Silberlösungen das Silber zu reduciren und in sich aufzunehmen.

Nachtrag.

Von einem Collegen in Bonn erhielt ich über die Wirkung von einer Silberchlorid-Natr. subsulf.-Lösung (1·0 g frisch gefälltes Silberchlorid in destillirtem Wasser gelöst durch 10—15 g Natr. subsulf.) folgende Mittheilung. „Was die Tripperkranken angeht, so bin ich in der Lage, Ihnen hierüber ein günstiges Resultat mittheilen zu können. Die mir zurückgelassene Lösung habe ich verdünnt bis 1 : 7500 und täglich 5 Mal einspritzen lassen. Schon nach 5 Einspritzungen war eine deutliche Abnahme der Secretion nachweisbar, und nach 10 Einspritzungen hörte bei F. jegliche Secretion auf, während der ältere Fall St. 10 Spritzen mehr erforderte, ehe vollständiges Aufhören der Secretion zu constatiren war.

Beide Fälle habe ich darauf so behandelt, dass ich fortan nur dreimal täglich Einspritzungen machen liess; Donnerstag (am 6. Tage nach Beginn *dieser* Einspritzungen) wurde F. und Freitag (am 7. Tage) St. entlassen. Reizerscheinungen irgend welcher Art sind nicht aufgetreten. Dasselbe günstige Resultat konnte ich bei einem Kranken R. constatiren, der sich vor ca. einem Monat inficirte, das Uebel so ziemlich unbeachtet liess, bis sich jetzt eine vollständig eitrige Absonderung einstellte. 25 Spritzen brachten hier ohne jedwede Reizerscheinungen Aufhören der Secretion zu Stande.

Ich werde Gelegenheit nehmen, die Leute noch mehrere Male zu sehen, um mich zu überzeugen, ob die Heilung von Dauer ist."

Litteratur - Nachweis.

1. Arch. f. pathol. Anat. von *Virchow*, Bd. 108, Heft 1 (1887), p. 81 ff.

2. *J. Jacobi*, Ueber die Aufnahme der Silberpräparate in den Organismus. Arch. f. exp. Pathol. und Pharmakol., Bd. VIII, p. 216.

3. Mitth. aus dem Reichsgesundheitsamt, Bd. I, p. 279.

4. Arch. f. Pathol. Anatomie, Bd. I, (101) Heft 1.

5. Verhandl. d. Congr. f. i. Medicin, II. Congress (1883) p. 247.

6. Vergl. *Binz:*
   a) Exper. Unters. über das Wesen der Chininwirkung 1868, (Hirschwald).
   b) Antiseptica zu inn. Anwendung. Centralbl. f. klinische Medicin, 1883, p. 289.
   c) Vorlesungen über Pharmakologie 1886, p. 692.

7. Arch. f. pathol. Anat. von *Virchow*, Bd. 46, p. 81.

8. a) *O. Löw* (u. *Bokorny*). Die chemische Kraftquelle im lebenden Protoplasma.
   b) Derselbe. Ueber Silberreducirende thierische Organe und zur Chemie der Argyrie, Archiv f. d. gesammte Physiologie von *Pflüger*, Bd. 34, p. 596 ff. (1884).

Bonn, 1887.

VIII.

Ueber Quecksilbersublimat in eiweisshaltigen Flüssigkeiten.

Von Stabsarzt Dr. **Behring.**

(Aus dem Pharmakologischen Institut in Bonn.)

I. Sublimat als Desinfectionsmittel.

In Nr. 37 der Dtsch. medic. Wochenschrift habe ich mitgetheilt, dass Quecksilbersublimat im Blutserum um etwa 40fach weniger auf Bakterien *entwickelungshemmend* wirkt als in Nährgelatine und Nährbouillon.

Ueber den Grad der *bakterientödtenden* Fähigkeiten des Sublimats habe ich keine genaueren Angaben gemacht.

Inzwischeu ist in Nr. 40 der Dtsch. medic. Wochenschrift aus dem hygienischen Institut in Berlin eine Arbeit von *Laplace* erschienen, welche den Nachweis bringt, dass die in der Wundbehandlung angewendete stärkste Sublimatlösung (1 : 1000) als Desinfectionsmittel für eiweisshaltige Flüssigkeiten, insbesondere für Blutserum, Eiter und Blut, nicht gelten kann.

Die ungenügende Desinfectionskraft des Sublimats in diesen Flüssigkeiten führt *L.* auf die Bildung eines unlöslichen Quecksilberalbuminats zurück, und er fand nach mancherlei Vorversuchen, dass eine Sublimatlösung mit einem Gehalt von 1 gr Sublimat in 1000 ccm Wasser, wenn derselben 5 gr Weinsäure zugesetzt würden, in eiweisshaltigen Flüssigkeiten keine Niederschläge hervorruft, und dass eine solche Weinsäure-Sublimatlösung für die Zwecke der Wundbehandlung genügende desinficirende Fähigkeiten besitzt.

Zur Zeit des Erscheinens der Arbeit von *Laplace* beschäftigte ich mich mit einer vergleichenden Untersuchung von Quecksilber-, Silber-, Carbolsäure-, Jodtrichlorid- und Arsenlösungen in Bezug auf ihre bakterientödtenden Fähigkeiten im Blutserum, und ich zog nun die *Laplace*'sche Quecksilberlösung mit in meine Untersuchung hinein.

Ich will gleich vorausschicken, dass ich alle thatsächlichen Angaben in jener Arbeit — soweit ich sie nachgeprüft habe — bestätigen kann, sowie ferner, dass nur gewisse Silberlösungen die desinficirende Kraft des Weinsäure-Sublimats erreichen.

Meine das letztere betreffenden Versuche sind folgende:

Zu sterilem, flüssigem Blutserum setzte ich in Reagensgläsern so viel Weinsäure-Sublimat hinzu, dass Nr. I und II davon 1 : 1000, Nr. III und IV 1 : 1500 enthielten. Diese Mischungen schüttete ich in die Uhrschälchen I—IV aus.

In Uhrschälchen I und III brachte ich je 2 Seidenfäden, an welchen Milzbrand*sporen* angetrocknet waren, in II und IV Seidenfäden mit Milzbrand*bacillen* von einer ganz frischen Milzbrandmilz einer Maus.

Nachdem die Fäden, von welchen jeder ca. 2 mm lang war, 20 Minuten in den Mischungen gelegen hatten, wobei durch Hin- und Herbewegen für die gründliche Durchtränkung mit Blutserum-Weinsäure-Sublimat Sorge getragen wurde, nahm ich sie heraus, trocknete sie zunächst auf sterilisirtem Filtrirpapier, brachte sie dann in Alkohol, hierauf in frisches steriles Blutserum in einer Glasschale und legte je einen Faden jeder Sorte in ein Tröpfchen Blutserum auf einem Deckglas. Die mit dem Blutserum beschickte Deckglasseite wurde schliesslich in einem hohlen Objectträger mit Vaseline eingeschlossen.

Im Brütschrank wuchsen nun im Laufe der nächsten 3 Tage in dem Präparat mit Milzbrandsporenfäden aus III (1 : 1500), von mehreren Stellen des Fadens ausgehend, lange Milzbrandfäden in zopfartigem Geflecht. In dem Sporenpräparat aus I war von *einer* Stelle aus noch Wachsthum erfolgt. In den beiden Präparaten mit Bacillen wuchs nichts.

Die zweiten Fäden aus den Schälchen I und III behandelte ich ebenso und brachte sie Mäusen No. 1 und 3 in eine Hauttasche an der Schwanzwurzel. Maus 1 blieb am Leben. Maus 3 starb nach 6 Tagen. Bemerkenswerth ist, dass die Milz dieser Maus, welche ziemlich viel Bacillen enthielt, mindestens doppelt so lang und breit war, als man sie bei Mäusen findet, die in 18—24 Stunden an Milzbrand zu Grunde gegangen sind.

In einer zweiten Versuchsreihe unterliess ich das Abspülen der Seidenfäden nach dem Herausnehmen aus 1:1500 Weinsäure-Sublimat. In diesem Fall wuchs im hohlen Objectträger nichts, und die Maus, welche in eine Hauttasche einen 3 mm langen Seidenfaden erhalten hatte, blieb am Leben.

Es hatte sich demnach ergeben, dass 1 $^0/_{00}$ Weinsäure-Sublimat bei 20 Minuten langer Einwirkung *ziemlich* zuverlässige Desinfectionskraft besitzt gegenüber von Mikroorganismen mit einer Widerstandsfähigkeit, wie die der Milzbrandsporen.

Bei Seidenfäden mit angetrockneten Ketten- und Traubenkokken fand ich auch keine Entwickelung mehr, wenn die Einwirkung des Weinsäure-Sublimats 10 Minuten lang stattgefunden hatte.

Mit diesem Versuchsergebniss lassen sich die thatsächlichen Resultate von *Laplace* sehr gut vereinbaren.

Wenn *Laplace* zu 5 ccm 1 $^0/_{00}$ Weinsäure-Sublimatlösung 2 ccm „faulenden menschlichen Bluts und Eiterbakterien" zusetzte, fand er nach 20 Minuten in 5 Platinösen dieser Mischung keine entwickelungsfähigen Organismen; dagegen fand er vermehrungsfähige Bakterien in 5 Platinösen Flüssigkeit, welche er aus einer Mischung von 5 ccm 1 ‰ Weinsäure-Sublimat und 3 ccm Blut u. s. w. nach 20 Minuten entnommen hatte.

Nach meiner Rechnung besagt dies, dass in 8 ccm einer Flüssigkeit mit relativ geringem Eiweissgehalt 0·005 Sublimat (also bei 1 : 1600) noch nicht ganz genügende Desinfectionskraft gezeigt hatte.

Weiterhin habe ich dann noch die bakterientödtende Wirkung des Weinsäure-Sublimats *im Eiter* geprüft.

Ganz frischer Eiter, welchen ich aus der hiesigen chirurgischen Klinik durch Herrn Dr. *Witzel* von einem Fall mit Phlegmone erhielt, zeigte bei mikroskopischer Untersuchung keine anderen Bakterien als Traubenkokken.

Ein Tröpfchen davon, in Agarplatten ausgesäet, ergab nach 24stündigem Stehen im Brütschrank eine Reincultur von Staphylococcus pyogenes aureus.

Von diesem Eiter brachte ich etwa ½ ccm in 5 ccm 1 ‰ Weinsäure-Sublimat (im Reagensglas) und suchte durch häufiges Hin- und Herneigen des Glases eine möglichst gute Vertheilung des Eiters zu erreichen. *Das gelang jedoch nicht. Sowie die Eitertropfen in die Lösung hineinfielen, blieben sie in zusammenhängenden Klümpchen und senkten sich alsbald zu Boden; erst durch energisches Schütteln wurden die Eiterklümpchen gewissermaassen zerrissen.*

Nach 15 Minnten nahm ich so viel vom Eiter heraus, als an einer Platinöse hängen blieb — ein beinahe erbsengrosses Stückchen. Dieses vertheilte ich durch Hin- und Herneigen in 6 ccm sterilen Blutserums und schüttete das Blutserum dann in eine sterilisirte *Petri*'sche Doppelschale.

In gleicher Weise behandelte ich eine zweite Portion

Eiter, von welchem ich nach 5 und nach 10 Minuten langer Einwirkung Proben entnahm und mit Blutserum in Doppelschalen ausgoss.

Nachdem diese Schalen (I—III) 24 Stunden im Brütschrank gestanden hatten, ergab die mikroskopische Untersuchung von II und III in gefärbten Ausstrichpräparaten sehr zahlreiche Häufchen von traubenförmig angeordneten Kokken, während in dem zur Aussaat benutzten Eiter die Kokken meist zu zweien und in relativ grossen Abständen vorhanden waren.

Dass es sich in der That um den Staphylococcus pyogenes aureus handelte, bewies das Ergebniss der Ueberimpfung einer geringen Menge des Blutserums aus den Schalen II und III auf schräge Agarflächen mittelst einer Platinnadel. In 24 Stunden waren im Brütschrank in ziemlich reichlicher Zahl die charakteristischen runden, goldrothen Colonieen des Staphylococcus pyogenes aureus zur Entwickelung gekommen.

Durch das liebenswürdige Entgegenkommen von Herrn Dr. *Witzel* erhielt ich noch verschiedene Eiterproben, u. a. eine, die nur Kettenkokken bei mikroskopischer Besichtigung zeigte. Die in gleicher Weise angestellten Desinfectionsversuche ergaben nicht immer das gleiche Resultat. Im Allgemeinen aber zeigte sich, dass eine 15 Minuten lange Einwirkung von 1 ‰ Weinsäure-Sublimat zur Desinfection genügte.

Danach habe ich den Eindruck bekommen, dass Mikroorganismen, welche sich im Eiter befinden, durch die Laplace-sche Lösung schwerer getödtet werden als solche, die im Blutserum zu desinficiren sind.

II. Weinsäure-Sublimat als Antisepticum.

Bei dem Studium der *Silber*präparate hatte ich in ähnlicher Weise, wie *Laplace* für *Quecksilber*präparate, das Bedürfniss gefühlt, für Verhältnisse, welche die Anwendung stärker concentrirter Lösungen wünschenswerth machen, dieselben so herzustellen, dass sie mit Blut und Blutserum keine Niederschläge geben, und ich konnte schon in meiner letzten Publication mehrere Lösungen beschreiben, welche dieser Anforderung Genüge leisteten. Alle blieben aber, wie ich gleichfalls mittheilte, in der *antiseptischen* Wirksamkeit hinter der des reinen Silbernitrats zurück; die nach *Jacobi* mit Natron subsulfurosum[1]) hergestellte sogar recht erheblich.

Diese Erfahrung veranlasste mich, die einfachen Sublimatlösungen und die mit Weinsäurezusatz einer vergleichenden Prüfung zu unterziehen.

Da zeigte sich denn, dass erstere Milzbrand gegenüber um etwa $^1/_4$ wirksamer sind als Weinäure-Sublimat. Während durch Sublimat bei 1 : 8000 in einer 3 tägigen Beobachtungsdauer — wenn das sublimathaltige Blutserum der Einwirkung des Lichts[2]) entzogen ist — die Entwickelung von Milzbrandsporen noch gehemmt wird, wurde vom Weinsäure-Sublimat dieses Resultat bei 1 : 6000 noch nicht mit Sicherheit erreicht.

Eine „volle Wirksamkeit des Sublimats in Folge der Säurewirkung" in dem Sinne, dass annähernd dieselbe Leistungsfähigkeit im Blutserum eintrete, wie in Nährgelatine und Bouillon, besitzt demnach Weinsäure-Sublimat nicht. Im Gegentheil, wenn Sublimat im Blutserum etwa 40 mal weniger leistet, als in jenen künstlichen Nährlösungen, so ist der antiseptische Werth des Weinsäure-Sublimats um mehr als 50 mal verringert.

---

1) Recept nach *Jacobi:*

Argenti chlorati	1.0	(frisch gefällt)
Natr. subsulfurosi	5.0	
Aq. dest.	50.0	

In schwarzer oder gelber Flasche aufzubewahren.

2) In dem diesjährigen November-Hefte der „Berichte der deutschen chemischen Gesellschaft" ist von *Victor Meyer* nachgewiesen, dass selbst notorisch schlechtes Wasser keine Zersetzung des Sublimats bewirkt, wenn es im Dunkeln aufbewahrt wird.

III. Die Giftwirkung des Weinsäure-Sublimats.

Dass eine Quecksilberlösung, welche mit Blut keine Niederschläge giebt, vom subcutanen Gewebe und von serösen Höhlen aus leichter und schneller resorbirt wird, als die einfachen Sublimatlösungen, lässt sich von vornherein erwarten.

Eigens auf diesen Punkt gerichtete Experimente an Kaninchen zeigten aber, dass die Versuchsthiere, welchen 1 % Weinsäure-Sublimatlösung subcutan injicirt wurde, nicht bloss schneller starben als durch gleiche Dosen einfacher 1 % Sublimatlösungen, *sondern dass auch die tödtliche Dosis erheblich kleiner ist, als beim einfachen Sublimat.*

IV. Chemisches Verhalten des Sublimats im Blutserum.

Von verschiedenen Seiten ist seit Verwendung des Quecksilberchlorids in der chirurgischen Praxis versucht worden, durch Zusätze zur wässerigen Lösung dieselbe brauchbarer zu machen. Theils wollte man verhindern, dass im einfachen Brunnenwasser unlösliche Quecksilberverbindungen entstehen (*Fürbringer* und *Stütz; Ziegenspeck*); theils suchte man die Lösungen gegenüber der zersetzenden Wirkung von Luft und Licht haltbarer zu machen (*Angerer*), und es wurde für diesen Zweck von den einen ein Säurezusatz, von anderen ein Kochsalzzusatz bevorzugt.

Für die Verhinderung von Niederschlägen in eiweisshaltigen Flüssigkeiten hat Laplace als der erste einen zweckmässigen Zusatz bekannt gegeben.

Um nun nach dieser Richtung das Auffinden geeigneter Zusätze zum Sublimat für *verschiedene* Verhältnisse zu erleichtern, möchte ich an dieser Stelle auf einige Thatsachen die Aufmerksamkeit lenken, welche meines Wissens bisher nicht genügend beachtet sind.

Die Fällung, welche durch Quecksilberchlorid im Blutserum erzeugt wird, verhält sich ganz wesentlich verschieden, wie ein durch Mineralsäuren oder durch Hitze erzeugter Eiweissniederschlag.

Im Gegensatz zu diesem *Gerinnungsproduct* kann man die Quecksilberchloridfällung im Blutserum durch Weinsäure, Cyankalium, Jodkalium, *vorsichtigen* Zusatz von Salpetersäure mit grosser Leichtigkeit vollkommen wieder auflösen. *Alle diejenigen Mittel, welche Niederschläge aus der Reihe der Quecksilberoxydreihe in Lösung zu halten im Stande sind, vermögen auch den durch Sublimat im Blutserum erzeugten Niederschlag zu lösen, wenn sie nicht an sich eine coagulirende Wirkung haben,* wie z. B. die Salpetersäure, wenn sie *reichlicher* zugesetzt wird.

Instructiv ist folgender Versuch. Fügt man zu einer Sublimatlösung Jodkalium hinzu, so entsteht zuerst ein rother Niederschlag; wird dann so viel Jodkalium zugesetzt, dass seine Menge etwa das 4fache Sublimat beträgt, so löst sich der rothe Niederschlag vollständig wieder auf. Nimmt man nun an Stelle des Wassers Blutserum als Lösungsmittel für das Jodkalium, so kann man genau dieselben Reactionen beobachten, wie die eben beschriebenen.

Andererseits kommen im Blutserum, welches Quecksilbersublimat durch einen Zusatz von Weinsäure gelöst enthält, alle die Fällungen durch Reagentien zur Erscheinung, welche ein in Wasser gelöstes Salz aus der Quecksilberoxydreihe erleidet, durch Kali oder Natron eine gelbe, durch Ammoniak eine weisse, durch Natriumcarbonat eine braunrothe Fällung u. s. w.

Ganz analogen Verhältnissen begegnen wir beim Silber und Quecksilberoxydul. Alle diejenigen Mittel, welche im Stande sind, z. B. Silberchlorid zu lösen, also Ammoniak, Cyankalium, unterschwefeligsaures Natron, sind auch im Stande, das Silbernitrat im Blutserum daran zu hindern, Niederschläge zu erzeugen und solche Niederschläge, welche durch dasselbe entstanden sind, wieder aufzulösen.

Dagegen gelingt es nicht, den Niederschlag wieder zu lösen, welcher im Blutserum durch Quecksilberoxydulnitratlösung erzeugt wird, was durchaus in Uebereinstimmung steht mit dem, was wir über die Löslichkeitsverhältnisse der Verbindungen aus der Mercuroreihe kennen.

Alle diese Beobachtungen sprechen schon dafür, dass die im Blutserum vorhandenen *Salze* eine sehr wesentliche Rolle bei Entstehung der Metallniederschläge spielen.

Für $HgNO_3$ und $AgNO_3$ möchte ich sogar die Salze *allein* für die Niederschläge verantwortlich machen und annehmen, dass das mit ausgefällte Eiweiss sozusagen mechanisch mitgerissen ist; denn *durch Dialyse salzfrei gemachtes Blutserum giebt mit* $HgNO_3$ *keinen Niederschlag;* mit $AgNO_3$ entsteht zuerst noch eine Trübung; filtrirt man nun, *so giebt das wasserklare Filtrat mit* $AgNO_3$ *keine Spur eines Niederschlags, trotzdem noch reichliche Mengen von Eiweiss in der Flüssigkeit nachzuweisen sind.*

Ueber den Sublimat-Niederschlag habe ich ein endgiltiges Urtheil noch nicht gewinnen können.

Die oben beschriebenen Versuche sind im hiesigen *pharmakologischen* Institut mit den Mitteln desselben angestellt. Herr Geheimrath *Binz* hat in so ausserordentlich freundlicher Weise mir Alles, was ich zur Ausführung der Versuche brauchte, zur Verfügung gestellt, dass ich nicht umhin kann, auch an dieser Stelle ihm hierfür, sowie für die vielfache Unterstützung mit Rath und That meinen aufrichtigsten Dank auszusprechen.

Bonn, den 25. November 1887.

IX.

Ueber den antiseptischen Werth des Creolins und Bemerkungen über die Giftwirkungen antiseptischer Mittel.

Von Stabsarzt Dr. **Behring**.

(Aus dem pharmakologischen Institut der Universität Bonn.)

Das Creolin vereinigt nach Angabe competenter Untersucher zwei Eigenschaften, welche bisher bei *einem* Mittel noch nicht zusammen gefunden sind; es soll ein Antiseptikum und Desinficiens ersten Ranges und dabei absolut ungiftig sein.

Nach *E. v. Esmarch*[1]) übertrifft das Creolin die Carbolsäure an desinficirender Wirksamkeit, und nur in künstlichen Faulflüssigkeiten fand er die letztere überlegen. *Eisenberg*[2]) bestätigte die Angaben von *Esmarch* und hob noch besonders die sehr bedeutende entwickelungshemmende Wirkung des Creolins hervor. Dieselbe sei gegenüber den Milzbrandorganismen schon bei 1 : 15000 zu beobachten.

Auf Grund dieser Angaben und auf Grund des Nach-

---

1) *E. v. Esmarch* „Das Creolin". Centralblatt für Bakteriologie und Parasitenkunde. 1887. II. Band, No. 10 und 11.

2) James *Eisenberg:* Wiener medicin. Wochenschrift. 1888. No. 17, 18 und 19. „Ueber die desinficirende Wirkung und praktische Anwendungsweise des Creolins".

weises der Ungiftigkeit des Creolins durch *Fröhner*[1]) ist dasselbe auch für die Wundbehandlung und für die interne Therapie warm empfohlen worden. Die Richtigkeit aller jener Angaben ist nicht zu bezweifeln, und trotzdem könnte es ein folgenschwerer Irrthum werden, wenn man sich auf die desinficirenden und antiseptischen Eigenschaften des Creolins auch für solche Verhältnisse verlassen wollte, wie sie z. B. in der Wundbehandlung vorliegen.

Alle jene Zahlen, welche den hohen antiseptischen Werth des Creolins illustriren sollen, gelten nämlich nur für solche Fälle, in denen das Creolin in einem eiweissfreien Medium zur Wirkung gelangt.

Es treffen ja für einzelne Mittel, wie für die Carbolsäure, die Grenzwerthe für die antiseptische Leistungsfähigkeit in eiweisshaltigen und eiweissfreien Nährböden nahe zusammen; für die meisten Antiseptica haben sich jedoch sehr beträchtliche Unterschiede in dieser Beziehung herausgestellt; ich habe z. B. für das Sublimat gefunden, dass die entwickelungshemmende Fähigkeit desselben im Blutserum etwa 40 Mal geringer ist,[2]) als in Peptongelatine und in Bouillon, in welchen Nährsubstraten bekanntlich keine durch Hitze coagulirbaren Eiweisskörper vorhanden sind, und habe ganz besonders auch darauf hingewiesen, dass diese Verringerung der entwickelungshemmenden Wirkung nicht etwa auf die Unlöslichkeit des Sublimats im Blutserum und auf die Bildung von Niederschlägen zurückzuführen sei.

Es lag nun nahe, zu untersuchen, welches der antiseptische Werth des Creolins in *eiweisshaltigen* Flüssigkeiten ist, speciell in Flüssigkeiten von der Zusammensetzung des Blutserums, des Blutes und der Wundsecrete.

---

1) Prof. *Fröhner:* „Ueber das Creolin“. Arch. für wissenschaftl. und prakt. Thierheilkunde 1887 No. 14, und „Lehrbuch der thierärztl. Arzneimittellehre“. 1888.

2) *Behring:* Deutsche medicin. Wochenschrift. 1887. No. 37 und 38.

Eine besondere Veranlassung zu einer solchen Untersuchung ergab sich noch aus dem Umstande, dass in jüngster Zeit auch in den Garnisonlazarethen das Creolin ausgedehnte Anwendung findet, und dass ich bei Verwendung eines aus der Verbandmittelreserve in Coblenz bezogenen Präparats Ursache fand, Zweifel an der gerühmten Desinfectionskraft des Creolins zu hegen.

Zur schnellen Orientirung über den Grad der entwickelungshemmenden Eigenschaften antiseptischer Mittel im Blutserum hat sich mir diejenige Untersuchungsmethode am meisten bewährt, welche ich in meiner Arbeit „Der antiseptische Werth der Silberlösungen u. s. w.“ [1]) genau beschrieben habe, und welche darin besteht, dass Seidenfädchen, an welchen Milzbrandbacillen und Sporen, sowie andere Mikroorganismen angetrocknet sind, auf Deckgläschen gebracht werden, dass dann ein Tröpfchen Blutserum, welches einen bestimmten Procentgehalt des zu untersuchenden antiseptischen Mittels enthält, mit einer Platinöse hinzugefügt wird, und dass nun im hohlen Objectträger beobachtet wird, ob und event. wie schnell von den Seidenfäden aus ein Wachsthum erfolgt.

Für das Creolin gestaltete sich die Untersuchung in folgender Weise: Von einer 2 procentigen Creolin-Emulsion setzte ich so viel zu sterilem Blutserum in Reagensgläsern hinzu, dass das Blutserum den gewünschten Procentgehalt an Creolin erhielt, und brachte dann eine Platinöse voll von der Blutserum-Creolinlösung auf mit Milzbrandsporen-Seidenfädchen beschickte Deckgläschen. Von den stärkeren Verdünnungen, die ich Anfangs prüfte, musste ich bis auf 1 : 400 steigen, ehe sich eine bemerkbare Entwickelungshemmung zeigte, während eine

---

1) *Behring:* Deutsche medicin. Wochenschrift. 1887. No. 37 und 38.

solche in meiner Bouillon schon bei 1 : 5000, ja bei noch geringerem Creolingehalt begann; Wachsthumsaufhebung trat erst bei 1 : 150 bis 1 : 175 im Blutserum ein.

Gleichzeitig in derselben Weise ausgeführte Versuche mit Carbolsäure ergaben, dass dieselbe im Blutserum bei 1 : 850 sehr beträchtlich die Entwickelung hemmte und bei 1 : 600 das Wachsthum aufhob.

Um dem Einwand zu begegnen, dass das Resultat, wie ich es bei der Beobachtung in hohlen Objectträgern bekommen habe, Fehlerquellen einschliesse, habe ich dann die Untersuchung ganz ebenso eingerichtet, wie sie *R. Koch*[1]) für die Carbolsäure beschrieben hat; es wurden Uhrschälchen mit Creolin - Blutserum verschiedener Concentration beschickt und mit Milzbrandsporen tragenden Seidenfäden inficirt.

Hier war *makroskopisch* bei einem Gehalt von 1 g Creolin in 500 ccm Blutserum deutliche Entwickelungshemmung zu bemerken, und bei 1 : 200 konnte makroskopisch überhaupt kein Wachsthum erkannt werden. Die *mikroskopische* Untersuchung zeigte aber, dass bei 1 : 200 ein dichtes Milzbrandfadengeflecht den Seidenfaden einhüllte; das Resultat war demnach übereinstimmend mit dem an hohlen Objectträgern gewonnenen.

In *Reagensgläsern* fand ich bei 1 : 200 auch *mikroskopisch* kein Wachsthum; als ich nun der Ursache dieser Differenz nachforschte, zeigte sich, dass in der unteren Blutserumschicht im Reagensglas, in welcher sich der Seidenfaden befand, das Creolin in reichlicherer Menge vorhanden war, als in der oberen; und als ich die obere Schicht in einem anderen Glase untersuchte, erfolgte noch reichlichere Entwickelung, als in den Uhrschälchen.

Gegenüber dem Staphylococcus aureus ist die ent-

1) *R. Koch:* „Ueber Desinfection". Mitth. aus dem Reichsgesundheitsamt. Bd. I, S. 244.

wickelungshemmende und wachsthumsaufhebende Kraft noch geringer.

Die desinficirenden Wirkungen des Creolins prüfte ich nach derselben Untersuchungsweise, welche ich meiner Arbeit[1]) „Ueber Quecksilbersublimat in eiweisshaltigen Flüssigkeiten“ eingehend beschrieben habe. In einer 1 procentigen und 2 procentigen Creolin-Blutserummischung waren nach 10 Minuten Staphylokokken und selbst die viel empfindlicheren Milzbrandbacillen nicht getödtet worden.

Durch 5 procentiges Blutserum-Creolin werden Milzbrand*sporen* nicht beeinflusst.

Es verdient noch hervorgehoben zu werden, dass das Creolin im Blutserum etwa 10 Mal löslicher ist, als in Bouillon, und dass somit die so geringe antiseptische Leistungsfähigkeit nicht etwa auf die Bildung von Niederschlägen zurückzuführen ist.

Ich komme demnach zu dem Resultat, *dass in eiweisshaltigen Flüssigkeiten von ähnlicher Zusammensetzung, wie Blutserum, das Creolin ein minderwerthiges Antiseptikum ist und etwa 3 bis 4 Mal weniger leistet als die Carbolsäure.*

Im Uebrigen liegt es mir fern, die günstigen Heilwirkungen zu bezweifeln, die seitens guter Beobachter vom Creolin berichtet sind, aber es scheint mir mindestens fraglich, ob die Annahme noch zu Recht bestehen darf, dass diese Heilwirkungen durch bacterientödtende und entwickelungshemmende Fähigkeiten dieses Mittels zu erklären sind, wenn ich berücksichtige, dass im Organismus nicht Nährsubstrate von der Zusammensetzung der Bouillon und Peptongelatine vorhanden sind, ausser etwa im Urin.

Von Versuchsresultaten, welche für die Wundbehandlung von Interesse sein dürften, führe ich noch folgende an:

Bei einem Panaritium des Daumens hatte sich ein

---

1) *Behring:* Centralblatt für Bacteriologie und Parasitenkunde. 1888. No. 1 und 2.

bohnengrosses, reichlich mit Eiter durchtränktes, nekrotisches Gewebsstück so vollständig von der Umgebung losgelöst, dass ich dasselbe ohne Blutung mit der Pinzette wegnehmen konnte. Die mikroskopische Untersuchung ergab das Vorhandensein einer mässigen Anzahl von Staphylokokken im Deckglaspräparat.

Dieses Gewebsstück zerschnitt ich in drei gleiche Theile. Einer derselben wurde 8 Minuten lang in $2^1/_2$ procentige Blutserum-Creolinmischung gelegt, der zweite ebensolange in 2 procentige wässerige Creolin-Emulsion. Beide wurden dann mit sterilisirtem Wasser abgespült.

Die drei Stücke wurden nunmehr mit ausgeglühten Instrumenten zerfetzt, in Peptongelatine in Reagensgläsern gebracht, die Fetzen sorgfältig mit einer dicken Platinnadel in der Gelatine verrieben, und schliesslich wurde die Gelatine in *Petri*'sche Doppelschalen I, II und III ausgeschüttet.

In I (nicht mit Creolin behandeltes Stück) wuchsen ausser unzähligen Staphylokokkenkolonien auch andere Organismen, die wahrscheinlich von der Oberfläche des nekrotischen Gewebsstückes, an welche sie von aussen gelangt waren, herstammten.

In II (aus Creolin-Blutserum) waren fast ausschliesslich Staphylokokken in reichlicher Anzahl gewachsen.

Auch in III gelangten — allerdings wenig zahlreich — Staphylokokken zur Entwickelung. Es ist bemerkenswerth, dass die nicht pathogenen Organismen, die jedenfalls als Fäulnissorganismen anzusehen sind, früher zu Grunde gingen, als die Staphylokokken. Hatte doch *v. Esmarch*[1]) gefunden, dass das Creolin diesen gegenüber unwirksamer ist, als gegenüber den pathogenen Organismen und speciell auch gegenüber den Staphylokokken.

---

1) *E. v. Esmarch:* „Das Creolin". Centralblatt für Bacteriologie und Parasitenkunde. 1887. II. Band. No. 10 und 11.

Ich bin nun — nicht blos auf Grund dieses Versuchs, sondern auch durch andere Beobachtungen — zu der Ansicht gelangt, dass eine derartige, von *v. Esmarch* angenommene Specialenergie dem Creolin nicht zukommt, und dass die Beobachtung *E.*'s in anderer Weise zu erklären ist.

E. prüfte die Wirkung des Creolins auf pathogene Organismen in dünner Bouillon, auf Fäulnissorganismen dagegen in einer Flüssigkeit, welche „aus Koth, *ausgepresstem Fleisch* u. s. w. und Wasser im Verhältniss von 1 : 10" bestand. Diese Flüssigkeit war demnach eiweisshaltig, und an einer solchen hat *E.* gefunden, dass ein Gehalt von $^1/_2$ $^0/_0$ Creolin, also 1 : 200, nicht zur Wachsthumsaufhebung genügte, während ein gleicher Gehalt an Carbolsäure dazu führte, dass die Faulflüssigkeit steril wurde.

Nach den früheren Auseinandersetzungen sehe ich in diesem Verhaltungsresultat E.'s eine Bestätigung meiner eigenen Beobachtungen.

Dass 2 procentige wässerige Creolin-Emulsion auch nicht im Stande ist, *flüssigen Eiter* zu desinficiren, beweist folgende Versuchsreihe.

Bei einem Patienten mit Phlegmone der grossen linken Zehe und des Fussrückens war an einer Stelle Fluctuation zu fühlen. Es wurden zunächst 24 Stunden lang mit 2 procentiger Carbolsäure Umschläge gemacht, dann incidirt und ein grosser Tropfen dickflüssigen Eiters in ein sterilisirtes Reagensglas entleert.

In dieses Glas wurden eine Stunde später 10 ccm 2 procentige wässerige Creolin-Emulsion hineingegossen. Der Eitertropfen vertheilte sich nicht in der Flüssigkeit, sondern blieb zusammengeballt; er wurde 15 Minuten lang in der Creolin-Emulsion gelassen.

Darauf wurde der Eiter zunächst mit sterilem Blutserum abgespült, dann in ein Reagensglas mit 15 ccm sterilisirtem Wasser gebracht und mit diesem energisch geschüttelt. Das Wasser wurde hierbei milchig trüb durch Creolin.

Nunmehr stellte ich folgende Versuche an:

1) Das zum Abspülen benutzte Blutserum wurde im Reagensschrank in den Brütschrank gestellt.

2) Von dem Spülwasser wurden 5 Platinösen mit Nährgelatine vermischt und davon eine Platte gegossen.

3) Der aus dem Wasser herausgenommene Eiter wurde an der Wand eines flüssige Nährgelatine enthaltenden Glases flüchtig verrieben und dann wieder herausgenommen. Die an der Glaswand zurückgebliebenen kaum sichtbaren Eitertheilchen wurden in der Gelatine durch Hin- und Herneigen des Glases aufgeschwemmt, dann mit 5 Oesen dieser Mischung ein zweites Reagensglas mit flüssiger Gelatine geimpft. Aus beiden Gläsern wurde die Gelatine in *Petri*'sche Doppelschalen I und II gegossen.

Nach 2 Mal 24 Stunden war das Resultat folgendes:

1) Im Blutserum war reichliche Kokkenentwickelung eingetreten.

2) Die Platte mit 5 Oesen Spülwasser war steril geblieben.

3) In der *Petri*'schen Doppelschale I waren überaus reichlich kleinste, bei schwacher Vergrösserung rund und gelblich aussehende Colonien gewachsen; an einem auf die Gelatine aufgelegten Deckglas blieben sehr viele Colonien in Form kleinster Pünktchen haften; dieselben erwiesen sich bei starker mikroskopischer Vergrösserung als ausschliesslich aus Kokken bestehend, welche die Grösse und Anordnung der Staphylokokken besassen.

In der Schale II waren noch sehr zahlreiche, etwas grössere Colonien gewachsen. 24 Stunden später wurde eine der Colonien aus Schale II mit einer Platinnadel herausgehoben und damit eine Gelatine-Stichcultur angelegt.

Nach 3 Tagen zeigte sich in dieser die charakteristische Entwickelung von Staphylococcus aureus.

4) Auf dem erstarrten Blutserum wuchs Staphylococcus aureus.

Es ist danach kein Zweifel, dass eine 2procentige wässerige Creolin-Emulsion nicht im Stande ist, bei 15 Minuten dauernder Einwirkung die Staphylokokken im Eiter zu tödten.

Ueber die Giftwirkung antiseptischer Mittel.

Auf Grund von Untersuchungen, welche im Laufe des letzten Jahres über die Wirkung antiseptischer Mittel auf den gesunden und inficirten Thierorganismus in sehr grosser Zahl angestellt habe, glaube ich, dass wir das Problem „Infectionskrankheiten abortiv zu heilen" mit Leichtigkeit lösen könnten, wenn wir ein Mittel fänden, welches für Verhältnisse, wie sie im thierischen Körper vorliegen, ein hervorragendes Desinficiens und dabei absolut ungiftig wäre — Eigenschaften, welche dem Creolin allgemein zugeschrieben werden.

Schon durch das bisher Gesagte glaube ich bewiesen zu haben, dass leider auch das Creolin dies nicht leistet.

Aber ich glaube im Folgenden auch zeigen zu können, dass es mit der „absoluten Ungiftigkeit" des Creolins ein eigenes Ding ist.

Ich fand nämlich nach systematisch durchgeführten Versuchen, dass ein beinahe gesetzmässiges Verhältniss besteht zwischen der antiseptischen Wirkung eines Mittels und seiner Giftwirkung für den thierischen Organismus, wenn ich als Maass der antiseptischen Wirkung die Aufhebung des Wachsthums von Milzbrandorganismen im Blutserum annahm.

Ich stellte die wachsthumaufhebende Wirkung im hohlen Objectträger fest, und wenn ich nun beispielsweise gefunden hatte, dass ein Mittel im Verhältniss von 1 : 1000 diese Wirkung besass, so injicirte ich dasselbe gelöst subcutan in einer solchen Menge, dass auf 6000 g Körpergewicht von Kaninchen und Mäusen 1 g des Mittels kam und fand dann in der Regel, dass diese Dosis tödtlich wirkte, während nennenswerth darunterliegende Dosen den Tod der Thiere nicht zur Folge hatten. Mit anderen Worten: *Auf das Körpergewicht der Kaninchen und Mäuse bezogen erwiesen sich antiseptische Mittel als tödtlich wirkend in 6fach geringerer Dosis als diejenige, welche nöthig war, um im gleichen Gewicht Blutserum das Wachsthum von Milzbrandbacterien aufzuheben.*

In dieser Weise habe ich u. A. untersucht lösliche Salze von Silber, Quecksilber, Platin, Gold, Eisen; ferner arsenige Säure, Jodtrichlorid und andere Jodverbindungen, Fluor in Form eines antiseptisch ausserordentlich wirksamen Doppelsalzes von Fluorantimon und Fluornatrium, welches zum Zweck des Beizens in der Färbetechnik im Grossen dargestellt wird; und ich habe nur selten erhebliche Abweichungen nach oben oder unten von dem genannten Verhältniss gefunden.

Nun sind freilich die übergrosse Mehrzahl der bisher von mir untersuchten Mittel anorganischer Natur, und es ist mir selbst fraglich, ob für organische Antiseptica ein gleiches Verhältniss besteht. Bisher aber fand ich es auch bei den untersuchten organischen Körpern.

An dieser Stelle will ich nur die wichtigsten und am genauesten untersuchten Antiseptica aufführen.

Für die Carbolsäure kommt man nach obiger Rechnung, da dieselbe nach meiner Beobachtung im hohlen Objectträger bei 1:600 das Wachsthum aufhebt, also bei ca. 1·7:1000 zu der Zahl $\frac{1 \cdot 7}{6}$ = nicht ganz 0·3 g pro Kilo Thier, und ich finde in der That in Uebereinstimmung mit *Riedel*[1]), dass dies eine tödtliche Dosis der Carbolsäure bei subcutaner Injection ist.

---

1) *O. Riedel:* „Versuche über die desinficirenden und antiseptischen Eigenschaften des Jodtrichlorids, wie über dessen Giftigkeit“. Arbeiten aus dem Kaiserlichen Gesundheitsamte. 1887. S. 481 u. 482.

Für das Quecksilber fand ich, dass dasselbe bei 1:8000 bis 1:10000 das Wachsthum aufhebt, also bei ca. 0·1 : 1000, was nach der Rechnung als tödtlich wirkende Dosis 0·017 pro Kilo Kaninchen ergeben würde. Nun findet *Riedel*[1]), dass auf je 10 g Kaninchen 0·000096 Sublimat subcutan injicirt noch nicht tödtlich wirken, dass aber bei 0·00015 bis 0·00017 die Thiere nach 2 bis 3 Tagen sterben; pro Kilo Thier erhalten wir danach als tödtliche Dosis 0·015 bis 0·017, also ziemlich genau die durch Rechnung gefundene Zahl.

Für Jodtrichlorid fand ich Wachsthumsaufhebung der Milzbrandbacillen bei 1:3000; die tödtliche Dosis nach der Rechnung wäre danach ca. 0·055 pro Kilo Thier; *Riedel*[2]) fand, dass bei 0·046 pro Kilo ein Kaninchen nach 10 Tagen starb; und man sieht, dass auch hier die Zahlen gut übereinstimmen, wenn berücksichtigt wird, dass die *sicher* tödtliche Dosis — wie ich in eigenen Versuchen fand — etwas höher liegt.

Im Laufe der Zeit ist mir das Auffinden der giftigen Dosis dadurch ausserordentlich erleichtert worden, dass ich vorerst die wachsthumsaufhebende Wirkung feststellte und danach die zu wählende Dosis zur subcutanen Injection für Thiere bestimmte.

Wenden wir nun diese Rechnung auch für das Creolin an, so bekommen wir als sicher wachsthumsaufhebende Wirkung 1:150 = 6·6:1000, danach als giftige Dosis pro Kilo Thier ca. 1·1 g, in welcher Menge in der That auch die Giftwirkung des Mittels eintritt. Man begreift leicht, dass sich in Verdünnungen mit Wasser die Injection kaum ausführen lässt wegen der zu grossen Substanzmenge; ich habe dann concentrirte ölige Lösung gewählt, schliesslich aber das reine Creolin.

---

1) *O. Riedel:* l. c. S. 480.
2) *O. Riedl:* l. c. S. 479.

Neudörfer[1]) hat gefunden, dass bei directer Injection in die Blutbahn das Creolin tödtliche Giftwirkung äussert bei 0·5 g pro Kilo Thier, und es würde das gut mit meiner Rechnung übereinstimmen, da intravenös injicirte Medicamente in geringer Dosis wirksam sind, als bei subcutaner Injection. Nun hat *Fröhner*[2]) den Einwand gemacht, dass es sich in *Neudörfer's* Versuchen um eine mechanische Wirkung handle, welche sich auch durch andere, sonst indifferente Emulsionen, z. B. Milch, erreichen lasse. *Fröhner* berücksichtigt dabei aber nicht, dass das Creolin im Blut löslich ist, und bis auf Weiteres muss ich annehmen, dass die von *Neudörfer* beobachteten Intoxicationserscheinungen nicht nothwendig im Sinne von *Fröhner* ausgelegt werden müssen.

Meine eigenen Thierversuche ergaben Folgendes.

Die acute Creolinvergiftung.

Als ich versuchte festzustellen, ob auch das Creolin Giftwirkung auszuüben vermag, durfte ich nach den vorher mitgetheilten Erfahrungen eine solche erst bei einer Dosis von ca. 1·0 g pro Kilo Thier erwarten.

Bei Mäusen, an welchen ich die Versuche zuerst machte, konnte ich mich in der That leicht davon überzeugen, dass die berechnete Dosis von ca. 0·025 g Creolin für dieselben ein tödtliches Gift ist, wenn es in einer zur Resorption möglichst geeigneten Form subcutan injicirt wird.

Als solche darf noch am ehesten eine Lösung von Creolin in erwärmtem Ricinusöl betrachtet werden. In der Kälte erstarren 10procentige und 20procentige Lösungen zu einer festen Masse, die erst durch Erwärmen wieder

---

1) *Ign. Neudörfer:* Internat. klin. Rundschau. 1888. No. 12.

2) *E. Fröhner:* „Bemerkungen über die Ungiftigkeit des Creolin". Internat. klin. Rundschau. Wien 1888. No. 20.

flüssig wird. Als Ersatz des Ricinusöls kann auch raffinirtes, sogenanntes abgezogenes Rüböl genommen werden.

Man kann die Giftwirkung auch mit Blutserum-Creolin und mit wässerigen Emulsionen in der angegebenen Dosis erreichen, wenn nur für eine genügende Vertheilung unter der Haut gesorgt wird.

Am besten zur Demonstration eignet sich aber die Injection von unverdünntem Creolin, wenn dasselbe in einer Dosis von 0·05 g und darüber eingespritzt wird. Durch diese Creolindosis werden Mäuse in ganz kurzer Zeit getödtet. Schon 5 bis 10 Minuten nach der Injection werden sie unruhig, zucken oft zusammen und zeigen zitternde Bewegung des ganzen Körpers. Legt man sie dann auf die Seite, so gerathen die Extremitäten in heftige zitternde Bewegung; zuerst sind die Thiere noch im Stande, sich wieder aufzurichten, bald aber bleiben sie dauernd auf der Seite liegen, und unter fortwährenden klonischen Krämpfen der Glieder sterben sie in der Regel nach 1 bis 2 Stunden.

Bei der Section findet man als regelmässige krankhafte Veränderung Ueberfüllung der Lungen mit Blut. Von dem Creolin bildet ein erheblicher Rest, mindestens die Hälfte der Einspritzung, eine schmierige, schmutzig braune Schicht, nach deren Entfernung von Anätzung oder von weitergehenden Veränderungen nichts zu erkennen ist.[1])

Bei jungen Meerschweinchen habe ich mit Creolinlösungen durch Injection von 0·35 g auf 225 g Körpergewicht und 0·5 g auf 400 g ganz ähnliche Erscheinungen hervorrufen können. Die Krämpfe traten jedoch erst nach mehreren Stunden auf; der Tod der Thiere erfolgte nach

---

1) Auch beim Menschen findet eine eigentliche Anätzung durch unverdünntes Creolin an granulirenden Wunden z. B. nicht statt, und es ist sehr merkwürdig, dass die Patienten angeben, dass sie durch reines Creolin weniger Wundschmerz empfinden, als bei 1/2 bis 2 procentiger Emulsion.

12 bezw. 24 Stunden. Auch hier waren die Lungen das am auffälligsten veränderte Organ.

Bei Kaninchen, von denen ich nur grössere Thiere zur Verfügung hatte, bedarf es schon so grosser Substanzmengen verdünnten Creolins, dass in Folge dieses Umstandes eine Vergiftung durch einmalige subcutane Injection kaum ausführbar ist.

Die Resorption von *reinem* Creolin erfolgt aber, wie man sich bei der Injection überzeugen kann, ausserordentlich langsam.

Um jedoch mich davon zu überzeugen, dass auch Kaninchen unter den charakteristischen Vergiftungserscheinungen in kurzer Zeit sterben, habe ich schliesslich bei einem Kaninchen von 1700 g an mehreren Stellen gleichzeitig Injectionen in einer Gesammtmenge von 4·0 g gemacht, um dem Creolin eine grosse Resorptionsfläche darzubieten; das Thier ging unter ähnlichen Erscheinungen wie Mäuse und Meerschweinchen nach 20 Stunden zu Grunde, und bei der Section fand ich noch mindestens die Hälfte des Creolins, zum Theil in flüssiger Form unter der Haut liegend.

Bei Meerschweinchen und Kaninchen habe ich auch die Körpertemperatur gemessen und gefunden, dass durch vergiftende Dosen die Temperatur ausserordentlich niedrig wird.

Das Creolin erzeugt aber ausser dieser acuten Vergiftung noch ein Krankheitsbild, welches wesentlich anders aussieht.

Bei solchen Kaninchen, welche nicht tödtlich wirkende Creolindosen erhalten hatten, stieg auffallender Weise die Körpertemperatur. Die Thiere sahen zuerst struppig und krank aus; wenn dann aber mit den Injectionen aufgehört wurde, erholten sie sich wieder vollständig.

Solch' ein Thier, welches mehrere Tage hintereinander kein Creolin mehr erhalten hatte, inficirte ich mit sehr virulentem Milzbrand und injicirte nun gleichzeitig wieder Creolin, um die etwaige Einwirkung auf den Verlauf der Milzbranderkrankung zu beobachten; als nun das Versuchsthier an Milzbrand zu Grunde gegangen war, fand ich bei der Section blutigen Urin in der Blase und die Nieren im Zustande exquisiter parenchymatöser Nephritis.

Diese Beobachtung veranlasste mich, den Einfluss des Creolins auf die Nieren bei Kaninchen genauer zu studiren. Ueber die Resultate meiner diesbezüglichen Untersuchungen will ich an dieser Stelle nur das berichten, dass Creolin, wenn es in einer Dosis von 0·5 g pro Kilo Thier täglich injicirt wird, nach mehreren Tagen eiweisshaltigen Urin macht. Bei fortgesetzten Creolingaben magern die Thiere ausserordentlich stark ab und gehen ohne Krampferscheinungen zu Grunde.

Von dem Sectionsbefunde ist bei dieser subacuten oder chronischen Form der Creolinvergiftung besonders die *Nierenerkrankung* hervorzuheben.

Gelegentlich dieser Versuche konnte ich auch feststellen, dass eine Desinfection des Darminhalts bei diesen krankmachenden Creolingaben nicht erreicht wird; auch vom Magen aus vermag Creolin nicht den Darminhalt zu desinficiren.

Auf Grund der mitgetheilten Versuche komme ich schliesslich zu folgendem Resumé.

I. Zur Orientirung über den antiseptischen Werth eines Mittels, welches in der Wundbehandlung Verwendung finden soll, ist die Prüfung seiner entwickelungshemmenden und bakterientödtenden Fähigkeit in einem *eiweisshaltigen* Nährsubstrat zu fordern.

II. In eiweisshaltigen Flüssigkeiten hat das Creolin sehr viel geringere antiseptische Wirkung als in eiweissfreien; in eiweisshaltigem Nährsubstrat leistet es 3 bis 4 Mal weniger als die Carbolsäure.

III. Zur Desinfection von inficirten Wunden, bezw. von Wundflüssigkeiten und Eiter, erweist sich 2 procentige wässerige Creolin-Emulsion als ganz ungenügend.

IV. Creolin ruft bei Mäusen und Meerschweinchen, subcutan injicirt, charakteristische Giftwirkungen hervor; die tödtliche Dosis ist etwa 4 Mal grösser, als bei der Carbolsäure.

V. Auf den antiseptischen Werth im Blutserum und Blut bezogen ist für kleinere Thiere die *relative* Giftigkeit des Creolins, der Carbolsäure, des Sublimats etc. ungefähr gleich gross.

VI. Für grössere Thiere ist es schwer, in kürzerer Zeit die tödtliche Creolin-Dosis subcutan beizubringen. Das Creolin wird schnell wieder ausgeschieden und darf bei *vorübergehendem* Gebrauch für grössere Thiere als ungiftig angesehen werden.

VII. Bei fortgesetztem Gebrauch des Creolins ist auch für grössere Thiere und für den Menschen die Gefahr der Erkrankung nicht auszuschliessen; und es empfiehlt sich, bei ausgedehnterer längerer Anwendung dieses Mittels regelmässige Harnuntersuchungen vorzunehmen.

X.

Ueber die Bestimmung des antiseptischen Werthes chemischer Präparate
mit besonderer Berücksichtigung einiger Quecksilbersalze.

Von Stabsarzt **Dr. Behring,**
Assistenten am hygienischen Institut zu Berlin.

I. Vergleichende Untersuchungen über die Wirkungsweise einiger Antiseptica.

Im Laufe der letzten Jahre ist über den antiseptischen Werth mehrerer Mittel, besonders aber über den Werth des Jodoform, der Carbolsäure, der Quecksilberpräparate und des Creolins sehr viel publicirt worden, ohne dass bis jetzt eine rechte Einigung unter den Autoren sich erkennen liesse.

Bald sind es die Erfahrungen der Praxis, die im Widerspruch stehen mit der bacteriologischen Prüfung. Zuweilen sind auch die Resultate der bacteriologischen Untersuchungen untereinander nicht übereinstimmend. Aber selbst, wenn schliesslich über den Grad der *antiseptischen* Leistungsfähigkeit im Princip wenigstens eine Uebereinstimmung erzielt ist, so ist der Streit der Meinungen nicht zu Ende; es entbrennt dann die lebhafteste Discussion über die Frage der *Giftwirkung* und der schädlichen Nebenwirkungen überhaupt.

Das wiederholt sich stets von neuem, und der in der Praxis stehende Arzt, welcher nicht immer in der Lage ist, sich ein selbstständiges Urtheil zu bilden, wird schliesslich sowohl gegenüber den Empfehlungen, die sich auf Beobachtungen am Krankenbett stützen, wie gegenüber günstigen und ungünstigen Urtheilen auf Grund bacteriologischer Prüfung im höchsten Grade misstrauisch.

In einer Reihe von Arbeiten, die von dem Bestreben geleitet waren, die Ursachen dieser Widersprüche aufzufinden, habe ich zu mehreren strittigen Punkten Stellung genommen und bin in einigen wichtigeren, die antiseptische Wirksamkeit des Jodoforms, des Creolins und der Quecksilberpräparate betreffenden Fragen zu Resultaten gekommen, welche von denen früherer Autoren in mancherlei Hinsicht abweichen; meine Versuchsergebnisse sind aber zu so weit auseinanderliegenden Zeiten und in zum Theil schwer zugänglichen Zeitschriften publicirt worden, dass ich nicht erwarten kann, dass sie der Mehrzahl der Leser bekannt sind. Daher halte ich es für zweckmässig, bevor ich zu dem eigentlichen Thema dieser Mittheilung, zu der genaueren Besprechung des antiseptischen Werthes einiger *Quecksilbersalze*, übergehe, die wesentlichsten Resultate meiner früheren Untersuchungen noch einmal zusammenzustellen.

Bezüglich des *Jodoforms* sind bekanntlich die Meinungsverschiedenheiten über den Werth desselben für die antiseptische Wundbehandlung am schärfsten zum Ausdruck gekommen.

Sucht man hier nach den Gründen für die ganz entgegengesetzten Urtheile der meisten Chirurgen einerseits, vieler bacteriologischer Forscher andererseits, so darf man jetzt wohl sagen, dass dieselben hauptsächlich in einer irrthümlichen Auffassung bezüglich des Zustandekommens der Jodoformwirkung zu suchen sind.

Man hatte zu wenig berücksichtigt, dass das Jodoform im Gegensatz zum Quecksilberchlorid und zur Carbolsäure ein an sich ganz indifferenter Körper ist, der erst *zerlegt,* gewissermaassen aufgeschlossen werden muss, wenn er irgend welchen Einfluss auf das Wachsthum der Bacterien ausüben soll.

Zwar war durch die grundlegenden Untersuchungen von *Binz*[1234] schon zur allgemeinen Anerkennung gelangt, dass das *Jod* im Jodoform diejenigen fäulnisswidrigen und secretionsbeschränkenden Wirkungen zu Stande bringt, welche von *v. Mosetig*, *Mikulicz* u. a. constatirt wurden.

Indessen, über die Kräfte, welche das Jodoformmolekül zu zersetzen im Stande sind, befand man sich überall in einem grundsätzlichen Irrthum. Das Jodoform sollte zwar langsam, aber stetig von selbst Jod abscheiden, wenn es zu fäulnissfähigen Flüssigkeiten hinzugethan wird, und wenn es durch etwa vorhandenes Fett, wie im Eiter oder im Darmcanal gelöst wird.

Das ist nicht richtig. Man kann das Jodoform in Lösungen auch bei Körpertemperatur unbegrenzt lange Zeit unzersetzt erhalten, wenn die chemischen Wirkungen des Lichtes, die reducirende Wirkung aldehydähnlicher und anderer Körper, z. B. des nascirenden Wasserstoffs, fern gehalten werden; und in Nährsubstraten, sowie in den Körperflüssigkeiten des thierischen nnd menschlichen Organismus bleibt das Jodoform gleichfalls unzersetzt, solange die reducirende Wirkung der lebenden *Zelle* oder der *Mikroorganismen* und ihrer chemischen Producte ausgeschlossen ist.

So kann man die Beobachtung machen, dass in Wunden, in denen kein in Zersetzung befindliches Secret vorhanden ist, wie bei erysipelatöser Entzündung, das Jodoform lange Zeit unverändert liegen bleibt, während beim Vorhandensein von Eiter und übelriechendem Secret, wo also lebhafte chemische Umsetzungen vor sich gehen, selbst grosse Jodoformmengen schnell verschwinden. *Das Jodoform ist zersetzt worden, aber nicht ohne seinerseits gleichfalls eine chemische Wirkung hervorgebracht zu haben;* seine

Zersetzungsproducte, Jodwasserstoff und Jod, verwandeln bösartigen und stinkenden Eiter in geruchlosen, in Folge der Oxydationswirkung des Jods, sie beschränken die Wundsecretion und sie beeinträchtigen die Wachsthums- und Vermehrungsfähigkeit der die Zersetzung hervorrufenden Bacterien.

In meiner ersten Jodoformarbeit habe ich wegen dieses bemerkenswerthen Verhaltens und wegen dieser für die Wundbehandlung so glücklichen Eigenschaften des Jodoforms dasselbe einem guten Aufpasser verglichen, der so lange sich unbemerkt und nicht störend verhält, als seine Dienste nicht nothwendig sind, aber sofort zuspringt, wenn seine Hilfe erforderlich ist.

Nach der Veröffentlichung meiner ersten Untersuchungen, 5 Jahre später, sind in ähnlicher Richtung von *Neisser*[5] in sehr eingehender Weise die Eigenschaften des Jodoforms geprüft worden.

Wie gross die Uebereinstimmung seiner Versuchsresultate mit den meinigen ist, mag aus folgenden Sätzen erkannt werden.

„Es wird im Allgemeinen daran festgehalten werden können, dass, je stärkere Reductionsvorgänge, sei es seitens der Gewebe, sei es durch gewisse Bacterienarten, im Spiele sind, um so stärker und schneller eine Zersetzung des Jodoforms und damit Bildung von nascirendem Jod bezw. Jodwasserstoff stattfinden wird;" und (p. 407) „*so sind in der That, wie Behring schon vor Jahren betont hat, die Bedingungen für die antiseptische Wirkung des Jodoforms da am günstigsten, wo in Folge von lebhaften Zersetzungsprocessen die chemischen Wirkungen am kräftigsten ausgeübt werden.*"

Unter Zugrundelegung dieser Thatsachen ist es nunmehr verständlich, dass Mikroorganismen mit so geringer reducirender Wirkung, wie virulente Milzbrandbacillen, durch das Jodoform fast gar nicht beeinflusst werden; sie sind eben bei ihrem Wachsthum nicht im Stande, irgendwie erhebliche Mengen vom Jodoform zu zersetzen. Und ebenso verständlich ist es andererseits, dass die Kommabacillen der Cholera asiatica, die so stark reduciren, dass sie aus stickstoffhaltigen Verbindungen organisches Ammoniak (Cadaverin) in beträchtlichen Mengen erzeugen, — dass diese durch Jodoformzusatz zu ihren Culturen nicht bloss in der Entwickelung gehemmt, sondern in kurzer Zeit getödtet werden.[5] Zu den ausserordentlich energisch reducirenden Bacterien gehören ferner alle Anaëroben, die ich bisher untersucht habe, die Bacillen des Tetanus, des malignen Oedems, in geringerem Grade auch die Rauschbrandbacillen und mehrere anaërobe Bacterien, die ich zufällig fand. Auch das Wachsthum dieser wird durch Jodoform um so schneller aufgehoben, je energischer die Reductionswirkung ist, welche letztere ich durch Züchtung in lackmusgefärbten Agarnährböden festgestellt habe.

Dass auch Tuberkelbacillen auf Blutserum nach Jodoformzusatz zu demselben nicht wachsen, habe ich vor 2 Jahren mitgetheilt,[10] aber ich muss es noch dahingestellt sein lassen, ob auch den Tuberkelbacillen starke Reductionswirkung zukommt und ob die Jodoformwirkung auch bei diesen Bacterien auf eine solche zurückzuführen ist. Es ist bei denselben in Folge des langsamen Wachsthums die experimentelle Prüfung sehr erschwert, und es bedarf sehr viel längerer Zeit, um eine entscheidende Antwort auf die hierher gehörigen Fragen zu bekommen, als bei den oben genannten Mikroorganismen.

So sehen wir denn, dass das Gebiet der antiseptischen Leistungsfähigkeit des Jodoforms noch recht beträchtlich ist; und zwar liegt es gerade innerhalb derjenigen Grenzen, innerhalb welcher andere Antiseptica ziemlich ohnmächtig sind.

Dem Interesse der Patienten ist daher wenig gedient, wenn jetzt mancher Arzt aus theoretischen missverstandenen Gründen denselben die durch andere Mittel gar nicht zu ersetzende Heilwirkung des Jodoforms und der Jodoformgaze bei manchen *tuberculösen* Processen, bei denen namentlich durch *Bruns*[16] von neuem Beweise für die hervorragende Leistungsfähigkeit des Jodoforms geliefert worden sind, und bei jauchigen Wunden, besonders in der Mundhöhle und im Rectum, entzieht.

Im Rectum gedeihen eben anaërob lebende und stark reducirende Bacterien besonders gut; kommt es doch hier sogar unter *normalen* Bedingungen zur Entwickelung von freiem Wasserstoff. Aber auch in der Mundhöhle, namentlich beim Vorhandensein cariöser Zähne, deuten die aashaft stinkenden Bacterienproducte, die in derselben zuweilen beobachtet werden, auf sehr energische Reductionswirkung.

Denn es kann als fast ausnahmslos zutreffend gesagt werden, dass, je mehr *stinkend* eine Bacteriencultur ist — ein Merkmal namentlich vieler anaërob wachsender Bacterien — dass um so bedeutender auch ihre *Reductionswirkung ist;* ich habe in einer demnächst in der Zeitschrift für Hygiene erscheinenden Arbeit die Beweise für diese Behauptung geliefert; und weiter trifft es überall zu, dass, je bedeutender die Reductionswirkung, um so ausgiebiger die Jodoformzersetzung und um so deutlicher die antiseptische Wirkung ist.

Das ist allerdings richtig, dass die Staphylokokken des gewöhnlichen Wundeiters nicht sehr merklich durch Jodoform beeinflusst werden; *aber das pus bonum et laudabile ist es auch nicht, dem gegenüber das Jodoform die glänzendste Wirkung bethätigt, sondern der übelriechende Eiter, in welchem man statt der Staphylokokken oder neben denselben andere Bacterien findet.*

In den beiden letzten Jahren sind auch die Ptomaine Gegenstand vielfacher Erörterung in der Jodoformfrage gewesen — häufig in ganz missverstandener Weise. Da ich der Urheber bin von dem, was über die Einwirkung des Jodoforms auf die Ptomaine behauptet wird, so will ich nicht unterlassen, meinen Standpunkt in Bezug hierauf zu charakterisiren:

Ausgehend von der durch Scheurlen gefundenen eitererregenden Wirkung mehrerer Ptomaine, namentlich des Cadaverins, habe ich gezeigt,[11] *dass durch Jodoform die Cadavereiterung verhindert wird. Diesen Nachweis hat meines Wissens Niemand sonst, weder vor, noch nach mir, auch nur zu führen versucht. Schliesslich basirt doch aber darauf alles, was aus den Beziehungen des Jodoforms zu den Ptomainen zur Erklärung der eiterungverhindernden Wirkung des Jodoforms herangezogen wird.*

Nun kann die chemische Wechselwirkung zwischen Jodoform und Ptomainen selbstverständlich nur da zur Geltung kommen, wo die letzteren reichlicher gebildet werden; *das ist aber bei der gewöhnlichen Staphylokokken-Eiterung gar nicht der Fall, insbesondere sind diejenigen gänzlich im Irrthum, welche glauben, dass etwa Cadaverin darin vorkomme.* Nach meinen Erfahrungen, die vollständig mit den von *Lübbert*[12] mitgetheilten Versuchsergebnissen übereinstimmen, spielt das *Jodoform bei der Staphylokokken-Eiterung überhaupt keine sehr bedeutende Rolle.*

Dagegen nehme ich die von mir gefundene Verhinderung der Eiterbildung durch Ptomaine nach wie vor in Anspruch als Erklärungsmoment für die glänzenden Leistungen des Jodoforms bei jauchigem Secret und stinkendem Eiter.

Man wird unwillkürlich zu der Frage gedrängt, wie es wohl kommen mochte, dass ernsthafte Untersucher sich so leicht dazu entschliessen konnten, über die Erfahrungen der ausgezeichnetsten Chirurgen ein so absprechendes Urtheil zu fällen, während doch die oben mitgetheilten Beobachtungen dem unbefangenen Blick sich bei einem aufmerksamen Studium der Jodoformfrage geradezu aufdrängen mussten. Es lässt sich vielleicht die Ursache darin finden, dass man das Zustandekommen der antiseptischen Wirkung eines chemischen Körpers nicht als eine Wechselwirkung zwischen demselben und zwischen den Bacterien betrachtete, wie sie es thatsächlich ist, sondern dass nur die *eine* Wirkung, die des antiseptischen Mittels, auf die Bacterien berücksichtigt wurde, während die Veränderung, welche das Antisepticum selbst erleidet, unbeachtet blieb. Zu dieser irrthümlichen Auffassung lag die Verführung allerdings sehr nahe, solange die *Carbolsäure* das souveräne Antisepticum war. Dieselbe besitzt die ganz eigenartige und zweifellos für uns sehr werthvolle Fähigkeit, fast unter allen Bedingungen, die bis jetzt bekannt sind, auch quantitativ fast gleich entwickelungshemmend zu wirken; ob wir sie in eiweissfreien oder in eiweisshaltigen Nährböden, ob in sauren oder in alkalischen: ob gegenüber aëroben oder anaëroben Bacterien untersuchen, beträchtliche Abweichungen in ihrer Leistungsfähigkeit sind bei der Carbolsäure dabei nicht zu finden. Wahrscheinlich hängt das mit ihrem chemisch schwer angreifbaren, bezw. leicht sich wieder restituirenden Molekül zusammen. Nur in fettem Oel, im Spiritus und in harzigen Substanzen wird sie unwirksam, aber bei der Anwendung in Wundflüssigkeiten geht sie aus den Lösungsmitteln in diese Wasser enthaltenden Flüssigkeiten über, und so werden *in der Praxis auch die spirituösen und öligen Lösungen wieder wirksam.*

Bei gewöhnlicher Betrachtung sehen wir also, wenn die Carbolsäure antiseptisch in Action tritt, nicht, dass mit ihr selbst eine Veränderung vor sich geht. Wer nun nach dem Typus der Carbolsäurewirkung alle anderen Antiseptica beurtheilt, der befindet sich in einem folgenschweren Irrthum, und ein solcher Irrthum mag daran Schuld gewesen sein, dass frühere Untersucher über die Bedingungen für die Jodoformwirkung sich nicht genügend Rechenschaft abgelegt haben.

Hoffentlich wird die Geschichte des Jodoforms dazu dienen, um bei Laboratoriumsversuchen mehr auf die Verhältnisse der Wirklichkeit Rücksicht zu nehmen und bei der Bestimmung des antiseptischen Werthes in der Versuchsanordnung diejenigen Bedingungen genauer nachzuahmen, unter welchen in der Praxis das zu prüfende Mittel Verwendung findet. Diese Forderung muss um so dringlicher betont werden, als ihre Nichtbeachtung auch bei den so wichtigen *Quecksilberpräparaten* zu principiellen Irrthümern Veranlassung gegeben hat.

Das Quecksilberchlorid ist bald nach der Beschreibung seiner Eigenschaften und Wirkungen durch *R. Koch* (Mitth. aus dem K. Kaiserl. Gesundheitsamt Bd. 1, 1881) allgemein in die Wundbehandlung eingeführt worden und hat sich als eins der wirksamsten und besten Antiseptica erwiesen, nachdem es schon 1878 durch *v. Bergmann* für die Imprägnation von Verbandpäckchen verwendet worden war. Auch bei diesem Präparat ist es nicht ausgeblieben, dass von vielen Seiten ein Widerspruch gefunden wurde zwischen den von *R. Koch* gegebenen Zahlen, welche die desinficirende und die entwickelungshemmende Wirkung zum Ausdruck bringen, und zwischen den Erfahrungen der Praxis.

Wer aber sorgfältig jene epochemachende Desinfectionsarbeit durchstudirte, dem durfte es nicht entgehen, dass dieser Vorwurf, den man sehr häufig in Form des Dictums „der menschliche Körper ist kein Reagensglas" wiederholen hört, gänzlich ungerechtfertigt ist. Es ist schon richtig, und daran wird von vornherein Niemand zweifeln, dass der menschliche Körper kein Reagenglas ist; aber wenn damit gesagt werden soll, dass die Laboratoriumsversuche uns keinen Einblick in die Verhältnisse verschaffen können, wie sie im thierischen und menschlichen Körper existiren, so fällt der in diesem Ausspruch enthaltene Tadel auf diejenigen zurück, welche die Laboratoriumsversuche nicht richtig zu deuten verstehen.

In der Desinfectionsarbeit von *R. Koch* ist genau angegeben, dass die hohen Zahlnn für den antiseptischen

Werth des *Sublimats* bei der Beobachtung des Wachsthums der Bacterien in *Nährbouillon* und *Gelatine* gefunden sind. [1]) Aber es ist ebendaselbst ausdrücklich hervorgehoben worden, dass in faulendem *Blut* erst bei einem Gehalt von 1 : 400 das Wachsthum von Bacterien definitiv aufgehoben wird (p. 279). Nichts lag nun näher, als zu fragen, welche von den so sehr differirenden Zahlen für die Verhältnisse der Wundbehandlung zutreffen, und dann den Ursachen nachzugehen für die verschiedene Leistungsfähigkeit des Sublimats in verschiedenen Nährsubstraten.

Man hätte dann gefunden, dass ein grosser Unterschied besteht zwischen dem entwickelungshemmenden Werth des Sublimats in *eiweissfreien* und *eiweisshaltigen* Nährböden, dass es ferner nicht gleichgiltig ist, ob wir die Sublimatwirkung in *concentrirteren* oder in *dünnen Nährlösungen* prüfen, und ob wir dieselben bei *Zimmertemperatur* oder im *Brütschrank* beobachten.

Weiterhin hätte man auch constatiren können, dass eiweisshaltige Nährböden, namentlich solche, in denen Bacterien schon zur Entwickelung gekommen sind, die Fähigkeit besitzen, das Quecksilberchlorid zum Chlorür

---

1) *R. Koch* spricht sich darüber in folgender Weise aus [17] (pag. 267): „Einmal gelten die Resultate nur für Milzbrandbacillen . . . . . Zweitens macht es einen wesentlichen Unterschied aus, mit welchen Nährflüssigkeiten die Versuche angestellt werden. Ich habe durchweg als für die Milzbrandbacillen am besten geeignet Blutserum oder eine Fleischextract-Pepton-Lösung genommen. Die Zahlen, welche bei Anwendung dieser Nährflüssigkeiten erhalten wurden, können aber auch nur für dieselben allein oder höchstens noch ganz ähnlich zusammengesetzte Flüssigkeiten Geltung haben, weil ein anderer Gehalt an Eiweisskörpern, Nährsalzen u. s. w. auf die Wirkung des Desinfectionsmittels von grösstem Einfluss ist. Diese Verhältnisse sind von den Experimentatoren immer noch zu wenig oder gar nicht berücksichtigt worden, und doch sind sie bei der Uebertragung der experimentell gewonnenen Resultate von der höchsten Bedeutung."

(Calomel) und selbst bis zu metallischem Quecksilber zu reduciren, wodurch die antiseptische Wirkung ganz verloren gehen kann. Es tritt uns damit im Verhalten der Antiseptica ein Unterschied entgegen, der namentlich sehr auffällig ist, wenn wir das Quecksilberchlorid mit dem Jodoform vergleichen. Das letztere wird, wie wir oben gesehen haben, als an sich indifferenter Körper in Wunden hineingebracht, kann aber dort, wenn es die Mittel zu seiner Zersetzung vorfindet, antiseptisch sehr wirksam werden.

Das Quecksilberchlorid dagegen bringen wir in wässeriger Lösung mit grösster antiseptischer Leistungsfähigkeit in Wunden hinein, sehen aber, dass es durch den Einfluss der Wundsecrete und der Bacterien ganz unwirksam werden kann.

Beim Sublimat findet nun eine Verminderung des antiseptischen Werthes nicht bloss durch Bacterien und ihre chemischen Producte und durch die Eiweisskörper des Blutes und der Wundsecrete statt; sie kann auch beobachtet werden unter dem Einfluss der reducirenden Wirkungen des Lichts bei Gegenwart organischer Substanz, selbst wenn dieselbe nur in so geringen Mengen vorhanden ist, wie im nicht destillirten Wasser; ferner unter dem Einfluss der Pflanzenfaser unserer Verbandstoffe und durch alle stärker reducirenden chemischen Körper.

Alle diese Agentien üben auf den antiseptischen Werth des Sublimats in der Praxis einen Einfluss aus, der bald grösser, bald geringer ist, und ohne eine genaue Untersuchung und sorgfältige Berücksichtigung der chemischen Umwandlungen, welche das Sublimat bei seiner Verwendung in der Wundbehandlung erleiden kann und thatsächlich erleidet, wird man zur richtigen Beurtheilung seines antiseptischen Werthes nicht gelangen können.

Der menschliche und der thierische Körper ist in der That kein Reagensglas; aber für die hier in Betracht kommenden Verhältnisse lassen sich die erheblichen Unterschiede der antiseptischen Wirkung im concreten Falle durch Reagensglasversuche nicht bloss auf ihre Ursachen zurückführen, sondern auch ziemlich sicher voraus berechnen, und wenn nur die Versuchsanordnung zweckentsprechend gewählt wird, *dann liefert die Feststellung des antiseptischen Werthes im Laboratorium auch für die Praxis durchaus zuverlässige und brauchbare Resultate.*

Das allerdings soll nicht bestritten werden, dass viele der bisher publicirten bacteriologischen Prüfungen antiseptischer Mittel, die bloss *eine* der Untersuchungsmethoden *R. Koch's* schematisch nachahmten, nur zu sehr geeignet waren, den praktischen Arzt irre zu führen.

II. Die Untersuchungsmethode zur Bestimmung des entwickelungshemmenden Werthes.

Bei der Untersuchung chemischer Präparate auf ihren antiseptischen Werth begnügte man sich in der Zeit vor der grundlegenden Desinfectionsarbeit von *R. Koch*[17] meistentheils mit der Feststellung, ob ein Präparat im Stande ist, die markanten Zeichen der Fäulniss, vor allem den Fäulnissgeruch in fäulnissfähigen Flüssigkeiten zu verhüten und zu beseitigen.

Gegenwärtig wird nach dem Vorgange von Koch ausnahmslos als Kriterium der antiseptischen Wirkung das Ausbleiben des Wachsthums genau bekannter Bacterien in solchen Nährsubstraten angenommen, in denen dieselben ohne den Zusatz der zu prüfenden Mittel sich reichlich vermehren.

Wir bestimmen also nicht sowohl den *fäulnisswidrigen* Werth — antiseptisch im ursprünglichen Sinne des Worts —, als vielmehr den *entwickelungshemmenden.*

Derselbe lässt sich genau durch eine Zahl ausdrücken, welche uns angiebt, wie viel von dem antiseptischen Mittel zu einem abgemessenen Volum Nährboden zugesetzt werden muss, um darin das Wachsthum einer bestimmten Bacterienart zu unterdrücken.

Man erkennt aber leicht, dass diese Zahl keine constante Grösse sein kann, sondern dass sie verschieden gross ausfallen muss je nach der Wahl des *Mikroorganismus*, an welchem wir den entwickelungshemmenden Werth prüfen, und je nach der Zusammensetzung des *Nährbodens*. Denn wir wissen ja, dass verschiedene Bacterien eine verschiedene Widerstandsfähigkeit gegen Antiseptica besitzen, und wir wissen ferner auch, dass der Salzgehalt, der Eiweissgehalt, die Reaction des Nährbodens von grossem Einfluss auf die Leistungsfähigkeit vieler antiseptischer Mittel sind.

Es ist daher gänzlich verfehlt, wenn aus den Arbeiten verschiedener Autoren, die nicht unter genau denselben Versuchsbedingungen gearbeitet haben, Zahlen zusammengestellt werden behufs *Vergleichung* antiseptischer Mittel untereinander.

Gleichwohl geschieht das sehr häufig; zu welchen Fehlschlüssen man dabei aber kommen kann, dafür liefert die in jüngster Zeit in zahlreichen Publicationen wiederkehrende Vergleichung des antiseptischen Werthes des *Creolins* mit der *Carbolsäure* ein sehr lehrreiches Beispiel.

Für das *Pearson*'sche Creolin geben *v. Esmarch*[18] und *Eisenberg*[19] übereinstimmend sehr hohe Zahlen an (1 : 5000 bis 1 : 15000), im Gegensatz dazu finde ich vollständige Entwickelungshemmung erst bei 1 : 175 bis 1 : 225, für das *Artmann*'sche Creolin noch nicht einmal bei 1 : 100. Ich finde also einen etwa 50fach geringeren Werth für das Creolin als andere Untersucher; trotzdem sind sowohl die hohen, wie die niedrigen Zahlen an sich richtig, und der Unterschied erklärt sich daraus, dass *meine Zahlen* am Blutserum, also an einem *eiweisshaltigen* Nährboden, gewonnen sind, die anderen dagegen an *eiweissfreien* Nährsubstraten.

Für die Carbolsäure existiren, wie schon erwähnt,

solche Differenzen in verschiedenen Nährböden *nicht.* Ihr Werth ist überall ziemlich gleichmässig und wird durch die Zahl 1 : 600 bis 1 : 900 von allen Autoren angegeben.

Wer sich nun auf die hohen, für das Creolin gefundenen Zahlen stützt, kann nach der bacteriologischen Prüfung behaupten, dass das Creolin die Carbolsäure um ein Mehrfaches an antiseptischem Werth übertrifft; ich dagegen komme zu dem Resultat, dass *das Creolin etwa um's 4fache weniger wirksam ist als die Carbolsäure.*

Wer hat nun Recht und wem soll der praktische Arzt vertrauen?

Ich meine, die Antwort kann nicht schwer sein.

Soll die bacteriologische Prüfung Rückschlüsse erlauben auf den Werth eines Mittels für die *Wundbehandlung,* bei welcher wir es ausnahmslos mit eiweisshaltigen Flüssigkeiten, nämlich mit Blut, Eiter und serösen Wundsecreten zu thun haben, so ist es richtiger, dass der im *Blutserum* gefundene antiseptische Werth der Vergleichung zu Grunde gelegt wird.

Es ist jetzt länger als ein Jahr her, dass ich diese Verhältnisse in meiner Creolinarbeit genau besprochen habe; ich halte es jedoch nicht für überflüssig, auch hier noch einmal darauf hinzuweisen, da noch immer manche Publicationen bezüglich des Creolins und seiner Leistungsfähigkeit sich in grundsätzlichen Irrthümern bewegen, indem sie die grosse Differenz zwischen eiweissfreien und eiweisshaltigen Nährsubstraten vernachlässigen.

Es muss eine der ersten Forderungen sein, dass die Prüfung des antiseptischen Werthes eines Mittels, welches im Innern des menschlichen Körpers Allgemeinwirkung ausüben, oder welches in Wunden angewendet werden soll, an solchen Nährboden vorgenommen wird, die eine den Körperflüssigkeiten ähnliche Zusammensetzung besitzen; dieser Anforderung entspricht aber von den durchsichtigen Nährboden zweifellos am meisten das flüssige Blutserum.

Was die *Wahl der Bacterienart* betrifft, an welcher

das Wachsthum unter dem Einfluss des zu prüfenden Mittels beobachtet werden soll, so verdienen die *Milzbrandbacillen* aus mehreren Gründen den Vorzug.

Ihr Wachsthum ist schnell und so charakteristisch, dass es auch ohne stärkere mikroskopische Vergrösserung verfolgt werden kann; Verunreinigungen in den Milzbrandculturen können sehr leicht erkannt werden; vor allem möchte ich aber als nicht zu unterschätzenden Vortheil nennen, dass über die Beeinflussung von Milzbrand durch chemische Mittel schon viele zuverlässige Zahlen vorliegen, mit denen man neugewonnene vergleichen kann.

Die Beobachtung kann in der von *R. Koch*[17] (p. 244) angegebenen Weise in verdeckten flachen Glasschalen, sog. Crystallisationsschalen, vorgenommen werden.

Ich selbst ziehe es seit mehreren Jahren vor, den Eintritt oder das Ausbleiben des Wachsthums im *hängenden Tropfen* in hohlgeschliffenen Objectträgern zu beobachten. Das zu prüfende Mittel wird vorher in abgemessener oder abgewogener Menge einem grösseren Quantum Blutserum zugesetzt, dann wird der Mischung ein Tröpfchen Blutserum mit einer Platinöse entnommen, auf ein durch die Flamme gezogenes Deckgläschen gebracht und hier mit einem kleinsten milzbrandsporentragenden Seidenfädchen oder mit einer Spur Milzbrandblut geimpft. Nun legt man das Deckglas mit hängendem Tropfen auf die Höhlung des Objectträgers, nachdem der Rand desselben mit Vaseline bestrichen worden ist. Durch vorsichtiges Andrücken des Deckgläschens wird so ein vollkommen luftdichter Abschluss des hängenden Tropfens erreicht.

Sehr zahlreiche vergleichende Untersuchungen haben mir gezeigt, dass das Ergebniss genau dasselbe ist, wenn ich in der von *Koch* angegebenen Weise den entwickelungshemmenden Einfluss eines Mittels in der *ganzen* Menge Blutserum prüfte, wie wenn ich von derselben nur das Tröpfchen für die Beobachtung im hohlen Objectträger entnahm, und nach dieser Richtung wäre es also gleichgültig, welche Methode man anwendet.

Mein Verfahren hat aber mehrfache Vorzüge, vor allem den der besseren Vergleichbarkeit der Zahlen. Wenn ich z. B. 10 ccm Blutserum im Reagensglas habe, so entnehme ich zunächst ein Tröpfchen und impfe dies auf dem Deckglas; dann stelle ich mir eine beliebige Concentration mit dem zu prüfenden Mittel her und entnehme ein zweites Tröpfchen; danach steigere ich die Concentration in wieder demselben Glase u. s. w., sodass alle Beobachtungen an genau demselben Blutserum gemacht werden. Will ich den entwickelungshemmenden Einfluss gegenüber mehreren Mikroorganismen prüfen, so entnehme ich immer aus demselben Reagensglas mehrere Tröpfchen zum Zweck der Impfung im hängenden Tropfen hintereinander und brauche dann nicht zu befürchten, dass das Mischungsverhältniss nicht überall das gleiche ist, — eine Fehlerquelle, die bei der Verwendung der ganzen Blutserummengen für jeden Mikroorganismus und für jede Concentration des zu prüfenden Mittels, so gering sie sein mag, nicht vollständig zu vermeiden ist.

Noch ein anderer Vortheil meines Verfahrens muss sofort in die Augen springen, das ist die ausserordentliche Ersparniss an Blutserum.

Bei der Beobachtung in Glasschalen werden 10 ccm Blutserum für die Controlcultur und je 10 ccm für jede Mischung mit dem Antisepticum und für jeden Mikroorganismus, z. B. Milzbrand, Staphylococcus aureus und Erysipel-Streptococcus verbraucht. Bei meiner Methode kann ich die vollständige Prüfung mit im ganzen 10 ccm Blutserum ausführen.

Dass der hängende Tropfen, welcher auch stärkeren mikroskopischen Vergrösserungen zugänglich ist, eine genauere Verfolgung des Wachsthums gestattet, als die dickere Schicht des Blutserums in Glasschalen, kommt namentlich für kleinere Bacterien, z. B. Staphylokokken, als weiterer Vortheil in Betracht.

Für die Aufbewahrung der hohlen Objectträger empfiehlt es sich, besondere Kästchen zu benutzen, wie sie im hiesigen hygienischen Institut seit längerer Zeit in Gebrauch sind. Dieselben ermöglichen eine sehr bequeme und wenig Raum wegnehmende Unterbringung einer grossen Zahl von Objectträgern im Brütschrank.

Die Vorzüge meiner Untersuchungsmethode werden neuerdings auch von anderen Autoren gewürdigt, und dieselbe wird jetzt auch im hiesigen hygienischen Institut verwendet. Von *C. Fraenkel* wird sie mit folgenden Worten empfohlen[20] (p. 542):

„Die Resultate sind von grosser Genauigkeit und Bestimmtheit und alle Fehlerquellen so vollständig ausgeschlossen, dass diese Methode in der That allen Anforderungen genügen kann.“

Ich darf die allgemeinen Bemerkungen über die Methode der Untersuchung der Antiseptica nicht schliessen, ohne noch einige Worte über die Anforderungen an die *Beschaffenheit des Blutserums* zu sagen.

Dass dasselbe durchsichtig und steril sein muss, ist selbstverständlich; auch über die Art der Gewinnung und Sterilisirung des Blutserums herrschen keine Meinungsverschiedenheiten, und ich kann in dieser Beziehung auf meine früheren Mittheilungen einfach verweisen.[13]

Aber auch ein Blutserum, welches ganz vorschriftsmässig hergestellt ist, kann für den vorliegenden Zweck ungeeignet sein.

In manchem Serum wachsen nämlich Milzbrandbacillen schlecht oder gar nicht.

Es war mir das zuerst beim Serum von manchen grossen Kaninchen aufgefallen.

Als ich dann diese sehr merkwürdige Eigenthümlichkeit weiter verfolgte, zeigte sich, dass zwar das Serum von Pferden, Rindern, Meerschweinchen, auch von den meisten Hammeln einen guten Nährboden für Milzbrandbacillen liefert, dass dagegen das flüssige Serum einiger Hunde und aller weisser Ratten (ca. 40), die ich bisher untersucht habe, kein Milzbrandwachsthum aufkommen lässt.

In einer besonderen Arbeit[22] habe ich diese Thatsachen mit der natürlichen Immunität oder der grossen Widerstandsfähigkeit gegen Milzbrandinfection bei denjenigen Thieren in Zusammenhang gebracht, deren Serum sich als ungeeigneter Nährboden für Milzbrandbacillen erweist, und die Erklärung dafur in der stärkeren *Alkalescenz* bezw. in dem mit derselben correspondirenden hohen *Kohlensäuregehalt* gefunden. [1])

Dass im *Blut* mancher Thiere auch ausserhalb der lebenden Gefässwand bacterienfeindliche Eigenschaften vorhanden sind, ist von *Nutall*[23] und von *Nissen*[24] aus *Flügge's* Institut mitgetheilt worden.

In jüngster Zeit hat dann *Buchner*[25] an zahlreichen Versuchen mit *zellenfreiem* Blutserum bewiesen, dass in demselben nicht bloss Milzbrandbacillen, sondern auch viele andere Bacterien abgetödtet werden können.

Es darf nach alledem als feststehende Thatsache betrachtet werden, dass das Blutserum von manchen Thierarten, nach meinen Untersuchungen vor allem das von Thieren, welche gegen Milzbrandinfection immun oder sehr widerstandsfähig sind, für Milzbrandculturen nicht geeignet ist.

Von solchem Serum, das aus Schlachthäusern reichlich bekommen werden kann, gestattete fast ansnahmslos gleich von vornherein gutes Wachsthum das Serum von Rindern und Pferden, noch sicherer aber, wenn es durch

---

1) *Metschnikoff*,[21] der Begründer der Phagocytenlehre, hat auf die Inanspruchnahme der Phagocytose für die Erklärung der natürlichen Immunität der weissen Ratten gegen Milzbrand — wenn auch noch mit einiger Reserve — zu Gunsten dieser von mir vertretenen Auffassung neuerdings verzichtet.

fractionirte Sterilisation keimfrei gemacht oder erhalten worden war.[1])

Ich benutze, um gut vergleichbare Resultate zu bekommen, für mein Prüfungsverfahren des entwickelungshemmenden Werthes ausschliesslich *Rinderblutserum*, und da ich die Erfahrung gemacht habe, dass auch noch nicht einmal am Biutserum von allen Rindern ganz genau die gleichen Zahlen für die Entwickelungshemmung gefunden werden, so brauche ich die weitere Vorsicht, dass ich mir grössere Serummengen auf einmal herstelle, um für vergleichende Untersuchungen dasselbe Material anwenden zu können.

Für abschliessende Versuche verwende ich ein Serum, welches nunmehr beinahe $1^1/_2$ Jahre alt ist. In Reagensgläsern eingeschmolzen, habe ich dasselbe von *Bonn* mitgebracht; es ist während dieser Zeit steril und, wie es scheint, ganz unverändert geblieben.

Auch ein Theil der im Folgenden wiedergegebenen Zahlen ist an diesem Blutserum gefunden worden.

---

1) Wahrscheinlich dissociiren unter dem Einfluss höherer Temperatur die lockeren Verbindungen der Kohlensäure mit den Salzen und den Eiweisskörpern ausgiebiger als bei Zimmertemperatur, und es wird auf diese Weise ein Theil der wachsthumsschädigenden Wirkung der Kohlensäure des Blutserums beseitigt. Diese Erklärung wird durch meine anderweitig mitgetheilten Versuche[26] nahegelegt, in welchen mir der Nachweis gelungen ist, dass die im Blutserum sich bemerkbar machenden milzbrandfeidlichen Wirkungen durch solche Mittel paralysirt werden können, die im Stande sind, Kohlensäure fest zu binden oder auszutreiben.

Daneben kommt aber noch die Abnahme der Alkalescenz in Betracht, welche man im sterilisirten Serum regelmässig beobachten kann.

III. Die Ergebnisse der Untersuchung des antiseptischen Werthes einiger Quecksilbersalze.

In welcher Weise ich im Einzelnen die Untersuchung vorgenommen habe, soll im Folgenden genauer am *Quecksilberchlorid* beschrieben werden.

Vom Quecksilberchlorid (Sublimat $HgCl_2$) benutzte ich eine sehr genau dosirte, von Herrn *Proskauer* im hiesigen hygienischen Institut frisch hergestellte Lösung. Dieselbe war dadurch erhalten worden, dass zunächst 0·2 g $HgCl_2$ abgewogen, aus alkoholhaltigem Wasser umkrystallisirt und in 1 l destillirten Wassers aufgelöst wurden. Die Gewichtsanalyse ergab nach Ausfällung des Quecksilbers mittels Schwefelwasserstoff (als Schwefelquecksilber) einen Gehalt der Lösung an Sublimat = 0·20143 %. Die Gewichtsbestimmung nach Ausfällung mit phosphoriger Säure ergab einen damit übereinstimmenden Werth.

1 ccm der Lösung enthielt 0·002 g $HgCl_2$, 0·1 ccm = 1 Theilstrich einer *Koch*'schen Spritze à 1 ccm 0·0002 g = $^1/_{5000}$ g $HgCl_2$.

Wenn 0·1 ccm der Lösung zu 10 ccm Blutserum hinzugesetzt wurden, enthielt demnach das Blutserum $HgCl_2$ in einer Verdünnung von 1 : 50000.

Für den Versuch, dessen Resultat aus Tabelle I zu ersehen ist, war Folgendes vorzubereiten:

Die Quecksilberlösung, 10 ccm sterilisirtes Rinderblutserum im Reagensglas, 5 etiquettirte hohle Objectträger, deren Ausschliff mit Vaseline bestrichen war, 5 zum Zweck der Sterilisation durch die Flamme gezogene Deckgläschen, ferner kleinste milzbrandsporentragende Seidenfädchen, welche so gewonnen werden, dass man mit einer Scheere etwa 1 mm lange Stückchen von einem Milzbrandsporenfaden abschneidet. Dabei zersplittern die abgeschnittenen Stückchen in feine Fasern. Das Zerschneiden des Seidenfadens geschieht zweckmässig in einer sterilisirten Glasschale, die jedesmal nach der Herausnahme der Seidenfädchen mit einer zweiten Glasschale überdeckt wird.

Die Ausführung des Versuchs geht dann in folgender Weise vor sich:

Von den Seidenfädchen lege ich eins oder mehrere auf je ein Deckglas, in die Mitte desselben, mittels einer feinen sterilisirten Pincette.

Mit einer mittelgrossen ausgeglühten Platinöse bringe ich nun einen Tropfen Blutserum aus dem Reagensglas so auf das Deckglas, dass die Seidenfädchen in der Mitte des Tropfens liegen bleiben, fasse das Deckglas an einer Kante mit feiner Pincette, drehe es um, lege es mit hängendem Tropfen auf den Rand der Höhlung des Objectträgers, drücke es gegen die Vaseline an, um einen luftdichten Verschluss herzustellen und bezeichne diesen hohlen Objectträger mit „Controle“.

Dann setze ich zum Blutserum im Reagensglas 0·1 ccm der Sublimatlösung und präparire ganz ebenso wie den ersten einen zweiten Objectträger („$HgCl_2$ 1 : 50000“); danach setze ich zu demselben Blutserum von neuem 0·1 ccm der Lösung hinzu („$HgCl_2$ 1 : 25000“); hierauf 0·2 ccm („$HgCl_2$ 1 : 12500“), endlich noch 0·1 ccm, so dass das Blutserum insgesammt 0·5 ccm = 0·001 $HgCl_2$ enthält („$HgCl_2$ 1 : 10000“), und setze mit jeder Mischung, nachdem für gleichmässige Vertheilung des Sublimats durch Hin- und Herneigen des Reagensglases Sorge getragen ist, einen hohlen Objectträger, wie den ersten an.

Die 5 Objectträger werden dann in den Brütschrank gestellt und nach 1 × 24 Stunden, 2 × 24 Stunden und 3 × 24 Stunden mikroskopisch untersucht, ob von den Seidenfäden aus Milzbrandbacillen gewachsen sind oder nicht.

In der Tabelle bedeutet + reichlich gewachsen, +· mässig reichlich, +·· spärlich, +··· sehr spärlich, — nicht gewachsen.

Wenn in den ausgewachsenen Milzbrandfäden Sporenbildung erfolgt war, dann ist dies durch „Sp.“ angedeutet; Verunreinigung durch andere Mikroorganismen, die übrigens bei sorgfältiger Anfertigung der Präparate fast mit Sicherheit zu vermeiden ist, habe ich durch „~~~“ vermerkt. Nach diesen Vorbemerkungen werden, wie ich hoffe, die Tabellen sofort ein übersichtliches Bild über die Versuchsergebnisse gewähren.

Tabelle I.

Blutserum - Mischung	Nach 1×24 Stdn.	Nach 2×24 Stdn.	Nach 3×24 Stdn.
Controle	+	+	+
$HgCl_2$ 1 : 50 000	+	+	+
$HgCl_2$ 1 : 25 000	+··	+·	+
$HgCl_2$ 1 : 12 500	—	+··	+·
$HgCl_2$ 1 : 10 000	—	—	+···

Das Reagensglas mit dem Blutserum hatte ich gleichfalls in den Brütschrank gestellt; das Blutserum war steril geblieben, *es hatte sich aber am Boden ein grauschwarzer Anflug gebildet, bestehend aus metallischem Quecksilber, möglicherweise vermischt mit etwas Quecksilberoxydul. Nach 3tägigem Stehen im Brütschrank fertigte ich mit diesem Blutserum von neuem einen hohlen Objectträger an und warf auch in das Reagensglas selbst einen Milzbrandsporenfaden hinein.*

Im hohlen Objectträger sowohl wie im Reagensglas erfolgte jetzt ziemlich reichliches und schnelles Auswachsen der Sporen zu Fäden.

Die Wachsthumsgrenze von Milzbrand im Blutserum bei Brüttemperatur ist demnach *nach 2tägiger Beobachtung* bei 1 : 10 000 $HgCl_2$ gefunden worden. Dieser entwickelungshemmende Werth gilt aber nur für eben diese Beobachtungsdauer. Lässt man die Blutserumsublimatmischung längere Zeit stehen, so zersetzt sich das Sublimat, und es zeigt sich dann, dass ein Gehalt von 1 : 10000 $HgCl_2$ zur Wachsthumsaufhebung nicht mehr genügt.

Ein weiterer Versuch ergab, dass ein Gehalt von 1 : 6000 Sublimat nach 8 Tagen noch nicht mit Sicherheit das Milzbrandwachsthum verhinderte, als nach dieser Zeit das Blutserum mit Milzbrandsporen inficirt wurde.

Es ergiebt sich daraus die Nothwendigkeit, dass genau gesagt wird, für welche Beobachtungsdauer die Zahlen Geltung haben, welche die Entwickelungshemmung angeben. Dem Beispiele *R. Koch's* folgend sind meine eigenen Zahlen sämmtlich auf eine 2tägige (2×24 Stunden) Beobachtung berechnet.

In gleicher Weise wie im *Rinderblutserum* untersuchte ich die entwickelungshemmende Wirkung des Sublimats auch in einer *Bouillon*, die in üblicher Weise aus Fleischinfus mit Pepton und Kochsalzzusatz hergestellt war.

Tabelle II zeigt die Wirkung des Sublimats, wenn die Präparate bei Zimmertemperatur (16^0 R = 20^0 C) gehalten wurden, Tabelle III bei Brüttemperatur (36^0 C).

Tabelle II.

Bouillon bei 20^0C.	nach 24 Stunden	nach 2×24 Stdn.	nach 3×24 Stdn.
Controle	+··	+·	+
$HgCl_2$ 1 : 1000000 . . .	+···	+··	+·
$HgCl_2$ 1 : 500000	—	+···	+···
$HgCl_2$ 1 : 250000 . . .	—	—	—
$HgCl_2$ 1 : 125000 . . .	—	—	—

Tabelle III.

Bouillon bei 36^0C.	nach 24 Stunden	nach 2×24 Stdn.	nach 3×24 Stdn.
Controle	+ Sp.	Sp.	—
1 : 250000	+·	+	+ Sp.
1 : 125000	—	+··	+·
1 : 75000	—	—	—

Dieselbe Bouillon wurde auch in *Reagensgläsern* mit Milzbrandsporen inficirt; das Ergebniss war fast genau das gleiche, wie in den hohlen Objectträgern; bei Zimmertemperatur genügte ein Gehalt von 1 : 400000, um jedes Wachsthum während 2 Tagen zu verhindern, während bei 36° C. ein Gehalt $HgCl_2$ 1 : 100000 noch nicht mit Sicherheit das Auskeimen der Sporen verhinderte.

Viel beträchtlicher erwies sich die entwickelungshemmende Wirkung des Sublimats in dieser Bouillon, nachdem ich dieselbe mit der 6fachen Menge sterilisirten Wassers verdünnt hatte. Jetzt blieb auch bei Brüttemperatur noch bei 1 : 600000 jedes Milzbrandwachsthum aus.

Tabelle IV.

1/6 Bouillon bei 36° C.	nach 24 Stunden	nach 2×24 Stdn.	nach 3×24 Stdn.
Controle	+ Sp.	+ Sp.	+ Sp.
$HgCl_2$ 1 : 1200000 . . .	+··	+··	+·
$HgCl_2$ 1 : 600000 . . .	—	—	+···
$HgCl_2$ 1 : 300000 . . .	—	—	—

Aus diesem Versuch kann gleichzeitig ersehen werden, dass die Verdünnung der Bouillon nicht ihre Fähigkeit aufhebt, Milzbrandbacillen als guter Nährboden zu dienen.

Es ist dies eine Beobachtung, die in noch höherem Grade für Blutserum zutrifft, welches durch mässige Verdünnung mit sterilisirtem Wasser sogar ein viel besseres Nährmaterial für Milzbrandbacillen wird, wie ausser an dem reicheren Wachsthum auch daran erkannt werden kann, dass verdünntes Blutserum die Bildung von Milzbrandsporen gestattet, während beim unverdünnten Blutserum dies unter gewöhnlichen Bedingungen nicht der Fall ist. Man kann Rinderblutserum mit der 50fachen Menge Wasser verdünnen, ohne dass darin das Auskeimen der Milzbrandsporen und das schnelle Auswachsen der Bacillen zu langen Fäden ausbleibt; nur ist das Fadengeflecht viel weniger dicht, als in nicht so stark verdünntem Blutserum.

Untersucht man nun den Einfluss des Sublimats auf die Entwickelung von Milzbrandbacillen im *verdünnten* Blutserum, so findet man denselben sehr viel beträchtlicher als im unverdünnten, und zwar wächst derselbe ziemlich genau proportional mit der Verdünnung, so dass in $^{1}/_{40}$ Blutserum auch im Brütschrank noch kein Wachsthum zu beobachten ist, wenn Sublimat darin im Verhältniss von 1 : 400 000 enthalten ist.

Tabelle V.

Sublimat 1 : 500 000	nach 24 Stunden	nach 2×24 Stdn.	nach 3×24 Stdn.
$^{1}/_{10}$ Blutserum	+·	+·	+·
$^{1}/_{20}$ "	—	+···	+··
$^{1}/_{40}$ "	—	—	—
$^{1}/_{50}$ "	—	—	—
$^{1}/_{60}$ "	—	—	—

Um für eine bestimmte Verdünnung die entwickelungshemmende Wirkung des Sublimats noch ganauer festzustellen, habe ich die in Tabelle VI und VII mitgetheilten Versuchsreihen ausgeführt.

Tabelle VI.

$^{1}/_{40}$ Blutserum	nach 24 Stunden	nach 2×24 Stdn.	nach 3×24 Stdn.
Controle	+·	+· Sp.	Sp.
$HgCl_2$ 1 : 1 600 000 . . .	+···	+··	+·· Sp.
$HgCl_2$ 1 : 800 000 . . .	—	+···	+··
$HgCl_2$ 1 : 400 000 . . .	—	—	—
$HgCl_2$ 1 : 200 000 . . .	—	—	—

Aus diesen Beobachtungen muss geschlossen werden, dass in der Bouillon sowohl, wie im Blutserum Agentien vorhanden sind, welche die entwickelungshemmende Wirkung des Sublimats beeinträchtigen.

Tabelle VII.

$^1/_{10}$ Blutserum	nach 24 Stunden	nach 2×24 Stdn.	nach 3×24 Stdn.
Controle	+	+	Sp.
$HgCl_2$ 1 : 1 600 000 . . .	+	+	+ Sp.
$HgCl_2$ 1 : 800 000 . . .	+	+	+
$HgCl_2$ 1 : 400 000 . . .	+··	+·	+·
$HgCl_2$ 1 : 200 000 . . .	+···	+···	+··

Aehnliches habe ich in einer früheren Arbeit über das *Goldkaliumcyanid* mitgetheilt und gezeigt, dass ausser den Salzen bezw. deren Säure- und Basenantheilen auch die Eiweisskörper dabei in Frage kommen, und von den letzteren wiederum besonders die *Globuline.*

Auch für das Sublimat ergiebt sich, dass seine antiseptische Wirkung in hohem Grade von dem Salzgehalt des Nährbodens abhängig ist, wie das namentlich an eiweissfreier Bouillon erkannt werden kann.

Daneben ist aber auch hier wieder der Einfluss der *Globuline* nicht zu unterschätzen, über welchen die Tabelle VIII Auskunft giebt.

Aus 20 ccm Blutserum hatte ich nach 15facher Verdünnung mit Wasser 15 ccm feuchtes Globulin gewonnen. In demselben wuchsen Milzbrandbacillen erst, nachdem durch Natronlauge (10 ccm Normallauge pro Liter) die freie Kohlensäure, bezw. die vom Globulin locker gebundene, beseitigt war.

Tabelle VIII.

Globulin + 20 ccm N. L. im Liter sterilisirt	nach 24 Stunden	nach 2×24 Stdn.	nach 3×24 Stdn.
Controle	+ Sp.	+ Sp.	Sp.
$HgCl_2$ 1 : 160 000	+ Sp.	+ Sp.	Sp.
$HgCl_2$ 1 : 80 000	+ Sp.	+ Sp.	+ Sp.
$HgCl_2$ 1 : 40 000	+·	+·	+·
$HgCl_2$ 1 : 20 000	+··	+·	+·
$HgCl_2$ 1 : 10 000	+···	+··	+·

Aus Tabelle VIII geht heror, dass wir in gekochter concentrirter Globulinlösung einen Nährboden besitzen, in welchem der antiseptische Werth des Sublimats noch geringer ist als im vollen Blutserum. Aber auch in der Globulinlösung nimmt mit der Verdünnung der antiseptische Werth des Sublimats gradweise zu.

In den bisher mitgetheilten Versuchen bestand das zur Impfung des Blutserums dienende Material aus Milzbrand*sporen.*

Die folgenden Tabellen (IX, X, XI) geben eine Uebersicht über die entwickelungshemmende Wirkung des Sublimats im Blutserum, wenn dasselbe mit Milzbrand*bacillen* inficirt wird.

Es geschieht dies am zweckmässigsten in der Weise, dass in das Herzblut einer frisch an Milzbrand verstorbenen Maus eine ausgeglühte und wieder abgekühlte Platinnadel eingetaucht und dann die Nadelspitze mit dem daran haftenden Blut in kurzdauernde Berührung mit dem Serumtropfen auf dem Deckglas gebracht wird. Das Einschliessen des Deckglases im hohlen Objectträger und alles Uebrige wird ganz ebenso ausgeführt, wie beim Impfen mit Sporenseidenfädchen.

In dem in Tabelle XI mitgetheilten Versuch war zur Impfung des Blutserums das Blut einer Maus benutzt worden, welcher ein Seidenfaden mit Milzbrandsporen in eine Hauttasche an der Schwanzwurzel eingebracht war, und die 36 Stunden später an Milzbrand verendete.

Tabelle IX.

Blutserum geimpft mit Milzbrandblut	nach 24 Stunden	nach 2×24 Stdn.	nach 3×24 Stdn.
Controle	+	+	+
$HgCl_2$ 1 : 60 000	+	+	+
$HgCl_2$ 1 : 30 000	+··	+·	+
$HgCl_2$ 1 : 15 000	—	—	+···

Zur Entwickelungshemmung bei 2 tägiger Beobachtungsdauer genügte also ein Gehalt von $HgCl_2$ 1 : 15000 im Blutserum.

Darnach ist es für das Versuchsergebniss nicht ganz gleichgiltig, ob mit Milzbrandsporen oder mit Milzbrandbacillen geimpft wird, namentlich wenn eine etwas längere Beobachtungsdauer der Rechnung zu Grunde gelegt wird. Der Grund ist wahrscheinlich folgender:

Milzbrand*bacillen* gehen in solchem Blutserum, dessen Sublimatgehalt zur Wachsthumverhinderung hinreicht, bald zu Grunde, und es kann daher, wenn nach einiger Zeit der antiseptische Werth des Sublimats im Blutserum geringer geworden ist, kein weiteres Wachsthum erfolgen, während die Milzbrand*sporen* auch nach längerer Zeit als 2×24 Stunden auskeimen können.

Für Milzbrandbacillen liegen diejenigen Zahlen, welche die entwickelungshemmende und die tödtende (desinficirende) Fähigkeit des Sublimats angeben, nahe bei einander, während bei den Sporen bekanntlich entwickelungshemmende und desinficirende Wirkung ausserordentlich verschiedenen Sublimatgehalt erfordern.

In Tab. X und XI habe ich endlich noch zwei Versuche angeführt, welche die differente Leistungsfähigkeit des Sublimats gegenüber *verschiedenen Milzbrandsorten* illustriren sollten.

Das Blutserum war in beiden Versuchen aus demselben Reagensglas entnommen; aber in Versuch XI stammte das zur Impfung des Serums dienende Blut von einer Maus, die an einem Milzbrand verendet war, den ich mir vor einiger Zeit aus demjenigen Milzbrand, von welchem bisher immer die Rede war, und mit welchem auch die Maus in Versuch X inficirt wurde, so umgezüchtet habe, dass er keine Sporen mehr bildet, aber seine Virulenz ziemlich unverändert behalten hat. Ich bezeichne diesen Milzbrand als „asporogenen Kaninchenmilzbrand.“

Die Widerstandsfähigkeit der Bacillen dieses asporogenen Milzbrands gegen Sublimat war wider mein Erwarten, wie man aus den Tabellen erkennen kann, etwas grösser als die des sporenbildenden.

Tabelle X.

Blutserum, geimpft mit Milzbrandblut	nach 24 Std.	nach 2 × 24 Std.
Controle . . .	+	+
$HgCl_2$ 1 : 60 000	+	+
$HgCl_2$ 1 : 30 000	+··	+·
$HgCl_2$ 1 : 20 000	—	+···

Tabelle XI.

Blutser., geimpft m. Milzbrandblut, asporog. Kaninchenmilzbrand	nach 24 Std.	nach 2 × 24 Std.
$HgCl_2$ 1 : 60 000	+	+
$HgCl_2$ 1 : 30 000	+	+
$HgCl_2$ 1 : 20 000	+··	+·

Von anderen Bacterien habe ich noch die im Eiter vorkommenden Staphylokokken und Streptokokken untersucht.

Die Untersuchung des Sublimats in seiner entwickelungshemmenden Wirkung gegenüber diesen Mikroorganismen geschieht ganz genau so, wie gegenüber Milzbrand, nur dass an Stelle der Milzbrandsporen an Seidenfäden angetrocknete Staphylokokken und Streptokokken als Impfmaterial dienen. Die Imprägnirung der Seidenfäden mit diesen Bacterien muss jedoch nicht gar zu lange vor dem Gebrauch vorgenommen werden, da namentlich die Streptokokken sehr bald — diese schon nach 5 bis 10 Tagen — degeneriren und schlecht oder gar nicht auswachsen. Staphylokokken halten sich auch mehrere Wochen lang ganz gut keimfähig.

Tabelle XII.

Blutserum	Milzbrandsporen		Staph. aureus		Strept. pyogenes	
	nach 24 Std.	nach 2 × 24 Std.	nach 24 Std.	nach 2 × 24 Std.	nach 24 Std.	nach 2 × 24 Std.
Controle . . .	+	+	+	+	+	+
$HgCl_2$ 1 : 16 000	+···	+··	+	+	+···	+··
$HgCl_2$ 1 : 8 000	—	—	+	+	—	—
$HgCl_2$ 1 : 4 000	—	—	—	+···?	—	—

Bei dem in Tabelle XII mitgetheilten Versuch war das Blutserum, in welchem das Wachsthum von Milzbrandbacillen, Staphylokokken und Streptokokken beobachtet wurde, demselben Reagensglas entnommen.

Bei richtiger Würdigung der aus den Tabellen I bis XII zu erkennenden Ergebnisse meiner Versuche muss es sofort einleuchten, wie wenig Werth die Angabe einer Zahl für die entwickelungshemmende Wirkung des Quecksilberchlorids hat, wenn nicht ganz genau hinzugefügt wird:

1. die Zusammensetzung des Nährbodens,
2. die Temperatur, bei welcher das Milzbrandwachsthum beobachtet worden ist,
3. die Dauer der Beobachtung,
4. die Art und Herkunft des Impfmaterials.

Fast möchte es danach scheinen, als ob die Prüfung des entwickelungshemmenden Werthes eines antiseptischen Mittels wegen der grossen Labilität der zu findenden Werthe, die sich z. B. beim Sublimat in meinen Versuchen zwischen 1 : 6000 und 1 : 1 200 000 bewegen, überhaupt von sehr mässiger Bedeutung sei.

Das ist jedoch nicht meine Meinung. Bei den unzähligen Einzelversuchen, in denen ich an *Milzbrandsporen* von sehr verschiedener Herkunft und im *Blutserum* von verschiedenen Thieren, von Rindern, Hammeln, Pferden die entwickelungshemmende Wirkung des Sublimats untersucht habe, sind die Ergebnisse verhältnissmässig sehr gut übereinstimmend gewesen. Nach 2 × 24stündiger Beobachtungsdauer habe ich als niedrigste Zahl 1 : 8000, als höchste 1 : 15 000 gefunden; in der übergrossen Mehrzahl aber wichen die Zahlen noch viel weniger von dem *Durchschnittswerth* 1 : 10 000 ab.

Ebenso habe ich für andere Mikroorganismen stets gut übereinstimmende Zahlen gefunden, und zwar für Staphylococcus aureus 1 : 5000, für Streptococcus pyogenes 1 : 10 000; die Durchschnittswerthe jedoch sind bei Eiterkokken von verschiedener Herkunft Schwankungen in Bezug auf die entwickelungshemmende Wirkung des Sublimats in höherem Grade als bei Milzbrandsporen unterworfen.

Zur einheitlichen und vergleichenden Bestimmung des antiseptischen Werthes der im Folgenden zu besprechenden Quecksilberpräparate habe ich aus allen diesen Gründen denselben in der Weise geprüft, dass ich Milzbrandsporen, an Seidenfäden angetrocknet, in Rinderblutserum brachte und 2 Tage lang im Brütschrank bei 36° C. stehen liess. Diejenige Concentration der einzelnen Mittel im Serum, welche noch genügte, um während dieser Zeit das Auskeimen der Sporen vollständig zu verhindern, habe ich dann als antiseptisch wirksam angesehen, und dies durch Einfügung der entsprechenden Zahl in die Tabelle zum Ausdruck gebracht.

Wie für das einfache Quecksilberchlorid habe ich auch für jedes *einzelne* der 13 anderen Quecksilberpräparate die entwickelungshemmende Wirkung möglichst genau festgestellt.

Um dann gut vergleichbare Zahlen zu bekommen, führte ich einige grössere Versuchsreihen aus, in denen *gleichzeitig* mehrere Lösungen unter ganz gleichen Bedingungen geprüft wurden.

Die Lösungen sub 1 bis 7 der Tabelle XIII stellte ich mir für diesen Zweck in folgender Weise her.

Die oben erwähnte *Proskauer*'sche 0·2 % Lösung verdünnte ich mit der gleichen Menge destillirten Wassers und erhielt so eine 0·1 %ige Lösung von $HgCl_2$. Die sub 2 bis 7 genannten Lösungen bekam ich durch den Zusatz abgewogener Mengen von reinem Kochsalz, Salmiak, Cyankalium (97 %, aus Blausäure bereitet, Präparat von *Kahlbaum*).

Dann füllte ich aus einem Kolben sterilisirten Rinderblutserums 9 Reagensgläser mit je 5 ccm. Ein Glas ohne jeden Zusatz diente zur Herstellung eines Controlpräparats; 7 Gläser erhielten so viel von jeder Lösung, dass der Gehalt an Quecksilberchlorid 1 : 20000 betrug; das neunte Glas versetzte ich mit Cyankalium 1 : 7500, um zu erkennen, ob etwa das Cyankalium an sich in der in Frage kommen-

Tabelle XIII.

0·1 %ige Lösungen in destillirtem Wasser	I. Entwickelungshemmung berechnet auf $HgCl_2$ [1]	II. Entwickelungshemmung berechnet auf Hg
1. Quecksilberchlorid $HgCl_2$ . .	1 : 10000	1 : 13300
2. 1 Quecksilberchlor. + 10 Kochsalz $HgCl_2 + 10\,NaCl$ . .	1 : 15000	1 : 20000
3. 1 Quecksilberchlorid + 3 Salmiak (*Alembroth*'sches Salz) $HgCl_2 + 3\,NH_4Cl$ . . .	1 : 12000	1 : 16000
4. 1 Quecksilberchlor. + 1/2 Cyankalium $HgCl_2 + 1/2\,KCy$.	1 : 12000	1 : 16000
5. 1 Quecksilberchlorid + 1 Cyankalium $HgCl_2 + KCy$ . .	1 : 15000	1 : 20000
6. 1 Quecksilberchlorid + 2 Cyankalium $HgCl_2 + 2\,KCy$.	1 : 18000	1 : 24000
7. 1 Quecksilberchlor. + 5 Weinsäure (*Laplace*'sche Lösung) $HgCl_2 + C_4H_6O_6$	1 : 8000	1 : 11000
8. Quecksilbercyanid $HgCy_2$ . .	1 : 18000	1 : 24000
9. Quecksilbercyan.-Cyankalium (Krystallinische Verbindung von *E. Merck*) $HgCy_2(KCy)_2$	1 : 24000 (1 : 20000)	1 : 32000
10. Quecksilberoxycyanid (Präparat v. *Kahlbaum*) $HgOHgCy_2$	1 : 16000	1 : 20000
11. Quecksilberjodidjodkalium (*Nessler*'s Reagens) $HgI_2 + 2\,KI$	1 : 20000	1 : 25000
12. Quecksilberformamid (*Liebreich*'s Lösung) HgO gelöst in wässrigem Formamid .	1 : 10000	1 : 13000
13. 1 Sozojodolquecksilber (Präparat v. *Trommsdorff*) + 5 Kochsalz	(1 : 6000)	? 1 : 18000
14. 1 Sozojodolquecksilber + 3 Jodkalium	(1 : 10000)	1 : 30000

den, oder auch in noch stärkerer Concentration entwickelungshemmend wirkt. Tabelle XIV giebt über die Versuchsergebnisse Aufschluss.

---

1) Die Präparate sub 8, 9, 10, 13, 14 habe ich in festem Zustande rein erhalten und für dieselben die in den Klammern angegebenen Zahlen gefunden. Auf $HgCl_2$ sind die Werthe erst nachträglich umgerechnet worden.

Tabelle XIV.

	nach 24 Stunden	nach 2 × 24 Std.	nach 3 × 24 Std.
1. Controle	+	+	+
2. $HgCl_2$ 1 : 20000	+··	+·	+
3. $HgCl_2$ + 10 NaCl 1 : 20000	—	+···	+·
4. $HgCl_2$ + 3 NH_4Cl 1 : 20000	—	+···	+
5. $HgCl_2$ + 1/2 KCy 1 : 20000	+···	+··	+
6. $HgCl_2$ + 1 KCy 1 : 20000	—	+···	+··
7. $HgCl_2$ + 2 KCy 1 : 20000	—	—	+···
8. $HgCl_2$ + 5 $C_4H_6O_6$ 1 : 20000	+·	+Sp.	+Sp.
9. KCy 1 : 7500	+	+Sp.	Sp.

In ähnlicher Weise untersuchte ich in grösseren Versuchsreihen zusammen mit dem Quecksilberchlorid die sub 8—14 aufgeführten Lösungen.

Das *Quecksilbercyanid* ist das bekannte, auch in der Medicin, namentlich bei der Syphilis (*Mandelbaum* u. a.) und zur Behandlung der Diphtherie (*Roth*) schon verwendete Präparat. Es ist in Wasser leicht löslich.

Eine wässerige Lösung desselben löst in der Wärme noch erhebliche Mengen von Quecksilberoxyd; jedoch nur wenn das letztere frisch gefällt ist. Man bekommt auf diese Weise das *Quecksilberoxycyanid.* Ich habe mir dasselbe rein von *Kahlbaum* herstellen lassen. Das Quecksilberoxycyanid ist von *Chibret*[27] schon auf seine antiseptischen Eigenschaften geprüft und wirksamer gefunden worden, als das Sublimat.

Das *Quecksilberkaliumcyanid* habe ich durch das freundliche Entgegenkommen der chemischen Fabrik von *F. Merck* in Darmstadt in schönen Krystallen erhalten. Die antiseptischen Wtrkungen habe ich schon an einem anderen Ort beschrieben. Die früher angegebene Zahl für die entwickelungshemmende Wirkung ist gegenüber Milzbrand*bacillen* gefunden worden; ausserdem ist sie auf Quecksilber berechnet und deshalb höher als die in Tabelle XIII genannte.

Das *Quecksilberjodkaliumjodid* empfahl *Vachez*[28] zu subcutanen Injectionen gegen Syphilis; sehr gerühmt und als Ersatz für das Quecksilberchlorid dringend empfohlen wurde es auch von *Ricord.*

Das *Quecksilberformamid* wird dargestellt durch Auflösen von frisch gefälltem Quecksilberoxyd in wässerigem Formamid. Nachdem es von *Liebreich*[29] im Jahre 1883 dargestellt und in die Syphilistherapie zu hypodermatischer Verwendung eingeführt worden war, sind schon auf dem Kopenhagener medicinischen Congress (1884) von verschiedenen Praktikern die Vorzüge dieses Präparates anerkannt worden. Es hat jedoch auch Nachtheile, namentlich den der ausserordentlich leichten Zersetzlichkeit; aus einer hiesigen renommirten Apotheke habe ich solche Lösungen, welche mit Blutserum keine Fällung geben — und auf der Nichtausfällung von Eiweiss soll ja der wesentliche Vorzug dieses Präparates beruhen — zweimal nicht bekommen können.

Denselben Nachtheil wie diese *Fettsäureamidverbindung* des Quecksilbers besitzen auch die Verbindungen desselben mit *Amidosäuren*, z. B. das Glycocoll-, Asparagin-, Alaninquecksilber. *Wolff*,[30] welcher diese Präparate in der Strassburger Universitätsklinik genau geprüft hat, musste sich besondere Spritzen für die subcutanen Injectionen construiren, um die schnelle Zersetzung und damit das Unwirksamwerden der Lösungen zu verhüten.

Ein sehr beachtenswerthes Präparat ist das *Sozojodolquecksilber*, welches von *Trommsdorff* in Erfurt hergestellt wird.

Die Verbindungen des Quecksilbers mit organischen Körpern aus der aromatischen Reihe, welche wir bis jetzt kennen, z. B. das carbolsaure und das salicylsaure Quecksilber, sind sehr schwer lösliche Präparate, und aus diesem Grunde waren sie für meine Untersuchungen nicht geeignet.

Auch das Sozojodolquecksilber ist nun eine aromatische Quecksilberverbindung; es gelingt aber durch Kochsalzzusatz

Tabelle XV.

Präparate	Entwickelungshemmung
Cyanin	über 1 : 40000
Malachitgrün	
Jodsilber gelöst in Cyankalium	über 1 : 30000
Chlorsilber gelöst in Cyankalium	
Cyansilber gelöst in Cyankalium	
Höllenstein	
Safranin	über 1 : 25000
Quecksilbercyanid-Cyankalium	über 1 : 20000
Quecksilberpräparate der Tabelle XIII	über 1 : 10000
Goldpräparate	
Fluorantimon-Fluornatrium	
Jodtrichlorid	über 1 : 1500
Natronlauge	
Platinkaliumcyanid	
Salzsaures Hydroxylamin	
Cadaverin	
Salzsaures Chinin	über 1 : 500
Terpinhydrat	
Sozojodol-Zink	
Piperidin	
Saures schwefelsaures Chinin	
Carbolsäure	
Jod gelöst in Jodkalium	
Oxalsäure	über 1 : 250
Kreosot aus alkoholischen Lösungen	
Thymol aus alkoholischen Lösungen	
Urethan	über 1 : 150
Paraldehyd	
Chloralhydrat	
Salicylsaures Natron	
Cineolsäure (Eucalyptol)	
Kali carbonicum	
Kali bicarbonicum	
Kreolin (Pearson)	
Sozojodol-Natrium	unter 1 : 100
Kreolin (Artmann)	
Aether	
Alkohol	1 : 15

und durch Jodkalium ziemlich leicht dasselbe in Lösung zu bringen. Ueber die Constitution dieses Präparates, welches ich durch die Vermittelung von Herrn Stabsarzt Lübbert erhalten habe, und über die sonstigen Eigenschaften wird derselbe demnächst berichten

Ich will hier nur noch hinzufügen, dass die entwickelungshemmende Wirkung ausschliesslich dem Quecksilber zuzuschreiben ist, da dem Sozojodol selbst kaum mehr Einfluss auf das Milzbrandwachsthum zukommt, als durch seine sauren Eigenschaften bedingt wird. Das Sozojodolnatrium hat z. B. noch keine Wirkung, wenn es im Verhältniss von 1 : 100 im Blutserum enthalten ist.

Wie für die Quecksilberpräparate habe ich auch für eine grössere Zahl anderer chemischer Körper die entwickelungshemmende Wirkung gegenüber Milzbrand im Blutserum bei Brüttemperatur untersucht und stelle in Tabelle XV eine Reihe derselben zusammen.

Litteratur-Verzeichniss.

1) *C. Binz*, Ueber Jodoform und Jodsäure. Arch. f. exper. Pathol. u. Pharmakol. 1878, VIII, p. 309.

2) Derselbe, Toxicologisches über Jodpräparate. Ibid. 1880, XIII, p. 113.

3) Derselbe, Das Verhalten der Auswanderung farbloser Blutzellen zum Jodoform. *Virchow's* Arch. 1882, p. 389.

4) Derselbe, Zur Jodoformfrage. Therap. Monatshefte 1887, Mai.

5) *Neisser*, Zur Kenntniss der antibacteriellen Wirkung des Jodoforms. *Virchow's* Arch. f. pathol. Anatomie u. Physiologie 1887, Heft 2 u. 3.

6) *Behring*, Ueber Jodoform und Jodoformwirkung. Deutsche medicin. Wochenschr. 1882, Nr. 9.

7) Derselbe, Ueber Jodoformintoxication. Ibid. 1882, Nr. 20 und 21.

8) Derselbe, Die Bedeutung des Jodoforms in der antiseptischen Wundbehandlung. Ibid. 1882, Nr. 23 u. 24.

9) Derselbe, Ueber Jodoformvergiftung und ihre Behandlung. Ibid. 1884, Nr. 5.

10) Derselbe, Ueber Jodoform und Acetylen. Ibid. 1887, Nr. 20.

11) Derselbe, Cadaverin, Jodoform und Eiterung. Ibid. 1888, Nr. 32.

12) *Lübbert*, Ueber das Verhalten des Jodoforms zum Stapyhlococcus pyog. aureus. Fortschr. d. Med. 1887, Nr. 11.

13) *Behring*, Der antiseptische Werth der Silberlösungen und Behandlung von Milzbrand mit Silberlösungen. Deutsche medicin. Wochenschr. 1887, Nr. 37 u. 38.

14) Derselbe, Ueber Quecksilbersublimat in eiweisshaltigen Flüssigkeiten. Centralbl. für Bacteriologie u. Parasitenkunde 1888, Nr. 1 u. 2.

15) Derselbe, Ueber den antiseptischen Werth des Creolins und Bemerkungen über die Giftwirkung antiseptischer Mittel. Deutsche militärärztl. Zeitschr. 1888, Nr. 5.

16) *Bruns* und *Nauwerck*, Ueber die antituberculöse Wirkung des Jodoforms. Mittheilungen aus der chirurgischen Klinik zu Tübingen, 1887, III, Heft 1.

17) *R. Koch*, Ueber Desinfection. Mitth. aus dem Kaiserl. Gesundheitsamt, Bd. I, 1881.

18) *E. v. Esmarch*, Das Creolin. Centralbl. f. Bacteriologie 1887, Nr. 10 u. 11.

19) *J. Eisenberg*, Ueber die desinficirende Wirkung und praktische Anwendung des Creolins. Wiener medicinische Wochenschrift 1888, Nr. 17, 18, 19.

20) *C. Fraenkel*, Die desinficirenden Eigenschaften der Kresole, ein Beitrag zur Desinfectionsfrage. Zeitschr. für Hygiene, Bd. VI, p. 889.

21) *Metschnikoff*, Annales de l'Institut Pasteur, Juniheft 1889.

22) *Behring*, Ueber die Ursache der Immunität von Ratten gegen Milzbrand. Centralbl. für klinische Medicin 1888, Nr. 38.

23) *G. Nutall*, Experimente über die bacterienfeindlichen Einflüsse des thierischen Körpers. Zeitschrift für Hygiene Bd. IV., p. 353 ff., 1888.

24) *F. Nissen*, Zur Kenntniss der bacterienvernichtenden Eigenschaften des Blutes. Zeitschr. f. Hygiene VI. Bd., p. 487 (1889).

25) *H. Buchner*, Ueber die bacterientödtende Wirkung des zellenfreien Blutserums. Centralbl. für Bacteriologie. 1889, Nr. 25 u. 26.

26) *Behring*, Beiträge zur Aetiologie des Milzbrands. I. II. u. III., Zeitschr. für Hygiene, Bd. VI (1889), p. 117 ff.; IV. u. V., p. 467—86

27) *Chibret*, Compt. rend. T. CVII, Nr. 2, p. 119, citirt nach *Virch. Hirsch* Jhrb. 1888, p. 358.

28) *Vachez*, Gaz. hbd. de méd. Nr. 49, p. 794 (1885).

29) *Liebreich*, Vierteljahrsschr. f. Dermatol. u. Syphilis, 1884, 3. u. 4. Heft.

30) *Wolff*, citirt nach *Virch. Hirsch* Jhrb. 1883.

Berlin 1889.

XI.

Ueber die Leistungsfähigkeit mehrerer chemischer Desinfectionsmittel bei einigen für den Menschen pathogenen Bacterien.

Von **Dr. Oscar Boer**, in Berlin.

(Aus dem hygienischen Institut zu Berlin.)

Die Zahl der antiseptisch und desinficirend wirksamen Mittel ist eine überaus grosse, selbst wenn nur diejenigen ausgewählt werden, welche in der Desinfectionspraxis, in der Wundbehandlung und in der Behandlung von Allgemeinerkrankungen eine Rolle spielen oder gespielt haben.

Von den verschiedenen Gruppen, die sich unter den vielen einzelnen Mitteln unterscheiden lassen, habe ich einige in meine Untersuchungen gar nicht hineingezogen; so z. B. habe ich gar nicht berücksichtigt die in gasförmigem Zustande wirksamen; z. B. schweflige Säure, Chlor, Brom, Jod; ferner nicht die ätherischen Oele.

Endlich haben alle diejenigen Körper, welche in Folge ihrer Unlöslichkeit oder Schwerlöslichkeit in Wasser einer zahlenmässigen Bestimmung ihres antiseptischen und desinficirenden Werthes Schwierigkeiten in den Weg legen, keine Berücksichtigung gefunden.

Von den übrigen Gruppen, die man innerhalb der Zahl der Desinfectionsmittel unterscheiden kann, untersuchte ich als Repräsentanten der Säuren Salzsäure und

Schwefelsäure; als Repräsentanten der Alkalien Natronlauge und Ammoniak; von Metallsalzen Quecksilberoxycyanid, Auronatriumchlorid und Silbernitrat und ausserdem arsenigsaures Natron; — aus der Gruppe der aromatischen Körper die Carbolsäure, das Creolin, das Lysol; dann einen Farbstoff, das Malachitgrün, dessen hoher antiseptischer Werth im hiesigen Institut vor mehreren Jahren von Herrn Geheimrath *Koch* festgestellt und vor einem Jahr von *Behring*[1]) mitgetheilt wurde. — Das Pyoktanin, ein Methylviolett, welches sich in der Wirksamkeit identisch mit dem früher im hygienischen Institut untersuchten Methylviolett (5 B, Nr. 182) erwies und — wie aus den Tabellen leicht erkannt werden kann — weniger leistungsfähig ist als Malachitgrün, wurde mit Rücksicht auf die neuerdings erfolgte Publication voe Prof. *Stilling*[2]) einer erneuten Untersuchung unterzogen.

Die Prüfung der eben genannten Mittel geschah nach einem einheitlichen Plane, für dessen Aufstellung die Erfahrungen massgebend waren, welche bei früheren Untersuchungen im hiesigen hygienischen Institute gemacht worden sind.

Vor Beginn der Arbeit und während derselben habe ich den Untersuchungsplan gemeinschaftlich mit Herrn Stabsarzt *Behring* besprochen, von welchem ich auch orientirende Angaben über den antiseptischen Werth der einzelnen Mittel erhalten habe.

Was im folgenden gebracht wird, ist keineswegs eine erschöpfende Desinfectionsprüfung dieser Mittel; aber eben

---

1) *Behring* zählt in dieser Zeitschrift, Bd. VII, S. 173, mehrere antiseptisch wirksame Farbstoffe: Safranin, Methylviolett, Cyanin, Malachitgrün auf. — In der Deutschen medicinische Wochenschrift, 1889, Nr. 41—43, stehen in der Schlusstabelle die Anilinfarbstoffe Cyanin und Malachitgrün als wirksamste milzbrandfeindliche Mittel obenan.

2) *Stilling*, Anilinfarbstoffe als Antiseptica und ihre Anwendung f. d. Praxis. Strassburg 1890.

dieselben werden noch nach anderen als den von mir berücksichtigten Gesichtspunkten im hiesigen Institut studirt, und so lässt sich erwarten, dass durch gemeinsame und sich ergänzende Arbeit allmählich ein übersichtliches Bild darüber gewonnen wird, was wir im gegebenen Falle zur Verhütung und Beseitigung der Infectionsgefahr mit chemischen Präparaten erreichen können.

Denn darüber dürfen wir uns keinen Illusionen hingeben, wie lückenhaft in dieser Richtung unsere Kenntnisse noch sind.

Bei vielen wichtigen chemischen Präparaten fehlen methodische Prüfungen noch ganz; bei anderen sind zwar Mittheilungen über den Desinfectionswerth vorhanden, aber die Zahlenangaben können nicht für die Praxis verwendet werden, weil bei der Prüfung den Verhältnissen, wie sie in der Wirklichkeit vorliegen, nicht genügend Rechnung getragen wurde.

Die Zahlen, welche den entwickelungshemmenden und desinficirenden Werth eines Präparates angeben sollen, haben überhaupt sehr wenig Werth, wenn nicht genau gesagt wird, unter welchen Bedingungen die Prüfung angestellt wurde. Wie dieselbe auszuführen ist, hängt von dem Zweck ab, den die Untersuchung verfolgt.

Mein Hauptinteresse concentrirte sich auf die Frage, wie sich gegenüber den zur Untersuchung gewählten Präparaten die für uns wichtigsten Bacterien, nämlich die für den Menschen pathogenen, verhalten. Von denselben untersuchte ich:

Diphtherie-, Typhus-, Cholera-, Rotz- und Milzbrandbacterien.

Alle, mit Ausnahme der Milzbrandbacillen, bilden keine Sporen[1]; aber auch die Milzbrandbacillen habe ich nur in sporenfreiem Zustande untersucht, indem ich asporo-

---

1) Auch bei den Rotzbacillen vermisste ich in meinen zahlreichen Versuchen die Sporenbildung stets.

genen Milzbrand oder frisches Milzbrandblut zur Impfung wählte.

Um ein den Körperflüssigkeiten ähnliches Nährsubstrat zu bekommen, wurde zuerst Rinderblutserum genommen. Jedoch musste dieses Medium verlassen werden, weil Rotz- und Cholerabacterien darin gar nicht oder schlecht wuchsen. Um einen flüssigen Nährboden zu erhalten, in welchem alle fünf genannten Bacterienarten gut gedeihen, wurde darauf Glycerinbouillon versucht; jedoch stellte sich bald der Uebelstand heraus, dass in derselben überall eine starke Säurebildung statt hatte, selbst bei den Bacterien, die sonst als Alkalibildner bekannt sind, wie die Cholerabacterien.

Ich ging dann zur gewöhnlichen Bouillon über und fand, dass auch Diphtherie- und Rotzbacterien darin bei Brüttemperatur gut wuchsen, wenn die Reaction der Bouillon schwach alkalisch gewählt wurde (6 bis 8 ccm Normallauge pro Liter Bouillon).

Die Untersuchung der Leistungsfähigkeit der oben erwähnten Präparate, nämlich: Salzsäure, Natronlauge, Schwefelsäure, Ammoniak, Quecksilberoxycyanid, Goldchlorid,. Silbernitrat, arsenigsaures Natron, Carbolsäure, Creolin, Lysol, Malachitgrün, Methylviolett, gegenüber Milzbrand-, Typhus-, Diphtherie-, Rotzbacillen und Cholerabacterien geschah also in gewöhnlicher mit Pepton und Kochsalz zubereiteter Rinderbouillon von schwach alkalischer Reaction.

Was die Versuchsergebnisse betrifft, so sind dieselben in der Tab. I übersichtlich zusammengestellt. Diese Tabelle enthält für jede Bacterienart und für jedes Mittel drei verschiedene Colonnen: a, b, c. Colonne a giebt die Zahlen für die Entwickelungshemmung, b und c für die Abtödtung. Die entwickelungshemmende Wirkung wurde genau nach der von *Behring*[1]) beschriebenen Me-

---

1) Deutsche medicinische Wochenschrift. 1889.

Tabelle

	Aspor. Milzbrandbacillen			Diphtheriebacillen		
	Entwickelungshemmung	Abtödt. nach 2 Std. frisch geimpfte Cultur	Abtödt. nach 2 Std. 24 Stdn. alte Cultur	Entwickelungshemmung	Abtödt. n. 2 Std. frisch geimpfte Cultur	Abtödt. n. 2 Std. 24 Stdn. alte Cultur
	a.	*b.*	*c.*	*a.*	*b.*	*c.*
re	1:3400	1:1600	1:1100	1:3400	1:1600	1:700
elsäure . . .	1:2550	1:1700	1:1300	1:2050	1:1200	1:500
auge	1:650	1:450	1:450	1:650	1:350	1:300
iak	1:650	1:650	1:300	1:1000	1:550	1:250
ilberoxycyanid	1:80000	1:70000	1:40000	1:80000	1:60000	1:40000
triumchlorid .	1:40000	1:10000	1:8000	1:40000	1:5000	1:1000
trat	1:60000	1:30000	1:20000	1:60000	1:10000	1:2500
saures Natron	1:8000	1:500	1:250	1:10000	1:1000	1:500
tgrün	1:120000	1:40000	1:40000	1:40000	1:25000	1:8000
iolett . . .	1:70000	1:25000	1:5000	1:10000	1:3000	1:2000
äure	1:750	1:500	1:300	1:500	1:400	1:300
. . . .			1:5000			1:2000
. . . .			1:1000			1:800

Tabelle

	Milzbrandbacillen			Diphtheriebacillen		
	1.	2.	3.	1.	2.	3.
	Entwickelungshemmung trat ein bei einem Verhältniss von	Entwickelungshemmung trat ein bei einem Procentgehalt von	Normallauge- bez. Normalsäurezusatz in 1 Liter Bouillon, welcher z. Entwickelungshemmung ausreicht	Entwickelungshemmung trat ein bei einem Verhältniss von	Entwickelungshemmung trat ein bei einem Procentgehalt von	Normallauge- bez. Normalsäurezusatz in 1 Liter Bouillon, welcher z. Entwickelungshemmung ausreicht
re	1:3425	0·03	8	1:3400	0·03	8
elsäure . . .	1:2550	0·04	8	1:2050	0·05	10
auge	1:650	0·16	40	1:650	0·16	40
iak	1:650	0·15	90	1:1000	0·10	60

I.

Rotzbacillen			Typhusbacillen			Cholerabacterien		
Entwickelungshemmung	Abtödt. n. 2 Std.		Entwickelungshemmung	Abtödt. n. 2 Std.		Entwickelungshemmung	Abtödt. n. 2 Std.	
	frisch geimpfte Cultur	24 Stdn. alte Cultur		frisch geimpfte Cultur	24 Stdn. alte Cultur		frisch geimpfte Cultur	24 Stdn. alte Cultur
a.	*b.*	*c.*	*a.*	*b.*	*c.*	*a.*	*b.*	*c.*
1:700	1:300	1:200	1:2100	1:900	1:300	1:5500	1:1850	1:1350
1:750	1:250	1:200	1:1550	1:500	1:500	1:7000	1:1800	1:1300
1:350	1:250	1:150	1:350	1:250	1:190	1:350	1:225	1:150
1:850	1:350	1:250	1:650	1:250	1:200	1:550	1:350	1:350
1:60000	1:50000	1:30000	1:60000	1:50000	1:30000	1:90000	1:80000	1:60000
1:15000	1:1000	1:400	1:20000	1:800	1:500	1:25000	1:1500	1:1000
1:75000	1:15000	1:4000	1:50000	1:4000	1:4000	1:50000	1:20000	1:4000
1:6000	1:300	1:250	1:6000	1:300	1:250	1:8000	1:450	1:400
1:5000	1:300	1:300	1:5000	1:500	1:300	1:100000	1:25000	1:5000
1:2500	1:200	1:150	1:2500	1:200	1:150	1:30000	1:3000	1:1000
1:500	1:400	1:300	1:400	1:300	1:200	1:600	1:500	1:400
		1:300			1:250			1:3000
		1:800			1:250			1:500

Ia.

Rotzbacillen			Typhusbacillen			Cholerabacterien		
1.	2.	3.	1.	2.	3.	1.	2.	3.
Entwickelungshemmung trat ein bei einem Verhältniss von	Entwickelungshemmung trat ein bei einem Procentgehalt von	Normallauge- bez. Normalsäurezusatz in 1 Liter Bouillon, welcher z. Entwickelungshemmung ausreicht	Entwickelungshemmung trat ein bei einem Verhältniss von	Entwickelungshemmung trat ein bei einem Procentgehalt von	Normallauge- bez. Normalsäurezusatz in 1 Liter Bouillon, welcher z. Entwickelungshemmung ausreicht	Entwickelungshemmung trat ein bei einem Verhältniss von	Entwickelungshemmung trat ein bei einem Procentgehalt von	Normallauge- bez. Normalsäurezusatz in 1 Liter Bouillon, welcher z. Entwickelungshemmung ausreicht
1:700	0·15	40	1:2100	0·05	13	1:5500	0·02	5
1:700	0·15	30	1:1550	0·06	13	1:7000	0·015	3
1:350	0·30	70	1:3500	0·30	70	1:3500	0·3	70
1:850	0·12	70	1:6500	0·15	90	1:3500	0·18	110

Tabelle Ib. Vergleichung der Abtödtung bei zweistündiger Einwirkung
Normalsäure- und Normal-

	Milzbrandbacillen		Diphtheriebacillen	
	Abtödtung trat ein bei einem Procentgehalt von	Normalsäure- bez. Normallaugezusatz in 1 Liter Bouillon, der zur Abtödtung ausreicht	Abtödtung trat ein bei einem Procentgehalt von	Normalsäure- bez. Normallaugezusatz in 1 Liter Bouillon, der zur Abtödtung ausreicht
Frisch geimpfte Culturen	0·06	17	0·06	17
Normalsalzsäure				
24 Stunden gewachs. Culturen	0·09	25	0·15	42
Frisch geimpfte Culturen	0·06	12	0·08	17
Normalschwefelsäure				
24 Stunden gewachs. Culturen	0·08	15	0·20	42
Frisch geimpfte Culturen	0·23	58	0·30	75
Normalnatronlauge				
24 Stunden gewachs. Culturen	0·23	58	0·35	88
Frisch geimpfte Culturen	0·15	90	0·18	110
Normalammoniak				
24 Stunden gewachs. Culturen	0·32	190	0·44	260

Tabelle II. Abtödtungsversuche in neutraler Bouillon und bei frisch

	Milzbrandbacillen		Diphtheriebacillen	
	2 Stunden	24 Stunden	2 Stunden	24 Stunden
Salzsäure	0·03	0·03	0·07	0·07
Schwefelsäure	0·05	0·03	0·10	0·10
Natronlauge	0·24	0·20	0·32	0·28

thode geprüft. Aber die durch diese Untersuchung im hängenden Tropfen gewonnenen Resultate wurden stets auch durch Untersuchung in grösseren Flüssigkeitsmengen controlirt. Die Resultate wurden übrigens gut übereinstimmend gefunden.

Die in der Tabelle I, Col. a, für die Entwickelungshemmung gefundenen Zahlen geben also an, in welchem Quantum Bouillon 1 grm des zu prüfenden Präparates bei auf 24 Stunden alte und auf frische Culturen, ausgedrückt in Cubikcentimeter lauge und in Procenten.

Rotzbacillen		Typhusbacillen		Cholerabacterien	
Abtödtung trat ein bei einem Procentgehalt von	Normalsäure-bez. Normallaugezusatz in 1 Liter Bouillon, der zur Abtödtung ausreicht	Abtödtung trat ein bei einem Procentgehalt von	Normalsäure-bez. Normallaugezusatz in 1 Liter Bouillon, der zur Abtödtung ausreicht	Abtödtung trat ein bei einem Procentgehalt von	Normalsäure-bez. Normallaugezusatz in 1 Liter Bouillon der zur Abtödtung ausreicht
0·34	92	0·11	30	0·055	15
0·52	142	0·34	92	0·07	20
0·45	92	0·20	40	0·06	12
0·54	110	0·20	42	0·08	15
0·36	90	0·36	90	0·44	110
0·64	160	0·52	130	0·64	160
0·27	160	0·44	260	0·27	160
0·44	260	0·51	300	0·27	160

geimpften Culturen. Die Abtödtung trat ein bei einem Procentgehalt von:

Rotzbacillen		Typhusbacterien		Cholerabacterien	
2 Stunden	24 Stunden	2 Stunden	24 Stunden	2 Stunden	24 Stunden
0·21	0·21	0·11	0·09	0·03	0·02
0·30	0·30	0·20	0·12	0·04	0·03
0·28	0·30	0·24	0·24	0·24	0·22

Tabelle IIa.

Frisch geimpfte neutrale Bouillon. Prüfung der Lebensfähigkeit in neutraler Bouillon. Die Abtödtung trat ein bei einem Procentgehalt von:

	Typhusbacillen		Cholerabacterien	
	2 Stdn.	24 Stdn.	2 Stdn.	24 Stdn.
Salzsäure	0·07	0·07	0·02	0·01
Schwefelsäure	0·12	0·09	0·02	0·01

Tabelle III. Vergleichung der Abtödtung bei 2stündiger

	Milzbrandbacillen		**Diphtheriebacillen**	
	2 Stdn.	24 Stdn.	2 Stdn.	24 Stdn.
Salzsäure	1:1600	1:1600	1:1600	1:1600
Schwefelsäure . . .	1:1700	1:2000	1:1200	1:1700
Natronlauge	1:450	1:450	1:350	1:350
Ammoniak	1:650	1:650	1:550	1:600
Quecksilberoxycyanid	1:70000	1:70000	1:60000	1:60000
Auronatriumchlorid .	1:10000	1:10000	1:5000	1:5000
Silbernitrat	1:33000	1:33000	1:10000	1:20000
Arsenigsaures Natron	1:500	1:500	1:1000	1:1000
Malachitgrün	1:40000	1:50000	1:25000	1:30000
Methylviolett . . .	1:25000	1:25000	1:3000	1:5000
Carbolsäure	1:500	1:500	1:4000	1:400

Tabelle IV. Vergleichung der Abtödtung bei 2stündiger und

Salzsäure	1:1100	1:1100	1:700	1:700
Schwefelsäure . . .	1:1300	1:1700	1:500	1:650
Natronlauge	1:450	1:450	1:300	1:300
Ammoniak	1:300	1:350	1:250	1:350
Quecksilberoxycyanid	1:40000	1:50000	1:40000	1:40000
Auronatriumchlorid .	1:8000	1:10000	1:1000	1:1000
Silbernitrat	1:20000	1:33000	1:2500	1:6000
Arsenigsaures Natron	1:250	1:250	1:500	1:800
Malachitgrün	1:40000	1:50000	1:8000	1:10000
Methylviolett . . .	1:5000	1:10000	1:2000	1:3000
Carbolsäure	1:300	1:400	1:300	1:400
Creolin	1:5000	1:7000	1:2000	1:5000
Lysol	1:1000	1:2500	1:800	1:2500

2tägiger Beobachtung im Brütschrank die Vermehrung der einzelnen Bacterien eben noch gehindert hat. Für die Alkalien und Säuren (Tabelle Ia) sind ausserdem aber noch zwei andere Berechnungen ausgeführt, welche in derselben Weise, wie in der Arbeit von *v. Lingelsheim*[1]) ge-

1) *v. Lingelsheim*, Ueber die milzbrandfeindlichen Wirkungen von Säuren und Alkalien im Blutserum. Beitr. z. Aetiologie d. Milzbrandes. Diese Zeitschr. Bd. VIII.

und bei 24 stündiger Einwirkung auf frisch geimpfte Culturen.

Rotzbacillen		Typhusbacillen		Cholerabacterien	
2 Stdn.	24 Stdn.	2 Stdn.	24 Stdn.	2 Stdn.	24 Stdn.
1:300	1:300	1:900	1:900	1:1850	1:1850
1:250	1:300	1:500	1:500	1:1800	1:2500
1:250	1:250	1:250	1:300	1:225	1:250
1:350	1:450	1:250	1:300	1:350	1:450
1:50000	1:50000	1:50000	1:50000	1:80000	1:80000
1:1000	1:1000	1:800	1:1000	1:1500	1:2000
1:15000	1:15000	1:4000	1:10000	1:20000	1:25000
1:300	1:500	1:300	1:300	1:450	1:600
1:300	1:300	1:500	1:500	1:25000	1:25000
1:200	1:200	1:200	1:200	1:3000	1:3000
1:400	1:400	1:300	1:300	1:500	1:500

bei 24 stündiger Einwirkung auf 24 Stunden gewachsene Culturen.

Rotzbacillen		Typhusbacillen		Cholerabacterien	
2 Stdn.	24 Stdn.	2 Stdn.	24 Stdn.	2 Stdn.	24 Stdn.
1:200	1:200	1:300	1:300	1:1350	1:1850
1:200	1:250	1:500	1:650	1:1300	1:1700
1:150	1:150	1:190	1:225	1:150	1:150
1:250	1:350	1:200	1:300	1:350	1:350
1:30000	1:40000	1:30000	1:40000	1:60000	1:60000
1:400	1:500	1:500	1:500	1:1000	1:2000
1:4000	1:10000	1:4000	1:5000	1:4000	1:20000
1:250	1:250	1:250	1:250	1:400	1:500
1:300	1:300	1:300	1:300	1:5000	1:10000
1:150	1:200	1:150	1:200	1:1000	1:1000
1:300	1:300	1:200	1:300	1:400	1:500
1:300	1:500	1:250	1:400	1:3000	1:6000
1:800	1:2000	1:250	1:500	1:500	1:500

schehen ist, zeigen, wie viel Procent des Mittels zur Entwickelungshemmung genügen (Col. 2) und wie viel Cubikcentimeter Normallauge, bez. Normalsäure nothwendig sind, um in 1 Liter Bouillon die Entwickelung zu hemmen (Col. 3).

Was nun die Zahlen betrifft, die in Tabelle I, Col. b und c die Abtödtung angeben, so hatte sich durch Vorversuche ergeben, dass es nicht gleichgültig ist, ob viele

Bacterien oder wenige abzutödten sind. Aus diesem Grunde wurde einerseits Bouillon in Reagensgläschen (5 ccm) *frisch* geimpft. Die Anzahl der Bacterien betrug dann beispielsweise für Typhusbacillen, wenn in 5 ccm Bouillon mit einer Platinnadel höchstens eine Menge von Hirsekorngrösse aus einer Agarcultur vertheilt wurde, pro 1 ccm = ca. 36 Millionen, wie durch das Plattenverfahren festgestellt wurde. Lässt man 24 Stunden eine solche Cultur im Brütschrank wachsen, so ist die Zahl der Bacterien in 1 ccm selbstverständlich viel grösser, sie beträgt ungefähr das 50- bis 100-fache.

Es kam dabei zum Ausdruck, dass grössere Mengen der verschiedenen Mittel nothwendig waren, um in 24 Stunden gewachsenen Culturen die Abtödtung zu bewirken, als in frisch geimpften.

Indessen ist das Verhalten bei den einzelnen Mitteln nicht das gleiche.

Während z. B. das Silbernitrat bei frisch geimpften Milzbrandbacillen in einer Verdünnung von 1:30000 und bei 24 Stunden alten Culturen bei 1:20000 nach zweistündigem Aufenthalt im Brütschrank die Abtödtung bewirkt, so zeigt dieses selbige Mittel dem Typhus gegenüber keinen Unterschied, ob es bei frisch geimpften oder bereits 24 Stunden gewachsenen Culturen angewendet wird. In beiden Fällen erfolgt die Abtödtung nach zweistündigem Aufenthalt im Brütschrank bei einer Verdünnung von 1:4000.

Auffälligere Unterschiede treten beim Auronatriumchlorid hervor. Dieses Mittel wirkt gegenüber Diphtheriebacillen abtödtend:

bei fr. Culturen 1 : 5000,
„ 24 std. „ 1 : 1000,

während die Entwickelungshemmung bereits bei 1:40000 eintritt.

Bei den Cholerabacterien ist die Wirkung dieses

Mittels gegenüber frischen und reichlich gewachsenen Culturen eine fast gleiche, für erstere 1:1500, für letztere 1:1000.

Aehnlich verhält es sich bei den Typhusbacillen (1:800 und 1:500), Milzbrand (1:10000 und 1:8000) u. s. w.

Ein weiteres zu beobachtendes Moment betraf die Berücksichtigung der *Temperatur*, bei welcher die Einwirkung der Mittel stattfindet. Um die Versuchsbedingungen gleichmässig zu gestalten, habe ich stets die mit den Desinfectionsmitteln versetzten Bouillonculturen in den Brütschrank gestellt, so dass dieselbe bei ca. 37° auf die Bacterien einwirkten.

Was die *Wirkungsdauer* betrifft, welche bekanntlich den Desinfectionswerth sehr erheblich beeinflusst, so habe ich in einer Reihe von Versuchen die Mittel zwei Stunden lang, in einer anderen 24 Stunden lang einwirken lassen. Tabelle III und IV geben darüber Aufschluss, welche Unterschiede hierdurch bedingt werden.

Bei den frisch angelegten Culturen sind die Unterschiede meist keine erheblichen; ja bei vielen Mitteln sind überhaupt keine Unterschiede wahrzunehmen.

Während aber z. B. die Salzsäure (Tab. III) keine Differenzen erkennen lässt, so ist bei der Schwefelsäure das Verhalten nicht dasselbe.

Milzbrandbacterien:	2 Stdn.	1:1700,	24 Stdn.	1:2000,
Diphtheriebacterien:	2 „	1:1200,	24 „	1:1700,
Cholerabacterien:	2 „	1:1800,	24 „	1:2500.

Grösser ist die Verschiedenheit der Zahlenwerthe bei reichlich gewachsenen Culturen. So ist Silbernitrat gegenüber Typhus nach 2 Stunden bei 1:4000, nach 24 Stunden bei 1:10000; gegenüber Cholera nach 2 Stunden bei 1:20000; nach 24 Stunden bei 1:25000 wirksam.

Aus dem Gesammtresultat lässt sich ersehen, dass die Differenzen nicht so bedeutend sind, und in der Haupttabelle I wurden daher nur die wichtigsten Zahlen registrirt, nämlich die zweistündige Einwirkung auf frisch geimpfte und reichlich gewachsene Culturen.

Die von mir gefundenen und in den Tabellen verzeichneten Werthe haben nur für diejenigen Untersuchungsbedingungen Geltung, die ich oben näher beschrieben habe.

Schon eine geringe Aenderung in der Reaction der Bouillon kann auf das Resultat einen wesentlichen Einfluss ausüben, wie beispielsweise die Tabelle II zeigt, aus welcher die Wirkung der Salzsäure, Schwefelsäure und Natronlauge bei genau neutraler Reaction auf Entwickelung und Lebensfähigkeit der Bacterien zu erkennen ist. Eine solche Bouillon ist an sich schon für manche Bacterien, namentlich für die Kommabacillen der Cholera, ein wenig günstiges Medium, und es war daher nicht unerwartet, dass unter solchen Umständen der Wirkungswerth der Desinficientien in derselben viel grösser gefunden wurde, als in alkalischer Bouillon; aber es war doch überraschend, wie gross die Unterschiede thatsächlich ausfielen.

Hatte ich eine Bouillon mit einer Alkalescenz = 8 ccm Normallauge pro 1 Liter mit Cholerabacterien geimpft, so brauchte ich, um dieselben durch Zusatz von Salzsäure abzutödten, 23 ccm Normalsalzsäure pro Liter, also nach Abzug der 8 ccm Normallauge, welche erst neutralisirt werden mussten, 15 ccm *Normalsalzsäure* = 0·055 Proc. (Tab. Ib); für neutrale Bouillon dagegen genügte hierzu ein Zusatz von 0·03 Procent, also ungefähr die Hälfte Salzsäure; und was ganz besonders bemerkenswerth ist, auch von der Natronlauge bedurfte es nur etwa der Hälfte, um die gleiche Wirkung in der neutralen Bouillon zu erzielen wie in der alkalischen.

Aehnlich, wenngleich nicht in so ausgesprochenem Maasse, liegt die Sache bei den Milzbrandbacillen und bei den Rotzbacillen.

Dagegen war es bei den Typhusbacillen ganz gleichgültig, ob ich sie in neutraler oder alkalischer Bouillon untersuchte.

Bei den Diphtheriebacillen endlich liegt die Sache umgekehrt; in neutraler Bouillon bedurfte es sogar eines etwas grösseren Zusatzes der Desinfectionsmittel, um dieselben abzutödten, als in alkalischer.

Es liegt auf der Hand, dass derartige Beobachtungen gerade für die praktischen Desinfectionszwecke von Wichtigkeit sind; denn erst dann darf auf eine sichere Desinfection durch ein Mittel gerechnet werden, wenn es auch unter denjenigen Bedingungen sich leistungsfähig erweist, wo die Bacterien am schwersten zu vernichten sind. Hier sehen wir nun, dass die einen Bacterien bei alkalischer, die anderen bei neutraler Reaction des Mediums, in welchem sie sich befinden, widerstandsfähiger sind; und so wird es vielleicht auch Mikroorganismen geben, die in saurem Nährsubstrat am widerstandsfähigsten sind.

Ich mache endlich noch auf die Tabelle II a aufmerksam, aus welcher zu ersehen ist, wie viel auf die Beschaffenheit des Nährbodens ankommt, in welchem die Lebenfähigkeit, also die gelungene oder misslungene Desinfection geprüft wird.

Culturproben aus neutraler Bouillon, die mit Salzsäure u. s. w. versetzt war, zeigten sich in alkalischer Bouillon nicht mehr lebensfähig, wenn der Salzsäurezusatz 0·03 Procent bei den Kommabacillen und 0·11 Procent bei den Typhusbacillen betragen hatte; ebensolche Culturproben brachte ich nun in neutrale Bouillon, in welcher normale Kommabacillen und Typhusbacillen sich ganz reichlich vermehrten; aber aus diesen zweifellos noch lebensfähigen Proben bekam ich in der neutralen Bouillon keine Culturen, und bei genauerer Prüfung zeigte sich, dass die scheinbar abtödtende Minimaldosis, wenn zur Feststellung der Lebensfähigkeit neutrale Bouillon gewählt wurde, nicht mehr 0·03 bezw. 0·11 Procent, sondern 0·02 bezw. 0·07 Procent betrug.

Wenn nun Jemand die Prüfung der desinficirenden

Wirkung der Salzsäure gegenüber den Kommabacillen in neutraler Bouillon vornimmt und weiterhin auch die Feststellung der gelungenen Desinfection in einer solchen ausführt, so bekommt er an Stelle des Werthes, den ich in Tab. I und Ib anführe, und den ich für den richtigen halte, nämlich 0·055 Proc. oder 1 : 1850, einen fast um's Dreifache kleineren (0·02 Proc.).

Man wird es nach diesen Vorbemerkungen begreiflich finden, dass ich den ursprünglich unternommenen Versuch, die von mir gefundenen Werthe mit den von anderen Autoren angegebenen zu vergleichen und den Ursachen nachzugehen für die thatsächlich überaus grossen Differenzen in den Angaben, bald aufgegeben habe.

Wenn nicht ganz genau gesagt wird, in welchem Medium und bei welcher Reaction desselben, bei welcher Temperatur, ob an alten oder frischen Culturen, ob bei reichlich oder spärlich vorhandenen Bacterien die Prüfung vorgenommen wurde, vor Allem aber auch, in welcher Weise die gelungene Desinfection festgestellt wurde, dann ist es ein vergebliches Unternehmen, die Zahlenwerthe verschiedener Experimentatoren mit einander in Einklang zu bringen.

In dieser Richtung zeichnet sich jedoch eine von *Kitasato* im hiesigen hygienischen Institut [1]) ausgeführte Arbeit vortheilhaft aus. Derselbe untersuchte den entwickelungshemmenden und desinficirenden Werth von Säuren und Alkalien und stellte am Schluss der Arbeit die Resultate in ähnlicher Weise, wie ich *nach* ihm gethan, übersichtlich zusammen.

Bei Vergleichung meiner Tabellen und denjenigen von *Kitasato* treten nun zuweilen grössere Unterschiede zu Tage. Aber es gelingt bei dem genaueren Studium

---

1) Ueber das Verhalten der Typhus- und Cholerabacillen zu säure- und alkalihaltigen Nährböden. Diese Zeitschrift. 1888. Bd. III.

der von ihm angegebenen Versuchsbedingungen ohne grosse Schwierigkeit, die Gründe dafür aufzufinden.

Seine Versuchsanordnung unterschied sich von der meinigen in einem wesentlichen Punkte. *Kitasato* hat die gelungene Desinfection, d. h. die thatsächlich erfolgte Abtödtung, dadurch geprüft, dass er die zu untersuchenden Bacterien aus der Bouilloncultur in Gelatine überimpfte und bei Zimmertemperatur beobachtete, während ich bei meinen Untersuchungen in Bouillonröhrchen, die in den Brütschrank (37° C.) gestellt wurden, überimpfte. Aus unseren beiderseitigen Resultaten hebe ich hier bloss die eine grössere Differenz hervor, dass ich Schwefelsäure und Salzsäure ungefähr gleich wirksam, *Kitasato* aber die Schwefelsäure erheblich wirksamer fand als die Salzsäure; ausserdem aber fand er für beide Säuren *höhere* Werthe als ich.

Als ich nun die Versuchsanordnung von *Kitasato* genau wie er ausgeführt hatte, bekam ich im Wesentlichen dieselben Resultate wie er, besonders auch insofern, als die Schwefelsäure thatsächlich sich schon in kleineren Mengen wirksam zeigte als die Salzsäure. Aber gerade dadurch wird der Beweis geliefert, dass man durch die Aussaat in Gelatine schon Ausbleiben des Wachsthums beobachten kann, wenn die Bacterien noch nicht alle abgetödtet sind. Denn wenn ich aus demselben Röhrchen, aus dem Proben für die Gelatine entnommen waren, in Bouillon überimpfte, so bekam ich in diesen noch Culturen, während Gelatineplatten und *Esmarch*'sche Rollröhrchen steril blieben.

Da es nun darauf ankommt, zu wissen, ob wirklich die Bacterien alle abgetödtet sind oder nicht, so darf behauptet werden, dass die Ueberimpfung in Gelatine uns keine Garantie zur Entscheidung dieser Frage darbietet.

Wodurch der Umstand zu erklären ist, dass bei meiner Versuchsanordnung in vielen Fällen sich Salzsäure und Schwefelsäure als beinahe gleichwerthig zeigten, während bei der von *Kitasato* die Schwefelsäure sich überlegen erweist, wage ich mit Sicherheit nicht zu entscheiden.

Möglicherweise ist dieser Umstand darauf zurückzuführen, dass wir es bei der Salzsäure mit einer flüchtigen Säure zu thun haben, die an Wirkungswerth allmählich abnimmt.

Berlin 1890.

XII.

Ueber den entwickelungshemmenden Werth des Auro-Kalium cyanatum (E. Merck) in eiweisshaltigen und in eiweissfreien Nährsubstraten.

Von Dr. **Behring**,
Stabsarzt am Friedrich-Wilhelms-Institut in Berlin.

Gelegentlich meiner Untersuchungen über die entwickelungshemmende Wirkung chemischer Körper gegenüber dem Milzbrand hatte ich feststellen können, dass der Werth derselben nicht in allen Nährsubstraten der gleiche ist.

Einige Ursachen für die differente Wirkung waren leicht aufzufinden und sind auch anderweitig schon gewürdigt worden.

So kann mit Leichtigkeit der Nachweis geführt werden, dass solche Körper, bei denen die antiseptische Leistungsfähigkeit wesentlich auf ihren sauren oder alkalischen Eigenschaften beruht, ganz entgegengesetztes Verhalten zeigen können, je nach der Reaction des Nährbodens.

Säuren wirken auf Milzbrand in alkalischen Nährböden so lange wachsthumsfördernd, als die Reaction noch alkalisch bleibt; erst mit dem Eintritt saurer Reaction werden sie entwickelungshemmend.[1]) Umgekehrt werden Alkalien erst bei alkalischer Reaction des Nährbodens wirksam.

Der Kalk wirkt in sauren Nährböden so lange nicht entwickelungshemmend auf Milzbrand, und — wie *Pfuhl* (1) für die Desinfectionspraxis nachgewiesen hat — auch nicht auf Cholera, Typhus und Ruhr, solange die Reaction des Desinfectionsobjectes noch sauer ist; erst mit deutlich alkalischer Reaction tritt seine antiseptische und desinficirende Wirkung ein.

Blut und Blutserum sind aus demselben Grunde viel leichter für Milzbrand durch Alkalien als durch Säuren zu einem ungeeigneten Nährsubstrat zu machen, und es lässt sich das auch nach Bestimmung der ursprünglichen Alkalescenz genau vorausberechnen.

So findet man beispielsweise auf titrimetrischem Wege den Grad der Alkalescenz *frischen* Rinderblutserums gleich ca. 20 bis 25 ccm Normalnatronlauge im Liter, und dementsprechend kann man constatiren, dass nach Zusatz von Säure so lange wachsthumsbefördernde Wirkung zu beobachten ist, bis 20 bis 25 ccm Normalsäure zugesetzt sind, gleichgültig welcher Natur die Säure ist.

Das Umgekehrte gilt bei sauren Nährböden von der

---

1) Man muss sich nur nicht verführen lassen, chemische Körper hierher zu rechnen, die mit Unrecht den Namen einer Säure führen oder deren wichtigste chemische und physiologische Eigenschaften ganz wo anders zu suchen sind, als in der Säurenatur.

So ist die Carbolsäure zwar im Stande, eines ihrer Wasserstoffatome durch Metalle vertreten zu lassen und insofern eine Säure; sie ist aber auch im Stande, sich mit Säuren zu vereinigen (Aethersäure, Sulfosäure u. s. w.). Ihre Reaction ist bekanntlich gar nicht sauer. Ueberdies habe ich durch eigens auf diesen Punkt gerichtete Untersuchungen gefunden, dass ihre antiseptische Wirkung durch Säuren etwas vermindert, durch Alkalien in merklicher Weise erhöht wird, dass also — soweit die Reaction überhaupt in Frage kommt — für die entwickelungshemmende Wirkung der Carbolsäure richtiger ihre säure*bindenden* Eigenschaften berücksichtigt werden.

Wirkung der Alkalien; für Natron und Kali sowohl wie für die Erdkalien.

Diese Thatsachen lassen sich auch praktisch verwerthen.

Ich habe Rinderblutserum dadurch vor der Zersetzung durch Bacterien geschützt, dass ich seine Alkalescenz durch Natronlauge bis auf 80 ccm Normallauge pro Liter brachte. Wollte ich dasselbe dann für Milzbrand wieder zum geeigneten Nährboden machen, so setzte ich so viel Salzsäure hinzu, dass die Alkalescenz nur noch 15 ccm Normallauge pro Liter betrug. Freilich wird durch den so entstandenen reichlicheren Kochsalzgehalt das Milzbrandwachsthum etwas beeinträchtigt; diesem Uebelstand lässt sich aber mit Leichtigkeit abhelfen, wenn man das Blutserum mit 3 bis 4 Theilen Wasser verdünnt.

Eine andere Ursache differenter antiseptischer Leistungsfähigkeit mancher Mittel lässt sich wiederum sehr schön am Kalk demonstriren.

Setzt man Kalkwasser oder kohlensauren Kalk in geringen Mengen zum Blutserum hinzu, ersteres in solchem Verhältniss, dass das Blutserum 1 : 3000 bis 1 : 2000 Kalkhydrat enthält, so findet man, dass trotz der alkalischen Reaction der Kalk wachsthumsfördernd auf Milzbrand einwirkt. Die Milzbrandbacillen, bezw. die Fäden zeigen sogar Sporenbildung, was sonst — wenigstens in dickeren Flüssigkeitsschichten frischen Rinderblutserums — nicht der Fall ist.

Auch diese Thatsache lässt sich mit grosser Sicherheit auf ihre Ursache zurückführen, nachdem *C. Fränkel* (2) den schädigenden Einfluss der Kohlensäure auf das Milzbrandwachsthum nachgewiesen hat. Der Kalk bindet die Kohlensäure des Blutserums und beseitigt damit ein schädigendes Moment.

Vielleicht kommt aber hierbei noch ein Zweites in Betracht.

Stellt man Culturversuche mit virulentem Milzbrand in grossen Flüssigkeitsmengen und bei hoher Flüssigkeitsschicht an, so hört nach einiger Zeit jedes Wachsthum auf. Wird nun Kalkwasser in geringer Menge hinzugesetzt, so erfolgt neues Wachsthum sowohl der Fäden, als auch der etwa gebildeten Sporen.

Die Erklärung dieses Factums ergiebt sich aus der früher von mir mitgetheilten Beobachtung (3), dass der virulente Milzbrand eine Säure producirt, deren wachsthumsschädigende Wirkung naturgemäss durch den Kalkzusatz aufgehoben wird.

Die hier mitgetheilten Thatsachen liefern auch eine weitere Bestätigung bezw. eine Erklärung für die von *R. Koch* vor vielen Jahren gemachte Beobachtung, dass mergelhaltiger (kalkhaltiger) Boden eine Prädilectionsstelle für Milzbrandinfectionsherde ist.[1])

Eine dritte Ursache scheinbar paradoxer Wirkung antiseptischer Mittel ist in dem Salzgehalt der Nährböden zu suchen.

Quecksilbersublimat verliert an Wirkung in alkalischen Nährsubstraten, in welchen es in Quecksilberoxyd verwandelt wird. Dieses letztere wird zwar in Ammoniak und in Eiweiss enthaltenden Flüssigkeiten wieder gelöst; die Quecksilberoxydlösung hat aber geringere antiseptische Wirkung als das Quecksilberchlorid.

Kochsalz, Säurezusatz, und Pepton befördern dagegen die Löslichkeit und Haltbarkeit des Sublimats, und in eiweissfreien Nährböden mit Kochsalzzusatz, wie in der gewöhnlichen Nährbouillon, Gelatine u. s. w. ist daher der Wirkungswerth der möglichst grösste.

Umgekehrt liegen die Verhältnisse beim Silbernitrat. Kochsalzgehalt der Nährlösung fällt Silberchlorid;

---

1) *Mittheilungen aus dem Kaiserl. Reichsgesundheitsamt.* Bd. I. S. 51 ff.

dasselbe wird zwar in Ammoniak, in organische Basen und Eiweiss enthaltenden Nährmedien wieder aufgelöst, aber als Silberoxyd; und dieses hat etwa 3 Mal geringere antiseptische Wirkung als Silbernitrat; ausserdem wird seine Löslichkeit durch reichlichen Kochsalzgehalt beeinträchtigt und durch saure Beschaffenheit des Nährbodens aufgehoben.

Ganz analog dem Silbernitrat verhält sich das einzige lösliche Salz der Quecksilberoxydulreihe — das Quecksilberoxydulnitrat; das was vom Silbernitrat gesagt wurde, gilt auch von diesem Salz, und wir haben hier ein interessantes Beispiel für ein gänzlich verschiedenes Verhalten ein und desselben Elements; wir finden, dass wir das Quecksilber durch ganz entgegengesetzte Massnahmen antiseptisch leistungsfähig machen können, je nachdem wir von einer Mercur**i**- oder von einer Mercur**o**-Verbindung ausgehen.

Man erkennt leicht, dass es die Salze des Nährbodens sind, bezw. ihre Säure- und Basenantheile, auf welche in diesem Falle die Differenz zurückgeführt werden kann, wie ich das vor längerer Zeit auch auf anderem Wege, nämlich mittelst der Dialyse, nachgewiesen habe (4).

Bisher war von drei verschiedenen Ursachen für eine scheinbar paradoxe Wirkung unserer antiseptischen Mittel die Rede.

Die beiden ersten lassen sich unter einem gemeinsamen Gesichtspunkt betrachten: in den beiden ersten Fällen nämlich dient ein gewisses Quantum des antiseptischen Mittels dazu, im Nährboden schon vorhandene entwickelungshemmende Substanzen in ihrer Wirkung zu paralysiren, wodurch sogar eine wachsthumsfördernde Wirkung zu Stande kommen muss.

Im dritten Fall zeigt sich der Salzgehalt des Nährbodens von Einfluss, und zwar theils die Wirkung des antiseptischen Mittels befördernd, theils vermindernd.

Wenn ich aber den Wirkungswerth namentlich von Metallsalzen in eiweisshaltigen und in eiweissfreien Nährböden genau quantitativ prüfte, zeigte sich auch dann noch ein sehr beträchtlicher Unterschied, nachdem die Verhältnisse bezüglich der Reaction der Nährböden und ihres Salzgehaltes möglichst vollkommen gleich gemacht waren.

Das wurde ganz besonders augenfällig bei einem Präparat, welches, wie ich von Herrn Geh.-R. *Koch* erfuhr, so ausserordentliche antiseptische Wirkung besitzt, wie wir sie bisher noch von keinem einzigen Mittel kennen — beim Auro-Kalium cyanatum.

Herr Geh.-R. Koch übergab mir dieses Präparat in schon mehrere Monate alten Lösungen, die sich in Fläschchen von ungefärbtem Glase gänzlich unzersetzt gehalten hatten, obwohl sie nicht vor dem Licht besonders geschützt waren. Die eine Lösung war 1 ‰, die andere 0·5 ‰.

Es ist in der That erstaunlich, wie geringe Mengen dieses Goldpräparates genügen, um in eiweissfreien Nährsubstraten die Entwickelung von Milzbrand zu hemmen, in Bouillon sowohl, wie in Gelatine und in Agar. In fast millionenfacher Verdünnung ist der entwickelungshemmende Einfluss noch bemerkbar.

Aber schon dann wird der Werth geringer, wenn die Bouillon bei alkalischer Reaction — nach vorherigem Zusatz von 15 ccm Natronlauge pro Liter Fleischinfus — gekocht und filtrirt wird, wobei gleichfalls Eiweiss gelöst bleibt.

Untersucht man aber im Blutserum den Einfluss des Goldes auf das Milzbrandwachsthum, so ist eine entwickelungshemmende Wirkung erst bei 1 : 20000 bis 1 : 30000 zu bemerken.

Je dünner das Blutserum ist, um so erheblicher wird die Wirkung des Präparates und zwar steigt dieselbe fast genau im gleichen Verhältniss mit der Verdünnung, so dass ein Blutserum, welches mit 8 Theilen Wasser verdünnt ist, schon bei 1:150000 Entwickelungshemmung erkennen lässt.

Da für dieses unterschiedliche Verhalten als erklärendes Moment weder die Reaction, noch der Salzgehalt ausreichte, so musste ich auf die Eiweisskörper selbst zurückgehen. Herr Geh.-R. *Koch* veranlasste mich nun zur Untersuchung der Frage, ob es nicht möglich ist, die im Blutserum vorhandenen Körper, welche die Wirkung des Goldes beeinträchtigen, auf irgend eine Weise zu eliminiren.

Für diesen Zweck war es selbstverständlich erforderlich, erst genau die Natur dieser Körper festzustellen, und das ist mir nach mancherlei resultatlosen Vorprüfungen jetzt so weit gelungen, dass ich behaupten kann:

Es sind die Globuline des Blutserums, welche zur Folge haben, dass in demselben die entwickelungshemmende Wirkung des Gold-Kaliumcyanids eine geringere ist, als in eiweissfreien Nährsubstraten.

Der Beweis lässt sich in folgender Weise führen:

Aus frischem Rinderblutserum wird, ohne vorherige Neutralisation, nach Verdünnung mit 9 Theilen Wasser durch Kohlensäure Paraglobulin gefällt und nach 24- bis 48stündigem Absitzen im Eisschrank die darüber stehende, vollkommen klar gewordene Flüssigkeitsschicht abgehoben. Darauf wird das so gewonnene Paraglobulin, welches noch mit Albumin verunreinigt ist, mit viel kohlensäurehaltigem Wasser ausgewaschen und nochmals 24 Stunden im Eisschrank stehen gelassen.

Der jetzt entstandene Niederschlag sieht schneeweiss aus und sitzt so fest am Boden eines hohen Cylinderglases — welches sich besser als ein Kolben zum Absitzen eignet — dass man bequem die darüber stehende Flüssigkeit, welche sehr lange opalescirend bleibt, abgiessen kann.

Aus einem Liter $^{1}/_{10}$ Blutserum habe ich auf diese

Weise durchschnittlich 20 ccm fest abgesetztes feuchtes Paraglobulin bekommen.

In demselben sind selbstverständlich noch etwas Fibrinogen und Fibrinferment zugegen. Diese Körper kommen jedoch, wie wir sehen werden, für unseren Fall nicht wesentlich in Betracht. Das feuchte Paraglobulin, welches ursprünglich fast genau neutrale Reaction besitzt, brachte ich durch eine Spur Natronlauge in Lösung (0·05 ccm Normallauge pro 20 ccm Paraglobulin). Die Lösung opalescirte bei diesem Alkalizusatz noch stark, wurde aber beim Kochen ganz wasserklar. Dabei entweicht Kohlensäure und die Alkalescenz nimmt beträchtlich zu (um ca. 15 ccm Normallauge pro Liter).

Diese Lösung nun, sowie auch solche mit etwas grösserem Alkaligehalt, und solche, welche stärker verdünnt sind, geben einen sehr guten Nährboden für Milzbrand. In der Mehrzahl meiner Untersuchungen habe ich die Verdünnung so gewählt, dass ich das aus einem Liter $^1/_{10}$ Blutserum gewonnene Paraglobulin auf 200 ccm brachte, so dass meine Lösungen ungefähr die Hälfte derjenigen Menge Paraglobulin enthielten, die im gleichen Quantum vollen Blutserums vorhanden ist.

In solchen Lösungen nun bin ich mit dem Goldzusatz bis auf 1 : 15,000 heruntergegangen, ehe eine erhebliche Wachsthumsbehinderung eintrat. —

Man kann diese so sehr herabgesetzte Wirkung des Goldes sowohl an den frischen Lösungen, welche bekanntlich nach *Alexander Schmidt* (5) fibrinoplastische Wirkung besitzen, als auch an den gekochten beobachten, welche letztere fibrinoplastisch nicht mehr wirksam sind; sie haben auch kein wirksames Ferment mehr und kein Fibrinogen, und das ist der Grund, weshalb ich vorher von Globulinen im Allgemeinen gesprochen habe, ohne besondere Rücksicht auf das Ferment und das Fibrinogen zu nehmen.

Weiterhin habe ich die Globulinlösungen auch zur Herstellung fester Agarnährböden benutzt.

Für diesen Zweck muss man der Lösung einen höheren Grad der Alkalescenz geben, da sonst beim Zusammenkochen mit Agar Globuline wieder ausfallen; ich habe es zweckentsprechend gefunden, 16 ccm Normallauge pro Liter und dann 1 3/4 Procent Agar hinzuzusetzen. Bei langem Kochen bräunt sich der Agar, ohne dass jedoch die Durchsichtigkeit und Schönheit des Nährbodens dadurch eine Einbusse erleidet. Auch in diesen Agarnährböden kann man mit dem Goldzusatz bis auf 1 : 15,000, ja noch höher steigen, ohne dass das Wachsthum von Milzbrand darin aufhört.

Die gleichen Prüfungen habe ich mit dem 1/10 Blutserum nach Ausfällung des Paraglobulins mit Kohlensäure vorgenommen.

Dasselbe reagirt alkalisch, trübt sich beim Kochen sehr stark und bleibt erst nach Zusatz von 30 ccm Normallauge auch nach dem Kochen vollkommen klar. Bei diesem Grad der Alkalescenz wächst Milzbrand darin nicht. Man kann nunmehr aber durch Salzsäure die Alkalescenz herabsetzen, ohne dass eine Trübung mehr entsteht.

In solchem paraglobulinfreien Blutserum, dem 30 ccm Nermallauge pro Liter und dann wieder 25 ccm Normalsalzsäure zugesetzt werden, wächst der Milzbrand sehr gut und bildet auch schnell und regelmässig Sporen.

Die entwickelungshemmende Wirkung des Goldes tritt in demselben bei 1 : 75,000 bis 1 : 100,000 ein, und dies Verhältniss wird nicht wesentlich geändert; wenn man das Blutserum auf den fünften Theil seiner ursprünglichen Menge eindampft. Dagegen fand ich in einem Fall, wo ich durch Neutralisation und nochmalige Durchleitung von Kohlensäure für möglichst vollständige Entfernung der

Globuline Sorge trug, den antiseptischen Werth des Goldes in diesen Albuminlösungen noch höher.

Nach den Angaben der in diesen Fragen am meisten competenten Autoren werden durch Kochen sowohl die Globuline, wie die Albumine in Albuminate (Proteïne — *Soyka)* (5) verwandelt.[1]) Wenn dem wirklich so ist — und wenigstens das *eine* Kriterium, die Nichtlöslichkeit des gekochten Paraglobulins in Kochsalz, habe ich gleichfalls constatiren können — so muss ich doch daran festhalten, dass das gekochte Paraglobulin in seinem Verhalten gegenüber dem Goldkaliumcyanid wesentlich sich verschieden zeigt von dem in alkalischer Lösung gekochten Albumin.

Uebrigens werden ja auch von *Soyka*, der wohl bezüglich der Hervorhebung der *gleichen* Eigenschaften der Albuminate am weitesten gegangen ist, je nach der Herkunft und der Behandlung Unterschiede innerhalb der Gruppe der Albuminate nicht in Abrede gestellt.

---

1) Zur Orientirung über die Hauptgruppen unter den Eiweisskörpern führe ich folgende Stelle aus *Soyka's* Abhandlung „Ueber das Verhältniss des Acidalbumins zum Alkalialbuminat", *Pflüger's* Archiv, 1876, Bd. XII, S. 347—377, an:

S. 377: „Die Acidalbumine und die Albuminate gehören ein und derselben Eiweissgruppe an; sie unterscheiden sich beide nur insofern, als sie beide dieselbe Substanz, das *Proteïn*, einmal an Säure, das andere Mal an Basis (Metall) gebunden enthalten. Die löslichen Eiweisskörper sind also nur in drei Gruppen zu theilen, Albumine (sérine-Denis) (8), Proteïne und Globuline (la fibrine dissoute-Denis). Inwieweit die einzelnen Glieder der Proteïngruppe von einander verschieden sind, lässt sich zur Zeit noch nicht mit Bestimmtheit angeben. Man wird daher gut thun, die alten Namen *Syntonin, Parapepton, Caseïn* u. s. w. beizubehalten, um dadurch etwa vorhandene Unterschiede, die in der Bildungsweise und dem Materiale begründet sein können und sind, vorläufig zu bezeichnen."

Der Name „*Proteïn*" im Sinne *Soyka's* ist seitdem von mehreren Autoren, u. A. auch von *Th. Weyl (Hoppe-Seyler's* Zeitschrift für Physiologie, Bd. I „Beiträge zur Kenntniss thierischer und pflanzlicher Eiweisskörper") acceptirt worden. — (Vgl. auch Litteraturverzeichniss Nr. 6.)

Für die Beurtheilung der antiseptischen Leistungsfähigkeit eines Mittels ergaben diese Untersuchungen einen neuen Grund dafür, dass wir vorläufig uns noch nicht mit einer einzelnen Prüfungsmethode begnügen dürfen, dass vor Allem für Mittel, die am menschlichen oder thierischen Körper Verwendung finden sollen, die Prüfung an eiweissfreien Nährsubstraten eine durchaus unzulängliche ist. Ja selbst innerhalb der eiweisshaltigen Nährböden existiren noch wieder sehr bedeutende Unterschiede, die theils von der Verdünnung der Eiweisssubstanzen, theils von ihrer Natur abhängig sind. Und dass auch für den lebenden Thierkörper diese Unterschiede ins Gewicht fallen, mag aus der Thatsache ersehen werden, dass der Gehalt des Blutes und des Blutserums an Globulinen und an Albuminsubstanz in weiten Grenzen schwankt. So fand *Frédéricq* (7) beispielsweise beim Rinde in einem Versuch 7 : 41 Procent, in einem andern 8 : 49 Procent Eiweiss, wovon im ersten 3·58 Procent, im zweiten 5·79 Procent Serumglobulin waren. Bei einem Kaninchen dagegen fand er nur 5·48 Procent Eiweiss, aber mit einem Gehalt von 4·22 *Procent Serumalbumin* und nur 1·21 Procent Serumglobulin. Diese Zahlen, welche *Frédéricq* durch Bestimmung des Rotationsvermögens des Paraglobulins und Albumins fand, stimmen fast genau mit denjenigen, welche er durch Fällung und Kochen bekam, überein, sind daher sehr zuverlässig.

Es ist nicht unmöglich, dass diese Differenzen auch auf andere Probleme, namentlich in Bezug auf die verschiedene Empfänglichkeit der Thiere für manche Infectionskrankheiten von Einfluss sind, zumal wenn man die ganz verschiedene, fast entgegengesetzte gasbindende Fähigkeit beider Körper berücksichtigt, die zwar seit langer Zeit bekannt, aber für bacteriologische Fragen bisher noch nicht verwerthet ist.

Berlin 1889.

XIII.

Der entwickelungshemmende Werth

einiger Metallcyanide gegenüber Milzbrand und Bemerkungen über eine Methode der Bestimmung des antiseptischen Werthes chemischer Präparate.

Von Stabsarzt Dr. **Behring.**

In früheren Arbeiten (9 und 10) habe ich als Resultat zahlreicher Untersuchungen über die Wirkung antiseptischer Mittel auf den gesunden und auf den mit Milzbrand inficirten Thierorganismus die immer wieder zu constatirende Thatsache mitgetheilt, dass der antiseptischen Wirkung eines Mittels ein fast gesetzmässiges Verhältniss der Giftwirkung entspricht, dass jedoch ein solches Verhältniss nicht für alle Gifte, nicht für specifische Nerven-, Muskel- u. s. w. Gifte wie Atropin, Morphium, Veratrin gilt, sondern nur für solche chemische Körper, als deren hervorragendste Wirkung wir die keimtödtende und entwickelungshemmende betrachten, und die eben aus diesem Grunde unter dem besonderen Namen *„Antiseptica"* zusammengefasst werden. Man kann dieselben vielleicht zweckmässig im Sinne von *O. Löw* den *allgemeinen* oder *Blutgiften* zurechnen.

Nach meinen bisherigen Untersuchungen scheint nun die Aussicht nicht gross zu sein, dass es gelingen wird, *„ungiftige Antiseptica"* aufzufinden, wie solche immer von

Neuem als Panaceen angepriesen werden; aber wir haben ein gutes Recht, zu fordern, dass die am menschlichen und thierischen Körper zur Anwendung gelangenden Antiseptica den möglichst geringsten Grad der Giftigkeit besitzen, dass das Verhältniss zwischen der entwickelungshemmenden und keimtödtenden Wirkung einerseits, der Giftwirkung für Mensch und Thier andererseits ein möglichst günstiges sei.

Dieses Verhältniss, *die relative Giftigkeit,* stellt sich meinen Erfahrungen im Durchschnitt so, dass unsere bewährtesten Antiseptica ungefähr sechsmal giftiger sind für den Thierkörper als für Milzbrand im Blutserum, und ich bezeichne dieses Verhältniss, welches für die Carbolsäure, für Sublimat, Jodtrichlorid, Creolin u. s. w. mehr oder weniger genau zutrifft, durch die Zahl 6. *Die relative Giftigkeit dieser Mittel ist gleich 6.*

Die Feststellung der relativen Giftigkeit halte ich für ganz unerlässlich, wenn man zu einer rationellen Beurtheilung des *antiseptischen* Werthes eines Präparates gelangen will.

Für die *Desinfection* von Infectionsträgern, an deren Conservirung uns nicht viel gelegen ist, mag es oft gleichgültig sein, welche Wirkungen ein Mittel neben der keimtödtenden hat; und für die Desinfectionslehre kann daher schon die Feststellung der entwickelungshemmenden und keimtödtenden Kraft *allein* genügende Anhaltspunkte für die Beurtheilung der Leistungsfähigkeit gewähren. So ist durch die Zahlen in der grundlegenden Arbeit von *R. Koch*[1]) „Ueber Desinfection" eine Unterlage für die Beurtheilung des *desinficirenden* Werthes der meisten Antiseptica geschaffen worden, und durch die unzähligen Einzelarbeiten der nächsten Jahre auf diesem Gebiet

1) Mittheilungen aus dem Reichsgesundheitsamt. Bd. I.

ist Wesentliches an derselben nicht geändert worden; ja man kann sagen, es ist ausser der Desinfection mit Kalk nichts Wesentliches hinzugekommen. Diejenigen Desinfectionsmittel, welche dort bewährt gefunden worden sind, haben auch bis jetzt sich als die zuverlässigsten für die Desinfectionspraxis erwiesen; und noch mehr: die in jener Arbeit angegebenen Mittel, der heisse und gespannte Wasserdampf und von den chemischen Körpern das Quecksilberchlorid, die Carbolsäure und der Aetzkalk reichen auch so vollständig aus, um unter jedesmaliger Berücksichtigung der besonderen Verhältnisse in der Desinfectionspraxis Genügendes zu leisten, dass wenigstens ein *dringendes* Bedürfniss für neue Desinfectionsmittel nicht vorliegt.

Ganz anders verhält es sich mit der *antiseptischen* Praxis, die auf's Sorgfältigste den Infectionsträger berücksichtigen muss, mit der *Antisepsis am und im lebenden Organismus und an solchen Substanzen, deren chemische und physikalische Zusammensetzung nicht alterirt werden darf.*

Ausser für die Oberflächendesinfection nützt es uns hier noch nicht viel, wenn wir von einem chemischen Präparat wissen, dass es schon in ausserordentlich stark verdünnter Lösung Infectionskeime tödtet oder in ihrer Entwickelung hemmt; wir müssen weiter fragen, wie es mit der Giftigkeit steht, und wir werden für die antiseptische Praxis am lebenden Körper nicht deswegen allein einem Mittel den Vorzug vor anderen geben dürfen, weil es eine grössere Desinfectionskraft besitzt.

Wenn von salzsaurem Chinin ein erwachsener Mensch ohne Schaden 1 grm und vom Quecksilbersublimat nicht mehr als 0·03 grm auf einmal resorbiren darf, so ist offenbar zur Beurtheilung der Leistungsfähigkeit des Chinins und des Quecksilbers der absolute antiseptische Werth nicht ausreichend; derselbe kann beim Chinin etwa

30 mal geringer sein als beim Sublimat, ohne dass man berechtigt ist, das letztere für den Thierkörper und den Menschen ohne Weiteres für wirksamer zu erklären. Und in der antiseptischen *Wundbehandlung* darf deswegen die Carbolsäure nicht geringer geschätzt werden als Sublimat, weil sie um ein Vielfaches an absolutem antiseptischem Werth demselben unterlegen ist; durch den Umstand, dass man, ohne Gefahr der Vergiftung, von der Carbolsäure in derselben Zeiteinheit viel mehr anwenden kann, wird die Differenz möglicher Weise sogar zu Gunsten derselben ausgeglichen.

Der eigentliche antiseptische Werth eines Medicamentes kann daher nur unter Berücksichtigung einerseits seiner entwickelungshemmenden Wirkung und andererseits seiner Giftwirkung gefunden werden.

Was nun die quantitative Feststellung dieser beiden Wirkungen betrifft, so ist die erstere nur in dem Falle durch eine Zahl wiederzugeben, wenn sie an einem ganz bestimmten Mikroorganismus und in einem ganz bestimmten Nährmedium geprüft wird. Wir wissen, dass die verschiedenen Bacterien sehr verschiedene Widerstandsfähigkeit gegenüber antiseptischen Mitteln zeigen, und wir wissen ferner, dass dieselben Organismen in manchen Nährböden einen grösseren, in anderen einen kleineren procentischen Gehalt von Sublimat, Silber, von Säuren und Alkalien u. s. w. vertragen.

Will Jemand daher das Wachsthum von Erysipel oder Tuberculose im lebenden Organismus beeinflussen, so muss er die Widerstandsfähigkeit der Infectionserreger dieser Krankheiten gegen die zu untersuchenden Mittel bestimmen. Bei meinem Studium des Einflusses von chemischen Körpern auf den Verlauf der Milzbrandinfection musste ich demnach den entwickelungshemmenden Werth an Milzbrandbacillen prüfen, und da dieselben im Thierkörper sich vornehmlich im Blute vorfinden, so war als Nährsubstrat ein dem Blute ähnlich zusammengesetztes zu wählen; das ist aber unter den uns gut zugänglichen durchsichtigen Nährmedien das Blutserum.

Den absoluten, durch eine Zahl ausgedrückten entwickelungshemmenden Werth eines Medicaments bekomme ich also durch die Beobachtung seiner Wirkung auf Milzbrand im Blutserum.

Die Giftwirkung bestimme ich durch subcutane Injection des zu prüfenden Präparats. Diese Applicationsweise gestattet bei Lösungen solcher chemischer Körper, die vom subcutanen Gewebe aus prompt und glatt resorbirt werden, eine hinreichend genaue Berechnung. Vergleichende Untersuchuugen haben mir auch ergeben, dass die tödtliche Dosis antiseptischer Mittel von der eben charakterisirten Beschaffenheit, auf ein Kilo lebendes Meerschweinchengewicht berechnet, nicht bloss für diese Thiere, sondern auch für Kaninchen, Mäuse und Hunde gilt; soweit Beobachtungen an Menschen vorliegen, zeigt sich ferner, dass die bei Thieren gefundenen Zahlen auch ziemlich gut mit den beim Menschen zu constatirenden übereinstimmen.

Hat man nun diejenigen Zahlen gefunden, welche den absoluten entwickelungshemmenden Werth einerseits und die Giftigkeit andererseits angeben, so bekommt man die relative Giftigkeit, wenn die zweite Zahl durch die erste dividirt wird.

In dieser Weise habe ich nicht bloss für fast alle schon in gutem Rufe stehenden Antiseptica, sondern auch für eine Anzahl bis jetzt noch wenig oder gar nicht in der antiseptischen Praxis berücksichtigter Mittel die Prüfung auf den entwickelungshemmenden Werth ausgeführt.

Die Resultate lassen sich nach den vorgehenden Auseinandersetzungen sehr leicht und übersichtlich durch eine tabellarische Zusammenstellung kenntlich machen.

Von mehreren Mitteln habe ich schon früher Genaueres mitgetheilt. Der Vollständigkeit wegen führe ich die diesbezüglichen Stellen hier noch einmal im Wortlaute an:

„Auf das Körpergewicht der Kaninchen und Mäuse bezogen, erwiesen sich antiseptische Mittel als tödtlich wirkend in sechsfach geringerer Dosis als diejenige, welche nöthig war, um im gleichen Gewicht Blutserum das Wachsthum von Milzbrandbacterien aufzuheben“ [1]) . . .

„Für die Carbolsäure kommt man nach obiger Rechnung, da dieselbe nach meiner Beobachtung im hohlen Objectträger bei 1 : 600 das Wachsthum aufhebt, also bei ca. 1·7 : 1000, zu der Zahl $\frac{1 \cdot 7}{6}$ = nicht ganz 0·3 grm pro Kilo Thier, und ich finde in der That in Uebereinstimmung mit *Riedel* [2]), dass dies die tödtliche Dosis der Carbolsäure bei subcutaner Injection ist.

Für das Quecksilbersublimat fand ich, dass dasselbe bei 1 : 8000 bis 1 : 10,000 Wachsthum aufhebt, also bei 0 : 1 : 1000, was nach der Rechnung als tödtlich wirkende Dosis 0·017 grm pro Kilo Kaninchen ergeben würde. Nun findet Riedel, dass auf je 10 grm Kaninchen 0·000096 Sublimat subcutan injicirt noch nicht tödtlich wirkt, dass aber bei 0·00015 bis 0·00017 die Thiere nach 2 bis 3 Tagen starben; pro Kilo Thier erhalten wir danach als tödtliche Dosis 0·015 bis 0·017 grm, also ziemlich genau die durch Rechnung gefundene Zahl.

Für Jodtrichlorid fand ich Wachsthumsaufhebung der Milzbrandbacillen bei 1 : 3000, die tödtliche Dosis nach der Rechnung wäre danach ca. 0·055 grm pro Kilo Thier; Riedel fand, dass bei 0·046 grm pro Kilo ein Kaninchen

---

1) Wie ich jetzt hinzufügen kann, gilt das auch für Meerschweinchen.

2) Versuche über die desinficirenden und antiseptischen Eigenschaften des Jodtrichlorids, wie über dessen Giftigkeit. Arbeiten aus dem Kaiserl. Gesundheitsamt. 1887. S. 481 u. 482.

nach 10 Tagen starb, und man sieht, dass auch hier die Zahlen gut übereinstimmen, wenn berücksichtigt wird, dass die *sicher* tödtliche Dosis — wie ich in einigen Versuchen fand — etwas höher liegt.

Im Laufe der Zeit ist mir das Auffinden der vergiftenden Dosis dadurch ausserordentlich erleichtert worden, dass ich vorerst die wachsthumsaufhebende Wirkung feststellte und danach das zu wählende Quantum der in Lösung gebrachten Präparate zur subcutanen Injection bestimmte.

Wenden wir nun diese Rechnung auch für das Creolin an, so bekommen wir als sicher wachsthumsaufhebende Wirkung 1 : 150 = 6·6 : 1000, danach als giftige Dosis pro Kilo Thier ca. 1·1 grm, in welcher Menge in der That auch die Giftwirkung des Mittels eintritt."

Bei den eben genannten Mitteln ist demnach die relative Giftigkeit ziemlich gleich, nämlich ca. 6, und ich kann hinzufügen, dass ich unter denjenigen Medicamenten, über welche ich schon in früheren Arbeiten berichtet habe, nur beim Silber und beim salzsauren Chinin kleinere Zahlen fand, nämlich 4 bis 5 bezw. 5.

Nach sehr zahlreichen weiteren Untersuchungen kann ich ferner bestätigen, dass bewährtere antiseptische Mittel, sowohl organische wie anorganische, nur sehr wenig in ihrer relativen Giftigkeit von der Zahl 6 nach oben oder unten abweichen.

Ist die Zahl kleiner, so betrachte ich das Verhältniss als günstiger, während ich glaube, dass Mittel mit grösserer relativer Giftigkeit früher oder später als ungeeignet für die Verwendung in der antiseptischen Praxis sich erweisen werden.

So vermuthe ich, dass dies der Fall sein wird beim salzsauren Hydroxylamin, einem Präparat, welches namentlich in der dermatologischen antiparasitären Praxis jetzt vielfach Verwendung findet.

Für das von mir in Berlin von *Kahlbaum* bezogene Präparat habe ich als Grenze der Entwickelungshemmung 1:2500, für die Wachsthumsaufhebung die Zahl 1:1500 angegeben. (10) Neuerdings ist nun eine Arbeit von *L. Lewin* (11) erschienen, welche sich u. A. auch eingehend mit der Giftwirkung dieses Präparates beschäftigt. Als eben noch tödtliche Dosis findet *Lewin* (S. 317) 0·04 grm, für ein Kaninchen 725 grm, also ca. 1 grm auf 18,000 grm Körpergewicht. Fast genau das gleiche Verhältniss konnte ich bei meinem Präparat für Kaninchen feststellen und für Meerschweinchen bestätigen. Danach ist die relative Giftigkeit des salzsauren Hydroxylamins gleich ca. 10 bis 12, übersteigt also die der schon bewährten Antiseptica in nicht unbeträchtlichem Grade.

In meiner Tabelle sind die eben berichteten Resultate sehr schnell und leicht abzulesen; sie sind in folgender Weise gekennzeichnet:

Lfde. Nr.	Präparate	Wachsthums-aufhebung von Milzbrand im Blutserum	Tödtliche Dosis für Meer-schweinchen	Relative Giftigkeit	Bemerkungen
1	Carbolsäure	1:600	1:3600	6	
2	Quecksilber-chlorid	1:10000	1:60000	6	
3	Jodtrichlorid	1:3000	1:17000	6	
4	Alkalische (resorptions-fähige) Silberlösung	1:13000	1:50000	4—5	Die antiseptisch stärker wirksame Höllensteinlösung ist als solche nicht resorptions-fähig.
5	Salzsaures Chinin	1:1250	1:60000	5	Alkalische Lösung.
6	Salzsaures Hydroxyl-amin	1:1500	1:18000	12	

Für die genaue Feststellung des Verhältnisses zwischen antiseptischer und zwischen Giftwirkung hatten sehr viele der bisher von mir untersuchten chemischen Körper, darunter ganz besonders concentrirtere Metallsalzlösungen, den Nachtheil, dass sie mit Blut und Blutserum Niederschläge geben, die Gewebe anätzen und auf diese Weise bei subcutaner Injection der prompten und glatten Resorption Hindernisse in den Weg stellen.

Dieser Nachtheil geht vollständig einer bisher in der antiseptischen Praxis noch gar nicht berücksichtigten Klasse von Metallverbindungen ab, als deren erste ich durch Herrn Geheimrath *Koch* das Goldkaliumcyanid kennen gelernt habe.

Die Constitution dieser Verbindung kann verschieden aufgefasst werden. Man kann dieselbe als Goldcyanid ($AuCy_3$) ansehen, welches in Cyankalium (KCy) gelöst ist, und die mit 1 $^1/_2$ Molekülen Wasser krystallisirt. Ihre Formel wäre danach $AuCy_3 + KCy + 1\,^1/_2 H_2O$, also die Formel eines Doppelsalzes.

Man kann dieses Salz aber auch ableiten von einer Säure, der Auricyanwasserstoffsäure = $HAuCy_4$, die nach *Ladenburg*[1]) mit 3 Molekülen Wasser zu grossen, farblosen, luftbeständigen, leicht in Wasser, Alkohohl und Aether löslichen Tafeln krystallisirt. In dieser Säure kann der Wasserstoff durch andere Metalle, z. B. durch Silber, Cadmium, Kalium, Natrium ersetzt werden. Das Kaliumsalz hat danach die Formel $KAuCy_4 + 1\,^1/_2 H_2O$.

Mit Blut und Blutserum ist dieses Kaliumsalz der Auricyanwasserstoffsäure in allen Verhältnissen löslich, und bei subcutaner Injection wird es glatt und schnell resorbirt, ohne zu ätzen und, wie es scheint, auch ohne nennenswerthe Schmerzen bei Thieren hervorzurufen.

Ganz analoge Verbindungen lassen sich nun von den meisten anderen Metallen herstellen, und zwar von

1) Handwörterbuch der Chemie. Bd. III. S. 110.

solchen, die verschiedene Werthigkeit besitzen, mehrere Reihen.

Am bekanntesten sind die hierher gehörigen Verbindungen beim Eisen.

Wir kennen bei demselben die Ferrocyanwasserstoffsäure = $H_8Fe_2Cy_{12}$ und die Ferricyanwasserstoffsäure = $H_6Fe_2Cy_{12}$ und leiten von diesen Säuren das Kaliumeisencyanür = $K_8Fe_2Cy_{12} + 6H_2O$ und das Kaliumeisencyanid = $K_6Fe_2Cy_{12}$ ab. Das erstere bezeichnet man auch als gelbes, das zweite als rothes Blutlaugensalz.

Beim Quecksilber ist das entsprechende Doppelcyanid K_2HgCy_4, beim Platin und Palladium habe ich nur die Cyanüre bekommen ($K_2PtCy_4 + 3H_2O$ und $K_2PdCy_4 + 3H_2O$ bezw. $1H_2O$); aus dem Osmiumsäureanhydrid (OsO_4) habe ich mir die Verbindung $K_4OsCy_6 + 3H_2O$ hergestellt; aus Kupfersulfat, welches mit schwefliger Säure versetzt wurde (*Ladenburg* a. a. O. S. 109), durch Behandlung mit Cyankalium die entsprechende Doppelverbindung des Kupfercyanürs (K_2CuCy_4); aus Zinksulfat das Kaliumzinkcyanür u. s. w.

Alle diese Doppelsalze werden gleich dem des Goldes ausserordentlich schnell bei subcutaner Injection resorbirt, und alle geben in eiweisshaltigen Flüssigkeiten keine Niederschläge. Aber noch aus mehreren anderen Gründen schienen sie mir einer eingehenderen Untersuchung werth zu sein.

Diese Doppelsalze haben — wenigstens ihre höheren Oxydationsstufen, die Cyanide — vor Allem den Vortheil, dass sie nach meinen vergleichenden Prüfungen den höchsten Grad der antiseptischen Leistungsfähigkeit unter allen Verbindungen repräsentiren, die für die einzelnen Metalle überhaupt in Frage kommen. Die Ursache hierfür ist ziemlich durchsichtig.

Nach den grundlegenden Untersuchungen von *O. Löw* (12) (12) können wir uns den Modus der antiseptischen Wirkung der Metallsalze als eine Giftwirkung auf das lebende Protoplasma vorstellen. Das lebende Eiweiss gewisser Algen ist nämlich nach *Löw* im Stande, die Metallsalze aus verdünnten Lösungen zu einer niedrigeren Oxydationsstufe oder bis zum Metall selbst zu reduciren, das Metall in sich aufzunehmen und dadurch sich selbst zu vergiften. Die verschiedenen Metalle, ihre verschiedenen Oxydationsstufen, und ihre verschiedenen Lösungen verhalten sich aber dem lebenden Protoplasma gegenüber ausserordentlich verschieden, und dieses selbst weist wieder bemerkenswerthe Differenzen auf je nach seiner Herkunft.

Einige der Metallsalzlösungen zeichnen sich nun dadurch aus, dass sie in so starken Verdünnungen, die nur noch $\frac{1}{100,000}$ und noch weniger Metall enthalten, vergiftend auf Algeneiweiss wirkt.

Als solche hat uns *Löw* vor Allem gewisse Lösungen des Quecksilbers, des Silbers und des Goldes kennen gelehrt.

Quecksilberlösungen gehören nun bekanntlich zu den energischsten Giften auch für Milzbrandbacillen; das Silber habe ich gleichfalls sehr wirksam gegen Milzbrand gefunden.

Angeregt durch die Mittheilung *Löw's* hatte ich im pharmakologischen Institut zu Bonn auch Goldlösungen untersucht, fand dort aber insofern bei diesem ein abweichendes Verhalten, als dasselbe nur mässige Wirkung besass, ungefähr in einer Verdünnung von 1 : 2000. Als ich nun durch Herrn Geheimrath *Koch* erfuhr, dass nur die unzweckmässige Wahl des Präparats — ich hatte das Auro-Natrium chloratum untersucht — an dem Misserfolg die Schuld trug, und dass andere Goldlösungen, wie das Goldkaliumcyanid, in der That vollständig mit Quecksilber und Silber concurriren können, wird man es begreiflich finden, dass ich hierin eine weitere Bestätigung für einen Parallelismus der Giftwirkung der Metallsalze gegenüber dem Algen- und dem Milzbrandprotoplasma, qualitativ und einigermassen auch quantitativ, erblickte.

Aber die Beobachtung, die ich an den verschiedenen Goldpräparaten machte, musste auch darauf hinweisen, wie wichtig die Auswahl der Verbindungen bei den Metallen ist, wenn man die antiseptische Wirkung derselben studiren will.

Beruht die antiseptische Wirkung auf der Fähigkeit des lebenden Protoplasmas, das Metall aus der höheren Oxydationsstufe in eine niedrigere überzuführen, so ist es klar, dass der antiseptische Werth der Lösungen vermindert werden muss, wenn durch irgend welche Einflüsse diese Arbeit schon ohne die Mikroorganismen geleistet wird; wenn durch das Licht, durch reducirende Körper wie Zucker, mehratomige Alkohole, Aldehyde, organische Substanzen, die aus dem Eiweisszerfall hervorgehen, und das Eiweiss selbst bezw. besondere Modificationen desselben die Metallsalzlösungen zersetzt werden. Dass dem wirklich so ist, beweist eine lange Reihe von Erfahrungen der letzten Jahre, die man an Sublimatlösungen gemacht hat; für Höllensteinlösungen und für viele andere Körper kann ich diese Erfahrungen bestätigen, und das gleiche lässt sich auch für Lösungen des Auro-Natrium chloratum nachweisen.

Im Gegensatz zu der leichten Reductionsfähigkeit der eben genannten Verbindungen sind wir aber im Stande, die Zersetzlichkeit von Metallsalzlösungen zu vermeiden; und zwar lässt sich dieselbe beträchtlich herabsetzen durch Einführung organischer Moleküle, wie des Essigsäure-, Weinsäurerestes, und so auch durch Einführung der Cyangruppe. Bei den Schwermetallen können hierdurch die meisten Metallreactionen vollständig zum Schwinden gebracht werden, wie wir das z. B. bei der *Fehling*'schen Kupferlösung durch die Weinsäure erreichen. Auch für das Quecksilber ist von den Chirurgen in der Essigsäure und Weinsäure die Verwerthung organischer Quecksilberverbindungen zur Erhöhung der Haltbarkeit vortheilhaft gefunden worden, nachdem von *Liebreich* im Formamid schon früher ein Mittel angegeben war, um die Zersetzung des Sublimats bei subcutaner Injection zu umgehen.

Die Doppelcyanide sind nun für die meisten Metalle eine sehr brauchbare Form, um ihre Zersetzung durch die Wirkung des Lichts und durch todte organische Substanz zu vermindern oder ganz zu verhüten, und wir finden demgemäss, dass derjenige antiseptische Werth, welcher einem Metall in Lösung überhaupt zukommen kann, am besten durch die sehr haltbaren Lösungen der Doppelcyanide erreicht wird. Aus diesen vermögen zwar noch lebendes Protoplasma, aber weniger leicht todtes Eiweiss und die meisten der anderen, in Nährböden vorkommenden, reducirenden Agentien das Metall abzuscheiden oder in niedrigere Oxydationsstufen überzuführen.

Aber ich hatte noch einen anderen Grund, gerade die Doppelcyanide für meine Versuche zu wählen.

In der antiseptischen Praxis werden die Metalle mit sehr verschiedenen Säureantheilen verwendet; Quecksilber als Chlorid, Silber als Nitrat, Kupfer und Zink als Sulfat u. s. w.

Man darf aber nicht ohne Weiteres den elektropositiven (Säure-)Antheil in den Metallverbindungen vernachlässigen, und für vergleichende Untersuchungen war es wünschenswerth, analog construirte Verbindungen zu haben.

Dieser Anforderung wird durch die Cyan-Cyankaliumsalze in vollkommenster Weise entsprochen.

Manche Metalle allerdings, die in Cyankalium nicht löslich sind, wie Blei, Bismuth, Zinn können in dieser Form nicht untersucht werden.

Die in der vorher angedeuteten Weise vorgenommene Prüfung des antiseptischen Werthes hat für alle in Cyankalium gelösten Metalle bestätigt, dass mit der Wirkung auf das Wachsthum von Milzbrand im Blutserum in fast gesetzmässiger Progression die Giftigkeit für den Thierkörper steigt.

Diese Thatsache wird hier um so mehr augenfällig, als der absolute antiseptische Werth der einzelnen Metallverbindungen ausserordentlich verschieden ist.

Während das Ferricyankalium und das Ferrocyankalium in halbprocentiger Blutserumlösung das Milzbrandwachsthum noch nicht aufheben und die Doppelcyanide des Platins, des Iridiums, des Osmiums erst bei einem Gehalt von mehr als 1 pro Mille anfangen, entwickelungshemmend zu wirken, besitzen wir im Gold, Silber und Quecksilber so stark entwickelungshemmende Metalle, dass ein einziges Gramm über Cyanverbindung 20 bis 50 kgrm Blutserum zu einem ungeeigneten Nährboden für Milzbrand macht.

In der Mitte stehen Kupfer, Palladium und Zink.

Ordnet man nun die Metalle nach ihrem antiseptischen Werth, dann ist die so gewonnene Scala gleichzeitig auch die Scala ihrer Giftigkeit für den Thierkörper.

Die relative Giftigkeit habe ich bei keinem dieser Körper niedriger als 5 gefunden; bei einigen Metallen, namentlich bei meinem Kupferpräparat, war sie nicht unbeträchtlich höher (ca. 10).

Eine genauere Prüfung behufs therapeutischer Verwerthung bei Infectionskrankheiten scheinen nach meinen bisherigen Thierversuchen vor Allem Quecksilber, Silber und Gold zu verdienen.

Auf die Menge des in ihren Doppelsalzen enthaltenen Metalls berechnet, habe ich für diese Präparate folgende Zahlen gefunden.

Lfd. Nr.	Präparate	Wachsthums-aufhebung von Milz-brand im Blutserum	Tödtl. Dosis für Meer-schweinchen	Relative Giftigkeit
1	Kaliumquecksilber-cyanid	1:60 000	1:300 000	5
2	Kaliumsilbercyanid [1])	1:50 000	1:300 000	6
3	Kaliumgoldcyanid	1:25 000	1:150 000	5—6

1) Die Constitution der Silberverbindung ist nicht der der Quecksilber- und Goldverbindung analog; sie ist zu schreiben AgCy + KCy, leitet sich also nicht von einer Säure ab. In derselben tritt in sehr bemerkenswerther Weise die Cyanwirkung zu Tage, und man thut gut, zur Erzielung der *Silber*wirkung dieses Präparat refracta dosi zu injiciren; bei Mäusen 0·00001 grm 3 bis 4 Mal am Tage.

Litteratur-Verzeichniss.

1. *E. Pfuhl*, Ueber die Desinfection der Typhus- und Cholera-ausleerungen mit Kalk. Zeitschr. f. Hygiene, Bd. VI. S. 97 ff.

2. *C. Fränkel*, Die Einwirkung der Kohlensäure auf die Lebensthätigkeit der Mikroorganismen. Ebenda, Bd. V. S. 332 ff.

3. *Behring*, Beiträge zur Aetiologie des Milzbrandes. Ebenda, Bd. VI. S. 117 ff.

4. *Derselbe*, Ueber Quecksilbersublimat in eiweisshaltigen Flüssigkeiten. Centralblatt für Bacteriologie und Parasitenkunde. 1888. Nr. 1 und 2.

5. *A. Schmidt*, Neue Untersuchungen über die Faserstoffgerinnung. *Pflüger's* Archiv. Bd. VI. S. 413 ff. und Bd. XI. S. 515 ff. — *Derselbe*, Bemerkungen zu *Olof Hammarsten's* Abhandl.: „Untersuchungen über die Faserstoffgerinnung". Ebenda. Bd. XIII. S. 146. — Vergl. *Hammarsten*, Ueber das Paraglobulin. Ebenda. Bd. XVII. S. 413 ff. — *Derselbe*, Ueber das Fibrinogen. Bd. XIX. S. 563 ff. und Bd. XXII. S. 431 ff. — *Derselbe*, Ueber den Faserstoff und seine Entstehung aus dem Fibrinogen. Ebenda. Bd. XXX. S. 437 ff. — Ferner *A. Heynsius*, Ueber die Eiweisskörper des Blutes. Ebenda. Bd. II. S. 1 ff. — *Derselbe*, Ueber die Eiweissverbindungen des Blutserums und des Hühnereiweiss. Ebenda. Bd. IX. S. 514 ff. — *Derselbe*, Ueber Serumalbumin und Eieralbumin u. s. w. Ebenda. Bd. XII. S. 549.

6. *Th. Weyl*, Ueber das Verhalten des Serumalbumins zu Säuren und Neutralsalzen. Zeitschr. für phys. Chemie *(Hoppe-Seyler)*. 1885. Bd. IX. S. 310 ff.

7. *Léon Frédéricq*, Recherches sur les substances albuminoïdes du sérum sanguin. Extrait des Archives de Biologie *(Brenden et Bambeke)*. 1880. Vol. I. p. 473.

Frédéricq acceptirt in dieser Arbeit den von *Th. Weyl* vorgeschlagenen Namen „Serumglobulin" an Stelle der Gleiches bezeichnenden Ausdrücke „fibrine dissoute" *(Denis)*, „fibrinoplastische Substanz" *(Alex. Schmidt)*, „Paraglobulin" *(Kühne)*, „Serumcaseïn" *(Panum)* und „Alkalialbuminat" *(Heynsius)*.

Ueber die quantitative Vertheilung des Paraglobulins in Blut und Blutserum ist besonders folgende Darstellung *F.'s* bemerkenswerth:

„Pour *Hoppe-Seyler, Weyl, Hammarsten* et plusieurs autres physiologistes, le sérum sanguin présenterait donc la constitution que

Denis lui avait assigné. Il contiendrait deux substances albuminoïdes, une albumine (Sérine de *Denis*) et une globuline (Fibrine dissoute de *Denis*, paraglobuline). Jusque dans ces derniers temps, la première était considerée comme constituant la presque totalité des albuminoïdes du sérum, la paraglobuline n'en formant qu'une faible partie. Les recherches récentes de *Hammarsten* (*Pflüger's* Archiv, Bd. XVII und XVIII) ont ébranlé complètement cette doctrine. *Hammarsten* a montré que le sérum du sang de cheval, celui de boeuf etc., peuvent fournir, quand on les traite par le sulfate de magnésie un poid de paraglobuline presque double de la quantité d'albumine qui reste en solution. Chez d'autres espèces animales, le lapin par exemple, le sérum contient, au contraire, fort peu de paraglobuline. *Hammarsten* s'est efforcé de prouver que la paraglobuline ainsi formée préexiste dans le sérum sanguin et que par conséquent ce que l'on a décrit jusqu'ici sous le nom d'albumine n'est en réalité qu'un mélange où la paraglobuline prédomine dans beaucoup de cas.

Comme on le verra plus loin, je suis arrivé aux mêmes conclusions par l'étude de la déviation que le sérum sanguin imprime au plan de la lumière polarisée, méthode purement physique qui ne peut être passible des reproches que l'on serait tenté d'adresser aux réactions chimiques utilisées par Hammarsten."

8. *Denis* (de Commercy), „Mémoire sur le sang, considerée quand il est fluide, pendant qu'il se coagule et lorsqu'il est coagulé suivi d'une notice sur l'application de la méthode d'expérimentation par les sels à l'étude des substances albuminoïdes." Paris 1859.

Dieses ebenso werthvolle, wie selten gewordene „Mémoire" verdanke ich Herrn *Weyl*, durch welchen ich auch sonst viele schwer zugängliche Abhandlungen, namentlich die von *Frédéricq*, bekommen habe.

9. *Behring*, Ueber den antiseptischen Werth des Creolins und Bemerkungen über die Giftwirkung antiseptischer Mittel. Deutsche milit.-ärztl. Zeitschr. 1880. Nr. 10.

10. *Derselbe*, Beiträge zur Aetiologie des Milzbrandes. Zeitschr. f. Hygiene. 1889. Bd. VI. S. 120.

11. *L. Lewin*, Archiv f. experiment. Pathol. u. Pharmakol. 1889.

12. *Oscar Löw* und *Thomas Bokorny*, Die chemische Kraftquelle im lebenden Protoplasma u. s. w. München 1882.

Berlin, 1889.

XIV.

Ueber asporogenen Milzbrand.

Von Stabsarzt Dr. **Behring**,
Assistenten am hygienischen Institut in Berlin.

Die Fortpflanzung des Bacillus anthracis geschieht durch Theilung oder durch Bildung von eiförmigen Sporen und durch Auskeimen der Sporen in ihrer Längsrichtung.

Die Sporenbildung erfolgt in jedem guten Nährboden, wenn in demselben keine wachsthumsschädigenden Substanzen vorhanden sind, und zwar am schnellsten und ausgiebigsten bei Brüttemperatur; unter 20 und über 38° C. wird die Sporenbildung mangelhaft oder bleibt gänzlich aus.

Die Schnelligkeit und Regelmässigkeit der Sporenbildung, und der Eintritt derselben überhaupt, ist aber, ausser vom Nährboden, auch von der Natur der Milzbrandbacillen selbst abhängig.

Es giebt Milzbrandsorten, denen die Fähigkeit, Sporen zu bilden, gänzlich verloren gegangen ist.

Aus dem hiesigen hygienischen Institut wurde ein vollvirulenter, aber asporogener Milzbrand von *Lehmann* [1]) beschrieben.

Ich selbst beobachte seit fünf, bezw. sechs Monaten

---

1) *K. B. Lehmann*, Ueber die Sporenbildung bei Milzbrand. Vortrag, gehalten am 17. Mai 1887 in der Gesellschaft für Morphologie und Physiologie in München.

zwei asporogene Milzbrandsorten, die ich aus sporenbildendem Milzbrand gezüchtet habe.

Der eine stammt von dem virulenten Milzbrand, welchen ich. in der Zeitschrift für Hygiene Bd. VI. S. 133, sub I beschrieben habe, der andere von dem ebenda sub IIIa aufgeführten, durch 16 tägige Einwirkung höherer Temperatur in Flügge's Laboratorium abgeschwächten Milzbrand, der in seiner Virulenz einem II. Vaccin entspricht.

Bei letzterem gelang mir die Umwandlung in die asporogene Form früher als bei ersterem. Im Monat April hatte *Hüppe* auf seinen Wunsch durch Vermittelung von *C. Fränkel* eine Agarcultur desselben erhalten.

Beide asporogenen Formen haben den ursprünglichen Grad ihrer Virulenz bewahrt, jedoch mit der Modification, dass der virulente Milzbrand zwar noch grosse Kaninchen mit Sicherheit tödtet, aber erst nach 4—6 Tagen bei Impfung mit Blut oder Milzpulpa einer an diesem Milzbrand verendeten Maus; ebenso ist die Zeit, nach welcher Meerschweinchen an dem abgeschwächten asporogenen Milzbrand sterben, eine längere als bei der Stammcultur.

Ich bringe diese Differenz in Zusammenhang mit einer weiteren Veränderung, die beide Milzbrandsorten erlitten haben, und die darin besteht, dass sie stärkere reducirende Fähigkeit bekommen haben, als die Ausgangsculturen.

Die Umwandlung in die asporogene Form gelang mir durch zwei-, bezw. dreimonatliche Züchtung bei Zimmertemperatur in solcher Gelatine, von welcher ich annahm, dass Sporen in derselben nicht gebildet werden, ohne dass das Wachsthum darin aufhört.

Ganz genaue Vorschriften für die Zubereitung einer solchen Gelatine lassen sich nicht geben.

Es gilt hier ganz dasselbe, was ich[1]) für die *vorüber-*

---

1) Zeitschrift für Hygiene. Bd. VI. S. 127.

gehende Verhinderung der Sporenbildung näher ausgeführt habe.

Ich habe dort gezeigt, dass im Allgemeinen der Wachsthumsaufhebung durch milzbrandentwickelungshemmende Mittel in sonst guten Nährböden eine andere Schädigung in morphologischer Beziehung voraufgeht, die in dem Ausbleiben der Sporenbildung ihren Ausdruck findet; der Art nämlich, dass ungefähr die Hälfte bis zwei Drittel derjenigen Menge einer antiseptisch wirksamen Substanz, die zur Wachsthumsaufhebung genügt, die Sporenbildung beeinträchtigt oder aufhebt.

Bei der wechselnden Zusammensetzung unserer künstlich bereiteten Nährböden lassen sich ganz genaue Zahlen für den entwickelungshemmenden Werth der einzelnen Antiseptica nicht angeben. Von Einfluss auf denselben ist die Menge, die Herkunft und Beschaffenheit des Fleisches, welches für die Zubereitung der Bouillon benutzt wird, und die Dauer des Kochens der Bouillon; von wesentlichem Einfluss ist es ferner, ob heiss oder kalt filtrirt wird, welches der Grad der Säure oder der Alkalescenz vor dem Filtriren war u. s. w.

Es bleibt daher nichts übrig, als für jeden einzelnen Fall empirisch die Grenze festzustellen, bei welcher noch Wachsthum der Milzbrandbacillen, aber keine Sporenbildung mehr stattfindet.

In Wirklichkeit bin ich aber nicht durch eine solche Vorausberechnung, sondern auf folgendem Wege zum Ziele gekommen.

Im Januar d. J. stellte ich mir eine 8 procentige Nährgelatine mit Fleischinfus, Pepton und Kochsalz her, in der vorzügliches Milzbrandwachsthum erfolgte. Von derselben füllte ich 60 Reagensgläser mit je 10 ccm.

Zu je 4 Gläsern setzte ich nun verschiedene entwickelungshemmende Mittel hinzu: Salzsäure bis zu einem Säuregrad von 2·5 ccm Normalsäure in 100 ccm, Natronlauge bis 5 ccm Normallauge in 100 ccm, Rosolsäure bis zu starker Rosafärbung der alkalischen Gelatine, Lackmustinctur, Safranin 1 : 30·000, Methylviolett, Cyanin, Malachitgrün, die letzten 3 Farbstoffe in einer Verdünnung von 1 : 200·000 bis 1 : 600·000.

So hatte ich 4 Serien à 15 Gläser, die ich nunmehr mit den 4 Virulenzstufen derjenigen Milzbrandsorten impfte, die ich als die bestwachsenden bei längerer Beobachtung erkannt hatte. Das waren aber ausser den schon genannten beiden Sorten der im hiesigen Institut unter dem Namen „Mäusemilzbrand“ aufbewahrte und ein ganz abgeschwächter.

In mehreren Gläsern erfolgte überhaupt kein Wachsthum, so in keinem mit Malachitgrün-Zusatz; von den Cyaningläsern zeigte nur das mit ganz abgeschwächtem Milzbrand geimpfte nennenswerthes Wachsthum, wie überhaupt der ganz abgeschwächte Milzbrand viel weniger durch den Zusatz der genannten entwickelungshemmenden Substanzen geschädigt wurde, als namentlich der vollvirulente.

In einigen Gläsern war die Entwickelung eine ausserordentlich verlangsamte, um dann nach 3 bis 4 Wochen in ziemlich schnellem Tempo vorzuschreiten; das war besonders bei den Safraningläsern der Fall.

Manche Farbstoffe erlitten eine merkliche Veränderung; so wurde Lackmus, wenngleich sehr langsam, schliesslich fast bis zum Verschwinden der Farbe in den mit ganz abgeschwächtem und mit Mäusemilzbrand geimpften Gläsern entfärbt.

Nach 2 Monaten nahm ich die ersten Ueberimpfungen auf Agar vor und fand mehrere Culturen sowohl auf Agarplatte wie auf schräger Agarfläche, die auch bei längerer Beobachtungsdauer keine Sporen bildeten. Die meisten aber zeigten, auf neuen Agar gebracht, doch wieder mehr oder weniger vollständige Wiederkehr der sporenbildenden Fähigkeit.

Nur die beiden oben citirten Sorten, von denen der II. Vaccin aus einem Salzsäureglas mit 1 ccm Normalsäure pro 100 ccm, der virulente aus einem Rosolsäureglas herstammt, habe ich dann noch weiter beobachtet. Die Culturen mit höherem Säuregehalt waren abgestorben.

Bei dem virulenten Milzbrand erfolgte in der zweiten und dritten Agarcultur noch hier und da die Bildung glänzender Körper, die zwar keine Sporenfärbung annahmen, aber kaum anders wie als Sporen zu deuten waren; nachdem dieser Milzbrand aber mehr als 10 mal durch den Thierkörper hindurchgegangen ist, kann ich jetzt auch bei ihm durch keins der die Sporenbildung befördernden Mittel, auch nicht durch Kalkpräparate, es erreichen, dass er Sporen oder sporenähnliche Gebilde producirt. Gegenwärtig werden beide asporogene Milzbrandsorten auch von Stabsarzt *Pfeiffer* fortgezüchtet.

Beide asporogene Formen degeneriren auf Culturen im Brütschrank sehr schnell; schon nach 4 bis 6 Tagen findet man fast nur noch Involutionsformen auf schrägen Agarflächen. Dieselben behalten aber ihre Lebens-, bezw. Fortpflanzungsfähigkeit noch mehrere Wochen; in frische Nährböden gebracht, wachsen sie schnell wieder aus, aber auf Mäuse verimpft, tödten sie dieselben nicht so schnell wie frische Culturen. Lässt man Agar- oder Bouillonculturen länger als 3 bis 4 Wochen im Brütschrank stehen, so sterben sie ab und tödten Mäuse nicht mehr, auch wenn sie in reichlicher Menge verimpft werden.

Nach langdauernden und vielfach modificirten Versuchen kann ich jetzt als gesichertes Resultat über die Sporenbildung Folgendes behaupten.

Die Sporenbildung ist ein Zwischenstadium in der normal vor sich gehenden Entwickelung des Milzbrands und zwar sowohl des virulenten, wie des abgeschwächten.

Wo die Sporenbildung mangelhaft ist oder fehlt, darf

man annehmen, dass wachsthumsschädigende Momente noch einwirken, oder dass solche vorher eingewirkt haben.

Solche Milzbrandsorten, die auch auf den besten Nährböden, d. h. in diesem Falle in solchen, die keine wachsthumsschädigenden Substanzen enthalten, keine Sporen bilden, sind dem Untergang geweiht, wenn sie nicht in Laboratorien von Zeit zu Zeit umgezüchtet werden, oder wenn sie nicht von Thier zu Thier übertragen werden.

Fragen wir nach alledem, wie weit die Veränderlichkeit der Milzbrandbacillen in Bezug auf eine so wesentliche Eigenschaft wie die Sporenbildung geht, so finden wir, dass zwischen virulentem und abgeschwächtem Milzbrand ein Unterschied nicht besteht, vorausgesetzt, dass die Abschwächungsmethode die Schädigung der morphologischen Eigenschaften vermieden hat.

Dass das möglich ist, beweist am besten die Thatsache, dass im Kaiserlichen Reichsgesundheitsamt ein ganz abgeschwächter Milzbrand, der keine Mäuse mehr tödtet, aus virulentem gezüchtet worden ist, welcher *morphologisch* weder in Bezug auf die Sporenbildung, noch sonst in irgend einer Richtung vom vollvirulenten sich mit unseren jetzigen Hülfsmitteln unterscheiden lässt.

Ueberall, wo die Sporenbildung mangelhaft ist oder gänzlich fehlt, da müssen wir das als eine Theilerscheinung degenerativer Vorgänge ansehen.

Ueber die Sporenbildung und die Wachsthumsbedingungen der Milzbrandbacillen ausserhalb des Laboratoriums sind positive Angaben in der Literatur nur wenige aufzufinden, und stichhaltig sind ausser denjenigen von *R. Koch* [1]) noch weniger.

Anmerkung späteren Datums. Seitens französischer Autoren bin ich darauf aufmerksam gemacht worden, dass schon

---

1) Zur Aetiologie des Milzbrandes. Mittheilungen aus dem Reichsgesundheitsamt. Bd. I. S. 49—79.

vor mehreren Jahren *Pasteur*, *Chamberland* und *Roux* willkürlich den Milzbrandbacillen ihre sporenbildende Fähigkeit durch besondere Züchtungsmethoden geraubt haben. Das ist richtig. Mir war die entsprechende Angabe, welche in den Comptes rendus enthalten ist, unbekannt geblieben.

Koch constatirt an jener Stelle zuerst, dass eine Verlängerung der Bacillen und Sporenbildung im nicht geöffneten Körper eines an Milzbrand gestorbenen Thieres nicht stattfindet, auch dann nicht, wenn der Cadaver längere Zeit bei einer Temperatur von 18 bis 20° gelassen wird, „offenbar weil der Sauerstoff des Blutes nach dem Tode sehr schnell durch Oxydationsprocesse verbraucht und nicht wieder ersetzt wird." Ich möchte dem noch hinzufügen, dass mit den Verbrauch des Sauerstoffs und den Oxydationsprocessen Kohlensäureanhäufung verbunden ist, und dass in dieser ein direct das Milzbrandwachsthum, aber nicht die Virulenz schädigendes Agens zur Geltung kommt; nach Eröffnung des Thierkörpers wird die schädliche Wirkung der Kohlensäure mehr oder weniger schnell in Folge des erleichterten Gasaustausches in seiner Wirkung vermindert, ja bei dünnen und austrocknenden Schichten von Milzbrandblut und von Gewebsflüssigkeit so weit vermindert, dass ausgiebige Sporenbildung nunmehr ermöglicht wird. Mit Ausnahme dieses Falles wird dieselbe im *Blute* aber nur unter besonderen Umständen stattfinden können.

Nährmaterial, welches *ausserhalb* des Thierkörpers in der Natur dem Milzbrand zur Verfügung steht, ist schon in Folge seiner Reaction grösstentheils nicht bloss der Sporenbildung, sondern auch dem Wachsthum überhaupt nicht förderlich. *R. Koch* sagt darüber:

„Heuinfus reagirt ziemlich stark sauer und nur einige feine und schmalblättrige Gräser geben ohne Weiteres geeignete Nährböden."

---

1) A. a. O. S. 78 ff.

„Aber auch die gröberen Grassorten und Kräuter lieferten mehrfach gute Nährlösungen, wenn sie, vor der Behandlung mit Wasser, mit einer geringen Menge von Schlemmkreide (kohlensaurem Kalk) vermengt wurden, um die freien Säuren zu binden.“

Durch diese Beobachtung, welche in der begünstigenden Wirkung der Kalkpräparate für die Sporenbildung im *Blutserum* eine Bestätigung und Erweiterung erfährt, wird m. E. die epidemiologische Thatsache unserem Verständniss näher gerückt, dass sehr häufig kalkhaltiger Untergrund in genauer bekannten Milzbrandlocalitäten gefunden worden ist.

Während in Grasinfusen die *Pflanzensäuren* milzbrandschädlich wirken, Blut dagegen und *frische* thierische Gewebsflüssigkeiten wegen ihrer Alkalescenz und des mit derselben in Zusammenhang stehenden *Kohlensäuregehalts* keinen sehr geeigneten Nährboden liefern, kann der *Harn*, welcher als natürliches Nährsubstrat noch in Frage kommt, bei Pflanzenfressern durch zu so grossen Alkaligehalt, bei Fleischfressern durch zu grossen Säuregehalt dem Milzbrandwachsthum schädlich sein.

Sehen wir uns nun unter den in der Natur gegebenen Mitteln zur *Beseitigung* der milzbrandentwickelungshemmenden Wirkungen in den genannten Flüssigkeiten um, so kommt ausser dem neutralisirenden und kohlensäurebindenden Einfluss der Erdalkalien noch eines in Betracht, welches in *allen* Fällen wirksam werden kann; das ist die Verdünnung mit Wasser.

Wenn dieselbe nicht gar zu weit geht, beim Blutserum z. B. nicht über die 100fache Verdünnung hinaus, so wird man bei experimenteller Prüfung die auf den ersten Blick vielleicht überraschende Beobachtung machen, dass für die meisten Fäulnissbacterien, und besonders auch für die Anäeroben die Wachsthumsbedingungen immer ungünstiger, dagegen für die normale und vollständige Entwickelung der Milzbrandbacillen, nämlich mit Sporenbildung, immer günstiger werden, sodass bei gleichzeitiger Aussaat die letzteren die Oberhand behalten oder bekommen.

Es dürfte hierin vielleicht ein bisher noch nicht berücksichtigtes Moment für den Einfluss der Ueberschwemmungen gegeben sein, welcher in der oben citirten Arbeit *R. Koch's* gleichfalls eingehend auseinander gesetzt ist.

Berlin 1889.

XV.

Ueber Desinfection, Desinfectionsmittel und Desinfectionsmethoden.

Von Stabsarzt **Dr. Behring,**

Assistenten am hygienischen Institut.

(Aus dem hygienischen Institut der Universität zu Berlin.)

Allgemeine Anforderungen an ein Desinfectionsmittel.

Wir stehen bezüglich der Desinfectionsfrage jetzt alle auf dem Standpunkt, welcher durch die Arbeiten von *R. Koch* (1) und seinen Schülern im Jahre 1881 ihrer wissenschaftlichen Prüfung und ihrer praktischen Verwerthung angewiesen wurde.

In jenen Arbeiten, welche sowohl die Desinfection mit chemischen Mitteln, wie die mit heissem Wasserdampf behandeln, wurden nicht bloss genau präcisirte Anforderungen an die praktisch vorzunehmenden Desinfectionen aufgestellt, sondern es wurden darin auch die Mittel angegeben, diesen Anforderungen gerecht zu werden.

Was von einer ausreichenden Desinfection verlangt wird, lässt sich darnach kurz dahin zusammenfassen: *„Eine Desinfection ist nur dann als thatsächlich erfolgt anzusehen, wenn die in Frage kommenden specifischen Infectionsstoffe zerstört sind, wenn speciell bei Bacterienkrankheiten die Bacterien, und falls dieselben Dauerformen besitzen, auch diese in dem Desinfectionsobject getödtet sind.“*

In *R. Koch's* Arbeit: *„Ueber Desinfection“*, wird aufs Schärfste unterschieden zwischen solchen Desinfectionsmitteln, welche bloss sporenfreie Bacterien zu tödten im Stande sind und solchen, die auch sporenhaltiges Infectionsmaterial vernichten können.

Mittel der ersten Art können, wie es daselbst (S. 236) weiter heisst: *„nur gegen solche Krankheiten Verwendung finden, von denen sich mit Gewissheit voraussetzen liesse, dass die ihnen eigenthümlichen Infectionsstoffe keine solche resistenten Dauerformen anzunehmen vermögen.“*

Zu jener Zeit (1881) waren nun noch keine menschlichen Infectionskrankheiten bekannt, bei deren Krankheitserregern man solche Dauerformen mit Sicherheit ausschliessen konnte; und es musste daher verlangt werden, dass zur Sicherstellung der Desinfectionswirkung das Mittel im Stande sein müsse, die resistentesten unter den bekannten Bacterienkeimen, als welche damals die Sporen der Milzbrandbacillen galten, abzutödten.

Gegenwärtig steht die Sache anders. Von der Cholera und vom Abdominaltyphus und der Diphtherie wissen wir mit Sicherheit, dass diese Krankheiten durch sporenfreie Bacterien erzeugt werden; von der Tuberkulose und vom Rotz ist es wenigstens sehr wahrscheinlich. Kokken, sowohl Staphylokokken wie Streptokokken sind gleichfalls sporenfrei.

Man würde über das Ziel hinausgehen, wenn man auch hier überall zu Desinfectionszwecken nur solche Mittel nehmen wollte, welche Milzbrandsporen oder gar noch widerstandsfähigere Dauerformen, wie wir sie in der Erde und auf Kartoffeln finden, abzutödten im Stande sind.

So finden wir denn in der That in denjenigen Arbeiten, die in den letzten Jahren unter Leitung von Hrn. Geheimrath *Koch* entstanden sind, namentlich in den Mittheilungen über die desinficirende Wirkung des Kalkes(2), dass der veränderten Sachlage entsprechend auch die Anforderungen an die Leistungsfähigkeit eines Desinfectionsmittels andere geworden sind.

Wir wissen jetzt einerseits, dass noch widerstandsfähigere Dauerformen existiren, als die früher untersuchten Milzbrandsporen, und wo es sich um die Desinfection von sporenhaltigem Infectionsmaterial handelt, sind die Anforderungen jetzt so weit erhöht, dass selbst starke Sublimatlösungen und 5 procentige Carbolsäure denselben nicht immer genügen.

Wir wissen aber auch andererseits, dass das Infectionsmaterial vieler ansteckender Krankheiten, so namentlich der wichtigsten menschlichen, wie Tuberkulose, Typhus, Cholera, Diphtherie, Rotz, wahrscheinlich auch Ruhr, der meisten Wundinfectionskrankheiten, keine Sporen enthält, *und so können jetzt mit vollständigem Vertrauen zur Abwehr dieser Krankheiten auch solche Mittel Verwendung finden, die der Anforderung, alle, auch die widerstandsfähigsten Bacterienkeime zu tödten, nicht entsprechen, wenn sie nur die im speciellen Fall in Frage kommenden Infectionskeime mit Sicherheit vernichten.*

Von den Mitteln, welche sporenfreie Bacterien zu tödten im Stande sind, soll zunächst die Rede sein.

A. Die Desinfection von sporenfreiem Infectionsmaterial.

Wie überall in der Lehre von den Infectionskrankheiten, wo es sich um die Erörterung methodologischer Fragen handelt, thun wir gut, von der bestbekannten Infectionskrankheit auszugehen, nämlich vom Milzbrand.

Es kommen Milzbrandsorten vor, und man kann solche sich auch willkürlich durch besondere Züchtungsmethoden verschaffen, welche dauernd die sporenbildende Fähigkeit verloren haben.

Derartiger Milzbrand giebt uns ein Paradigma auch für die nicht sporenbildenden menschlichen Infectionserreger; und die Ergebnisse der an solchem Milzbrand angestellten Desinfectionsprüfungen geben werthvolle Anhaltspunkte auch für die Beurtheilung der Leistungsfähigkeit gegenüber anderen sporenfreien Bacterien.

Haben wir nun als Desinfectionsobject milzbrandhaltiges, sporenfreies Material und nehmen wir als Desinfectionsmittel das am meisten untersuchte, das Quecksilbersublimat, so sind für die Desinfectionsprüfung folgende Ueberlegungen massgebend.

Um gleich diejenigen Fälle der Desinfectionspraxis herauszugreifen, in welchen auch in der Wirklichkeit die Milzbrandbacillen sich in sporenfreiem Zustande befinden, wollen wir davon ausgehen, dass das Infectionsmaterial von frisch gefallenen oder noch lebenden Thieren stammt. Schon während des Lebens kann nämlich das Secret aus Milzbrandcarbunkeln oder anderes Wundsecret, zuweilen auch blutiger Urin, Quelle der Ansteckung für empfängliche Thiere werden. Häufiger noch ist das der Fall mit dem Blut und blutigen Secret, welches namentlich aus Nase und Maul nach dem Tode der Thiere sich entleert, oder mit dem Blut, dem Gewebssaft und dem Oedem aus dem zum Zweck der Enthäutung oder der Diagnose eröffneten Thiercadaver. In der warmen Jahreszeit geschieht erfahrungsgemäss dabei die Uebertragung oft durch Vermittelung stechender Insecten.

Gesetzt, wir wählten nun zur Unschädlichmachung des bacillenhaltigen Infectionsmaterials eine Sublimatlösung, so fragt es sich: *welcher Sublimatzusatz und event. welches Minimum desselben ist noch mit Sicherheit im Stande, die Desinfection zu bewirken?*

Diese Frage prüfen wir im *Laboratorium* in der Weise, dass wir zunächst in den verdächtigen Flüssigkeiten, wie Blut, Oedem, Gewebssaft, die Anwesenheit lebender Bacillen feststellen, dieselben dann mit genau dosirten Sublimatmengen versetzen und nach bestimmten Zeiträumen, nach einigen Secunden, Minuten oder Stunden untersuchen, ob die Bacillen noch lebensfähig sind oder nicht.

Haben wir z. B. so viel Sublimat zugesetzt, dass dasselbe im *Milzbrandblut oder im Serum* im Verhältniss von 1 : 4000 enthalten ist, wobei störende Eiweissniederschläge noch nicht entstehen, und bringen wir nach $^1/_2$ Stunde eine Blutprobe in einen geeigneten Nährboden, in welchem lebende Milzbrandbacillen sich reichlich vermehren, so findet aus dem Sublimat-Blut, Oedem u. s. w. ein Auswachsen nicht mehr statt.

Wenn man aber aus dem Ausbleiben der Vermehrung mit Recht auf eine Abtödtung der Bacillen schliessen will, so sind einige principielle Fehler zu vermeiden, die in vielen Untersuchungen zu irrthümlichen Schlüssen Veranlassung gegeben haben.

Wenn man beispielsweise aus dem Sublimatblut (1 : 4000) 0·05 ccm = etwa zwei Platinösen zur Uebertragung in 5 ccm eines neuen Nährbodens nimmt, so bringen wir in denselben ausser den Bacillen auch Sublimat hinein und zwar so viel davon, dass, wie man leicht ausrechnen kann, Sublimat im neuen Nährboden im Verhältniss von 1 : 400000 enthalten ist. Besteht der Nährboden nun aus Nährgelatine, die bei Zimmertemperatur gehalten wird, so wissen wir, dass ein derartiger Sublimatgehalt schon jedes Wachsthum von Milzbrand verhindert, und so können wir auf diese Weise gar nicht erfahren, ob eine Abtödtung der Bacillen stattgefunden hat oder nicht.

Anders wird die Sache, wenn die entnommene Probe auf ein grösseres Volum des Nährbodens vertheilt wird, oder wenn der letztere in den Brütschrank gestellt wird. Bei Brüttemperatur tritt nämlich die entwickelungshemmende Wirkung des Sublimats erst bei etwa 10mal stärkerer Concentration auf als bei Zimmertemperatur von 16° bis 18° C. In Nährgelatine und in Bouillon z. B. beginnt eine Behinderung des Milzbrandwachsthums bei 36° C. erst bei einem Gehalt von 1 Theil Sublimat in 100000 Theilen Bouillon, und wenn wir demnach eine gleich grosse Blutprobe (0·05 ccm) in 5 ccm Bouillon vertheilen, die in den Brütschrank gestellt wird, so können wir jetzt aus dem Ausbleiben des Wachsthums in der That darauf schliessen, dass die Bacillen todt sind.

Wo wir gezwungen sind, noch mehr Sublimat in den Nährboden zu übertragen, wird mit Vortheil sterilisirtes Blutserum gewählt, in welchem erst ein Sublimatgehalt von 1 : 10000 das Milzbrandwachsthum aufhebt, oder man kann auch nach *Geppert's* Vorgang([3]) das Sublimat durch Zusatz von wenig Schwefelammon in antiseptisch unwirksames Schwefelquecksilber verwandeln.

Ungefähr übereinstimmend mit dem Resultat der Feststellung einer gelungenen Desinfection durch das *Culturverfahren* sind diejenigen Ergebnisse, die man für die Sublimatwirkung gegenüber dem Milzbrand durch das *Thierexperiment* bekommt.

Das circulirende Blut und der Lymphstrom des lebenden Thierkörpers besitzen in hohem Grade die Fähigkeit, sich des Sublimats zu bemächtigen und es im ganzen Körper zu vertheilen. Wenn nun eine Probe von der Sublimatblutmischung einem Thier, welches für Milzbrand sehr empfänglich ist, z. B. einem Meerschweinchen, unter die Haut gebracht wird, so wird das Sublimat gewissermassen ausgelaugt, und mitgeimpfte Bacillen können nunmehr, wenn sie noch nicht, oder noch nicht alle, abgetödtet waren, sich vermehren und das Thier tödten, und so schliessen wir dann aus einem positiven Impferfolg, dass die Desinfection noch nicht erfolgt war und aus dem Ausbleiben der Infection auf eine Abtödtung der Bacillen.

Mit Rücksicht auf die Thatsache, dass der Abtödtung durch ein chemisches Mittel nicht selten ein Stadium voraufgeht, in welchem die Bacillen zwar noch lebensfähig sind, aber ihre Virulenz, d. h. ihre Fähigkeit die Thiere krank zu machen, mehr oder weniger eingebüsst haben, müssen wir jedoch das Culturverfahren als ein feineres Reagens auf die Lebensfähigkeit betrachten wie das

Thierexperiment; und nur zur Controle für das erstere werden wir in gewissen Fällen auf das letztere zurückgreifen.

Haben wir nun gefunden, dass das Sublimat, wenn es im Verhältniss von 1 : 4000 im Milzbrandblut nach $^1/_2$ stündiger Einwirkung Milzbrandbacillen im *Laboratoriums*-versuch zu tödten vermag, so wird zuverlässig dasselbe auch unter allen anderen Umständen der Fall sein, wenn nur die sonstigen Bedingungen die gleichen sind wie im Experiment.

Durch Jahre lange Erfahrung und durch vielfach modificirte Versuchsanordnungen ist man aber auf eine Reihe von Momenten aufmerksam geworden, welche die Ursache für irrthümliche Schlussfolgerungen in Bezug auf die desinficirende Leistungsfähigkeit des Sublimats geworden sind.

Abgesehen davon, was ja ganz selbstverständlich ist, dass dasselbe nur wirken kann, wo es in dem angegebenen Verhältniss und in der genannten Dauer thatsächlich vorhanden ist, hat sich gezeigt, *dass man keineswegs aus seiner Leistungsfähigkeit in dem einen Medium auf die in einem von anderer chemischer und physikalischer Beschaffenheit schliessen darf.*

Vor allem spielt die *chemische* Zusammensetzung des Mediums, in welchem die Bacillen zu tödten sind, eine wichtige Rolle.

Bacillen, die in Wasser vertheilt sind, werden z. B. schon in wenigen Minuten durch einen Sublimatgehalt von 1 : 5000000 sicher getödtet, in Bouillon bei 1 : 40000, während im Blutserum, wenn die Desinfection *in wenigen Minuten* erfolgen soll, ein Sublimatgehalt von 1 : 2000 noch nicht immer ausreicht; und vergleichende Beobachtungen haben dann bewiesen, dass die Sublimatwirkung um so mehr beeinträchtigt wird, je mehr organische Substanzen und besonders je mehr coagulirbare Eiweisskörper im Desinfectionsobject vorhanden sind.

Noch ein anderer Umstand verdient sorgfältige Beachtung.

Nimmt man stärkere Sublimatlösung als 0·25‰ grm zur Desinfection von Blut und thierischer Gewebsflüssigkeit, so stellt sich der Sublimatwirkung dadurch ein Hinderniss entgegen, dass Eiweiss gefällt wird und nun das Eindringen des Sublimats in die tieferen Flüssigkeitsschichten verhindert wird. In noch höherem Grad ist dieser Uebelstand vorhanden, wenn es sich um die Desinfection von Organen handelt, bei denen wir in der That nur eine Oberflächendesinfection erzielen können.

Nicht etwa, dass, wie früher angenommen wurde, durch die Fällung eine antiseptisch unwirksame Quecksilberalbuminatverbindung entstände; Quecksilberalbuminat, wenn es in einem Blut- oder Blutserumüberschuss wieder gelöst wird, ist ebenso antiseptisch wirksam, wie eine wässerige Lösung mit gleichem Quecksilbergehalt; nur die gleichmässige Durchdringung des Desinfectionsobjectes kann durch die Fällung verhindert und dadurch der Erfolg vereitelt werden.

Dem durch die Eiweissfällung resultirenden Uebelstand kann leicht abgeholfen werden durch Zusatz von Kochsalz zur Sublimatlösung; ferner von Kaliumchlorid, von Ammoniumchlorid, Kalium und Natriumjodid, Cyankalium und manchen anderen Salzen.

Die Quecksilberlösungen mit Chloriden haben überdies den Vorzug grösserer Haltbarkeit; sie können event. auch mit nicht destillirtem, aber abgekochtem Wasser hergestellt werden, ohne an Wirksamkeit zu verlieren. Die etwaige Bildung von Oxychloriden und ähnlichen Quecksilberverbindungen im nicht destillirten Wasser beeinträchtigen den Desinfectionswerth nicht im mindesten, wie eigens auf diesen Punkt gerichtete Untersuchungen ergeben haben. Ueberhaupt ist der antiseptische und desinficirende Werth der Quecksilberverbindungen im Wesentlichen nur von dem Gehalt an löslichem Quecksilber abhängig, die Verbindung mag sonst heissen wie sie wolle, und darnach sind auch die neuesten *Lister*'schen und die anderen neu eingeführten Präparate — das Sozojodolquecksilber, die Verbindungen mit Salicylsäure, Thymol u. s. w. zu beurteilen.

Die Doppelsalze des Quecksilberchlorids mit Kochsalz und mit Kaliumchlorid zeichnen sich in ihren Lösungen aber vor den meisten anderen löslichen Quecksilberverbindungen dadurch aus, dass die Zahl derjenigen chemischen Körper, welche Fällungen bewirken, eine viel kleinere ist; insbesondere wird durch kohlensaure und andere Alkalien keine Fällung bewirkt, *und dies ist auch der Grund, warum im Blut und im Serum keine Niederschläge durch diese Salze entstehen.*

Ueberdies wird auch durch den Zusatz dieser Chloride die reducirende Wirkung des Lichts sehr erheblich vermindert.

Daraus ergiebt sich, dass *überall da, wo man die Sublimatlösungen haltbarer machen will, der Zusatz von Natriumchlorid oder Kaliumchlorid sehr empfehlenswerth ist,* und zwar ist ein Zusatz von fünf Theilen Kaliumchlorid auf ein Theil Sublimat ausreichend. Eingehende Untersuchungen im hiesigen hygienischen Institut über die Haltbarkeit, über die antiseptische Leistungsfähigkeit und über die Giftigkeit der verschiedenen Quecksilberverbindungen, haben ergeben, dass nur das Quecksilberoxycyanid und demnächst das Jodkaliumjodquecksilber mit jenen Doppelsalzen concurriren kann.

Von ganz besonderer Wichtigkeit erweist sich der die Haltbarkeit des Sublimats erhöhende Zusatz der Chloride für die Präparation der Verbandstoffe, wie die schönen Untersuchungen von *Salzmann* und *Wernicke* gezeigt haben.

Jede lösliche Quecksilberverbindung wird im alkalischen Blut, im Serum und im Eiter in die Oxydverbindung übergeführt und die Entstehung von Niederschlägen dabei oder das Ausbleiben derselben ist lediglich davon abhängig, ob gleichzeitig in jenen eiweisshaltigen Flüssigkeiten Körper in genügender Menge vorhanden sind, welche das Quecksilberoxyd in Lösung zu halten vermögen. Je mehr Quecksilbersalz wir in Blut oder Serum hineinbringen, um so weniger reicht das Kochsalz dieser Flüssigkeiten und andere quecksilberoxydlösende Körper aus, und um so mehr müssen wir Chloride u. A. hinzusetzen. Nur solche Quecksilberverbindungen, wie das Cyanid, welche mit Alkalien keine Fällung geben, bedürfen zu ihrer Lösung anch keines Salzzusatzes.

Aber mit einer Veränderung des antiseptischen und desinficirenden Werthes des Quecksilbers haben alle diese Dinge nichts Wesentliches zu thun.

Wenn daher chirurgischerseits die Meinung geltend gemacht wird, dass das Sublimat, sobald es mit den Körpersäften und Wundsecreten zusammenkommt, nicht mehr Sublimat ist, sondern chemische Umsetzungen erleidet, so ist das richtig. Aber im Anschluss an die früheren Erörterungen und auf Grund specieller Untersuchungen über diesen Gegenstand kann nicht entschieden genug der gleichfalls sehr oft kundgegebenen Anschauung entgegengetreten werden, dass dadurch das Quecksilbersalz aufhört, antiseptisch wirksam zu sein.

Folgender einfache, leicht zu wiederholende Versuch beweist das Gegentheil.

Durch 1 ccm erzeugte ich mir eine Fällung mit 5 ccm Blutserum im Becherglas. Das entstandene Quecksilberalbuminat löste ich in 45 ccm Bouillon auf, so dass die Bouillon einen Quecksilbergehalt — auf Sublimat berechnet — von 1 : 5000 enthielt.

Von dieser Lösung untersuchte ich dann die entwickelungshemmenden und desinficirenden Eigenschaften und fand dieselben quantitativ genau gleich wirksam denen einer gleich starken wässerigen Sublimatlösung, so dass darnach von einem Verlust der antiseptischen Wirkung durch Eiweissfällung nicht mehr die Rede sein kann.

Uebrigens hat bekanntlich *Lister* ein Quecksilberalbuminat für die antiseptische Wundbehandlung benutzt und warm empfohlen.

Die *Haltbarkeit* der Quecksilberalbuminatlösungen ist aber noch geringer als die der einfachen wässerigen Lösungen; namentlich wird unter der Einwirkung des Lichts sehr bald Quecksilberoxydul und Quecksilber in unlöslicher Form abgeschieden, was sich durch eine graue opake Färbung und schliesslich durch einen Bodensatz schon mit blossem Auge erkennen lässt.

Wenn man von der Haltbarkeit der Quecksilberpräparate und ihrer Lösungen absieht, ist es also ziemlich gleichgültig, welches Präparat wir für Desinfectionszwecke anwenden, wenn wir nur im Stande sind, es in Lösungen zu bringen; dagegen verdient die Thatsache eine ganz besondere Aufmerksamkeit, dass jede Quecksilberlösung viel weniger wirksam ist in eiweisshaltigen als in eiweissfreien Flüssigkeiten und dass überhaupt die chemische Beschaffenheit des Desinfectionsobjectes von grossem Einfluss ist.

Die Leistungsfähigkeit der Quecksilbersalze ist aber noch von einer Reihe anderer Momente abhängig.

Die im Folgenden zu besprechenden sind auch für alle anderen chemischen Desinfectionsmittel zu berücksichtigen, und ohne sorgfältige Beachtung derselben kann eine Desinfectionsprüfung als vollständig und einwandsfrei nicht angesehen werden.

Wenn wir für bestimmte Versuchsbedingungen den desinficirenden Werth eines Mittels gegenüber Milzbrandbacillen zahlenmässig festgestellt haben, so dürfen wir nicht darauf rechnen, unter sonst gleichen Bedingungen dieselben Zahlen wieder zu erhalten, wenn wir mit anderen sporenfreien Bacterien arbeiten. Es zeigen sich vielmehr weitgehende Unterschiede in der Widerstandsfähigkeit der verschiedenen Mikroorganismen gegenüber chemischen

Agentien, und zwar treten dieselben bei anderen Mitteln noch viel eclatanter zu Tage als beim Sublimat.

Wollen wir z. B. eine Cultur von asporogenem Milzbrand in Bouillon desinficiren, so reicht dazu bei zweistündiger Einwirkung ein Gehalt von 1 grm gelöstem Sublimat in 60000 ccm Cultur aus. Für Cholera- und für Diphtheriebacterien kommen wir mit demselben Sublimatgehalt aus; dagegen reicht für eine Typhus- und Rotzbacillen-Cultur sowie für Pyocyaneuscultur auch die doppelte Sublimatmenge noch nicht aus; und eine Bouilloncultur von Staphylococcus aureus braucht sogar die 30fache Sublimatmenge zur Desinfection. Recht bemerkenswerth ist es, dass im Blutserum die Unterschiede in der Wirkung nicht so gross sind; hier genügt zur Abtödtung des Staphyloc. aureus etwa die doppelte Sublimatmenge wie für Milzbrandbacillen.

Man weiss schon lange, dass die einzelnen pathogenen und nicht pathogenen Bacterien Differenzen zeigen in der Anforderung an die zu ihrer Abtödtung erforderliche Quantität eines Desinfectionsmittels; wie gross aber diese Differenzen unter Umständen sein können, darüber haben genauere im hiesigen Institut angestellte Untersuchungen doch recht überraschende Aufschlüsse gegeben.

In den eben gegebenen Daten war ausser dem Culturmedium, in welchem die abzutödtenden Bacterien sich befinden, auch die Dauer der Einwirkung des zu prüfenden Mittels genannt; und in der That muss diese Angabe in der Desinfectionsprüfung enthalten sein, wenn dieselbe auf Vollständigkeit Anspruch macht.

Je kürzer die Einwirkung eines Mittels ist, um so grösser muss die Menge desselben sein zur Erreichung desselben Desinfectionseffects.

Auf ein weiteres wichtiges Moment, welches die Leistungsfähigkeit eines Desinfectionsmittels in hohem Grade beeinflusst, hat *Henle* ([4]) aufmerksam gemacht, welcher fand, *dass der Desinfectionseffect um so energischer ist, je höher die Temperatur ist, bei welcher man das Desinficiens einwirken lässt. Nocht* konnte *Henle's* Angaben durchaus bestätigen, und Stabsarzt *Hünermann*, dessen Untersuchungen im hiesigen hygienischen Institut noch fortgesetzt werden, hat gerade für das Sublimat über den Einfluss der Temperatur sorgfältige Versuche angestellt, deren Resultat ich mit seinem Einverständniss an dieser Stelle mittheile.

Von 1 Tag alten Agarculturen verschiedener Bacterien wurde eine Platinöse voll entnommen und in 5 ccm Bouillon sorgfältig verrieben. Den Aufschwemmungen wurde soviel Sublimat hinzugesetzt, dass die Bouillon 1:100000, 1:50000, 1:25000 u. s. w. davon enthielt. Ein Theil der Culturaufschwemmungen wurde bei + 3° im Eisschrank, ein anderer bei 36° im Brütschrank gehalten, bezw. im Wasserbade auf diese Temperatur gebracht.

Nach fünf Minuten und nach einer Stunde wurden dann Proben entnommen und in frische Bouillon übergeimpft; die im Brütschrank gehaltene Bouillon wurde dann von Tag zu Tag darauf untersucht, ob die eingeimpften

Tabelle I.

Verhältniss der zugesetzten Sublimatmenge	1 : 100 000				1 : 50 000				1 : 25 000				1 : 10 000				1 : 1000			
Einwirkungsdauer	5 Min.		1 Std.		5 Min.		1 Std.		5 Min.		1 Std.		5 Min.		1 Std.		5 Min.		1 Std.	
Temperatur	W	K	W	K	W	K	W	K	W	K	W	K	W	K	W	K	W	K	W	K
Asporogener Milzbrand	+	+	—	+	—	+	—	—	—	—	—	—	—	—						
Cholerabacterien	+	+	—	+	—	+	—	—	—	—	—	—	—	—						
Typhusbacillen	+	+	+	+	+	+	+	+	+	+	—	+								
Pyocyaneus	+	+	+	+	+	+	+	+		+		+								
Staph. aureus	+	+	+	+	+	+	+	+	+	+	+	+	+	+	+	+	—	+	—	+

Bacterien sich vermehrt hatten oder nicht. Blieb sie dauernd steril, so wurde auf gelungene Desinfection geschlossen.

In der folgenden Tabelle, welche die Versuchsresultate übersichtlich wiedergiebt, bedeutet + gewachsen, — nicht gewachsen, K = 3° C., W = 36° C.

Aus dieser Tabelle ist zu ersehen, dass beispielsweise Milzbrandbacillen und die Kommabacillen der Cholera bei der beschriebenen Versuchsanordnung schon bei 1 : 100000 abgetödtet werden, wenn das Sublimat bei 36° einwirkt, während dasselbe Resultat bei 3° erst bei einem Sublimatgehalt von 1 : 25000 erreicht wird.

Dem ist noch hinzuzufügen, dass bei 22° Staph. aureus in Bouillon durch Sublimat 1 : 1000 nach 25 Minuten noch nicht mit Sicherheit abgetödtet wird.

Dieser Einfluss der Temperatur auf die *Abtödtung* der Bacterien ist um so bemerkenswerther, als er gerade in umgekehrter Richtung zu beobachten ist, wie wenn wir die *entwickelungshemmende* Wirkung untersuchen. *Die letztere ist — wenigstens bei denjenigen Bacterien, die zu ihrem Wachsthum höherer Temperaturgrade bedürfen — um so geringer, je mehr sich die Temperatur der Brütwärme nähert.*

Es ist das ein scheinbar ganz paradoxes Verhalten, aber auch nur scheinbar.

Wir dürfen uns vorstellen, dass für die Abtödtung bei kürzerer Wirkungsdauer die *„chemische Activität"* des Desinficiens, wie *Henle* sich ausdrückt, vornehmlich in Frage kommt, und diese ist um so grösser, je höher die Temperatur.

Lassen wir dagegen solche Mengen des Desinficiens einwirken, die auch bei Brüttemperatur und längerer Wirkungsdauer die Bacterien noch nicht abzutödten vermögen, so werden die entwickelungshemmenden Eigenschaften eines Mittels um so mehr in Erscheinung treten, je ungünstiger im Uebrigen die Verhältnisse für die Vermehrung der Bacterien sind, und das ist der Fall bei den meisten pathogenen Bacterien, wenn wir sie bei niedrigeren Temperaturen züchten. Mit anderen Worten: *Bei dem Temperaturoptimum, welches bekanntlich für verschiedene Bacterien verschieden ist, werden wachsthumsschädigende Factoren leichter überwunden.*

Endlich ist noch auf die Menge der Bacterien, die im Desinfectionsobject abzutödten sind, Rücksicht zu nehmen. *Je weniger Bacterien vorhanden sind, um so geringer ist ceteris paribus die zur Desinfection nothwendige Menge eines Mittels.*

Bei der Desinfection von Culturflüssigkeiten kommt aber dabei wahrscheinlich nicht bloss die Zahl der Bacterien, sondern auch die Menge der von ihnen angehäuften Stoffwechselproducte in Betracht, welche im Stande sind, die Wirkung mancher Desinfectionsmittel erheblich zu beeinträchtigen, ja zuweilen sogar zu paralysiren.

Damit sind diejenigen Dinge, welche die Leistungsfähigkeit unserer Desinficientien zu modificiren im Stande sind, noch keineswegs erschöpft.

Die Herstammung und das Alter der Culturen, der Umstand, ob vor dem Desinfectionsversuch schon andere schädigende Momente eingewirkt haben, sind von nicht zu unterschätzender Bedeutung.

Indessen bei den jahrelang nach einheitlichem Untersuchungsplan fortgesetzten Prüfungen habe ich diese letztgenannten Verhältnisse lange nicht so bedeutsam gefunden, wie die ausführlich besprochenen, nämlich:

1. Die einwandsfreie Feststellung der gelungenen Desinfection, d. h. der thatsächlich erfolgten Abtödtung,
2. die chemische Beschaffenheit des Desinfectionsobjects,
3. die Bacterienart,
4. die Dauer der Einwirkung des Desinfectionsmittels,
5. die Temperatur, bei welcher das Desinficiens einwirkt.
6. die Zahl der Bacterien.

Unter sorgfältiger Berücksichtigung dieser den Desinfectionswerth beeinflussenden Factoren werden im hiesigen hygienischen Institut seit längerer Zeit alle wichtigeren chemischen Desinficientien von verschiedenen Untersuchern geprüft und die Resultate sollen demnächst zur Veröffentlichung gelangen.

An dieser Stelle will ich über die desinficirende Leistungsfähigkeit einer grösseren Zahl von Präparaten nur einen kurzen Ueberblick geben.

Unter den antiseptisch und desinficirend wirksamen Mitteln kann man zweckmässig verschiedene Gruppen von einander trennen, innerhalb deren die zugehörigen Körper wichtige Eigenschaften gemeinsam besitzen. Folgende Gruppirung hat sich mir vorläufig am vortheilhaftesten bewiesen.

I. *Metallsalze,*
II. *Säuren und Alkalien,*
III. *Verbindungen aus der aromatischen Reihe der organischen Chemie,*
IV. *Flüssige Desinficientien, die im Wasser unlöslich oder schwer löslich sind,*
V. *In festem Zustande wirksame Mittel,*
VI. *Mittel in gasförmigem Zustande,*
VII. *Stoffwechselproducte von Mikroorganismen,*
VIII. *Bacterientödtende Körper im thierischen und menschlichen Organismus.*

I. Metallsalze.

Nächst den Quecksilbersalzen zeigt sich das *Silbernitrat* am meisten leistungsfähig; im Blutserum, in der Milch und in eiweisshaltigen Flüssigkeiten überhaupt ist es sogar dem Quecksilber beträchtlich überlegen und man darf wohl behaupten, dass die Desinfectionskraft des Silbers noch viel zu wenig gewürdigt wird. Die von jeher angewendeten Aetzungen mit dem Höllensteinstift sind zwar thatsächlich ausgeführte Desinfectionen, aber ohne dass man sich dessen recht bewusst war; erst in der Gonorrhoetherapie der neueren Zeit wird durch Anwendung stark verdünnter Höllensteinlösungen (1 : 5000) zielbewusst die antiseptische Wirkung ausgenutzt.

Ausser dem Silbernitrat können auch solche Silberverbindungen hergestellt werden, deren Lösungen mit Eiweiss keine Fällung geben, z. B. ammoniakalische Silberlösungen und Lösungen von Chlorsilber mit Natron subsulfurosum. Bezüglich der genaueren Daten verweise ich auf meine Arbeit „Ueber den antiseptischen Werth der Silberlösungen u. s. w."

Von *Goldpräparaten* ist namentlich das *Goldkaliumcyanid* als sehr wirksam zu nennen; es gilt indessen sowohl von diesem wie vom Auronatriumchlorid das Gleiche wie von den Quecksilberverbindungen, dass sie im Blut und im Serum ausserordentlich stark an Leistungsfähigkeit verlieren. In eiweissarmen Flüssigkeiten, wie in der Bouillon, fällt namentlich die Entwickelungshemmung durch Goldpräparate sehr in die Augen und ist bei einigen Bacterien noch grösser als die des Sublimats. Dagegen ist die abtödtende Wirkung verhältnissmässig nicht sehr bedeutend.

Nähere vergleichende Angaben hierüber werden in einer demnächst erscheinenden Arbeit von Dr. *Boer* gebracht werden.

Von anderen Metallen kann mit den genannten nur noch das Thallium annähernd concurriren, welches am besten als Carbonat gelöst werden wird. Hierüber wird *von Lingelsheim*, der früher schon über die antiseptische Leistungsfähigkeit des Thalliumcarbonats berichtet hat ([5]), später noch Genaueres mittheilen.

Demnächst sind Kupfer, Palladium und Platinverbindungen zu nennen. Dieselben sind ungefähr fünf Mal weniger wirksam als Sublimat.

Von anderen Metallsalzen, die ich prüfte, fand ich beim Iridium, Zinn, Zink und Eisen nur sehr geringen desinficirenden Werth; wenn früher Eisensulfat und Chlorzink in der Desinfectionspraxis sehr geschätzt waren, so hat das seine Ursache in der grossen desodorirenden Kraft, welche ja vor *R. Koch's* Arbeiten allgemein zum Maasstab für die Desinfectionsleistung genommen wurde.

Es ist nicht ausgeschlossen, dass für ganz bestimmte Zwecke einige der vorgenannten Metalle in die Desinfectionspraxis Eingang finden; insbesondere ist das Kupfersulfat ein sehr gutes Desinfectionsmittel. Soll aber ein Gesammturtheil über den Werth der Metallsalze als Desinfectionsmittel gefällt werden, so kann man wohl sagen, dass die Quecksilbersalze, speciell das Sublimat, wegen der Billigkeit, Handlichkeit, des Mangels unangenehmer äusserer Eigenschaften, auch wegen seiner Haltbarkeit in geeigneten Lösungen, der allgemeinsten Anwendung fähig ist. Und da seine Wirkung immer noch die zuverlässigste ist, so wird das Sublimat durch andere Metallverbindungen aus seiner dominirenden Stellung schwerlich verdrängt werden.

Die Giftigkeit ist, wenn sie nicht als absolute, sondern als relative, nämlich im Verhältniss zur antiseptischen Leistung, betrachtet wird, nicht grösser als diejenige anderer Metallsalze; und was die Thatsache betrifft, dass das Sublimat unter Umständen unwirksam wird, so theilt es dies Schicksal mit allen anderen Metallen. Es giebt beispielsweise keine Metallsalzlösung unter den obenerwähnten, die nicht durch Schwefelwasserstoff in einen unwirksamen Zustand übergeführt würde; und durch das Licht werden Silberlösungen und Chlorgoldlösungen noch leichter zersetzt als Sublimat.

Indessen, es giebt doch Fälle, wo es nicht zweckmässig wäre, Sublimat zur Desinfection zu wählen.

Wenn es sich z. B. um ein Infectionsmaterial handelt, in welchem durch den Fäulnissprocess Schwefelverbindungen frei geworden sind, die das Sublimat in das gänzlich unwirksame Schwefelquecksilber verwandeln, ferner wenn — wie bei Abtrittsgruben — bei fortdauernd zu wiederholender Desinfection durch zu grossen Quecksilberverbrauch bedenkliche Gefahren bezüglich der Giftwirkung eintreten könnten, da müssen wir uns nach anderen Mitteln umsehen, die unter diesen Umständen zuverlässiger wirken und womöglich weniger giftig sind.

Ein solches Mittel besitzen wir im Aetzkalk, welcher der zweiten Gruppe zugehört, da die desinficirenden Fähigkeiten desselben von seiner alkalischen Eigenschaft abhängig sind.

II. Alkalien und Säuren.

a) Alkalien.

Die desinficirende Leistungsfähigkeit des Kalks ist von wesentlich anderen Bedingungen abhängig wie die der Metallsalze. Während die verschiedenen chemischen Verbindungen der einzelnen Metalle, wenn sie nur überhaupt gelöst sind, keine sehr grossen Unterschiede in ihrer Wirkung zeigen, existirt vom Kalk eine Reihe löslicher Verbindungen, die auf antiseptische und desinficirende Wirkung keinen Anspruch machen dürfen. So sind die primären, sauer reagirenden, und die secundären, neutral reagirenden Kalkphosphate, ferner das Calciumnitrat (Mauersalpeter) auch in sehr concentrirtem procentischen Verhältniss nur ausserordentlich wenig leistungsfähig; unter den löslichen Salzen besitzt überhaupt nur das Calciumchlorid eine nennenswerthe schädigende Wirkung für Bacterien, aber auch noch etwa 20 Mal weniger als der Aetzkalk. Ungelöste Kalkpräparate, das Calciumcarbonat, das Sulfat und organische Kalksalze sind gar nicht wirksam, und nur diejenigen Verbindungen, in denen die Alkalinität erhalten bleibt, wie im *Zuckerkalk*, kommen für eine grössere Desinfectionsleistung in Frage.

Was nun den Aetzkalk betrifft, so ist, wenn man sich vor Täuschungen bewahren will, aufs Sorgfältigste die Thatsache zu beachten, dass er eben nur als solcher und zwar vermöge seiner Laugenwirkung ein Desinfectionsmittel ist, und dass er seine Desinfectionskraft verliert, sobald er in die obengenannten Salze verwandelt wird.

Ja er kann sogar unter Umständen eine reichlichere Vermehrung der Bacterien zu Wege bringen. Setzt man z. B. zu einem Gräserinfus, in welchem Milzbrandbacillen wegen der sauren Reaction zu Grunde gehen oder wenigstens nicht wachsen können, Aetzkalk so lange hinzu, bis die Reaction neutral oder schwach alkalisch wird; so liefert das Infus einen ganz guten Nährboden für Milzbrand; auch für ander pathogene Bacterien, deren Gedeihen an eine alkalische Reaction des Nährbodens gebunden ist, insbesondere auch für die Cholerabacterien, können auf diese Weise die Wachsthumsbedingungen durch Aetzkalk verbessert werden.

Wird aber die Alkalescenz durch den Kalkzusatz über ein gewisses Maass gesteigert, so werden die sporenfreien Bacterien sehr schnell getödtet. Der hierfür nothwendige Alkalescenzgrad ist, soweit Milzbrandbacillen, Typhus-, Cholera-, Diphtherie- und Rotzbacterien in Frage kommen, ungefähr der gleiche und beträgt auf Normallauge berechnet bei mehrstündiger Wirkungsdauer ungefahr 50 ccm Normallauge pro Liter.

Dabei ist es ziemlich gleichgültig, ob eiweisshaltige Nährlösungen oder eiweissfreie genommen werden. Dagegen ist der Gehalt an kalkfällenden Körpern, namentlich an Phosphaten und an kohlensauren Salzen, von grosser Bedeutung. Der Aetzkalk wird eben in unlösliche und damit unwirksame Körper übergeführt.

Für Cholera- und Typhusdejectionen hat *Pfuhl* (2) den zur Desinfection erforderlichen Kalkzusatz genauer geprüft.

Pfuhl fand am geeignetsten die Verwendung des Kalks in Form von Kalkmilch.

Die Zubereitung derselben geschieht zweckmässig so, dass zu 100 Volumtheilen des pulverförmigen Kalkhydrats etwa 60 Theile Wasser hinzugesetzt werden. Damit wird der Kalk gelöscht. Durch weiteren Zusatz von Wasser, so lange bis auf 1 Liter Kalkhydratpulver (= 1/2 kgrm) 4 Liter Wasser kommen, also auf ein Gewichtstheil Kalkhydratpulver 8 Theile Wasser, erhält man dann die Kalkmilch, welche, wenn sie einige Zeit aufbewahrt werden soll, vor Luftzutritt geschützt werden muss, um die Bildung von unwirksamem kohlensauren Kalk zu verhüten.

Von dieser Kalkmilch, die also 20 Volumprocent oder ca. 11 Gewichtsprocent Kalkhydrat enthält, ist nach *Pfuhl* für Senkgrubeninhalt so viel zuzusetzen, dass auf 100 Theile täglichen Zuwachs zum *Latrineninhalt* 5 Theile, für *offene Tonnen* 7·5 Theile kommen. Genaue Bestimmungen haben ergeben, dass als täglicher Zuwachs zum Latrineninhalt pro Kopf in einem Krankenhause 0·4 Liter Fäkalien zu rechnen sind.

Als Minimum des Kalkmilchgehalts, welches zur Tödtung der Typhus- und Cholerabacterien genügt, sind 2 Volumprocent Kalkmilch in dem Latrineninhalt anzusehen.

Ein solcher Kalkmilchgehalt bringt nun, wie man durch Rechnung finden kann, einen ursprünglich neutralen Grubeninhalt auf eine Alkalescenz von ca. 60 ccm Normallauge pro Liter und würde damit den durch Laboratoriumsversuche geforderten Alkalescenzgrad reichlich bewirken.

Berechnung:

$$\text{In 1 Liter Normalkalkhydrat} = \begin{array}{r} Ca = 40 \\ (OH)_2 = \underline{37} \\ 77 \end{array} = \frac{77}{2} = 38{\cdot}5 \text{ gr } Ca(OH)_2$$

$$\left.\begin{array}{r}\text{In 1 Liter Kalkmilch mit 20 Volumprocent} \\ = 11{\cdot}1 \text{ Gewichtsprocent}\end{array}\right\} 111\ Ca(OH)_2$$

$$2 \text{ Volumprocent Kalkmilch} = {}^2/_9\,\%\ Ca(OH)_2 = 0{\cdot}222\ldots\,\%\ Ca(OH)_2$$

$$0{\cdot}222\,\%\ Ca(OH)_2 = 60 \text{ ccm Normalkalkhydrat pro Liter}$$

$$0\ 222\,\% = 2{\cdot}22\,‰$$

$$2{\cdot}222 : x = 38{\cdot}5 : 1000$$

$$x = \frac{2222}{38{\cdot}5} = \text{ca. } 60.$$

Jedoch ist dabei zu beachten, dass bei ursprünglich *saurer* Reaction der Kalkzusatz um so viel höher sein müsste, als zur Neutralisation der Säure an Aetzkalk erforderlich ist.

Es verdient noch besondere Erwähnung, dass man nicht etwa annehmen darf, dass auch ein geringerer Kalkzusatz als der von *Pfuhl* angegebene eine sichere Desinfection bewirken würde, wenn nur der oben genannte Alkalescenzgrad erreicht ist.

Zwar wenn eine Alkalescenz von 60 ccm Normallauge pro Liter durch solche Alkalien wie Baryumhydrat, Natronlauge, Kalilauge, durch kohlensaures Natron und Kali bewirkt wird, so werden dabei Typhus- und Cholerabacterien auch getödtet.

Aber wenn es Ammoniak ist oder kohlensaures Ammoniak, das den Latrineninhalt alkalisch macht, so gehört, um den gleichen Desinfectionseffect zu erreichen, dazu ein 2 bis 3 Mal höherer Alkalescenzgrad, nämlich bis zu 150 ccm, ja für einige Bacterien, namentlich auch für die Kommabacillen der Cholera, bis zu 300 ccm Normallauge pro Liter. Da aber bekanntlich unter der Mitwirkung der Fäulnissbacillen in der heissen Jahreszeit solche alkalische Gährungen, die mit der Bildung von Ammoniak und Ammoniakverbindungen anorganischer und organischer Natur einhergehen, thatsächlich vorkommen, so wäre es sehr gewagt, den Kalkzusatz z. B. darnach zu bemessen, ob Lakmuspapier einen gewissen Intensitätsgrad der Bläuung erfährt, da wir ja daraus nicht in jedem Fall auf eine gelungene Desinfection schliessen können.

Vielleicht empfiehlt sich aus diesen Gründen für die Praxis folgende Vorschrift.

Von der 20 procentigen Kalkmilch sind 5 bezw. 7·5 Liter pro 100 Liter täglichen Latrinenzuwachs — Fäcalien von ca. 250 Kranken — mindestens täglich zuzusetzen; wenn aber darnach der Gruben- oder Tonneninhalt rothes Lack-

muspapier nicht ganz deutlich blau macht, ist der Zusatz noch so weit zu steigern, bis dies der Fall ist.

Ausser dem Kalk werden auch noch andere Mittel für die Behandlung der menschlichen Excremente und der Abwässer benutzt; besonders häufig werden Aluminiumsulfat, Magnesiumsulfat, Magnesiumchlorid, Eisensulfat verwendet.

Einen nennenswerthen schädigenden Einfluss auf die Bacterien üben diese Salze nicht aus. Dagegen erweisen sie sich für die Zwecke der Klärung, das Eisensulfat auch für die Desodorisation von grossem Werth; bei alkalischer Reaction der zu klärenden Massen bilden sie nämlich voluminöse Niederschläge und diese reissen bei ihrer Fällung auch andere suspendirte Stoffe mit sich zu Boden. Bei ihrer mangelnden bacterientödtenden Wirkung ist es zweckmässig und wird jetzt in der That auch überall durchgeführt, dass sie für Desinfectionszwecke nur zusammen mit einem wirklichen Desinfectionsmittel angewendet werden. Als solches hat sich aber für Fäkalien und Abwässer der Aetzkalk am besten bewährt, und auch wo noch andere Desinficientien — bei der *Süvern*'schen Masse z. B. die Carbolsäure und der Steinkohlentheer — Verwendung finden, hat man den Kalk nicht entbehren können.

Eine sehr wichtige Rolle in der Desinfectionspraxis spielt ferner der *Kalkanstrich der Wände.*

Eingehende Untersuchungen hierüber sind von *Jäger* im Reichsgesundheitsamt angestellt.

Jäger verwendete verschieden starke Kalkmich für die Tünchung;

I. eine dünne (1 Th. Kalk auf 20 Th. Wasser),
II. eine dicke (1 „ „ „ 5 „ „),
ferner III. einen Kalkbrei (1 „ „ „ 2 „ „),
IV. „ „ (1 „ „ „ 1 „ „),

und modificirte in seinen Versuchen die Wirkung dieser verschieden starken Kalkmilchsorten noch dadurch, dass er dieselben zu einmaligem, zwei- und dreimaligem Anstrich benutzte.

Dabei wählte er folgende Versuchsanordnung:

Zur Prüfung des Desinfectionswerthes des Kalks wurden sowohl nicht pathogene wie pathogene Bacterien gewählt, und zwar wurden ausschliesslich auf künstlichen Nährböden gezüchtete oder direct dem Thierkörper entnommene *Reinculturen* benutzt. Mit diesen Culturen bezw. mit zerquetschten Organen solcher Thiere, die nach Impfung mit Bacterien an der Infection gestorben waren, wurden sterilisirte Seidenfäden imprägnirt und die letzteren sodann in getrocknetem, zuweilen auch, wenn es sich um gegen Austrocknung sehr wenig widerstandsfähige Organismen handelte, in noch feuchtem Zustande dem Kalkanstrich ausgesetzt.

Die mit den verschiedenen Bacterien getränkten ungefähr 3 bis 4 cm langen Seidenfäden wurden mittelst Reissnägel und dünner Holzleisten auf Bretter festgeklemmt. Die Auftragung der Kalkmilch geschah mit einem Pinsel.

Um nach dem Anstrich zu prüfen, ob eine Abtödtung erfolgt war oder nicht, wurden nach kürzeren und längeren Zwischenräumen von den so behandelten Fäden Stückchen herausgeschnitten und auf Nährböden übertragen bezw. bei den pathogenen Bacterien auch stets auf Thiere überimpft.

Dabei ergab sich, dass nach 24stündiger Einwirkung Tuberkelbacillen auch bei dreimaligem Kalkanstrich mit *Kalkbrei* nicht abgetödtet wurden. Dagegen wurden Staphylococcus aureus, Hühnercholera-, Schweineseuche-, Schweinepest- *(Bang)*, Schweinerothlauf-, Mäusesepticämie-, Rotzbacillen (letztere auch in Organstückchen), Milzbrandbacillen schon nach einmaligem Anstrich mit dünner Kalkmilch sicher vernichtet.

Jäger hatte unter den pathogenen Bacterien namentlich diejenigen berücksichtigt, die möglicherweise für die Desinfection von *Ställen* in Frage kommen. Ein wie werthvolles Mittel wir nun diesen Organismen gegenüber im Kalk besitzen, geht aus seinen Untersuchungen sehr deutlich hervor.

Aber auch für die Desinfection inficirter *menschlicher* Wohnräume, namentlich soweit die Desinfection der Wände in Frage kommt, ist durch *Jäger's* Arbeit für den Kalkanstrich eine wichtige Bestätigung seiner hohen hygienischen Bedeutung geliefert, die ihm von Alters her beigemessen wurde.

Von anderen Alkalien ist im hygienischen Institut genauer untersucht worden die Natronlauge (mit welcher Kalilauge übrigens gleichwerthig ist) und das Ammoniak.

Wie für alle Mittel, die durch die Veränderung der Reaction des Desinfectionsobjects desinficiren, hat es sich auch für die eben genannten zweckmässig erwiesen, den Grad ihrer Alkalinität zu bestimmen, bei welchem die verschiedenen pathogenen Bacterien abgetödtet werden. *Es hat sich dabei gezeigt, dass es ziemlich gleichgültig ist, ob wir es mit eiweisshaltigen oder mit eiweissfreien Flüssigkeiten zu thun haben; dass jedoch die Art der zu vernichtenden Bacterien für den Desinfectionseffect eine wesentliche Rolle spielt. Vor allem aber hat sich die wichtige Thatsache ergeben, dass der Alkalescenzgrad, wenn er durch Ammoniak oder Ammoniaksalze bedingt wird, um das Drei- bis Fünffache höher sein kann, ehe eine Desinfection eintritt, als wenn die Alkalinität durch Natronlauge, Kalilauge oder durch kohlensaure Alkalien bedingt wird.*

Hierüber wird die Arbeit von Dr. *Boer* interessante Aufschlüsse bringen. —

Im Allgemeinen ist die Wirkung von Kalk, Natronlauge, Kalilauge, wenn man die Alkalescenz auf Normallauge berechnet, fast genau gleich. Auch das Baryum, soweit es geprüft wurde, hat ungefähr den gleichen Desinfectionswerth. *Indessen ist es von Wichtigkeit, dass das neutrale Calcium- und Baryumchlorid viel stärker wirksam ist, als Kalium und Natriumchlorid.*

Ganz überraschend gross erwies sich die Desinfectionsleistung des Lithiums in seinen Salzen.

Das Verhältniss stellt sich etwa so, dass der Desinfectionswerth von Lithiumchlorid (Jodid, Bromid, Sulfat) ungefähr achtmal so gross ist, wie der des Calciumchlorids und des Baryumchlorids und vierzigmal grösser als der des Kalium- und Natriumchlorids.[1])

Was die löslichen *kohlensauren Alkalien* betrifft, so ist streng zu unterscheiden zwischen den doppeltkohlensauren, welche eine nur sehr schwach alkalische oder neutrale Reaction besitzen und den einfachkohlensauren stark alkalisch reagirenden Alkalien.

Die Leistungsfähigkeit der letzteren wird noch immer sehr unterschätzt, vielleicht von den bacteriologisch arbeitenden Autoren deswegen, weil kohlensaures Natron oder Kali zur Verbesserung der künstlichen Nährböden in nicht unbeträchtlichen Mengen benutzt wird. Solange freilich das kohlensaure Salz nur ausreicht, eine vorhandene Säure abzustumpfen, können seine bakterienfeindlichen Eigenschaften nicht zur Geltung kommen. Unter Entweichen der Kohlensäure entstehen neutrale Kalium- und Natriumsalze, und von allen diesen gilt dasselbe wie vom Kochsalz, dass sie erst bei ausserordentlich starker Concentration, nämlich über 10 Procent, anfangen, bacterienfeindlich zu wirken.

Sowie dann aber die Alkalescenz in einer Flüssigkeit eingetreten ist, bedarf es nicht mehr sehr grosser Mengen, um nicht bloss die Entwickelung der Bacterien zu hemmen, sondern auch dieselben abzutödten.

---

1) Das Kochsalz besitzt erst in ganz concentrirten Lösungen desinficirende Eigenschaften. Genauere Angaben besitzen wir in der Arbeit von *de Freytag* (Archiv für Hygiene, 1890, Bd. XI, Hft. 1). Durch eigene Untersuchung (gemeinschaftlich mit Dr. *Boer*) kann ich *de Freytag's* Resultate bestätigen.

Gehen wir z. B. von dem alkalisch reagirenden *Blut* oder auch vom *Serum* (Rinderblutserum, Hammelserum, Pferdeserum) aus, so genügt schon ein Zusatz von 1:400 Natron carbonicum, um Milzbrandbacillen darin abzutödten. Das ist aber eine Leistungsfähigkeit, die diejenige der Carbolsäure noch übertrifft.

Recht bemerkenswerth ist dabei, dass es ausschliesslich der Alkalescenzgrad ist, auf den es ankommt.

Bekanntlich wird derselbe durch Titriren (massanalytisch) bestimmt, und zwar macht man das in der Weise, dass von einer Säure mit bestimmtem Säuregehalt (Normalsäure) so viel hinzugesetzt wird zu einem abgemessenen Volum der alkalischen Flüssigkeit, bis neutrale Reaction eintritt, bis also die Flüssigkeit durch Rosolsäure nicht mehr roth gefärbt wird, bis blaues Lackmuspapier nicht mehr roth wird, oder welchen Indicator man sonst für die Veränderung der Reaction anwenden will.

Für die eiweisshaltigen Flüssigkeiten habe ich die Rosolsäure als zweckmässigsten Indicator gefunden.

Habe ich nun durch Titriren festgestellt, dass ein Serum oder eine Bouillon durch Natron carbonicum auf eine solche Alkalinität gebracht ist, dass zur Neutralisirung von *einem Liter* jener Flüssigkeiten 35 ccm Normalsäure verbraucht sind, so weiss ich, dass Milzbrandbacillen darin in der Entwickelung gehemmt werden, und ist der Säureverbrauch 60 ccm Normalsäure pro Liter, so werden Milzbrandbacillen schon nach zwei Stunden abgetödtet. Ganz dieselben Zahlen findet man aber auch für *Kalilauge* und *Natronlauge*.

Von den *phosphorsauren Alkalien* gilt dasselbe wie von den kohlensauren; nur haben wir hier noch ein Salz mit Säurewirkung (NaH_2PO_4) zu berücksichtigen.

Durch Ammoniak und kohlensaures Ammoniak muss dagegen die Alkalinität einer neutralen Bouillon so hoch gesteigert werden, dass der Verbrauch an Normalsäure

160 ccm pro 1 Liter beträgt, ehe Milzbrandbacillen darin nach zwei Stunden vernichtet werden.

Für Diphtheriebacterien gelten ungefähr die gleichen Zahlen; für Typhusbacillen und Cholerabacillen ist zur Abtödtung ein grösserer Alkalizusatz erforderlich.

In besonders sorgsamer Weise sind auch die *alkalisch reagirenden Seifen* untersucht worden, und zwar in der Weise, dass eine Auflösung der Seifen in Wasser (meist 10 Prosent) bewirkt wurde, und dass dann diese Seifen*lösungen* auf ihre bacterientödtenden Eigenschaften geprüft wurden. Ungefähr 40 verschiedene Seifensorten, darunter solche, die in Apotheken gehalten werden, dann die neuerdings hergestellten neutralen und überfetteten Seifen, namentlich von *Gude* in Leipzig, wurden untersucht, und überall ist bestätigt worden, *dass es nur von dem Alkaligehalt der Seifen abhängt, welchen desinficirenden Werth dieselben besitzen.* Dass derselbe aber recht beträchtlich sein kann, mag die Mittheilung zeigen, dass eine im hygienischen Institut benutzte feste Waschseife Milzbrandbacillen in Bouilloncultur noch in Zeit von zwei Stunden abtödtete, wenn 1 Theil dieser Seife in 70 Theilen Bouillon aufgelöst war.

Wie wenig rationell übrigens für Desinfectionszwecke die medicamentösen Seifen hergestellt werden, geht daraus hervor, dass aus hiesigen Apotheken bezogene Sublimat-, Theer- und Carbolseifen und mannigfache andere Compositionen den desinficirenden Werth unserer einfachen Institutsseife und — wie ich hinzufügen kann — der gewöhnlichen Schmierseife nicht erreichten; dagegen hat in dankenswerther Weise die Fabrik von *Gude & Co.* eine sehr wirksame und haltbare flüssige *Quecksilbercyanidseife* hergestellt.

Genaueres über diesen Gegenstand wird *von Lingelsheim* in einer besonderen Arbeit mittheilen, wobei namentlich auch die überaus grosse Desinfectionskraft alkalischer Seifen und der gewöhnlichen Waschlauge *bei erhöhter*

Temperatur eingehend gewürdigt werden wird. Für die Desinfection von metallischen Gegenständen, insbesondere von chirurgischen Instrumenten kann dieselbe mit grossem Vortheil ausgenutzt werden.

Wie durch Alkalien, so kann man auch durch Säuren desinficirende Wirkungen hervorbringen.

Das Minimum für die Abtödtung der Milzbrand-, Diphteriebacillen und Cholerabacterien, wenn dieselbe nach wenigen Stunden erfolgen soll, ist so zu bemessen, dass der Säuregrad 30 ccm Normalsäure pro 1 Liter beträgt; für Thyphus- und Rotzbacillen genügt erst ein solcher von 50 ccm bis 60 ccm Normalsäure.

Dabei ist es ziemlich gleichgültig, durch welche Säure dieser Säuregrad erreicht wird. Die sogenannten schwachen, insbesondere manche organische Säuren, erwecken nur dadurch den Schein einer weniger energischen Desinfectionswirkung, weil sie in Folge ihres hohen Moleculargewichtes in viel grösserer Quantität zugesetzt werden müssen, um in einer Flüssigkeit die gleiche Acidität hervorzurufen wie die sogenannten starken Säuren. Für die Praxis wird es sich selbstverständlich zweckmässiger erweisen, sich solcher Säuren zu bedienen, von denen schon kleine Quantitäten einen starken Säureeffect haben, so z. B. die Salzsäure und Schwefelsäure.

Beachtenswerth ist für die Fälle, wo Säuren überhaupt zu Desinfectionszwecken gewählt werden, dass solches Infectionsmaterial, welches schon von vornherein sauer ist, eines geringeren Saurezüsatzes bedarf als alkalisches, während für die Alkalien, z. B. für den Kalk, die Sache umgekehrt liegt.

So kann man im alkalisch reagirenden Blutserum mit 15 mal weniger Natronlauge den gleichen Desinfectionseffect erzielen als mit Schwefelsäure, obwohl die concentrirte Schwefelsäure gewiss eine starke Säure und ein gutes Desinfectionsmittel ist. Dagegen bedarf es im sauren Harn einer grösseren Menge Lauge als Säure, um denselben zu desinficiren.

Die eben besprochenen chemischen Körper, welche durch die Veränderung der Reaction desinficirend wirken, spielen wahrscheinlich eine grosse Rolle bei den Desinfectionen, die in der Natur ohne unser Zuthun zu beobachten sind. Es ist ganz erstaunlich, welche Mengen von Alkali einige Bacterien, welche Säuremengen andere zu produciren vermögen. Nun sind aber gerade viele von den pathogenen Bacterien gegen stärkeren Säuregrad oder stärkere Alkalescenz in Nährböden sehr empfindlich, und da mag es recht häufig vorkommen, dass durch Gährungs- und Fäulnissvorgänge und die damit einhergehenden Veränderungen der Reaction ihnen ein Ende bereitet wird.

III. Mittel aus der aromatischen Reihe.

Die dritte Gruppe von Desinfectionsmitteln, welche diejenigen umfasst, die der aromatischen Reihe der organischen Chemie entstammen, eröffnen wir am besten mit der Carbolsäure, welche ja lange als das Antisepticum und Desinficiens par excellence gegolten hat.

Obwohl die desinficirende Leistungsfähigkeit der Carbolsäure so weit hinter der des Sublimats zurücksteht, dass sie in eiweissfreien Flüssigkeiten beinahe 100 mal weniger wirksam ist, so hat sie doch in manchen Beziehungen grosse Vorzüge vor dem Sublimat.

So schätzen die Chirurgen an ihr, dass sie die Operationsmesser weniger angreift, sie zeigt ferner Vortheile für die Präparation und Desinfection von chirurgischem Nähmaterial; sie kann besser als Sublimat zur Desinfection von Excrementen, von Sputum u. s. w. verwerthet werden.

Alle diese Vorzüge lassen sich auf die Thatsache zurückführen, dass die Carbolsäure eine sehr schwer angreifbare chemische Constitution besitzt, und dass diejenigen Verbindungen, die sie mit manchen Säuren, Alkalien und anderen chemischen Agentien eingeht, ihrerseits auch wieder desinficirende Kraft besitzen.

Diesem Umstand ist es zuzuschreiben, dass die Carbolsäure zwar in stärkeren Concentrationen angewendet werden muss, um beträchtlichere Desinfectionsleistungen zu erzielen, dass ihre Wirkung aber eine ausserordentlich zuverlässige und gleichmässige ist, und so ist es gekommen, dass man ihr nie viel Uebles hat nachsagen können. Immer wieder und für alle möglichen Desinfectionszwecke sah man sich veranlasst, auf sie zurückzugreifen. Ihre Wirkung wird weder durch Säuren noch durch Alkalien und Salze, auch nicht durch Eiweissstoffe wesentlich beeinflusst, und diejenigen Zahlen, welche die ersten Untersucher für ihre Leistungsfähigkeit angegeben haben, konnten daher von allen späteren bis auf die neueste Zeit bestätigt werden.

Milzbrandbacillen, Cholera-, Typhus-, Diphtherie-, Rotzbacterien, Streptokokken werden in allen Flüssigkeiten bei einem Gehalt von etwa 0·5 Proc. Carbolsäure abgetödtet, wenn die Wirkungsdauer einige Stunden beträgt. Soll die Desinfection schon in einer Minute erfolgen, so genügt für alle genannten Bacterien ein Gehalt von 1 bis 1·5 Proc. Die widerstandsfähigeren Staphylokokken dagegen verlangen 2 bis 3 Procent.

Der Verwendung *reiner* Carbolsäure im Grossen stellt sich aber namentlich der hohe Preis entgegen, und bei grösserem Verbrauch hat man sich mit Erfolg bemüht, die desinficirenden Eigenschaften der rohen Carbolsäure auszunützen. Indessen wenn dieselbe nicht in besonderer Weise einer vorbereitenden Behandlung unterzogen wird, so steht sie in ihrem desinficirenden Werth der reinen weit nach.

Die rohe Carbolsäure enthält in der Regel nicht mehr als 25 Proc. reine Carbolsäure. Die übrigen 75 Procent bestehen aus anderen Producten des Steinkohlentheers, und es sind darunter namentlich Kresole und höhere Phenole zu nennen.

Diese Körper sind neuerdings von *Henle* und von *Fränkel* einer sorgfältigen Untersuchung unterzogen worden, und es hat sich gezeigt, dass dieselben eine sehr energische desinficirende Kraft besitzen, die nur deswegen in der rohen Carbolsäure nicht zum Ausdruck kommt, weil sie in Wasser sehr schwer löslich sind. Durch Behandlung mit concentrirter Schwefelsäure können sie aber löslich gemacht werden, und zwar ist die rohe Carbolsäure für diesen Zweck mit dem gleichen Gewicht *(Fränkel)* Schwefelsäure zu mischen. Dabei muss jedoch die Vorsicht gebraucht werden, dass durch künstliches Abkühlen die Mischung daran verhindert wird, sich stark zu erhitzen: es entstehen sonst weniger wirksame Verbindungen, nämlich Sulfosäuren. Etwaige ungelöst bleibende Theile von ölartiger Consistenz werden zweckmässig durch Filtration beseitigt.

Für die Abtödtung von *sporenfreiem* Infectionsmaterial ist diese mit Schwefelsäure behandelte Carbolsäure etwas mehr leistungsfähig als die reine Carbolsäure. Auf die hohe Desinfectionskraft dieser Schwefelcarbolsäure gegenüber sporenhaltigen Infectionsstoffen wird später näher eingegangen werden.

Eine andere Art der *Aufschliessung der rohen Carbolsäure* nicht bloss, sondern auch des *Steinkohlentheers* und des *Holztheers* haben wir kennen gelernt, seitdem ein eigenartiges Desinfectionsmittel, das *Creolin*, genauer studirt worden ist, welches von England aus *(Jeyes)* in den deutschen Handel durch die Firma *William Pearson & Co.* in Hamburg eingeführt worden ist.

Durch die Untersuchungen von *Biel*, *Fischer*, *Lutze* wissen wir, dass das Creolin zu 66 Proc. aus indifferenten aromatischen Kohlenwasserstoffen besteht, die nach *Fischer* etwa 18 Proc. Naphthalin enthalten; 27·4 Proc. sind Phenole höherer Constitution, die durch fractionirte Destillation grösstentheils von Carbolsäure befreit sind; ausserdem enthält das Creolin noch 2·2 Proc. pyridinähnliche organische Basen und 4·4 Proc. Aschenbestandtheile (kohlensaures Alkali, etwas Chlor und Spuren von schwefelsaurem Alkali).

Indessen scheint die Zusammensetzung nicht ganz constant zu sein, und *Henle*, welcher mit Dr. *A. Faust* in Göttingen Analysen ausführte, fand namentlich einen geringeren Gehalt an Phenolen, einen höheren an Pyridinbasen, als oben angegeben wurde.

Ueber die chemische Zusammensetzung und über die Art der Zusammenwirkung der einzelnen Creolinbestandtheile liegt uns in der Arbeit von *Henle* ([4]), welche in *Wolffhügel's* hygienischem Institut in Göttingen ausgeführt wurde, das werthvollste Untersuchungsmaterial vor. *Henle* hat nicht bloss das Creolin analysirt, sondern dasselbe auch aus seinen Einzelbestandtheilen gewissermassen wieder neu aufgebaut und dabei den Beweis geliefert, dass zur Vollwirkung des Creolins vier Gruppen von Körpern zusammenwirken:

1. eine Seife (Harzseife),
2. das Creolinöl (Kohlenwasserstoffe),
3. die Pyridine,
4. die Phenole.

Als die eigentlich und hauptsächlich wirksamen Körper haben wir wohl die Phenole (Kresole) anzusehen, die einen über 200° liegenden Siedepunkt besitzen. Wir haben schon gelegentlich der Besprechung der Carbolsäure gesehen, dass dieselben in Wasser nicht gut löslich sind; dass sie aber durch concentrirte Schwefelsäure in Lösung übergeführt werden können. Im Creolin aber werden sie nicht eigentlich gelöst, sondern sie werden emulsionirt, und das Emulgendum dabei ist die Harzseife.[1])

---

1) Das Creolin können wir nach *Engler* (Pharmac. Centralh., 1890 Nr. 31) als eine Lösung von Seife in Kohlenwasserstoffölen ansehen, während die später zu besprechenden *Nocht*'schen Carbolseifenlösungen und das Lysol Auflösungen von Kohlenwasserstoffen und Phenolen in Seife sind.

Aber auch die Kohlenwasserstoffe, welche *Henle* als Creolinöl extrahiren konnte, kommen mit ihrer antiseptischen Leistung in Betracht.

Nur den Pyridinen will *Henle* keinen Werth zusprechen und er hält dieselben für eine unnütze Beimengung.

Diesem Urtheile bezüglich der Pyridine kann ich mich auf Grund eigener Untersuchung anschliessen, und auch die übrigen Resultate *Henle's* kann ich, *soweit dieselben sich auf die Leistungen des Creolins in eiweissfreien Flüssigkeiten beziehen,* durchaus bestätigen.

Insbesondere hebe ich die Uebereinstimmung meiner Versuchsresultate mit denen von *Henle* nach der Richtung hervor, dass weder die Harzseife, noch das Creolinöl, noch die Kresole (von denen ich sowohl aus Toluidinen und Theeröl hergestellte, wie reines Ortho-, Para- und Metakresol untersucht habe) diejenige Desinfectionskraft für sich allein in eiweissfreien Flüssigkeiten besitzen, die diesen Körpern zukommt, wenn sie zusammenwirken. Zahlenmässig ausgedrückt stellt sich der Desinfectionswerth der Carbolsäure, der Kresole und des Creolins in Bouillon gegenüber *sporenfreien* Bacterien = 1 : 4 : 10. Es sind das Unterschiede, die gar keine Täuschung zulassen, und es ist deswegen begreiflich, dass von verschiedenen Autoren, bei exacter bacteriologischer Prüfung, dem Creolin ein so hervorragender Platz unter den Desinficientien angewiesen wurde.

In gewisser Beziehung muss man diesem Mittel in der That den Vorrang vor der Carbolsäure und der löslich gemachten aufgeschlossenen rohen Carbolsäure zusprechen, und namentlich für die Oberflächendesinfection bei Verwendung am menschlichen und thierischen Körper kann es auch als ein empfehlenswerther Ersatz für das Sublimat empfohlen werden, ganz abgesehen davon, dass es eins der besten Desodorantien ist, die wir besitzen.

Aber wie das Sublimat vermindert auch das Creolin seinen hohen Desinfectionswerth sehr bedeutend, wenn wir es auf *eiweissreiche* flüssige Desinfectionsobjecte einwirken lassen. Wenn z. B. seine entwickelungshemmende Wirkung gegenüber Milzbrandbacillen in Bouillon schon bei 1 : 10000 eine vollständige ist, so findet man im Rinderblutserum eine solche erst bei 1 : 200, also bei 50 mal stärkerer Concentration, und die milzbrandbacillentödtende Wirkung sinkt von 1 : 5000 in Bouillon auf 1 : 100 im Serum.

Diese ebenso bemerkenswerthen, wie bisher unaufgeklärten Differenzen dürfen nicht übersehen werden, und nach wie vor muss ich daran festhalten, dass wir für diejenigen Verhältnisse, wo wir Wundflüssigkeiten, und eiweissreiche Nährsubstrate überhaupt, zu desinficiren haben, in der Carbolsäure ein zuverlässigeres Mittel besitzen, als im Creolin.

Beachtenswerth ist der Umstand, dass Creolinemulsionen in frisch bereitetem Zustand wirksamer sind, als wenn sie eine Zeitlang gestanden haben.

Das *Artmann*'sche Creolin habe ich, ebenso wie *Henle*, ohne nennenswerthe Desinfectionswirkung gefunden. Man darf es wohl als eine ziemlich ungeschickte Nachahmung des englischen bezeichnen.

Auch die löslich gemachten Kresole übertreffen nur in *eiweissfreien* Flüssigkeiten die Carbolsäure an Desinfectionswerth; im Blut und im Serum sind sie zwar dem Creolin, aber nicht der Carbolsäure überlegen.

Das Studium des Creolins hat dazu geführt, die rohe Carbolsäure und die Kresole auch durch gewöhnliche Seifen aufzuschliessen. *Nocht* ([7]) hat (nach *Damann's* Vorgang) gezeigt, wie man *ganz klare Lösungen* der rohen Carbolsäure in entsprechend starken Seifenlösungen gewinnen kann; solche Seifenlösungen stehen der reinen Carbolsäure an Leistungsfähigkeit nicht nach, sondern sind eher noch stärker wirksam.

Ich selbst habe nicht bloss rohe Carbolsäure und Kresole, sondern auch Steinkohlentheer und Buchenholztheer in Seife aufgelöst und gefunden, dass in der That nicht bloss in eiweissfreien, sondern auch in eiweissreichen

Flüssigkeiten dadurch ein Ersatz für die kostspielige Carbolsäure gewonnen werden kann.

Mit einer Auflösung höher siedender Phenole in alkalischer Seife haben wir es auch bei dem neuesten Desinfectionsmittel, dem *Lysol (Schülke & Meyer,* Hamburg), zu thun, über welches eine Specialuntersuchung von *Schottelius* (8) vorliegt. Es ist richtig, was *Schottelius* aus seinen Untersuchungen schliesst, dass das Lysol der Carbolsäure in Bouillonculturen an Desinfectionskraft überlegen ist, namentlich gilt das gegenüber Milzbrandbacillen und Diphtheriebacillen; dagegen fand *Boer* bei seinen Versuchen bei Typhusbacillen und Cholerabacterien keine nennenswerthen Unterschiede.

Ich kann aber nicht umhin, auf einige wesentliche Differenzpunkte hinzuweisen, die zwischen den Versuchsresultaten von *Schottelius* und den im hiesigen hygienischen Institut gewonnenen bestehen.

Die etwas auffallende Annahme von Dauerformen bei Typhusbacillen, welche anderweitigen Beobachtungen nicht entspricht, will ich auf sich beruhen lassen.

Aber das eine muss ich bestimmt zurückweisen, was *Schottelius* behauptet, ohne specielle Belege dafür anzuführen, dass es keinen Unterschied ausmache, ob die abzutödtenden Bacterien sich in Serum, in Bouillon oder in Wasser befinden. Wie ich an anderen Orten mehrfach betont habe, gilt das einigermassen für die Carbolsäure; die Unterschiede sind schon recht bedeutend in Bezug auf das Lysol; und für das Creolin, welches *Schottelius* gleichfalls in seinen Untersuchungen berücksichtigt hat, ist die Differenz eine sehr grosse; wie oben erwähnt, findet man im Serum 50fach geringere Werthe für dasselbe als in Bouillon; in letzterer aber ist im Gegensatz zu den Angaben von *Schottelius* Creolin wirksamer gefunden worden, als das Lysol.

Ein zweiter Punkt betrifft die Untersuchungsmethode. *Schottelius* prüft die Lebensfähigkeit bezw. die gelungene

Desinfection in der Weise, dass er nach der beabsichtigten Wirkungsdauer der Desinfection Proben von dem Desinfectionsobject in Gelatine überträgt, in welcher das Auswachsen der eingesäten Keime selbstverständlich bei Zimmertemperatur erfolgen sollte.

Ich halte diese Art der Feststellung der gelungenen oder misslungenen Abtödtung für principiell verwerfbar. Man kann sich leicht davon überzeugen, dass normale Bacterien in Nährgelatine sehr gut auskeimen, dass aber Bacterien, die der Einwirkung einer zu ihrer Abtödtung nicht ausreichenden Menge eines Desinfectionsmittels unterlegen haben, darin kein Wachsthum zeigen. Wie schon früher ausgeführt wurde, gilt das besonders für Bacterien, deren Temperaturoptimum in der Brütschrankwärme liegt; aber für *alle* pathogenen Bacterien sind bekanntlich die Wachsthumsbedingungen bei einer Temperatur, die der Körperwärme gleichkommt, am günstigsten, und wenn man einigermassen sichere Schlüsse auf vorhandene oder fehlende Lebensfähigkeit eines Mikroorganismus machen will, darf von der Forderung nicht abgegangen werden, dass derselbe unter die günstigsten Wachsthumsbedingungen gebracht wird. Zu diesen gehört aber bei den pathogenen Bacterien unbedingt die Brutwärme.

Wie wichtig dieser Umstand ist, mag aus folgender, beiläufig mitzutheilender Thatsache hervorgehen.

In meinen eigenen Untersuchungen, in denen von *v. Lingelsheim* und von Dr. *Boer* hatte sich die regelmässig zu beobachtende Thatsache ergeben, dass die entwickelungshemmende und bacterientödtende Wirkung der einzelnen Säuren, sowohl der anorganischen, wie der organischen, im Wesentlichen nur von dem Aciditätsgrad abhängig ist, den sie dem Desinfectionsobject verleihen, so dass in Normalsäure berechnet alle untersuchten Säuren ungefähr den gleichen Desinfectionswerth besitzen.

Nun existirt eine überaus sorgfältige und zuverlässige Arbeit über die desinficirende Wirkung der Säuren von

Kitasato ([9]), in welcher ein sehr wesentlicher Unterschied insbesondere zwischen der Salzsäure und Schwefelsäure zum Ausdruck kommt, derart, dass die Schwefelsäure etwa 2 bis 4 mal kräftiger desinficirt als die Salzsäure. Auch die absoluten Zahlen für die Säurewirkung stimmten nicht überein, trotzdem mit Absicht die Versuchsbedingungen so genau wie möglich gleich gestaltet wurden; *Kitasato* hatte überall höhere Werthe gefunden.

Bei genauerer Nachprüfung stellte sich nun heraus, dass die Differenz darauf znrückzuführen war, dass *Kitasato* die Lebensfähigkeit der mit Säuren behandelten Culturen in Gelatinerollröhrchen geprüft hatte, während ich und *Boer* dieselbe in Bouillonculturen bei Brüttemperatur prüften. Als nun vergleichende Untersuchungen an Cholera- und Typhusculturen, die einen nach unseren Erfahrungen noch nicht vollständig zur Abtödtung ausreichenden Säurezusatz erhalten hatten, angestellt wurden, und als aus *derselben* säurebehandelten Cultur eine Probe in Gelatine ausgesäet, eine andere in Bouillon übergeimpft wurde, wuchsen in der Bouillon charakteristische Cholera- und Typhusculturen schon nach 24 Stunden, während bei mehrtägiger Beobachtung die Gelatineplatten und Rollröhrchen steril blieben.

Auch die von *Kitasato* beobachtete höhere Leistungsfähigkeit der Schwefelsäure konnten wir bestätigen, wenn *Gelatineculturen* zur Feststellung der gelungenen Desinfection gewählt wurden; wahrscheinlich ist diese Differenz auf den Umstand zurückzuführen, dass die flüchtige Salzsäure eine geringere Nachwirkung zeigt, als die nicht flüchtige Schwefelsäure. *Aber bei der Aussaat in Gelatine wird die Abtödtung nur vorgetäuscht; bringen wir solche scheinbar abgetödteten schwefelsäurebehandelten Bouillonculturen bezw. kleine Proben davon unter die günstigeren Wachsthumsverhältnisse der Brütwärme, so erweisen sie sich als lebensfähig; es sind vielleicht sehr viele Keime abgetödtet worden, aber eine vollkommene Desinfection hat nicht stattgefunden.*

Noch einen dritten Punkt in der Arbeit von *Schottelius* muss ich beanstanden.

Schottelius theilt Versuche mit, in denen Milzbrandsporen durch Lysol, und zwar durch eine 5 procentige Lösung desselben, schon nach 5 Minuten abgetödtet wurden.

Ich habe in 5- und 10procentigen Lysollösungen 3 bis 5 Tage lang Milzbrandsporen liegen lassen, ohne eine Abtödtung constatiren zu können.

Ob hier die ganz verschiedenen Versuchsergebnisse auch wieder darauf zurückzuführen sind, dass *Schottelius* die Lebensfähigkeit der Sporen in Gelatine untersuchte, oder ob sein Sporenmaterial, das er alten Gelatineculturen entnahm, von dem bei uns untersuchten so sehr verschieden war, lässt sich nicht ohne Weiteres feststellen.

Auf die Desinfection von sporenhaltigen Infectionsstoffen wird später ausführlicher einzugehen sein; *nur das wollte ich schon an dieser Stelle betonen, das der von Schottelius dem Lysol vindicirte vergleichsweise so hohe Desinfectionswerth, nämlich im Vergleich mit der Carbolsäure und dem Creolin, recht wesentliche Einschränkung zu erfahren hat.*

Ausser durch Seife gelingt es auch durch Laugen, von denen ich sowohl Kalilauge, wie Natronlauge anwendete, die rohe Carbolsäure, die Kresole und den Theer in eine wasserlösliche Form überzuführen.

Der Desinfectionswerth dieser alkalischen Lösungen ist der gleiche, wie der der entsprechenden Carbol- und Kresolseifenlösungen. Letztere erhielt ich in 5 bis 20procentigen Lösungen von *F. Gude & Co.* in Leipzig.

Gegenüber den eben besprochenen Verbindungen der aromatischen Reihe kommen die übrigen, welche ich untersucht habe, nur wenig in Betracht.

Das früher viel gerühmte *Thymol* hat von seinem Nimbus nur wenig übrig behalten; ebenso ist das *Eucalyptol* (Cineolsäure) kein Desinfectionsmittel; beide Körper sind etwa 4 mal weniger wirksam, als die Carbolsäure.

Der Carbolsäure überlegen in der Leistungsfähigkeit

ist die Salicylsäure, und zwar fast um das Doppelte; dagegen ist das salicylsaure Natron sehr geringwerthig; recht auffallend ist es, dass dieser Unterschied nicht etwa darauf beruht, dass die Salicylsäure vermöge einer Säurewirkung das salicylsaure Natron übertrifft, denn auch im alkalischen Serum tritt dieser Unterschied zu Tage; wir müssen uns vielmehr vorstellen, dass die Activität der Salicylsäure durch ihre Bindung an das Natron Einbusse erlitten hat. Einer allgemeineren Verwendung der Salicylsäure steht aber ihre Schwerlöslichkeit (1 : 400) im Wege.

Sehr kurze Zeit nur hat das *Sozojodol* einen Ruf als Desinfectionsmittel gehabt. Es ist das ein der Carbolsäure nahestehender Körper, dem durch die Einführung von Jodatomen fast alle bacterienfeindlichen Eigenschaften geraubt sind, namentlich wenn er in neutralem Zustand als sozojodolsaures Natron zur Anwendung kommt.

Dagegen nehmen eine sehr beachtenswerthe Stellung unter den desinficirenden Mitteln einige Farbstoffe ein, namentlich diejenigen, welche der Gruppe der Tryphenylmethane angehören.

Dieselben sind von Herrn Geh. Rath *Koch* schon seit mehreren Jahren eingehend gewürdigt und später auf seine Veranlassung noch weiter studirt worden; beiläufige Angaben über die hohen bakterienfeindlichen Eigenschaften gegenüber Milzbrandbacillen habe ich (10) schon längere Zeit vor der Mittheilung *Stilling's* (11) an mehreren Orten gemacht.

Es ist bei keinem Mittel weniger angebracht, aus seiner Wirkung gegenüber *einem* Mikroorganismus auf eine gleiche auch bei anderen zu schliessen.

Während ein Methylviolett (5b) (*Stilling's* Pyoktanin) Milzbrand- und Diphtheriebacillen in Bouillon schon im Verhältniss von 1 : 5000 abtödtet, leistet es dies gegenüber den Kommabacillen der Cholera erst bei 1 : 1000 und gegenüber Rotz- und Typhusbacillen gar erst bei 1 : 150 in Zeit von zwei Stunden.

Uebrigens ist *Stilling's* Pyoktanin durchaus nicht der wirksamste Farbstoff; ich habe im Dahliablau, im Cyanin durch Geh. Rath *Koch* noch wirksamere bekommen; indessen werden die Lösungen dieser Körper durch das Licht sehr schnell zersetzt.

Von grosser Haltbarkeit und gleichzeitig sehr bedeutender antiseptischer Wirkung ist aber das *Malachitgrün.* Milzbrandbacillen und die Kommabacillen der Cholera werden durch dasselbe schon bei 1 : 25 000, Diphtheriebacillen bei 1 : 8000, Rotz- und Typhusbacillen freilich auch erst bei 1 : 300 abgetödtet.

Jedenfalls verdienen die Farbstoffe das Interesse, welches ihnen neuerdings zugewendet wird, durchaus; und man darf nur nicht vergessen, dass dieselben noch viel weniger als das Creolin allgemeine Desinfectionsmittel sind. — Im *lebenden* Thierkörper werden sie — wahrscheinlich durch die in demselben sich abspielenden Reductionsvorgänge — schnell zersetzt und grösstentheils unwirksam gemacht.

IV. Flüssige Desinficientien, die in Wasser unlöslich oder sehr schwer löslich sind.

Die bisher besprochenen Mittel haben alle das Gemeinsame, dass sie in Wasser löslich sind und in genauer Dosirung für die Desinfectionsprüfung angewendet werden können. Dadurch wird eine zahlenmässige Bestimmung ihrer Leistungsfähigheit ermöglicht, die bei einer grossen Reihe anderer antiseptisch und desinficirend wirksamer Körper nicht in gleicher Weise ausführbar ist.

Hierher können wir das in Wasser nur sehr wenig lösliche *Chloroform* rechnen, auf dessen antiseptische Eigenschaft *Salkowski* ([12]) aufmerksam gemacht hat, und welches später von *M. Kirchner* ([13]) auf seine bacterienfeindlichen Wirkungen eingehender geprüft wurde.

Im Blutserum, in welchem bei 15 ° C. das Chloroform zu 0·4 Volumprocent löslich ist, und in der Milch gelang es *Kirchner*, die in diesen Nährmedien spontan auftretenden Bacterien zu vernichten oder wenigstens bis auf eine sehr geringe Zahl chloroformwiderständiger Organismen zu reduciren, wenn diese Flüssigkeiten mit Chloroform gesättigt mehrere Tage stehen gelassen wurden.

Unter den pathogenen Bacterien wurden der Milzbrand-, Cholera- und Typhusbacillus, sowie der Staphyloc. pyogenes aureus durch das Chloroform sehr schnell, die Milzbrand- und Tetanus*sporen* dagegen auch nach längerer Einwirkung *nicht* vernichtet.

Sehr energisch werden namentlich die Cholerabacterien beeinflusst; selbst Massenculturen derselben werden durch gesättigte Chloroformlösung (1 Procent) in weniger als 1 Minute keimfrei gemacht; und $^1/_4$ Procent Chloroformgehalt hat schon nach 1 Stunde die Abtödtung zur Folge.

Dagegen muss zur Abtödtung der Typhusbacillen bei etwa einstündiger Einwirkung der Chloroformgehalt mindestens $^1/_2$ Procent betragen.

Da das Chloroform aus denjenigen Flüssigkeiten, in denen es wirksam gewesen ist, durch Beförderung seiner Verdunstung leicht beseitigt werden kann, so verdient *Kirchner's* Vorschlag, dasselbe zur Desinfection eiweisshaltiger Flüssigkeiten, z. B. zur Sterilisirung von Blutserum, zu benutzen, Beachtung, zumal die Gerinnbarkeit und die sonstige Beschaffenheit des Serums nicht verändert wird.

Auch der Verwendung von Chloroform als Zusatz zu typhus- und choleraverdächtigem Trinkwasser zu Zeiten der Infectionsgefahr redet *Kirchner* das Wort; und er ist der Meinung, dass gesundheitsschädigende Wirkungen durch das Chloroform dabei nicht zu fürchten sind.

Ob dieser Vorschlag, sowie der, Chloroformwasser als desinficirendes Mundwasser zu gebrauchen, praktische Bedeutung erlangen wird, bleibt freilich erst abzuwarten.

Auf eine sehr gute Wirkung des Chloroformwassers kann ich selbst auf Grund eigener Beobachtung aufmerksam machen, nämlich bei den schlimmen Formen der Schweissfüsse, wie sie bei Soldaten nicht selten vorkommen. *Warmes Chloroformwasser als Fussbad mit nachträglicher Anwendung von Salicyltalg hatte in den von mir behandelten Fällen einen überraschend guten Erfolg.*

Eine grosse Gruppe in Wasser schwer oder gar nicht löslicher Körper wird durch die *ätherischen Oele* repräsentirt. Diese, wie die dieselben enthaltenden Droguen, spielen in der Desinfectionspraxis von Alters her eine wichtige Rolle; die alten Aegypter wendeten sie zur Conservirung der Mumien an; ferner haben sie als Prophylaktika in Zeiten epidemisch auftretender Krankheiten sehr ausgedehnten Gebrauch gefunden; das Oel des barmherzigen Samariters, welches er in die Wunde goss, ist gewiss auch hierher zu rechnen; noch jetzt begegnet man nicht bloss beim Laienpublikum, sondern auch bei manchen älteren Aerzten einer Vorliebe für aromatisch riechende Substanzen zur Wundbehandlung.

Zur Desinfection der Mundhöhle ist der Gebrauch aromatischer Mundwässer ein sehr allgemeiner; speciell bei Diphtherie hat Prof. *Löffler* noch neuerdings dieselben auf's Wärmste empfohlen.

Auch die Gewohnheit, parfümirende Wässer zu Waschungen und allerlei mehr oder weniger riechende Essenzen als Taschentuchparfums zu benutzen, stammt zweifellos ursprünglich daher, dass man der Meinung war, damit Miasmen und Krankheitsstoffe zu vertreiben oder unschädlich zu machen, ebenso wie man glaubte, durch Räucherungen mit aromatisch riechenden Substanzen die Luft in Krankenzimmern zu desinficiren.

So begegnen wir in früheren Zeiten, aber vielfach auch jetzt noch auf Schritt und Tritt dem tiefeingewurzelten Glauben, dass die Krankheitsstoffe bösartiger Epidemien durch stark riechende Substanzen wirksam bekämpft werden können, und nachdem nun die Infectionsstoffe als lebende Organismen erkannt waren, lag es nahe zu prüfen, ob und in wieweit diese Anschauung begründet ist.

Schon in der Desinfectionsarbeit aus dem Jahre 1881 hat Geh. Rat *Koch* die bedeutende entwickelungshemmende Wirkung mehrerer ätherischer Oele mitgetheilt und gelegentlich seiner Rede auf dem X. internationalen Congress von Neuem auf die hervorragende Leistungsfähigkeit derselben hingewiesen.

Weitere Untersuchungen liegen dann von französischen Autoren vor. 1887 publicirte *Chamberland* [14] eine Arbeit, in welcher die antiseptische Leistungsfähigkeit einer grösseren Zahl von ätherischen Oelen beschrieben wurde. *Chamberland* hat dieselben theils in der Weise untersucht, dass er in geschlossenen Gefässen die ätherischen Oele verdunsten und die Dämpfe auf Bacterienculturen einwirken liess, theils so, dass er sich Emulsionen herstellte und dieselben mit den Culturen mischte. Nach beiden Prüfungsmethoden erwiesen sich am wirksamsten folgende Essenzen: Cannelle de Ceylon, Origan, Giroflé, Geranium, Angelique, Geniévre, Vespetro.

Noch eingehender wurde dann später eine sehr grosse Zahl von Substanzen durch *Cadéac* und *Albin Meunier* [15] (1889) studirt.

Das Prüfungsverfahren dieser Autoren war wesentlich anders. Dieselben tauchten nämlich eine Platinnadel mit Agarcultur der zu untersuchenden Bacterien (Typhus- und Rotzbacillen) in die flüssige Essenz und strichen hinterher die Culturprobe auf Agarflächen aus; sie schlossen dann aus dem Ausbleiben des Wachsthums auf gelungene Abtödtung.

Die verschiedene Leistungsfähigkeit der verschiedenen ätherischen Oele wurde nun daran erkannt, ob zur Abtödtung der Culturproben dieselben kürzere oder längere Zeit in den antiseptischen Flüssigkeiten bleiben mussten.

Wie man sieht, ist diese Art der Feststellung des Desinfectionswerthes eines Mittels wesentlich verschieden von der sonst gebräuchlichen. *Während sonst die Con-*

centration der zu prüfenden Desinficientien variirt und aus dem Grad der Verdünnung, welcher zur Abtödtung von Bacterien gerade noch ausreicht, der Desinfectionswerth berechnet wird, bleibt hier die Concentration stets dieselbe, und es wird ausschliesslich die Zeit der Einwirkung variirt.

Man kann gegen diese Methode manche Einwände erheben; indessen sind die von *Cadéac* und *Meunier* angegebenen Werthe wenigstens untereinander gut vergleichbar.

Um auch mit anderen, gut bekannten Desinfectionsmitteln die ätherischen Oele in ihrer Wirkung vergleichen zu können, haben die Verfasser noch eine 1 $^0/_{00}$ Sublimatlösung, Kupfersulfat, Carbolsäure u. s. w. nach derselben Methode geprüft.

Ich führe in der nachstehenden Tabelle die Werthe gegenüber den Typhusbacillen an, da im Ganzen eine sehr grosse Uebereinstimmung in den Resultaten bei diesen Bacterien mit den bei Rotzbacillen gewonnenen zu constatiren war.

Vergleicht man diese Tabelle mit der von *Chamberland*, so lässt sich trotz der Verschiedenheit der Untersuchungsmethoden eine grosse Uebereinstimmung der Hauptergebnisse nicht verkennen. Es schien mir daher der Mühe werth zu sein, zur Orientirung über den antiseptischen Werth der wirksamsten ätherischen Oele noch diejenige Prüfung vorzunehmen, welche ich in früheren Arbeiten genauer beschrieben habe, und welche darin besteht, dass ich die entwickelungshemmende Wirkung gegenüber Milzbrandbacillen im Blutserum feststellte.

Um eine genauere Dosirung zu ermöglichen, löste ich beispielsweise *Zimmtöl* und *Patchouly-Essenz* zunächst in Alkohol und brachte von den Lösungen abgemessene Mengen in's Blutserum. Es zeigte sich dabei, dass das Blutserum nicht unbeträchtliche Quantitäten Zimmtöl zu lösen vermag, ca 1·5 $/_{00}$, während in Wasser und in Bouillon höchstens Spuren gelöst werden.

Eine Abtödtung einer Agarculturprobe von Typhusbacillen war erfolgt:

Durch folgende Mittel	Bei einer Einwirkung von
Sublimat 1 ‰	10 Minuten
Jodoformäther	36 Stunden
Kupfersulfat 2 %	9 Tagen
Carbolsäure 1 %	12 "
Canelle de Ceylon	12 Minuten
Giroflé	25 "
Serpolet	35 "
Thymol	35 "
Patchouly	80 "
Ferner:	
Eugenol	weniger als 24 St.
Geranium de France	"
Origan on dictame de Crète	
Zedoaire	
Absinthe	"
Santal	"
Cedrat	"
Cumin	24—48 Stunden
Çarvi	"
Genièvre	
Matico	"
Galbanum	
Melisse	"
Valeriane	
Citron	"
Angelique	"
Célerie	
Phellandrie	
Sabine	
Copaive	

Durch folgende Mittel	Bei einer Einwirkung von
Poivre	24—48 Stunden
Terebinthine	"
Opoponax	
Rose	"
Camomille	"
Badane	2—4 Tagen
Semen-contra	"
Sassafrass	
Tubereuse	"
Coriandre	"
Calamus	4—10 Tagen
Estragon	"
Sabine	
Busco	
Cascarille	
Orange de Portugal	
Hysope	"
Menthe	"
Euscade	
Rosmarin	
Carotte	
Moutarde	"
Ausser vielen anderen noch:	
Eucalyptus	4—10 Tagen
Wintergreen	"
Camphre	"
Houblon	länger als 10 Tag.
Panais	"
Rue	
Tanaisie	
Boldo	

Das Zimmtöl zeigte nun in der That auch im Blutserum recht beträchtliche Leistungsfähigkeit; es ist etwa dreimal wirksamer als die Carbolsäure; in der Bouillon ist der Werth etwa der gleiche wie im Blutserum.

Geringere Wirkung, aber immer noch grössere als Carbolsäure, hatte Patchouly-Essenz.

Zimmttinctur, Zimmtrinde, Patchoulyblätter fand ich ohne nennenswerthe antiseptische Eigenschaften.

Sehr bemerkenswerth ist es, dass in Nährböden, die nicht eben die günstigsten Bedingungen für die Entwickelung der pathogenen Bacterien gewähren, namentlich in solchen, welche, wie die Nährgelatine, bei niedrigeren Temperaturen gehalten werden, die entwickelungshemmende Wirkung eine ungemein viel grössere ist. Gerade wie beim Senföl und beim Allylalkohol, welches *R. Koch* früher untersuchte ([1]), kann man da schon durch Spuren jener Oele das Wachsthum beeinträchtigen, während sofort ein ungehindertes Wachsthum erfolgt, sowie die Culturen in den Brütschrank gebracht werden.

Ob für praktische Desinfectionszwecke die ätherischen Oele eine grössere Bedeutung von Neuem erhalten werden, lässt sich gegenwärtig schwer beurtheilen.

Der Anschauung, dass sie absolut ungiftig sind und deswegen mehr als andere Mittel zu Gurgelwässern u. s. w. ohne alle Bedenken benutzt werden dürften, muss ich auf Grund eigener Versuche entgegentreten. Das Zimmtöl wenigstens übertrifft entsprechend seiner höheren antiseptischen Leistungsfähigkeit auch an Giftigkeit die Carbolsäure. Mittelgrosse Meerschweinchen und Kaninchen sterben, wenn ihnen etwa 0·1 bezw. 0·3 grm subcutan eingespritzt werden. Dabei ist besonders ein überaus reichliches und sehr schnell sich entwickelndes subcutanes Oedem zu beobachten, welches auf's Lebhafteste an Milzbrandödem erinnert.

Auch andere ätherische Oele besitzen in hohem Grade gewebsreizende Eigenschaften, was ihre Verwendung bei Hautwunden und bei verletzten Schleimhäuten bedenklich macht.

Mit Rücksicht ferner auf die schwer auszuführende genauere Dosirung bei vielen dieser Substanzen, auch wegen des durchdringenden und oft unangenehmen Geruches halte ich eine allgemeine Verwendung der ätherischen Oele für antiseptische und für Desinfectionszwecke nicht für wahrscheinlich.

V. In Wasser unlösliche Körper in festem Aggregatzustande.

Wenn durch irgend ein Agens eine bacterienfeindliche Wirkung ausgeübt werden soll, muss dasselbe unmittelbar auf die Bacterien einwirken, und dafür setzen wir als nothwendige Vorbedingung voraus, dass das Antisepticum in dem Medium, in welchem die Bacterien sich befinden, gelöst ist; denn nur so können die Molecüle des in Frage kommenden chemisch wirksamen Mittels auf die Substanz der Mikroorganismen wirken.

Ein recht prägnantes Beispiel für die Richtigkeit dieser Anschauung haben wir in dem bekanntesten und wichtigsten Antisepticum — dem Quecksilber. In welcher Form dasselbe auch gelöst sein möge, als Chlorid, Jodid, Bromid, Cyanid, Oxyd; in Ammoniakverbindungen, in Verbindung mit aromatischen Körpern u. s. w., stets übt es die ihm zukommenden entwickelungshemmenden und desinficirenden Wirkungen auch quantitativ in gleicher Weise aus; nur auf die Menge des gelösten Quecksilbers kommt es an, nicht auf die Art der gelösten chemischen Verbindung.

Das Quecksilber hört aber auf ein Antisepticum zu sein, sobald es durch irgend ein Mittel in den unlöslichen Zustand übergeführt wird. Am sichersten lässt sich das durch Schwefelwasserstoff und durch Verbindungen desselben, wie Schwefelammon, erreichen; das Schwefelquecksilber aber ist, wovon später noch die Rede sein wird, antiseptisch völlig unwirksam.

Ebenso ist das Jodoform, solange es ungelöst ist, ein für die Bacterien an sich ganz indifferenter Körper;

es wird aber ein ganz ausgezeichnetes Antisepticum, wenn es durch die Lebensfähigkeit von Bacterien zerlegt und in lösliche Jodverbindungen verwandelt wird. Selbst bei den gasförmigen Desinfectionsmitteln kann man die Erfahrung machen, dass sie nur bei einem gewissen Feuchtigkeitsgrad der Desinfectionsobjecte leistungsfähig sind, woraus geschlossen werden kann, dass auch die Gase erst gelöst werden müssen, um in Aktion zu treten.

So sehen wir überall in der antiseptischen und in der Desinfectionspraxis die Gültigkeit des Satzes „corpora non agunt, nisi soluta" bethätigt. Es musste daher ein hervorragendes Interesse hervorrufen, als über antiseptische Wirkungen berichtet wurde, die mit diesem Satz im Widerspruch zu stehen, die sogar eine Wirkung in distans auf den ersten Blick zu beweisen schienen.

Ueber solche Wirkungen hat nun Professor *Miller* Mittheilungen gemacht. Da dieselben weiteren ärztlichen Kreisen noch nicht bekannt sein dürften, so will ich zunächst erwähnen, was mir darüber theils durch die Publicationen, theils durch private Auskunft des Herra Prof. *Miller*, dem ich dafür meinen aufrichtigsten Dank ausspreche, bekannt geworden ist.

Bei Untersuchungen, die *Miller* über die antiseptische Wirkung von Füllungsmaterialien für Zähne anstellte, stiess er auf eine ihm unerwartete Eigenschaft vieler Goldpräparate. Es zeigte sich nämlich, dass das Gold in der Form, wie es zum Füllen der Zähne angewandt wird, häufig eine nicht unbedeutende antiseptische Wirkung besitzt. Dieselbe konnte sehr schön zum Ausdruck gebracht werden, wenn *Miller* mit einer Reincultur eines nicht näher beschriebenen Mikroorganismus aus der Mundhöhle Gelatineplatten goss und auf dieselben Goldstückchen brachte. Bei manchen Goldstückchen blieb dann in grösserem oder kleinerem Umkreise das Bacterienwachsthum aus, bei anderen dagegen wurde eine entwickelungshemmende Wirkung nicht beobachtet; und zwar wurde eine antiseptische Wirkung nicht bloss bei frischem, bis dahin unbenutztem Gold, sondern auch bei solchem, welches schon Jahr und Tag als Plombe in hohlen Zähnen gelegen hatte, constatirt.

Diese Thatsache hat *Miller* wegen der Bedeutung, welche dieselbe möglicherweise für die Auswahl des Goldes für die Zahnfüllung besitzt, weiter verfolgt und er fand die Fähigkeit des Goldes, entwickelungshemmend zu wirken, von der Herkunft und der Behandlung der verschiedenen Goldpräparate abhängig.

Für den zahnärztlichen Gebrauch wird absolut reines Gold verlangt, welches in Form von Goldfolie gebracht sein muss, bevor es als Zahnfüllung benutzt wird. Ueber die Herstellung der Goldfolie habe ich durch Herrn Prof. *Miller* Folgendes erfahren.

„Das Gold wird geschmolzen in einen Einguss gegossen und dann unter häufigem Glühen so dünn als möglich ausgewalzt. Dann wird es in Vierecke geschnitten und mit hölzernen Instrumenten zwischen Pergamentblätter gebracht, ca. 100 Blatt in einem Packet; über das Ganze werden zwei Taschen gezogen, die es vollständig einhüllen. Mit einem 12 bis 16pfündigen Hammer wird dann das Packet auf einem Granitblock gehämmert, bis die einzelnen Blätter allseits bis an die Kante des Packets vorragen, dann wird jedes Blatt in vier Theile geschnitten, die so gewonnenen kleineren Stückchen wieder zu Packeten formirt und in der eben beschriebenen Weise weiter behandelt, bis die gewünschte Dünne erreicht wird; zuletzt wird an Stelle der Pergamentblätter die sog. Goldschlägerhaut verwendet.

Die verschiedenen, von den Zahnärzten verwendeten Goldpräparate, welche übrigens chemisch rein sein sollen, variiren etwas in ihren physikalischen Eigenschaften und werden dementsprechend hart, weich, *cohäsiv*, *non-cohäsiv* u. s. w. bezeichnet. In welcher Weise der Fabrikant die Verschiedenartigkeit der Präparate herbeiführt, ist nicht bekannt. Wie mir ein Fabrikant vor Kurzem mittheilte, sollen unter Umständen Pyrogallussäure, Ammoniak und pulverisirte Kohle angewendet werden."

Die Bezeichnung der verschiedenen Präparate geschieht zahnärztlicherseits durch Hinzufügung der Namen von den Firmen, aus denen sie herkommen; so spricht man von *Abbey's,* von *White's* Gold u. s. w.

Miller hat nun eine grössere Zahl von Goldsorten theils als Goldfolie, theils als Cylinder geprüft, die aus jener hergestellt wurden; seine Versuchsergebnisse theilte er in einem am 18./XII. 1889 in der Deutschen odontologischen Gesellschaft gehaltenen Vortrage mit.

Aus demselben geht hervor, das erheblichere antiseptische Wirkung *Pack's* Goldstückchen (Pellets), Quarter Century Goldfolie und *Abbey's* non-cohäsive Folie zeigten. Wenig oder gar nicht wirksam waren *Velvet*-Gold und *Wolrab's* Cylinder. Zinngold äusserte viel weniger Wirkung als Gold allein; Zinn allein, ebenso auch Platin, hatten keine Wirkung.

Besonders hervorgehoben zu werden verdient die Thatsache, dass sämmtliche wirksame Goldpräparate ihre Wirkung vollkommen einbüssten, sobald sie geglüht wurden.

Was die Erklärung der Wirkung betrifft, so hatte *Miller* zuerst an die Möglichkeit gedacht, dass dieselbe auf einer Condensation einer Schicht Luftsauerstoffs auf der Goldoberfläche beruhe. Hiergegen aber sprach die Thatsache, dass Schwammgold, dem danach eine besonders hohe Wirkung zukommen müsste, eine solche nicht besitzt; auch die weiter beobachtete Thatsache, dass geglühtes Gold nach mehreren Tagen noch die antiseptische Wirkung nicht wieder erlangte, spricht gegen jene Annahme.

In der Discussion, die sich an den Vortrag anschloss, berührte Prof. *Busch* noch die Frage, ob vielleicht die Benutzung feinen Kohlenstaubs, um das Gold non-cohäsiv zu machen, eine Rolle spielen könnte, und ob das Unwirksamwerden des Goldes beim Glühen dann auf dem Verbrennen der Kohle beruhe. Diese Frage muss, wie meine eigenen Versuche ergeben, in verneinendem Sinne entschieden werden, da weder thierische noch pflanzliche Kohle auch nur die Spur einer antiseptischen Wirkung besitzen. Ob diejenige Erklärung, welche ich gebe, zutrifft, *dass nämlich Gold durch die Lebensthätigkeit der Bacterien bezw. durch ihre Stoffwechselproducte in minimalen Mengen im Nährboden gelöst und dadurch antiseptisch wirksam werde,* zutrifft, darüber mag sich der Leser nach Kenntnissnahme meiner eigenen im Folgenden mitzutheilenden Versuchsergebnisse ein Urtheil bilden.

Im Laufe des vergangenen Jahres erhielt ich nach mündlicher Besprechung mit Herrn Prof. *Miller* von demselben die oben genannten Goldsorten und ausserdem *White's* Gold mit der Angabe über das Vorhandensein oder den Mangel ihrer antiseptischen Wirkung.

Die Prüfung, welche ich vornahm, geschah zunächst an Milzbrandculturen in Gelatine, die in *Petri*'schen Schälchen ausgegossen wurde. Für die von Prof. *Miller* ([16]) als unwirksam bezeichneten Präparate ergab meine Untersuchung lediglich eine Bestätigung des Mangels jeder antiseptischen Wirkung; ebenso stimmten meine Versuchsergebnisse mit denen von *Miller* auch für die wirksamen Präparate überein, jedoch bekam ich eine viel mehr in die Augen fallende Entwickelungshemmung der Colonien.

Es konnte das daran liegen, dass sich die Milzbrandbacillen anders verhielten, als die von *Miller* benutzte Reincultur, und dass überhaupt die verschiedenen Bacterien in differenter Weise auf das Gold reagiren; daher prüfte ich auch den Einfluss der Präparate auf viele andere Mikroorganismen und fand, dass derselbe in der That sehr verschieden ist.

Wenn beispielsweise ein Cylinder von *Abbey's* Gold

in die Mitte der Gelatinplatte gelegt wurde, so betrug der Durchmesser des Kreises, innerhalb dessen kein Bacterienwachsthum erfolgte und in Folge dessen die Gelatine ganz transparent blieb, bei Milzbrandbacillen 1·5 cm, bei Diphtheriebacillen 3—5 cm, beim Bac. pyocyaneus 1 cm, bei Cholerabacterien 0·4 cm; während Rotz- und Typhusbacterien gar nicht beeinflusst wurden.

Ausser dem metallischen Gold untersuchte ich dann noch eine Reihe anderer Metalle.

Blattsilber und *Quecksilber*, in geringem Grade auch Kupfer, Nickel und Zink fand ich wirksam, unwirksam dagegen Zinn und Blei und Eisen.

Vom Quecksilber habe ich auch die als unlöslich geltenden Verbindungen untersucht. Dabei erwies sich das Calomel ungefähr ebenso leistungsfähig wie metallisches Quecksilber, Quecksilberoxyd noch etwas wirksamer; *das Quecksilbersulfid (Zinnober) aber gänzlich unwirksam.* Bemerkenswerth ist, dass das Quecksilber und seine Verbindungen *alle* untersuchten Bacterien (Milzbrand-, Typhus-, Pyocyaneus-, Rotz-, Diphtherie-, Cholerabacterien) fast genau in *gleicher* Weise beeinflusste.

Auch *gemünztes Gold, Silber* und *Kupfer*, in sehr geringem Grade auch *Nickel*, hat antiseptische Kraft; dabei kehrten ganz dieselben Erscheinungen in den Versuchen wieder, wie bei den früher besprochenen Präparaten. *Namentlich verdient hervorgehoben zu werden, dass auch das gemünzte Gold Typhus- und Rotzbacillen in ihrem Wachsthum nicht aufhält.*

Es lag dann weiter die Frage nahe, ob bloss eine Entwickelungshemmung durch die Metalle zu Stande gekommen war, oder ob auch die ausgesäeten Bacterien abgetödtet werden. Zur Entscheidung dieser Frage schnitt ich die von Colonieen auch bei mikroskopischer Betrachtung ganz frei erscheinenden Stellen der Gelatine aus und brachte sie in Bouillon, die im Brütschrank gehalten wurde; es zeigte sich da, dass die Bouillon steril blieb, wenn nicht zufällige Verunreinigung durch Luftkeime stattgefunden hatte.

Andere Versuche stellte ich dann zu dem Zwecke an, um das Zustandekommen der antiseptischen Wirkung aufzuklären. Wenn hierbei eine Fernwirkung der Metalle von vornherein ausgeschlossen wird, so blieben im Wesentlichen nur zwei Möglichkeiten übrig, dass nämlich auf der Oberfläche der Metalle Gase condensirt sind, oder andere Stoffe haften, die in die Gelatine hineindiffundiren und dabei das Bacterienwachsthum verhindern, oder dass etwas von den Metallen selbst in Lösung übergeht.

Die erste Möglichkeit scheint mir dadurch ausgeschlossen, dass auch nach häufigerer, bis zu 10maliger Uebertragung beispielsweise eines 20-Markstückes in Gold die antiseptische Wirkung bestehen blieb, und dass dies auch nach Abwaschen der Goldoberfläche mit Salpetersäure (und darauf folgender weiterer Abspülung mit sterilisirtem Wasser) der Fall war.

Eine positive Stütze für die Richtigkeit der anderen Annahme, dass — wie unwahrscheinlich auf den ersten Blick es auch sein mag — Gold, Silber, Kupfer, namentlich aber das so überaus schwer lösliche Gold, im Nährboden doch in Spuren aufgelöst werde, möchte ich aber in folgendem Versuchsresultat erblicken. Wenn ich nach Entstehung der bacterienfreien Zone in einer Gelatine-Diphtherie- oder -Milzbrandplatte das Gold, oder aus einer Typhusplatte das Silber herausnahm und frische Impfstriche auf dieser Zone von Culturen der eben genannten Bacterien anlegte, so konnte ich gleichfalls eine Entwickelungshemmung beobachten, die um so vollständiger war, je mehr der Impfstrich sich dem Centrum näherte, während die nach der Peripherie der bacterienfreien Zone gelegenen Theile der Impfstriche noch ein schwaches Wachsthum erkennen liessen.

Diese Beobachtung lässt sich kaum anders erklären, als dass nach Entfernung des Goldes und Silbers antiseptisch wirksame Bestandtheile im Nährboden zurückblieben, und dass dieselben von diesen Metallen herstammten.

Uebrigens liess sich auch bei den Silberplatten, wenn dieselben dem Licht ausgesetzt waren, eine bräunliche Färbung der Gelatine im Bereich der freien Zone und namentlich in der Peripherie derselben, wo die ersten verkümmerten Colonien mikroskopisch zu erkennen waren, constatiren — eine Erscheinung, die man wohl auf das Vorhandensein gelösten Silbers zurückführen kann.

Noch deutlicher tritt die Farbenveränderung zu Tage in Platten, die Kupfer, Eisen, Blei enthalten.

Ich will nur andeuten, dass je nach der Art der Metalle und je nach der Bacteriencultur in den Gelatineplatten die Verfärbung der Gelatine verschieden war. In verflüssigten Milzbrandplatten, die Kupfer enthielten, trat nach längerem Stehen eine deutliche blaue Färbung, vom Kupfer ausgehend, auf, während die Blaufärbung bei anderen Bacterien ausblieb. Einige Bacterien, z. B. Typhusbacillen, in geringerem Grade auch die Kommabacillen der Cholera zeigten durch Schwärzung von Bleiweiss und durch eine eigenthümliche Verfärbung des Blattsilbers mit Sicherheit die Production von Schwefelverbindungen gasiger Natur an, während solche bei Milzbrand, den *Finkler*'schen und *Deneke*'schen Kommabacillen gänzlich vermisst wurden.

Die Reactionen, welche man durch Hineinbringen von unlöslichen bezw. schwer löslichen Metallen und Metallverbindungen in Bacterienculturen beobachten kann, werden sich wahrscheinlich mit Vortheil für die Erkennung specifischer Stoffwechselproducte verwerthen lassen. An dieser Stelle aber bin ich auf diese Dinge nur deswegen näher eingegangen, um die Möglichkeit einer Erklärung der sehr merkwürdigen Thatsache hervorzuheben, dass metallisches Gold gegenüber einigen Bacterien, wie Milzbrandbacillen und Bacillus pyocyaneus, sehr viel wirksamer ist als Silber, während es im Gegensatz zu dem bei Typhusbacillen recht leistungsfähigen Silber diese Bacterien fast gar nicht beeinflusst. Da ich aus anderen Untersuchungen weiss, dass gelöstes Gold und gelöstes Silber solche Unterschiede in ihrer Wirkung den eben genannten Bacterien gegenüber nicht zeigen, so muss ich annehmen, dass in den Typhusplatten das Gold nicht in gleichem Grade gelöst und in der Gelatine vertheilt wird, wie in den Milzbrand- und Pyocyaneus-Platten, *und dass die Lösungen der Metalle überhaupt erst unter dem Einfluss der durch die wachsenden Bacterien gebildeten Stoffwechselproducte zu Stande kommt.* Dadurch würde die bei verschiedenen Bacterien so sehr differirende Leistungsfähigkeit von Gold und Silber gegenüber den verschiedenen Bacterien ohne Weiteres verständlich sein.

Die mitgetheilten Versuche liegen weit ab von dem praktisch wichtigen Ziel, welches Prof. *Miller* sich bei seiner Prüfung des zur Zahnfüllung benutzten Goldes steckte, nämlich die Entscheidung der Frage, ob und inwieweit das Füllungsmaterial in hohlen Zähnen antiseptisch wirksam sein kann. In dieser Beziehung kann ich mich lediglich der Ansicht von *Miller* anschliessen, dass in der That eine geeignete Auswahl der Goldfolie für Füllungszwecke von Bedeutung ist.

Aber auch die übrigen Versuchsresultate sind, wie ich glaube, geeignet, nach verschiedenen Richtungen einige interessante und vielleicht auch nicht unwichtige Ausblicke zu eröffnen.

VI. Desinfectionsmittel in gasförmigem Zustande.

Vor Festlegung der gegenwärtig gestellten Anforderungen an ein Desinfectionsmittel erfreuten sich gasförmige Körper eines besonderen Vertrauens in der Desinfectionspraxis.

Räucherungen von Wohnräumen und Krankenzimmern, Entwickelung von schwefliger Säure durch Verbrennung,

Entwickelung von Bromdämpfen aus Bromkieselguhr, von Chlordämpfen aus Chlorkalk durch Uebergiessen desselben mit einer Säure, galten als die energischsten und sichersten Mittel, um Krankheitsstoffe, die man hauptsächlich in der Luft vermuthete, zu zerstören. Selbst die Verflüchtigung von Carbolsäure und anderen riechenden Substanzen bei gewöhnlicher Temperatur übte auf ängstliche Gemüther in Zeiten herrschender Epidemieen schon einen beruhigenden Einfluss aus.

Von wissenschaftlichen Autoritäten, so besonders auch von der Choleracommission 1873 ([17]), wurde namentlich der schwefligen Säure eine bevorzugte Stelle unter den Desinfectionsmassregeln zuerkannt, und dieselbe hat daraufhin in grossem Ansehen gestanden, bis ihr durch die Arbeit von Regierungsrath *Wolffhügel* (1881), die derselbe unter Mitwirkung mehrer Hülfsarbeiter im Reichsgesundheitsamt und unter Theilnahme von *R. Koch* ausführte, dieser Nimbus fast gänzlich geraubt wurde.

Man hatte früher geglaubt, dass sie im Güterverkehr im Stande sei, Waarenballen so zu durchdringen, dass diese desinficirt werden könnten, ohne dass eine Lösung und Wiederverpackung der Ballen und Bunde nöthig sei. Die exacte Prüfung ergab aber, „dass das Gas bei einer Versuchsdauer und Dosis, welche die Praxis im äussersten Falle noch zulässt, in die grösseren Verkehrsgegenstände, wie Ballen und Bunde von Handelsartikeln, nicht tief genug eindringt."

Die Choleracommission hatte ferner in ihrem Bericht die Meinung erweckt, dass eine genügende Einwirkung auf die Desinfectionsobjecte stattfinde, ohne dass dieselben beschädigt würden.

Die Versuche im Reichsgesundheitsamt bewiesen aber, dass blanke Metallgegenstände, besonders wenn sie in feuchtem Zustand sich befanden, anliefen, und zwar so, dass die angelaufenen Gegenstände auch unter Anwendung von Putzkalk und Schmirgel nicht wieder blank bekommen werden konnten; und dass befeuchtete Kleidungsstoffe an der Farbe mehr oder weniger gelitten hatten. Andererseits aber hatten die Versuche ergeben, dass erst durch die Befeuchtung viele Gegenstände für die Einwirkung der schwefligen Säure zugänglich werden.

Vor Allem aber zeigten die Untersuchungen *Koch's* ([18]), *dass die schweflige Säure selbst bei langer Entwickelungsdauer und Anwendung eines hohen Gasgehaltes nicht im Stande ist, selbst nur bei sporenfreiem Material eine wirksame Desinfection zu gewährleisten, wo sich die Mikroorganismen in dicken Schichten vorfinden, oder nicht oberflächlich liegen.*

Unter den eben genannten Bedingungen hatte selbst eine so starke Entwickelung von schwefliger Säure, dass dieselbe 10·1 Vol.-Procent zu Beginn des Versuches betrug, nicht ausgereicht, um bei 48stündiger Einwirkung Micrococcus prodigiosus, Bacillus pyocyaneus, Rosahefe abzutödten.

Nun übersteigt aber dieser Concentrationsgrad der schwefligen Säure in der Luft weit Alles, was früher gefordert wurde.

Für ausreichend hielt

die Choleracommission	10 gr	Schwefel pro 1 cbm	= 0·69	Vol. % SO_2
v. Pettenkofer	15 gr	„	= 1·04	„
Mehlhausen	20 gr		= 1·39	„
Wernich	57 gr	„	= 4·00	„

Freilich hatten *Schotte* und *Gärtner* ([19]) gefunden, dass selbst 92 grm Schwefel pro Cubikmeter nicht ausreichten, um die in feuchten Wollstreifen enthaltenen Spaltpilze wirksam zu desinficiren.

Andererseits hatte sich aber auch gezeigt, dass unter sehr günstigen Versuchsbedingungen sporenfreies Material von der schwefligen Säure schon bei minutenlanger Einwirkung und bei nur 1 Vol.-Procent vernichtet werden kann. Als solche günstige Bedingungen sind anzusehen:

dünne Bacterienschicht, feuchter Zustand derselben und derartige Lage, dass das Gas von oben her einwirken kann.

Im Allgemeinen musste das Urtheil ungünstig lauten; der relativ theuere Preis, die Belästigung durch das Gas und die Unbequemlichkeit der Anwendung, die Unzuverlässigkeit bei selbst leichter zu desinficirenden Objecten, die vollständige Leistungsunfähigkeit bei sporenhaltigem Material — all' das zusammen macht es erklärlich, wenn wir jetzt von Desinfectionen mit schwefliger Säure kaum mehr etwas hören.

Eine Reihe dieser Vorwürfe trifft *alle* gasförmigen Körper.

Vom Chlor, Brom, Jod wissen wir zwar, dass befeuchtete Objecte bei verhältnissmässig geringen Quantitäten dieser Mittel mit Sicherheit desinficirt werden können, wenn die Bacterien oberflächlich liegen; sowie dieselben aber inmitten einer festen Hülle, und ebenso wenn sie in Flüssigkeiten mit reichlicherem organischen Material sich befinden, dann werden sie unzuverlässig.

Im Wasser werden auch die widerstandsfähigsten Keime schon bei einem Gehalt von weniger als 1 Procent Chlor vernichtet; je mehr aber von Salzen und namentlich von organischen Bestandteilen in einem flüssigen Desinfectionsobject vorhanden ist, um so weniger leistet das Chlor, so dass von einer irgendwie zuverlässigen Wirkung nur bei Oberflächendesinfection die Rede sein kann; und selbst da beweisen frühere und auch die neuerdings von *Geppert* ([3] [6]) angestellten Versuche, dass es so umständlicher und unbequemer Proceduren bedarf, um beispielsweise durch Chlor bezw. Chlorwasser die Hände zu desinficiren, dass eine Verwerthung desselben in der Praxis nicht sehr wahrscheinlich ist.

In stark eiweisshaltigen Flüssigkeiten, wie im Blutserum, darf man selbst bei sporenfreiem Material auf eine sichere Desinfectionsleistung nicht rechnen, da das Chlor alsbald zur Oxydation der organischen Substanzen in Anspruch genommen wird, und das Gleiche, wie vom Chlor, gilt auch vom Brom und Jod.

Ueber den *Chlorkalk*, welcher mit der Aetzkalkwirkung diejenige der unterchlorigen Säure verbindet, liegen ausser älteren Untersuchungen solche von *Sternberg* ([20]), von *Jäger* und von *Niessen* ([21]) vor.

Es ist danach kein Zweifel, dass dem Chlorkalk ein sehr hoher Desinfectionswerth zukommt; aber soweit derselbe durch den Gehalt an unterchloriger Säure bedingt wird, kommen alle die Uebelstände in Betracht, welche beim Chlor und beim Chlorwasser erörtert wurden.

Nissen konnte Fäces mit Typhusbacillen erst bei einem Gehalt von 1·0—1·5 Procent Chlorkalk sterilisiren, wenn denselben Blutserum beigemengt war; Fäces *allein* im strömenden Dampf sterilisirt und hinterher mit Typhusbacillen inficirt, brauchten 0·5—1·0 Procent Chlorkalkgehalt, um keimfrei zu werden.

Berücksichtigen wir die von *Pfuhl* gefundenen Zahlen für den Aetzkalk, so finden wir zwar einen etwas höheren Gehalt von demselben (circa 1·5 Procent) nothwendig, um den gleichen Effect zu erzielen; aber bei der grösseren Haltbarkeit und bequemeren Benutzung desselben in der Desinfectionspraxis wird man sich nicht leicht entschliessen, ihn durch den Chlorkalk zu ersetzen, wenigstens nicht für die Desinfection von Fäkalien und Abwässern. Dagegen ist *Sternberg's* Vorschlag, den Chlorkalk und das ähnlich sich verhaltende *unterchlorigsaure Natron* zur Desinfection von Geschirr, Holzsachen, Leder, sowie zum Einhüllen von an Infectionskrankheiten, z. B. Cholera, Verstorbenen in Chlorkalk getränkte (4 Procent) Leinentücher beachtenswerth.

An dieser Stelle verdient noch ein anderes Mittel Erwähnung, welches von *O. Riedel* ([22]) sehr genau geprüft wurde, nämlich das *Jodtrichlorid*. Die Wirkung dieses in festem Zustande käuflichem und in beliebigen wässrigen Lösungen verwendbaren Körpers beruht auf dem Freiwerden von den Halogenen Jod und Chlor. Seine Leistungsfähigkeit ist eine solche, dass eine 1 $^0/_{00}$ ge Lösung einer 3 procentigen Carbolsäure entspricht, wenn dieselbe in Bouillonculturen untersucht wird.

Meine eigenen Versuche mit *Blutserum* ergaben fast genau die gleichen Werthe, wie sie *Riedel in eiweissfreien* Nährböden festgestellt hatte.

Es wird auf dieses Mittel noch bei Besprechung der Desinfection sporenhaltigen Materials genauer einzugehen sein, und ich will hier nur noch anführen, dass nach *Riedel* durch eine 1 $^0/_{00}$ Jodchloridlösung Milzbrandbacillen in 30 Minuten, Staphylococcus aureus nach 60 Minuten abgetödtet wurden, wenn diese Organismen an Seidenfäden angetrocknet zu desinficiren waren.

Noch leichter gelang die Abtödtung in flüssigen Culturen. Diese wurden sogar durch $^1/_4$ $^0/_{00}$ Lösungen schon in wenigen Minuten keimfrei gemacht.

Cholerabacterien wurden durch 0·5 $^0/_{00}$ ge Lösungen nach $^1/_2$ bis 1 Minute vernichtet.

Es sind das, namentlich in Bezug auf die Schnelligkeit des Eintritts der Desinfection, sehr beachtenswerthe Resultate, die eine erneute Prüfung unter Berücksichtigung des gegenwärtigen Standes der Desinfectionsfrage wünschenswerth machten.

B. Die Desinfection von sporenhaltigem Infectionsmaterial mit chemischen Mitteln.

Während wir zur Desinfection sporenfreien Infectionsmaterials eine grosse Zahl von Mitteln fähig gefunden haben, giebt es verhältnissmässig nur wenig chemische Agentien, die im Stande sind, auch die Dauerformen der Bacterien abzutödten.

Nach dem Vorgange von *R. Koch* wählen wir auch jetzt noch zur Feststellung der sporentödtenden Leistungsfähigkeit eines Mittels in der Regel Milzbrandsporen; und für die meisten Desinfectionsprüfungen empfiehlt es sich auch, die Form beizubehalten, welche uns *Koch* kennen lehrte, nämlich die Sporen an Seidenfäden angetrocknet zu untersuchen.

Weder die Anwendung von Sporenemulsionen, noch der Ersatz der Seidenfäden durch Asbest, Leinenfäden u. s. w. zur Antrocknung der Sporen haben bei vergleichender Prüfung einen Vortheil erkennen lassen.

Die Herstellung der Sporenfäden geschieht in der Weise, dass ca. 1 cm lange Seidenfäden von mittlerer Dicke geschnitten und sterilisirt werden. Zur Vermeidung des Aufrollens und Zerfallens der Fäden erweist sich die Sterilisirung durch heissen Wasserdampf zweckmässiger, als die durch trockene Hitze.

Sporen von grosser und gleicher Widerstandsfähigkeit, sowie in reichlichster Menge bekommt man von Culturen auf schräger Agarfläche in Reagensgläsern, die im Brütschrank noch drei Tage nach Beginn der ersten Sporenbildung gehalten werden.

Die Culturen werden dann mit einer starken Platinöse abgeschabt, in sterilisirtem Wasser zu einer gleichmässigen, bis zur Undurchsichtigkeit dicken Emulsion aufgeschwemmt und auf die Seidenfäden in einem Schälchen aufgegossen, welches mit einer zweiten Glasschale bedeckt wird.

Nachden für eine gleichmässige Imbibition der Seidenfäden mit der Emulsion Sorge getragen ist, nimmt man dann einzeln die Fäden heraus und legt sie in gewissen Abständen in eine *Petri*'sche Doppelschale, wo sie schon nach wenigen Stunden getrocknet und zum Gebrauch fertig sind.

Bei allen diesen Manipulationen und bei der späteren Aufbewahrung muss selbstverständlich auf's Sorgfältigste durch entsprechende Cautelen die Verunreinigung durch andere Bacterien vermieden werden; und zur Erhaltung der Virulenz und Widerstandsfähigkeit muss die Einwirkung nicht bloss des directen Sonnenlichts, sondern auch des diffusen Tageslichts ausgeschlossen sein.

Die Resultate, welche *R. Koch* bezüglich der Sporenvernichtung durch chemische Mittel erhielt, sind allgemein bekannt.

Ausser den Halogenen Chlor, Brom, Jod, die schon nach kürzerer Einwirkungsdauer in wässeriger Lösung Milzbrandsporen tödten, hatten sich nur Quecksilbersalze, nach Minuten und Secunden, 5 procentige Carbolsäure, Osmiumsäure, übermangansaures Kali (5 Procent) nach 24 Stunden wirksam gezeigt.

Bei längerer Einwirkung wurden die Sporen ausserdem vernichtet durch rohen Holzessig (2 Tage), Chlorkalk 5 Proc. (5 Tage), Terpentinöl (5 Tage), Schwefelammon (5 Tage), Ameisensäure (5 Tage), Eisenchlorid 5 Proc. (6 Tage), Chlorpikrin 5 Proc. (6 Tage), Chinin 1 Proc. mit Salzsäure (10 Tage), Arsenik 1 $^0/_{00}$ (10 Tage), Salzsäure 2 Proc. (10 Tage), Aether 30 (Tage).

Aber auch die am meisten leistungsfähigen Desinfectionsmittel unter den obigen, insbesondere das Sublimat und die Carbolsäure, bieten nicht diejenige Garantie für eine sichere Desinfection, welche diesen Mitteln lange Zeit zugesprochen wurde.

Bei der von *R. Koch* an einer sehr grossen Zahl von chemischen Körpern vorgenommenen Prüfung ihrer Wirkung auf Milzbrandsporen waren die Versuche in folgender Weise ausgeführt worden.

Die einzelnen Mittel, wenn sie sich nicht von vornherein in flüssigem Zustande befanden, wurden in Lösung übergeführt; in die Flüssigkeiten, bezw. in die Lösungen wurden Seidenfäden mit angetrockneten Milzbrandsporen hineingelegt, dann wurde von Zeit zu Zeit ein Seidenfaden herausgenommen und auf feste Nährgelatine übertragen.

Wenn nun die vorbehandelten Sporen gerade so

schnell und reichlich auskeimten, wie solche Sporen, die zur Controle auf Nährgelatine gebracht waren, so war damit die völlige Unbrauchbarkeit des zu prüfenden Mittels für die Vernichtung der Sporen bewiesen; aber auch bei langsamem und lückenhaft erfolgendem Wachsthum musste das Mittel als unzulänglich angesehen werden. Blieb dagegen auch bei längerer Beobachtungsdauer jede Colonieentwickelung aus, so *konnte* dies auf einer Abtödtung der Sporen beruhen; indessen mussten, um zu diesem Schluss zu gelangen, erst noch mancherlei Einwände ausgeschlossen werden.

„In allen Desinfectionsversuchen," sagt *Koch* S. 239, „ist wohl darauf zu achten, dass die Probe, welche auf die Entwickelungsfähigkeit ihrer Bacterien untersucht werden soll, nicht zu viel von dem Desinfectionsmittel absorbirt, dem Nährboden, auf dem die Bacterien wachsen sollen, zuführt und ihn damit aus einem für das Bacterienwachsthum günstigen in einen ungeeigneten verwandelt. Ich habe bei meinen Versuchen, um diese Fehler zu vermeiden, die Probe möglichst klein, für die Experimente mit Milzbrandsporen z. B. kurze Stückchen mit Sporenflüssigkeit getränkter und wieder getrockneter Seidenfäden, und den Nährboden verhältnissmässig gross genommen, damit durch Diffusion von der Probe in den Nährboden eine so starke Verdünnung des Desinfectionsmittels eintrat, dass sie eine Entwickelungshemmung der Bacterien nicht mehr bewirken konnte. In zweifelhaften Fällen wurde das Desinfectionsmittel durch eine entsprechende indifferente Flüssigkeit, z. B. durch sterilisirtes destillirtes Wasser, absoluten Alkohol u. s. w. aus der Probe vor dem Culturversuch entfernt oder auch die Impfung auf Versuchsthiere zu Hülfe genommen."

Im Laufe der Jahre hat sich gezeigt, dass diese Cautelen noch nicht vollständig genügen, um von dem Ausbleiben des Wachsthums auf eine gelungene Desinfection zu schliessen.

So hat *Riedel* ([22]) im Reichsgesundheitsamt constatiren können, dass eine 5 procentige Carbolsäure keine merkliche Beeinflussung auch nach 14 tägiger Einwirkung auf Milzbrandsporen ausübt, wenn die Seidenfäden, nachdem sie zuvor mit Wasser abgespült sind, in *flüssige* Gelatine gebracht werden, und wenn man *„durch anhaltendes Hin- und Herneigen des Glases eine innige Durchtränkung des Fadens mit der Gelatine bewirkt.“*

C. Fränkel ([23]), welcher die Seidenfäden aus 5 procentiger Carbolsäure in Bouillon brachte und diese im Brütschrank stehen liess, hat noch nach 40 Tagen Auskeimen der Sporen beobachtet.

Desgleichen fand *C. Fränkel* im hiesigen hygienischen Institut, dass eine 1 ‰ *Sublimatlösung* auch nach 20 Minuten langer Einwirkung keine Abtödtung der Milzbrandsporen bewirkte, wenn die Sporenfäden mit *warmem* Wasser abgespült und dann in Bouillon gebracht wurden.

Diese Beobachtungen mussten zu der Annahme führen, dass — abgesehen von der grösseren Widerstandsfähigkeit der jetzt im hiesigen hygienischen Institut gezüchteten Sporen — die früheren Versuche nicht einwandsfrei waren, indem nämlich bei dem Hineinbringen in *feste* Gelatine eine genügende Befreiung von fortwirkendem Sublimat und von Carbolsäure nicht verbürgt wird.

Später hat dann *Geppert* ([3]) im pharmakologischen Institut von Geheimrath *Binz* noch weitere wichtige Cautelen kennen gelehrt, die beobachtet werden müssen, wenn man aus dem Ausbleiben des Wachsthums in der Cultur auf eine gelungene Abtödtung schliessen will.

Er zeigte zunächst, dass das Sublimat an dem Desinfectionsobjecte so fest haftet, dass wir es auch durch sehr sorgfältiges Abspülen und Auswaschen mit Wasser nicht entfernen können. Um nun doch eine Fortwirkung desselben nach beendigtem Desinfectionsversuch auszuschliessen, bewirkte er durch Schwefelwasserstoff eine Fällung des Quecksilbers als Schwefelquecksilber; und wenn er darnach die Lebensfähigkeit der Sporen prüfte, so konnte er selbst nach stundenlanger Einwirkung 1 ‰ ger Sublimatlösungen noch lebende Culturen erhalten.

Weiterhin fand *Geppert* auch, dass solche Sporen, auf welche Sublimat in einer zur Abtödtung noch nicht völlig genügenden Stärke eingewirkt hatte, schon durch viel geringere Mengen eines antiseptischen Mittels an der Entwickelung gehemmt werden, als normale Sporen. Es ist das eine sehr wichtige Thatsache, welcher fernerhin bei Desinfectionsversuchen besondere Aufmerksamkeit geschenkt werden muss; so hatte man früher beim Uebertragen von Proben eines *flüssigen* Desinfectionsobjectes in Nährgelatine sich gegen eine Mitübertragung zu grosser Mengen des Desinfectionsmittels völlig gesichert geglaubt durch folgenden Controlversuch.

In eine Gelatineplatte, in welche mit den Bacterien auch Sublimat oder Carbolsäure hineingebracht war, und in der dann die vorbehandelten Bacterien nicht ausgekeimt waren, wurden lebende Bacterien derselben Art übergeimpft; wuchsen nun diese gut aus, so wurde der Schluss gemacht, dass die Abtödtung durch das zu prüfende Mittel gelungen war, da ja die mit demselben behandelten Bacterien auf einem geeigneten Nährboden keine Lebensfähigkeit bewiesen hatten. Wir wissen jetzt, dass dieser Schluss nicht ohne Weiteres erlaubt ist; es besteht immer noch die Möglichkeit, dass nur eine Verminderung der Lebensfähigkeit das Wachsthum verhinderte. So fand *Geppert*, dass Milzbrandsporen und Bacillen, die in Carbolsäure oder in Sublimat gelegen hatten und deren Lebensfähigkeit sowohl durch das Thierexperiment wie durch Culturversuch erwiesen war, in solchen Nährböden nicht mehr auskeimten, die absichtlich mit einem minimalen Sublimatzusatz versehen wurden (1 : 2 000 000); normale Milzbrandbacterien wuchsen aber auf ebensolchen Nährböden ganz ungehindert.

So sehr die Richtigkeit und die Bedeutung der eben

besprochenen, durch *Geppert* näher studirten Verhältnisse anzuerkennen ist, so muss andererseits doch *Geppert's* weitergehenden Schlussfolgerungen widersprochen werden.

Wenn derselbe sagt: „Nach dem bisher Auseinandergesetzten erklärt es sich sehr einfach, wieso bisher von der grossen Resistenz der Milzbrandsporen gegen Sublimat noch nichts bekannt geworden war: es wurde stets Sublimat mit verimpft", so ist das ein Irrthum.

Geppert übersieht dabei gänzlich die im hygienischen Institut in verschiedenen Arbeiten gebrachten Mittheilungen (*Laplace* [24], *C. Fränkel* [23]), in denen schon lange Zeit vor ihm gezeigt wurde, dass die Leistungsfähigkeit des Sublimats als sporentödtendes Mittel zuerst überschätzt wurde, und ebenso *meine* aus dem pharmakologischen Institut des Geh. Rath *Binz* mitgetheilten Resultate, aus denen hervorging, dass auch Weinsäure-Sublimat nach 20 Minuten langer Einwirkung Milzbrandsporen noch nicht sicher abtödtet (25). Es ist richtig, dass durch die Nachbehandlung der Desinfectionsobjecte mit Schwefelwasserstoff oder Schwefelammon der desinficirende Werth des Sublimats sich als noch geringer erweist; aber die Unterschiede beispielsweise zwischen *C. Fränkel's* und *Geppert's* Resultaten reduciren sich darauf, dass *Fränkel* erst nach 30 Minuten und *Geppert* nach durchschnittlich 1 Stunde durch 1 $^0/_{00}$ Sublimat die Abtödtung der Sporen beobachtete.

Ferner muss die von *Geppert* mit besonderem Nachdruck vertretene Annahme zurückgewiesen werden, dass das Thierexperiment noch positive Resultate giebt, und die Lebensfähigkeit der Sporen erweist, wo der Culturversuch im Stich lässt.

Gerade das Gegentheil ist der Fall. Aus den später zu erwähnenden Versuchen geht mit Sicherheit hervor, dass man nach der Sublimatbehandlung der Sporen noch Culturen bekommt, wenn die geimpften Thiere ganz gesund bleiben; und es ist ja von vornherein klar, dass es so sein muss. Der völligen Abtödtung geht eben ein

Stadium der beeinträchtigten Lebensfunktionen der Bacterien voraus, zu denen auch die Fähigkeit gehört, Thiere zu inficiren. Wir kennen zwar Zustände der Bacterien, in denen sie noch lebensfähig, aber nicht mehr virulent sind; wir kennen jedoch nicht das Umgekehrte. Wenn *Geppert* daher im Thierexperiment ein feineres Reagens auf die Lebensfähigkeit der Milzbrandbacterien fand, als die Cultur in künstlichen Nährböden, so liegt die Ursache dafür in seiner Versuchsanordnung; *Geppert* liess das Sublimat auf *flüssige* Desinfectionsobjecte, auf *Sporen*- und *Bacillensuspensionen* einwirken; dabei machte er die Beobachtung, dass bei der Ueberimpfung auf künstliche Nährböden so wenig übertragen wurde, dass in der kleinen Probe keine lebensfähigen Keime vorhanden waren, während in grösseren Flüssigkeitsmengen sich doch noch lebensfähige Individuen vorfanden; oder aber er nahm grössere Proben für die Ueberimpfung, und dann übertrug er gleichzeitig so viel von dem Desinfectionsmittel, dass durch dasselbe in dem neuen Nährboden die Entwickelung verhindert wurde.

Dieser Uebelstand bei Desinfectionsprüfungen ist seit langer Zeit bekannt; *man kann ihn aber mit Leichtigkeit vermeiden, wenn an Seidenfäden angetrocknete Sporen als Desinfectionsobject genommen werden.* Mit Zuhülfenahme von Extractionsmitteln und durch Fällung — speciell des Sublimats mit Hülfe des Schwefelwasserstoff — ist man dann leicht im Stande, die Fortwirkung des Desinfectionsmittels auszuschliessen. Woher es kommt, dass *Geppert* bei seinen Versuchen mit Sporenfäden nicht zu einem befriedigenden Resultat gelangte, ist mir nicht recht erklärlich. Bei den hier in Berlin ausgeführten Versuchen wurden aus Sporenfäden, die nach 3 bis 4 stündiger Einwirkung von 1 $^0/_{00}$ Sublimat mit Schwefelammonlösung 1:3 behandelt waren, in der Regel noch Culturen erhalten, während Thiere nie mehr starben, wenn sie mit Sporenfäden geimpft wurden, die 1 $^1/_2$ Stunde in 1 $^0/_{00}$ Sublimat gelegen hatten und darnach mit Schwefelammon behandelt wurden.

Noch eine andere irrthümliche Auffassung *Geppert's* muss ich zurückweisen, die auf einer Verwechselung von desinficirender und entwickelungshemmender Wirkung beruht.

In verschiedenen meiner Arbeiten habe ich die *antiseptische* Leistungsfähigkeit des Sublimats in eiweisshaltigen Flüssigkeiten besprochen, und dabei erwähnt, dass durch dasselbe Milzbrandbacillen in ihrer Entwickelung vollständig gehemmt werden, wenn es z. B. im Serum im Verhältniss von 1 : 10000 enthalten ist.

Hierüber sagt *Geppert* Folgendes:. „Es sind das Zahlen, die nur für die Cultur Gültigkeit haben, nicht für das Thierexperiment. Nach *Behring* soll Sublimat in Eiweisslösungen das Wachsthum des Milzbrandes schon bei Zusatz von 1 : 10000 hemmen. Versetzt man nun verdünntes Blut, dem man Sporen beigemengt hat, mit Sublimat 1 : 1000 und verimpft es, dann stirbt das Thier stets an Milzbrand. Hätte man Wasser statt Sublimat in das Blut gegossen, so wäre der Effect derselbe gewesen. Demnach sieht man, wie ganz anders die Verhältnisse im Thierkörper liegen, wie in der Cultur, was sehr begreiflich."

Offenbar legt *Geppert* mir die Meinung bei, ich hätte geglaubt, im Serum durch einen Sublimatgehalt von 1 : 10000 die Sporen unschädlich machen zu können, während ich thatsächlich nur behaupte, dass sie dadurch in der Cultur am Auskeimen verhindert werden — ein Unterschied, der denn doch ein ganz gewaltiger ist, und ich muss gestehen, dass mich diese Confundirung von Bacterienentwickelungshemmung und Bacterientödtung einigermassen überrascht hat.

Bekanntlich ist schon in der Desinfectionsarbeit von *R. Koch* 1881 der überaus grosse Unterschied zwischen entwickelungshemmender und bacterientödtender Wirkung in erschöpfender Weise besprochen worden, sodass ich hierauf nicht mehr einzugehen brauche.

Als wesentlicher Gewinn von *Geppert's* Arbeit „Zur Lehre von den Antisepticis" bleibt indessen unbestritten bestehen, dass wir durch dieselbe darauf hingewiesen sind, noch mehr als das früher geschah, Fehlerquellen bei der Feststellung der gelungenen Desinfection auszuschliessen, und dass wir durch dieselbe im Schwefelwasserstoff und Schwefelammon ein hervorragend geeignetes Mittel kennen gelernt haben, um nach Beendigung des Desinfectionsversuchs die Fortwirkung des Sublimats aufzuheben.

Wie bei der Desinfection von sporenfreiem Infectionsmaterial sind auch bei sporenhaltigem — abgesehen von der Forderung eines exacten Nachweises der thatsächlich erfolgten Abtödtung — an eine vollständige Desinfectionsprüfung die übrigen, früher ausführlich erörterten Anforderungen zu stellen, welche hier nur aufgezählt zu werden brauchen.

Es muss ausserdem berücksichtigt werden

1) der Einfluss des Mediums, in welchem sich die abzutödtenden Sporen befinden,

2) die Dauer der Einwirkung des Mittels,

3) die Temperatur, bei welcher die Prüfung angestellt wird,

4) die Zahl der Sporen im Desinfectionsobject,

5) die von der Herkunft und der Art der Sporen abhängige verschiedene Widerstandsfähigkeit derselben.

Wo im Folgenden hierüber nichts Besonderes hinzugefügt ist, sind die Resultate stets an Sporenfäden gewonnen worden, die auf einmal in sehr grosser Zahl angefertigt wurden, sodass dadurch die Versuchsbedingungen in Bezug auf die sub 4 und 5 genannten Momente sich durchaus gleichmässig gestalteten.

Die Einwirkung der Desinfectionsmittel fand ferner bei Zimmertemperatur von 16 bis 18° R. statt und zwar auf Sporenfäden, die in Doppelschälchen mit 10 ccm wässriger Lösungen der zu prüfenden Mittel gebracht wurden. Es wurde dabei stets sorgfältig darauf geachtet, dass die Sporen-Seidenfäden sich schnell mit den Flüssigkeiten imbibirten und zu Boden sanken, so dass nicht etwa einzelne Theile der Fäden aus der Flüssigkeit hervorragten.

Zur Entfernung der nach Beendigung der beabsichtigten Einwirkungsdauer an den Seidenfäden noch anhaftenden Spuren der Desinfectionsflüssigkeit wurden dieselben zunächst 5 Minuten lang in warmem sterilisirtem Wasser in besonderen Glasschälchen mittelst Platinnadeln agitirt (beim Sublimat in Schwefelammon 1 : 3) und dann in Bouillonröhrchen mit je 10 ccm Bouillon hineingethan.

Die Bouillon wurde im Brütschrank bei 37° gehalten und von Tag zu Tag darauf untersucht, ob vom Faden aus Milzbrandwachsthum eintrat. Dabei zeigte es sich bei den unzähligen Einzelversuchen, dass, wenn am zweiten Tage keine Entwickelung eingetreten war, auch später eine solche nie mehr erfolgte. Es verdient noch hervorgehoben zu werden, dass Verunreinignng durch andere Bacterien ausserordentlich selten — unter 100 Röhrchen höchstens in einem — zu beobachten war.

Ich berichte zunächst über Desinfectionsversuche mit Sublimat und anderen Quecksilberverbindungen, welche Stabsarzt Dr. *Nocht* im hiesigen hygienischen Institut vor ½ Jahre angestellt und mir zur Publikation übergeben hat.

Die Tabellen, welche die Versuchsresultate angeben, werden ohne weiteren Commentar verständlich sein.

Wurden die Seidenfäden, um die Lebensfähigkeit der Sporen zu prüfen, statt in Bouillon in eine *Globulinlösung* übertragen, so bekam *Nocht* auch ohne Behandlung mit Schwefelsäure noch Culturen nach mehr als einstündiger Einwirkung 1 ‰ ger Lösungen.

I. Sublimat und andere Quecksilberverbindungen.

(Stabsarzt Dr. *Nocht.*)

Lösung	Art der Entfernung des Desinfectionsmittels	Dauer der Einwirkung bis zum Eintritt der Desinfection —	Bemerkungen
$HgCl_2$ 1:1000	Wiederholtes Abspülen mit warmem Wasser	30 Minuten —	Maus stirbt an Milzbrand
desgl.	Abspülen in $(NH_4)_2S$, dann in Wasser	nach 4 Stdn. noch keine Abtödtung	Geimpfte Mäuse bleiben am Leben
$HgCl_2$ 1:1000 mit Salzsäure	desgl.	3 Stunden —	
$HgCl_2$ 1:1000 mit Weinsäure	desgl.	3 „ —	
$HgCl_2$ 1:100	desgl.	20 Minuten —	
$HgCl_2$ 1:1000 bei 37·5° C.	desgl.	3 Stunden —	
$HgCl_2$ 1:1000 mit Weinsäure bei 37·5° C.	desgl.	3 „ —	
$HgCl_2$ 1:1000 mit Jodkalium	desgl.	nach 1 Stunde noch keine Abtödtung	In diesen Versuchen soll nur gezeigt werden, dass andere Quecksilberverbindungen, wie Quecksilberjodid, -cyanid und oxycyanid nicht mehr leisten wie das Sublimat
$HgCy_2$ 1:1000	desgl.	nach 3 Stund. noch keine Abtödtung	
$HgCy_2$ 1:1000 bei 50° C.	desgl.	desgl.	
Quecksilberoxycyanid 1:1000	desgl.	nach 4 Stund. noch keine Abtödtung	

Lösung	Art der Entfernung des Desinfectionsmittels	Dauer der Einwirkung bis zum Eintritt der Desinfection —	Bemerkungen
$HgCl_2$ 1:1000	Abspülen mit warmem Wasser	nach 1 Stunde noch keine Abtödtung	Prüfung der gelungenen Desinfection in Globulinculturen
Quecksilberoxycyanid HgS_2 1:1000	desgl.	nach 3 Stund. noch keine Abtödtung	

Ich selbst habe dann noch einfache Sublimatlösungen und solche mit Zusatz von 5 Volumtheilen Schwefelsäure auf ihre Desinfectionskraft geprüft und gebe das Resultat in folgenden 2 Tabellen wieder. In denselben bedeutet das Zeichen

— abgetödtet,
\+ nicht abgetödtet,
± verzögerte und lückenhafte Entwickelung.

$HgCl_2$	1:100	1:200	1:400	1:1000
28 Minuten	±	+	+	+
45 „	±	±	±	+
80 „	—	±	±	+
2 Stunden	—	—	±	+
4 „	—	—	—	+
10 „	—	—	—	±
24 „	—	—	—	—

Man erkennt aus dieser Tabelle, dass ich die Sublimatwirkung noch etwas geringer fand als *Nocht.* Es erklärt sich das daraus, dass ich längere und dickere Seidenfäden in diesen Versuchen (wie auch in allen meinen übrigen später zu erwähnenden) als Desinfectionsobjecte benutzt hatte, wie *Nocht.*

Sublimatlösungen mit Schwefelsäurezusatz zeigten sich etwas wirksamer, als die einfachen Sublimatlösungen.

$HgCl_2$ + 9 Gewichtstheile H_2SO_4	1:200	1:400	1:1000
16 Minuten	+	+	+
35 „	±	±	+
70 „	—	±	+
100 „	—	—	±
4 Stunden	—	—	±
6 „			—

Welche Schlussfolgerungen aus diesen Versuchsergebnissen zu ziehen sind, wird später im Zusammenhang mit den anderen Desinfectionsmitteln zu erörtern sein.

Ich will nur noch erwähnen, dass andere *Metallsalzlösungen* noch geringere Wirkung zeigten. Nur das *Silbernitrat* hat in gleich starken Lösungen ungefähr die gleiche Leistungsfähigkeit wie Sublimat.

II. Carbolsäure und andere aromatische Verbindungen.

Auch hier stelle ich in einer Tabelle die Versuchsresultate von *Nocht* voran, die bisher nicht publicirt sind.

Nachdem für reine Carbolsäure schon durch *O. Riedel* und Prof. *C. Fränkel* nachgewiesen und durch Vorversuche *Nocht's* bestätigt war, dass dieselbe selbst nach vielen Tagen in 5 procentiger Lösung Milzbrandsporen nicht mit Sicherheit zu vernichten vermag, bleibt nur noch übrig, dieselbe bei höherer Temperatur zu prüfen.

Reine Carbolsäure 5 Proc. bei 37·5° C.	Abtödtung nach 3 Stunden
„ „ 4 „ „ „	„ „ 4 „
„ 3 „ „ „	„ „ 24 „
„ 2 „ „ „	Keine Abtödtung.

5 procentige Lösungen von *roher* Carbolsäure mit Seife fand *Nocht* bei Zimmertemperatur auch nach 2 monatelanger Einwirkung noch unfähig, Milzbrandsporen abzutödten, dagegen erwiesen dieselben bei 40° C. sich schon nach 4 bis 6 Stunden wirksam.

Im Anschluss an frühere im hygienischen Institut ausgeführte Untersuchungen von *Laplace* (24), welche die erhöhte Leistungsfähigkeit der rohen Carbolsäure ergeben hatten, wenn dieselbe durch Zusatz gleicher *Gewichts*mengen von concentrirter Schwefelsäure in Wasser löslich gemacht wird, hat Prof. *C. Fränkel* (23) sehr eingehende vergleichende Untersuchungen über die Desinfectionskraft der in der rohen Carbolsäure enthaltenen *Kresole* angestellt.

Dieselben sind an sich in Wasser nur wenig löslich, können aber durch Zusatz von concentrirter Schwefelsäure löslich gemacht werden.

Wird nun bei der Vermischung mit der Schwefelsäure durch sorgfältige Kühlung eine stärkere Erhitzung des Gemisches und damit die Entstehung von weniger desinficirend wirksamen Sulfosäuren verhütet, so bekommt man ein der reinen Carbolsäure erheblich überlegenes Desinfectionsmittel.

Mischungen gleicher Gewichtstheile Schwefelsäure und Kresol tödteten schon in 4 procentigen Lösungen nach *Fränkel* in weniger als 24 Stunden solche Milzbrandsporen, die durch reine Carbolsäure nach 40 Tagen noch nicht vernichtet wurden.

Von den drei Kresolen, dem Ortho-, Meta- und Para-Kresol, fand *Fränkel* das zweite am meisten wirksam, nämlich schon nach 8 Stunden in 5 procentiger Lösung. Die Metakresol*sulfosäure* dagegen hatte in gleich starker Lösung nicht den gleichen Desinfectionseffect.

Aehnliche Leistungsfähigkeit wie Metakresol-Schwefelsäure zeigte auch ein Rohkresol aus Toluidinen.

Ich habe in eigenen Versuchen gleichfalls das reine von *Kahlbaum* bezogene Metakresol, Rohkresol aus Toluidinen, auch ein anderes aus Theeröl gewonnenes Kresolgemisch geprüft und kann *Fränkel's* Angaben durchaus bestätigen.

Diese erhöhte Desinfectionskraft der Kresole kommt aber denselben nur zu, wenn sie sich in stark saurer Lösung befinden; wie schon *Fränkel* constatirt hat, geht dieselbe beim Neutralisiren der Lösungen mit kohlensaurem Natron verloren.

Um nun den Einfluss des Säurezusatzes genauer zu studiren, stellte ich mir von dem Rohkresol aus Toluidinen Lösungen mit verschiedenem Schwefelsäuregehalt her, nachdem ich vorher festgestellt hatte, dass meine Milzbrandsporen durch Schwefelsäure allein selbst in 18 proc.

Lösung (10 Volumprocent) noch nicht abgetödtet wurden, wenn sie 24 Stunden darin blieben.

Die Resultate sind aus folgender Tabelle zu erkennen; in derselben ist der Schwefelsäurezusatz in *Volumprocent* berechnet.

	Kresol 10% H_2SO_4 6·6%	Kresol 10% H_2SO_4 10%	Kresol 5% H_2SO_4 10%	Kresol 5% H_2SO_4 3·3%	Kresol 5% H_2SO_4 5%	Kresol 2·5% H_2SO_4 5%	Kresol 3·33% H_2SO_4 1·66%	Kresol 2·5% H_2SO_4 2·5%	Kresol 1·66% H_2SO_4 3·33%
5 Minuten	+	+	+						
30 „	±	±	+	+	±	+			
80 „	±	−	±	±	±	+		+	
100 „	−		−	±	−	+		+	
3 Stunden				−		±	+	+	+
4 „						±	+	±	+
6 „						−	+	−	+
24 „						−	±		±
48 „							−		−
72 „							−		−

Es geht aus diesen Versuchen mit Deutlichkeit hervor, dass durch Vermischung gleicher *Gewichts*theile Schwefelsäure und Kresol nicht so gute Resultate erreicht werden, wie durch ein Gemisch von Kresol und gleichen Volumtheilen Schwefelsäure.

Die Herstellung eines solchen Gemisches kann in sehr einfacher Weise in einem Messglase ausgeführt werden, welches in kaltem Wasser steht.

In gleicher Weise habe ich auch für die reine Carbolsäure und für die rohe Carbolsäure gefunden, dass zur Erhöhung der Desinfectionskraft der Zusatz gleicher Volumtheile Schwefelsäure sich am vortheilhaftesten erweist.

Dabei konnte ich einen Unterschied zwischen der Schwefelcarbolsäure und dem Gemisch von Kresol und Schwefelsäure nicht finden; ich habe ferner auch eine grosse Zahl von Ver-

suchen neben einander unter genau den gleichen Versuchsbedingungen zur Entscheidung der Frage angestellt, ob wir, abgesehen von den Kresolen in irgend welchen anderen im Theer enthaltenen und bis jetzt daraus isolirten Körpern ein besseres Desinfectionsmittel gegenüber Milzbrandsporen besitzen als die reine Carbolsäure, habe aber keines gefunden, auch nicht im Xylidin und Toluidin; und reine Carbolsäure und rohe Carbolsäure mit gleichem Säurezusatz verhielten sich in der Mehrzahl der Versuche so, dass die reine Carbolsäure der rohen etwas überlegen war.

Dass unter gewissen Bedingungen die Kresole und andere höher siedende Destillationsproducte der rohen Carbolsäure gegenüber *sporenfreiem* Infectionsmaterial wirksamer sind als reine Carbolsäure, wird durch die mitgetheilten Beobachtunngen nicht alterirt.

In alkalischer Lösung und in Seifenlösungen sind alle eben genannten Körper, von denen ich speciell die reine Carbolsäure, die rohe, die verschiedenen Kresole, ferner Toluidin, Xylidin genauer geprüft habe, auch bei tagelanger Einwirkung nicht im Stande, selbst nicht in 10procentigen Lösungen, Milzbrandsporen mit Sicherheit abzutödten.

Das neuerdings eingeführte stark alkalische Lysol ist gleichfalls, ebensowenig wie Creolin, ein sporentödtendes Mittel bei 24stündiger und kürzerer Einwirkungsdauer.

Dagegen kann bei allen diesen Mitteln schon durch verhältnissmässig geringe Erwärmung (40 bis 50°) der Desinfectionseffect erheblich gesteigert werden.

III. Säuren und Alkalien.

Reine Säuren sind erst bei sehr starker Concentration fähig, Sporen zu tödten, so dass die Anwendung für praktische Verhältnisse dabei wohl ausgeschlossen ist. *Rohe* Salzsäure und Salpetersäure sind dagegen je nach ihrem Gehalt an freiem Chlor und salpetriger Säure wirksamer.

Von den Alkalien sind nur die Laugen, nicht die kohlensauren Alkalien, bei gewöhnlicher Temperatur sporentödtende Mittel und auch erstere nur in stärkeren Lösungen.

Eine 30 procentige Natronlauge erwies sich schon nach 10 Minuten wirksam, eine Normalnatronlauge, also eine 4 procentige, nach 45 Minuten. Die Seide wird aber durch derartige Laugen während dieser Zeitdauer schon stark angegriffen, ja durch die concentrirten Laugen fast vollständig aufgelöst.

Auch die kohlensauren Alkalien können zu sehr energischen Desinfectionsmitteln werden, wenn wir sie bei höherer Temperatur einwirken lassen. Nachdem ich zuerst mit stärkeren Lösungen von kohlensaurem Natron und mit alkalischen Seifen gearbeitet, und dabei, wenn die Temperatur über 70 bis 80° betrug, schon nach wenigen Minuten Abtödtung beobachtet hatte, nahm ich eine Waschlauge, wie sie für die Leinenwäsche benutzt wird.

Nach meinen Erkundigungen wird in Berlin die Waschlauge meistens fertig vom Seifensieder bezogen, dann gekocht und die Wäsche in die heisse Lösung 15 Minuten lang hineingebracht; hierauf kommt sie dann in warmes Seifenwasser.

Messungen der Temperatur der Waschlauge, während sich die Wäsche darin befand, ergaben durchschnittlich 80 bis 85°.

Um nun diese Bedingungen bei meinen Versuchen nachzuahmen, brachte ich dieselbe Waschlauge, die beiläufig ca. 1·4 Procent Soda enthielt, in Reagensgläsern in ein Wasserbad von 85°. Nachdem die Lauge gleichfalls diese Temperatur angenommen hatte, warf ich Sporenfäden hinein. Schon nach 4 Minuten war in mehreren Versuchen Abtödtung erfolgt; in allen Versuchen aber erwies sich eine Einwirkung von 8 bis 10 Minuten, *also eine kürzere Zeit als bei der Wäsche*, zur Sporentödtung ausreichend.

Um dasselbe Resultat zu bekommen, brauchte ich

bei 80—83° 10 Minuten
„ 77° 15 „
„ 75° 20 „
„ 70° 30 bis 60 Minuten.

Ich muss gestehen, dass mich diese Leistung der warmen und heissen Waschlauge überrascht hat, zumal ich durch besondere Controlversuche mich von der hohen Widerstandsfähigkeit meiner Sporen gegen feuchte Hitze bezw. Wasserdampf überzeugt hatte; sie wurden im Dampfkochtopf erst nach 10 bis 12 Minuten sicher abgetödtet.

Seidene und Wollstoffe können freilich mit solchen Laugen nicht behandelt werden, ohne sehr geschädigt zu werden.

Bei den *Seifen* fand ich es ausschliesslich von ihrem Laugengehalt abhängig, welchen Grad der Leistungsfähigkeit ihre Lösungen bei höherer Temperatur haben. 10procentige Lösungen der gewöhnlichen Schmierseife hatten übrigens fast die gleiche Wirkung wie die oben erwähnte Waschlauge.

IV. Die Halogene. Chlor und das Jodtrichlorid.

Ueber die Leistungsfähigkeit von Chlor, Brom und Jod in wässerigen Lösungen als sporentödtende Mittel herrscht nirgends ein Zweifel.

Ihrer praktischen Verwerthung stellen sich aber hier noch in höherem Grade die bei dem sporenfreien Infectionsmaterial besprochenen Bedenken in den Weg.

Dagegen besitzen wir im *Jodtrichlorid* ein Mittel, welches die hervorragende Desinfectionskraft der freien Halogene Chlor und Jod in sich vereinigt, ohne deren Nachtheile zu theilen.

Mein von der Firma *Schering* bezogenes Jodtrichlorid ist gleich dem von *O. Riedel* beschriebenen Präparat ein gelbrothes Pulver von stechendem, zu Thränen und Husten reizendem Geruch; in concentrirter, z. B. 5 procentiger Lösung in Wasser, die eine bernsteingelbe Farbe besitzt und wochenlang unverändert bleibt, ist der Geruch verschwindend gering, und es lässt sich mit dieser Lösung sehr bequem hantiren.

Dünnere Lösungen stellt man zweckmässig im Messglase vor dem Gebrauch frisch her. Wässerige Sporenemulsionen mit 1 Procent Jodtrichlorid werden fast momentan abgetödtet; weder durch das Thierexperiment noch durch Culturversuche können selbst bei sehr reichlichem Sporengehalt nach einer Minute in den entnommenen Proben lebensfähige Sporen nachgewiesen werden.

Bei dicken Seidenfäden, die in 1 Procent Lösung 3 bis 4 Minuten lang gelegen hatten, bekam ich nach Verimpfung der Fäden auf Mäuse ein negatives Resultat; die Mäuse blieben gesund, während mit gleich starken nicht desinficirten Sporenfäden inficirte Mäuse in weniger als 24 Stunden an Milzbrand starben. Dagegen bekommt man durch Culturversuch noch nach 10 Minuten mit den Sporenfäden zuweilen ein positives Resultat. Das Abspülen der Fäden mit warmem sterilisirtem und mit alkalischem Wasser übt auf das Versuchsergebniss nach *der* Richtung einen Einfluss aus, dass das Wachsthum früher und reichlicher erfolgt als bei nicht abgespülten Fäden; aber im Wesentlichen wird dadurch nichts geändert, wahrscheinlich weil die alkalische Bouillon selbst ein gutes Extractionsmittel für das Jodtrichlorid ist.

Auch durch 0·2 Procent Lösungen werden Sporenemulsionen nach wenigen Minuten unschädlich gemacht, während freilich zur Desinfection der Sporen*seidenfäden* die Einwirkung hier schon eine Stunde und darüber statthaben muss.

Wegen dieser bedeutenden Leistungsfähigkeit des Jodtrichlorids habe ich die Wirkung desselben in verschiedenen Flüssigkeiten und bei wechselnder Versuchsanordnung genauer geprüft und gefunden, dass wir selbst da noch zu gutem Endergebniss mit diesem Mittel kommen, wo alle früher besprochenen im Stich lassen.

Zunächst habe ich das Präparat statt in Wasser in Bouillon aufgelöst und dann in dieser die abtödtende Leistungsfähigkeit gegenüber Milzbrandsporen geprüft.

Bis zu einem Gehalt von 1 : 500 wird das Jodtrichlorid in Bouillon vollständig gelöst; sie bekommt aber dabei schon dauernd eine wahrscheinlich vom Jod herrührende gelbe Farbe. Bei noch stärkerer Concentration scheiden sich bräunliche Gerinnsel ab.

Auch in Bouillon erweist sich wiederum die Wirkung stärker auf gleichmässig darin vertheilte Sporen, als auf Sporen, die an Seidenfäden angetrocknet sind.

Jene werden in einer Bouillon mit 1 Procent Jodtrichlorid schon nach 2 bis 3 Minuten, diese erst nach 10 bis 12 Minuten abgetödtet.

Bei längerer, bis 20 Stunden dauernder Einwirkung, zeigt sich noch eine Bouillon mit 0·2 Procent Jodtrichlorid zuverlässig wirksam.

Von besonderem Interesse war es dann, die Wirkung in einem so stark eiweisshaltigen Medium zu prüfen, wie im Blutserum, in welchem, wie mir besondere Versuche zeigten, auch die sauren Carbolsäure- und Kresollösungen, sowie die im Wasser noch wirksamen Quecksilberlösungen im Stich lassen.

Im Blutserum löst sich das Jodtrichlorid besser als in Bouillon. Selbst 1 procentige Lösungen sind ganz klar und durchsichtig und zeigen nur durch eine gelbbraune Farbe die Gegenwart des gelösten Mittels an; jedoch ist dabei zu bemerken, dass die vollständige Lösung nur erreicht wird, wenn man *allmählich* das Mittel in das Serum hineinbringt.

Wird dasselbe auf einmal hinzugesetzt, so entstehen weisse Gerinnsel, die bei einem Jodtrichloridgehalt von 0·4 Procent das Serum in eine gelblich-weisse Emulsion verwandeln und bei noch stärkerer Cocentration sich als schwere weisse Flocken am Boden absetzen, während darüber sich die scheinbar unveränderte Jodtrichloridlösung als bernsteingelbe Flüssigkeit befindet.

Im Serum fand ich Sporenseidenfäden nach 5 Minuten durch 2·5 Procent Jodtrichlorid desinficirt;

bei 1 Procent nach 30 bis 40 Minuten,
„ 0·4 „ „ 6 „ 8 Stunden,
„ 0·3 „ „ 24 Stunden,
„ 0·2 „ war nach 24 Stunden die Desinfection noch nicht erfolgt.

Serum mit 1 $^0/_{00}$ und noch weniger Jodtrichlorid ist überhaupt nicht im Stande, Milzbrandsporen abzutödten.

Mäuse, denen Sporenfäden aus Jodtrichloridserum nach 30 Minuten langer Einwirkung desselben in eine Hauttasche an der Schwanzwurzel gebracht wurden, starben

bei 0·05 Procent ebenso schnell wie Controlmäuse,
„ 0·1 „ einige Stunden später,
„ 0·2 „ 14 Stunden später,
„ 0·4 „ 2 bis 3 Tage später, einzelne blieben am Leben,
„ 1·0 „ blieben alle Mäuse am Leben.

Sporenseidenfäden, die bis 16 Stunden in 0·3 Procent Jodtrichlorid gelegen haben, inficiren Mäuse nicht mehr.

Von den bis jetzt auf ihre Desinfectionskraft genauer geprüften Chemikalien besitzt ausser dem Jodtrichlorid, dem Sublimat, den sauren Carbolsäure- und Kresollösungen und den Halogenen nur noch der Chlorkalk die Fähigkeit, Milzbrandsporen in relativ kurzer Zeit zu vernichten. Aber bei vergleichender Prüfung fand ich eine frisch bereitete 5 procentige filtrirte Chlorkalklösung mit rund 0·5 Procent Gehalt an unterchloriger Säure nicht wirksamer, als eine 0·25 procentige Jodtrichloridlösung, woraus auf die Ueberlegenheit des Jodtrichlorids gegenüber dem Chlorkalk geschlossen werden kann.

C. Die relative Giftigkeit der Desinfectionsmittel.

Sobald wir über die rein wissenschaftliche Prüfung der bacterienfeindlichen Wirkung eines Mittels hinausgehend beabsichtigen, dasselbe für die Desinfectionspraxis zu verwerthen, müssen wir noch eine Reihe von anderen Eigenschaften desselben berücksichtigen, von denen hier zunächst die Fähigkeit erörtert werden soll, Menschen und Thiere krank zu machen und eventuell den Tod derselben herbeizuführen.

Es ist ein ganz vergebliches Bemühen, absolut ungiftige und dabei doch energisch wirksame Desinficientien zu finden; die Erfahrung zeigt immer wieder von Neuem, dass die Empfehlung „ungiftiger Desinfectionsmittel" entweder durch Geschäftsreklame oder durch Unkenntniss und oberflächliche Prüfung veranlasst wird.

Aber darauf kommt es auch gar nicht an, dass wir Mittel erhalten, die unter allen Umständen ungiftig sind; wenn sie nur in derjenigen Dosirung und Anwendungsweise, die praktisch in Frage kommen, Gesundheit und Leben von Mensch und Thier nicht gefährden. Und solche Desinfectionsmittel giebt es allerdings.

So habe ich am Creolin gezeigt ([26]), und spätere Untersucher ([27 u. 28]) haben meine Angaben bestätigt, dass dasselbe zweifellos giftig wirken kann. Bei Thierversuchen kann man sich mit Leichtigkeit davon überzeugen; und für den Menschen beweist, ausser manchen anderen klinischen Publicationen, der aus der medicinischen Klinik des Geheimrath *Gerhardt* durch *van Ackeren* ([27]) mitgetheilte Fall in unwiderlegbarer Weise, dass genau die gleichen Vergiftungserscheinungen, wie bei den Thierversuchen auch am Menschen beobachtet werden können.

Aber ebenso gewiss ist, dass die Vergiftungsgefahr durch das Creolin überaus gering ist, und dass sie namentlich bei seiner Anwendung zu Desinfectionszwecken mit Sicherheit ausgeschlossen werden kann.

In noch höherem Grade können wir den Aetzkalk, wie er für die Desinfection verwendet wird, für ganz *ungefährlich* halten, trotzdem durch denselben zweifellos bei innerlicher Anwendung und bei kleineren Thieren auch bei subcutaner Application Intoxicationserscheinungen und der Tod hervorgerufen werden können.

Andererseits giebt es Desinfectionsmittel, die thatsächlich schon recht häufig Vergiftungen herbeigeführt haben, z. B. Sublimat und Carbolsäure. Mittel wie diese wird man nicht ohne Weiteres dem Laienpublikum in die Hand geben wollen, und das Bestreben, sie durch weniger gefährliche zu ersetzen, ist durchaus natürlich und berechtigt; nach mancher Richtung auch jetzt schon von Erfolg gekrönt.

Aber die Möglichkeit, nicht sowohl ungiftige, aber doch *ungefährliche* Desinficientien zu bekommen, existirt, wie wir sehen werden, nicht für alle Fälle der Desinfectionspraxis.

Zu den ungefährlichen Desinfectionsmitteln dürfen wir unbedenklich auch das Jodtrichlorid zählen.

Es hat zunächst den grossen Vortheil, dass es *nach* vollendeter Desinfectionsleistung allmählich unschädlich wird. Das Jodatom und die Chloratome der Verbindung ICl_3 verbinden sich mit den Salzen nnd dem organischen Material des Desinfectionsobjectes ebenso wie freies Chlor und Jod und ebenso wie die unterchlorige Säure und das Chlor im Chlorkalk, und sie sind dann bezüglich ihrer physiologischen und toxischen Wirkung auf den thierischen und menschlichen Organismus nicht anders zu beurtheilen, wie Chlornatrium und Jodkalium oder Jodnatrium. Das Kochsalz wird man aber nicht als ein Gift ansehen wollen, und auch die Jodsalze sind mindestens ungefährlich, wenn man berücksichtigt, dass zu therapeutischen Zwecken ärztlicherseits bis zu 50 g pro die gegeben werden dürfen, wie ich noch neuerdings von den Herren Professoren *Neisser* und *Doutrelepont* erfahren habe.

Aber auch als solches dem thierischen Körper einverleibt ist das Jodtrichlorid in seinen Lösungen ungefährlich. *Riedel*(22) hat über seine Giftigkeit zahlreiche Versuche an Thieren angestellt, deren grosse Genauigkeit ich durch eigene Thierexperimente, die ich vor 3 Jahren im Bonner pharmakologischen Institut und jetzt von Neuem im hygienischen Institut anstellte, bestätigen kann.

Darnach ist die letale Minimaldosis für Mäuse, Meerschweinchen und Kaninchen, wenn man dieselbe auf das Körpergewicht der Thiere berechnet, die gleiche.

Bei subcutaner Injection beträgt sie 0·2 grm pro Kilo Thier; bei intraperitonealer 0·05 grm; bei intravenöser Injection vertragen nach *Riedel* Kaninchen mittlerer Grösse ohne alle Krankheitserscheinungen 10 ccm einer 1·25 ⁰/₀₀ Lösung, also 0·01 pro Kilogramm; die letale Dosis nähert sich der für die intraperitoneale Injection gefundenen, ist jedoch etwas kleiner, wenn die Einspritzung gut gelungen ist.

Wir haben keinen Grund, daran zu zweifeln, dass für den Menschen das Giftigkeitsverhältniss wesentlich das gleiche ist; um so weniger, als *Langenbuch* schon über ausgedehnte Erfahrungen in der Wundbehandlung Mittheilungen gemacht hat, aus denen die Ungiftigkeit selbst grösserer Mengen von Jodtrichlorid hervorgeht.

Nehmen wir das Körpergewicht eines erwachsenen Menschen zu 60 kg an, so würden entsprechend den oben mitgetheilten Zahlen sich folgende letalen Minimaldosen ergeben:

bei	subcutaner	Injection	12 grm
„	intraperitonealer	„	3 grm
„	intravenöser	„	1 bis 2 grm

Berücksichtigen wir nun, dass für die meisten Desinfectionszwecke nicht stärkere als 0·2 procentige Lösungen benutzt zu werden brauchen, so müssten wir, um einen

Menschen zu tödten, subcutan 6 Liter, intraabdominell $1^1/_2$ Liter, intravenös $^3/_4$ Liter dieser Lösung beibringen, und vom Magen aus würde die Aufnahme von mehr als 1 Liter wahrscheinlich kaum genügen, um ihn gefährlich krank zu machen.

Da nun ausserdem stärker concentrirte Lösungen, namentlich aber das Jodtrichlorid in festem Zustande, durch den stechenden Geruch sich sehr deutlich bemerkbar machen, so sind derartige Vergiftungen wie sie durch Austrinken von Carbolsäure- und von Quecksilbersalzlösungen nicht gar zu selten vorkommen, beim Jodtrichlorid gänzlich ausgeschlossen.

Um gut vergleichbare Zahlen zu bekommen, die den Grad der Giftigkeit erkennen lassen, habe ich mich gewöhnt, denselben bei allen Mitteln, die vom subcutanen Gewebe aus resorbirt werden, dadurch auszudrücken, dass ich angebe, für wieviel Gramm lebendes Körpergewicht 1 grm des zu prüfenden Mittels die letale Minimaldosis abgiebt. Für das Jodtrichlorid wäre der Giftigkeitsgrad darnach durch „1 : 5000“ zu bezeichnen.

In ähnlicher Weise wie für das Jodtrichlorid habe ich auch für das Quecksilberchlorid und für andere Quecksilberverbindungen die letale Minimaldosis bei einmaliger Application des Mittels theils durch eigene Versuche bestimmt, theils aus den Angaben anderer Autoren zusammengestellt.

Die toxischen Wirkungen des Quecksilbers sind in der Monographie von *Kussmaul* (1861) eingehend gewürdigt worden. Die Syphilidologen und, seit der Einführung des Sublimats in die antiseptische Wundbehandlung, namentlich auch die Chirurgen und pathologische Anatomen haben weiterhin sehr verdienstvolle

Beiträge zum Symptomenbild der Quecksilbervergiftung geliefert.

Hier soll nur davon die Rede sein, in welcher Menge das Sublimat und andere Quecksilberverbindungen, wenn sie dem Organismus in resorptionsfähiger Form einverleibt werden, den Tod herbeiführen.

Beim Menschen sind tödtliche Sublimatvergiftungen fast ausschliesslich beobachtet worden, wenn das Sublimat vom Magen oder von Wundflächen aus resorbirt wurde. Ueber die dosis letalis lässt sich hier schwer eine genaue Rechnung anstellen. Bei stomachaler Vergiftung wird meistens mit dem Erbrochenen ein Theil des Sublimats wieder entfernt, so dass man nicht weiss, wie viel wirklich resorbirt ist, und bei den nach Ausspülungen von Wundhöhlen beobachteten Todesfällen lässt sich noch weniger die in die Blutbahn gelangte Quecksilbermenge controliren.

Als *gefährlich* gilt nach der Pharmacopoea germanica die Tagesdosis von 0·1 grm für den Erwachsenen; das macht auf 60 Kilogramm Körpergewicht ein Verhältniss von 1 : 600000.

Bei *Thieren* sind zahlreiche Versuche zur Bestimmung der tödtlichen Dosis bei subcutaner Injection, und zwar grösstentheils an *Kaninchen*, angestellt worden; jedoch sind nur wenige Angaben geeignet, die letale Minimaldosis genau erkennen zu lassen; jedoch geht aus allen Beobachtungen (*Lazarevic*, *Saikowsky*, *Balogh-Kálmán*, *Senger* u. A.) hervor, dass 0·03 grm für mittelgrosse Kaninchen als sicher tödtliche Dosis zu betrachten ist (ca. 1 : 50000).

In meinen eigenen Versuchen, die sehr zahlreich sind, und welche an Kaninchen, Meerschweinchen und weissen Mäusen angestellt wurden, waren die Resultate auffallend gleichmässig, wenn ausgewachsenen Thieren 0·2 procentige Lösungen unter die Haut gespritzt wurden, und zwar fand ich als tödtliche Minimaldosis 0·01—0·013 grm

Sublimat pro Kilo Körpergewicht *bei einmaliger Injection,* also ein Verhältniss von **1 : 100 000** bis **1 : 80 000**. Jüngere Thiere werden schon durch kleinere Dosen, zuweilen schon, wenn die Sublimatmenge zum Körpergewicht in einem Verhältniss wie 1 : 150 000 steht, getödtet. Die Thiere sterben dabei in der Regel nach 2 bis 4 Tagen.

Eine Gewöhnung an das Sublimat, derart, dass nach längerer Anwendung kleinerer Sublimatmengen, welche gut vertragen werden (ca. 1 : 500 000), die zur Tödtung erforderliche Minimaldosis grösser wird, habe ich nie beobachtet; eher trifft das Gegentheil hier zu.

Bei Vergiftungen vom Magen aus scheint nach den Versuchen von *Saikowsky* die tödtliche Dosis ungefähr gleich gross zu sein, wie bei subcutaner Injection.

Bei *intraperitonealer* Injection fand ich die tödtliche Dosis viel weniger gleichmässig; durchschnittlich aber findet man dieselbe nicht wesentlich anders als bei der Einspritzung unter die Haut; jedoch tritt der Tod früher als nach subcutaner Injection und häufig unter Streckkrämpfen ein.

Intravenös injicirt genügen nach den sehr genauen Untersuchungen von *Mairet, Pilatte* und *Combemal* bei *Hunden* schon viel kleinere Sublimatmengen, um den Tod herbeizuführen, nämlich 0·003 grm pro Kilo Thier (1 : 333 000).

Durch den Zusatz von Kochsalz wird die Giftwirkung nicht wesentlich beeinträchtigt.

Sehr sorgfältige und zahlreiche Versuche hat *Riedel* (22) angestellt mit Sublimatlösungen, die *Sublimat und Kochsalz zu gleichen Theilen* enthielten. Danach war eine Dosis von 0·15 grm pro Kilo bei einmaliger subcutaner Injection noch sicher tödtlich wirkend (1 : 66 000). *Riedel* hatte seine Versuche an Kaninchen angestellt; ich kann das Ergebniss derselben für Meerschweinchen und Mäuse im Allgemeinen bestätigen; nur sterben Meerschweinchen oft schon bei kleineren Dosen (1 : 120 000).

Nach Zusatz von *Cyankalium* tritt bei Sublimat und Cyankalium zu gleichen Theilen der Tod durch Blausäurevergiftung, nicht durch Quecksilber ein. Ist halb soviel Cyankalium wie Sublimat in der Lösung, so wird die Giftwirkung desselben nicht merklich beeinträchtigt.

Nach Zusatz von 5 Theilen Weinsäure genügt ein etwas geringerer Sublimatgehalt (durchschnittlich 1:80000), um Mäuse und Meerschweinchen mit Sicherheit zu tödten.

Wenn von den Quecksilberverbindungen diejenige Dosis bestimmt wird, welche bei *einmaliger* Injection noch tödtlich wirkt, so ist auf den Quecksilbergehalt berechnet das Quecksilberkaliumcyanid das giftigste; nächstdem kommt das Cyanid, dann das Quecksilberjodidjodkalium, das Oxycyanid, das Sozojodolquecksilber-Jodkalium, das Formamid und zuletzt das Sozojodolquecksilber-Chlornatrium. Mit dem Sublimat verglichen steht auf fast gleicher Giftigkeitsstufe das Oxycyanid, jedoch ist namentlich für Meerschweinchen die letale Minimaldosis oft kleiner (1 : 200000).

Die Giftigkeitsskala ändert sich aber, wenn kleinere Dosen *mehrmals* am Tage, und ganz besonders dann, wenn noch nicht toxisch wirkende Mengen (1 : 600000) während längerer Zeit injicirt werden. Im letzteren Falle treten die Symptome einer subcutanen und chronischen Vergiftung — Sinken der Temperatur, frequente und mühsame Respiration, Diarrhoe, Muskelzittern und Parese, Eiweiss im Urin — am frühesten auf beim Oxycyanid, welches in dieser Beziehung dem Sublimat gleichsteht.

Soviel ich bis jetzt erkennen kann, hängt der Grad der Giftigkeit bei *einmaliger* Injection ab von der Schnelligkeit der Resorption und von der chemischen Verbindung, in welcher sich das Quecksilber verbindet. Das Fehlen oder Vorhandensein von chronischen Vergiftungserscheinungen nach *längerem* Quecksibergebrauch scheint dagegen mehr von der Möglichkeit einer prompten Ausscheidung abhängig zu sein, und diese geht bei den leicht im Blutserum löslichen Präparaten besser vor sich, als bei denjenigen, welche schwerer löslich sind. Sehr gross sind aber die Unterschiede nicht. *Man kann ziemlich genau* aus dem Quecksilbergehalt eines gelösten Präparats auf die tödtliche Dosis schliessen, vorausgesetzt, dass dieselbe nicht auf einmal, sondern in 3 Theile getheilt zu verschiedenen Tageszeiten injicirt wird. Auf Quecksilber berechnet beträgt sie bei allen Präparaten, die ich untersucht habe, durchschnittlich 0·008 pro Kilo Körpergewicht = 1 : 125 000 (für Quecksilberchlorid berechnet = 1 : 100 000).

Die Giftigkeit anderer Metallsalze, namentlich auch der Gold- und Silbersalze, habe ich an anderer Stelle ([29]) genauer mitgetheilt; ebenso die des Creolins und der Carbolsäure.

Hier will ich nur die Zahlen des Giftigkeitsgrades der wichtigsten Desinfectionsmittel, wie ich sie bei Laboratoriumsthieren durch subcutane Injection festgestellt habe, nebeneinander stellen.

Jodtrichlorid	1 : 5000
Quecksilbersalze der Oxydreihe	1 : 150 000 bis 1 : 100 000
Creolin	1 : 1000
Carbolsäure	1 : 3000
Kresole, sowohl Kresolgemische wie reine Kresole	1 : 3000
Toluidin (mit Seife gelöst) . .	1 : 6000
Xylidin (mit Seife gelöst) . .	1 : 4000
Rohe Carbolsäure (mit Seife gelöst)	1 : 3000.

Saure Carbolsäure und saure Kresollösungen zeigten im Wesentlichen den gleichen Giftigkeitsgrad, wie neutral reagirende und alkalische Lösungen.

Ordnen wir jetzt die einzelnen Mittel nach ihrer *ab-*

soluten Giftigkeit in der Weise, dass wir das am wenigsten giftige Creolin mit dem Giftigkeitsgrad 1 bezeichnen, so bekommen wir für die Carbolsäure und die Kresole die Zahl 3, also eine dreimal grössere Giftigkeit, oder eine dreimal geringere letale Minimaldosis, für das Jodtrichlorid 5, für die Quecksilbersalze durchschnittlich 120.

Offenbar haben aber diese Zahlen für sich noch keinen rechten Werth, da wir ja in der Praxis nicht Lösungen von gleicher Concentration anwenden, und da wir zur Erreichung desselben Desinfectionseffects bei dem einen Mittel mit schwächeren Lösungen auskommen, als bei einem anderen.

Nach meinen früheren Angaben sind in Bezug auf die Abtödtung von Milzbrandsporen in Wasser folgende Lösungen etwa gleichwerthig:

Jodtrichloridchloridlösung		0·4 Proc.
Schwefelcarbolsäure	mit gleichem Gehalt von Carbolsäure bezw. Kresol- und roher Carbolsäure	5·0 „
Kresol-Schwefelsäure		
Rohe Carbolsäure mit Schwefelsäure		
Saure Sublimatlösungen		0·1 „

Wenn wir den Werth der am schwächsten wirksamen Lösung, also der Carbolsäure- und Kresollösung mit 1 bezeichnen, so ist für Jodtrichlorid der Werth 12·5 und für saure Sublimatlösung 50.

Jetzt können wir die Giftigkeit, d. h. die letale Minimaldosis mit dem Desinfectionswerth bei diesen Mitteln vergleichen. Stellen wir die Zahlen für die Giftigkeit der eben besprochenen Präparate mit den Desinfectionswerthen zusammen, so ergiebt sich für das Jodtrichlorid, für saure Sublimatlösungen und für saure Carbolsäure und Kresollösungen Folgendes.

Wir sind im Stande, mit $^1/_{12\cdot5}$ grm Jodtrichlorid und mit $^1/_{50}$ grm Sublimat ebensoviel zu leisten wie mit 1 grm Carbolsäure; und andererseits ist $^1/_3$ grm Carbolsäure ebenso giftig wie $^1/_5$ grm Jodtrichlorid und $^1/_{120}$ grm Sublimat.

Beziehen wir nun die Giftigkeit auf den Desinfectionswerth, so bekommen wir als *relative Giftigkeit*

für Jodtrichlorid die Zahl . $^{5}/_{12\cdot5} = 0\cdot4$
„ Carbolsäure und Kresol $^{3}/_{1} = 3$
„ Sublimat . . . . . $^{120}/_{50} = 2\cdot4$,

d. h. mit anderen Worten:

Das Sublimat ist in gleich wirksamer milzbrandsporentödtender wässriger Lösung 5 bis 6 mal, Carbolsäure und Kreosole sind 7 bis 8 mal giftiger als Jodtrichlorid.

In vielleicht noch anschaulicherer Weise kommen wir durch folgende Art der Betrachtung zum gleichen Resultat.

Für 1 kg lebendes Thiergewicht brauchen wir als vergiftende Quantität bei subcutaner Injection von

0·4 procentiger Jodtrichloridlösung . . . . . 50 ccm,
5·0 „ Carbolsäure und Kresollösungen $6^{2}/_{3}$ „
0·1 „ Sublimatlösungen . . . . . $8^{1}/_{3}$ „

Mit diesen desinficirend gleichwerthigen Lösungen sind wir also beim Sublimat im Stande, den Tod der Thiere schon durch eine 5 bis 6 mal, bei der Carbolsäure und den Kresolen durch 7 bis 8 mal kleinere Quantitäten herbeizuführen als beim Jodtrichlorid.

Für die Desinfection sporenfreien Infectionsmaterials wird man, bei Berücksichtigung der früher angegebenen Zahlenwerthe in Bezug auf die eben besprochenen Mittel, ungefähr die gleichen Resultate erhalten. Es treten da ebenso grosse Unterschiede in der relativen Giftigkeit zu Tage.

Aber eine sehr merkwürdige Gleichmässigkeit bei *allen* desinficirend und antiseptisch wirksamen Mitteln können wir beobachten, sobald wir, statt des *desinficirenden* Werthes, den *antiseptischen* Werth in Beziehung setzen zur absoluten Giftigkeit.

Wenn wir den zahlenmässig ausgedrückten antiseptischen Werth in Beziehung bringen zur Giftigkeit, so zeigt sich, wie ich in früheren Arbeiten ([26, 29]) *für eine grosse Zahl von*

Antisepticis nachgewiesen habe, dass dieselben fast durchgehends etwa 5 bis 7 mal giftiger sind für den thierischen Organismus als für die Milzbrandbacillen.

Ich kann hier nur von Neuem bestätigen, dass durch dieses Verhalten mir das Auffinden der letalen Minimaldosis sehr erleichtert wird, wenn ich neue Präparate prüfe. Nach vorheriger Feststellung der entwickelungshemmenden Wirkung gegenüber Milzbrandbacillen im Blutserum sah ich mich fast ausnahmslos in der Lage, in richtiger Weise diejenige Dosis durch Rechnung vorauszubestimmen, welche für ein Thier bei subcutaner Injection tödtlich ist und ebenso diejenige, welche noch vertragen wird — vorausgesetzt, dass das Mittel in leicht resorbirbarer Lösung unter die Haut gespritzt wird.

Ich will hier nur ein neues Beispiel herausgreifen, um zu zeigen, wie ich im einzelnen Falle die Untersuchung anstelle.

Bei einem von Herrn Geheimrath *Koch* in seinem Vortrag im X. internationalen Congress erwähnten Mittel, dem Xylidin, fand ich, dass dasselbe das Milzbrandwachsthum im Blutserum aufhebt, wenn es demselben im Verhältniss von 1 : 500 zugesetzt wird. Darnach hatte ich zu erwarten, dass es im Verhältniss von 1 : 2500 bis 1 : 4000 lebendem Thiergewicht subcutan eingespritzt tödtlich wirkt, in geringerer Menge aber, z. B. 1 : 5000, noch nicht. Meine Erwartung wurde durch den Versuch in diesem Falle, wie in sehr zahlreichen anderen Fällen, gerechtfertigt. Die tödtliche Minimaldosis betrug bei Mäusen, Meerschweinchen und Kaninchen im Mittel 1 : 3000 bis 1 : 4000.

Die Gleichmässigkeit in der relativen Giftigkeit entwickelungshemmender Mittel besteht jedoch nur dann, wenn man im *Blutserum* den Grad der Entwickelungshemmung prüft, man würde dagegen gänzlich fehlgehen, wenn man aus der entwickelungshemmenden Fähigkeit eines antiseptischen Mittels in einem *anderen Nährboden* als im

Serum, *z. B. in Bouillon,* einen Schluss auf seine Giftigkeit machen wollte.

Den Grund jenes fast gesetzmässigen Verhältnisses zwischen bacterienentwickelungshemmender Wirkung im Serum und zwischen Giftwirkung suche ich darin, dass diejenigen Mittel, die wir als Antiseptica bezeichnen, das Blut der lebenden Thiere in ähnlicher Weise zur Ernährung der lebenden Körperzelle untauglich machen, wie sie das dem Blut ähnlich zusammengesetzte Serum unfähig machen, Milzbrandbacillen als Nährboden zu dienen.

Damit soll nicht ausgeschlossen sein, dass es auch solche Mittel giebt, die eine derartige specifische antiseptische Wirkung gegenüber Milzbrandbacillen und gegenüber anderen pathogenen Bacterien besitzen, dass sie für dieselben giftiger sind als für den thierischen Organismus; aber unter den bisher in dieser Arbeit erwähnten habe ich keine solchen gefunden.

Es ist nun ganz besonderer Beachtung werth, dass ein derartiges, gleichmässiges Giftigkeitsverhältniss nicht besteht, sobald wir die *bacterientödtende* Wirkung chemischer Desinfectionsmittel untersuchen; und für die Desinfectionspraxis, vornehmlich aber für die Desinfectionspraxis im Grossen, ist es überaus wichtig, dass man solche Mittel zur Verfügung hat, die die Vergiftungsgefahr für Menschen und Thiere möglichst vollständig ausschliessen. Als solche Mittel haben wir den Aetzkalk, den Chlorkalk und das Jodtrichlorid anzusehen. Das Creolin darf im Allgemeinen gleichfalls als ungefährlich betrachtet werden; aber dasselbe ist nicht ein so weitreichendes Desinfectionsmittel, wie die vorgenannten.

D. Ueber Desinfection am lebenden Thier.

Fast alle in den früheren Abschnitten dieser Arbeit besprochenen Mittel habe ich im Laufe der letzten Jahre daraufhin untersucht, welchen Einfluss sie bei subcutaner und bei intraperitonealer Injection auf milzbrandinficirte Thiere ausüben. Es giebt nun nicht wenige Mittel, mit denen man den Eintritt des Todes hinausschieben, manche Thiere auch dauernd heilen kann; besonders habe ich von alkalischen Silberlösungen derartige Resultate mitgetheilt ([30]).

Indessen eine Behandlungsmethode, die einigermassen sicher solche Thiere, die für Milzbrand leicht empfänglich sind, nach der Infection mit virulentem Milzbrand zu retten im Stande ist, habe ich mit keinem jener Mittel ausfindig machen können.

Auch die lokale Behandlung der Infectionsstelle hat sichere Heilungsresultate bisher nicht ergeben.

Die von *v. Fodor* ([30]) neuerdings beschriebene Behandlung von milzbrandinficirten Kaninchen mit kohlensauren Alkalien hat, wie ich besonders hinzufüge, gleichfalls nicht den günstigen Erfolg bei meinen Versuchen gehabt, wie bei denen von *v. Fodor.*

Dagegen ist es mir gelungen, Meerschweinchen, welche mit dem Mehrfachen derjenigen Culturmenge von Diphtherie inficirt sind, als zur Todtung der Thiere innerhalb von 24 Stunden genügt, mit grosser Sicherheit zu heilen.

Wird diejenige Stelle, an welcher die Meerschweinchen durch subcutane Injection einer Diphtheriecultur inficirt sind, markirt, und macht man alsbald nach der Infection eine Einspritzuug von einer 0·75 bis 1·5 procentigen Jodtrichloridlösung in die Nähe der Infectionsstelle, und zwar in einer Menge, die bei Thieren unter 500 grm Körpergewicht ca. 1·5 ccm, bei grösseren Thieren 3 ccm beträgt, so sterben dieselben nicht, wie die Controlthiere, an Diphtherie schon nach 24 Stunden, sondern erst nach mehreren Tagen. *Wird die Injection in gleicher Weise während 3 bis 4 Tagen ein Mal täglich wiederholt, so bleiben die Thiere dauernd am Leben.*

Auch wenn 0·75 bis 2 procentige Lösungen an anderen Stellen als an der Infectionsstelle subcutan injicirt, ebenso wenn sie intraperitoneal und vom Magen aus applicirt werden, lässt sich ein günstiger Einfluss auf den Verlauf der Diphtherieinfection erkennen; indessen dauernd geheilt werden die in dieser Weise allgemein behandelten Thiere nicht.

Wird die Behandlung local (an der Infectionsstelle) vorgenommen, so kann man auch mehrere Stunden, bis zu sechs Stunden, nach der Infection noch mit derselben beginnen und dabei die Thiere retten. Bei langsamerem Verlauf der Krankheit, wenn das Diphtherievirus schwächer war, kann man bei *Kaninchen* sogar noch Erfolg von der Behandlung sehen, wenn 24 Stunden nach der Infection mit derselben begonnen wird.

Das Jodtrichlorid ist nicht das einzige Mittel, mit welchem man gute Heilresultate bei der Diphtherie der Meerschweinchen erzielen kann; auch Naphthylamin und unter den Metallsalzen namentlich das Goldnatriumchlorid erwiesen sich wirksam; indessen waren bis jetzt die Erfolge mit dem Jodtrichlorid die besten.

Das Jodtrichlorid ist ferner nicht bloss im Stande, wie besondere Versuche ergeben haben, die mit lebender Cultur inficirten Thiere zu heilen, sondern es vermag auch solche Mengen giftiger sterilisirter Diphtheriecultur unschädlich zu machen, die für die Control-Meerschweinchen absolut tödtlich sind, und ich halte es für wahrscheinlich, dass seine therapeutische Leistungsfähigkeit ausser durch die bacterientödtende Wirkung auch durch die giftzerstörende bedingt wird.

Das eine geht unter allen Umständen aus diesen Versuchsresultaten hervor, was schon im ersten Abschnitt dieser Arbeit betont wurde, dass man nämlich durch zweckmässig angestellte Reagensglasversuche über die Leistungsfähigkeit antiseptischer Mittel wichtige Anhaltspunkte auch für ihre Wirkung im Thierkörper gewinnen kann und so lässt sich hoffen, dass die zeitraubenden und mühsamen Experimente, von denen einige in dieser Arbeit mitgetheilt wurden, auch therapeutisch nicht unfruchtbar bleiben werden.

Zunächst freilich scheint es, als ob wir mit den hier besprochenen Mitteln nur bei solchen Infectionen Erfolg erzielen werden, die längere Zeit oder dauernd von einer bestimmten Stelle aus den thierischen und menschlichen Organismus krank machen, die also nicht zu den eigentlichen Septicämien gehören.

Dass dies bei der Diphtherie thatsächlich der Fall ist, dafür glaube ich durch den Erfolg der localen Behandlung einen neuen Beweis erbracht zu haben.

Ein ähnliches Verhalten besteht beim Tetanus.

Wahrscheinlich wird auch Rauschbrand und malignes Oedem in ähnlicher Weise, wie die Diphtherie der Meerschweinchen, der Therapie zugänglich sein, obwohl bisher die Vorversuche einen gleichen Erfolg noch nicht aufzuweisen hatten.

Litteratur-Verzeichniss.

1 a. *R. Koch,* Ueber Desinfection. Mittheil. aus dem Kaiserl. Gesundheitsamte. 1881.

1 b. *R. Koch* und *G. Wolffhügel,* Untersuchungen über die Desinfection mit heisser Luft. Ebenda. 1881.

1 c. *R. Koch, Gaffky* und *Löffler,* Versuche über die Verwerthbarkeit heisser Wasserdämpfe zu Desinfectionszwecken. Ebenda. 1881.

2 a. *E. Pfuhl,* Ueber die Desinfection der Typhus- und Choleraausleerungen mit Kalk. Zeitschrift für Hygiene. 1889. Bd. VI.

2 b. *Derselbe,* Ueber die Desinfection der Latrinen mit Kalk. Ebenda. 1889. Bd. VII.

3 a. *J. Geppert,* Zur Lehre von den Antisepticis. Eine Experimentaluntersuchung. Berliner klin. Wochenschrift. 1889. Nr. 36.

3 b. *Derselbe,* Ueber desinficirende Mittel und Methoden. Ebenda. 1890. Nr. 11.

4. *A. Henle,* Ueber Creolin und seine wirksamen Bestandtheile. Archiv für Hygiene. 1889. Bd. IX. S. 188—223.

5. *v. Lingelsheim,* Ueber die milzbrandfeindlichen Wirkungen von Säuren und Alkalien im Blutserum. Zeitschrift für Hygiene. 1890. Bd. VIII.

6. *H. Jäger,* Untersuchungen über die Wirksamkeit verschiedener chemischer Desinfectionsmittel bei kurz dauernder Einwirkung auf Infectionsstoffe. Arbeiten aus dem Kaiserl. Gesundheitsamte. 1889.

7. *Nocht,* Ueber die Verwendung von Carbolseifenlösungen zu Desinfectionszwecken. Zeitschrift für Hygiene. 1889. Bd. VII.

8. *M. Schottelius,* Vergleichende Untersuchungen über die desinficirende Wirkung einiger Theerprodukte. Münchener medicinische Wochenschrift. 1890. Nr. 20.

9. *S. Kitasato,* Ueber das Verhalten der Typhus- und Cholerabacillen in säure- und alkalihaltigen Nährböden. Zeitschrift für Hygiene. 1888. Bd. III.

10 a. *Behring,* Beiträge zur Aetiologie des Milzbrandes. „Ueber asporogenen Milzbrand.“ Zeitschr. f. Hygiene. 1889. Bd. VII. S. 173.

10 b. *Behring*, Deutsche medicinische Wochenschrift. 1889. Nr. 43 (Tabelle).

11. *J. Stilling*, Anilinfarbstoffe als Antiseptica und ihre Anwendung für die Praxis. Strassburg 1890.

12 a. *Salkowski*, Ueber die antiseptische Wirkung des Chloroformwassers. Deutsche medicinische Wochenschrift. 1888. Nr. 16.

12 b. *Derselbe*, Zur Kenntniss der Wirkungen des Chloroforms. *Virchow's* Archiv. 1889. Bd. CXV.

13. *M. Kirchner*, Untersuchungen über die Einwirkung des Chloroforms auf die Bacterien. Zeitschrift für Hygiene. 1890. Bd. VIII.

14. *Chamberland*, Annales de l'Institut Pasteur. 1887. Aprilheft.

15. *M. Cadéac* et *A. Meunier*, Recherches expérimentelles sur l'action antiseptiques des essences. Annales de l'Institut Pasteur. 1889. p. 317—326.

16. *Miller*, Ueber die antiseptische Eigenschaft einiger Goldpräparate. Verhandlungen der deutschen odontologischen Gesellschaft. 1889. Bd. I. Heft 2.

17. Bericht der Choleracommission des deutschen Reiches. 1873. Heft 6. S. 319.

18. *G. Wolffhügel*, Ueber den Werth der schwefligen Säure als Desinfectionsmittel. Mittheilungen aus dem Kaiserl. Gesundheitsamte. 1881. Bd. I.

19. *Schotte* und *Gärtner*, Deutsche Vierteljahrsschrift für öffentliche Gesundheitspflege. 1880. XII.

20. *Sternberg*, Desinfection and Desinfectants. Preliminary report made by the comittee of desinfectants. 1887.

21. *Franz Nissen*, Ueber die desinficirende Eigenschaft des Chlorkalks. Zeitschrift für Hygiene. 1890. Bd. VIII.

22. *Otto Riedel*, Versuche über desinficirende und antiseptische Eigenschaften des Jodtrichlorids, wie über dessen Giftigkeit. Arbeiten aus dem Kaiserl. Gesundheitsamt. 1887.

23. *Carl Fränkel*, Die desinficirenden Eigenschaften der Kresole; ein Beitrag zur Desinfectionsfrage. Zeitschr. f. Hygiene. 1889. Bd. VI.

24. *Laplace*, Deutsche medicinische Wochenschrift. 1887. Nr. 40.

25. *Behring*, Ueber Quecksilbersublimat in eiweisshaltigen Flüssigkeiten. Centralblatt für Bacteriologie und Parasitenkunde. 1888. Bd. I. Nr. 1.

26. *Derselbe*, Ueber den antiseptischen Werth des Creolins und Bemerkungen über die Giftwirkung antiseptischer Mittel. Deutsche militärärztliche Zeitschrift. 1888.

27. *Fr. von Ackeren*, Ein Fall von Creolinvergiftung beim Menschen. Aus der medicinischen Klinik des Hrn. Geheimrath *Gerhardt*. Berliner klinische Wochenschrift. 1889. Nr. 32.

28. *Th. Weyl,* Ueber Creolin. Zeitschr. f. Hygiene. 1889. Bd. VI.

29. *Behring,* Ueber den entwickelungshemmenden Werth des Auro-Kaliumcyanatum *(E. Merck)* in eiweisshaltigen und in eiweissfreien Nährsubstraten. Ebenda. 1889. Bd. VI.

30. *Derselbe,* Der antiseptische Werth der Silberlösungen und Behandlung von Milzbrand mit Silberlösungen. Deutsche medicin. Wochenschrift. 1887. Nr. 37 und 38.

31. *v. Fodor,* Neuere Untersuchungen über die bacterientödtende Wirkung des Blutes und über Immunisation. Centralblatt für Bacteriologie. 1890. Nr. 24.

32. *Behring,* Ueber die Immunität von Ratten gegen Milzbrand. Centralblatt für klinische Medicin. 1888. Nr. 38.

33. *Behring* und *F. Nissen,* Ueber bacterienfeindliche Eigenschaften verschiedener Blutserumarten. Ein Beitrag zur Immunitätsfrage. Zeitschrift für Hygiene. 1890. Bd. VIII.

34. *Charrin* et *Roger,* Action du sérum des animaux malades ou vaccinés sur les microbes pathogènes. Comptes rendus des séances de la société de biologie. 4. Nov. 1889.

35. *Charrin,* Evolution des microbes chez les animaux vaccinés. Ebenda. 26. April 1890.

36a. *Roger,* Contribution à l'étude de l'immunité acquise.

36b. *Derselbe,* Modifications du sérum à la suite de l'erysipèle. Extrait des comptes rendus des séances de la société de biologie. 25. Octobre 1890.

37a. *R. Stern,* Ueber die Wirkung des menschlichen Blutes und anderer Körperflüssigkeiten auf pathogene Bacterien. Verhandlungen des Congresses für innere Medicin. 1890. — b. Ausführliche Mittheilung: Zeitschrift für klinische Medicin. 1890. Bd. XVIII. Heft 1 und 2.

38. *Malm,* Sur la virulence de la bactéridie charbonneuse après passage chez le chien et chez le lapin vacciné. Annales de l'Institut Pasteur. 1890. Nr. 8.

39. *Emmerich* und *di Mattei,* Fortschritte der Medicin. 1888. Nr. 19.

40. *Charrin,* Sensibilité des animaux vaccinés aux produits solubles. Société de biologie. 10. Mai 1890.

Berlin 1890.

XVI.

Die Sublimatfrage.

Von Stabsarzt Dr. **Behring.**

Vor 10 Jahren wurde dem Quecksilbersublimat durch *R. Koch* in seiner Arbeit „Ueber Desinfection“ eine dominirende Stellung unter den chemisch wirksamen Desinfectionsmitteln zuerkannt.

Obwohl nun auch gegenwärtig noch dieses Hauptergebniss zu Recht besteht, insofern als wir kein anderes Präparat kennen, welches in gleich starken Lösungen für die meisten Fälle der Desinfectionspraxis mehr leistete, so hat doch im Laufe des letzten Jahrzehntes die Werthschätzung des Sublimats beträchtliche Einbusse erlitten — auf Grund von praktischen Erfahrungen sowohl, wie auf Grund von Laboratoriumsexperimenten, die nach anderen Gesichtspunkten und nach etwas abgeänderter Untersuchungsmethode angestellt wurden.

Der grösste Theil dieser späteren Untersuchungen wurde auf *Koch's* Anregung und von seinen Schülern ausgeführt.

Das im hiesigen hygienischen Institut bis in die letzte Zeit übliche Prüfungsverfahren hat die Hauptprincipien der von *Koch* vor 10 Jahren angewendeten Methode, *die Wahl von Bacterienreinculturen als Testobjecte, die Wahl von Milzbrandsporen (an Seidenfäden angetrocknet) als*

Repräsentanten der widerstandsfähigsten Infectionserreger, die Aufhebung der Vermehrungsfähigkeit in einem geeigneten Nährboden als Kriterium der gelungenen Desinfection, beibehalten, einzelnes aber modificirt.

So habe ich selbst für die Uebertragung von Culturproben zur Feststellung der gelungenen Abtödtung nicht, wie *Koch*, Gelatine gewählt, die bei Zimmertemperatur gehalten wird, sondern Nährbouillon oder Blutserum, und habe diese Nährböden in den Brütschrank gebracht; *C. Fraenkel* nahm für diesen Zweck ebenfalls Bouillon.

Dabei wurden die Zahlenwerthe für die desinficirende Leistungsfähigkeit des Sublimats viel niedriger gefunden als früher. Während *R. Koch* eine Sublimatlösung von 1:5000 nach wenigen Minuten noch wirksam fand, kam ich zu dem Resultat, dass Sublimat im Verhältniss von 1:1000 nach 20 Minuten noch nicht sicher desinficirte, wenn die Prüfung an Sporen vorgenommen wurde, die sich im Blutserum befanden, und *C. Fraenkel* konnte auch für Milzbrandsporen in *wässeriger* 1 ‰ ger Sublimatlösung feststellen, dass erst nach 30 Minuten das Auskeimen derselben in der bei Brutwärme gehaltenen Bouillon ausblieb, nach 20 Minuten aber noch nicht.

Die Deutung dieser grossen Differenzen in den Versuchsergebnissen war eine verschiedene und nicht immer eine richtige. Wenn *Laplace* die auch von ihm constatirte verhältnissmässig geringe Leistungsfähigkeit des Sublimats in *eiweisshaltigen* Flüssigkeiten auf die Entstehung von Gerinnungsproducten zurückführte, so konnte *ich* beweisen, dass die Milzbrandsporen auch nach der Verhinderung von Eiweissfällungen durch Weinsäurezusatz 15—20 Minuten lang eine 1 ‰ Sublimatlösung vertragen; und wenn *C. Fraenkel* als Ursache seiner von *Koch's* Angaben abweichenden Resultate eine grosse Widerstandsfähigkeit gerade seiner Sporen annahm, so habe ich mich später davon überzeugt, dass auch diese Sporen, wenn sie nach der Sublimatbehandlung in der von *Koch* angegebenen Weise auf feste Gelatine übertragen wurden, durch fast genau die gleichen Sublimatverdünnungen schon so beeinflusst wurden, dass sie nicht mehr auskeimten, wie in den Versuchen von *R. Koch*.

Wie dem aber auch sei, darüber konnte kein Zweifel herrschen, dass wir an der früher angenommenen sicheren und nach kürzester Zeit erfolgenden Abtödtung von Milzbrandsporen durch $1^0/_{00}$ge Sublimatlösungen nicht mehr festhalten durften.

In ähnlicher Weise wie für die Sporentödtung mussten auch für die Vernichtung von sporenfreien Bacterien die Zahlenwerthe für die Leistungsfähigkeit des Sublimats reducirt werden.

Noch mehr aber als in Bezug auf die Bacterien*tödtung* hat unser Urtheil über die Bacterien*entwickelungshemmung* eine Wandlung erfahren müssen.

Nach den ersten Angaben von *Koch* werden Milzbrandbacillen schon bei einem Gehalt von 1 : 1 000 000 in der Gelatine am Wachsthum gehindert, und jedermann kann sich von der Richtigkeit dieses Befundes leicht überzeugen.

Man kann nun Versuchsthieren soviel Sublimat selbst direkt in die Blutbahn injiciren, dass es auf das Körpergewicht berechnet im Verhältniss von 1 : 500 000 enthalten ist, ohne dass die Thiere Schaden nehmen, und so lag der Versuch nahe, durch Sublimatbehandlung milzbrandinficirte Thiere zu heilen.

Die Resultate waren aber durchaus negativ.

Diejenigen, welche solchen Versuchen von vornherein mit Misstrauen gegenüberstanden, verkündeten mit Genugthuung, dass der lebende Körper kein Reagensglas ist, gleich als ob sie damit eine neue Weisheit entdeckt hätten.

Mir schien es für die Sache förderlich zu sein, den Ursachen nachzugehen, warum das Sublimat im Thierkörper die entwickelungshemmende Wirkung nicht ausübte, die es in der Nährgelatine zeigte, und ich konnte den Nachweis liefern, dass nicht irgend welche geheimnissvollen Lebenseigenschaften hierbei eine Rolle spielen, sondern dass die zellenfreien Körperflüssigkeiten auch extravasculär sich anders verhalten, als die Nährgelatine. Wählte ich zellenfreies *Blutserum* als Nährboden für Milzbrandsporen und Milzbrandbacillen, so wurde erst durch einen Sublimatgehalt von 1 : 10000 die Vermehrung derselben verhindert. Es bedurfte also eines 100 Mal stärkeren Sublimatzusatzes, um hier den gleichen Effect zu bekommen, wie in den Versuchen von *R. Koch.*

Da nun aber Sublimat schon in kurzer Zeit die Versuchsthiere tödtet, wenn es im Verhältniss von 1 : 60000 im Organismus derselben enthalten ist, so liess sich ein therapeutischer Erfolg garnicht erwarten.

Als ich dann die Bedingungen für die entwickelungshemmende Wirkung weiter studirte, da fand ich noch eine ganze Reihe von Momenten, welche dieselbe beeinflussen; von ganz besonderem Einfluss zeigte sich namentlich die Temperatur, bei welcher die Nährböden gehalten wurden, und die Concentration der Nährstoffe. *Für die Untersuchungsmethoden zur Bestimmung des antiseptischen Werthes ergab sich mir aber nach diesen Erfahrungen als eine der wichtigsten Forderungen, dass die Prüfung eines Mittels, welches im Innern des menschlichen und thierischen Körpers Allgemeinwirkung ausüben, oder welches in Wunden angewendet werden soll, an solchen Nährböden vorgenommen wird, die eine den Körperflüssigkeiten ähnliche Zusammensetzung besitzen.*

Wenn das geschieht, dann liefern die Laboratoriumsversuche im Reagensglas auch für die in der Praxis vorkommenden Verhältnisse durchaus brauchbare und zuverlässige Resultate.

Eine umfangreiche und inhaltreiche Litteratur besitzen wir ferner über die Beurtheilung des Sublimats in seinem Werthe für die speciellen Bedürfnisse der Wundbehandlung, für die Desinfection der Instrumente, der Hände, der Mundhöhle, der Excremente und Abfallstoffe überhaupt, der Wäsche, Kleidungsstücke, Wohnungen, Stallungen, Schiffe, über die Imprägnirung von Verbandstoffen u. s. w.; ich brauche bloss an die Namen von *Kümmell*, *Gärtner* und *Plagge*, *Fürbringer*, *Jaeger*, *Miller*, *Schotte* und *Gärtner*, *Schlange*, *Löffler*, *Laplace*, *Lübbert* und *Schneider*, *Pfuhl* zu erinnern, um dem Kundigen ins Gedächtniss zu rufen, wie fleissig an der Klärung der Sublimatfrage gearbeitet ist, seit *Koch* durch seine erste Mittheilung die Aufmerksamkeit auf dieses Präparat gelenkt hat.

Wenn ich aus allen diesen Untersuchungen ein Facit ziehe, so möchte das kurz dahin lauten, dass wir auf die Hoffnung einer sicheren und schnellen Vernichtung auch der widerstandsfähigsten Infectionserreger durch das Sublimat verzichten müssen. Da aber auch von anderen chemisch wirksamen Präparaten keines existirt, welches einer solchen Forderung Genüge leistet, so ist (wiederum durch *R. Koch*) die Desinfection mit Chemikalien in andere Bahnen gelenkt worden. In meiner letzten Desinfectionsarbeit habe ich mich hierüber in folgender Weise ausgesprochen:

„Vor 10 Jahren waren noch keine menschlichen Infectionskrankheiten bekannt, bei deren Krankheitserregern man Dauerformen ausschliessen konnte, und es musste daher verlangt werden, dass zur Sicherstellung der Desinfectionswirkung das Mittel im Stande sein müsse, die resistentesten unter den bekannten Bacterienkeimen, als welche damals die Sporen der Milzbrandbacillen galten, abzutödten.

Gegenwärtig steht die Sache anders. Von der Cholera und vom Abdominaltyphus wissen wir mit Sicherheit, dass diese Krankheiten durch sporenfreie Bacterien erzeugt werden; von der Diphtherie und vom Rotz ist es wenigstens sehr wahrscheinlich.[1]) Staphylococcen wie Streptococcen sind gleichfalls stets sporenfrei.

Man würde über das Ziel hinausgehen, wenn man auch hier überall zu Desinfectionszwecken nur solche Mittel nehmen wollte, welche Milzbrandsporen oder gar noch widerstandsfähigere Dauerformen, wie wir sie in der Erde und auf Kartoffeln finden, abzutödten im Stande sind.

So finden wir denn in der That in denjenigen Arbeiten, die in den letzten Jahren unter Leitung von Herrn Geh. Rath *Koch* entstanden sind, namentlich in den Mittheilungen über die desinficirende Wirkung des Kalkes, dass der veränderten Sachlage entsprechend auch die Anforderungen an die Leistungsfähigkeit eines Desinfectionsmittels andere geworden sind.

Wir wissen jetzt einerseits, dass noch widerstandsfähigere Dauerformen existiren, als die früher untersuchten Milzbrandsporen, und wo es sich um die Desinfection von sporenhaltigem Infectionsmaterial handelt, sind die Anforderungen jetzt so weit erhöht, dass selbst starke Sublimatlösungen und 5 %ige Carbolsäure denselben nicht immer genügen.

Wir wissen aber auch andererseits, dass das Infectionsmaterial vieler ansteckender Krankheiten, so namentlich der wichtigsten menschlichen, wie Typhus, Cholera, Diphtherie, wahrscheinlich auch Ruhr, der meisten Wundinfectionskrankheiten, keine Sporen enthält, und so können jetzt mit vollständigem Vertrauen zur Abwehr dieser Krankheiten auch solche Mittel Verwendung finden, die der Anforderung alle, auch die widerstandsfähigsten Bacterienkeime zu tödten, nicht entsprechen, wenn sie nur die im speciellen Falle in Frage kommenden Infectionskeime mit Sicherheit vernichten."

---

1) Nach den jetzigen Erfahrungen glaube ich richtiger sagen zu müssen, dass auch die Diptheriebacillen sicher keine Sporen bilden, und dass von den Rotzbacillen und Tuberkelbacillen mit grosser Wahrscheinlichkeit das gleiche gilt.

Die hier kurz geschilderten Schicksale hatte die Sublimatfrage erlebt, als *Geppert* sich schriftstellerisch an derselben betheiligte und durch die Mittheilung seiner Versuchsergebnisse uns zeigte, dass auch eine halbstündige Einwirkung einer 1 ‰igen Sublimatlösung zur Abtödtung *aller* Milzbrandsporen bei seiner Anordnung der Desinfectionsprüfung nicht ausreiche.

Geppert spricht sich darüber folgendermaassen aus: „Nach 15 Minuten also bekommt man stets eine ziemlich beträchtliche Anzahl von Culturen, häufig so viel, dass ein Unbefangener überhaupt nicht an eine Desinfectionswirkung denken würde. Nach einer halben Stunde nimmt die Anzahl der Colonien deutlich ab, doch kann sie noch immer recht beträchtlich sein und einige Dutzend betragen. Manchmal allerdings sind es auch nur wenige. Nach einer Stunde erhält man nur noch spärlich Colonieen, zwei oder drei. Sehr selten kommt es vor, dass gar keine Cultur nach einer Stunde zu beobachten ist. Nach zwei und drei Stunden dreht sich das Verhältniss, manchmal erhält man noch eine Cultur, häufig aber nichts mehr. Weiterhin habe ich dann nach 7, 8 und 24 Stunden keine Culturen mehr erhalten, mit einer Ausnahme. 5 Mal habe ich versucht, ob nach 24 Stunden noch eine Cultur zu erzielen sei; und einmal ist es gelungen."

Diese Resultate bekam *Geppert* bei einer Versuchsanordnung, deren Beschreibung ich mit seinen eigenen Worten wiedergebe:

„Zunächst wird . . . eine Suspension der betreffenden Cultur in Wasser angefertigt und stark geschüttelt. Diese wird auf ein Filter gegossen; dann bleiben alle groben Partikeln zurück, und nur noch mikroskopisch sichtbare Theile gehen in das Filtrat. Ursprünglich nahm ich Filter aus Filtrirpapier, dann aber Glaswolle, da diese bequemer zu sterilisiren ist. Man filtrirt am besten so, dass man zuerst die voluminösen Stücke sich absetzen lässt, dann durch ein grobes Filter filtrirt, und zum Schluss dieses

Filtrat noch weiter durch engere Filter gehen lässt. Man kann auf diese Weise z. B. von Milzbrandsporen fast wasserklare Suspensionen erhalten, die aber immer noch in hohem Grade infectiös sind. Gewöhnlich arbeitete ich mit etwas dichteren Suspensionen, die aber doch nur so schwach getrübt waren, dass sie, in ein Reagensglas gethan, immer noch gedruckte Buchstaben deutlich durchscheinen liessen. Sobald eine Suspension noch makroskopisch sichtbare Bestandtheile enthielt, wurde sie nicht gebraucht . . . Die weitere Methodik gestaltet sich dann sehr einfach: Eine Anzahl ausgekochter Krystallisirschälchen wird mit je 25 ccm siedenden Wassers beschickt und mit ausgekochten Deckeln bedeckt. Dann lässt man sie erkalten. In ein anderes Schälchen werden 25 ccm des Desinfectionsmittels gethan. Ist dies geschehen, so nimmt man einen Platinlöffel von etwa $^1/_4$ ccm Inhalt, glüht ihn in der Gebläseflamme (eventuell muss man das Ende des *Leidenfrost*'schen Phänomens abwarten) und löscht ihn mit siedendem Wasser ab. Dies geschieht auch später jedes Mal vor dem Gebrauch. Er wird mit der filtrirten Bacteriensuspension gefüllt, und sein Inhalt in der betreffenden desinficirenden Lösung durch starkes Umrühren vertheilt. Nach Ablauf einer bestimmten Zeit wird dann ein Löffel voll herausgenommen und in eines der mit Wasser gefüllten Schälchen gethan. So ist in einem bestimmten Moment die Suspension dem Einfluss des Desinficiens entzogen resp. nur noch einer etwa 50 Mal schwächeren Lösung ausgesetzt. Der grösste Vorzug aber ist es gewesen, sobald man mit Sublimat experimentirt, das Quecksilber ganz niederzuschlagen. Man thut zu diesem Zweck einen Tropfen ausgekochter und dann abgekühlter Schwefelammoniumlösung in die 25 ccm Wasser, und nun wird alles Sublimat als Schwefelquecksilber unlöslich niedergeschlagen . . . Aus dem Wasser resp. der dünnen Schwefelammoniumlösung nimmt man einige Tropfen, bringt sie in ein kleines Krystallisirschälchen, übergiesst sie mit 8 ccm einer halbprocentigen flüssigen Agargelatine und agitirt das Schälchen hin und her. Diese schwache Agarlösung hat vor der stärkeren den Vorzug, dass sie, in der Hitze verflüssigt und dann abgekühlt, langsamer gerinnt. Daher gestattet sie eine innigere Mischung mit dem Impfmaterial. Dieses Schälchen wird dann in den Brütofen gestellt."

Man erkennt, dass *Geppert* zweierlei wesentliche Aenderungen an der im hiesigen Institut geübten Methode der Desinfectionsprüfung vorgenommen hat.

Er hat erstens an Stelle von Fäden, die mit Bacteriencultur imprägnirt sind, filtrirte Bacteriensuspensionen als Testobjecte gewählt, und er hat zweitens zur Verhinderung der Fortwirkung des Sublimats nach Beendigung der beabsichtigten Einwirkung dasselbe mit Schwefelammoniumlösung chemisch verändert und ausgefällt, während bis dahin die Entfernung des Sublimats durch Abspülen mit Wasser oder Alkohol, also mechanisch, versucht wurde.

Von diesen beiden methodischen Aenderungen halte ich die erste für eine Verschlechterung der bis dahin geübten Methode, die zweite für eine Verbesserung.

Wenn man sich vergegenwärtigt, was durch die Laboratoriumsprüfung der Desinfectionsmittel zu erreichen beabsichtigt wird, so kann man sagen, dass wir unter möglichst genauer Nachahmung der in der Desinfectionspraxis vorkommenden Verhältnisse ein Urtheil über ihre Fähigkeit, Infectionsstoffe unschädlich zu machen, zu gewinnen suchen.

Hält man nun an der *Koch*'schen Forderung fest, dass durch ein Desinfectionsmittel die krankheiterregenden Bacterien abgetödtet werden müssen, wenn dasselbe unseren Ansprüchen vollständig Genüge leisten soll, so wird unter zwei verschiedenen Verfahren dasjenige einwandsfreier sein, welches mit grösserer Sicherheit uns *darüber* Auskunft zu geben vermag.

Nach dieser Richtung leistet aber das *Geppert*'sche Verfahren mehr als das, bei welchem Milzbrandsporenfäden nach Beendigung der beabsichtigten Einwirkungsdauer des Sublimats mit Wasser abgespült und dann zum Zweck der Constatirung ihrer Keimfähigkeit in Bouillon gebracht wurden. Dabei bleibt aber noch zu entscheiden, welchen Antheil daran die erste und welchen die zweite methodische Aenderung hat.

Irgend etwas war an *Geppert's* Methode nicht in Ordnung, ich musste dies aus seiner Mittheilung schliessen, dass ihm das Thierexperiment oft noch in solchen Fällen eine unzureichende Desinfection ergeben habe, in welchen die Culturversuche negativ ausfielen, so dass man aus den letzteren das Abgestorbensein der Bacterien deduciren musste.

Nun können wir durch das Thierexperiment nicht so viel erfahren, als durch den Culturversuch; nämlich nur, ob die Bacterien noch infectiös sind, nicht aber, ob sie auch abgetödtet sind; und bekanntlich können unter Umständen pathogene Bacterien noch leben, ohne zu inficiren. Es ist dabei gar nicht nothwendig, dass eine wirkliche Abschwächung im *Pasteur*'schen Sinne die Ursache des Mangels der Infectiosität ist. Ich verfüge über eine grosse Zahl von Beobachtungen, durch welche sich mit voller Sicherheit beweisen lässt, dass Milzbrandbacterien, Diptheriebacillen, infectiöse Streptococcen durch Jodtrichlorid und andere Chemikalien in der Cultur so beeinflusst werden, dass sie ihre krankmachenden Wirkungen vorübergehend verlieren; ich war aber nicht im Stande, auf diese Weise eine wirkliche, d. h. dauernde Abschwächung, zu erzielen; werden diese *vorübergehend* inoffensiven Bacterien in einen neuen Nährboden herübergebracht, so gewinnen sie sofort ihre Virulenz wieder. Hieraus kann man auch entnehmen, dass man thatsächlich die Infectionsgefahr nur dann mit Sicherheit ausschliessen kann, wenn durch schnell wirkende Desinfectionsmittel eine *Abtödtung* der in Frage kommenden Infectionserreger erzielt wird. Darüber kann aber, wie gesagt, nur der Culturversuch, nicht das Thierexperiment entscheiden.

Aus diesem Grunde erschien mir das *Geppert*'sche Verfahren noch verbesserungsfähig und verbesserungsbedürftig.

Die Stelle, an welcher die Correctur einzusetzen hatte, war leicht zu entdecken; ich meine, *Geppert* selbst hätte darauf kommen müssen, wenn er die richtigen Consequenzen aus seinen eigenen Beobachtungen und Ueberlegungen gezogen hätte.

Gelegentlich der Mittheilung seiner Thierversuche sagt er Folgendes:

„Die Versuche sind an Meerschweinchen angestellt. Eingespritzt wurden jedesmal 3—4 ccm, zur Cultur verwandt einige Tropfen.

Macht man ein Controllexperiment und nimmt statt des Desinficiens Wasser, so erhält man stets Culturen. Trotzdem giebt es selbstverständlich zunächst zu Bedenken Anlass, dass zur Cultur weniger Impfmaterial genommen wird, wie zur Impfung des Thieres. Aber jede andere Anordnung stösst auf Bedenken und Hindernisse: zunächst würde es vielleicht einen schweren Fehler bedingen, wenn man dem Thiere geringere Mengen einimpfen wollte. Denn falls bei der Desinfection die einzelnen Individuen nach einander absterben, hat man eventuell in geringen Mengen des Impfmaterials keinen Infectionsträger mehr; und auf der anderen Seite kann man der Cultur nicht 3—4 ccm zusetzen, da man damit den Nährboden gröblich verdirbt. Um dem Einwand einigermaassen zu begegnen, habe ich mehrfach eine Anzahl Culturen angesetzt. Aber wollte man Gleichheit schaffen, so müssten jedem Thierexperiment etwa 20 Culturen entsprechen. Dann wird das Experimentiren fast unmöglich. Dieser Vorzug, dass man grössere Quantitäten Impfmaterial verwenden kann, ist aber von vornherein dem Thierexperiment eigenthümlich."

In meiner Desinfectionsarbeit habe ich die diesbezüglichen Verhältnisse in folgender Weise geschildert und kritisirt:

„Ferner muss die von *Geppert* mit besonderem Nachdruck vertretene Annahme zurückgewiesen werden, dass das Thierexperiment noch positive Resultate giebt und die Lebensfähigkeit der Sporen erweist, wo der Culturversuch im Stich lässt.

Gerade das Gegentheil ist der Fall. Aus den später zu erwähnenden Versuchen geht mit Sicherheit hervor, dass man nach der Sublimatbehandlung der Sporen noch Culturen bekommt, wenn die geimpften Thiere ganz gesund bleiben; und es ist ja von vornherein klar, dass es so sein muss. Der völligen Abtödtung geht eben ein Stadium der beeinträchtigten Lebensfunctionen der Bacterien voraus, zu denen auch die Fähigkeit gehört, Thiere zu inficiren. Wir kennen zwar Zustände der Bacterien, in denen sie noch lebensfähig, aber nicht mehr virulent sind; wir kennen jedoch nicht das umgekehrte. Wenn *Geppert* daher im Thierexperiment ein feineres Reagens auf die Lebenfähigkeit der Milzbrandbacterien fand, als die Cultur im künstlichen Nährboden, so liegt die Ursache dafür in einer Versuchsanordnung; *Geppert* liess das Sublimat auf flüssige Desinfectionsobjecte, auf *Sporen* und Bacillensuspensionen einwirken; dabei machte er denn die Beobachtung, dass bei der Ueberimpfung auf künstliche Nährböden entweder so wenig übertragen wurde, dass in der kleinen Probe keine lebensfähigen Keime vorhanden waren, während in grösseren Flüssigkeitsmengen sich doch noch lebensfähige Individuen vorfanden; oder aber er nahm grössere Proben für die Ueberimpfung, und dann übertrug er gleichzeitig so viel von dem Desinfectionsmittel, dass durch dasselbe in dem neuen Nährboden die Entwickelung verhindert wurde.

Mir scheint, das ist fast genau dasselbe, was *Geppert* selbst zugestanden hat, nur mit dem einen Unterschiede, dass ich von den zwei Möglichkeiten, die hier aufgestellt sind, gelegentlich der zweiten sage, er übertrug zu viel von dem Desinfectionsmittel, statt des *Geppert*'schen Ausdrucks „gröblich verderben." Wenn man fragt, womit wird die Cultur gröblich verdorben, so kann auch *Geppert* wohl kaum eine andere Antwort geben, als dass dies durch die mit Schwefelammoniumlösung behandelte Quecksilbersublimatlösung geschieht.

Man sollte glauben, dass sich gegen diese meine Darstellung nichts Stichhaltiges sagen lasse. Und doch giebt dieselbe *Geppert* Veranlassung zu einer maasslosen Polemik an verschiedenen Stellen seiner Publication; ich möchte gleich hier dieselbe kurz beleuchten, um eine Probe von der Art seiner Kritik zu geben.

p. 800 der Medic. Wochenschr. liesst *Geppert* folgendes aus meinen Worten heraus:

„Jetzt kommt *Behring* mit der Behauptung, bei meinen Versuchen sei stets Sublimat in die Culturen gekommen, da ich Suspensionen benutzt hätte. Den Thatsachen und der Logik gegenüber ist mir dieser Ausspruch gleich räthselhaft u. s. w."

In Wirklichkeit mache ich aber *Geppert die erste,* von ihm selbst als thatsächlich in Betracht kommend zugestandene, Möglichkeit zum Vorwurf, dass er nämlich bei seinen Culturversuchen zu wenig sporenhaltige Flüssigkeit in den Nährboden übertragen habe. Die *zweite* Möglichkeit kommt deswegen gar nicht zur Geltung, weil *Geppert* selbst das Unzweckmässige derselben eingesehen und sie daher in seinen Versuchen nur probeweise verwirklicht hat. Die wesentliche Ursache, derentwegen ich seine Anwendung flüssiger Testobjecte als unzweckmässig getadelt und als verbesserungsbedürftig bezeichnet habe, verschweigt *Geppert* überall, wo er meine Kritik als unberechtigt hinstellt, und polemisirt statt dessen gegen die mir untergestellte Behauptung, dass er *stets* Sublimat verimpft habe. Hält man sich an die Sache, auf die es uns bei wissenschaftlichen Untersuchungen doch immer ankommen soll, so müssen die auch von *Geppert* urgirten Uebelstände flüssiger Testobjecte bei den Desinfectionsversuchen dazu auffordern, nach besseren zu suchen, und wer längere Zeit sich mit solchen Versuchen beschäftigt hat, ist noch immer auf die von *R. Koch* systematisch durchgeführte Methode zurückgekommen, welche darin besteht, dass man die Bacterien in sehr grosser Menge auf ein kleines Volum bringt, speciell die Milzbrandsporen an Fäden, und zwar an Seidenfäden, antrocknet. Dann kann man, was *Geppert* bei seinen Suspensionen nicht vermocht hatte, für das Thierexperiment und für den Culturversuch „Gleichheit schaffen" (s. o.).

Als nun *Nocht* und später ich selbst in sehr zahlreichen Versuchen unter Beibehaltung der Sporenseidenfäden den andern wesentlichen Theil der *Geppert*'schen Abänderungen, die Fällung des Sublimats mit Schwefelammon, zu unserer alten Prüfungemethode hinzunahmen, nur mit dem Unterschiede, dass wir zur Quecksilberfällung am Seidenfaden sehr starke Schwefelammonlösungen wählten, da erst waren die Ergebnisse derart, dass man sie als einwandsfrei bezeichnen konnte. Es ist uns nie begegnet, dass wir mit Milzbrandsporen Thiere inficiren konnten, wenn mit gleich behandelten Sporen der Culturversuch negativ ausfiel.

Geppert theilt in der Medic. Wochenschr. p. 827 Versuche mit, die er *nach Nocht* und *mir* mit Sporenseidenfäden angestellt hat; soweit sich das aus seiner Darstellung erkennen lässt, hat er jetzt ähnliche Resultate bekommen wie wir, während er in seiner ersten Arbeit mit den Fadenversuchen verunglückt war. Er sagt dort (Berl. klin. Wochenschr. 1889 No. 36): „Aber selbst aus diesen Fäden, die eine Minute im Schwefelammon gelegen hatten, entwickelte sich keine Cultur. Der Niederschlag, den das Schwefelammon erzeugt, hindert wahrscheinlich seinen weiteren Eintritt in den Faden."

Auch jetzt hat er, aber in anderer Beziehung, mit den schwefelammonbehandelten Seidenfäden Unglück gehabt. Er bekam nach dem Einbringen derselben in den Thierkörper Cocceninvasion; auch zeigten sich ihm „die allergrössten Ungleichheiten“ bei ganz gleich behandelten Fäden.

Unrecht ist es, dass *Geppert* meint, Beides musste auch bei *Nocht's* und meinen Versuchen der Fall gewesen sein; ja *Geppert* geht so weit, dass er trotz meiner Versicherung von der Gleichwerthigkeit meiner Sporenseidenfäden, soweit dieselbe praktisch in Frage kommt, direct behauptet: das Material, das *Behring* benutzte, war ungleichwerthig, daher zu vergleichenden Versuchen nicht zu benutzen.“

Es kommt bei uns im hygienischen Institut öfter vor, dass bacteriologische Anfänger mit ähnlichen Klagen kommen, wie die oben von *Geppert* ausgesprochenen. Wir lassen die Herren dann die Versuche immer von Neuem machen, bis solche unglücklichen Zufälle nicht mehr eintreten.

Geppert hat dann noch eine ganze Menge von anderen Bedenken gegen die Sporenseidenfäden. Er sagt (p. 798 d. Medic. Wochenschr.) im Anschluss an meine Darlegung der Gründe, aus welchen ich die Wahl der Sporenfäden für vortheilhafter halte, als die Suspensionen: „Hierzu ist zu bemerken: der Ausdruck „Vortheil“ ist wenig treffend im vorliegenden Falle; es handelt sich darum, welche Methode die richtigeren Resultate giebt.“ Und da ich in einigen Versuchsreihen, in denen ich mit flüssigen milzbrandsporenhaltigen Desinfectionsobjecten und mit Sporenseidenfäden nebeneinander gearbeitet hatte, differirende Resultate bekam; so fährt *Geppert* in seiner Kritik fort: „Was ist die Bedeutung dieser Unterschiede? Entweder die Versuche mit der „Emulsion“ (sporenhaltige *Flüssigkeit)* geben falsche Resultate; davon ist nichts gesagt; oder aber, man kann aus den Versuchen am Seidenfaden keine Schlüsse auf die Widerstandsfähigkeit der Sporen ziehen. Giebt man das aber zu, dann weiss ich überhaupt nicht, wieso gerade die Versuche am Seidenfaden als Normalmethode hingestellt werden. Man erfährt durch diese Versuche im besten Falle nur das eine, wie man nämlich einen Seidenfaden desinficiren kann."

Und dann lässt *Geppert* mit gesperrten Lettern das harte Urtheil drucken:

„So schwebt von vornherein über dem ganzen Abschnitt ein Dunkel. Man weiss nicht, was nun eigentlich durch die angewandte Methode bewiesen werden soll."

Vielleicht wird auch für *Geppert* dies Dunkel sich etwas erhellen, wenn ich ihm mittheile, dass ich gern bei meinen Desinfectionsprüfungen auf die Verhältnisse und Bedürfnisse der praktisch auszuführenden Desinfectionen Rücksicht nehme und deswegen die Testobjecte den wirklichen Desinfectionsobjecten ähnlich zu wählen suche. Nun kann es vorkommen, dass Bacterien in ähnlicher Umgebung zu vernichten sind, wie das bei *Geppert's* durchsichtigen, wässerigen Suspensionen der Fall ist; z. B. wenn wir Trinkwasser mit Chemikalien zu desinficiren hätten. Aber dies kommt doch nur selten vor.

Häufiger schon ist es, dass wir flüssige Desinfectionsobjecte mit reichlichem, organischem Material vor uns haben, z. B. flüssige Abfallstoffe von kranken Thieren und von kranken Menschen; um über die Widerstandsfähigkeit von Bacterien, die sich in solchen flüssigen Medien befinden, ein Urtheil zu gewinnen, nehme ich Bacterien, die ich in reichlicher Menge ins Blutserum bringe oder daran wachsen lasse.

Am allerhäufigsten aber kommt es vor, dass die Desinfectionsobjecte, welche wir mit Chemikalien desinficiren wollen, feste Körper sind; Wäsche, Kleider, Verbandstoffe u. s. w., und solche Desinfectionsobjecte ahme ich nach *Koch's* Vorgang dadurch nach, dass ich die Bacterien an einem Faden antrocknen lasse; man kann ja auch andere Fäden, als Seidenfäden, z. B. Leinenfäden, wählen. Wesentliche Unterschiede in den Resultaten habe ich aber bei vergleichenden Untersuchungen da nicht gefunden.

Mit solchen Alternativen, wie sie *Geppert* hier aufstellt, „entweder ist das eine richtig, dann ist das andere falsch, und umgekehrt" ist es nicht gethan, wir haben eben bei unseren Desinfectionen nicht bloss die nackten Bacterien, sondern auch die Träger derselben zu berücksichtigen; Beides zusammen nennen wir dann „Desinfectionsobject"; Desinfectionsobjecte können aber von verschiedenster Art sein und sind deshalb bald schwerer, bald leichter zu desinficiren.

Wenn aber einmal eine *einheitliche* Methode für orientirende Vorprüfungen gewählt werden soll, dann sind mit Bacterienculturen imprägnirte Seidenfäden als Testobjecte schon deswegen den Flüssigkeiten mit darin suspendirten Bacterien vorzuziehen, weil die ersteren schwerer zu desinficiren sind, wie aus meinen Versuchen hervorgeht.

Bei dieser Gelegenheit möchte ich übrigens darauf aufmerksam machen, dass *v. Lingelsheim* im letzterschienenen Heft der „Zeitschrift für Hygiene" eine sehr zweckmässige Art beschrieben hat, wie auch solche Bacterien, an Seidenfäden haftend, einwandsfrei untersucht werden können, welche das Austrocknen schlecht vertragen.

Damit glaube ich den sachlichen Theil von *Geppert's* Gegenbemerkungen zu meiner Kritik erledigt zu haben.

XVII.

(Mit besonderer Erlaubniss des Herrn Prof. *Pfuhl* abgedruckt.)

Bakteriologische Prüfung der antiseptischen Wirksamkeit der für den Feldgebrauch bestimmten Sublimatverbandstoffe.

Von Dr. **E. Pfuhl**,

Stabsarzt beim medicinisch-chirurgischen Friedrich-Wilhelms-Institut.

In neuerer Zeit ist wiederholt betont worden, dass man bei der Behandlung frischer Wunden eines *antiseptischen* Verbandmaterials nicht bedürfe, sondern mit *aseptischen* Verbandstoffen vollkommen ausreiche. Wie aus den Veröffentlichungen von *Schlange*[1]) und *E. v. Bergmann*[2]) bekannt, werden seit mehreren Jahren auf der chirurgischen Klinik der hiesigen Universität bei frischen, zufällig oder absichtlich, durch Unfall oder Operation erzeugten Wunden mit dem besten Erfolge nur solche Verbandstoffe angewandt, welche nicht mit antiseptischen Mitteln imprägnirt, sondern nur durch strömenden Wasserdampf von 100° sterilisirt sind. Auch ist es wohl nicht zweifelhaft, dass auch sonst überall da, wo die antiseptischen Vorbereitungen der Wunde und deren Umgebung auf das

---

1) *Schlange:* Ueber sterile Verbandstoffe. — Arbeiten aus der chirurgischen Klinik der Königl. Universität Berlin. Herausgegeben von *E. v. Bergmann.* 3. Theil.

2) *E. v. Bergmann:* Die antiseptische Wundbehandlung in der Königl. chirurgisch. Universitätsklinik zu Berlin. Klinisches Jahrbuch. 1. Band.

Strengste durchgeführt und die angelegten Verbände auf das Sorgfältigste überwacht werden, wie in den chirurgischen Kliniken, ein Verbandmaterial genügt, welches antiseptisch, d. h. frei von Erregern der Eiterung und anderer Wundinfectionskrankheiten ist. Ich darf jedoch nicht unerwähnt lassen, dass manche Chirurgen, darunter *J. Lister,* heute noch ein antiseptisch wirksames Verbandmaterial selbst für solche Wunden empfehlen, welche in Kliniken frisch angelegt sind. Um so mehr wird man da, wo die antiseptischen Vorbereitungen für den Verband und die Ueberwachung desselben nicht immer mit aller Vollständigkeit und Sicherheit durchgeführt werden können, *wie im Felde,* verlangen müssen, dass die Verbandstoffe antiseptisch wirksam sind. Dies gilt namentlich für das Verbandpäckchen des Soldaten. Müssen doch bei gewissen Verletzungen, wenn ein Sanitätsoffizier nicht zur Stelle ist, die ersten Verbände durch die Krankenträger vermittelst der Verbandpäckchen angelegt werden. [1])

Da unter solchen Umständen diejenigen Vorbereitungen für den Verband, auf welche am meisten Werth gelegt wird, nämlich die Desinfection der Umgebung der Wunde und die Desinfection der Hände der Krankenträger, nicht ausführbar sind, so muss wenigstens das Verbandmaterial antiseptisch wirksam sein. Selbst dann, wenn sämmtliche Lagen des Verbandes mit Wundflüssigkeiten durchtränkt sind, muss der Sublimatgehalt desselben ausreichen, um die Erreger von Wundinfectionskrankheiten, die etwa von der ungesäuberten Haut aus der Umgebung der Wunde oder von den Fingern der Krankenträger aus in den Verband gelangen, abzutödten oder wenigstens nicht zur weiteren Entwickelung und Vermehrung kommen zu lassen. Ein Verbandmaterial, welches nur aseptisch wäre, würde für solche Fälle nicht genügen, ja beim längeren Liegenbleiben vielleicht sogar eine Brutstätte für Eitererreger

---

1) Vergl. Krankenträger-Ordnung § 20.

u. s. w. abgeben. Selbst *Schlange* (l. c.) giebt zu, dass dann, wenn sehr viel Blut den frischen Verband durchtränkt, so dass an eine schnelle Austrocknung nicht zu denken ist, die Infection einer aseptischen Wunde bei längerem Liegen des sich selbst überlassenen Verbandes möglich ist.

Aber nicht nur das Verbandpäckchen des Soldaten, sondern auch das für die Truppen-Verbandplätze bestimmte Verbandmaterial muss antiseptisch wirksam sein, da auch hier, z. B. wegen Wassermangels, der Fall eintreten kann, dass die antiseptischen Vorbereitungen für den Verband nur unvollkommen ausgeführt werden können.

Wie bekannt, ist die zur Berathung über militärhygienische Fragen im Anschluss an die im Sommer 1883 stattgehabte Ausstellung für Hygiene und Rettungswesen niedergesetzte Konferenz, welcher die hervorragendsten Chirurgen und die erfahrensten Militärärzte angehörten, zu dem Ergebniss gekommen, dass es durchaus nothwendig und sehr wohl möglich sei, jedem Verwundeten den Schutz und die Segnungen der antiseptischen Wundbehandlung angedeihen zu lassen. Hierauf hat die Militärverwaltung nicht gezögert, alles Nöthige für die antiseptische Wundbehandlung im Felde in der umfassendsten Weise vorzubereiten. Namentlich hat sie der Sicherstellung des Verbandmaterials, zu dessen Imprägnirung die Konferenz in erster Linie Sublimat vorgeschlagen hatte, eine besondere Sorgfalt zugewandt und die Bestimmung getroffen, dass die Verbandpäckchen, sowie der grösste Theil des für die Truppen-Verbandplätze vorgesehenen Verbandmaterials schon im Frieden *vorräthig* gehalten werden.[1])

Die Zubereitung des antiseptischen Verbandmaterials für den Feldgebrauch ist aus der Kriegs-Sanitätsordnung, Beil. 5 E. 1 bekannt.

---

1) Vergl. den abgeänderten § 25 und die neue Beilage 5 der Kriegs-Sanitätsordnung.

Man hat nun die Beobachtung[1]) gemacht, dass die Sublimatverbandstoffe schon gleich nach ihrer Herstellung nicht mehr diejenige Menge Quecksilberchlorid besitzen, die sie nach der Menge der dazu verwandten Sublimatlösung enthalten sollen. Wie *Proskauer* im hiesigen hygienischen Institut neuerdings feststellte, beträgt der Sublimatgehalt frischer Verbandstoffe im Durchschnitt nur 0,32 %. Ferner haben vielfache chemische Untersuchungen solcher Sublimatverbandstoffe, die eine Zeit lang gelagert hatten, ergeben, dass das Sublimat in den Verbandstoffen allmählich abnimmt, indem es sich zersetzt und in unlösliche Verbindungen übergeführt wird.

Es fragte sich nun, welches der geringste Gehalt an Sublimat wäre, bei welchem der Verbandstoff noch antiseptisch wirkt.

Zur Entscheidung dieser Frage unterzog ich vom April bis Dezember vorigen Jahres eine grössere Zahl von Sublimat - Verbandpäckchen einer bakteriologischen Untersuchung.[2]) Die untersuchten Verbandpäckchen stammten aus Berlin, Münster, Hannover, Karlsruhe, Cassel, Magdeburg, Stettin, Breslau und Königsberg und waren von sehr verschiedenem Alter. Die Zeit, die nach ihrer Herstellung verstrichen war, betrug 1 Tag bis 2 $^1/_2$ Jahre. Gleichzeitig mit der von mir ausgeführten bakteriologischen Untersuchung wurden Verbandpäckchen derselben Herkunft und gleichen Alters von Herrn *Proskauer*, Assistenten am hygienischen Institut der hiesigen Universität, chemisch untersucht. *Proskauer* benutzte dabei zur Bestimmung

---

1) Vergl. *Salzmann* und *Wernicke:* Die Sublimatverbandstoffe. Deutsche militärärztliche Zeitschrift. 1889. Heft 11.

2) Bei diesen Untersuchungen wurde auch die Frage entschieden, wie lange die gemäss der Kriegs-Sanitätsordnung angefertigten Verbandpäckchen antiseptisch wirksam bleiben. Ueber die Untersuchungsresultate ist unter dem 31. Dezember 1889 an die Militärverwaltung berichtet worden.

des Sublimatgehaltes die gewichtsanalytische Methode nach *Rose*.

Bevor ich die von mir angewandte Methode näher beschreibe, möchte ich daran erinnern, dass schon vor einigen Jahren von *Schlange* (l. c.) und *Laplace*[1]) Prüfungen der antiseptischen Wirkung der Sublimatverbandstoffe vorgenommen sind. Doch fielen dieselben so ungünstig aus, dass es damals gar nicht in Frage kam, nach der *Grenze der Wirksamkeit* dieser Verbandstoffe zu forschen.

Beide Forscher haben bei ihren Versuchen die Sublimatgaze in sterilisirten Schalen mit flüssigen Nährmitteln durchtränkt, die der frischen Wundflüssigkeit fast gleich oder wenigstens sehr nahe kamen, *Schlange* mit frischem Blut oder Hydroceleflüssigkeit, *Laplace* mit Rinderblutserum. Ersterer hatte vorher zwischen die Gazeschichten Stückchen zunächst sterilisirter und dann mit dem Bacillus pyocyaneus geimpfter, einfacher Gaze ausgesäet, letzterer gleich das Rinderblutserum mit einer Mischung von Reinkulturen der sogenannten Eiterbakterien versetzt. *Schlange* liess die Schalen bei etwa 18° R. minuten- bis stundenlang stehen und übertrug dann die geimpften Gazepartikelchen auf Gelatine. *Laplace* hielt die Schalen 24 Stunden lang bei 36° im Brütschrank, brachte dann ein Stückchen von der Gaze in ein Reagensröhrchen mit steriler Bouillon, schüttelte es gründlich mit derselben und übertrug dann etwa zehn Platinösen dieser Flüssigkeit in flüssige Gelatine. In allen Fällen zeigte es sich, dass sich die in Frage kommenden Bakterien in der Gelatine weiter entwickeln. *Laplace* hat daraufhin die antiseptischen Eigenschaften der Sublimatverbände *für nicht hinreichend*, *Schlange für rein hypothetisch* erklärt.

Ich gestatte mir dabei schon jetzt zu bemerken, *dass*

---

1) *Laplace:* Saure Sublimatlösung als desinficirendes Mittel und ihre Verwendung in Verbandstoffen. Deutsche medicinische Wochenschrift 1887. No. 40.

meine Untersuchungsresultate nicht so entmuthigend waren, wie die von Laplace und Schlange. Beide haben leider ihre Untersuchungsmethoden sehr wenig ausführlich beschrieben, namentlich nicht näher angegeben, wie viel Prozent Sublimat die untersuchten Verbandstoffproben bei der Prüfung noch besassen und wie gross die Menge des hinzugesetzten flüssigen Nährmittels im Verhältniss zum Gewicht der Gaze war. Es ist deshalb möglich, dass auch dann, wenn sich alles in der Gaze enthaltene Sublimat in der Durchtränkungsflüssigkeit löste, der Prozentgehalt zu gering war, um eine antiseptische Wirkung auszuüben.

Ferner ist von beiden Forschern nicht festgestellt worden, ob die Bakterien in der durchtränkten Sublimatgaze sich vermehrt hatten oder nicht. Dies ist aber für die Beurtheilung der Verbandstoffe von grosser Wichtigkeit, *da ein Verband so lange antiseptisch wirkt, als er die in denselben hineingelangten Bakterien in ihrer Fortentwickelung und in ihrem Wachsthum hemmt.*

Der Umstand, dass die gefundenen ungünstigen Resultate nicht den sonst so gerühmten Leistungen der Sublimatverbände entsprachen, hat damals weder bei *Schlange* noch bei *Laplace* Zweifel an der Richtigkeit oder an der allgemeinen Giltigkeit ihrer Resultate veranlasst, da beide glaubten, für dieselben eine genügende Erklärung zur Hand zu haben. *Schlange* führt das Urtheil eines Chemikers an, wonach in der blutigen Sublimatgaze das gesammte Sublimat sich mit äquivalenten Theilen des Bluteiweisses zu Quecksilberalbuminat verbunden hätte und in Folge dessen freies und wirksames Sublimat in den blutigen Verbandstoffen gar nicht mehr vorhanden, dagegen ein grosser Ueberschuss von Blut frei und der Zersetzungsmöglichkeit preisgegeben gewesen wäre. Auch *Laplace* glaubte gefunden zu haben, dass das Sublimat nur von sehr bedingtem Werth sei, wenn es bei einer so stark eiweisshaltigen Substanz in Anwendung kommt, wie es das Blut ist.

Es ist dem gegenüber anzuführen, dass *J. Lister* damals schon einige Jahre lang Serosublimat als wirksames Imprägnirungsmittel für Verbandgaze benutzte. *J. Lister*[1] sagt in einem Vortrage vor der Medical Society of London am 4. September 1889 in Bezug hierauf wörtlich Folgendes: „I had ascertained (five years ago) that when corrosive sublimate precipitates albumen, the precipitate is not, as had been generally supposed, an albuminate of mercury, that is to say, a combination of albumen as an acid with mercury as a base; in other words, that the albumen does not displace the chloride from its combination, but *that the bichloride of mercury retains its properties intact, the* albumen being loosely associated with it, in a species of solid solution, if I may so speak. Further, I had found that this precipitate, even after drying, is capable of baing dissolved in the serum of the blood, and that the solution in blood serum is powerfully antiseptic.“

Am meisten hat jedoch zur Klarlegung der Sache *Behring* beigetragen, welcher uns durch eine Reihe von Veröffentlichungen[2] die antiseptischen Wirkungen des Sublimats in eiweisshaltigen Flüssigkeiten genauer kennen gelehrt hat.

Was das von mir angewandte Verfahren anlangt, so bin ich im Grossen und Ganzen der *Laplace*'schen Methode gefolgt, wobei ich mich bemühte, dieselbe dem heutigen Stande der Wissenschaft entsprechend auszubilden und zu erweitern. Gewöhnlich wurden zwei bis drei Verband-

---

1) *J. Lister:* An address on a new antiseptic dressing. The British medical journal, Nov. 9. 1889.

2) *Behring:* Ueber Quecksilbersublimat in eiweisshaltigen Flüssigkeiten. Centralbl. für Bakteriologie und Parasitenkunde 1888. No. 1 und 2. *Behring:* Beiträge zur Aetiologie des Milzbrandes. Zeitschrift für Hygiene. Bd. VI. und *Behring:* Ueber die Bestimmung des antiseptischen Werthes chemischer Präparate mit besonderer Berücksichtigung einiger Quecksilbersalze. Deutsche Medicinische Wochenschrift 1889. No. 41 bis 43.

päckchen verschiedenen Alters gleichzeitig untersucht. Ausserdem wurde jedesmal zur Controle ein Verbandpäckchen in die Untersuchung hineingezogen, welches in der üblichen Weise, jedoch *ohne Sublimat,* angefertigt und dann im *Koch*'schen Dampfkochtopf sicher sterilisirt war. Zunächst wurden 30 bis 40 grm sterilisirtes flüssiges Rinderblutserum mit zwei Platinösen einer Bouilloncultur von Staphylococcus pyogenes aureus versetzt und in einem *Erlenmeyer*'schen Kölbchen eine viertel bis eine halbe Stunde geschüttelt, um die Eiterkokken gleichmässig zu vertheilen. Rinderblutserum wurde deshalb genommen, weil es von allen im Laboratorium zur Verfügung stehenden Nährmitteln der Wundflüssigkeit frischer Wunden, welche ja aus Blut und serösem Transsudat besteht, am nächsten kommt. Von den Bakterien der Wundinfectionskrankheiten wurde zu den Versuchen die gegen Sublimat widerstandsfähigste Art, der Staphylococeus pyogenes aureus, gewählt. Unmittelbar, nachdem die Durchtränkungsflüssigkeit zubereitet war, wurde in einer sterilisirten *Petri*'schen Doppelschale eine Verbandmittelprobe abgewogen, dann mit der fünffachen Gewichtsmenge der präparirten Flüssigkeit langsam übergossen und darauf vermittelst zweier sterilisirter Pincetten ein wenig geknetet, um die Flüssigkeit darin gleichmässig zu vertheilen und den Uebergang des im Verbandmaterial vorhandenen Sublimats in die Durchtränkungsflüssigkeit zu erleichtern. Die Verbandmittelprobe wurde so gross gewählt, dass ihr Gewicht etwa 2 grm betrug. Dabei wurde sie stets aus den Mullcompressen entnommen, da diese den für die Wundbehandlung wichtigsten Theil des Verbandpäckchens darstellen. Auch die chemische Untersuchung erstreckte sich nur auf die Mullkompressen der Verbandpäckchen.

Das Verhältniss des Gewichts der Mullprobe zum Gewicht der Durchtränkungsflüssigkeit betrug bei allen Versuchen 1 : 5. Dieses Verhältniss war auf Grund von Untersuchungen gewählt worden, welche ich unternommen hatte, um diejenige Menge Wundflüssigkeit zu bestimmen, die von den Verbänden im Falle vollständiger Durchtränkung aufgenommen werden könnte. Leider hatte ich keine Gelegenheit, dies an Verwundeten selbst zu ermitteln. Ich musste mich deshalb damit begnügen, ein abgewogenes Stück Compresse in achtfacher Lage[1]) des Mulls, nachdem es mit frischem Blutserum überreich durchtränkt war, um ein *Erlenmeyer*'sches Kölbchen oder um einen Glascylinder zu legen und mit einer Cambrikbinde so fest zu umwickeln, wie es bei einem vermittelst des Verbandpäckchens angelegten Wundverbande der Fall sein würde. Hierbei floss ein Theil des Blutserums aus der Compresse aus. Als nun der Verband abgenommen und die Compresse gewogen wurde, ergab es sich bei den verschiedenen Versuchen, dass das Gewicht des in der Compresse zurückgebliebenen Blutserums im Durchschnitt das Fünffache des Gewichts der Compresse betrug. Da die Verbandpäckchen sich auch noch bei vollständiger Durchtränkung mit Wundflüssigkeit bewähren sollen, so wurden die Verbandstoffproben stets in diesem Zustande geprüft. Wenn man Compressen, während sie locker in einer Schale liegen, mit Blutserum übergiesst, so vermögen sie das Sechsfache ihres Gewichts und mehr aufzusaugen; doch kommt dies bei den Verbänden in Wirklichkeit wohl kaum vor, da hier die Compressen durch die Binden immer etwas zusammengedrückt werden. Nimmt man dagegen Verbandgaze, die stärker zusammengepresst ist, als in den vorschriftsmässigen Verbandpäckchen, so kann es vorkommen, dass dieselbe nicht einmal die fünffache Gewichtsmenge Blutserum aufzusaugen vermag.

Die Fälle, in denen die Wundflüssigkeit den Verband nicht nur vollständig durchtränkt, sondern auch noch aus

---

1) Nach Vorschrift der Kriegs-Sanitätsordnung, Beil. 5, E, 2, b ist bei Anlegung eines Nothverbandes mittelst des Verbandpäckchens der Mull in achtfacher Lage auf die Wunde zu legen.

demselben austritt, sind bei der Untersuchung nicht berücksichtigt worden, weil unter solchen Umständen ein unberechenbarer Theil des Sublimats ausgelaugt wird und verloren geht.

Erwähnen möchte ich hier noch, dass das Wundsecret, sobald es erst eitrig geworden ist, viel schwerer in den Verband eindringt, und dass das Sublimat, wie bereits *Behring*[1]) betont hat, im Eiter weniger antiseptisch wirkt, als im Blutserum. Doch sollen ja die Verbandpäckchen im Kriege nicht bei eiternden, sondern bei frischen Wunden in Anwendung kommen.

Die Prüfung wurde in der Weise fortgesetzt, dass die Doppelschalen mit den durchtränkten Stücken Sublimatgaze in den Brütschrank gestellt und daselbst bei einer Temperatur von 35 ° C. gehalten wurden, also bei einer Temperatur, wie sie derjenigen in den Verbänden nahe kommt.

Nur ein Gazestück, welches kein Sublimat enthielt und nur der Controle wegen mit der erwähnten Flüssigkeit durchtränkt war, wurde nicht gleich in den Brütschrank gebracht, sondern zunächst vermittelst zweier sterilisirter Pincetten wieder ausgepresst, um die Menge der darin enthaltenen entwickelungsfähigen Eiterkokken festzustellen. Zu dem Ende wird mit einer sterilisirten *Koch*'schen Spritze ein Theil der ausgepressten Flüssigkeit aufgesogen und ein Tropfen davon in ein Reagensröhrchen mit verflüssigter Gelatine fallen gelassen. Dieses Controlröhrchen wurde nun nach der *von Esmarch*'schen Methode ausgerollt und liess nach einigen Tagen erkennen, wie viel entwickelungsfähige Eiterkokken in einem Tropfen der ausgepressten Flüssigkeit vorhanden gewesen waren. Die Colonien, die sich daraus entwickelt hatten, wurden vermittels des *von Esmarch*'schen Zählapparats gezählt.

---

1) *Behring:* Ueber Quecksilbersublimat in eiweisshaltigen Flüssigkeiten. A. a. O.

Zur Abmessung eines Tropfens wurde bei sämmtlichen Versuchen immer dieselbe *Koch*'sche Spritze gebraucht. Die einzelnen Tropfen von Blutserum, die bei gelindem Druck auf den Gummiballon daraus entfielen, waren gleich gross und betrugen $^1/_{56}$ ccm. Es stellte sich dabei heraus, dass bei allen Versuchen das präparirte Blutserum entwickelungsfähige Eiterkokken enthielt, und dass die Zahl der letzteren in einem Tropfen oder in $^1/_{56}$ ccm ausgepresster Flüssigkeit bei den einzelnen Versuchen verschieden war und zwischen 121 bis 16600 schwankte. In den Controlröhrchen entwickelten sich keine anderen Colonien, als solche von Staph. aur. Wurde das sublimatfreie Gazestück wiederum mit der ausgepressten Flüssigkeit durchtränkt und wie die sublimathaltigen Gazestücke in den Brütschrank gebracht, so ergab die Untersuchung am nächsten Tage, dass ein Tropfen bereits unzählige entwickelungsfähige Keime enthielt. Da sich dies bei mehreren Versuchen stets wiederholte, so wurde das betreffende Gazestück, nachdem das erste Controlröhrchen beschickt war, überhaupt nicht mehr in den Brütschrank gestellt.

Die durchtränkten sublimathaltigen Gazestücke dagegen wurden immer erst untersucht, nachdem sie 24 Stunden im Brütschrank verweilt hatten. Die Prüfung ergab nun, ob das Verbandmaterial auch dann seinen Zweck erfüllt hätte, wenn der erste Nothverband nicht vor 24 Stunden hätte gewechselt werden können.

Die Auspressung der Durchtränkungsflüssigkeit wurde jedoch nicht in der Schale vorgenommen, die im Brütschrank gestanden hatte. Vielmehr wurde erst die durchtränkte Gaze aus dieser Schale behutsam herausgehoben und in eine leere sterilisirte Schale übertragen. Dies war deshalb nothwendig, weil es beim Durchtränken und Kneten der Gaze nicht zu vermeiden gewesen war, dass sich die Flüssigkeit auf dem Boden der Schale über einen weiteren Raum ausbreitete, als das Gazestück bedeckte. Es war deshalb nicht ausgeschlossen, dass in den Flüssigkeitsspuren auf dem Boden der Schale, die sich ausserhalb der Gaze befanden, die Eiterkokken nicht abgetödtet wurden, wenn dies auch mit den in der Gaze befindlichen Kokken geschah. Wäre das Auspressen in derselben Schale vorgenommen worden, so hätte eine Verunreinigung der ausgepressten Flüssigkeit mit ungeschädigten Kokken stattfinden können.

Von der ausgepressten Flüssigkeit wurde ebenso, wie beim Controlversuch, mit der *Koch*'schen Spritze ein Tropfen (= $^1/_{56}$ ccm) auf ein Reagensröhrchen übertragen, welches etwa 7 ccm Gelatine enthielt. Seit dem Erscheinen der *Geppert*'schen Arbeit: „Zur Lehre von den Antisepticis" (Berliner Klinische Wochenschrift 1889, No. 36 und 37) wurde noch ein zweiter Tropfen in ein Reagensröhrchen mit 5 ccm sterilisirtem, flüssigem Blutserum gebracht und hierauf die ausgepresste Flüssigkeit, die gewöhnlich 4 bis 6 ccm betrug, in der Schale mit zwei Tropfen Schwefelammonium[1]) vermischt, um das darin noch vorhandene Sublimat zu fällen. Nachdem dies geschehen, wurden zwei Platinösen voll auf ein zweites Gelatineröhrchen übertragen. Die *Koch*'sche Spritze konnte dabei nicht benutzt werden, weil die Stahlcanüle von dem überschüssigen Schwefelammonium zu stark angegriffen wurde.

Die Gelatineröhrchen wurden ausgerollt, bei Zimmertemperatur aufbewahrt und bis zu 14 Tagen beobachtet, da manchmal die Entwickelung der Colonien sich verzögerte und mehrere Tage später eintrat als in den Controlröhrchen. Das Blutserumröhrchen ward in den Brütschrank gestellt. Ein abweichendes Verhalten der drei Röhrchen in Bezug auf die Entwickelung oder Nichtentwickelung des Staph. aur. wurde bei den von mir angestellten Versuchen nicht bemerkt. Es mag dazu der Umstand beigetragen haben, dass der Sublimatgehalt der

1) Durch Controlversuche wurde festgestellt, dass dieser Zusatz von Schwefelammonium auf die Eiterkokken in 4 bis 6 ccm nicht schädlich einwirkte.

Gelatine des ersten Reagensröhrchens sehr gering war und in den Fällen, wo die 24stündige Einwirkung des Sublimats die Eiterkokken noch nicht abgetödtet hatte, keine wachsthumshemmende Wirkung mehr ausübte. Wie aus der Tabelle S. 403 hervorgeht, kam es nicht mehr zur Entwickelung des Staph. aur. in der Gelatine, wenn der Sublimatgehalt der Compresse eben noch 0,0892 % betrug. Da die Compresse mit der fünffachen Gewichtsmenge Blutserum durchtränkt worden war, so konnte die ausgepresste Flüssigkeit höchstens 0,0892 Gewichtstheile Sublimat auf 500 enthalten. Wurde ein Tropfen aus der *Koch*'schen Spritze oder $^{1}/_{56}$ ccm auf 7 ccm Gelatine übertragen und mit dieser gut vermischt, so musste 1 grm Sublimat auf etwa 2 200000 ccm Gelatine kommen. Während 1 grm Sublimat in $1^{1}/_{2}$ Millionen ccm Gelatine auf Staph. aur. noch deutlich eine entwickelungshemmende Wirkung ausübt, ist dies bei einem Verhältniss von 1 auf 2 Millionen und darüber nicht mehr der Fall, wie ich mich durch eigene Versuche überzeugte.

Die Uebertragung eines Tropfens in ein Reagensröhrchen mit Blutserum geschah deshalb, weil in diesem Nährmittel die entwickelungshemmende Wirkung des Sublimats viel geringer ist als in der Gelatine. Diejenigen Blutserumröhrchen, in welche entwickelungsfähige Staphylokokken hineingelangt waren, zeigten nach ein- oder mehrtägigem Verweilen im Brütschrank einen gelben Bodensatz, welcher sich von dem geringen weisslichen Bodensatz, der sich manchmal in den Blutserumröhrchen vorfindet und aus Detritusmassen besteht, leicht unterscheiden lässt. Da man von den Bouillonculturen des Staph. aur. gewöhnt ist, die ganze Flüssigkeit getrübt zu sehen, so kann es leicht vorkommen, dass man bei Culturversuchen mit Blutserum die Fortentwickelung des Staph. aur. übersieht, da derselbe nur auf dem Boden des Reagensgläschens fortwuchert, die darüber stehende Flüssigkeit aber ungetrübt lässt.

Wenn in den Reagensröhrchen, die mit je einem Tropfen der ausgepressten Flüssigkeit beschickt waren, keine Colonien von Staph. aur. auftraten, so mussten die Eiterkokken durch das Sublimat der Gaze in 24 Stunden abgetödtet sein, zumal die Durchtränkungsflüssigkeit, wie der vorher angestellte Controlversuch ergeben hatte, ursprünglich so reich mit entwickelungsfähigen Eiterkokken versehen war, dass in jedem Tropfen der ausgepressten Flüssigkeit noch Hunderte und mehr sich befanden. Nur dann, wenn die Eiterkokken abgestorben waren, wurde das Verbandpäckchen als antiseptisch wirksam angesehen.

Man könnte dagegen einwenden, dass eine Abtödtung der Eiterkokken gar nicht nothwendig ist, dass es schon genügt, wenn dieselben durch den Sublimatverband nur in der Weiterentwickelung gehemmt werden. Dieser Einwurf würde berechtigt sein, wenn die Wirksamkeit des Sublimats in eiweisshaltigen Flüssigkeiten gleichmässig erhalten bliebe. Dies ist jedoch nicht der Fall, wie Versuche ergaben, die ich im April 1889 noch vor der Prüfung der Verbandpäckchen selbst über die entwickelungshemmende Wirkung des Sublimats auf Staph. aur. in Rinderblutserum nach dem *Behring*'schen Verfahren anstellte. Zu dem Ende wurden Seidenfädchen benutzt, die mit einer frischen Bouilloncultur von Staph. aur. imprägnirt und dann getrocknet waren.

Bei Präparaten, die am 8. April 1889 angefertigt waren, zeigte sich nach 24stündigem Verweilen im Brütschrank (am 9. April 1889)

I.	im reinen Blutserum (Controle)		reichliches Wachstsum,
II.	in der Lösung von	1 : 7246	geringeres Wachsthum,
III.	„ „ „ „	1 : 5435	kein Wachsthum,
IV.	„ „ „ „	1 : 4348	desgl.
V.	„ „ „ „	1 : 3623	desgl.

Nach weiteren 24 Stunden (am 10. April 1889) war bei Präparat III (1 : 5435) an einem Ende des Fädchens Wachsthum eingetreten, während sich bei den übrigen Präparaten keine Aenderung zeigte. Am 11. April 1889 dasselbe Verhalten, nur hatte in Präparat III längs des ganzen Fadens eine Wucherung von Staph. pyog. aur. stattgefunden. Am 12. April 1889 wurden die Fädchen aus Präparat IV und V in reines Blutserum gelegt, um zu prüfen, ob sie noch entwickelungsfähige Kokken enthielten. Auch hier trat kein Wachsthum ein. Die daran haftenden Staphylokokken mussten also schon nach 24stündigem Verweilen in Lösungen von 1 : 4384 (IV) und 1 : 3623 (V) abgetödtet sein. Die Staphylokokken dagegen, die in der Lösung 1 : 5435 (III) innerhalb 24 Stunden nicht abgestorben, sondern nur in ihrer Entwickelung gehemmt waren, kamen in den nächsten 24 Stunden zur Auskeimung und bei noch längerem Verweilen im Brütschrank zu reichlichem Wachsthum. Das Reagensröhrchen mit Blutserum, welches zu den angeführten Versuchen benutzt war, und schliesslich einen Sublimatgehalt von 1 : 3625 erhalten hatte, wurde vor Licht geschützt bei Zimmertemperatur in einem verschlossenen Schrank sieben Tage lang aufbewahrt. Als nun in einen Tropfen dieser Lösung ein Seidenfädchen mit Staph. aur. gebracht wurde, trat in 24 Stunden eine reichliche Entwickelung ein, während dieselbe Lösung im frischen Zustande Staph. aur. abgetödtet hatte. Diese Beobachtung, sowie das Verhalten von Präparat III deuteten darauf hin, dass das Sublimat im Blutserum allmählich seine Wirksamkeit einbüsst. Als das Reagensröhrchen genauer untersucht wurde, sah man in demselben einen schwarzgrauen Bodenzatz, welcher vorwiegend aus metallischem Quecksilber bestand. Danach beruhte also das allmähliche Unwirksamwerden des Sublimats im Blutserum auf einer Reduction des ersteren, wie es auch *Behring* [1]) gefunden hat.

---

1) *Behring:* Ueber die Bestimmung des antiseptischen Werthes chemischer Präparate. A. a. O.

Wenn nun nach den ersten 24 Stunden noch das Vorhandensein von entwickelungsfähigen Eiterkokken, jedoch keine Zunahme derselben nachgewiesen wird, so muss man zwar zugeben, dass in dieser Zeit der Verband antiseptisch gewirkt hat, doch kann man nicht mit Sicherheit darauf rechnen, dass er auch weiter wirksam bleibt, da beim längeren Liegenbleiben des Verbandes, wie es ja im Kriege vorkommen kann, in Folge des allmählichen Unwirksamwerdens des Sublimats die bis dahin nur in der Entwickelung gehemmten Kokken nun anfangen könnten, sich zu vermehren.

Würde man das Verbandmaterial mit einem antiseptischen Mittel imprägniren, welches in der Wundflüssigkeit nicht allmählich seine Wirksamkeit verliert, so könnte man sich mit dem Nachweis der entwickelungshemmenden Wirkung begnügen. Das Blutserum, welches bei den erwähnten Vorversuchen zur Verwendung kam, reichte nicht für die Prüfung sämmtlicher Verbandpäckchen aus. Es musste deshalb noch zweimal frisches Blutserum besorgt werden. Die Untersuchung wurde so lange fortgesetzt, bis sich aus den Ergebnissen derselben ersehen liess, welches der geringste Gehalt an Sublimat wäre, bei welchem noch das Verbandmaterial antiseptisch wirkt.

Es geht nun aus folgender Tabelle hervor, dass Verbandpäckchen, die bei den Untersuchungen mit der gewichtsanalytischen Methode, wie sie *Proskauer* geübt hat, noch 0,0892 % *oder mehr Sublimat in ihren Compressen enthielten, antiseptisch wirksam waren* (No. 1 bis 4), dagegen diejenigen, die weniger enthielten (No. 5 bis 9), sich als unwirksam erwiesen. Dass sich eine so genaue Grenze finden liess, lag wohl daran, dass bei den entscheidenden Versuchen ein und dasselbe Blutserum, sowie dieselbe Cultur von Staph. aur. zur Verwendung kamen. Von Wichtigkeit war auch der Umstand, dass bei den chemischen Untersuchungen eine so genaue Methode, wie die gewichtsanalytische, zur Anwendung kam, und dieselbe

Nummer des Verbandpäckchens	Zeit des Versuchs	Sublimatgehalt in Procent $HgCl_2$	Controle: Zahl der entwickelungsfähigen Keime (Staph. aur.) in 1 Tropfen der Durchtränkungsflüssigkeit	Zahl der entwickelungsfähigen Keime (Staph. aur.) in 1 Tropfen der Durchtränkungsflüssigkeit nach 24 Stunden	Bemerkungen.
1	23. 4. 89	0,3 (frisches Päckchen)	121	0	Auch in den nächsten Tagen kein Wachsthum.
2	10. 5. 89	0,13	3243	0	desgl.
3	13. 7. 89	0,11	975		
4	29. 10. 89	0,0892	840	0	
5	13. 7. 89	0,088	975	sehr zahlreich	
6	13. 7. 89	0,08	975	12870	
7	1. 7. 89	0,069	1080	6000	
8	1. 5. 89	0,044	16600	20020	
9[1]	23. 4. 89	0,023 (2½ Jahre altes Päckchen)	121	21000	Am zweiten Tage bereits 28000 Keime und am 3. Tage unzählige.
Verbandpäckchen, imprägnirt mit Weinsäure-Sublimat. 1	29. 5. 89	0,32	2275		
Verbandpäckchen, imprägnirt mit Weinsäure-Sublimat. 2	11. 11. 89	0,276	567	[illegible]	
Mull, gegen Ende September 1889 imprägnirt mit Weinsäure-Subl. 0,1 %	11. 11. 89	0,09	567	2925	Die imprägnirten Mullstücke waren in rothem Packpapier aufbewahrt.
Mull, gegen Ende September 1889 imprägnirt mit Weinsäure-Subl. 0,15 %	16. 11. 89	0,119	450	0	
Mull, gegen Ende September 1889 imprägnirt mit Weinsäure-Subl. 0,15 %	25. 11. 89	—	580	0	

1) Eine vollständige Tabelle, welche das Ergebniss von 20 Verbandpäckchen-Untersuchungen umfasst und sowohl das Alter der untersuchten Päckchen, als auch den Herstellungsort angiebt, ist der Militärverwaltung eingereicht worden.

von einem so geübten Chemiker, wie *Proskauer*, ausgeführt wurde. Zum Vergleich liess ich einige Male nach derselben Methode einen jungen Apotheker arbeiten. Doch vermochte derselbe in Folge geringerer Uebung nie so übereinstimmende Resultate zu erhalten, wie *Proskauer*. Die erwähnte Grenzzahl stimmt also nur für den Fall, dass die chemische Untersuchung nach der gewichtsanalytischen Methode und von einem geübten Chemiker ausgeführt wird. Dann genügt aber schon die chemische Untersuchung allein zur Feststellung der antiseptischen Wirksamkeit der Sublimatverbandstoffe.

Die Untersuchung wurde dann noch auf solche Sublimatgaze ausgedehnt, welche zu Packeten von 40 m gepresst und in rothes Packpapier eingeschlagen war. Ein Pressstück, welches im November 1886 angefertigt war, wies noch nach 2 Jahren 7 Monaten 0,12 % Sublimat und eine genügende antiseptische Wirksamkeit auf. *Ein anderes Packet enthielt nur noch 0,089 % Sublimat, doch war dasselbe noch antiseptisch wirksam, was mit dem Verhalten des Verbandpäckchens No. 4,* das 0,0892 % enthielt und ebenfalls antiseptisch wirksam war, übereinstimmt.

Ferner kamen noch Verbandpäckchen zur Untersuchung, welche mit Sublimat und zugleich mit Weinsäure imprägnirt waren. Ihr Sublimatgehalt verhielt sich zu dem der früher untersuchten wie 8 : 5.

Eines dieser Verbandpäckchen hatte nach 1 Jahr 4 Monaten noch einen Sublimatgehalt von 0,32 %, ein anderes nach 1 Jahr 9 Monaten noch 0,276 %. Beide zeigten sich dabei antiseptisch wirksam. Um zu prüfen, wie weit der Gehalt an Weinsäure-Sublimat heruntergehen darf, ohne dass dabei die antiseptische Wirksamkeit leidet, liess ich Ende September 1889 zwei Gazestücke von 50 grm Gewicht mit 0,1 bezw. 0,15 % Sublimat und der vierfachen Menge Weinsäure imprägniren. Als diese Gazestücke 1 ½ Monat darauf untersucht wurden, wirkte das erstere nicht mehr antiseptisch, obwohl sein Sublimatgehalt noch

0,09 % betrug, das zweite dagegen, welches noch 0,119 % Sublimat nachweisen liess, wirkte vollkommen antiseptisch. *Die Grenze für die antiseptische Wirkung der Weinsäure-Sublimat-Verbandstoffe muss also zwischen 0,09 und 0,119 %* liegen. Ein antiseptisches Verhalten zeigte sich auch bei einem Versuch, der 14 Tage später mit dem zweiten Gazestück unternommen wurde. Dabei waren die beiden Versuche nicht einmal unter den oben geschilderten Vorsichtsmassregeln angestellt worden, wie ja auch durch die Krankenträger die Verbände nicht mit desinficirten Händen angelegt werden können. Das Gazestück, das auf seine antiseptische Wirksamkeit geprüft werden sollte, fasste ich mit den Fingern an, ohne dieselben vorher desinfizirt zu haben, wog es auf einer Wagschale ab, die nur oberflächlich abgewischt war, und legte es dann in eine nicht sterilisirte Doppelschale. Nachdem es hierauf mit Blutserum übergossen war, welches entwickelungsfähige Eiterkokken enthielt, wurde die Schale in den Brütschrank gestellt. Nach 24 Stunden wurde das durchtränkte Gazestück mit sterilisirten Pincetten in eine sterilisirte Doppelschale übertragen und nun in der oben beschriebenen Weise weiter behandelt. Bei den beiden in dieser Weise ausgeführten Versuchen hatte der Sublimatgehalt ausgereicht, um nicht nur die Eiterkokken, sondern auch diejenigen Bacterien zu tödten, welche von den Fingern, der Wage und der Schale auf die Gaze gelangt waren.

Dies war jedoch nur Zufall. Wären unter den verunreinigenden Bacterien solche gewesen, die dem Sublimat stärkeren Widerstand entgegengesetzt hätten, so würden dieselben in den Gelatine- und Blutserum-Röhrchen, worin Proben der ausgepressten Flüssigkeit vertheilt waren, sich weiter entwickelt haben. Es wäre dann nichts übrig geblieben, als die entwickelten Colonien noch daraufhin zu untersuchen, ob sich solche von Staph. aur. darunter befänden oder nicht. Denn nur auf das Verhalten dieses Bacteriums kam es bei den in Rede stehenden Versuchen an. Ob andere zufällig hineingerathene, nicht pathogene Bakterien im Sublimatverbande zu Grunde gehen oder nicht, ist gleichgiltig. Es erscheint deshalb am zweckmässigsten, keine anderen Bakterien als die Eiterkokken in das zu prüfende Verbandmaterial hineingelangen zu lassen und so zu verfahren, wie ich es bei der Prüfung der Verbandpäckchen gethan habe.

Hat man ein Verbandmaterial zu untersuchen, das mit einem anderen Antisepticum imprägnirt ist, so muss man die besonderen Eigenschaften desselben berücksichtigen und das Prüfungsverfahren danach abändern. Ist z. B. nicht der Staph. aur., sondern einer von den übrigen Erregern der Wundinfectionskrankheiten am widerstandsfähigsten gegen das betreffende Antiseptikum, so wird man zweckmässig dieses andere Bacterium für die Prüfung verwerthen.

Ferner wird man dann, wenn das Antiseptikum, abweichend von dem Verhalten des Sublimats, in Blutserum nichts an Wirksamkeit einbüsst, sich damit begnügen können, festzustellen, ob die Bacterien in der Durchtränkungsflüssigkeit sich nach einer gewissen Zeit vermehrt haben oder nicht, da schon im letzteren Falle eine antiseptische Wirkung vorläge. Sollten einmal später die Verbandpäckcken anders verpackt und dabei die Compressen stärker zusammengedrückt werden, so dass sie nicht so viel Secret aufzunehmen vermögen, wie jetzt, so müsste die grösste Aufnahmefähigkeit des Verbandes für Sekret vor dem Versuche noch besonders bestimmt werden.

Zum Schluss gestatte ich mir noch kurz anzuführen, dass nach meinen Erfahrungen die nach Anleitung der Kriegs-Sanitätsordnung angefertigten Sublimatverbandstoffe nach dem Trocknen steril bleiben, wenn sie vor Staub geschützt aufbewahrt werden.

XVIII.

Ueber bacterienfeindliche Eigenschaften verschiedener Blutserumarten.

Ein Beitrag zur Immunitätsfrage.

Von **F. Nissen** und **Behring.**

(Aus dem hygienischen Institut der Universität zu Berlin.)

Die im Folgenden mitzutheilenden Untersuchungen gingen von der Thatsache aus, dass das Blut der lebenden Thiere (*Wyssokowitsch*, [2]) sowie das aus dem Gefässsystem entleerte Blut (*Fodor*, [1], *Nutall*, [3]) bacterienfeindliche Eigenschaften besitzt, und dass diese Eigenschaften sich auch im defibrinirten Blut (*Nutall*, [3], *Nissen*, [4]), im zellenfreien Blutplasma (*Nissen*, [4]) und im zellenfreien Blutserum (*Behring*, [5b] und [b], *Buchner*, [6], [8a] und [b]) nachweisen lassen.

Es hat nun der eine von uns (*Behring*, [5]) gezeigt, dass das frische, steril erhaltene Serum verschiedener Thiere gegenüber Milzbrandbacterien sich nicht gleich verhält, dass z. B. das Serum von den für Milzbrand sehr empfänglichen Meerschweinchen das Wachsthum der Milzbrandbacillen nicht im mindesten beeinträchtigt, während das Serum milzbrandimmuner Ratten kein Wachsthum dieser Mikroorganismen gestattet. Dadurch wurde der Gedanke nahe gelegt, *dass bei Ratten die Widerstandsfähigkeit gegen die Infection mit Milzbrandvirus unabhängig von der Thätigkeit der lebenden Zellen (im Sinne Metschnikoff's) sei, und dass dieselbe durch die Anwesenheit solcher antiseptisch wirksamer Körper bedingt werde, die auch ausserhalb des Gefässsystems sich in der Blutflüssigkeit erhalten und in das zellenfreie Blutserum übergehen.*

Indessen bevor ein solches gesetzmässiges Verhalten angenommen werden durfte, schien es erst noch erforderlich, nach einer einheitlichen Methode und an einem grösseren Versuchsmaterial die Prüfung vorzunehmen, und es schien auch zweckmässig, andere Infectionskrankheiten, insbesondere solche, bei welchen im Blut der empfänglichen Thiere während des Lebens die Krankheitserreger gefunden werden, in die Untersuchung hineinzuziehen, um zu erkennen, ob und inwieweit überhaupt sich Beziehungen zwischen Immunität gegen eine bacterielle Krankheit und abtödtender Kraft des Serums immuner Thiere erkennen lassen. Dieser Aufgabe haben wir uns auf Veranlassung des Herrn Geheimrath *Koch* im Laufe des letzten halben Jahres unterzogen.

I. Die Untersuchungsmethode.

Die Prüfung der bacterienfeindlichen Eigenschaften im Blutserum geschah auf zweierlei wesentlich verschiedene Art.

Nach der einen, zuerst in *Flügge's* Laboratorium von *Nutall* und *Nissen*, später auch von *Buchner* ausgeführten Methode werden zu einem bestimmten Quantum Serum (0·2 bis 0·5 ccm) im Reagensglase lebende sporenfreie Bacterien hinzugesetzt. Nachdem für eine gleichmässige Vertheilung der Bacterien gesorgt ist, wird dann sofort nach der Aussaat mittelst einer Platinöse ein Tröpfchen Serum entnommen, in ein geeignetes verflüssigtes Nährsubstrat übertragen und dieses auf Platten ausgegossen. Für solche Bacterien, die bei niedrigeren Temperaturen wachsen, wird als Nährboden Gelatine gewählt, für solche, die höherer Temperaturgrade oder eines besonders präparirten Nährbodens zu ihrem Wachsthum bedürfen, muss derselbe zweckentsprechend geändert werden; wir haben z. B. für die *A. Fränkel*'schen Pneumoniebacterien Nähr-Agar mit $1^1/_2$ Procent Traubenzucker oder eine Agargelatine mit 0·75 Procent Agar und 10 Procent Gelatine am vortheihaftesten gefunden.

Die Zahl der auf den Platten (*Petri*'sche Doppelschalen) nach 2 bis 3 Tagen gewachsenen Colonien wird dann mit dem *Wolffhügel*'schen Zählapparat berechnet, und man erfährt so, wieviel lebende Keime in dem mit der Platinöse entnommenen Serumtröpfchen enthalten waren; dabei wird von der Voraussetzung ausgegangen, dass das ganz kurz dauernde Zusammensein der Bacterien mit dem Serum (1 bis 2 Minuten) eine Abtödtung lebender Keime nicht zur Folge gehabt hat.

In unseren Tabellen sind diejenigen Platten, welche zum Zweck der Bestimmung der ausgesäten Keime gegossen wurden, als Controlplatten bezeichnet.

Die Mischung des zu prüfenden Serums mit den Bacterien wird nun bei einer solchen Temperatur stehen gelassen, bei welcher erfahrungsgemäss die darin enthaltenen Keime in einem *geeigneten* Nährsubstrat sich entwickeln können; in unseren Versuchen geschah dies meistentheils in einem Brütschrank, dessen Temperatur auf 24° C. eingestellt war.

Nach Ablauf von 3 Stunden, 6 Stunden und 24 Stunden wird dann mittelst derselben Platinöse, welche für die Controlplatten angewendet wurde, wiederum aus der Serumbacterienmischung je ein Tröpfchen herausgenommen und in Gelatine vertheilt, und die Gelatine wird darauf auf Platten ausgegossen.

Aus der Zahl der in den Platten gewachsenen Colonieen wird schliesslich festgestellt, wieviel lebende Keime nach 3stündiger, 6stündiger, 24stündiger Einwirkung des Serums auf die Bacterien *in einer Platinöse voll Serum* enthalfen sind.

Wenn dann gefunden wird, dass die Zahl der Colonieen kleiner geworden ist, so bedeutet dies, dass eine partielle Abtödtung von Keimen stattgefunden hat.

Aber andererseits darf, wenn die Zahl der Keime sich vermehrt hat, nicht ohne Weiteres eine abtödtende Wirkung des Serums ausgeschlossen werden.

Tabelle II, Versuch No. 18 zeigt z. B., dass nach 24 stündiger Einwirkung des Kaninchenserums auf Milzbrandbacillen unzählige Colonieen, mindestens 30,000, aus einer Platinöse der Mischung gewachsen waren, während die Controlplatte nur 1600 aufweist.

Dazwischen liegt aber eine Zeit (6 stündige Einwirkung), zu welcher die Zahl der Colonieen nur 35, und eine andere (3 stündige Einwirkung), wo sie gar nur 7 beträgt.

Es muss in diesem Falle angenommen werden, dass in dem Kaninchenserum zuerst milzbrandfeindliche Einflüsse thätig waren, die zur Abtödtung einer grossen Zahl von Bacterien führten, sodass nach 3 Stunden nur noch etwa der 200. Theil übrig blieb, dass aber die die Abtödtung bewirkenden Factoren allmählich beseitigt wurden, und dass von der 6. Stunde ab eine ungehinderte Vermehrung stattfinden konnte.

In denjenigen Versuchen, in welchen continuirlich eine Vermehrung der Bacterien constatirt wurde, haben wir auf die Abwesenheit bacterienfeindlicher Wirkungen gegenüber den in Frage kommenden Mikroorganismen geschlossen; und wo auch nach 24 Stunden gar keine lebensfähigen Keime gefunden wurden, haben wir totale Abtödtung angenommen.

Die im Vorstehenden skizzirte *Plattenmethode* gestattet eine *zahlenmässige* Bestimmung der bacterientödtenden Kraft des Serums, und sie zeichnet sich ferner noch dadurch aus, dass man mit ihrer Hülfe auch solche bacterienfeindliche Eigenschaften des Serums deutlich erkennen kann, die nur vorübergehend darin wirksam sind.

Für orientirende Vorversuche und zum Zweck der Controlirung der Resultate, welche durch die Plattenmethode gewonnen wurden, haben wir jedoch daneben auch die Vortheile der viel bequemer ausführbaren *Untersuchungsmethode im hängenden Tropfen* schätzen gelernt.

Nach derselben wird mit einer Platinöse ein Tröpfchen Serum auf ein sterilisirtes Deckglas gebracht und mit den zu prüfenden Bacterien geimpft.

Bei solchen pathogenen Bacterien, die im Blut der inficirten und verendeten Thiere reichlich vorhanden sind, impft man in der Weise, dass eine Spur *Blut* aus einer Herzvorkammer mit einer Platinnadel in die Mitte des Serumtröpfchens gebracht wird; die Impfstelle macht sich dann makroskopisch durch ein kleinstes rothes Pünktchen bemerkbar. Muss, wie bei den Cholerabacterien, eine *Cultur* zur Impfung verwendet werden, so zeigt es sich am zweckmässigsten, zunächst ganz wie bei der Plattenmethode das Serum im Reagensglas zu impfen und die Bacterien gleichmässig zu vertheilen. Aus der Serum-Bacterienmischung wird dann mit der Platinöse ein Tropfen auf das Deckglas gebracht und der Tropfen hängend in der bekannten Art und Weise in einem hohlen Objectträger eingeschlossen.

In besonders für diesen Zweck eingerichteten Blechkästchen werden die so angefertigten hohlen Objectträger bei einer Temperatur von 36° C. im Brütschrank gehalten, und man kann zu jeder beliebigen Zeit sich davon überzeugen, ob eine Vermehrung der eingebrachten Keime stattgefunden hat oder nicht.

Für die Brauchbarkeit dieser Methode spricht wohl zur Genüge der Umstand, dass wir die mittelst derselben für Milzbrandbacillen von dem einen von uns *(Behring)* früher gewonnenen und anderweitig mitgetheilten Resultate ([5a] und [5b]) durch das Plattenverfahren lediglich bestätigen konnten.

Freilich lässt sich durch die Beobachtung im hängenden Tropfen nicht entscheiden, ob wir bei ausbleibendem Wachsthum es nur mit einer Entwickelungshemmung oder auch mit einer Abtödtung zu thun haben. Zahlreiche Controlexperimente haben jedoch erwiesen, dass da, wo im hängenden Tropfen auch bei mehrtägiger Beobachtung kein Wachsthum gesehen wurde, durch die Plattenmethode totale Bacterienvernichtung zu constatiren war, falls es sich um sporenfreies Material handelte.

Uebrigens lässt sich durch Ueberimpfung aus dem hängenden Tropfen auf ein geeignetes Nährsubstrat gleichfalls feststellen, ob lebensfähige Keime darin noch vorhanden sind oder nicht.

Die partielle Abtödtung kann durch die Beobachtung im hängenden Tropfen nicht erkannt werden.

II. Untersuchungsresultate in Bezug auf den Milzbrand.

A. Uebersicht über das Thiermaterial und über die Gewinnung des Serums.

Den Endzweck unserer Arbeit, nämlich zu erkennen, *ob Beziehungen vorhanden sind zwischen der grösseren oder geringeren Empfänglichkeit eines Thieres für eine Bacterienkrankheit und zwischen bacterientödtender Fähigkeit des Serums desselben Thieres gegenüber den in Frage kommenden Bacterien,* haben wir zunächst für den Milzbrand zu erfüllen gesucht.

Zur Gewinnung des Serums haben wir fast alle leichter zugänglichen Thierarten benutzt.

Blut von Rindern, Kälbern, Hammeln, Schweinen fingen wir im Schlachtviehhof auf, Pferdeblut in der Rossschlächterei; von Ratten, Kaninchen, Meerschweinchen, Mäusen, von Hunden, Katzen, Hühnern, Tauben und Fröschen entnahmen wir das Blut im hiesigen hygienischen Institut. Durch

Vermittelung des Herrn Professor *Schütz* erhielt Herr Geheimrath *Koch* ferner drei milzbrandimmune Hammel aus Packisch, denen wir gleichfalls zu mehreren Malen Blut entzogen haben. Auch Serum aus menschlichem Blut haben wir uns verschafft.

Der Hauptforderung für diese Versuche, *steriles Blut und daraus steriles Serum zu bekommen*, konnten wir bei den meisten Thieren mit Leichtigkeit Genüge leisten. Es ist dazu nur nothwendig, dass der Blutstrahl aus einer spritzenden Arterie in einem sterilisirten cylindrischen Glase aufgefangen und das Glas dann mit einem sterilisirten Watteprop̈f oder mit einem Glasdeckel so verschlossen wird, dass auch später keine Keime in das Blut hineingelangen können.

Bei den Laboratoriumsthieren legten wir für diesen Zweck eine Carotis oder Femoralis unter antiseptischen Cautelen frei, schlossen das Gefäss an einer centralwärts gelegenen Stelle mit einer Klemmpincette ab, unterbanden peripherisch, schnitten in der Mitte durch und fassten nun das centrale Ende mit einer feinen Hakenpincette an der Adventitia.

Mit dieser Handhabe hielten wir das Lumen der Arterie in die Mitte des Glases, in welchem das Blut aufgefangen werden sollte, lockerten dann die Klemmpincette und liessen so viel Blut in *mehrere* Gläser einfliessen, als wir für unsere Versuchszwecke brauchten.

Bei einiger Uebung verläuft alles ganz glatt und schnell, und es ist gar nicht nöthig, dass die Thiere narkotisirt werden. Wenn wir nach Entleerung der gewünschten Blutmenge auch das centrale Ende des durchschnittenen Gefässes unterbunden, die Wunde darauf unter antiseptischen Cautelen zugenäht und die operirten Thiere losgelassen hatten, so war es ganz bemerkenswerth, wie wenig denselben die überstandene Operation anzumerken war; Hunde, denen die Femoralis unterbunden war, sprangen sofort im

Zimmer umher und zeigten dieselbe Munterkeit, wie vor der Operation, gleich als ob ihnen nichts geschehen wäre. Wir hatten die Genugthuung, dass von etwa 20 in dieser Weise operirten Meerschweinchen, ungefähr ebensoviel Kaninchen, 3 Hunden, 2 Katzen, 2 immunisirten Hammeln kein einziges Thier an der Operation eingegangen ist, und dass wir auch bei keinem Thiere Eiterung oder sonstige entzündliche Folgekrankheiten bemerkt haben.

Etwas schwieriger gestaltete sich zuerst die Operation bei Ratten. Durch die dankenswerthen Bemühungen des Herrn *Lautenschläger* bekamen wir aber im Laufe unserer Versuche ein Rattenbrett, welches gestattet, den Oberkiefer der Thiere, während sie auf dem Rücken festgebunden liegen, mit einer Art Trensenvorrichtung an das Brett zu befestigen; ausserdem benutzten wir eine Kopfzange, mit welcher die Ratte, ohne Schaden zu nehmen, ganz sicher am Kopf festgehalten werden kann, so dass auf diese Weise ihre gefährlichste Waffe, das Gebiss, gänzlich unschädlich gemacht wird. Seitdem haben wir an Ratten ebenso bequem operiren können, wie an den auf ein Brett gebundenen und im Kopfhalter festgehaltenen Kaninchen und Meerschweinchen.

Bei Hühnern, Tauben und bei Mäusen sahen wir uns genöthigt, zur Gewinnung genügender Blutmengen so viel Blut ausfliessen zu lassen, dass fast ausnahmslos die Thiere hinterher starben.

Um eine recht ausgiebige und schnelle Abscheidung des Serums zu erzielen, fanden wir es zweckmässig, die Gläser mit dem Blut nicht voll zu füllen, sondern nur höchstens halbvoll, und dann das Blut *schräg* erstarren zu lassen. Auf diese Weise bekamen wir schon 6 bis 10 Stunden, ja bei manchen Thieren schon 2 Stunden nach der Blutentleerung eine für unsere Zwecke hinreichende Menge Serum.

Wenn man bezüglich der Blutgewinnung in der Weise vorgeht, wie vorher beschrieben wurde, gelingt es fast ausnahmslos, das Serum steril zu bekommen und zu erhalten. Für die Sicherheit, mit welcher man arbeiten kann, mag die Mittheilung sprechen, dass auf ca. 70 Platten (aus der grossen Versuchsreihe in Tabelle II, in welcher das Serum von 11 verschiedenen Thieren zu gleicher Zeit untersucht worden war), die wir eines Tages Herrn Geheimrath *Koch* demonstriren durften, in keiner, soweit sich das makroskopisch erkennen liess, eine Verunreinigung zu sehen war.

Was nun die Versuchsthiere im Einzelnen betrifft, so haben wir uns bei den Laboratoriumsthieren stets auch von ihrer Empfänglichkeit für Milzbrand bezw. von ihrer Immunität durch Impfung vergewissert. Nur bei Meerschweinchen und Mäusen wurde die Impfung unterlassen; bei den unzähligen Impfungen, die hier und an anderen Orten bei diesen Thieren im Laufe vieler Jahre ausgeführt worden sind, ist noch kein Meerschweinchen und keine Maus gegen virulenten Milzbrand immun gefunden worden!

Gänzlich immun zeigten sich bei unseren Versuchen 3 alte Hühner, 3 grössere ältere Hunde, 2 ausgewachsene Katzen.

Einer besonderen Erwähnung bedarf das Verhalten der *Ratten*. Im Laufe des letzten Jahres sind zur Feststellung der Milzbrandempfänglichkeit dieser Thiere ca. 60 im hiesigen Institut geimpft worden. Von diesen starben bei einer Sorte weisser alter Ratten, die schon längere Zeit im Institut gehalten wurden, unter 9, nachdem sie mit einer virulenten Agarcultur geimpft waren, 3 an Milzbrand. Von den übrigen 6 starben wiederum 3 nach der Impfung mit einem Milzstückchen einer an Milzbrand eingegangenen Ratte. Jüngere Ratten dieser Sorte gingen ausnahmslos an Milzbrand ein, wenn sie mit Cultur oder mit einem sporenhaltigen Seidenfaden geimpft wurden. *In allen diesen Versuchen konnte übrigens regelmässig constatirt werden, dass bei einem virulenten Milzbrandmaterial von gleicher Herkunft der Impferfolg ceteris paribus am promptesten eintrat nach Verimpfung von Blut oder Organstückchen eines an diesem Milzbrand verendeten Thieres; nächstdem nach Verimpfung einer frischen Agarcultur; am wenigsten sicher war der Impferfolg, wenn Seidenfäden, auch wenn die Sporen sehr reichlich angetrocknet waren, unter die Haut gebracht wurden; geringere Mengen einer Agarcultur von eben denselben Sporen zeigten sich erheblich wirksamer.*

Es standen uns ferner 12 bunte Ratten zu Gebote, die aus Bonn bezogen waren, wo *Behring* ([4]) früher ganz immune *weisse* Ratten angetroffen hatte. Von diesen Ratten starb unter 7 mit Milzbrandblut geimpften Thieren nur eins.

Eine 3. Sorte (20 Stück) wurde im Laufe unserer Versuche vom Institut angekauft. Es waren das grosse weisse Ratten, die sämmtlich, soweit sie geimpft wurden (10 Stück), die Impfung mit Agarcultur vertrugen. Von 2 mit Milzbrandblut geimpften Thieren starben aber beide an Milzbrand.

Endlich hatten wir, durch freundliche Vermittelung des Herrn Professor *C. Fränkel,* von Herrn Dr. *Lubarsch* aus Zürich 3 grössere weisse Ratten bekommen; 2 derselben, mit Agarcultur geimpft, starben an Milzbrand.

Wir werden entsprechend dieser Aufzählung die verschiedenen Ratten als Sorte I, II, III und IV später aufführen.

Alle Ratten, welche mit Milzbrand*blut* geimpft waren und daran starben, gingen spätestens am 4. Tage ein. Bei Verimpfung von *sporenhaltigem Culturmaterial* kann jedoch der Tod an Milzbrand noch nach 10 bis 14 Tagen eintreten; ja in vereinzelten Fällen sind 3 bis 4 Wochen zwischen der Impfung und dem Tode der Thiere vergangen[1]).

Von Kaninchen, die wir während unserer Versuche impften, gingen alle mit Milzbrand*blut* geimpften Thiere ein; dagegen ist der Impferfolg, wenn diesen Thieren ein sporenhaltiger Seidenfaden oder auch eine *ältere* sporenhaltige Cultur unter die Haut gebracht wird, auch nicht annähernd so sicher und prompt, wie bei Meerschweinchen.

Von den Packischer Hammeln erwies sich einer gegen virulenten Milzbrand (Seidenfaden und Agarcultur) immun; bei einem zweiten, an welchem die Wirkung virulenten Milzbrandbluts geprüft werden sollte, war das Resultat nicht eindeutig. Es sind auf irgend eine Weise anaërobe pathogene Bacterien in die Impfstelle gelangt, die den Hammel längere Zeit krank gemacht haben. Der dritte Hammel ist bis jetzt noch nicht geimpft worden. Jedenfalls haben wir aus unseren Impfversuchen keinen Grund, daran zu zweifeln, dass die uns als immunisirt übergebenen Hammel wirklich milzbrandimmun sind.

B. Resultate.

Ueber die Ergebnisse der *Untersuchung im hängenden Tropfen* können wir summarisch berichten, da bei den unzähligen Einzelversuchen immer wieder dasselbe gefunden wurde.

Im Serum sämmtlicher Meerschweinchen, Hammel *(auch der immunisirten)*, Mäuse, im Pferde-, Hühner-, Tauben-, Froschserum, auch im Katzenserum fand unge-

---

1) Die Sporen bleiben offenbar zuweilen längere Zeit im Organismus der Ratten lebensfähig, ohne auszukeimen. Wenn dann durch irgend einen Umstand die Widerstandsfähigkeit gegen die Milzbrandinfection herabgesetzt ist, kommt es zum Auskeimen der Sporen und zur Vermehrung der Bacillen. In 3 Fällen mit sehr langer Incubationszeit wurden die an Milzbrand verendeten Ratten im Zustand weit vorgeschrittener Gravidität gefunden.

hinderte reichliche Vermehrung der Milzbrandbacillen und Auswachsen der Sporen statt; in der Regel erfolgte das Wachsthum in langen Fäden, und schon nach 20 Stunden wurde in den meisten Fällen typische Sporenbildung beobachtet.

Im ganz frischen Serum eines Hundes (No. 1) blieb das Wachsthum aus, bei zwei anderen Hunden wuchsen die Milzbrandbacillen ebenso üppig, wie im Meerschweinchenserum. Auch in einem menschlichen Serum vermehrten sich die Bacillen.

Bei Kaninchen trafen wir in Uebereinstimmung mit den früheren Mittheilungen *Behring's* kein gleichmässiges Verhalten; namentlich im Serum alter grosser Kaninchen ist die Entwickelung nicht selten gänzlich gehemmt; und in den Fällen, in welchen eine Vermehrung der Bacillen stattfand, wurde fast stets die Sporenbildung vermisst.

Fast das Gleiche, wie von Kaninchen, gilt vom Rinderserum, nur dass die Fälle von gänzlicher Entwickelungshemmung seltener sind; Sporenbildung tritt auch im Rinderserum nur in äusserst wenigen Fällen ein; dagegen gestattete Kälberserum stets reichliche Entwickelung mit typischer Sporenbildung.

Im Rattenserum fanden wir ausnahmslos Entwickelungshemmung, und zwar nicht nur im ganz frischen Serum, sondern auch in solchem, welches mehrere Tage, bis zu 8 Tagen, alt war, vorausgesetzt, dass das Serum an einem kühlen Ort gelassen wurde. Hatte steriles Serum mehr als *einen Tag im Brütschrank* gestanden, so verlor es in den von uns untersuchten Fällen die energische entwickelungshemmende Wirkung. Mit *frischem* Rattenserum haben wir auch solche Versuche angestellt, welche den Grad der entwickelungshemmenden Wirkung genauer erkennen lassen sollten. Wir setzten Rattenserum zu Meerschweinchenserum hinzu, und da zeigte sich die bemerkenswerthe Thatsache, dass 1 Theil Rattenserum in 8 Theilen Meerschweinchenserum noch einen sehr deutlichen entwickelungshemmenden Einfluss ausübte.

Zur Illustration der durch die *Plattenmethode* gewonnenen Resultate dient die folgende tabellarische Uebersicht.

Tabelle I.

Versuchs-Nr.	Herkunft des Serums	Zahl der Colonieen in den Controlplatten (gleich nach der Aussaat)	Zahl der Colonieen in den Platten nach 2stündig. Stehen des Serums.	Zahl der Colon. nach 20stündig. Stehen des Serums	Bemerkungen
1	Bunte (Bonner) Ratte (II) Serum 5 Tage alt	Platte 1 120 Platte 2 138	0 0	0 0	Zur Aussaat diente Milzbrandblut von einer an virulentem Milzbrand verstorbenen Maus.
2	Kaninchen	desgl.	0 0	0 0	
3	Meerschweinchen	desgl.	105 120	unzählige „	

In den eben mitgetheilten Versuchen hatten wir nicht für jedes Serum besondere Controlplatten angefertigt, sondern angenommen, dass die Zahl der mit einer Oese Milzbrandblut ausgesäten Keime stets ungefähr die gleiche ist, und aus diesem Grunde nur für das Rattenserum Controlplatten gegossen. Diese Annahme ist wohl auch im Wesentlichen berechtigt. Da jedoch die Möglichkeit nicht von der Hand zu weisen ist, dass auch eine ganz kurz dauernde, wenige Minuten lange Einwirkung des Serums auf die Zahl der eingebrachten Keime einwirken kann, dass z. B. das Rattenserum in der kurzen Zeit, welche für die gleichmässige Vertheilung des Milzbrandbluts im Serum in Anspruch genommen wird, eine gewisse Zahl von Keimen abtödtet, während Meerschweinchenserum dies nicht thut, so haben wir in den späteren Versuchen für jedes Serum besondere Controlplatten behufs Feststellung der gleich nach der Aussaat vorhandenen lebensfähigen Keime angefertigt.

Wir haben ferner in den Vorversuchen festgestellt, dass die energischste Abtödtung bis etwa zur 4. oder 5. Stunde nach der Aussaat stattfindet bei solchem Serum, welches überhaupt abtödtende Fähigkeit besitzt; und aus diesem Grunde ist für die Anfertigung derjenigen Platten, welche den Einfluss des Serums auf die Zahl der darin enthaltenen lebenden Keime erkennen lassen sollen, nicht mehr die Zeit von 2 Stunden und 20 Stunden, sondern die von 4 Stunden und ausserdem die von 24 Stunden gewählt worden. Auf die in dieser Richtung abweichenden Versuche Nr. 17 bis 23 und Nr. 27 bis 29 kommen wir noch zurück.

Zur Erläuterung der nachstehenden Tabelle haben wir noch einige Bemerkungen zu machen.

In den Versuchen 17 bis 23 in Colonne 4 bedeuten die Buchstaben a und b, ebenso in den Versuchen 27 bis 29 die Buchstaben α und β etwas anderes, als die entsprechenden Zahlen I und II in den anderen Versuchen. Durch letztere Zahlen wird angegeben, wie viel Colonieen nach 4stündiger Einwirkung des Serums in 2 gleich behandelten Platten gefunden wurden. Man erkennt leicht, dass die Uebereinstimmung überall eine recht grosse ist, und wir durften daher auf die Anfertigung *mehrerer* Platten, die sich gegenseitig controliren sollten, fernerhin verzichten.

Dagegen kam es uns darauf an, noch genauer zu erkennen, in welcher Zeit nach der Aussaat die intensivste Abnahme der lebensfähigen Keime stattfindet, und wir haben für diesen Zweck in den Versuchen 17 bis 23 je

Tabelle II.

1.	2.	3.	4.	5.	6.
Versuchs-Nr.	Herkunft des Serums	Zahl der Colonieen in den Controlplatten	Zahl der Colonieen in den Platten nach 4stündiger Einwirkung des Serums	Zahl der Colonieen in den Platten nach 24stündiger Einwirkung des Serums	Bemerkungen
4	Hammel I	1050	Platte I 880 „ II 1350	unzählige	Serum in allen Versuchen 1 Tag alt. Impfung mit Blut einer an virulentem Milzbrand frisch verstorbenen Maus.
5	Hammel II	350	„ I 400 „ II 480	„	
6	Hammel III	650	„ I 1190 „ II 900	„	
7	Hammel IV	1250	„ I 1650 „ II 1500	„	
8	Rind I	2800	„ I 165 „ II 295	„	
9	Rind II	2000	„ I 180 „ II 250	„	
10	Kalb	2300	„ I 350 „ II 395	„	
11	Schwein	950	„ I 2000 „ II 2500	„	
12	Ratte (Sorte III)	1100	„ I 0 „ II 0	0	
13	Hammel I (wie Nr. 4)	In allen Platten sehr viel, ca. 12000—15000 Keime	Platte I unzähl. „ II „	unzählige „	Impfung mit virulentem Milzbrandblut. 2 Tage altes Serum.
14	Hammel III (wie Nr. 6)		„ I 13000 „ II 15000	„ „ „	
15	Meerschweinchen		„ I 13000 „ II 10000	„ „	
16	Ratte III) (wie Nr. 12)		„ I 100 „ II 0	0 0	

(Fortsetzung.)

1.	2.	3.	4.	5.	6.
Versuchs-Nr.	Herkunft des Serums	Zahl der Colonieen in den Controlplatten	Zahl der Colonien in den Platten nach 4 stündiger Einwirkung des Serums	Zahl der Colonieen in den Platten nach 24 stündiger Einwirkung des Serums	Bemerkungen
17	Ratte aus Zürich (IV)	290	Platte a) 6 „ b) 32	unzählige	Impfung mit Aufschwemmung des Milzsaftes einer an virulentem Milzbrand verstorbenen Maus. Serum 1 Tag alt.
18	Kaninchen	1600	„ a) 7 „ b) 35	„	
19	Katze I	6500	„ a) 4500 „ b) 5000	„	
20	Katze II	8000	„ a) 9000 „ b) 25000	„	
21	Huhn	1200	„ a) 600 „ b) 2000	„	
22	Meerschw.	2000	„ a) 890 „ b) 6000	„	
23	Frosch	9000	4500	„	
24	Hund I	7500	18000	„	
25	Hund II	7500	25000	„	
26	Hund III	7500	30000	„	
27	Hund I	280	Platte α) 190 „ β) 220	„	
28	Hund II	85	„ α) 120 „ β) 260	„	
29	Hund III	350	„ α) 180 „ β) 750	„	

eine Platte (a) nach 3 Stunden und eine (b) nach 6 Stunden gegossen; in den Versuchen 27 bis 29 aber eine (α) nach 2 Stunden und eine (β) nach 5 Stunden. Es kam dabei ganz deutlich beim Hundeserum zum Ausdruck, dass eine reichlichere Vermehrung der Bacillen erst von der 5. Stunde ab beginnt.

Die Versuche 27 bis 29 sind noch dadurch bemerkenswerth, dass wir hier absichtlich nur eine geringe Zahl von Keimen in's Serum aussäten, um zu sehen, ob vielleicht das Serum immuner Hunde, wenn auch nicht eine sehr grosse Zahl, so doch eine kleinere abzutödten vermag; das ist nun nicht der Fall, wenngleich sich nicht verkennen lässt, dass die Vermehrung weniger ausgiebig ist bei kleiner Aussaat, als bei einer grösseren.

Wo wir (in Col. 5) *unzählige* Colonieen verzeichnet haben, da bedeutet dies, dass mindestens 30000 in der Platte vorhanden waren.

Sehr merkwürdig ist es, dass solches Rattenserum, welches einen hohen Grad milzbrandfeindlicher Wirkung hat (Versuch No. 12 und No. 16), nicht bloss eine kleine Zahl von Keimen, sondern auch eine sehr grosse in ganz kurzer Zeit abzutödten vermag. Im Versuch No. 16 wurden für die Controlplatte mit einer Platinöse aus der Rattenserum-Bacterienmischung ca. 15000 Keime herausgebracht. Nun ist die Flüssigkeitsmenge, welche mit einer Platinöse aufgenommen wird, höchstens der 50. Theil eines Kubikcentimeters. *Wenn man da die Rechnung anstellt, so ergiebt sich, dass 1 ccm Rattenserum nicht weniger als 50 × 15000, also beinahe 1 Million Milzbrandbacillen, die mit Mäuseblut hineingebracht wurden, schon in ca. 4 Stunden vollkommen abgetödtet hatte.*

Diese milzbrandtödtende Kraft des Rattenserums bleibt auch ziemlich ungeschwächt längere Zeit erhalten, wie man aus Versuch No. 1 in Tabelle I erkennen kann. In diesem Versuch war zwar die Aussaat eine kleinere (ca. 60000 pro Cubikcentimeter); aber auch hier wurden noch sämmtliche Keime vernichtet.

Dass es auch Ratten giebt, deren Serum eine so erhebliche milzbrandfeindliche Wirkung nicht besitzt, lehrt der Versuch No. 17, in welchem von 290 eingesäten Bacillen nach 3 Stunden in einer Platinöse allerdings nur 6 und in 6 Stunden 32, aber in 24 Stunden mehr als

30000 durch das Plattenverfahren nachgewiesen wurden. Leider fehlt uns in unseren Protocollen die Angabe über das Verhalten dieses Serums im hängenden Tropfen. Die Ratte, um welche es sich in diesem Versuch handelte, war eine von den Züricher Ratten, deren auffallend geringe Widerstandsfähigkeit gegen Milzbrandinfection wir ebenso wie *Lubarsch* feststellen konnten.

Auf einige andere Einzelheiten der Tabelle II wird noch bei Betrachtung des Schlussergebnisses zurückzukommen sein.

Das zu mehreren Malen zwei immunisirten Hammeln entnommene Blut bezw. das daraus gewonnene Serum verhielt sich bei den Plattenversuchen genau in derselben Weise, wie das der vier nicht immunisirten Hammel. Es zeigte keine abtödtende Wirkung, auch nicht einmal in den ersten Stunden nach dem Zusammenbringen der Milzbrandbacillen mit dem Serum. Wir führen diese Versuche (Nr. 30 bis 32) daher nicht erst tabellarisch an.

III.

Untersuchungsresultate in Bezug auf die Fränkel'schen Pneumoniebacterien, die Kommabacillen der Cholera asiatica und in Bezug auf den Vibrio Metschnikovi.

Wie gegenüber den Milzbrandbacillen haben wir mittelst der Plattenmethode auch für verschiedene andere pathogene Bacterien die bacterientödtende Fähigkeit einiger Blutserumarten geprüft und nach mancherlei Vorversuchen uns eingehender mit den oben genannten beschäftigt.

Für die *A. Fraenkel*'schen *Pneumoniebacterien* und die wahrscheinlich mit ihnen identischen *Bacillen der Sputumsepticämie* zeigten sich in unseren Versuchen Mäuse, Kaninchen und Ratten leicht empfänglich, während fast alle Meerschweinchen die Infection auch mit reichlicheren

Tabelle III.

Versuche mit A. Fraenkel'schen Pneumoniebacterien und mit Sputumsepticämie.

1.	2.	3.	4.	5.	6.	7.
Versuchs-Nr.	Herkunft des Serums	Zahl der Colonieen in den Controlplatten	Zahl der Colonieen in den Platten nach 3 stündiger Einwirkung des Serums	Zahl der Colonieen in den Platten nach 5 stündiger Einwirkung des Serums	Zahl der Colonieen in den Platten nach 20 stündiger Einwirkung des Serums	Art und Herkunft des Impfmaterials
33	Meerschw.	480	I 0	—	—	Fr. Mäuseblut
			II 0			
34	Kaninchen	520	I 210	—	—	desgl.
			II 320			
35	Meerschw.	5000	I 3000	—	4500	Fr. Kaninchenblut
			II 3500			
36	Kaninchen	12000	I 9000	—	—	desgl.
			II 7500			
37	Meerschw.	750	I 1250	—	—	Sp. Mäuseblut
			II 1800			
38	Kaninchen	2800	I 4000	—	2000	desgl.
			II 3700			
39	Meerschw.	320	—	3520	unzählige	Fr. Mäuseblut
40	Kaninchen	450	—	5000	"	desgl.
41	Ratte III	380	—	2800	"	desgl.
42	Meerschw.	18	I 31	—	—	Fr. Mäuseblut
			II 36			
43	Kaninchen	6	I 58	—	—	desgl.
			II 42			
44	Meerschw.	280	—	680	—	Sp. Mäuseblut
45	Kaninchen	350	—	1800	—	
46	Meerschw.	3500	6000	—	unzählige	Fr. Mäuseblut
47	Ratte III	2800	4500	—	"	desgl.
48	Meerschw.	140	300	—	unzählige	Fr. Mäuseblut
49	Immunisirtes Meerschw.	200	150	—	"	desgl.

Anmerkung. Die durch stärkere Striche eingeschlossenen Versuche gehören enger zusammen insofern, als sie gleichzeitig ausgeführt sind.

(Fortsetzung.)

Versuche mit Kommabacillen der Cholera asiatica.

	2.	3.	4.	5.	6.	
Versuchs-Nr.	Herkunft des Serums	Zahl der Colonieen in den Controlplatten	Zahl der Colonieen in den Platten nach 3stündiger Einwirkung des Serums	Zahl der Colonieen in den Platten nach 5stündiger Einwirkung des Serums	Zahl der Colonieen in den Platten nach 20stündiger Einwirkung des Serums	Art und Herkunft de Impfmaterial
50	Meerschw.	1250	I 2 II 55	—	0	1 Tag alte Bouilloncultu
51	Gegen Vibr. M. immunisirtes Meerschw.	1250	I 0 II 0	—	0	desgl.
52	Meerschw.	unzählige	—	I 0 II 0	0	1 Tag alte Bouilloncultu
53	Gegen Vibr. M. immunisirtes Meerschw.	desgl.	—	0	0	desgl.
54	Gegen Vibr. M. imm. Mschw.	11000	a) 500 b) 180	350	7000	1 Tag alte Bouilloncultu
55	Maus	15000	a) 10000 b) 8000	5000	unzählige	desgl.
56	Mensch	30000	65	I 0 II 0	85	desgl.

Versuche mit Vibrio Metschnikovi (Gemaleïa).

Versuchs-Nr.	Herkunft des Serums	3.	4.	5.	6.	Art und Herkunft de Impfmaterial
57	Normales Meerschw.	55	I 87 II 69	—	—	Taubenblut
58	Immunisirtes Meerschw.	55	I 0 II 3	—	—	desgl.
59	Normales Meerschw.	14500	I 12000 II 17000	—	15000	Taubenblut
60	Immunisirtes Meerschw.	11500	I 450 II 210	—	0	desgl.
61	Normales Meerschw.	unzählige	—	I unzählige II "	unzählige	1 Tag alte Bouilloncultu
62	Immunisirtes Meerschw.	"	—	I 0 II 0	0	desgl.

(Fortsetzung.)

1.	2.	3.	4.	5.	6.	7.
Versuchs-Nr.	Herkunft des Serums	Zahl der Colonieen in den Controlplatten	Zahl der Colonieen in den Platten nach 3stündiger Einwirkung des Serums	Zahl der Colonieen in den Platten nach 5stündiger Einwirkung des Serums	Zahl der Colonieen in den Platten nach 20stündiger Einwirkung des Serums	Art und Herkunft des Impfmaterials
63	Normales Meerschw.	250	I 600 II 450	—	105	1 Tag alte Bouilloncultur
64	Immunisirtes Meerschw.	180	I 3 II 1	—	0	desgl.
65	Kaninchen	320	I 8 II 6	—	550	desgl.
66	Immunisirtes Meerschw.	6000	a) 180	25	130	Taubenblut
67	Immunisirtes Meerschw.	1650	a) 0 b) 0	—	—	desgl.
68	Taube	4500	I 450 II 360	—	25000	Taubenblut
69	Normales Meerschw.	3000	I 5000 II 2800	—	unzählige	desgl.
70	Huhn I	—	—	—	"	desgl.
71	Huhn II	—	—	—	"	desgl.
72	Ratte (Sorte III)	350	—	150	"	desgl.

Mengen dieser Bacterien gut vertrugen. Kaninchen lassen sich gegen diese Krankheit ziemlich leicht immunisiren, und so haben wir auch immunisirte Kaninchen in unsere Versuche hineingenommen.

Durchgreifende Unterschiede im Verhalten des Serums dieser verschieden empfänglichen Thiere haben wir aber nicht gefunden. Mit Ausnahme des Serums von *einem* Meerschweinchen konnten wir in keinem Fall eine nennenswerthe abtödtende Fähigkeit constatiren. (Tabelle III, Versuch 33 bis 40.) Das Impfmaterial für diese Versuche war ausnahmslos Blut von Thieren, die an Sputumsepticämie oder an den *A. Fraenkel*'schen Pneumoniebacterien verendet waren. Letztere stammten aus einer pneumonischen menschlichen Lunge, die wir aus einem hiesigen Krankenhause bekommen hatten, und wurden während der Dauer unserer Versuche durch Ueberimpfung von Thier zu Thier lebend und virulent erhalten.

Was die Resultate im Einzelnen betrifft, so verweisen wir besonders auf die Versuche Nr. 41 und Nr. 47, aus denen hervorgeht, *dass Rattenserum, bei welchem wir so sehr energische milzbrandfeindliche Wirkungen constatirt hatten, ebensowenig das Wachsthum der Pneumoniebacterien beeinflusst, wie das Serum der anderen untersuchten Thiere.*

Auch die Versuche Nr. 42 und Nr. 43 sind bemerkenswerth insofern, als sie zeigen, dass selbst bei sehr geringer Aussaat eine Abtödtung nicht stattfindet.

Den *Cholerabacterien* gegenüber haben wir nur wenige Serumsorten genauer geprüft, nachdem sich in unseren Vorversuchen das gleichmässige Resultat ergeben hatte, dass dieselben fast vollständig von dem Serum der meisten Thiere abgetödtet werden — ein Resultat, welches mit den früheren sehr zahlreichen Versuchsergebnissen *Nissen's* ([4]) bei defibrinirtem Blut und mit den neuerdings von *H. Buchner* ([6]) über die Wirkung zellenfreien Blutserums mitgetheilten Beobachtungen gut übereinstimmt.

Aber auch hier sind wir auf Ausnahmen gestossen. Wir fanden beispielsweise, dass Mäuseblutserum (Versuch Nr. 55) die abtödtende Wirkung nicht in gleicher Weise besitzt, wie das Serum der anderen bisher untersuchten Thiere.

Ein sehr bemerkenswerthes Verhalten zeigte der von *Gamaleïa* beim Geflügel, namentlich bei Tauben und Hühnern in Odessa gefundene und von ihm Vibrio Metschnikovi genannte Kommabacillus. Es ist das ein in seinen morphologischen Eigenschaften den Kommabacillen der Cholera asiatica nahestehender Mikroorganismus, der sich aber durch seine pathogenen Eigenschaften für Meerschweinchen, Tauben, *junge* Hühner, unter Umständen — wenn nämlich die Culturen in besonderer Art gezüchtet werden — auch für *alte* Hühner, Kaninchen und Ratten wesentlich unterscheidet. Dieser Vibrio ist im Stande, die für ihn empfänglichen Thiere in ganz kurzer Zeit zu tödten, und man findet ihn dann in grosser Zahl im Blut; *Pfeiffer* (8), welcher nach *Gamaleïa* sich eingehend mit diesem Organismus beschäftigt hat, schlug für die von demselben erzeugte Krankheit den recht bezeichnenden Namen *„Vibrionensepticämie"* vor.

Abgesehen von den Differenzen, die bei verschiedenen Thieren in Bezug auf ihre Empfänglichkeit für diesen Krankheitserreger, den Vibrio Metschnikovi, *von Natur* vorhanden sind, lassen sich solche auch *künstlich* — wie *Gamaleïa* gezeigt und *Pfeiffer* bestätigt hat — herstellen. Meerschweinchen und Tauben, welche unfehlbar in 16 bis 24 Stunden der Infection erliegen, können mit grosser Sicherheit immun gemacht werden.

Durch das freundliche Entgegenkommen von Herrn Stabsarzt *Pfeiffer* erhielten wir 7 durch ca. 2 wöchentliche Vorbehandlung mit sterilisirten Bouillonculturen gegen die Vibrionensepticämie vollkommen immunisirte Thiere, von denen wir die ersten 4 selbst noch auf ihre Widerstandsfähigkeit gegen die Infection mit Taubenblut prüften. 2 Controlthiere und die 4 immunisirten Meerschweinchen erhielten zu gleicher Zeit je 1 ccm einer Aufschwemmung vibrionenhaltigen Taubenbluts in Bouillon intraabdominell injicirt. Beide Controlthiere starben nach weniger als 16 Stunden; alle 4 vorbehandelten Thiere überstanden die Injection, ohne erheblichere Krankheitserscheinungen zu zeigen.

Hier hatten wir nun ein Material für unsere Versuchszwecke beisammen, wie es schöner kaum erdacht werden kann.

Wir hatten *Bacterien*, die morphologisch sich sehr nahe stehen, in Bezug auf ihre pathogenen Eigenschaften aber auf's äusserste von einander abweichen; insofern als die einen — die *Cholerabacterien* — im Blut des Menschen, für welchen sie pathogen sind, fast nie gefunden werden, die anderen — *Vibrio Metschnikovi* — unter dem typischen Bilde einer Bacteriensepticämie die empfänglichen Thiere tödten.

Wir hatten *Thiere*, die von Natur fast gänzlich refractär gegen den Vibrio Metschnikovi sind, und solche, welche mit grösster Sicherheit einer geeigneten Infection erliegen.

Wir hatten endlich Individuen von derselben Thierspecies, die wir sowohl im Zustande der Empfänglichkeit, wie in dem der willkürlich erzeugten Immunität untersuchen konnten.

Man wird die Spannung begreiflich finden, mit welcher wir an die Prüfung der verschiedenen Serumarten herangingen!

Die Versuche wurden zu einer Zeit angestellt, als wir noch nicht durch erweiterte Erfahrungen in Bezug auf den Milzbrand das gänzliche Fehlen des bacterientödtenden Einflusses in dem Serum der milzbrandimmunen Hammel, in dem Serum der von Natur immunen Katzen und Hühner kennen gelernt hatten; als vielmehr die vielen bei Meerschweinchen einerseits, bei Ratten andererseits gemachten Befunde in uns die Ueberzeugung gefestigt hatten, dass es kein Zufall sein könne, dass im Serum der sehr für Milzbrand empfänglichen Meerschweinchen überall, ohne jede Ausnahme ein milzbrandfeindlicher Einfluss fehlt, während ein solcher bei den sehr widerstandsfähigen Ratten ebenso regelmässig vorhanden ist.

Als wir nun die in Tabelle III, Versuch Nr. 50 bis 67 aufgeführten Resultate bekommen hatten, aus denen hervorgeht:

1. Dass im Blutserum aller Meerschweinchen die Kommabacillen der Cholera abgetödtet werden.

2. Dass im Blutserum aller *normalen* Meerschweinchen

die Kommabacillen der Vibrionensepticämie *nicht* abgetödtet werden.

3. Dass endlich im Blutserum aller 7 gegen den Vibrio Metschnikovi immunisirten Meerschweinchen die Kommabacillen der Vibrionensepticämie ebenso abgetödtet werden, wie die der Cholera,

da war es sehr verführerisch, mit diesem durchsichtigen, den Zusammenhang zwischen der Immunität eines Thieres und zwischen der Fähigkeit seines Serums, die krankmachenden Bacterien abzutödten, so schlagend beweisenden Ergebniss abzuschliessen — unter der stillschweigenden, vielleicht auch ausgesprochenen Ueberzeugung, dass ein solches Verhältniss ganz gesetzmässig sei und überall bestehe.

Indessen mussten uns folgende Ueberlegungen davon abhalten. Zuerst fiel es auf, dass bei den gegen Milzbrand sehr widerstandsfähigen Hunden viele Thiere eine milzbrandfeindliche Wirkung in ihrem Serum gänzlich vermissen lassen. *Behring*, welcher darauf schon in seiner ersten Mittheilung über das Rattenserum aufmerksam machte, fand damals einen von ihm geimpften Hund nicht milzbrandimmun; und da weiterhin *Buchner* gerade im Hundeserum recht erhebliche milzbrandtödtende Fähigkeiten gefunden hatte, so konnte man sich zwar allenfalls noch mit der Deutung helfen, dass die in einzelnen Fällen fehlende milzbrandtödtende Wirkung des Hundeserums darauf beruhe, dass es sich gerade um Hunde gehandelt habe, die nicht milzbrandimmun waren; je mehr wir aber den thatsächlichen Verhältnissen nachgingen, um so mehr mussten wir uns überzeugen, dass diese Deutung nicht ausreichend ist.

Wir haben schon erwähnt, dass nicht bloss im Hundeserum, sondern auch im Serum milzbrandimmuner Katzen, Hühner, Frösche und im Serum immunisirter Hammel die milzbrandtödtende Wirkung nicht vorhanden ist, und so haben wir auch constatiren müssen, dass gegenüber dem

Vibrio Metschnikovi das Serum der immunen Hühner (Versuch Nr. 70 und 71) eine tödtende Fähigkeit nicht besitzt.

Aus den sonstigen den Vibrio Metschnikovi betreffenden Versuchen heben wir noch Nr. 65 und 72 hervor. In diesen Versuchen erwies sich Kaninchenserum und Rattenserum als viel weniger vibrionenfeindlich, wie das Serum der immunisirten Meerschweinchen.

Nicht aufgeführt sind in der Tabelle III die Versuche, welche wir angestellt haben, um zu erfahren, ob das Serum gegen Vibrionensepticämie immunisirter Meerschweinchen auch gegenüber anderen Bacterien, insbesondere Milzbrandbacillen, antiseptische Eigenschaften gewonnen habe. Es ist das nicht der Fall. In Plattenversuchen wurden die letzteren nicht abgetödtet und im hängenden Tropfen vermehrten sich Bacillen und Sporen zu langem zopfartigen Fadengeflecht und bildeten nach 24 Stunden Sporen.

IV. Schlussergebniss.

Durch unsere im Vorstehenden mitgetheilten Untersuchungen halten wir für erwiesen, dass zwischen der Immunität eines Thieres gegen eine Bacterienkrankheit und zwischen der bacterienfeindlichen Wirkung seines Serums sich gesetzmässige Beziehungen nachweisen lassen. *Den Beweis erachten wir insbesondere dadurch erbracht, dass in unseren zahlreichen Versuchen kein einziges Thier, das gegen Milzbrand sehr leicht empfänglich ist, ein Serum lieferte, welches milzbrandvernichtende Wirkung in solchem Grade besessen hätte, wie das von den gegen Milzbrand sehr widerstandsfähigen Ratten. Ferner dadurch, dass wir kein normales Meerschweinchen angetroffen haben, dessen Serum die Kommabacillen der Vibrionensepticämie abzutödten vermochte, während das Serum aller immunisirten dies in vollständigster Weise leistete; endlich dadurch, dass das Serum normaler Meerschweinchen zwar die Kommabacillen der Cholera, welche im Blut der lebenden Thiere nicht angetroffen werden, abtödtet, aber nicht die Kommabacillen der Vibrionensepticämie.*

Wir haben weiter bewiesen, dass ein solcher Causalnexus zwischen Immunität und bacterienvernichtender Fähigkeit des Serums nicht überall besteht, nicht bei allen Thieren und nicht bei allen Infectionskrankheiten. In Bezug auf letztere liefert das Verhalten der *A. Fraenkel*'schen Pneumoniebacterien ein prägnantes Beispiel.

Den grössten Werth legen wir auf dasjenige unserer Versuchsergebnisse, welches den Beweis liefert, dass bei den gegen Vibrionensepticämie immunisirten Meerschweinchen durch den Act der Immunisirung Stoffe in's Blut gelangen bezw. in demselben gebildet werden, welche den Vibrio Metschnikovi abzutödten vermögen, und dass die Wirkung dieser bisher noch unbekannten Stoffe sich auch in dem aus dem Blut gewonnenen Serum nachweisen lässt.

Dass nicht auch bei allen anderen Infectionskrankheiten, bei welchen bisher die Immunisirung ursprünglich empfänglicher Thiere gelungen ist, die Sache sich ebenso verhält, lehren unsere Versuche an milzbrandimmunen Hammeln und an Kaninchen, welche gegen die *Fraenkel*'schen Pneumoniebacterien immun gemacht wurden.

Es ist möglich, dass wir es in diesen Fällen nicht mit chemisch wirksamen, greifbaren Stoffen zu thun haben, die den immunisirten Thieren die Widerstandsfähigkeit gegen Milzbrand und Sputumsepticämie verschaffen; es ist auch möglich, dass solche Stoffe zwar mit im Spiele sind, dass sie aber nicht in's Serum übergehen.

Das *eine* aber ist ganz sicher:

Diejenigen Substanzen, welche den gegen Vibrionensepticämie immunisirten Meerschweinchen Immunität gegen den Vibrio Metschnikovi verschaffen — falls es dieselben sind, deren Wirkung wir im Serum gefunden haben —

müssen gänzlich verschieden sein von denjenigen, die im Rattenserum Milzbrandbacillen abtödten, uud auf die wir geneigt sind, die natürliche Milzbrandimmunität der Ratten bezw. ihre grosse Widerstandsfähigkeit gegen die Milzbrand-infection zurückzuführen.

Wir haben ja gesehen, dass eben dasselbe Rattenserum, welches Milzbrandbacillen in sehr grosser Menge gänzlich abtödtet, keine solche Fähigkeit gegenüber den Vibrio Metschnikovi besitzt, und andererseits hat das Serum gegen Vibrio Metschnikovi immuner Meerschweinchen nicht die Spur einer abtödtenden Wirkung gegenüber Milzbrand erlangt.

Wir haben endlich noch constatirt, dass es gänzlich verfehlt wäre, bezüglich der bacterienvernichtenden Fähigkeiten, die im Serum verschiedener Thiere gefunden worden sind, sich die Sache etwa so vorzustellen, dass ein Serum, welches gegenüber *einer* Bacterienart besonders energische abtödtende Wirkung besitzt, auch gegenüber allen anderen Bacterien die gleiche Fähigkeit habe. Man wird sofort eines Besseren belehrt, wenn man beispielsweise Rattenserum gegenüber den Pneumoniebacterien untersucht.

Man sieht, in welche Fallstricke derjenige fallen muss, der auf diesem jüngsten Forschungsgebiet der Bacteriologie voreilig an sich sehr interessante und wichtige Thatsachen verallgemeinern wollte.

Indem wir unsere gemeinschaftlichen orientirenden Versuche über die Bedingungen, unter welchen die bacterientödtende Fähigkeit des Blutserums in Erscheinung tritt, der Oeffentlichkeit übergeben, glauben wir bezüglich der weiteren experimentellen Arbeiten auf diesem Gebiet zu folgender Behauptung ein Recht zu haben.

„Es darf mit einiger Aussicht auf Erfolg an die Untersuchung der Frage herangegangen werden, welches die Ursache dafür ist, dass das Serum von gegen Vibrio Metschnikovi immunen Meerschweinchen diesen Vibrio ab-

tödtet, oder warum das Rattenserum Milzbrandbacillen abtödtet; aber eine Untersuchung über **„die bacterientödtende Kraft des Blutserums"** *in dem Sinne, wie sie H. Buchner unternommen hat, gleich als ob nämlich jedes Serum mehr oder weniger einer qualitativ gleichen antiseptisch wirksamen Substanz enthielte — eine solche Untersuchung müssen wir für verfehlt halten. Wir haben mindestens drei verschiedene Agentien in verschiedenen Blutserumarten — trotz der geringen Zahl von Bacterien, die wir untersuchten — als Ursache der Bacterienabtödtung gefunden.*

Berlin, den 1. März 1890.

Litteratur-Verzeichniss.

1. *Fodor*, Die Fähigkeit des Blutes Bacterien zu vernichten. Deutsche medicinische Wochenschrift. 1887. Nr. 34.

2. *Wyssokowitsch*, Ueber das Schicksal der in's Blut injicirten Mikroorganismen. Zeitschrift für Hygiene, Bd. I.

3. *Nutall*, Experimente über die bacterienfeindlichen Einflüsse des thierischen Körpers. Ebenda. Bd. IV.

4. *Nissen*, Zur Kenntniss der bacterienfeindlichen Eigenschaft des Blutes. Ebenda. Bd. VI.

5a. *Behring*, Ueber die Ursache der Immunität von Ratten gegen Milzbrand. Centralblatt für klinische Medicin. 1888. Nr. 38

5b. Zeitschrift für Hygiene. 1889. Bd. VI. S. 121 ff.

6. *Buchner*, Ueber die bacterientödtende Wirkung des zellenfreien Blutserums. Centralorgan für Bacteriologie. 1889. Nr. 25 u. 26.

7. *Pfeiffer*, Ueber den Vibrio Metschnikoff und sein Verhältniss zur Cholera asiatica. Zeitschrift für Hygiene. Bd. VII.

8a. *Buchner*, Ueber die nähere Natur der bacterientödtenden Substanz im Blutserum. Centralblatt für Bacteriologie. 1889. Nr. 21.

8b. Archiv für Hygiene. 1890. Hft. 1 u. 2.

Gesammelte Abhandlungen

zur

ätiologischen Therapie von ansteckenden Krankheiten.

Zweiter Theil.

Experimentelle Arbeiten

über

Immunisirung und Heilung bei ansteckenden Krankheiten.

Ueber

Desinfection am lebenden Organismus.[1])

Von **Behring.**

Meine Herren! Wenn wir unter Desinfection das Unschädlichmachen der Infectionsstoffe zu verstehen haben, so gehört das, was ich Ihnen an dieser Stelle mitzutheilen gedenke, durchaus in das Programm des heutigen Tages, obwohl es sich dabei nicht um hygienisch-prophylaktische, sondern um medicinisch-therapeutische Dinge handelt.

Ich will Ihnen nämlich einige Thatsachen hier vorführen, welche zeigen, wie durch die Anwendung von desinficirenden Mitteln Infectionsstoffe im *lebenden Thierkörper* unschädlich gemacht werden können.

M. H.! Die Mittel, welche man im Laufe der Jahrhunderte angewendet hat, um diejenigen Krankheiten, welche wir jetzt den Infectionskrankheiten zurechnen, zu heilen, sind unzählige. Die Geschichte derselben ist die Geschichte der Medicin.

Entsprechend der wechselnden Auffassung von der Natur der hier in Frage kommenden Krankheiten, hat man das Nervensystem, die Herzthätigkeit, die Ernährungsorgane, die Hautthätigkeit zu beeinflussen gesucht, um den Ausbruch einer Krankheit zu verhüten, oder die manifest gewordene zu heilen.

---

1) Nach einem auf dem VII. internationalen hygienischen Congress in London vorgelesenen Vortrage.

Auch nach specifischen Mitteln, welche die Krankheit im *Keime ersticken* sollten, hat man von jeher gesucht und einige auch gefunden, so das Chinin, das Quecksilber, das Jod, die Salicylsäure.

Seitdem man weiss, dass die Infectionskrankheiten durch belebte Krankheitskeime hervorgerufen werden, und seitdem die obengenannten Mittel als energische Antiseptica bekannt sind, neigt man sich vielfach der Ansicht zu, dass die Heilwirkung gegenüber der Malaria, der Syphilis, dem Gelenkrheumatismus durch eine direkte Beeinflussung der Krankheitsursachen zu Stande komme.

Indessen dürfen wir uns nicht verhehlen, dass der Beweis dafür noch keineswegs geliefert ist.

Solange, als noch nicht ausserhalb des kranken Menschen zahlenmässig die abtödtende oder entwicklungshemmende Wirkung des Chinins auf die Malariaparasiten einwandsfrei gezeigt werden kann, so lange ist auch der Einwand, dass die Chininwirkung auf irgend welchem indirekten Wege zu Stande komme, nur mit grösserer oder geringerer Wahrscheinlichkeit zurückzuweisen.

Von der Syphilis und dem Gelenkrheumatismus aber sind noch nicht einmal soweit wie bei der Malaria, die krankmachenden Ursachen bekannt, und wir haben deswegen vorläufig noch weniger Aussicht, als beim Wechselfieber, die Frage zu entscheiden, in welcher Weise die hier in Betracht kommenden Heilmittel wirken.

Diejenigen Versuche aber, welche früher angestellt wurden, um bei Bacterienkrankheiten mit genau bekannter Aetiologie mit bacterienfeindlichen Mitteln Heilerfolge zu erzielen, z. B. bei milzbrandinficirten Thieren und bei tuberculösen Thieren und Menschen, scheiterten zunächst gänzlich.

Ganz besonders entmuthigend wirkten dabei die beim Milzbrand gemachten Beobachtungen, welche zu beweisen schienen, dass desinficirende Mittel im lebenden Organismus ihre Wirkung verlieren. Als nämlich milzbrandinficirten

Meerschweinchen Sublimat in solcher Menge einverleibt wurde, dass man, nach den in künstlichen Nährboden constatirten Wirkungen dieses Mittels auf Milzbrandbacillen, eine Vernichtung oder wenigstens eine Entwickelungshemmung auch im Meerschweinchenkörper hätte erwarten sollen, da zeigte sich, dass die behandelten Thiere ebenso schnell starben und ebensoviel Milzbrandbacillen im Blut hatten wie die Controllthiere.

Es kann nicht Wunder nehmen, dass nach dem ungünstigen Ausfall dieser Experimente die Enttäuschung in medicinischen Kreisen zum Ausdruck kam.

Am lebhaftesten geschah das im Jahre 1883 auf dem Congress für innere Medicin in *Wiesbaden*, wo der Satz proklamirt wurde, dass eine Desinfection im Innern des Organismus überhaupt unmöglich sei, und wo unter Zustimmung der versammelten Kliniker constatirt wurde, „dass noch jeder befruchtende Gedanke und jede Methode fehle, mittels derer wir hoffen könnten, durch Laboratoriumsversuche auch nur einen Schritt in der Heilung der noch nicht abortiv heilbaren Infectionskrankheiten weiter kommen zu können.“ Als einzigen Aussicht versprechenden Weg, zu neuen Heilmitteln zu gelangen, sah man damals den rein empirischen an; um auf demselben schneller zum Ziele zu gelangen, wurde ein gemeinsames Vorgehen beschlossen in Form „der empirischen Sammelforschung“, und es trat auch alsbald zur Inangriffnahme einer solchen eine Commission zusammen.

M. H.! Mir scheint, als ob im Laufe der wenigen seitdem verflossenen Jahre die Situation sich wesentlich geändert hat.

Was den Werth der Laboratoriumsexperimente betrifft, so sprechen *Pasteur's* Heilresultate bei tollwuthinficirten Menschen und *Koch's* Behandlung des Lupus und der beginnenden Lungentuberculose dafür, dass dieselben doch wohl eher Aussicht bieten, specifische Heilmittel auffinden zu lassen; als die empirische Sammelforschung, und auch die Prophezeiung, dass eine allgemeine innere Desinfection für immer unmöglich bleiben werde, würde jetzt vielleicht nicht mehr mit solcher Sicherheit ausgesprochen werden, nachdem durch Thierversuche der Beweis geliefert ist, dass wir im Stande sind, beim Milzbrand, beim Tetanus, bei der Diphtherie, beim Schweinrothlauf die specifischen Infectionsstoffe auch im Innern des erkrankten Organismus direkt zu treffen und unschädlich zu machen.

Es kommt dabei wenig darauf an, ob wir bei den letztgenannten Heilwirkungen, die mit dem Blut immunisirter anderer Thiere erzielt werden können, die Bacterien direkt beeinflussen, oder ob wir die krankmachenden Wirkungen ihrer Stoffwechselproducte paralysiren.

Ich glaube ein Recht zu haben, beides als eine Desinfection im lebenden Organismus zu bezeichnen.

M. H.! Die Anwendung des Wortes „Desinfectionsmittel" ausschliesslich auf solche Körper und Kräfte, welche Bacterien, und zwar alle, auch die widerstandsfähigsten Dauerformen derselben, zu tödten vermögen, ist meines Erachtens nicht mehr aufrecht zu erhalten.

Bei einer solchen Begriffsbestimmung, welche *bacterientödtende* und *desinficirende* Wirkung identificirt, begeht man einen zweifachen Fehler; einmal nämlich darin, dass die Infectionsstoffe nicht bacterieller Art unberücksichtigt bleiben, so dass also der Begriff zu eng gefasst ist; zweitens aber wird dabei der Begriff der Desinfection in unberechtigter Weise auf die Vernichtung auch von solchen Organismen ausgedehnt, die keine nachweisliche Beziehung zu menschlichen oder thierischen Infectionen haben.

Es sind aber noch andere Gründe, welche die alte Terminologie unzulänglich erscheinen lassen müssen. Es giebt bekanntlich Blutarten, deren zellfreies Serum gegenüber einigen Bacterien eminente abtödtende Kraft besitzt.

Selbst Milzbrandsporen können in Serum abgetödtet werden, was einer Leistung entspricht, die durch eine 1 ‰ge Sublimatlösung nicht erreicht wird. Wenn man ferner das Blut einer milzbrandimmunen Ratte auf das Blut oder auf ein kleines, zerquetschtes Organstückchen eines an Milzbrand verendeten Thieres mehrere Stunden lang einwirken lässt, so verlieren die unzählig darin vorhanden Milzbrandbacillen ihre Infectiosität, und der Culturversuch beweist, dass dieselben abgetödtet sind.

Man müsste der Sprache Gewalt anthun, wenn man das nicht als eine Desinfectionsleistung anerkennen wollte; und doch lassen sich jene Wirkungen nicht unter den jetzt festgehaltenen Begriffsinhalt des Wortes „Desinfection" unterbringen; denn eben dasselbe Blut besitzt auch nicht die Spur einer abtödtenden oder auch nur entwickelungshemmenden Fähigkeit gegenüber den sonst so leicht zu vernichtenden Streptococcen des Erysipels oder gegenüber den Diphtheriebacillen; solche Mittel, die nur auf eine oder wenige Arten von Infectionserregern wirken, sind aber nach dem gegenwärtigen Sprachgebrauch keine richtigen Desinfectionsmittel, weil sie ja nicht einmal alle sporenfreien Bacterien zu tödten vermögen.

Und doch sind solche *specifisch* wirksamen desinficirenden Agentien gerade diejenigen, von denen wir uns für die Behandlung des inficirten lebenden Körpers viel mehr Erfolg versprechen dürfen, als von den allgemeinen Desinfectionsmitteln.

Man kann weiterhin den pathogenen Bacterien die inficirende Fähigkeit dauernd rauben, ohne sie abzutödten, Milzbrandbacillen beispielsweise soweit abschwächen, dass sie unter keinen Umständen mehr eine Infection hervorrufen; auch mit dieser Wirkung müssen wir rechnen, wenn wir am lebenden Organismus durch direkte Beeinflussung der Krankheitserreger Heilwirkungen hervorbringen wollen, und ich glaube, wenn bei einer Infectionskrankheit die Heilung durch eine solche

Abschwächung, d. h. durch die Aufhebung der krankmachenden Eigenschaften des in Frage kommenden Krankheitserregers erreicht würde, so muss auch das zur Desinfection am lebenden Organismus gerechnet werden.

Und so bezeichne ich es auch als Desinfectionsleistung, wenn eine Krankheit dadurch geheilt wird, dass die specifischen Stoffwechselproducte des Krankheitserregers unschädlich gemacht werden; *so dass für die Verhältnisse am lebenden Organismus alle diejenigen Mittel zu den Desinfectionsmitteln nach meiner Auffassung zu rechnen sind, welche durch direkte Einwirkung die lebenden Krankheitserreger oder ihre krankmachenden Stoffwechselproducte unschädlich machen. Nach alledem haben wir folgende Möglichkeiten, im lebenden Organismus desinficirenden vorzugehen:*

1. Durch die Abtödtung der lebenden Krankheitserreger;

2. Durch die Wachsthumsverhinderung derselben;

3. Durch die Aufhebung ihrer infectiösen Eigenschaften, welche ich mir dadurch zustande kommend denke, dass den pathogenen Bacterien die Fähigkeit genommen wird, krankmachende Stoffwechselproducte zu liefern;

4. Durch die Zerstörung, bezw. das Unschädlichmachen der von den Krankheitserregern im inficirten Organismus producirten krankmachend wirkenden Stoffe.

Dem gegenüber kann man sich auch vorstellen, dass weder die Vitalität, noch die functionellen Eigenschaften der Krankheitserreger direkt durch heilende Agentien beeinflusst werden, und dass auch ihre specifischen, krankmachenden Producte keine Veränderung erleiden, dass vielmehr die Heilung durch eine solche Veränderung der Centralorgane oder der lebenden Zellen zustande kommt, die eine höhere Widerstandsfähigkeit derselben gegen die von den Krankheitserregern erzeugten Nerven- und Zellgifte im Gefolge hat.

Eine solche Möglichkeit ist aber noch nicht einwandsfrei bewiesen worden, während für die oben von mir postulirten vier Heilungsmodalitäten sich concrete Beispiele anführen lassen, die ihr thatsächliches Vorkommen nicht mehr in Zweifel ziehen lassen.

Das ist auch der einzige Grund, aus welchem ich diese theoretischen Auseinandersetzungen bringe und auf dieselben Werth lege.

M. H.! Nach diesen Vorbemerkungen will ich dazu übergehen, am Milzbrand und an der Diphtherie die bisher bei diesen Infectionskrankheiten durch desinficirende Agentien erreichten Heilwirkungen zu analysiren.

Ich beginne dabei mit Heilresultaten, welche Herr Dr. *Knorr* im *Berliner Hygienischen Institut* neuerdings bei gemeinsamer Arbeit mit mir an milzbrandinficirten Mäusen bekommen hat.

Wenn man ein hirsekorngrosses Stückchen von der Milz einer an vollvirulentem Milzbrand frisch verendeten Maus in 5 ccm Bouillon verreibt und davon 0,1 ccm einer anderen Maus unter die Haut spritzt, so stirbt dieselbe in spätestens 24 Stunden an Milzbrand.

Der Eintritt des Milzbrandtodes lässt sich aber hinausschieben und auch gänzlich verhüten durch nachträgliche Injectionen einer Mischung von Sublimat- und Natrium chloroborosum - Lösungen.

Mischt man einen Theil einer 0,04 %igen Sublimatlösung mit drei Theilen einer 10 %igen Lösung von Natrium chloroborosum und macht an derselben Stelle, an welcher die Milzaufschwemmung eingespritzt wurde, davon alsbald hinterher eine Injection von 0,4 ccm, so tritt der Tod erst nach mehreren Tagen, bis zu acht Tagen, ein. Häufig ist dabei das Auftreten eines starken subcutanen Oedems, welches bei den nicht behandelten Mäusen fehlt. Bei der Section findet man in dem Oedem spärlich, in dem Blut und in den Organen reichlich Milzbrandbacillen;

die Milz ist sehr gross, meist mindestens doppelt so gross, wie die Milzbrandmilz nicht behandelter Mäuse.

Wird die subcutane Injection der Sublimat-Natrium chloroborosum-Lösung an den acht der Injection folgenden Tagen wiederholt, so geht das subcutane Oedem langsam zurück, und es entsteht an der Injectionsstelle eine locale Nekrose, die allmählich nach der Abstossung des nekrotisirten Hautstückchens mit glatter Narbe in 25 bis 30 Tagen verheilt. In vereinzelten Fällen kann noch nach 15 bis 20 Tagen der Tod an Milzbrand erfolgen; ca. 50% der behandelten Mäuse bleiben aber dauernd am Leben. Ist die Infection weniger stark, und werden zur Behandlung ausgewachsene *grosse* Mäuse ausgewählt, so lässt sich die Heilung der Mäuse mit grosser Sicherheit erreichen.

Diese Behandlung wurde mannigfach modificirt, namentlich auch nach der Richtung, dass sie nicht sofort, sondern erst einige Zeit nach der Infection begonnen wurde; bei derartig inficirten Mäusen, dass sie ohne Behandlung in 18—24 Stunden sterben, wurde jedoch ein Heilerfolg nicht mehr erzielt, wenn die erste medicamentöse Einspritzung später als höchstens zwei Stunden nach der Infection gemacht wurde.

Diese Versuchsergebnisse sind in mehrfacher Hinsicht lehrreich.

Wenn wir uns fragen, wie bei dieser Localbehandlung die Heilung zustande kommt, so lässt sich eine einfache Antwort nicht geben.

Dass durch die Injectionen die Milzbrandbacillen nicht direkt abgetödtet werden, geht daraus hervor, dass man aus der subcutanen Oedemflüssigkeit Milzbrandculturen herauszüchten kann. Auch eine Abschwächung findet nicht statt; denn mit der Oedemflüssigkeit solcher Mäuse, die später geheilt werden, können andere Mäuse inficirt werden; mit zwei bis drei Platinösen dieser Flüssigkeit in eine kleine Hauttasche an der Schwanzwurzel geimpfte frische Mäuse sterben an typischem Milzbrand, wenngleich, entsprechend der geringen Zahl von verimpften Bacillen, erst nach einigen Tagen.

Sicherlich tritt infolge der Behandlung eine locale Wachsthumshemmung, vielleicht auch partielle Abtödtung der Bacillen ein; aber wir müssen daneben annehmen, dass die Einspritzungen allgemeine Veränderungen derart hervorrufen, dass im Blut und in den Organen das Milzbrandwachsthum verhindert wird; es ist sonst nicht einzusehen, warum die Bacillen im Oedem, welche ja bei nicht behandelten Mäusen, nach ihrer Verimpfung, in die Blutbahn gelangen, sich reichlich vermehren und den Milzbrandtod herbeiführen, nicht auch bei den behandelten Thieren vom Lymphstrom und Blutstrom aufgenommen werden und im Innern des Mäusekörpers sich vermehren sollten.

Gleichwohl gelingt die Heilung milzbrandinficirter Mäuse nicht, wenn jene Mischung entfernt von der Infectionsstelle eingespritzt wird.

Indessen dieses negative Ergebniss spricht nicht gegen die Allgemeinwirkung der Sublimat-Natrium-chloroborosum-Lösung; wir wissen nämlich, dass Milzbrandbacillen, welche der Einwirkung von Desinfectionsmitteln unterlegen haben, die noch nicht zur Abtödtung genügen, schon durch viel geringere Mengen eines Mittels im neuen Nährboden an der Entwickelung gehemmt werden, wie normale Milzbrandbacillen. Um so beeinflusste Milzbrandbacillen aber handelt es sich hier in der That, wo im Mäusekörper *örtlich* jene Mischung auf dieselben einwirkt. Da ist es denn möglich, dass schon sehr kleine Mengen des Mittels, die in die Blutbahn aufgenommen werden und dann bei den fortgesetzten Injectionen circuliren, eine Wachstumshemmung im Blut und in den Organen zustande bringen, während dieselben Bacillen im Blute nicht behandelter Mäuse sich vermehren und den Tod der Thiere herbeiführen.

M. H.! Die therapeutische Leistung, welche ich Ihnen hier bei einer sicher und in kurzer Zeit tödtlich wirkenden Infection mittheilte, darf nicht gering angeschlagen werden.

Ich habe im Laufe der letzten vier Jahre fast ununterbrochen mit mehr als 100 Mitteln und an weit über 1000 Thieren Milzbrandheilungsversuche gemacht ohne einen derartigen Erfolg. Ausser mit Höllensteinlösungen habe ich nur noch mit wenigen Mitteln den Verlauf einer solchen Milzbrandinfection, wie ich sie oben beschrieben habe, also bei unverletzter Haut, überhaupt günstig zu beeinflussen vermocht; es gelang meist nur, den Milzbrandtod hinauszuschieben.

Bei grösseren Thieren, z. B. bei Kaninchen, namentlich wenn sie an sich schon eine grössere Widerstandsfähigkeit gegenüber dem Milzbrand besitzen, gelingt eine Heilung noch eher; aber bei Mäusen muss ich nach meinen Erfahrungen solche Heilresultate, wie man sie mit der Mischung von Sublimat- und Natrium chloroborosum-Lösung bekommen kann, als ausserordentlich günstige bezeichnen. Weder mit dem Sublimat allein, noch mit dem Natrium chloroborosum allein lassen sich solche Heilwirkungen beim Milzbrand erreichen; das letztere Präparat jedoch hat an sich schon eine sehr erhebliche Leistungsfähigkeit, und ein kleiner Procentsatz von definitiven Heilungen ist bei lange fortgesetzten vergleichenden Untersuchungen auch bei ihm allein zur Beobachtung gekommen.

Ueber die Erklärung der potenzirten Wirkung der Mischung beider Präparate wird eine Specialarbeit genaueres bringen.

An dieser Stelle will ich nur mitteilen, dass in der Mischung, wenn sie *frisch* bereitet ist, sich die bacterienfeindlichen Wirkungen der beiden Präparate nicht bloss addiren, sondern, dass sich ein Multiplum der zahlenmässig ausdrückbaren Werthe constatiren lässt. Die Giftigkeit aber des Hauptbestandtheils, nämlich des Natrium chloroborosum, nimmt durch den Sublimatzusatz gar nicht zu.

M. H.! Ich habe diese Dinge ausführlicher besprochen, weil ich glaube, dass wir auf dem Wege der *Composition von mehreren therapeutisch wirksamen Körpern* noch manches neue und praktisch wichtige finden werden. Die Sache selbst ist ja uralt und neuerdings auch von anderen Seiten, namentlich von *Henle* schon wissenschaftlich geprüft. Für die Wundbehandlung ist speciell das Quecksilberchlorid von Herrn *Lister* mit Zink zusammen empfohlen worden, und ich kann gegenwärtig die Erhöhung seiner Wirkung durch den Zinkzusatz bestätigen. Dass aber nicht *jeder* Zusatz verbessernd in dieser Richtung wirkt, mögen Sie aus der Thatsache entnehmen, dass das von Herrn *Laplace* empfohlene Weinsäuresublimat eine grössere relative Giftigkeit besitzt, als das einfache Sublimat.

Wie beim Milzbrand, sind von mir selbst und von mehreren Herren im Berliner hygienischen Institut, in Gemeinschaft mit mir, auch bei anderen Infectionen therapeutische Versuche gemacht worden.

In allen Fällen wurde die Infection durch *subcutane Injection* des Infectionsstoffes bewirkt, wobei die Menge und Virulenz desselben so gewählt wurde, dass die Controllthiere ganz sicher in 24—48 Stunden starben.

Ueber die therapeutischen Resultate, welche bei *tetanusinficirten* Thieren bekommen wurden, hat Herr *Kitasato* schon ausführlicher berichtet.

Ueber *Diphtherieheilung* mit Chemikalien von bekannter chemischer Zusammensetzung habe ich selbst schon früher Mittheilung gemacht und wird demnächst Herr Sanitätsrath Dr. *Boer* noch weitere Daten bringen, auf Grund von Untersuchungen von mehr als 40 verschiedenen Präparaten und an 400 Meerschweinchen.

Ich will hier nur anführen, dass bei diesen beiden Infectionen 1 bis 2 %ige Jodtrichloridlösungen von hervorragender therapeutischer Wirkung gewesen sind, bei der Diphtherie ausserdem auch das Goldnatriumchlorid und Zinkpräparate.

M. H.! Die Mittel, welche in den mitgetheilten therapeutisch desinficirenden Versuchen sich am meisten wirksam erwiesen haben, sind solche, welche zum Theil beim Menschen zur Behandlung local beginnender Infectionen, wie beim Erysipel, bei Phlegmonen, Lymphangitiden, beim Milzbrand, bei puerperalen Infectionen, noch nicht systematisch geprüft sind; die Zukunft wird es lehren, ob nicht bei vorurtheilsfreier Inangriffnahme der Therapie dieser Krankheiten mit methodisch im Laboratorium an Thieren studirten Desinfectionsmitteln die Heilresultate bessere werden, als sie es jetzt sind.

Seitdem Herr *Lister* gelehrt hat, bösartige Wundinfectionen zu verhüten, kommt ja der Arzt seltener in die Lage, jene Krankheiten zu behandeln, als in früheren Zeiten. Trotzdem wird aber das Bestreben, inficirtes lebendes Gewebe local zu desinficiren, ohne eingreifende und verstümmelnde Operationen, ein sehr wünschenswerthes Ziel bleiben.

Wenn nun die Hoffnung, diesem Ziele näher zu kommen, ursprünglich für die Ausführung der mitgetheilten Thierversuche maasgebend gewesen ist, so kam doch im weiteren Verlaufe derselben noch ein ganz neues Moment hinzu, welches zu ihrer unermüdlichen Fortsetzung und zur Ausdehnung auf verschiedenartige Infectionen Veranlassung gab, ich meine die zuerst bei diphtheriegeheilten, dann bei tetanusgeheilten Thieren gemachte Beobachtung, dass die Thiere nach definitiv erfolgter Heilung einen mehr oder weniger ausgesprochenen Grad von Immunität gegen die gleiche Infection bekommen, und die weitere Beobachtung, dass mit dem Blut der geheilten Thiere sich therapeutische Resultate erzielen lassen, wie sie bisher noch nicht bei sehr schnell tödtlich verlaufenden Krankheiten erreicht sind.

M. H.! Es besteht ein durchgreifender Unterschied zwischen der heilenden Leistungsfähigkeit der bisher bekannten übrigen Desinfectionsmittel und der des Blutes von immunisirten Thieren.

Jene Mittel, auch die besten unter ihnen, lassen einen einigermaassen sicheren Heilerfolg nur erwarten bei direkter Einwirkung auf local beschränkte Infectionen; das Blut immunisirter Thiere vermag dagegen auch auf solche kranken Körpertheile einzuwirken, die von seiner Applicationsstelle weit entfernt liegen, und zwar noch zu einer Zeit, in welcher die Wirkung der Infection schon in allgemeinen Krankheitserscheinungen zum Ausdruck gekommen ist.

Vom Tetanus wissen Sie durch meine mit Herrn *Kitasato* gemeinsam gebrachte Mittheilung, dass die Heilung inficirter Mäuse mit dem Blut tetanusimmunisirter Kaninchen auch dann noch gelingt, wenn schon die Extremitäten vom Starrkrampf ergriffen sind.

Bei diphtheriekranken Thieren konnte ich früher therapeutische Leistungen mit dem Blute diphtherieimmunisirter Thiere noch nicht anführen; es war mir zur Zeit des Erscheinens meiner Diphtheriearbeit noch nicht gelungen, jenen hohen Grad der Immunität bei ursprünglich diphtherieempfänglichen Thieren zu erzeugen, welcher erforderlich ist, wenn man mit dem Blut derselben andere Thiere von der Diphtherie heilen will.

M. H.! Zum Zweck des gegenseitigen Verständnisses bezüglich des Grades der Immunität ist es sehr wünschenswerth, denselben zahlenmässig zu bestimmen, und ich kann hierfür eine Art der Bestimmung empfehlen, welche zuerst Herr Professor *Ehrlich* bei der erworbenen Immunität von Thieren gegen giftige Pflanzeneiweisse angewendet hat.

Für die Diphtherieimmunität habe ich danach folgende Bezeichnungen gewählt.

Ich gehe von derjenigen Minimaldosis einer lebenden Diphtheriecultur aus, welche — bei subcutaner Injection am Rücken — ein ausgewachsenes Meerschwein nicht bloss krank macht, sondern auch den Tod desselben in 4—5 Tagen herbeiführt.

Habe ich nun ein Meerschweinchen soweit immunisirt, dass es zwar noch an der Stelle der Infection mit Oedembildung und nachträglicher Infiltration reagirt, aber am Leben bleibt und schliesslich ganz gesund wird, so besitzt dasselbe, wie ich mich nach *Ehrlich's* Vorgang ausdrücke, eine Immunität = 1.

Von derjenigen Cultur, die ich mit Stabsarzt *Wernicke* seit längerer Zeit benutzte, ist diese sicher tödtliche Minimaldosis 0,025 ccm; übersteht nun ein Meerschweinchen die Infection mit 0,01 ccm, so hat es eine Immunität = 4; verträgt es noch 0,5 ccm, dann ist die Immunität = 20 u. s. w.

In derselben Weise kann man auch die Immunität gegen das Diphtheriegift ausdrücken.

Für gewöhnlich benutzen wir dasselbe in Form eines keimfreien Filtrats drei Monate alter Diphtheriebouillonculturen, die gegenwärtig einen solchen Grad der Giftigkeit besitzen, dass ausgewachsene Meerschweinchen mit Sicherheit nach 4—5 Tagen unter den charakteristischen Erscheinungen der Diphtherie sterben, wenn sie 0,15 ccm Filtrat subcutan am Rücken injicirt bekommen. Uebersteht nun ein immunisirtes Meerschweinchen die Injection von 0,3 ccm, so hat es die Diphtheriegiftimmunität 2 u. s. w.

Ich will an dieser Stelle hinzufügen, dass mit 0,15 ccm nicht etwa die Grenze der Giftigkeit der keimfreien Cultur erreicht ist.

Von eben demselben Filtrat habe ich ausgewachsenen Meerschweinchen den fünfzehnten Theil, also 0,01 ccm, eingespritzt und sah dieselben zuerst local mit Oedem reagiren, darnach krank werden und abmagern; nach sehr langer Zeit können solche Meerschweinchen dann auch noch an Vergiftung mit dieser geringen Dosis sterben.

Mit der Mittheilung dieser immensen Giftigkeit bestätige ich übrigens bloss, was *Roux* und *Yersin* schon früher angegeben haben. Gelegentlich der Beobachtung dieser Eigenschaft des Diphtheriegiftes, welche mir zuerst als auffallend und neu imponirte, ist es mir wie bei manchen anderen gegangen, dass nämlich die gleichen Dinge nebenher schon in den Abhandlungen von *Roux* und *Yersin* erwähnt sind, und ich darf wohl sagen, dass die Diphtherieuntersuchungen jener Forscher zu jenen classischen Arbeiten gehören, an denen man um so mehr lernen kann, je mehr eigene Erfahrung man für das Studium derselben mitbringt.

Sehr oft werden wir an der genauen Bestimmung der Immunität dadurch verhindert, dass wir das zu prüfende Thier nicht krank machen wollen; in solchen Fällen lässt sich daraus, dass ein immunisirtes Thier eine bestimmte Dosis reactionslos verträgt, schliessen, dass auch das Doppelte derselben keinenfalls den Tod herbeiführen würde.

M. H.! Die *quantitative* Bestimmung der Immunität gewährt nach mehrfacher Richtung grosse Vortheile. Sie wird namentlich dazu beitragen können, die Ursache für differirende Resultate in Bezug auf die Heilwirkungen des Blutes immunisirter Thiere aufzufinden.

So haben Herr *Kitasato* und ich mit dem Blute eines tetanusimmunisirten Kaninchens, welches eine Immunität von mindestens 40 besass (wahrscheinlich aber noch viel mehr, da es das zwanzigfache der für nicht behandelte Kaninchen tödtlichen Minimaldosis ganz *reactionslos* vertrug), hervorragende Heilerfolge auch bei solchen Mäusen bekommen, welche schon längere Zeit vor der Blutbehandlung mit Tetanuscultur in für andere Mäuse tödtlicher Dosis inficirt waren.

Während nun unsere übrigen wichtigsten Resultate,

insbesondere die giftzerstörende und immunisirende Wirkung des Blutes tetanusimmunisirter Kaninchen auch von späteren Untersuchern (*Cattani* und *Tizzoni*, *Vaillard*) bestätigt sind, ist die Heilung tetanuskranker Mäuse denselben nicht gelungen.

Ich vermuthe, dass die Ursache dafür in der geringeren Immunität der Thiere, welchen das Blut entnommen wurde, gelegen ist.

Es dürfte daher sich empfehlen, bei diesen therapeutischen Versuchen quantitativ, und indem man das Körpergewicht der zu behandelnden Thiere in Rechnung setzt, die Dosirung des Blutes vorzunehmen, wenn man positive Resultate erzielen will.

Nach meinen neueren Erfahrungen bei der Diphtherie habe ich Grund zu der Annahme, dass die mit dem Blute immunisirter Thiere auf nicht immune übertragenen Heilpotenzen sich nicht reproduciren, sondern mit der Zeit sogar geringer werden. Wenn das der Fall ist, so kann von einem immunisirten Thiere mit einer Immunität = 40 auf ein gleich grosses Thier selbstverständlich nur ein Bruchtheil der Immunität übertragen werden; wenn wir von einem Kaninchen mit 1000 g Körpergewicht 5 ccm Blut einem anderen in die Bauchhöhle einspritzen, so wird im günstigsten Falle in diesen 5 ccm — also etwa dem sechzehnten Theil der Gesammtblutmenge des Thieres — $2^1/_2$ Immunität auf ein Kaninchen von 1000 g übertragen werden; auf eine 20 g schwere Maus dagegen wird bei gleicher Berechnung mit 0,1 ccm Blut schon eine Immunität von $2^1/_2$ kommen.

Es sind ja das nie genaue Berechnungen, immerhin wird jeder, der in diesem complicirten Gebiet arbeitet, die Vortheile schätzen lernen, welche auch solche ungefähren Berechnungen darbieten.

M. H.! Im Laufe der letzten Monate konnte ich nun in Gemeinschaft mit Herrn Stabsarzt Dr. *Wernicke* mit aller Bestimmtheit nachweisen, dass nicht bloss mit der

Widerstandsfähigkeit diphtherie-immunisirter Meerschweinchen gegen die lebenden Diphtheriebacillen auch ihre Widerstandsfähigkeit gegen das specifische Diphtheriegift wächst, sondern dass auch das extravasculäre Blut von Meerschweinchen mit hoher Immunität diphtheriegiftzerstörende Fähigkeit besitzt, und dass man durch intraabdominelle Einspritzung des Blutes immunisirter Thiere andere Meerschweinchen immun machen und, wenn sie mit Diphtherie inficirt sind, heilen kann.

Zum Beweise dafür führe ich folgende Beispiele an:

Ein im October 1890 immunisirtes Meerschweinchen wurde im November und Anfang December auf Immunität geprüft. Beide Male überstand es solche Infectionen, an welchen Controllthiere nach 2—3 Tagen zu Grunde gingen. Es zeigte indessen Infiltration an der Infectionsstelle und Nekrotisirung; auch war das Thier vorübergehend allgemein krank.

Am 11. December wurde diesem Thiere Blut aus der linken Carotis (8 ccm) entnommen. Das Blutserum, welches daraus gewonnen wurde, hatte eine für Meerschweinchen tödtliche Giftdosis schwächer gemacht. Während nämlich 1 ccm Giftlösung für sich allein Meerschweinchen in zwei Tagen tödtete, starb ein Meerschweinchen, welchem 1 ccm Giftlösung plus 4 ccm Serum in die Bauchhöhle eingespritzt wurde, erst nach acht Tagen.

Der bisher erreichte Grad der Immunität genügte aber noch nicht, um die antitoxische Wirkung im extravasculären Blut mit Sicherheit zu beweisen.

Dies partiell immunisirte Thier erhielt Ende December noch eine Diphtheriegiftdosis, welche für unbehandelte Meerschweinchen krankmachend, aber nicht tödtlich wirkte, und wurde dann drei Monate sich selbst überlassen.

Am 1. April 1891 vertrug es eine Diphtheriegiftdosis reactionslos, an welcher elf andere Meerschweinchen innerhalb weniger Tage starben.

Im Mai wurde es dann zweimal mit der dreifachen Dosis einer Diphtheriecultur geimpft, an welcher Controllthiere in 4—5 Tagen starben. Auch diese Infectionen wurden reactionslos vertragen, und das Thier hatte somit eine Immunität von *mindestens* sechs.

Am 30. Mai wurde eine Blutentziehung aus der rechten Carotis gemacht (8 ccm); 4 ccm daraus gewonnenes Serum wurden mit der doppelten Menge einer für Meerschweinchen in 4—5 Tagen sicher tödtlich wirkenden Giftdosis vermischt und einem unbehandelten Meerschweinchen eingespritzt. Dasselbe blieb gesund und erwies sich fünf Tage später gegen eine Diphtherieinfection, an welcher das Controllthier nach drei Tagen starb, soweit immun, dass es dieselbe überstand, aber es zeigte locale Reaction in nicht unerheblichem Grade (Infiltration mit nachfolgender Nekrose), und an einer bald darauf applicirten grösseren Giftdosis starb es. Eine vorher entnommene Blutprobe aus der Carotis liess keine nennenswerthe antitoxische Wirkung erkennen.

Jenes in hohem Grade immune Thier hat noch mehrere hohe Giftdosen im Juni cr. reactionslos vertragen und besitzt jetzt gegen Diphtheriegift eine Immunität von *mindestens* zwölf.

Ein anderes Meerschweinchen, welches im Januar cr. immunisirt wurde, hat im Laufe der nächsten Monate bis zum Mai derartige Immunität erlangt, dass es doppelt so starke Infectionen und Giftdosen, die für das Controllthier in 4—5 Tagen tödtlich wirken, *reactionslos* verträgt.

Diesem Thiere wurden im Juli aus der linken Carotis 6 ccm Blut entzogen.

Von diesem Blut erhielten zwei andere Meerschweinchen je 3 ccm in die Bauchhöhle eingespritzt; das eine derselben war kurz vorher mit Diphtheriecultur in solcher Stärke geimpft worden, dass zwei Controllthiere daran nach drei Tagen starben. Das andere Thier wurde drei Tage nach der Blutinjection inficirt. Beide bekamen locale

Infiltration und sind auch vorübergehend krank geworden, blieben jedoch am Leben.

Nachdem auf diese Weise an Meerschweinchen die Möglichkeit einer solchen Immunisirung der Thiere gegen Diphtherie erwiesen war, dass mit dem Blute derselben andere wieder immunisirt und nach vorausgegangener Infection geheilt werden. können, haben Dr. Wernicke und ich auch Kaninchen diphtherieimmun gemacht, und wir haben auch das Blut der diphtherieimmun gewordenen Kaninchen mit Erfolg zur Immunisirung von Meerschweinchen und zur Heilung angewendet.

Die genaue Beschreibung unserer Resultate wird später in einer Specialarbeit erfolgen.

M. H.! Ich glaube durch diese Versuchsergebnisse auch für die Diphtherie bewiesen zu haben, dass man im Stande ist, die durch die Lebensthätigkeit ihrer Krankheitserreger erzeugten specifischen Stoffwechselproducte durch ein Mittel im lebenden Körper unschädlich zu machen, welches von der Blutbahn aus auch solche diphtherische Herde zur Heilung bringt, die von seiner Applicationsstelle weit entfernt liegen.

Neben der Heilwirkung kommt auch eine immunitätverleihende diesem Mittel zu, und dem Eintritt der Immunität geht hier nicht, wie bei anderen immunisirenden Mitteln, eine Periode geringerer Diphtheriewiderständigkeit voraus; vielmehr lässt sich sofort nach der Blutinjection die Immunität constatiren.

Nehmen wir hinzu, dass schädliche Nebenwirkungen durch das Mittel nicht hervorgerufen werden, so lässt sich wohl behaupten, dass wir in demselben alle Haupteigenschaften eines Specificums vereinigt finden.

Die weiteren Aufgaben werden jetzt sein, dieses Diphtherieheilmittel in genügender Wirksamkeit und Menge zu bekommen, um es auch an grösseren diphtherieinficirten Individuen, als Meerschweinchen, anwenden zu können, es dann haltbarer zu machen, als das beim flüssigen Blut der Fall ist, und schliesslich die wirksamen Bestandtheile in concentrirtere Form zu bringen.

Ich darf hinzufügen, dass ich Aussicht habe, auch diese Ziele in absehbarer Zeit zu erreichen.

M. H.! Ich möchte noch einige Worte darüber sagen, wie wir uns das Zustandekommen der Diphtherieheilung durch das Blut immunisirter Thiere zu denken haben.

Dass die Heilpotenzen des therapeutisch wirksamen Blutes nicht an die lebenden Körperelemente gebunden, oder wenigstens nicht auf dieselben beschränkt sind, habe ich experimentell dadurch bewiesen, dass sie auch im extravasculären zellfreien Blutserum immunisirter Thiere vorhanden sind.

Ich habe ferner gezeigt, dass die Heilwirkung und immunisirende Wirkung darauf zurückzuführen ist, dass dem extravasculären Blute und Blutserum immunisirter Thiere die Fähigkeit innewohnt, das specifische Diphtheriegift unschädlich zu machen, nicht aber die Diphtheriebacillen abzutödten.

Die desinficirende Blutwirkung bei diphtherieinficirten Thieren ist hier also in der Zerstörung der von den Diphtheriebacillen producirten krankmachend wirkenden Stoffe zu suchen.

Ich glaube, dass diese Erklärung uns vorläufig genügen kann, ja selbstverständlich noch immer weiter fragen, z. B. wie der lebende Organismus es anfängt, solche Heilsubstanzen zu produciren, welcher Art dieselben sind, und ähnliches: darauf aber vermag ich eine präcise Antwort nicht zu geben, und Vermuthungen, die vielleicht in kurzem schon rectificirt werden müssen, will ich nicht aussprechen.

Dagegen möchte ich zum Schluss noch etwas berühren, was mir für die Immunitätsfrage von hervorragender Bedeutung zu sein scheint.

Wir sehen bei der Diphtherie und beim Tetanus einen weitgehenden Parallelismus in der Widerstandsfähigkeit der immunisirten Thiere gegen die infectiöse Wirkung der Diphtherie und Tetanusbacillen und gegen die toxische Wirkung des Diphtherie- und Tetanusgiftes; bei beiden Krankheiten hätte man nach den bisherigen Lehrmeinungen ausgezeichnete Beweise für das Vorkommen des Phänomens der Giftgewöhnung annehmen sollen, worunter bekanntlich eine derartige Veränderung der Centralorgane oder lebenswichtiger Zellencomplexe verstanden wird, dass dieselben auf ursprünglich deletäre Noxen oder Irritamente nicht mehr reagiren.

Bei einer solchen Auffassung hätte natürlich an eine Uebertragung von Heilpotenzen eines immunisirten Thieres auf ein nicht immunes nicht gedacht werden können.

Ganz anders aber wurde die Sachlage, als ich die Ursache dessen, was auf den ersten Blick als „Giftgewöhnung“ imponirte, in einer giftzerstörenden Wirkung des zellfreien Blutes erkannte; jetzt lag der Gedanke nahe, zum Zweck der Heilung und Immunisirung das Blut des immunisirten Thieres dem zu heilenden einzuverleiben, und Sie haben gesehen, dass dieser Gedanke sich fruchtbringend erwiesen hat.

Nach meinen Erfahrungen habe ich ein Recht zu der Annahme, dass auch für viele andere Fälle von sogenannter Giftgewöhnung die celluläre Theorie der humoralen Platz machen wird.

Auch die *bacterienvernichtenden* Eigenschaften im lebenden Organismus, welche ursprünglich cellulären Kräften zugeschrieben wurden, werden von einem grossen Theile der Forscher aus diesem Gebiete gegenwärtig ebenso erklärt, wie ich sie für den Rattenmilzbrand vor nunmehr drei Jahren postulirte, nämlich durch eine Eigenschaft des zellfreien Blutes.

Ganz besonders beweisend und lehrreich ist aber ein neues Beispiel von immunitätverleihender Wirkung der Blutflüssigkeit, dessen Kenntniss ich Herrn Professor *Ehrlich* verdanke.

Derselbe hat bei seinen Untersuchungen über giftige Pflanzeneiweisse, namentlich über das *Ricin*, gefunden, dass Mäuse und Kaninchen in kurzer Zeit so sehr gegen dieselben immunisirt werden können, dass sie selbst das 1000fache der ursprünglich tödtlichen Dosis vertragen.

Auch diese Immunität beruht auf der Eigenschaft der Blutflüssigkeit der immunisirten Thiere, jene Pflanzengifte unschädlich zu machen, und es ist Herrn Professor *Ehrlich* gelungen, nicht bloss die antitoxische Wirkung im extravasculären Blut nachzuweisen, sondern, genau so wie beim Tetanus und bei der Diphtherie, auch frische Thiere durch Injection des Blutes der immunisirten zu heilen und zu immunisiren.

M. H.! Ich brauche wohl nichts hinzuzufügen, um die Tragweite dieses von mir gefundenen Erklärungsprincips der erworbenen Giftwiderständigkeit vor Augen zu führen.

Um dasselbe zu finden, war es nothwendig, dass ich mich von den alten landläufigen Anschauungen losmachte, welche noch immer räthselhafte und unerklärliche Lebensprincipien auch da annehmen, wo wir im Stande sind, uns chemisch und physikalisch wirksame Kräfte dienstbar zu machen.

Wie früher die Lebenskraft, so spielen jetzt die geheimnissvollen Kräfte der lebenden Zelle in den Immunitätstheorien eine unsere Heilbestrebungen lähmende Rolle.

Es ist ja gar kein Zweifel darüber, dass das Verhalten der lebenden Körperelemente auch hier im letzten Grunde das entscheidende ist; aber wenn es sich um die Frage handelt, was wir zu Heilzwecken mit den lebenden Zellen anfangen können, ob wir im Stande sind, sie willkürlich so zu beeinflussen, dass dadurch ein kranker Mensch gesund wird, dann wird die Antwort sehr zweifelhaft lauten müssen; wo man früher beispielsweise mit dem Quecksilber und Jod, mit dem Chinin, dem Arsen u. s. w. solches zu leisten geglaubt hat, da ist es jetzt wahrscheinlicher, dass diese specifischen Mittel nicht so sehr auf lebende Zellen als auf Krankheitserreger und Krankheitsstoffe einwirken; selbst in den Fällen, in welchen neuerdings durch Nahrungsmittel und Ernährungsmethoden ein günstiger Einfluss bei Infectionskrankheiten beobachtet ist, steht der Beweis noch aus, dass diese Wirkung durch eine Erhöhung der Widerstandsfähigkeit irgend welcher Zellencomplexe zu Stande kommt.

Bis jetzt wissen wir nur, dass auch die bestgemeinten direkten Angriffe auf lebende Organe, um sie zu modificirter Thätigkeit zu animiren oder zu irritiren, eher Aussicht haben sie krank zu machen, als ihnen eine höhere Gesundheit und Widerstandsfähigkeit zu verleihen.

Vielleicht kommen wir auch in der *allgemeinen* Therapie der Infectionskrankheiten noch dazu, den Grundsatz für maassgebend zu erklären, welchen Herr *Lister* für die *locale* Behandlung der Wundinfectionen mit so grossem Erfolge durchgeführt hat: *„Die heterogenen Schädlichkeiten und Krankheitsursachen fernzuhalten oder unschädlich zu machen, die lebende Zelle und das lebende Gewebe aber in Ruhe zu lassen.“*

Berlin, im Sommer 1891.

II.

Ueber die Ursache der Immunität von Ratten gegen Milzbrand.

Von **Behring.**

(Aus dem pharmakologischen Institut der Universität Bonn.)

Die wissenschaftliche Frage nach dem Zustandekommen der Immunität gegen Infectionskrankheiten steht heute im Vordergrunde auch der klinischen Interessen. Am meisten besprochen wird gegenwärtig die Phagocytenlehre von *Metschnikoff* in ihrer Beziehung zu dieser Frage. Mir sei es gestattet, über Versuche zu berichten, welche den rein chemischen Gesichtspunkt behufs einer möglichen Erklärung hervorkehren.

Unter den warmblütigen Thieren mit sehr geringer Empfänglichkeit für die Infection mit Milzbrand nehmen weisse Ratten die erste Stelle ein. Alte Thiere besitzen fast absolute Immunität gegen Milzbrand; ich habe dieselben mit dem Mehrfachen derjenigen Menge von virulentem Milzbrand geimpft, welche genügte, grosse Kaninchen in 44 Stunden, Meerschweinchen in 30 Stunden, einen $^{1}/_{4}$ Jahr alten Hund in 70 Stunden zu tödten, ohne dass eine nennenswerthe Reaction weder an der Impfstelle, noch im Allgemeinbefinden der Thiere beobachtet werden konnte.

Lässt sich nun für diese auffallende Thatsache eine greifbare, eine durch chemische oder physikalische Hilfsmittel nachweisbare Ursache auffinden?

Diese Frage kann in bejahendem Sinne entschieden werden, und zwar lässt sich bis jetzt so viel darüber sagen, dass es ein *basischer* Körper ist, welcher den Ratten Immunität gegen Milzbrand verleiht.

Der Beweis hierfür stützt sich im Wesentlichen auf folgende experimentellen Resultate:

1) Das aus Rattenblut gewonnene Blutserum ist für Milzbrandbacillen kein geeigneter Nährboden.

2) Das Rattenblutserum unterscheidet sich von dem Blutserum solcher Thiere, die für Milzbrandinfection empfänglich sind, durch eine beträchtlich höhere Alkalescenz.

3) Durch Zusatz von Säure zum Rattenblutserum wird dasselbe ein vorzüglicher Nährboden für Milzbrandbacillen.

4) Das Blutserum von solchen Ratten, welche während des Lebens mit Mitteln behandelt wurden, die die Alkalescenz des Blutes vermindern, gestattet ein üppiges Wachsthum von Milzbrand.

I.

Bekanntlich ist Blutserum einer der vorzüglichsten Nährböden für Bacterien und die Erfahrung hat ergeben, dass manche pathogene Organismen, die sonst schwer zu züchten sind, auf erstarrtem und im flüssigen Blutserum sehr gut zum Wachsthum gebracht werden können.

Gelegentlich von Untersuchungen über den Einfluss antiseptischer Mittel auf den lebenden Thierorganismus habe ich aber gefunden, dass man durch chemische Einwirkung auf das Blut lebender Thiere dasselbe so verändern kann, dass das daraus gewonnene Blutserum die Fähigkeit verliert, bestimmten Mikroorganismen als Nährboden zu dienen; und ich fand ferner auch, dass schon von vorn herein bei verschiedenen Thierspecies nicht unbeträchtliche Differenzen in dieser Richtung existiren.

Ganz besonders auffallend fand ich den Unterschied zwischen dem Blutserum von Ratten und dem vom Rinde, vom Kaninchen und anderen pflanzenfressenden Thieren.

Zur Gewinnung des Rattenblutserums ist es am zweckmässigsten, die Ratte in ein Tuch einzuwickeln, so dass nur Kopf und Hals frei bleiben, und das Blut aus einer geöffneten Halsader in ein Reagensglas fliessen zu lassen. Der erste Tropfen wird am besten nicht aufgefangen; erst das nachfliessende Blut sammelt man im sterilisirten Glase. Fliesst kein Blut mehr aus, so wird das am Glasrande haftende Blut über der Gasflamme getrocknet und dann das Glas mit sterilisirtem Wattepfropf geschlossen. Für die Abscheidung klaren Blutserums ist es ein Haupterforderniss, dass das Blut im Glase an einem kühlen Orte unbewegt steht. Ist Alles gut gelungen, so kann man nach 24 Stunden, ja in noch kürzerer Zeit, das klare Blutserum, dessen Menge im günstigen Fall 1 ccm von einer Ratte beträgt, in ein anderes Reagensglas abgiessen.

Das von rothen Blutkörperchen ganz freie Rattenserum zeichnet sich durch auffallend blasse Farbe aus; es ist noch blasser, als Hundeblutserum, während bekanntlich Rinderblutserum eine bernsteingelbe Farbe zeigt.

Bringt man nun vom Rattenblutserum ein Tröpfchen mit ausgeglühter Platinöse auf ein Deckglas, impft mit Milzbrandblut oder mit einem Seidenfädchen, an welchem Milzbrandsporen angetrocknet sind, so erfolgt kein Wachsthum. Bei sechs Ratten, deren Blutserum ich in dieser Weise in sehr vielen hohlen Objektträgern untersuchte, war nur in dem Serum *einer*, wahrscheinlich jüngeren Ratte, ganz kümmerliche Entwicklung kurzer Stäbchen erfolgt, während alle Controllpräparate mit Rinderblutserum, Bouillon ausnahmslos die Milzbrandbacillen zu reichlicher Entwicklung, meist in langem zopfartigen Fadengeflecht, kommen liessen.

Dieser Differenz in dem Verhalten Milzbrandbacillen gegenüber entspricht eine eben so constant nachweisbare Differenz der Alkalescenz, deren Grad aus den Zahlen folgender Versuchsreihe ersehen werden kann.

Von zwei alten Ratten fing ich das Blut zusammen in einem sterilisirten Reagensglas auf, wartete die Abscheidung von klarem Serum ab und titrirte die gewonnenen $^1/_2$ ccm mit Oxalsäure. In diesem Versuche hatte ich $^1/_{10}$ Normaloxalsäure gebraucht, später wählte ich zum Titriren von Blutserum immer $^1/_{40}$ Normaloxalsäure, von welcher 1 ccm im Stande ist, 0,001 g Natronlauge zu neutralisiren.

Die Normallösungen sind hergestellt und benutzt mit allen erforderlichen Cautelen, deren Beobachtung ich im hiesigen chemischen Institut unter Leitung der Herren Professor *Wallach* und Dr. *Klinger* während eines practischen Kursus in der analytischen Chemie erlernt habe.

Als Indicator im Blutserum hat sich mir am besten die Rosolsäure bewährt. Dieselbe wird zweckmässig vor dem jedesmaligen Gebrauch durch Aufkochen im Wasser gelöst, und von der Lösung setzt man nach dem Abkühlen halb so viel zum Blutserum im Becherglas, als die Menge des zu untersuchenden Blutserums beträgt. Es färbt sich dann das Blutserum, so lange es alkalisch ist, roth und verliert die rothe Farbe, sobald die Reaction neutral oder sauer wird.

Die Genauigkeit und Zuverlässigkeit des Ergebnisses wird vermehrt, wenn man nach dem Verschwinden der Rothfärbung die Menge von $^1/_{10}$ bezw. $^1/_{40}$ Normalnatronlauge abliest, welche erforderlich ist, um die rothe Farbe wieder eintreten zu lassen.

Gebraucht man dann schliesslich noch die Vorsicht, nur solche Zahlen mit einander zu vergleichen, die bei gleichzeitig angestellter Untersuchung gewonnen sind, so können nach meinen Erfahrungen, trotz der bekanntlich nicht geringen Schwierigkeit, genaue Alkalescenzbestimmungen im Blutserum auszuführen, die Resultate als genügend zuverlässig angesehen werden.

In der hier zu beschreibenden Versuchsreihe untersuchte ich gleichzeitig mit dem Rattenblutserum noch Rinderblutserum, welches durch fractionirte Sterilisation keimfrei gemacht bezw. erhalten worden war, ferner frisches Hundeblutserum von einem $^1/_4$ Jahr alten Hunde, frisches Kaninchenblutserum und Bouillon aus einem zugeschmolzenen Glase von Dr. *Rob. Müncke.*

Ich fand auf 1 ccm der untersuchten Flüssigkeiten berechnet den Grad der Alkalescenz für

Rattenblutserum	= 0,00135	Natronlauge
Hundeblutserum	= 0,001	"
Rinderblutserum	= 0,00075	"
Kaninchenblutserum	= 0,00085	"
Bouillon	= 0,0006	"

In drei anderen Versuchen zeigte Rattenblutserum eine etwas höhere Alkalescenz, nämlich 0,0014, indessen ich halte die hier genannte Zahl für die zuverlässigste, da ich in den späteren Untersuchungen weniger Blutserum zur Verfügung hatte als $1^1/_2$ ccm; naturgemäss wird aber die Genauigkeit des Resultates gefährdet, wenn die Quantität des zu untersuchenden Materials sehr gering ist.

Auf vorher vom Hunde-, Rinder-, Kaninchenblutserum, so wie von der Bouillon entnommenen Proben, welche mit einer Spur Blut einer eben an Milzbrand verendeten Maus geimpft wurden, waren in hohlen Objektträgern von den kurzen Stäbchen aus in 18 Stunden reichlich Milzbrandfäden gewachsen, am reichlichsten im Hundeblutserum. Dagegen war in zwei hohlen Objektträgern mit Rattenblutserum keine Spur von Wachsthum zu bemerken.

Dasselbe Blutserum, dessen Alkalescenz ich titimetrisch bestimmt hatte, brachte ich durch Zusatz von Natronlauge — es war durch Oxalsäurezusatz neutral geworden — auf eine Alkalescenz zuerst = 0,0006 Natronlauge, entnahm zwei Platinösen voll zur Beobachtung im hohlen Objektträger, vermehrte die Alkalescenz auf 0,0009 Natronlauge pro 1 ccm und beschickte auch damit Deckgläschen, die mit Milzbrandblut geimpft und im hohlen Objektträger beobachtet wurden. In allen Präparaten war Wachsthum erfolgt und zwar am reichlichsten in denen mit einer Alkalescenz = 0,0009.

Diese Wirkung der Säure wurde mit stets gleichbleibendem Erfolg an anderen Proben von Rattenblutserum zur Beobachtung gebracht.

Da ich an die Möglichkeit denken musste, dass Ratten, welche anders gefüttert und gehalten werden, als die im hiesigen pharmakologischen Institut mir zur Verfügung stehenden, andere Versuchsergebnisse liefern könnten, verschaffte ich mir Ratten aus der hiesigen Anatomie.

Von zwei Ratten gewann ich nach 24 Stunden langem Stehen des entleerten Blutes 0,5 ccm wasserklares Blutserum und untersuchte gleichzeitig mit demselben 0,5 ccm Serum von einer Ratte, der schon früher Blut entnommen war, und die dann innerhalb von zwei Tagen mehrmals chloroformirt war. Ich hatte gelegentlich anderer Versuche gefunden, dass Chloroform (so wie auch Jodoform) die Alkalescenz des Blutes herabsetzt, und es sollte ursprünglich diese Ratte dazu dienen, den Einfluss des Chloroforms auf die Veränderung der Empfänglichkeit für Milzbrandinfection bei Ratten zu studiren.

Die Infection des Serums geschah dieses Mal mit sporentragenden Seidenfädchen.

Nach 24 Stunden war von den Seidenfädchen ausgehend in hohlen Objektträgern im Blutserum der Chloroform-Ratte ziemlich reichliches Wachsthum erfolgt, obwohl in grösserer Entfernung vom Faden immerhin noch eine deutliche Entwicklungshemmung bemerkbar war.

In dem Blutserum der beiden Ratten aus der Anatomie war nur in der nächsten Nähe des Fadens Entwicklung von kurzen Milzbrandfäden eingetreten; im Uebrigen blieb auch nach 48 und nach 72 Stunden das Serum frei von Milzbrand und die erst gebildeten Fäden waren schon nach 36 Stunden in kurze Stäbchen zerfallen.

Dies Ergebniss wird erklärlich, wenn man berücksichtigt, dass der Seitenfaden und die demselben anhaftenden Theilchen von der Kartoffel, auf welcher die Sporen sich gebildet hatten, Spuren von Säure enthalten, wie ich bei meinen Seidenfäden constatiren konnte, und dass desswegen in der nächsten Umgebung des Fadens die Alkalescenz so weit in dem Tröpfchen Serum herabgesetzt werden kann, dass geringes Wachsthum eintritt. Der Beweis, dass diese Erklärung richtig ist, wurde dadurch geliefert, dass kein Wachsthum in dem Serum der beiden Ratten aus der Anatomie erfolgte, als dasselbe mit Milzbrandfäden ziemlich reichlich geimpft wurde; in drei hohlen Objektträgern trat keine Entwicklung ein: dagegen erfolgte in dem Serum der Chloroform-Ratte auch hier langsames und lückenhaftes Wachsthum, welches sich jedoch über den ganzen Tropfen ausbreitete.

Die durch Titriren mit $^1/_{40}$ Normaloxalsäure gefundene Alkalescenz betrug

für das Serum der Ratten aus
der Anatomie = 0,00125 Natronlauge pro 1 ccm,
für die Chloroform-Ratte = 0,00095 desgl.

Nachdem durch Titriren mit Oxalsäure das Serum der Anatomie-Ratten durch Natronlauge ($^1/_{40}$ Normalnatronlauge) wieder auf eine Alkalescenz von 0,0006 und 0,0008 gebracht worden war, erfolgte in hohlen Objektträgern überall Wachsthum, am reichlichsten in den Proben mit der Alkalescenz = 0,0008. Aber auch in dem Serum mit 0,0006 Natronlauge pro 1 ccm war der ganze Tropfen von einem zopfartigen Geflecht langer Milzbrandfäden durchwachsen. Die Anwesenheit von wenig Rosolsäure hindert demnach die Entwicklung nicht.

Gleichzeitig mit diesen Proben von Rattenblutserum untersuchte ich noch Rinderblutserum von derselben Abstammung, wie das oben erwähnte. Es waren in dem jetzt untersuchten Röhrchen, welches 14 Tage länger gestanden hatte, als das früher untersuchte, Kokken in mässiger Anzahl zur Entwicklung gekommen; es war also nicht steril geblieben.

Die Alkalescenz betrug nur noch = 0,0005 Natronlauge; im hohlen Objektträger erfolgte ziemlich reichliches Wachsthum von Kokken, aber die Milzbrandsporen wuchsen nicht aus, trotzdem ich von anderen Versuchen her weiss, dass selbst in schwach saurem, *sterilem* Blutserum noch Entwicklung von Milzbrand stattfinden kann.

Ich unterlasse daher nicht, ganz besonders hervorzuheben, dass alle Versuche mit Rattenblutserum an keimfreien Proben ausgeführt sind.

Aus den bisherigen Mittheilungen ergeben sich einige Cautelen, welche sorgsam beobachtet werden müssen, wenn das Versuchsresultat einwandsfrei sein soll.

Man darf Thiere, welchen zum Zweck der Alkalescenzbestimmung Blut entnommen wird, nicht vorher stark chloroformiren, da dadurch die Alkalescenz herabgesetzt wird; es scheint ferner nach meinen Versuchen, als ob auch das Blut solcher Thiere geringere Alkalescenz bekommt, bei welchen kurz vorher eine Blutentziehung gemacht wurde; man wird weiter, was eigentlich selbstverständlich ist, bei der Impfung das Hineinbringen solchen Materials in das Rattenblutserum vermeiden müssen, welches einen Einfluss auf die Reaction desselben ausüben kann, und ich empfehle, als am meisten geeignet dies zu umgehen, die Impfung mit einer Spur Blut eines an Milzbrand verendeten Thieres.

Von Wichtigkeit halte ich es endlich, dass frisches Rattenblutserum, nicht über zwei bis höchstens drei Tage altes, zur Beobachtung genommen wird. Abgesehen davon, dass bei längerem Stehen durch Hineingelangen von verunreinigenden Mikroorganismen die Reaction wesentlich verändert und die Wachsthumbedingungen für Milzbrand verschieden geworden sein können, scheint auch schon allein beim Stehen, wahrscheinlich durch Oxydationsprocesse, Säurebildung im Blutserum zu erfolgen.

Diese Annahme bezw. Beobachtung ist nicht neu. Schon durch die Arbeiten von *Zuntz*[1]) wissen wir, dass das Blut nach seiner Entleerung aus dem lebenden Thierkörper eine Abnahme der Alkalescenz erfährt, und zwar in zweifacher Richtung; eine prämortale in der Zeit zwischen dem Aderlass und der Gerinnung und eine langsam zunehmende nach der Gerinnung bis zum Eintritt der stinkenden Fäulniss.

Dies führt mich gleich dazu, die Frage zu berühren, ob aus der Beobachtung, dass das *Serum* des Rattenblutes durch die Anwesenheit eines oder mehrerer basischer Körper unfähig ist, Milzbrandorganismen zur Entwicklung zu dienen, ob diese Beobachtung den Schluss erlaubt, dass dieselbe Ursache auch im Blut des lebenden Thieres wirksam ist.

Ich glaube, man muss diese Frage bejahen; denn nach Allem, was wir bis jetzt wissen, besitzt das Blut des lebenden Thieres eine höhere Alkalescenz als das daraus gewonnene Blutserum, und es wird deshalb um so eher im Stande sein, sich der krankmachenden Wirkungen der Milzbrandinfection zu erwehren.

II.

Die bis jetzt mitgetheilten Untersuchungsresultate lehren, dass für Milzbrand empfängliche Thiere niedrigeren Alkalescenzgrad des Blutes besitzen, als Thiere mit relativer und absoluter Immunität, wie Hunde und Ratten, und dass letztere ein so stark alkalisches Blutserum

---

1) *Nathan Zuntz*, Beiträge zur Physiologie des Blutserums. Diss. Bonn 1868.

liefern, dass wenigstens bei *alten* Ratten in demselben kein Wachsthum von Milzbrandbacillen mehr möglich ist.

Wie ist es nun zu erklären, dass das Hundeblutserum von dem $^1/_4$ Jahr alten Hunde sogar reichliches Wachsthum gestattete?

Man könnte auf die Annahme zurückgreifen, dass das Blut des lebenden Thieres eine grössere Alkalescenz besass, aber es blieb erst noch zu untersuchen, ob denn dieser Hund überhaupt als immun gegen Milzbrand anzusehen war.

Es stand mir noch ein Hund von demselben Wurf, drei kg schwer, zur Verfügung; diesen impfte ich mit virulentem Milzbrand und es zeigte sich, dass er in nicht viel längerer Zeit, als Thiere von der Empfänglichkeit der Kaninchen, an Milzbrand zu Grunde ging.

Die Versuchsreihe, zu welcher dieser Versuch gehört, ist auch sonst lehrreich, und ich führe dieselbe hier vollständig an.

Ein Meerschweinchen, bei welchem ich den Einfluss von Kali carbonicum auf den Verlauf der Milzbrandinfection studiren wollte, war nach 36 Stunden an Milzbrand gestorben.

Die Milz war ganz ausserordentlich gross und blutreich; die mikroskopische Untersuchung ergab eine sehr reichliche Menge sich gut färbender Bacillen.

Mit Partikeln dieser Milz wurden folgende Thiere geimpft:

1) Ein Hund, $^1/_4$ Jahr alt, 3 kg schwer.
2) Eine Ratte, über 100 g schwer, welche mit Säure behandelt wurde; und zwar erhielt sie zweimal subcutan 1 ccm einer 2%igen Oxalsäure injicirt.
3) Eine Controllratte, ebenso alt und schwer wie die ad 2.
4) Ein Kaninchen, welches grosse Dosen einer 5%iger Lösung von Kali carbonicum subcutan injicirt erhielt.

Der Hund bekam eine ganz ausserordentlich grosse Milzbrandgeschwulst, welche sich von der Impfstelle am Bauch bis auf den Rücken und zu den Beinen forterstreckte. Nach 70 Stunden verendete er. Die Milz war sehr gross, blutreich und enthielt unzählige sich gut färbende Milzbrandbacillen. Auch ein Strichpräparat vom Blut aus dem Herzen liess ansserordentlich viel Bacillen erkennen.

Die Säureratte starb nach 18 Stunden, wahrscheinlich an der Säurewirkung. In Milz und Leber fand ich Milzbrandbacillen in geringer Anzahl, im Gesichtsfeld (*Leitz*, Immersion, Ocul. 0) durchschnittlich nicht mehr als zwei. Im Blut waren noch weniger Bacillen zu finden. Ueber die Impfstelle, welche nicht geschwollen war, wurde ein Deckglas gestrichen. Die mikroskopische Untersuchung ergab eine Reincultur normaler, kurzer und sich gut färbender Bacillen.

Die Controllratte wurde nach fünf Tagen getödtet, indem ihr die Blutgefässe am Halse eröffnet wurden. Im Blut und in den Organen waren Bacillen nicht aufzufinden; an der Impfstelle nur einzelne degenerirte und zum Theil in Zellen liegende Bacillen.

Das aufgefangene Blut lieferte $^3/_4$ ccm Blutserum, in welchem erst nach Säurezusatz Milzbrandbacillen zur Entwicklung kamen. Die Alkalescenz war = 0,0014 Natronlauge.

Das Kaninchen starb nach 50 Stunden an Milzbrand. Es hatte eine sehr grosse, blutreiche und sehr viel Bacillen enthaltende Milz.

Bei den von mir untersuchten Hunden entsprach demnach der Fähigkeit des Blutserums, Milzbrandbacillen als Nährboden zu dienen, auch Empfänglichkeit des lebenden Thieres für Milzbrandinfection.

Im Blutserum von einem älteren Hunde erfolgte sehr spärliches Wachsthum kurzer Fäden. Leider war das gewonnene Serum blutig gefärbt, so dass es zur genaueren Alkalescenzbestimmung nicht tauglich war.

Von weiteren Versuchen aber hat mich, abgesehen von der Kostspieligkeit des Materials, der Umstand abgehalten, dass für die Untersuchungen über die vorliegende Frage Ratten viel besser geeignet sind.

In der eben berichteten Versuchsreihe waren bei der mit Säure behandelten Ratte Bacillen in der Milz und Leber gefunden worden. Aber im Gegensatz zu den Stäbchen von normaler Grösse an der Impfstelle, waren dieselben auffallend klein, so dass man fast zweifelhaft sein konnte, ob es sich um Milzbrand handle; die Cultur im hohlen Objectträger bewies jedoch, dass es zweifellos Milzbrandbacillen waren.

Dieses Versuchsergebniss liess hoffen, dass es gelingen werde, durch geeignete Behandlung mit Säuren und alkalientziehenden Mitteln die Immunität der Ratten gegen Milzbrand aufzuheben.

Ueber das Resultat meiner diesbezüglichen zahlreichen Versuche gedenke ich in anderem Zusammenhange zu berichten und will hier nur das gelegentlich dieser Versuche festgestellte Ergebniss mittheilen, dass es ohne Schwierigkeit gelingt, durch Säurebehandlung der lebenden Thiere das Rattenblut so zu verändern, dass das nunmehr daraus gewonnene Serum ein guter Nährboden für Mildbrandbacillen wird.

III.

Angesichts aller dieser Versuchsresultate halte ich es für erwiesen, dass es ein *basischer* Körper ist, welcher alten Ratten die Immunität gegen Milzbrand verleiht.

Es war nunmehr weiter zu untersuchen, welcher Natur dieser Körper ist.

In Frage kommen eine ganze Reihe von Möglichkeiten. Es können fixe Alkalien und Erden bezw. deren Salze, es können Ammoniakalien und organische Basen sein, die das Blut stärker alkalisch machen.

Von einigen dieser Verbindungen kann aber sofort abgesehen werden; so von den Karbonaten fixer Alkalien; ich habe dem Blutserum so viel kohlensaures Kali und Natron zugesetzt, dass die Alkalescenz 0,0016 und darüber, bei Natron carbonicum sogar über 0,006, betrug, ohne dass das Wachsthum von Milzbrand darin aufhörte; im Rattenblutserum hört aber schon bei 0,00135, ja bei 0,00125 alles Wachsthum auf.

Natronlauge und *Kalilauge* haben allerdings eine sehr viel grössere antiseptische Kraft. Wenn ich zu Rinderblutserum mit einer Alkalescenz = 0,00075—0,0008 so viel Natronlauge zusetzte, dass dieselbe im Verhältniss von 1 : 2500 darin enthalten war, so hörte schon die Entwicklung von Milzbrand auf; es genügt, wie man durch Rechnung finden kann, in diesem Falle, wo die Alkalescenz durch Lauge vermehrt wird, eine Alkalescenz = 0,0012 Natronlauge zur Entwicklungshemmung. Aber schon im Blutserum hört allmählich diese hohe antiseptische Kraft auf, wahrscheinlich in Folge der Bildung von Carbonaten, und im lebenden Organismus sind erst recht Natron- und Kalilauge nicht existenzfähig. Das Gleiche gilt vom Ammoniak.

Könnten nun *organische Basen* es sein, welche hier in Frage kommen? Wir wissen durch die Untersuchungen von *Brieger,* dass im Organismus eine ganze Reihe basisischer Producte vorkommt, die man mit dem Namen Ptomaine zusammenfasst und man vermuthet schon längst, dass diese Körper auch bei der Immunität eine Rolle spielen. Zahlenmässige Angaben über die antiseptischen Fähigkeiten dieser Körper sind bisher noch nicht gemacht worden.

Ich habe nun mich schon mehrfach mit einem der bestgekannten Ptomaine, dem *Pentamethylendiamin* (Cadaverin, *Brieger*) beschäftigt und wegen des grossen Interesses, welches dieser Körper darbietet, denselben durch die chemische Fabrik von *E. Merck* herstellen lassen.

Dieses Ptomain, welches bekanntlich *Brieger* auch als Product der Kommabacillen gefunden hat, ist von mir an mehreren Orten schon beschrieben worden.[1]) Ich hebe hier namentlich hervor die Beziehungen dieser Base zu Eiterbildung, ihre Fähigkeit bei Meerschweinchen choleraähnliche Erkrankungen hervorzurufen, die enorme tem-

1) *Behring,* 1. Cadaverin, Jodoform und Eiterung. Deutsche medicin. Wochenschrift 1888. No. 37. 2. Zur Kenntniss der physiologischen und der (choleraähnlich) toxischen Wirkungen des Pentamethylendiamins. Deutsche medicin. Wochenschrift. 1888. No. 24.

peraturherabsetzende Wirkung, endlich die interessanten Reactionen, welche sie mit dem Jodoform giebt.

Die antiseptischen Eigenschaften des Pentamethylendiamins habe ich bisher noch nicht beschrieben.

Das Pentamethylendiamin hebt im sterilen Rinderblutserum bei 1 : 1800 die Entwicklung von Milzbrandorganismen auf, hat aber im Blutserum mit geringerer Alkalescenz niedrigeren, in stärker alkalischem höheren antiseptischen Werth.

Neutralisirt man das Pentamethylendiamin, so ist seine antiseptische Wirkung fast vollständig aufgehoben, so dass die Leistungsfähigkeit dieses Mittels sich ausschliesslich abhängig von seinen basischen Eigenschaften erweist.

Durch Titriren stellte ich fest, dass 1 ccm Pentamethylendiamin eben so viel Oxalsäure zu neutralisiren vermag, wie 0,624 g Natronlauge; seine säurebindende Kraft ist gleich der von 15,6 ccm Normalnatronlauge.

Dem Pentamethylendiamin ist in den chemischen und physiologischen Eigenschaften verwandt das *Piperidin*; dasselbe neutralisirt eben so viel Oxalsäure wie 0,387 g Natronlauge und hebt die Entwicklung von Milzbrand auf bei 1 : 800; ähnlich liegen die Verhältnisse beim *Coniin*, welches wiederum mit dem Piperidin sehr nahe verwandt ist und bei den *Pyririnbasen*; jedoch scheint bei diesen Körpern und beim Piperidin die ringförmige Bindung der Kohlenstoffatome schon von Bedeutung für die antiseptische Wirkung zu sein, da auch die neutralen Salze eine wenngleich schwache, so doch bemerkenswerthe Entwicklungshemmung erkennen lassen.

Organische Basen haben demnach im Blutserum und Blut eine sehr beträchtliche antiseptische Kraft. Wie bedeutend dieselbe ist, kann erst recht gewürdigt werden durch einen Vergleich mit den Werthen, die man für andere in hohem Rufe stehende Antiseptica im Blutserum finden kann. Verwöhnt durch die hohen Zahlen, welche bei der Prüfung antiseptischer Mittel in Bouillon und Peptongelatine gefunden sind, möchte man vielleicht die Leistungsfähigkeit z. B. des Cadaverins unterschätzen und ich stelle daher hier die wichtigsten derjenigen Körper neben einander, deren entwicklungshemmenden Werth gegenüber Milzbrand im sterilisirten Rinderblutserum ich im Verlauf der beiden letzten Jahre untersucht habe.

Es wurde das Wachsthum von Milzbrand im Blutserum während einer Beobachtungszeit von drei Tagen (*im Brütschrank*) aufgehoben, wenn die folgenden Mittel im Blutserum enthalten waren im Verhältniss von:

1 : 36000 Höllenstein,
1 : 10000 Doppelsalz von Fluorantimon-Fluornatrium,
1 : 8000 Sublimat,
1 : 8000 (?) arsenige Säure,
1 : 2400 *Natronlauge*,
1 : 2400 Jodtrichlorid,
1 : 1800 *Cadaverin*,
1 : 900 Terpinhydrat,
1 : 800 *Piperidin*,
1 : 550 saures schwefelsaures Chinin,[1])
1 : 500 Jod (gelöst in Jodkalium),
1 : 500 Carbolsäure,
1 : 350 Oxalsäure,
1 : 300 Kreosot } aus alkoholischen Lösungen.
1 : 300 Thymol }

Noch niedrigere Werthe zeigten:
Urethan, Paraldehyd, Chloralhydrat, salicylsaures Natron, *Cineolsäure* (*Eucalyptol*), *Kali carbonicum*.

1 : 150 Kreolin,
1 : 75 Natron carbonicum,
1 : 40 (?) Aether,
1 : 15 Alkohol.

---

1) *Salzsaures* Chinin, leicht alkalisch, womit *Binz* seine alten bekannten Versuche sämmtlich angestellt hat, besitzt eine wesentlich stärkere Wirkung. Ich werde eigens auf diesen Gegenstand zurückkommen, weil er mir von principieller Bedeutung zu sein scheint.

Bei der verhältnissmässig sehr beträchtlichen antiseptischen Wirkung organischer Basen gegenüber Milzbrandbacillen im Blutserum ist es nicht ausgeschlossen, dass dieselben bei der Immunität der Ratten eine Rolle spielen. Welcher Art dieselben dann aber sind, und in welcher Verbindung sie im Blut existiren, das wird erst festzustellen sein.

Bonn, im Sommer 1888.

III.

Untersuchungen über das Zustandekommen der Diphtherie-Immunität bei Thieren.

Von **Behring**.

Aus dem hygienischen Institut des Herrn Geheimrath *Koch* in Berlin.

In No. 49 dieser Zeitschrift haben *Kitasato* und *ich* über Versuche berichtet, welche für den Tetanus beweisen, dass die Immunität der bisher untersuchten Thiere gegenüber dieser Infectionskrankheit auf der Fähigkeit des Blutes beruht, die von Tetanusbacillen producirten giftigen Substanzen unschädlich zu machen.

Das Gleiche wurde in jener Arbeit auch für die Diphtherieimmunität behauptet, ohne dass jedoch in eben derselben Weise wie für den Tetanus Einzelversuche mitgetheilt wurden, die auch für die Diphtherie den gleichen Mechanismus des Zustandekommens der Immunität bewiesen hätten. Dies nachzuholen, ist der Zweck meiner folgenden Mittheilungen.

Wie schon *Löffler*, dann *Roux* und *Yersin* constatirt haben, giebt es Thiere, die von Natur diphtherie-immun sind; durch eigene Untersuchung konnte ich bestätigen, dass auch Mäuse und Ratten hierher gehören, und dass diese Thiere ohne erkennbare Gesundheitsstörung Impfungen mit solchen Culturmengen vertragen, die für viel grössere, wie Meerschweinchen, Kaninchen und Hammel, sicher tödtlich wirken.

Von einer Diphtherie-Bouilloncultur, die von einer Diphtheriemembran eines Kindes herstammt, welches im Januar dieses Jahres an Diphtherie gestorben ist, genügten 0,05 ccm, um Meerschweinchen nach drei bis vier Tagen zu tödten; 0,3 ccm Kaninchen subcutan injicirt, tödteten diese Thiere nach zwei bis vier Tagen; 2,0 ccm erwiesen sich für einen ausgewachsenen Hammel tödtlich nach 50 Stunden. Von der gleichen Cultur injicirte ich Mäusen 0,3 ccm, Ratten, 2,0 ccm, ohne dass diesen Thieren auffallende Krankheitserscheinungen anzusehen waren.

Man ist ferner imstande, Thiere, die ursprünglich für Diphtherie sehr empfänglich sind, immun zu machen, und zwar gelingt dies auf sehr verschiedene Arten.

1. Eine der Immunisirungsmethoden, welche ich auf Grund eigener Versuche als sehr zuverlässig bezeichnen kann, ist von Professor *C. Fränkel* in der Berliner klinischen Wochenschrift genau beschrieben worden; sie beruht auf der Anwendung sterilisirter Culturen, und man ist mit Hülfe derselben imstande, in 10—14 Tagen Meerschweinchen für solche Impfungen unempfänglich zu machen, welche für normale Meerschweinchen sicher tödtlich sind.

2. Ferner habe ich Meerschweinchen in folgender Weise immun gemacht: Ich setzte zu vier Wochen alten Culturen *Jodtrichlorid* in solcher Menge hinzu, dass dasselbe in der Cultur im Verhältniss von 1 : 500 enthalten war, und liess das Jodtrichlorid 16 Stunden auf die Cultur einwirken. Dann spritzte ich zwei Meerschweinchen von der so behandelten Cultur 2 ccm in die Bauchhöhle.

Nach drei Wochen inficirte ich nun die Meerschweinchen mit 0,2 ccm einer Diphtheriecultur, die vier Tage lang in einer Bouillon mit Jodtrichloridzusatz 1 : 5500 gewachsen war. Das Controllthier starb nach sieben Tagen; die beiden vorbehandelten Thiere blieben am Leben.

Nach weiteren 14 Tagen vertrugen dann beide Thiere soviel von einer vollvirulenten Diphtheriecultur, als für normale Meerschweinchen genügte, um dieselben nach 36 Stunden zu tödten.

Bei beiden ebengenannten Methoden sind es die *Stoffwechselproducte*, die von den Diphtheriebacillen *in Culturen* erzeugt werden, durch welche die Immunität zu Stande kommt.

3. Es gelingt aber auch die Immunisirung durch diejenigen *Stoffwechselproducte*, welche von den Diphtheriebacillen *im lebenden thierischen Organismus* erzeugt werden. Untersucht man an Diphtherie verendete Thiere, so lässt sich überaus häufig in der Pleurahöhle ein bernsteingelbes, zuweilen aber auch gar nicht gefärbtes und in anderen Fällen blutiges Transsudat nachweisen. Die Menge desselben ist sehr wechselnd. Meist beträgt es bei Meerschweinchen nicht mehr als 1 bis 5 ccm; in nicht seltenen Fällen aber habe ich von einem einzigen Meerschweinchen bis zu 15 ccm gewinnen können.

Dieses Transsudat enthielt in mehr als 50 untersuchten Einzelfällen nie Diphtheriebacillen; aber es besitzt für Meerschweinchen toxische Eigenschaften. Der Grad der Toxität ist nicht immer der gleiche, und ich habe den Eindruck gewonnen, dass die blutigen Transsudate giftiger sind als die hellgefärbten. Aber auch nach subcutaner und intraabdomineller Injection von durchschnittlich 10 bis 15 ccm nicht blutigen Transsudats starben die meisten Meerschweinchen nach mehreren (bis zu 10) Tagen; bei der Section findet man dann ausgedehntes hämorrhagisches Oedem an der Injectionsstelle; Transsudat in der Pleurahöhle ist meist nur spärlich vorhanden; jedoch ist ein anderer Befund, der bei Diphtherie verstorbenen Thieren fast regelmässig zu constatiren ist, auch hier vorhanden, nämlich *Vergrösserung und Rothfärbung der Nebennieren.*

Diejenigen Meerschweinchen, welche eine Transsudatinjection in der obenbezeichneten Quantität überstehen, sind regelmässig lange Zeit krank; sie sitzen mit gesträubtem Haar zusammengekauert da; vor allem aber zeigen sie ein Symptom, welches mir schon seit langer Zeit dazu dient, den Grad der Erkrankung festzustellen: legt man die Meerschweinchen auf den Rücken, so springen gesunde Thiere sofort nach dem Loslassen auf die Beine; die diphtheriekranken aber erheben sich nur träge, oder sind garnicht imstande sich umzudrehen.

Wenn ich nun bei denjenigen Thieren, die in ausgesprochener Weise die eben beschriebenen Krankheitserscheinungen erkennen liessen, abwartete, bis sie sich ebenso verhielten wie gesunde, so konnte ich bei denselben feststellen, dass sie solche Impfungen, die gesunde Thiere nach drei bis vier Tagen tödteten, ohne Schaden vertrugen.

Das Pleuratranssudat, mit welchem diese Wirkung erzielt wird, ist spontaner Gerinnung fähig; ich habe es bei meinen Versuchen in der Regel *vor* Eintritt der Gerinnung den Thieren eingespritzt.

4. Eine bis jetzt wohl noch nicht benutzte Immunisirungsmethode kann auch auf die Wirkung der Stoffwechselproducte der Diphtheriebacillen zurückgeführt werden.

Sie besteht darin, dass man die Thiere zuerst inficirt und dann die deletäre Wirkung durch therapeutische Behandlung aufhebt.

Es erinnert diese Methode einigermassen an das Zustandekommen der Immunität nach dem Ueberstehen mancher Infectionskrankheiten *des Menschen.*

Die in einer später mitzutheilenden gemeinschaftlich mit Herrn Hofarzt Dr. *Boer* ausgeführten Arbeit erzielten Versuchsresultate bei ca. 30 Mitteln beweisen, dass es nicht leicht ist, diphtherieinficirte Thiere zu heilen. Sehr vorzügliche Desinficientien, wie das Silbernitrat und das Quecksilber in seinen verschiedenen Verbindungen, das

Goldkaliumcyanid u. s. w. lassen da vollkommen im Stich. Aber es giebt einige wenige Desinfectionsmittel, welche Meerschweinchen, die nach subcutan erfolgter Infection alsbald in Behandlung genommen werden, zu heilen vermögen. So besitzt Dr. *Boer* vereinzelte Meerschweinchen, die durch *Goldnatriumchlorid*, durch Naphtylamin, durch Trichloressigsäure, Carbolsäure geheilt sind.

Obenan in der Leistungsfähigkeit steht aber das Jodtrichlorid. Von acht Meerschweinchen, die ich mit 0,3 ccm Cultur subcutan inficirte, starben zwei nicht behandelte Thiere nach 24 Stunden. Vier Thiere, welchen sofort nach der Infection 2 ccm einer Jodtrichloridlösung (zwei kleinere Thiere erhielten 1 %ige, zwei grössere 2 %ige Lösung) an die Stelle der Infection subcutan eingespritzt wurden, blieben sämmtlich am Leben; bei zwei Thieren wurde die Behandlung erst nach sechs Stunden begonnen; eins derselben starb nach vier Tagen, das andere blieb am Leben; bei allen Thieren wurde an den drei nächstfolgenden Tagen eine neue Jodtrichlorideinspritzung gemacht. Ueber sechs Stunden hinaus nach der Infection habe ich bei Meerschweinchen einigermassen sichere Resultate nicht mehr bekommen, auch dann nicht, wenn die Thiere so schwach geimpft wurden, dass dabei normale Thiere erst nach vier Tagen starben.

Die überlebenden Meerschweinchen sind lange Zeit krank; ihre Heilung wird eingeleitet durch eine demarkirende Entzündung an der Injectionsstelle; später bildet sich ein trockener Schorf, der immer weniger festsitzend wird, bis man ihn schliesslich abheben kann; *unter diesem Schorf sind noch nach drei Wochen lebende und virulente Diphtheriebacillen nachweisbar gewesen.*

Inficirt man nun solche Thiere, bei denen zwar das Allgemeinbefinden schon ganz gut geworden ist, bei denen aber noch eine offene Geschwürsfläche besteht, so zeigen sie eine erheblich grössere Widerstandsfähigkeit gegen die Infection als normale; jedoch erst nach vollkommener Verheilung und Narbenbildung habe ich mehrere jodtrichloridgeheilte Thiere, und hat Dr. *Boer* ein mit Goldnatriumchlorid geheiltes soweit immun gefunden, dass diese Meerschweinchen vollvirulente Diphtherieimpfung vertrugen, an der die Controllthiere in 36 Stunden starben.

Ich will noch beiläufig erwähnen, dass man mit dem Jodtrichlorid bessere Heilerfolge bei Kaninchen erzielen kann. Diese Thiere können geheilt werden, ohne dass sie einen Aetzschorf bekommen, und es gelingt noch nach 24 Stunden eine erfolgreiche Behandlung, wenn die Infection etwa so stark war, dass Controllkaninchen in vier Tagen starben. Ueber die etwa eintretende Immunität der geheilten Kaninchen bin ich bis jetzt noch nicht in der Lage, etwas aussagen zu können.

Ich benutze diese Gelegenheit, um dem Irrthum vorzubnugen, als ob wir in dem Jodtrichlorid, welches bei Thieren so respectable therapeutische Wirkungen hervorzurufen imstande ist, nun auch ein Diphtherieheilmittel für den Menschen besässen. Abgesehen von der starken Aetzwirkung dies Mittels, und abgesehen davon, dass ich über die Heilungsmöglichkeit solcher Thiere, die von dem Larynx oder der Trachea aus inficirt worden sind, nur wenig Erfahrungen habe, bin ich durch besondere, vorsichtig an diphtheriekranken Kindern angestellte Versuche zur forcirteren Anwendung des Jodtrichlorids nicht sehr ermuthigt worden, und ich betone, dass ich für den Menschen kein Diphtherieheilmittel habe, sondern erst danach suche.

Was nun das Zustandekommen der Diphtherie-Immunität durch die eben skizzirte Methode betrifft, so bin ich zu der Annahme der Mitwirkung von Stoffwechselproducten der Diphtheriebacillen durch die Thatsache veranlasst, dass es mir nicht gelungen ist, durch alleinige Vorbehandlung mit Jodtrichlorid Meerschweinchen immun zu machen.

5. Nun ist man aber auch imstande, Meerschweinchen eine höhere Widerstandsfähigkeit gegen die Diphtherieinfection zu verleihen und Kaninchen gegen sonst tödtlich wirkende Culturmengen zu schützen durch ein Mittel, welches mit den Stoffwechselproducten der Diphtheriebacillen nichts zu thun hat, nämlich durch Wasserstoffsuperoxyd.

Ich benutze dieses Präparat in schwach durch Schwefelsäure saurer 10 %iger Lösung, wobei es einige Wochen seine Wirksamkeit ziemlich unverändert behält. Meerschweinchen vertragen von dieser Lösung bis zu 2 ccm und mehr; auf das Körpergewicht berechnet ca. 1:4000 bis 1:2500; Mäuse 0,1 bis 0,75 ccm (1:2000 bis 1:80); Kaninchen dagegen sind ausserordentlibh viel weniger widerstandsfähig gegen das Wasserstoffsuperoxyd; mehrere mittelgrosse Thiere starben in weniger als einer Stunde schon nach subcutaner Injection von 1 ccm (1 : 15000 Körpergewicht). Ueberhaupt ist die individuelle Widerstandsfähigkeit gegen dieses Präparat in solcher Weise verschieden, wie ich das auch nicht annähernd bei mehr als hundert von mir geprüften Chemikalien gefunden habe.

Das Wasserstoffsuperoxyd ist für gewisse Fälle ein ausgezeichnetes Desinfectionsmittel, und ich benutzte es ursprünglich mit der Absicht, therapeutische Wirkungen bei der Diphtherie zu erzeugen; ich musste jedoch die Erfahrung machen, dass Thiere, die *nach* der Infection mit Wasserstoffsuperoxyd behandelt wurden, viel schneller der Diphtherie erlagen, als die Controllthiere; und als ich dies Präparat den Diphtheriecculturen in solcher Menge zusetzte, dass dieselbe der abtödtenden Dosis nahe kam, fand ich die Virulenz solcher Culturen beträchtlich erhöht.

Wenn ich dagegen mit Wasserstoffsuperoxyd *vor*-behandelte Thiere einige Tage später inficirte, so hatten sie einen mehr oder weniger ausgesprochenen Grad von Immunität erlangt, der sich u. a. bei *Meerschweinchen* auch dadurch bemerkbar machte, dass die Infectionsstelle kein diffus in die Umgebung sich verbreitendes Oedem erkennen liess, sondern eine zur Abscedirung neigende pralle Geschwulst; beim Anschneiden derselben fliesst eine klare seröse Flüssigkeit aus, die von einer harten Schwarte eingeschlossen ist.

Die Experimente mit Wasserstoffsuperoxyd werden noch fortgesetzt, und ich führe hier nur eine Versuchsreihe an, welche nach gemeinsam mit mir entworfenem Plane Herr Stabsarzt *Lübbert* im hiesigen Institut ausgeführt hat.

Fünf Kaninchen erhielten am 11., 12., 14. und 17. November je 0,5 ccm Wasserstoffsuperoxyd. Am 20. November injicirte ich im Beisein von *Lübbert* 0,5 ccm einer vollvirulenten Diphtherie-Bouilloncultur subscutan diesen fünf Thieren und gleichzeitig einem frischen Kaninchen. Das Controllthier starb am 21. November, also nach 24 Stunden an typischer Diphtherie, von den vorbehandelten starb ein Thier am 25. November (nach fünf Tagen): zwei am 27. November (nach sieben Tagen); eins am 28. November (nach acht Tagen); ein Thier zeigte keine Krankheitserscheinungen und ist dauernd gesund geblieben.

Von den fünf verschiedenen Immunisirungsmethoden gegen Diphtherie, welche vorher erwähnt wurden, schliessen sich die ersten vier im letzten Grunde denjenigen Methoden an, die *Pasteur* uns zuerst kennen lehrte. Die fünfte, bei welcher den Infectionserregern ganz heterogene Stoffe die Immunität erzeugen, und zwar solche, welche ganz einfacher chemischer Natur sind, hat bis jetzt kaum ein Analogon; dass jedoch die Möglichkeit der Immunisirung durch einfache Chemikalien auch bei anderen Infectionskrankheiten besteht, mag die Thatsache bezeugen, welche ich mit dem Einverständnisse von Herrn *Kitasato* hier mittheile, „*dass eine der Immunisirungsmethoden gegen Tetanus bei Kaninchen auf der Vorbehandlung derselben ausschliesslich mit Jodtrichloridlösungen beruht*".

Alle fünf bisher geschilderten Immunisirungsmethoden gegenüber der Diphtherie — wenigstens in der Form, wie ich sie hier mittheilte — sind für den Menschen nach meiner Meinung nicht verwerthbar.

Vom wissenschaftlichen Standpunkt aus aber, und insbesondere für die Lösung derjenigen Aufgabe, deren Besprechung allein ich mir *hier* vorgenommen habe, *für das Verständniss des Zustandekommens der Diphtherie-Immunität,* sind sie imstande, uns werthvolle Dienste zu leisten.

Mag nämlich die Immunität zustande gekommen sein, wie sie wolle — und ich schliesse auch die natürliche Diphtherie-Immunität nicht aus — *alle* diphtherie-immunen Thiere haben gewisse Eigenschaften gemeinsam, die sie von nicht immunen Thieren unterscheiden.

Zunächst besitzen die lebenden immunen Thiere sämmtlich nicht bloss Schutz gegen die Infection mit den lebenden Diphtheriebacillen, sondern sie sind auch gegen die deletäre Wirkung derjenigen giftigen Substanzen geschützt, welche von den Diphtheriebacillen in Culturen und im Thierkörper gebildet werden.

Die Prüfung habe ich in verschiedener Weise vorgenommen. Zuerst versuchte ich's mit der Lösung einer eiweissartigen Substanz, die ich durch sauren Alcohol aus alten Culturen ausscheiden liess; ich war jedoch nicht imstande, die Säure aus dem entstehenden Präparat ohne Schädigung der Giftwirkung zu beseitigen; auch andere Fällungsmittel aus dem entstandenen Niederschlag so zu beseitigen, wie das früheren Untersuchern auf diesem Gebiet ohne Schwierigkeit gelungen ist, erachte ich als keine sehr leicht lösbare Aufgabe. Für den vorliegenden Zweck hatte ich aber auch gar nicht nöthig, das Diphtheriegift, oder richtiger vielleicht die Diphtheriegifte, auszufällen; filtrirte alte Culturen leisteten mir alles, was ich wünschte.

Von meinen in alkalischer Bouillon mit 10 ccm Normallauge pro 1 Liter gezüchteten Culturen fand ich, dass dieselben nach zehn Wochen so viel giftige Substanz enthielten, dass sie, durch Filtriren keimfrei gemacht, bei mittelgrossen Meerschweinchen in einer Menge von 1 ccm schon charakteristische Diphtherie-Vergiftungssymptome hervorriefen, die erst nach drei bis vier Wochen gänzlich schwanden. 3 bis 4 ccm genügten, um auch grössere Meerschweinchen in drei bis acht Tagen zu tödten. Sehr regelmässig treten dabei Nekrosen der Haut auf, und zwar nicht bloss an der Injectionsstelle, sondern ganz weit davon entfernt; am häufigsten am Bauche.

Alle Meerschweinchen nun mit *befestigter* Diphtherie-Immunität, d. h. solche, die auch bei wiederholter Infection keine Krankheitserscheinungen mehr zeigten, vertrugen 3 bis 5 ccm, ohne auch nur Vergiftungserscheinungen oder irgend welche örtliche Reaction erkennen zu lassen; dagegen erwiesen sich die noch nicht ganz von einer Infection geheilten Meerschweinchen nur sehr wenig giftwiderständiger als die normalen, und die Hautnekrosen traten in gleicher Weise auf, wie bei diesen. *Sehr bemerkenswerth ist, dass durch die subscutane Injection erheblicherer und wiederholter Giftmengen die Immunität wieder verloren gehen kann; es geschieht dies um so sicherer, je weniger „befestigt" die Immunität gewesen war. Jedenfalls befinden sich die unter dem Einfluss der giftigen keimfreien Diphtheriecultur stehenden Meerschweinchen gegenüber der Diphtherie-Infection unter ungünstigeren Bedingungen, wie vorher.*

Man könnte zuerst auf den Gedanken kommen, dass die hier beschriebene Giftwiderständigkeit auf einer *„Giftgewöhnung"* beruhe, wie sie bei Alkoholikern, bei Morphiophagen, bei Arsenikessern in dem Sinne behauptet wird, dass gewisse lebenswichtige Centren auf das in Frage kommende Gift nicht mehr reagiren, kurz dass es sich hier im wesentlichen um eine „Uebung" oder „Abhärtung" vitaler Organe handle.

Einer solchen Auffassung stellt sich aber sofort die Thatsache entgegen, dass auch solche Thiere die Diphtherie-Giftwiderständigkeit besitzen, welche nie etwas mit Diphtheriegift zu thun hatten.

Wenn wir wiederum von jener keimfrei gemachten zehn Wochen alten Cultur ausgehen, so ist dieselbe auf das Körpergewicht berechnet für Meerschweinchen tödtlich im Verhältniss von ca. 1 : 100; Mäuse aber vertragen das Gift ohne jeden Schaden, wenn ihnen dasselbe im Verhältniss von 1 : 20 injicirt wird, und Ratten habe ich mehrere Tage hintereinander je 4 ccm eingespritzt, ohne dass eine nennenswerthe Reaction eintrat.

Gegen die Annahme der Giftgewöhnung spricht ferner der Umstand, dass es mir nie gelingen wollte, trotz des vorsichtigsten Steigens von ganz unschädlichen zu höheren Giftgaben, die Thiere gegen das Diphtheriegift auch nur soweit zu schützen, dass sie später ein wenig mehr davon vertragen hätten, als normal.

Diese Beobachtungen und Erwägungen führten mich dazu, der Frage näher zu treten, ob etwa die Ursache der Giftwiderständigkeit überhaupt gar nicht auf einer Eigenschaft *lebender cellulärer* Theile des Organismus beruht, sondern auf einer besonderen Eigenschaft des von lebenden Zellen befreiten Blutes.

Um diese Frage zu entscheiden, entnahm ich Ratten, die in grosser Menge das Diphtheriegift in die Bauchhöhle injicirt erhalten hatten, drei Stunden später Blut und spritzte dasselbe bezw. das daraus gewonnene Serum Meerschweinchen in die Bauchhöhle; es trat keine Spur von Vergiftungserscheinungen ein, während das Blut diphtherie-*empfänglicher* Thiere, die das Diphtheriegift erhalten hatten, in gleicher Menge in die Bauchhöhle eingespritzt (4 ccm), zwar die Meerschweinchen nicht tödtete, aber doch deutlich krank machte.

Weiterhin lege ich dann Werth auf die Thatsache, dass auch noch dem extravasculären Blut diphtherie-immuner Meerschweinchen die Fähigkeit zukommt, das Diphtheriegift unschädlich zu machen. In welchem Grade dies geschieht, und in welchem Grade mit dem Blut immunisirter Thiere sich therapeutische Erfolge erzielen lassen, darüber gedenke ich später Mittheilung zu machen.

Ich habe dann noch ein negatives den immunen Thieren gemeinsames Kriterium zu nennen.

Bevor ich zu denjenigen Untersuchungen gelangte, welche mich nachweisbare Unterschiede zwischen dem Blut diphtherie-empfänglicher und diphtherie-immuner Thiere auffinden liessen, hatte ich auch diejenigen Methoden benutzt, welche *bisher* bei den Blutuntersuchungen angewendet wurden. So hatte ich das Blut von vier immunisirten Meerschweinchen und zwei immunisirten Kaninchen, sowie das Blut und das Serum von mehr als zehn Ratten daraufhin untersucht, ob etwa bacterienfeindliche Einflüsse sich darin nachweisen lassen. Es war das nicht der Fall; die Diphtheriebacillen wuchsen überall sehr üppig, und ihre Virulenz war eher noch vermehrt.

Nachdem ich diese Erfahrungen bei meinen Untersuchungen über das Zustandekommen der Diphtherie-Immunität gemacht hatte, wendeten Herr *Kitasato* und *ich* dieselben gemeinschaftlich auf den Tetanus an, und es ist uns schon in der ersten Mittheilung, wie wir glauben, gelungen, den unanfechtbaren Beweis dafür zu liefern, dass beim Tetanus die giftzerstörende Wirkung des Blutes tetanusimmuner Thiere eine causa sufficiens für das Zustandekommen der Immunität ist.

Der glückliche Umstand, dass wir von einem immunen Kaninchen so viel Blut und Serum gewinnen können, um damit eine grössere Zahl der so sehr viel kleineren Mäuse zu behandeln, hat es ermöglicht, dass bei dieser Krankheit auch die therapeutischen Consequenzen voll und ganz gezogen werden konnten. Vielleicht sind in meiner mit *Kitasato* gemeinschaftlich veröffentlichten Arbeit die Heilwirkungen der Transfusion des Blutes von tetanus-immunen Kaninchen noch nicht scharf genug zum Ausdruck gekommen, und ich will daher hier noch besonders hervorheben, dass Mäuse mit dem Blut tetanus-immuner Kaninchen nicht bloss *immunisirt* werden, und dass nicht bloss dann die Mäuse vor der Erkrankung an Tetanus geschützt bleiben, wenn ihnen Blut oder Serum des immunen Thieres unmittelbar nach der Infection in die Bauchhöhle gespritzt wird; *auch wenn schon mehrere Extremitäten tetanisch geworden sind, und nach den sonstigen Erfahrungen der Tod der Mäuse in wenigen Stunden zu erwarten ist, falls keine Behandlung eintritt, selbst dann gelingt es noch mit grosser Sicherheit, die Heilung herbeizuführen, und zwar so schnell, dass schon in wenigen Tagen nichts von der Erkrankung zu merken ist.*

Die Möglichkeit der Heilung auch ganz acut verlaufender Krankheiten ist danach nicht mehr in Abrede zu stellen.

Berlin, im December 1890.

IV.

Ueber desinficirende Eigenschaften des thierischen Blutes ausserhalb des Gefässsystems.

Von **Behring**.

Die Uebersicht über „*Desinfectionsmittel*" würde keine vollständige sein ohne eine Erwähnung derjenigen Mittel, welche der thierische und der menschliche Organismus besitzt, um die infectiösen Wirkungen der Mikroorganismen zu paralysiren.

Wir wissen darüber bis jetzt noch recht wenig; aber einige neue Thatsachen, die ich an dieser Stelle mittheilen kann, scheinen mir doch schon so präciser Art zu sein, dass man es wagen kann, die oben bezeichnete Gruppe als ein neues Kapitel der Desinfectionslehre einzufügen.

Zur Orientirung über die im Folgenden zu besprechenden Einzeldaten will ich vorausschicken, dass ich auf Grund des bis jetzt vorliegenden Untersuchungsmaterials die im Blute nachweisbaren desinficirenden Eigenschaften (im weitgehendsten Sinne des Worts) eintheile in

1) bacterienfeindliche,
2) bacterien*gift*vernichtende bezw. abschwächende.[1]

Von den ersteren soll zunächst die Rede sein.

---

1) Die bacteriengiftfeindlichen Wirkungen kann man je nach der Auffassung der Natur der in Betracht kommenden Bacteriengifte als „antitoxische" und als „antifermentative" bezeichnen.

In meiner Arbeit „Ueber die Ursache der Immunität von Ratten gegen Milzbrand" (32) habe ich vor nunmehr fast drei Jahren gezeigt, dass das Rattenblut und auch das aus demselben gewonnene Serum milzbrandfeindliche Eigenschaften besitzt, und dass es dadurch sich wesentlich von dem Blut der für Milzbrand sehr leicht empfänglichen Meerschweinchen unterscheidet.

Diese Thatsache scheint mir wohl geeignet, einen Einblick in den Mechanismus des Zustandekommens der Milzbrandimmunität weisser Ratten zu verschaffen, zumal wenn einigermassen quantitativ die hierbei zu beobachtende desinficirende Leistungsfähigkeit des Rattenblutes berücksichtigt wird.

Dasselbe vermag selbst sehr viele vollvirulente Milzbrandbacillen abzutödten und zwar so schnell und *vollständig,* dass nach vierstündiger Einwirkung auch nicht ein einziger lebender Bacillus von mehreren hunderttausend, die in 1 ccm Blut oder Serum hineingebracht sind, übrig bleibt.

In einer grösseren Versuchsreihe stellte ich am Serum von sieben auf Milzbrandimmunität geprüften Ratten zahlenmässig die milzbrandfeindliche Wirkung fest.

Ich fand, dass in einem Hammelserum, in welchem sich Milzbrandbacillen üppig vermehrten, das Wachsthum noch vollständig verhindert wurde, wenn ein Theil frisches Rattenserum zu 11—15 Theilen Hammelserum hinzugesetzt wurde; und 2·5 ccm Rattenserum mit Hammelserum zu gleichen Theilen vermischt, hatte Milzbrandbacillen, die aus Mäusemilzbrandblut mit einer Platinöse übergeimpft wurden, nach 24 Stunden vollständig abgetödtet. *Entwickelungshemmende und abtödtende Wirkung des Rattenserums gegenüber Milzbrandbacillen erweisen sich darnach,* wenn die Prüfung am Hammelserum vorgenommen wurde, *ungefähr gleich einer 2·0 procentigen Carbolsäurelösung oder einer 1 $^0/_{00}$ Sublimatlösung.*

Das sind in der That recht respectable antiseptische und desinficirende Leistungen; ich habe sie aber auch nicht annähernd so gross bei anderen Thieren gefunden; und wenn man energische bacterientödtende Blutwirkungen studiren will, so kann ich nicht genug die Ratten für diesen Zweck empfehlen.

Freilich darf dabei nicht ausser Acht gelassen werden, dass durch Neutralisiren bis zu schwach saurer Reaction, durch höhere Temperatur und andere Agentien diese Wirkung auf Milzbrandbacillen verloren geht.

Wenn in meinen gemeinschaftlich mit *Nissen* (33) ausgeführten und in spateren Versuchen Ratten, die gegen Milzbrandinfection weniger widerstandsfähig waren, nicht einen so hohen Grad abtödtender Wirkung zeigten, so konnte dadurch die Anschauung von einem causalen Verhältniss zwischen der bacterientödtenden Fähigkeit der zellenfreien Blutflüssigkeit gegenüber einer bestimmten Bacterienart und der Widerstandsfähigkeit gegen die Infection mit derselben nur noch mehr gestützt werden.

Gegenwärtig ist nun schon eine grössere Zahl von Fällen bekannt, in denen die Immunität gegen Infectionskrankheiten mit einer derartigen Beschaffenheit des zellenfreien Blutes, dass die Infectionserreger durch dieselbe ungünstig beeinflusst werden, einhergeht.

So haben *Charrin* und *Roger* (34) gefunden, dass bei Kaninchen, die künstlich gegen den Bacillus blaugrünen Eiters immun gemacht worden sind, von dem aus den Gefässen entleerten Blut ein Serum geliefert wird, welches in ausgesprochenem Grade den Bacillus pyocyaneus in seinem Wachsthum beeinträchtigt, während dies bei normalen Kaninchen nicht der Fall ist. Beide Autoren constatirten auch die interessante Thatsache, dass das Serum von solchen Kaninchen, die unter dem Einfluss der Stoffwechselproducte des Bacillus pyocyaneus stehen, gegenüber demselben entwickelungshemmende und abtödtende Wirkung besitzt.

Aehnliche Unterschiede in dem Verhalten des Serums vaccinirter und nicht vaccinirter Thiere haben *Nissen* und *ich* (2) bei derjenigen Krankheit festgestellt, die bei Meerschweinchen durch den Vibrio Metschnikovi hervorgerufen wird; das Serum von sieben gegen diese Krankheit (Vibrionensepticämie) immunisirten Thieren tödtete die dieselben erzeugenden Kommabacillen ab, während das bei keinem Serum normaler Meerschweinchen der Fall war.

Ein hervorragendes Interesse nehmen ferner die Versuche in Anspruch, welche *Stern* (37) in *Biermer's* Klinik an *menschlichem* Blut und anderen Körperflüssigkeiten anstellte.

Derselbe fand, dass defibrinirtes Blut von 17 Personen ein sehr gleichmässiges Verhalten gegenüber den zur Prüfung gewählten pathogenen Bacterien zeigte; es wirkte am stärksten abtödtend auf den Kommabacillus der Cholera asiatica, etwas weniger auf den Typhusbacillus; Diphtheriebacillen wurden nicht merklich abgetödtet, vermehrten sich aber auch nur langsam. Dagegen wurde beim Staphylococcus aureus und bei den Milzbrandbacillen schon nach 24 Stunden eine unzählige Menge von Bacterien in jedem Tröpfchen Blut gefunden, auch wenn die Aussaat eine spärliche gewesen war.

Es wird durch diese Untersuchungen für den Menschen bestätigt, was *Nissen* und *ich* für eine grosse Zahl von Thieren gefunden haben, dass nicht *alle* Bacterien von dem Blut ungünstig beeinflusst werden, dass vielmehr manche Bacterien darin sich reichlich vermehren; wir sehen ausserdem, dass menschliches Blut gegenüber Milzbrandbacillen sich wesentlich anders verhält als Rattenblut; *worauf ich aber besonderes Gewicht legen möchte, betrifft die Thatsache, dass die Kommabacillen der asiatischen Cholera bei allen Menschen und die Typhusbacillen bei den meisten untersuchten Personen*[1] *vom Blut vollständig abgetödtet werden. Es ist schwer, dabei sich des Gedankens zu entschlagen, dass die cholera- und typhusfeindlichen Eigenschaften des Blutes die Ursache des Fehlens der Cholera- und Typhusbacterien im Blut inficirter Personen sind.*

Noch nach einer anderen Richtung müssen uns die Versuchsergebnisse *Stern's* von Interesse sein.

Bekanntlich spielt in der Pettenkofer'schen Auffassung der Cholera- und Typhusätiologie die Annahme der Infection von den Lungen aus durch Einathmung eine wichtige Rolle; dabei würden dann die Infectionserreger auf dem Wege der Blutbahn zu denjenigen Stellen im Körper hingelangen, die der hauptsächlichste Sitz der krankhaften Veränderungen sind. Dass nun durch die Athmungsorgane Infectionskrankheiten erzeugt werden können, ist ja für manche Krankheiten, wie für die Tuberkulose und für den Milzbrand (Buchner) bewiesen worden; aber in Anbetracht der Stern'schen Resultate ist es wenig wahrscheinlich, dass für Typhus und Cholera eine Erkrankung auf diesem Wege auch nur möglich ist.

Aber nicht bloss vom Blut, sondern auch von pleuralen, pericardialen und peritonealen Transsudaten und Exsudaten, ebenso von Hydroceleflüssigkeit werden Cholera- und Typhusbacillen abgetödtet.

Dagegen sind die ebengenannten Flüssigkeiten ein vorzüglicher Nährboden für Streptokokken und Staphylokokken. Im Gegensatz zu den meisten anderen Bacterien vermehren sich auch einzelne Individuen dieser Bacterienarten sofort und ungehindert; und ich bin der Meinung, dass das überaus häufige Vorkommen der Staphylokokken und Streptokokken an solchen Stellen, die der schützenden Epitheldecke beraubt sind und ihr fast ausschliessliches Vorhandensein

---

1) In dem Blut von einem Typhuskranken trat nach anfänglicher Abnahme der Typhusbacillen eine nachträgliche Vermehrung ein.

bei den menschlichen Septicämien und in inficirten Exsudatflüssigkeiten der Körperhöhlen durch den Mangel des menschlichen Blutes und der aus demselben herstammenden Flüssigkeiten an antiseptischen Eigenschaften gegenüber diesen Mikroorganismen zu erklären ist.

So unverkennbar nun der Einfluss ist, welchen in den bisher besprochenen Fällen die bacterientödtenden Eigenschaften des zellenfreien Blutserums auf die grössere oder geringere Empfänglichkeit eines Individuums für einzelne Infectionskrankheiten ausüben, so wäre es doch sehr verfehlt, wenn man darauf eine allgemein gültige Erklärung der Immunität begründen wollte.

Nissen und *ich* haben gezeigt, dass die grosse Widerstandsfähigkeit von Hunden, Katzen, Hühnern, immunisirten Hammeln gegen Milzbrand *nicht* durch milzbrandfeindliche Wirkungen des zellenfreien Serums dieser Thiere bedingt sein kann, dass also, wenn überhaupt im lebenden *Blut* derselben energische milzbrandfeindliche Kräfte existiren, diese nach der Blutgerinnung nicht in's Serum übergehen.

Auch für andere Infectionskrankheiten haben wir das Fehlen eines Zusammenhanges zwischen bacterienfeindlichen Eigenschaften des zellenfreien Blutes und Immunität nachgewiesen.

Je eingehender und sorgfältiger die experimentellen Arbeiten über das Wesen und die Ursachen der Immunität wurden, um so mehr häuften sich die Thatsachen, welche bewiesen, dass die Kräfte, deren der lebende Organismus sich zur Bekämpfung der krankmachenden Bacterienwirkung bedient, nicht nach einem einheitlichen Schema zu beurtheilen sind.

Bei manchen Thieren sind es zweifellos direct bacterienfeindliche Wirkungen des Blutes, welche uns die

Unschädlichkeit der Bacterien, die bei anderen Thieren als Blutparasiten auftreten, genügend erklären.

In noch einfacherer Weise wird, wie *Metschnikoff* treffend bemerkt, unserem Causalitätsbedürfniss genügt, wenn wir fragen, warum bei Fröschen die Tuberkelbacillen gänzlich inoffensiv sind; wir wissen, dass diese Bacterien zu ihrer Vermehrung einer Temperatur bedürfen, die weit über der Körpertemperatur dieser Thiere liegt; da werden wir nicht erst nach anderen Ursachen fragen.

Umgekehrt werden Wasserbacterien, die bei Brüttemperatur absterben, schon aus diesem Grunde für den Organismus der Warmblüter nicht infectiös sein können.

Gegenüber diesen bacterienfeindlichen Blutwirkungen chemischer und physikalischer Natur *ohne nachweisbare Mitwirkung cellularer Kräfte,* welche die Vermehrungsfähigkeit und die Lebensfähigkeit der Infectionserreger beeinträchtigen, können wir uns nun auch solche vorstellen, die dadurch wirksam sind, dass sie gewisse Functionen der Bacterien modificiren oder alteriren, derart, dass dieselben gar nicht mehr oder nur in geringerem Grade im Stande sind, krankmachende Stoffwechselproducte zu liefern.

Eine solche *functionelle* Beeinträchtigung pathogener Organismen hat man wohl schon öfter angenommen; aber erst durch *Roger* sind wir mit der Thatsache bekannt geworden, dass sich diese Wirkung auch im extravasculären zellenfreien Blut immunisirter Thiere nachweisen lässt.

Roger (36b), welcher das Verhalten der Erysipelstreptokokken bei erysipelimmunisirten Kaninchen genauer studirte, fand, dass zwar diese Bacterien im Serum der vaccinirten Thiere ebenso reichlich sich vermehren, wie in dem von normalen. Aber wenn er die Culturen auf frische Kaninchen überimpfte, dann zeigte sich eine principiell verschiedene Wirkung.

Die Streptokokkencultur im normalen Serum erwies sich sehr virulent und erzeugte typisches Erysipel, oft mit tödt-

lichem Ausgang; die Cnltur im Serum von den erysipel-immunen Thieren dagegen brachte höchstens eine locale Erkrankung von ganz vorübergehender Dauer oder einen Eiterabscess hervor. Die Streptokokken hatten demnach ihre specifische Virulenz im Serum der immunisirten Kaninchen eingebüsst, und die Annahme, dass auch das Blut und die Gewebsäfte der *lebenden* immunisirten Thiere diese Wirkung ausüben, und dass auch hier in einer Einwirkung der zellenfreien Blutflüssigkeit auf die Bacterien die Ursache der Immunität zu suchen ist, hat zum Mindesten wohl eine grosse Wahrscheinlichkeit; aber wie man sieht, liegt hier die Sache wesentlich anders als beispielsweise bei den gegen die Vibrionensepticämie (Vibrio Metschnikovi) immunisirten Meerschweinchen. Das Blut und das Serum dieser Thiere besitzt eine sehr energische *abtödtende* Wirkung; so lange aber überhaupt noch lebende Vibrionen sich im Körper der immunisirten Thiere sich befinden, sind dieselben auch virulent.

Auch sonst ist bis jetzt eine Abschwächung pathogener Bacterien im Organismus natürlich und künstlich immuner Thiere nicht bewiesen worden.

So zeigte *Malm* (38), dass die Virulenz der Milzbrandbacillen bei der Passage durch Blut und Gewebsäfte refractärer Thiere nicht abnimmt, sondern eher zunimmt. Die anders lautenden Angaben von *Oemler, Kitt* und *Frank* beruhen nach *Malm* auf Beobachtungsfehlern. Zum Theil sind sie, wie von *Lubarsch,* welcher ursprünglich die Abschwächung virulenter Milzbrandbacillen im Froschkörper behauptet hatte, später von den Autoren selbst als irrthümlich erkannt worden.

Weder im Körper der natürlich immunen Hunde, Tauben, Ratten, Frösche, noch im Organismus der künstlich immun gemachten Kaninchen und Hammel wird die Virulenz der Milzbrandbacillen verringert.

So ist auch die von *Emmerich* und *di Mattei* (39) behauptete Abschwächung der Schweinerothlaufbacillen im Kaninchenkörper von *Metschnikoff* als nicht zutreffend zurückgewiesen worden.

Darnach wäre die oben mitgetheilte Beobachtung von *Roger* an Erysipelstreptokokken ein bis jetzt vereinzelter Fall, in welchem durch Blut und Gewebsäfte eines immunen Thieres eine Abschwächung der Virulenz zu Stande kommt.

Die *bacterienentwickelungshemmenden* und *bacterientödtenden* Eigenschaften des Blutes, ferner diejenigen Fähigkeiten desselben, welche eine *Beeinträchtigung oder Alteration der biochemischen Bacterienthätigkeit* im Gefolge haben, sind jedoch nicht die einzigen Mittel, die dem lebenden Organismus zur Verfügung stehen, um sich der deletären Wirkung pathogener Bacterien zu erwehren.

Wir müssen ein weiteres sehr bedeutsames Kampfmittel berücksichtigen, das nichts mit einer directen Beeinflussung der Mikroorganismen zu thun zu haben braucht; welches vielmehr darauf gerichtet ist, die von denselben producirten giftigen Stoffe so zu verändern, dass sie in ungiftige verwandelt werden.

Um zu zeigen, wie die Sache gemeint ist, will ich gleich ein concretes Beispiel erwähnen.

Herr *Kitasato* und *ich* haben ein *tetanusimmunisirtes* Kaninchen untersucht, welches nicht bloss gegen die Infection mit lebenden Tetanusbacillen geschützt war, sondern auch von dem Tetanusgift selbst das 20fache derjenigen Quantität ohne erkennbare Störung der Gesundheit vertrug, die für normale Kaninchen in kurzer Zeit tödtlich wirkt.

Wir legten uns die Frage vor, wodurch wohl diese merkwürdige Widerstandsfähigkeit gegen das Tetanusgift ermöglicht wird, und wir sind, wie ich glaube, in der Lage, auf diese Frage eine vor der Hand schon ziemlich befriedigende Antwort zu geben.

Das Blut dieses Thieres war im Stande, das Tetanusgift so zu verändern, dass dasselbe auch für nicht immune Thiere unschädlich wurde.

Brachten wir nämlich solche Mengen des Tetanusgiftes, welche für Mäuse in weniger als 24 Stunden sicher tödtlich sind, mit einer geringen Quantität des extravasculären Blutes bezw. blutigen Serums von jenem tetanusimmunen Thier zusammen und liessen das Blut 20 Stunden auf das Gift einwirken, so hatte es seine Wirkung auf Mäuse vollkommen eingebüsst.

Zur Ausführung der eben mitgetheilten Versuche wurden wir durch meine Beobachtungen beim Milzbrand und namentlich bei meinen Untersuchungen an diphtherieimmunen Ratten und 16 künstlich diphtherieimmun gemachten Meerschweinchen angeregt.[1])

Als ich nach den Ursachen des Zustandekommens der natürlichen und künstlichen Diphtherieimmunität forschte, fand ich weder im extravasculären Blut der Ratten noch der immunisirten Meerschweinchen auch nur die Spur einer diphtheriebacterienentwickelungshemmenden oder virulenzvermindernden Fähigkeit in demselben.

So kam ich auf die Frage, ob etwa in diesem Falle die Immunität auf der Fähigkeit des Organismus beruht, nicht sowohl die lebenden Bacterien zu schädigen, als vielmehr die Giftwirkung derselben zu paralysiren; ob ferner, wenn dies der Fall ist, jene Fähigkeit im Blute zu suchen ist; endlich ob dann auch noch das extravasculäre Blut dieselbe besitzt.

Sämmtliche drei Fragen liessen sich ohne Schwierigkeit und mit Bestimmtheit für die *Ratten* in bejahendem Sinne entscheiden.

Nicht ganz so eindeutig waren zuerst die Resultate

---

1) *Die Immunisirung von Meerschweinchen gegen Diphtherie gelingt auf mehrfache Weise. Die genaue Mittheilung desjenigen Verfahrens, welches am sichersten und einfachsten zum Ziele führt, erfolgt an anderer Stelle.*

bei den immun gemachten Meerschweinchen; *je vollkommener aber im Laufe der Zeit die Immunisirung dieser Thiere gelungen war, um so sicherer liess sich der Beweis auch für sie erbringen, dass ihre Diphtherieimmunität auf der Fähigkeit des Blutes beruht, das Diphtheriegift*[1]) *unschädlich zu machen, und dass diese Fähigkeit sich auch noch im extravasculären Blute nachweisen lässt.*

Controlversuche mit dem Blute von nicht immunen Thieren haben ergeben, dass dasselbe Diphtheriegift bezw. das Tetanusgift *nicht* verändert.

Der Beweis dafür wird nicht bloss dadurch geliefert, dass extravasculäres Blut mit den genannten Giften, wenn es geeigneten Thieren einverleibt wird, die specifischen Diphtherie- bezw. Tetanuswirkungen hervorruft; er wird in noch vollkommenerer Weise durch die Thatsache erbracht, dass das bei Thieren, die an Diphtherie- und Tetanusvergiftung gestorben sind, zu findende reichliche Transsudat in der Pleurahöhle, sowie das Blut dieser Thiere das Diphtheriegift und das Tetanusgift enthalten. Man kann mit voller Sicherheit diese Gifte dadurch nachweisen, dass man durch Transsudat und Blut bei diphtherie- und tetanusempfänglichen Thieren die in Frage kommenden Giftwirkungen auslöst.

Kitasato und *ich* haben die eben besprochenen Versuchsergebnisse noch weiter verfolgt, und wir konnten für die *Tetanusimmunität* die Tragfähigkeit des dabei gewonnenen Erklärungsprincips als eine sehr grosse constatiren.

Wir haben Blut des tetanusimmunen Kaninchens Mäusen in die Bauchhöhle eingespritzt und sie dann theils mit lebenden Tetanusbacillen inficirt, theils ihnen Tetanusgift in einer

---

1) Richtiger müsste man wohl sagen, „*die Diphtheriegifte*"; es lassen sich mindestens zwei verschieden wirksame toxische Agentien in Diphtherieculturen nachweisen.

für normale Mäuse mehr als tödtlichen Dosis subcutan injicirt. Die Controlmäuse erkrankten in typischer Weise und starben; die wie oben beschrieben behandelten Mäuse blieben gesund.

Dies Beispiel der Heilwirkung der Transfusion von Blut, das einem immunen Thier entstammt, steht nicht vereinzelt da.

Vor längerer Zeit habe ich milzbrandinficirte Mäuse dadurch vor dem Tod an Milzbrand geschützt, dass ich ihnen Rattenserum in die Bauchhöhle einspritzte.

Indessen die hierbei zu erhaltenden Resultate sind auch nicht annähernd so sicher wie beim Tetanus.

Selbstverständlich wurde in allen diesen Versuchen durch im Uebrigen gleiche Behandlung der Mäuse mit Blut und mit Serum nicht immuner Thiere der Beweis geliefert, dass die Heilwirkung eine specifische Leistung des Blutes ausschliesslich der für Tetanus bezw. für Milzbrand nicht empfänglichen Thiere ist.

Man könnte auf den ersten Blick geneigt sein, die eben mitgetheilten Beobachtungen als Erscheinungen zu betrachten, welche unter der Bezeichnung *„Giftgewöhnung“* in der Medicin seit langer Zeit bekannt sind. Die Thatsache jedoch, dass die Widerstandsfähigkeit z. B. gegen das Diphtheriegift bei Thieren besteht, die nie Gelegenheit hatten, sich an das Gift zu gewöhnen, die Thatsache ferner, dass man im Stande ist — worauf ich in einer anderen Arbeit eingehen werde — Meerschweinchen und Kaninchen auf eine Art zu immunisiren, die nichts mit dem Diphtheriegift zu thun hat, muss davon abhalten, jenen Ausdruck für die hierher gehörigen Fälle zu gebrauchen.

Auch noch eine andere Erwägung verbietet die Confundirung der hier berichteten Beobachtungen mit der Giftgewöhnung.

Ich glaube nicht fehl zu gehen, wenn ich annehme, dass — sofern man sich überhaupt eine präcise Vorstellung von dem Wesen der Giftgewöhnung macht — darunter eine derartige Beeinflussung gewisser vitaler Centren verstanden wird, dass dieselben auch auf stärkere durch Gifte hervorgebrachte Reize nicht mehr reagiren.

Es ist möglich, dass es solche wirkliche *„Gewöhnung“* giebt. Keinenfalls spielt dieselbe aber in unserem Falle eine entscheidende Rolle.

Nicht eine Veränderung irgend welcher lebenswichtiger Centren, sondern eine Veränderung der chemischen Zusammensetzung des Blutes ist es, mit der wir es hier zu thun haben.

Es erübrigt noch die Berücksichtigung dessen, was bisher in der Litteratur über *Infectionskrankheiten* von ähnlichen Dingen bekannt geworden ist.

In der theoretischen Betrachtung der Möglichkeiten für das Zustandekommen der Immunität hat seit langer Zeit die *„Giftgewöhnung“* eine stehende Rubrik.

Wo aber bis jetzt gegen irgend welche Krankheit immunisirte Thiere genauer untersucht worden sind, liess sich eine grössere Widerstandsfähigkeit gegen das in Frage kommende Gift nicht beweisen.

So fand *R. Pfeiffer*, dass Meerschweinchen, die gegen die Vibrionensepticämie (Vibrio Metschnikovi) immun gemacht waren, eine höhere Widerstandsfähigkeit gegen giftige Culturen des Vibrio Metschnikovi nicht erhalten hatten.

Charrin (40) prüfte die Frage der Giftwiderständigkeit immunisirter Thiere in sehr eingehender Weise an pyocyaneusimmunen Kaninchen und Meerschweinchen, die durch die toxischen löslichen Stoffwechselproducte des Bacillus pyocyaneus immun gemacht waren. Er fand auch nicht die Spur einer Gewöhnung an diese Stoffwechselproducte der Art, dass die immunisirten Thiere mehr von denselben vertragen hätten als die nicht immunen.

Die gleiche Beobachtung hat auch nach *Charrin's* Mittheilung (40) *Gamaleia* an dem von ihm entdeckten

Vibrio *Metschnikoff* neuerdings gemacht, und ist darnach zu gleichem Resultat gekommen wie *R. Pfeiffer*.

Als einziges bis jetzt beglaubigtes Beispiel grösserer Giftwiderständigkeit vor *meinen* und *Kitasato's* neuerdings gewonnenen experimentellen Resultaten ist mir durch private Mittheilung des Letzteren bekannt geworden, dass rauschbrandimmunisirte Meerschweinchen mehr von sterilisirten giftigen Rauschbrandculturen vertragen als normale.

Wir sehen somit von Neuem, dass es verschiedene Ursachen bei verschiedenen Thieren und Infectionskrankheiten für das Zustandekommen der Immunität giebt, und dass es *vorläufig* eine sehr unfruchtbare Arbeit ist, auf deductivem Wege zu einem einheitlichen Erklärungsprincip zu gelangen.

Auch schon die im Vorstehenden mitgetheilten Thatsachen berechtigen zu der Forderung, jede Infectionskrankheit und jede Thierart zunächst noch für sich zu studiren; dabei wird man nicht umhin können, die Untersuchung des extravasculären Blutes mindestens soweit vorzunehmen, dass über die bacterienentwickelungshemmenden, -tödtenden und -abschwächenden und ausserdem über die bacteriengiftverändernden Eigenschaften desselben Auskunft erhalten wird.

Es wird gewiss noch andere Kampfesmittel des lebenden Körpers geben, die sich in keine dieser beiden Kategorien unterbringen lassen.

Für meine Untersuchungen über die Ursachen der Immunität von Meerschweinchen gegen Diphtherie und für die gemeinschaftlichen Untersuchungen mit Hrn. *Kitasato* am tetanusimmunen Kaninchen habe ich aber nur die oben charakterisirten zu berücksichtigen nöthig gehabt.

Wenn ich diejenige Theorie, welche von *Metschnikoff* in der Phagocytosenlehre als allgemeingültige zur Erklärung des Zustandekommens der Immunität aufstellte, nicht in Betracht gezogen habe, so geschah das nicht deswegen, weil ich die durch dieselbe in grosser Zahl uns bekannt gewordenen wissenschaftlichen Thatsachen unterschätze.

Aber ich sage mir, dass im letzten Grunde auch die lebenden Zellen mit physikalischen oder chemischen Mitteln arbeiten, sei es, dass sie Stoffe produciren, die bacterientödtend oder entwickelungshemmend sind, sei es, dass sie die Bacterienproducte in ihrer schädlichen Wirkung durch irgend welche chemischen Abscheidungen paralysiren. Gelangen nun diese bacterien- oder giftfeindlichen Producte in die Körper*flüssigkeiten* in löslicher Form, und können wir sie in denselben nachweisen, so wird man schon ein dialectisches Kunststück ausführen müssen, um einen solchen Vorgang noch unter den Begriff der Phagocytose zu subsumiren; dass aber die Zelle an sich, als fressender Körper, gegenüber den Bacterienkrankheiten als Kampfmittel eine ausschlaggebende Rolle bei höheren Thieren und beim Menschen spiele, dafür haben wir doch nur wenige Beispiele. Eine solche Auffassung könnte man allenfalls bei denjenigen Abscessen berechtigt finden, die spontan zum Durchbruch kommen; da kann in der That die Aufnahme von pathogenen Bacterien durch die Zellen und die hinterher erfolgende Entleerung des Abscessinhaltes nach aussen als ein Heilungsvorgang bezeichnet werden.

Aber in vielen Fällen, in denen thatsächlich Bacterien von den Zellen eingeschlossen werden, z. B. bei der Tuberculose, bei der Mäusesepticämie, sieht es eher aus, als ob dadurch der Propagation der infectiösen Mikroorganismen Vorschub geleistet wird.

Berlin, im Herbst 1890.

V.

Ueber die Behandlung diphtherieinficirter Meerschweinchen mit chem. Präparaten.

Von Sanitätsrath Dr. **Boer.**

Durch die Versuche von *Behring* war erwiesen, dass Meerschweinchen, die zu Folge den sonstigen Erfahrungen ohne eine Behandlung nach der Infection mit Diphtheriebacillen unfehlbar an typischer Meerschweinchen-Diphtherie spätestens in 30 Stunden sterben, mit grosser Sicherheit gerettet werden können, wenn alsbald nach der Infection eine locale Behandlung mit Jodtrichloridlösungen vorgenommen wird.

Bei dieser Behandlung müssen jedoch eine Reihe von unerwünschten Nebenwirkungen verzeichnet werden. — Es bildet sich an der Infectionsstelle eine beträchtliche Geschwulst, die theils durch die Wirkung des Jodtrichlorids, zum Theil aber auch durch das von den Diphtheriebacillen erzeugte Exsudat zu Stande kommt. Später nekrotisirt das Gewebe und es entsteht ein Schorf, unter welchem noch viele Wochen nach der Infection Eiter zu finden ist. Während dieser ganzen Zeit sind die Thiere krank und erst nach der Schorfabstossung und allmählichen Verheilung der meist grossen Geschwürsfläche werden die Meerschweinchen gesund. Aber selbst noch nach zwei bis drei Monaten deuten grosse unbehaarte Flächen und starke Abmagerung auf die überstandene schwere Erkrankung.

Ich habe nun versucht, mit andern Mitteln als dem Jodchlorid bessere Resultate zu erzielen.

Bei der Auswahl der zu prüfenden Mittel hielt ich mich zunächst an diejenigen, welche sich mir nach der bacteriologischen Vorprüfung am leistungsfähigsten gegenüber den Diphtheriebacillen erwiesen hatten.

Ich nenne das Sublimat, das Quecksilberoxycyanid, Sublimat mit Lithiumchloridzusatz; dann das Goldnatriumchlorid und das Goldkaliumcyanid; das Silbernitrat, die Carbolsäure, Kresol in Seifenlösung, Kreolin, Lysol, Naphthylamin, Cumol; ferner das von *Stilling* als Pyoktanin bezeichnete Methylviolett und das Malachitgrün.

Ausserdem habe ich aber eine grössere Anzahl desinficirend weniger wirksame Körper untersucht, sei es, weil dieselben in der Diphtherietherapie des Menschen eine Rolle gespielt haben oder noch spielen, sei es, dass aus anderen Gründen eine Prüfung wünschenswerth erachtet wurde.

So ist untersucht das Kali chloricum, die Zinkpräparate — Chlorzink, Zincum sulfuricum und Zincum aceticum —; das Cuprum sulfuricum, Natron arsenicosum, dann das Eisenchlorid, Ferricyankalium, Chlornatrium, Bromkalium, Jodkalium, jodsaure Kalium; endlich mehrere Säuren, wie die Essigsäure, Monochloressigsäure, Trichloressigsäure und die Oxalsäure. Auch einige neue Fluorverbindungen von *Schuchardt* aus Görlitz, die später genauer erwähnt werden, sind auf ihre Wirksamkeit geprüft.

Für die *Versuchsanordnung* waren die Erfahrungen massgebend, die *Behring*[1]) mit dem Jodtrichlorid gemacht hatte. Es war constatirt worden, dass das Urtheil über den Erfolg der Behandlung am sichersten zu gewinnen ist, wenn Thiere vom subcutanen Gewebe aus so stark inficirt werden, dass sie danach erfahrungsgemäss in spätestens 36 Stunden sterben; ferner hatte sich für die

---

1) *Behring, Deutsche medicinische Wochenschrift.* 1890. Nr. 50.

Behandlung am zweckmässigsten erwiesen, dass das Mittel in wässeriger Lösung an drei auf einander folgenden Tagen subcutan an die Infectionsstelle eingespritzt wird; die *Menge* der einzuspritzenden Flüssigkeit richtete sich nach der Grösse der Meerschweinchen. Bei einem Körpergewicht unter 500 g erhielten dieselben 2 ccm; grössere Thiere bekamen 3 bis 4 ccm. Auf das Durchschnittsgewicht von 500 g wurden 2,5 ccm gerechnet. Für meine eigenen Experimente war vor Beginn und im Verlaufe derselben der Versuchsplan gemeinsam mit Stabsarzt *Behring* verabredet worden.

Die *Dosirung der einzelnen Mittel* wurde von der Giftigkeit derselben abhängig gemacht. Ich bestimmte durch Vorversuche die tödtliche Dosis und wählte dann für den ersten Versuch eine solche Dosis, die der tödtlichen nahe kam und für ein zweites eine um die Hälfte kleinere. (Es kam mir übrigens dabei sehr zu Statten, dass für viele Mittel die für Meerschweinchen tödtliche Dosis durch frühere Versuche von *Behring* schon bekannt war.)

Die Art der Berechnung, welchen Procentgehalt die einzuspritzende Lösung enthalten musste, wird vielleicht am besten erkannt werden, wenn dieselbe an einem concreten Fall gezeigt wird.

Von der Carbolsäure war mir bekannt, dass dieselbe für Meerschweinchen bei subcutaner Injection tödtlich wirkt, wenn sie im Verhältniss von 1:4000 bis 1:3000 Körpergewicht eingespritzt wird. Die tödtliche Dosis für Meerschweinchen von 500 g beträgt darnach ca. 0.123 g; ich durfte darnach höchstens 0,1 g auf einmal geben und diese 0,1 g mussten enthalten sein in 2,5 ccm Wasser. Das ergiebt aber, wie man durch Rechnung leicht finden kann, ein Verhältniss von 1 · 25 = 4 Procent für die *einmalige* Application. Da jedoch die Carbolsäurelösung an drei auf einander folgenden Tagen injicirt werden sollte, so liess sich erwarten, dass zur Vermeidung von Vergiftungserscheinungen eine schwächere Lösung gewählt werden musste.

In der That zeigte sich, dass Meerschweinchen von 500 g höchstens 2 %ige Carbolsäurelösung ohne Schaden vertrugen, wenn dieselbe drei Tage hinter einander zu je 2,5 ccm eingespritzt wurde; und so wählte ich, um den Einfluss der Carbolsäure auf die Diphtherie zu studiren, für ein Thier eine 2 %ige Lösung, für ein zweites eine 1 %ige.

Wenn sich nun bei einem derartigen Vorversuch ergab, dass sowohl das mit der stärkeren, als das mit der schwächeren Lösung behandelte Thier an typischer Diphtherie und ebenso schnell starb wie das Controlthier, so betrachtete ich ein solches Mittel als zur Diphtheriebehandlung der Meerschweinchen gänzlich ungeeignet.

Genügten beide Lösungen, um die Thiere zu retten, so ging ich mit der Dosirung so weit herunter, bis die schwächste Lösung herausgefunden wurde, welche noch gerade genügte, um die Diphtherie zu heilen.

So fand ich beispielsweise, dass eine 1 %ige Carbolsäurelösung bei subcutaner Injection den Diphtherietod nicht zu verhindern im Stande war und ich brauchte daher nur noch die stärkeren Lösungen als die 1 %ige auf ihre Leistungsfähigkeit zu prüfen.

Nach einer grösseren Zahl von Versuchen kam ich zu dem Endresultat, dass die wirksamen Carbolsäurelösungen, d. h. solche, welche die deletären Folgen der Injection mit Diphtheriebacillen in Builloncultur aufzuheben im Stande sind, den für Meerschweinchen *tödtlichen* Dosen sehr nahe kommen, und dass kleinere Meerschweinchen mit Carbolsäure, wegen der Giftwirkung derselben, überhaupt nicht geheilt werden können.

Es ist bis jetzt von der Auswahl der Mittel, von ihrer Anwendungsweise und Dosirung, sowie von der Feststellung ihrer heilenden Leistungsfähigkeit eingehender die Rede gewesen. Ich muss nunmehr noch einen Punkt berühren, der für vergleichende Untersuchungen, wie ich sie ausführte, von grösster Wichtigkeit ist: *die Art der Infection.*

Für den Erfolg der Behandlung ist es nicht gleichgültig, ob die Infection, welche den Tod der Meerschweinchen in 24 bis 36 Stunden herbeiführt, durch Culturen bewirkt wird, die von festem oder flüssigem Nährboden herstammen. Um nach dieser Richtung gleichmässig zu verfahren, habe ich Bouillonculturen zur Infection verwendet; aber auch was diese angeht, muss man zur Erlangung einwandsfreier Resultate noch eine Reihe von Cautelen beobachten.

Die von mir verwendeten Diphtheriebacillen, welche von der Membran eines im Januar cr. an Diphtherie verstorbenen Kindes herstammen, wachsen in Bouillon sehr gut und zwar sowohl in alkalischer, wie in neutraler und saurer; in letzterer noch bei einem Säuregehalt, der auf Normalsäure berechnet, 9 ccm Normalsäure pro einen Liter Bouillon beträgt. Eine dauernde Veränderung der Virulenz wurde nirgends bis jetzt beobachtet; wenn z. B. nach drei Wochen langem Wachsthum in alkalischer, neutraler oder saurer Bouillon eine Ueberimpfung auf frische alkalische Bouillon vorgenommen wurde, so konnte ein Unterschied in der Virulenz nicht constatirt werden.

Dagegen ist die Beschaffenheit des Nährbodens von Einfluss auf die infectiösen Eigenschaften der Diphtheriebacillen, so lange dieselben unter dem Einfluss derjenigen Substanzen stehen, die den Nährboden zusammensetzen.

So ist man im Stande, die Virulenz sehr erheblich zu verändern, wenn chemische Körper irgend welcher Art in solcher Menge zugesetzt werden, dass die vegetativen Eigenschaften der Diphtheriebacillen dadurch beeinträchtigt werden.

In diese Kategorie müssen wir auch einen stärkeren Alkali- und Säuregehalt rechnen.

Aber nicht bloss absichtlich zugesetzte Stoffe sind zu berücksichtigen. *Durch die Diphtheriebacillen selbst werden Producte in der Bouillon angehäuft, welche einen sehr grossen Einfluss auf die Virulenz der Culturen ausüben und die schliesslich sogar die Diphtheriebacillen abtödten.*

So wurden in sechs Bouillonculturen, die nach achtmonatlichem Stehen im Brütschrank untersucht wurden, nirgends mehr lebende Bacillen gefunden. In vier Reagensculturen, die $4^1/_2$ Monat bei Brüttemperatur gehalten waren, konnte nur aus einem Glase eine frische Cultur gewonnen werden und auch bei diesem erst, nachdem die ganze Culturmenge (4 ccm) in einem Kölbchen mit 50 ccm frischer Bouillon aufgenommen wurde.

Andere Culturen, namentlich solche, welche längere Zeit ausserhalb des Brütschranks *bei Zimmertemperatur* gestanden hatten, wurden noch nach fünf Monaten lebensfähig gefunden.

Keine dieser Culturen hatte aber eine Abschwächung derart erlitten, dass die frisch daraus gezüchteten Bacillen weniger virulent gewesen wären.

Aber schon nach drei bis vier Wochen, wenn die obersten Schichten der Bouilloncultur sich zu klären beginnen, lässt sich erst mit *grösserer* Culturmenge eine gleich wirksame Infection erzielen, wie wenn man frische Culturen wählt, und hier wiederum sind zwei- bis dreitägige Culturen stärker wirksam, als 24 Stunden alte.

Um gut vergleichbare Resultate zu bekommen, wurden nun stets solche Culturen zur Impfung genommen, die zwei Tage lang im Brütschrank gewachsen waren und zwar in einer Bouillon von 6 bis 8 ccm Normallauge pro Liter.

Die Meerschweinchen erkranken nach Impfung mit 0·2 bis 0·25 ccm in weniger als 24 Stunden; das Fell wird struppig und weniger glatt, und wenn man die Thiere in die Hand nimmt, so fühlen sie sich kalt und schlaff an; auf den Rücken gelegt, bleiben sie eine Zeit unbeholfen liegen und sind nicht im Stande, sich schnell wieder auf die Beine zu bringen. An der Infectionsstelle fühlt man bei sorgfältigem Betasten ein weiches Oedem, welches in manchen Fällen zu einer etwas pralleren Geschwulst sich ausbildet; sehr oft aber lässt sich lokal nichts besonders Auffälliges entdecken, und zwar ist das um so regelmässiger der Fall, je schneller der Krankheitsprocess abläuft. Nach 30 Stunden sind die Thiere in der Regel todt.

Hat man dagegen alte Culturen zur Impfung verwendet, so ist der Krankheitsverlauf protrahirter und *noch ein anderer Unterschied im Verhalten der Thiere tritt dabei sehr regelmässig zu Tage: An der Infectionsstelle bildet sich eine pralle Geschwulst, oder eine ganz hart sich anfühlende Infiltration.*

Trotzdem nun der Krankheitsverlauf der mit frischen Culturen geimpften Meerschweinchen viel acuter ist als bei den mit alten Culturen geimpften, so habe ich doch für mehrere Mittel fesstellen können, dass die Heilung der ersteren leichter gelingt als die der letzteren.

Wenn wir uns jetzt zu unseren Versuchsresultaten wenden, so wollen wir zunächst diejenigen Mittel erwähnen, welche einen günstigen Einfluss auf den Verlauf der Diphtherieinfection gar nicht gehabt haben.

Hierhin gehören aus der anorganischen Chemie folgende Salze:

> Natr. jodat., Natr. chlorat., Kal. jodat., Kal. bromat., *Kali chloricum,* Natr. arsenicosum.

Von Mitteln aus der organischen Chemie:

> Monochloressigsäure und die Farbstoffe Malachitgrün und Methylviolett, das Cumol, Ergotin, *Pilocarpin* und Kal. cantharidatum.

Die in der oben beschriebenen Weise behandelten Thiere starben zugleich oder kurze Zeit nach dem Controlthiere. Bei der Anwendung einiger Präparate, als Ergotin, Pilocarpin, der Farbstoffe, trat der Tod sogar noch früher ein, als bei dem Controlthiere.

Wegen allzu grosser Giftigkeit bei einer nur einigermassen auf den Krankheitsprocess einwirkenden Dosis wurden bald ausgeschlossen und als ungeeignet erklärt das Goldkaliumcyanid, Argent. nitricum und die Carbolsäure. Die letztere schien allerdings, wie bereits vorher erörtert, in einigen Fällen verwendbar zu sein, rief dann aber bei wiederholter Anwendung Carbolkrämpfe und andere Intoxicationserscheinungen hervor, denen die Thiere erlagen. Von den Hg-Präparaten wurden Oxycyanid, Sublimat, Sublimatlithiumchlorid verwendet. Während die letzteren beiden Präparate sich der Infection gegenüber in kleineren Dosen wirkungslos, in grösseren für den Organismus zu giftig erwiesen, wurde mit dem Oxycyanid in einigen Fällen der Tod verhindert. Jedoch eine zuverlässige Wirkung ist auch von diesem Präparat nicht zu erwarten.

Bei Anwendung des Liq. ferri sesquichlorati, welches den Culturen gegenüber als abtödtendes Mittel sich gut bewährt hat, traten bald störende Nebenwirkungen hervor. Obwohl dasselbe auf den Diphtherie-Process im Organismus einen günstigen Erfolg ausübt, so waren doch die durch das Präparat selbst hervorgerufenen Aetzwirkungen derartig, dass dieselben in vielen Fällen den Tod der Thiere herbeiführten.

Aehnlich verhielten sich andere Eisenpräparate z. B. Ferricyankalium. Essigsäure wirkte nur in starker Lösung (5 %) und ätzte ebenfalls, jedoch nach Abstossung des zuerst recht grossen Schorfes blieben die Thiere am Leben. Kleinere Dosen waren wirkungslos. Aehnlich verhielt sich die Monochloressigsäure, während die Trichloressigsäure bereits in 0.5 und 1 procentiger Lösung sich wirksam zeigte; einige damit behandelte Thiere sind dauernd am Leben geblieben.

Durch frühere Untersuchungen hatte *Behring* bereits festgestellt, dass Fluorverbindungen einen grossen antiseptischen Werth besitzen, und ich hatte deshalb von diesen Methoden günstige Erfolge erhofft.

Von diesen Verbindungen werden verwendet: das Cuprum fluoratum, Arsenfluorid, Zirkonfluorkalium, Zinc. silico-fluorat., Antimonnatriumfluorid, Kaliumantimonfluorid (*Schuchardt*).

Eine nennenswerthe therapeutische Leistung ist von keinem dieser Mittel zu rühmen. Dss Arsenfluorid war wegen seiner Flüchtigkeit und giftigen Wirkung überhaupt nicht practisch zu verwerthen. Von anderen Metallverbindungen erwies sich Cuprum sulfuricum ebenfalls als unbrauchbar.

Positive Heilresultate erhielt ich von dem bereits von *Behring* mit Erfolg verwendeten Jodtrichlorid; die Resultate waren die gleichen, wie *Behring* sie mitgetheilt hat.

Nächstdem sind als bestwirkende Mittel das Auronatriumchlorid und die Zinkpräparate zu nennen. Das Auronatriumchlorid wurde in einigen Fällen zur Vorbehandlung von Thieren, die *später* inficirt werden sollten, benutzt und zwar insofern mit Erfolg, als die Thiere viele Wochen später als die Controle starben. In der grösseren Zahl der Versuche erfolgte die locale Anwendung *nach* stattgehabter Infection. Bei Anwendung 1 bis 2procentiger Lösungen wurde die Mehrzahl der Thiere geheilt.

Unter den günstig wirkenden Metallverbindungen sind dann das Zinc. sulfur., Zinc. acetic. und das *Zinc. chloratum* zu nennen. Nicht ganz zuverlässig ist das Zinc. acetic., während Zinc. sulfur. in fast allen, Zinc. chlorat. in allen Fällen bei der von mir geübten methodischen Anwendung die Thiere am Leben erhielt, und zwar erhielten die Thiere von 0.25 proc. Lösungen zwei bis drei Tage hintereinander 2 bis 3 ccm subcutan injicirt.

Die *organische* Chemie lieferte dann in dem Naphtylamin eine Verbindung, die unter gewissen Umständen den Krankheitsprocess günstig beeinflusste.

Es besteht jedoch ein Unterschied je nach der Art der Infection der Thiere. Nimmt man frisch gewachsene (eintägige) Agarculturen, verreibt eine Platinöse voll in sterilisirtem Wasser oder in Bouillon und inficirt die Thiere derartig, dass die Controlthiere nach 20 bis 30 Stunden sterben, so ist man im Stande, Meerschweine durch locale Behandlung mit 1 procentiger Naphtylaminlösung am Leben zu erhalten. Es entsteht an der Infectionsstelle, nachdem zuerst eine teigige Geschwulst entstanden war, nach einiger Zeit Schorfbildung; der Schorf stösst sich schliesslich ab und nach Wochen oder Monaten tritt Heilung ein.

Bei einem derartig behandelten Thiere waren nach Wochen noch lebende Diphtheriebacillen nach Abstossung des Schorfes auf der eiternden Hautfläche vorhanden, die, obwohl für das betreffende Thier unschädlich, auf andere Meerschweinchen geimpft, dieselben in derselben Zeit tödteten, wie vollvirulente Bacillen.

Inficirt man die Thiere mit zweitägigen *Bouillon*culturen, dann versagt die Wirkung des Naphtylamin häufig. Die Erklärung dieser differenten Wirkung ist darin zu suchen, dass eine Beeinflussung der Giftwirkung dem Mittel nicht zukommt, selbst nicht in gesättigter Lösung. Das Präparat (β-Naph. chlorhydrat) bringt, zu der Bouillon hinzugesetzt, einen Niederschlag hervor, durch welchen die Bacillen mit zu Boden gerissen und abgetödtet werden. Der Niederschlag entsteht wahrscheinlich dadurch, dass das saure Naphtylamin in der alkalischen Bouillon als unlösliches Präparat ausfällt.

Durch Abfiltriren eines derartigen Niederschlages erhält man in dem Filtrat das Diphtheriegift unverändert wirksam.

Die Section der an Diphtherie verendeten Controlthiere ergab stets die von anderen bereits mitgetheilten Resultate: Locale Entzündungserscheinungen an der Infectionsstelle, charakterisirt durch ödematöse Schwellung, Hyperämie, Adhäsionen und Schwartenbildung; in den Pleurasäcken mehr oder weniger serösen Erguss, in einigen Fällen 15 ccm und darüber. Ferner wurde in allen Fällen eine bräunliche bis tief dunkelbraune Verfärbung der Nebennieren constatirt. Diese fehlte nur bei solchen Thieren, bei denen der Tod sehr schnell eintrat.

Bei der Behandlung mit Ergotin war zu bemerken, dass, auch wenn dasselbe nicht an der inficirten Stelle, sondern auf der anderen Seite des Thieres injicirt wurde, niemals die sonst fast ausnahmslos vorhandene teigige Infiltration an der Infectionsstelle zu constatiren war; bei den mit Farbstoffen und mit Quecksilberpräparaten behandelten Meerschweinchen fand ich sehr regelmässig ausgedehntes hämorrhagisches Hautödem.

War der Tod nicht durch die Diphtherie, sondern durch die Giftwirkung der Medikamente verursacht, dann waren die Symptome der Diphtherie wenig oder gar nicht nachzuweisen; vielmehr boten die Organe, speciell Leber, Milz, Darm u. s. w., die durch das Präparat an sich hervorgerufenen charakteristischen Veränderungen dar, je nachdem eben das Quecksilber, oder Silbernitrat, oder ein anderes Gift den lethalen Ausgang herbeigeführt hatte.

In dem serösen Pleuraerguss solcher Thiere, die an Diphtherie verendet waren, konnten Diphtheriebacillen mikroskopisch nicht nachgewiesen werden, ebenso wenig liessen sich Culturen aus der Flüssigkeit züchten. Die Injection dieses Pleuratranssudates in die Bauchhöhle vertrugen frische Meerschweinchen meist gut. Eine subcutane Injection von 10 bis 15 g dieses Serums machte zwar einen Theil der so behandelten Thiere krank, doch trat auch häufig Genesung ein. Ein kleinerer Theil ging nach längerer Zeit zu Grunde; die Section ergab dann

Leberverfettung, Nierenschwellung und andere Anzeichen einer chronischen Intoxication. Einspritzungen von Herzblut und mit Bouillon verriebenen Nebennieren war ohne jede Wirkung.

Bei den geheilten Thieren ging der Heilungsprocess derartig vor sich, dass an der Infectionsstelle ein Aetzschorf sich bildete, ganz gleich, ob die Thiere mit Jodtrichlorid, Goldnatriumchlorid, Essigsäure oder einem anderen Medikament behandelt waren. Dass es bei naphtylaminbehandelten Thieren gelang, von dem unter diesem Schorf vorhandenen Eiter neue Meerschweinchen tödtlich mit Diphtherie zu inficiren, ist bereits erwähnt worden; das gleiche wurde auch in einigen daraufhin untersuchten Fällen constatirt, die mit anderen Mitteln behandelt und geheilt waren.

Im Verlauf meiner Thierversuche stellten sich einige Male ungleichmässige Wirkungen selbst bei meinen besten Mitteln ein. Bei näherer Untersuchung ergab sich, dass den verwendeten Mitteln nur eine *locale* Einwirkung auf den Diphtherieprocess beigemessen werden darf, und dass daher in denjenigen Fällen, in welchen nicht direct an der Infectionsstelle local eingewirkt wurde, der Erfolg ein unzuverlässiger war. Es ist daher genau darauf zu achten, dass die Einverleibung des Mittels an der inficirten Stelle nicht bloss bei der ersten Einspritzung, sondern auch bei den folgenden auf den Erkrankungsherd trifft.

Viele der geheilten Thiere wurden längere Zeit nach Ueberstehung der Krankheit auf Immunität geprüft. Die Thiere, bei denen noch irgend welche krankhaften Erscheinungen zu constatiren waren, gingen bei erneuter Infection ausnahmslos zu Grunde. Von den mit Auronatriumchlorid und Jodtrichlorid geheilten Thieren blieben einige dauernd immun. Von den Zinkthieren leistete nur eines einer erneuten Infection Widerstand. Die besten

Resultate in Bezug auf die Immunisirung gegen Diphtherie lieferte die Goldbehandlung.

Wenn ich nun zum Schlusse das positive Resultat dieser Untersuchungen resumire, so ergiebt sich daraus die Möglichkeit, durch locale Behandlung mit einigen Präparaten, nämlich mit Jodtrichlorid, Chlorzink, Goldnatriumchlorid, unter gewissen Verhältnissen auch mit Naphtylamin und einigen anderen Mitteln diphtherieinficirte Meerschweinchen zu heilen, während alle ebenso inficirten aber nicht behandelten Thiere (ungefähr 80 Controlthiere) ausnahmslos innerhalb 20 bis 48 Stunden der Infection erlagen.

Eine ausgesprochene allgemeine Wirkung hat leider keines dieser Präparate gezeigt und auch die locale Behandlung hatte nur dann einen einigermassen sicheren Erfolg, wenn alsbald nach der Infection die Mittel applicirt wurden.

Für die Therapie des diphtheriekranken Menschen wird darnach mit denjenigen chemischen Mitteln, welche vorher besprochen wurden, nicht sehr viel geleistet werden können; die Thierexperimente weisen uns vielmehr darauf hin, nach anderen, specifisch wirksamen Mitteln zu suchen, welche vom Blut aus die kranken Stellen treffen und auf diese Weise eine *allgemeine Wirkung* ausüben.

Zur besseren Uebersicht habe ich noch die Resultate zahlenmässig in Tabellen zusammengestellt. Es enthält Tabelle I eine Anzahl der Präparate, bei denen in Colonne 1 die abtödtende Dosis der Mittel gegenüber den Diphtheriebacillen verzeichnet ist. Diese Zahlen geben an, in welchem Quantum Bouillon 1 g des zu prüfenden Präparates genügte, um 24 Stunden gewachsene Culturen nach 24 Stunden im Brütschrank abzutödten.

Die 2. Colonne enthält diejenige Menge des Mittels verzeichnet, welche gerade genügte, den Tod des Thieres herbeizuführen, und zwar ist durch diese Zahlen ausgedrückt, für wieviel Gramm Körpergewicht 1 g des zu prüfenden Mittels die lethale Minimaldosis abgiebt.[1])

Colonne 3 ergiebt den Procentgehalt der Lösungen und Colonne 4 den therapeutischen Werth. Die Zahl 0 entspricht keinem Heilwerth, während I den kleinsten und III den besten Erfolg verzeichnet.

Tabelle I.

Präparate	1. Abtödtende Wirkung 24 Stund. gew. Bouilloncult. nach 24 St. Aufenth. im Brütschrank	2. Lethale Minimaldosis berechnet zum Verhältniss des Körpergewichtes der Thiere.	3. Procentgehalt der Lösungen Procent	Heilwerth
Quecksilberoxycyanid	1 : 40000	1 : 200000	0 · 02	I
Sublimat	1 : 40000	1 : 200000	0 . 05	0
Auronatriumchlorid .	1 : 1000	1 : 1800	1—1 . 5	II
Goldkaliumcyanid .	1 : 3000	1 : 1000000	0 · 02	— (zu giftig)
Argent. nitricum . .	1 : 6000	1 : 4000	0 · 5	I
Carbolsäure	1 : 400	1 : 4000	1—2 · 5	I
Creolin	1 : 5000	1 : 700	1—2	0
Lysol	1 : 2500	1 : 2000-1500	1—2	0
Kresol	1 : 400	1 : 10000	0 · 5—2	I
Jodtrichlorid . . .	1 : 400	1 : 5000	1—2	II
Naphtylamin . . .	1 : 400	1 : 4500	1	II—I
Zinc. chloratum . .	1 : 1000	1 : 1000	0 · 25—0 · 5	III
Eisenchlorid	1 : 800	1 : 400	0 · 6—1 auf Eisen berechn.	I

In Tabelle II sind diejenigen Präparate verzeichnet, bei denen die abtödtende Dosis in Colonne 1 in derselben Weise wie in Tabelle I berechnet ist. Colonne 2 giebt den Procentgehalt der Lösungen und Colonne 3 den event. Heilwerth an.

---

1) *Behring, Zeitschrift für Hygiene.* 1890. Bd. IX. S. 457.

Tabelle II.

Präparate	1. Abtödtende Wirkung 24 Stunden gew. Bouilloncilturen nach 24 St. Aufenthalt im Brütschrank	2. Procentgehalt der Lösungen	3. Heilwerth
Natr. arsenicos. . . .	1 : 800	$^{1}/_{100}$ Normallösung	0
Malachytgrün . . .	1 : 10 000	1 % und 2 ‰	0
Methylviolett	1 : 3 000	1 ‰	0
Zinc. sulfuric	1 : 500	0 · 25—0 · 5 Proc.	II—III
Zinc. acetic.	1 : 400	0 · 25—0 · 5 "	I—II
Cupr. sulfur.	1 : 1 000	0 · 1—0 . 2 "	0—1
Cupr. fluoratum . . .	1 : 1 000	0 · 1—0 · 2 "	0
Zircon fluorkalium . .	1 : 200	0 · 1—0 · 2 "	0
Zinc. silico-fluoratum .	1 : 500	0 · 1—0 · 2 "	0
Antimon natriumfluorid	1 : 1 000	0 · 1—0 · 2 "	0
Kalium antimonfluorid	1 : 500	0 · 1—0 · 2 "	0
Arsenfluorid	1 : 5 000 (sehr flüchtig)	0 · 1—0 · 2 "	0
Essigsäure	1 : 500	2—5 "	1
Monochloressigsäure .	1 : 600	2 "	0
Trichloressigsäure . .	1 : 400	0 · 5—1 "	I—II

Tabelle III.

Präparate	1. Lethale Minimaldosis zum Verhältniss des Körpergewichtes der Thiere	2. Procentgehalt der Lösungen u. Dosis bei 500 g Körpergewicht	3. Heilwerth
Ergotin	1 : 2 000	10%; 0·05—0·1 pr. dos.	0
Pilocarpin . . .	1 : 12 000	0·1—0·05 %; 0·001—0·0005 pr. dos.	0
Kal. cantharidat. .	1 : 1 000 000	0·01 % $^{1}/_{2}$ u. 1 Decimilligr. pr. dos.	
Lithiumchloridsublimat	1 : 200 000	(0·1 Subl. : 0·5 Lith.) 0·05 %; 0·001 pr. dos.	0

Tabelle III enthält die Mittel, bei denen nur die lethale Minimaldosis angegeben ist, in Colonne 1 (vergl. Tab. I). Colonne 2 verzeichnet den Procentgehalt der Lösungen und zugleich die Dosis, die bei Meerschweinchen von 500 g angewendet wurde, in Colonne 3 den event. therapeutischen Nutzen.

Tabelle IV.

Präparate	1.	2.
	Procentgehalt der Lösungen Procent	Heilwerth
Kal. chloricum	5	0
Kal. jodatum	10	0
Kal. bromatum	10	0
Natr. jodatum	10	0
Natr. chloratum . . .	5	0
Cumol	1	
Oxalsäure		
Ferricyankalium . . .	1 (auf Eisen berechnet)	

In Tabelle IV ist von denjenigen Mitteln, die einen Heileffect überhaupt nicht gehabt haben (Colonne 2), nur der Procentgehalt der angewendeten Lösungen verzeichnet (Colonne 1).

Berlin, im Sommer 1891.

VI.

Zur Immunitätsfrage.

Erwiderung auf den Prioritätsanspruch des Herrn Prof. M. Ogata in Tokio in Bezug auf die immunisirende und therapeutische Wirkung des Blutes immuner Thiere.

Von **Behring**
(im Einverständniss mit Dr. Kitasato).

Herr *Ogata* hat gefunden, dass das Blut milzbrandimmuner Thiere, milzbrandempfänglichen Thieren injicirt, die letzteren unempfänglich zu machen vermöge.

Nach seiner Angabe sind Ende August 1890 Abdrücke seiner diesbezüglichen Mittheilung nach Deutschland gelangt.

Meine mit Herrn *Kitasato* gemeinschaftlich veröffentlichte Arbeit über das Zustandekommen der Tetanusimmunität erschien am 4. December 1890.

Dieselbe brachte als wesentlichsten Inhalt den Nachweis:

1. Dass es gelingt, Kaninchentetanus immun zu machen, und zwar durch chemische Agentien (Jodtrichlorid).

2. Dass das Blut immunisirter Kaninchen Tetanusgift zerstörende Eigenschaften besitzt.

3. Dass man mit dem Blut (und dem daraus gewonnenen Serum) des immunisirten Kaninchens Mäuse und Meerschweinchen tetanusunempfänglich zu machen und tetanuskranke Thiere zu heilen vermag.

4. Dass die giftzerstörenden Eigenschaften im Blute solcher Thiere fehlen, die gegen Tetanus nicht immun sind.

Von allen diesen Dingen hat nun Herr *Ogata* nach eigenem Geständniss nichts gefunden und nichts untersucht.

Seine Prioritätsansprüche begründet er aber damit, dass er das *„Grundprincip“* dieser Resultate in der Thatsache der prophylactischen und therapeutischen Wirkung des Blutes immuner Thiere erblickt, und dass er voraussetzt, diese Thatsache hätten *Kitasato* und ich erst durch seine Mittheilung kennen gelernt.

Dem gegenüber habe ich zu erwidern, dass ich im Beginn des Jahres 1890 Herrn Geh. Rath *Koch* über die therapeutische Wirkung des Rattenblutes gegen den Milzbrand der Mäuse Mittheilung machte, und dass Herr Geh. Rath *Koch* diese meine Resultate für interessant und wichtig genug hielt, um sie Sr. Excellenz dem Cultusminister Herrn *v. Gossler* zu demonstriren, als derselbe im Frühjahr 1890 das hygienische Institut besichtigte.

Meine experimentellen Untersuchungen über die therapeutischen Wirkungen des Blutes milzbrandimmuner Thiere, insbesondere der weissen Ratten, kann ich bis auf das Jahr 1888 zurückführen, auf die Zeit nämlich, als ich im Bonner pharmakologischen Institut des Herrn Geh. Rath *Binz* für die weissen Ratten in der chemischen Beschaffenheit des zellenfreien Blutes die Ursache der Milzbrandimmunität dieser Thiere gefunden hatte und damit als der erste für einen bestimmten Fall an Stelle der *Metschnikoff*'schen Phagocytosenlehre, die namentlich durch *Virchow's* Autorität damals noch in höchstem Ansehen stand, eine *positive* experimentell begründete Erklärung des Zustandekommens der Immunität gab, welche auf die vitale Thätigkeit der Zellen nicht zurückzugreifen brauchte.

Nicht mit Unrecht wurde mir damals gesagt, dass ich wieder in das Fahrwasser der Humoralpathologen einlenke.

Erst *nach* dem Erscheinen meiner Arbeit „Ueber die Ursache der Immunität von weissen Ratten gegen Milzbrand“[1]) wurden, hauptsächlich zunächst von französischen Autoren *(Charrin, Roger, Bouchard)*, die von *Nutall, Nissen, Buchner* u. a. mitgetheilten bacterienfeindlichen Wirkungen des zellenfreien Blutes in ursächliche Beziehung zur Immunität gebracht.

Nutall, Nissen und *Buchner* selbst hatten das nicht gethan.

Wenn ich meine therapeutischen Resultate mit dem Blut milzbrandimmuner Ratten nicht besonders publicirt, sondern nur gelegentlich in meiner Desinfectionsarbeit[2]) erwähnt habe, so geschah das deswegen, weil die Resultate — wie ich auch jetzt noch betonen muss — nicht so sicher sind, dass sie immer in gleichem Sinne ausfallen; mit dem Blut immunisirter Hammel bekam ich ferner gar keine Heilwirkung. Besonders aber unterliess ich deswegen die Publication, weil eine Reihe von Thatsachen, die zum Theil in meiner mit *Nissen* zusammen veröffentlichten Arbeit „Ueber bacterienfeindliche Eigenschaften verschiedener Blutserumarten“[3]) niedergelegt sind, Zweifel aufkommen liessen, ob gerade die *bacterientödtende* Wirkung des zellenfreien Blutes die Ursache der Immunität sei. Ausserdem aber sah ich, dass bei anderen und für den Menschen wichtigeren Krankheiten beweiskräftigere und lohnendere Ergebnisse zu erzielen waren, als beim Milzbrand. Ich lege jedoch Werth darauf, dass lange vor dem Erscheinen der Mittheilung Herrn *Ogata's* in Deutschland, die mir übrigens zur Zeit der Veröffentlichung meiner mit Herrn *Kitasato* gemeinschaftlich publicirten Arbeit noch nicht bekannt war, auch die therapeutischen Wirkungen des Blutes und des Serums *milzbrand*-immuner Thiere durch Herrn Geh. Rath *Koch* in solcher

---

1) Centralbl. f. klin. Med. 1888 No. 38.
2) Zeitschr. f. Hygiene 1890, Band IX.
3) Zeitschr. f. Hygiene 1890, Band VIII.

Weise erwähnt worden sind, dass dadurch der Prioritätsanspruch des Herrn *Ogata* hinfällig wird.

Wie wenig schliesslich für den Tetanus mit den Ergebnissen der Blutversuche bezüglich des Milzbrandes anzufangen gewesen wäre, dafür mag folgende Thatsache sprechen, die Herr *Kitasato* mir freundlichst gestattet, an dieser Stelle mitzutheilen.

Herr *Kitasato* hat gefunden, dass Hühner von Natur gegen Tetanus immun sind. Aber das Hühnerblut besitzt *keine* therapeutischen Wirkungen gegenüber dem Tetanus der Mäuse, Meerschweinchen, Ratten, Kaninchen. Wenn also *Kitasato* von der Mittheilung *Ogata's* über die Wirkungen des Blutes solcher Thiere, die von Natur milzbrandimmun sind, ausgegangen wäre, und mit dem Blut tetanusimmuner Hühner gearbeitet hätte, so wäre das Ergebniss negativ gewesen, und die Versuche wären dann vielleicht nicht fortgesetzt worden.

Man darf es daher als ein glückliches Zusammentreffen der Umstände bezeichnen, dass Ogata's Arbeit ohne jeden Einfluss auf die Tetanusversuche blieb, und dass wir statt dessen von denjenigen Erfahrungen ausgingen, die ich über die Eigenschaften des Blutes diphtherieimmunisirter und von Natur immuner Thiere gemacht hatte, und welche als wesentlichen Fortschritt das Auffinden der giftzerstörenden Eigenschaften des Blutes immuner Thiere gebracht hat.

Berlin, im Frühjahr 1891.

Die Blutserumtherapie bei Diphtherie und Tetanus.

Von **Behring.**

Meine zuerst bei der Diphtherie, dann beim Tetanus im Laboratorium ausgeführte Blutserumtherapie basirt auf der Voraussetzung, dass die Ursache der erzeugten Immunität gegenüber Infectionen darauf beruht, dass die Blutbeschaffenheit des immun gewordenen Individiums eine Aenderung erlitten hat; und sie basirt auf der weiteren Hypothese, dass diese Aenderung sich im Wesentlichen auf die löslichen unbelebten Bestandtheile des Blutes erstreckt.

Die letztere Anschauung steht in striktem und bewusstem Gegensatz zu der in der modernen Medicin, namentlich durch *Virchow's* Autorität bisher herrschenden, welche die Ursache für das differente Verhalten verschiedener Individuen gegenüber den Infectionen in einer besonderen Eigenschaft der lebenden *cellulären* Bestandtheile des Körpers suchte.

Den lebhaftesten Ausdruck und die consequenteste Durchbildung hat diese Auffassung in der von *Metschnikoff* inaugurirten Phagocytosenlehre gefunden. Es war nur natürlich und leicht begreiflich, dass von allen, die wir auf dem Boden der Cellular*pathologie* stehen, *Metschnikoff's* Lehre mit grösstem Interesse aufgenommen wurde. Bot sie doch eine, wenn auch nur entfernte Aussicht, über die Cellular*pathologie* hinaus zu einer Cellular*therapie* zu kommen.

Ob zwischen den beiden eben skizzirten Hypothesen, der humoralen und der cellularen, sich in der Zukunft eine Vermittelung finden, oder ob die eine oder die andere für sich allein den Sieg davon tragen wird, das kann gegenwärtig schwerlich durch Theoretisiren und durch Deductionen irgend welcher Art entschieden werden. Noch stehen sich die Meinungen vieler experimentell arbeitender Bacteriologen diametral gegenüber.

Indessen für die Verfolgung *ärztlicher* Ziele, für die Aufgabe des Mediciners, Heilmittel für noch nicht heilbare Infectionen zu finden, hat man nicht nöthig, die Entscheidung dieser Frage abzuwarten.

Da kann man sich auf den altbewährten practischen Standpunkt stellen und den Werth der in Frage kommenden Theorien nach dem Grundsatz beurtheilen: „An ihren Früchten sollt ihr sie erkennen."

Es ist dabei für die Sache nur vortheilhaft, wenn die Bekämpfung der Infectionen von den allerverschiedensten Ausgangspunkten unternommen wird, und wenn man in diesem Specialgebiet jeden nach seiner Eigenart arbeiten lässt; das Proselytenmachen für irgend welche Dogmen hat einen wahren Fortschritt der Erkenntniss nie zu Tage gefördert.

In diesem Sinne will ich, ohne mich auf den Versuch einzulassen, Meinungen zu entkräften, die ich nicht theile, einen Ueberblick über diejenigen Versuchsergebnisse an dieser Stelle bringen, welche in therapeutischer Beziehung auf Grund der humoralen Auffassung dss Wesens der erworbenen Immunität bis jetzt gewonnen sind, und die nun ihrerseits eine Stütze für die Berechtigung dieser Auffassung geben.

Man kann den Beweis dafür, dass die Immunität durch gelöste Bestandtheile des Blutes bedingt wird, auf verschiedene Weise zu führen versuchen; immer aber wird es nothwendig sein, von Fall zu Fall vorzugehen und für jede Krankheit besonders, sowie für jede Thierart besonders die Untersuchung anzustellen. Es wäre ja denkbar, dass für eine Reihe von Fällen die humorale, für eine andere Reihe die cellulare Erklärung die bessere ist.

Ich selbst bin, seitdem ich durch das eigenartige Verhalten des Serums milzbrandimmuner Ratten gegenüber den Milzbrandbacterien überhaupt auf die Idee gekommen war, das Blut für die Immunität verantwortlich zu machen, in folgender Weise vorgegangen.

Ich hatte gefunden, dass zwar die Milzbrandbacillen im Blut und im Serum der Mäuse, Meerschweinchen, der Kaninchen, der Hammel, Rinder u. s. w. sich reichlich vermehren; aber dass sie im Rattenblut und Rattenserum keine Entwickelung zeigen, vielmehr schnell degeneriren, und wenn sie einige Zeit darin gelassen sind, absterben.

Unter der Voraussetzung, dass das circulirende Blut der *lebenden* Ratten sich gegenüber den Milzbrandbacillen ebenso verhält, wie das extravasculäre Blut, schien mir diese milzbrandbacterientödtende Eigenschaft des Rattenblutes eine ausreichende Erklärung für die Milzbrandwiderständigkeit dieser Thiere zu liefern, und andererseits war mir auch die grosse Empfänglichkeit von Mäusen und Meerschweinchen sehr plausibel gemacht durch die Thatsache, dass Mäuse- und Meerschweinchenblut auch nicht die Spur einer bactericiden oder entwickelungshemmenden Fähigkeit gegenüber den Milzbrandbacillen aufwies.

Ich möchte dieses *differente* Verhalten des Blutes milzbrandwiderständiger und milzbrandempfänglicher Thiere in ihrer Wichtigkeit für die hier in Frage stehende Erklärung der Immunität ganz besonders hervorheben; es wird gegenwärtig häufig vergessen, dass hierin das punctum saliens beruht, und dass die bactericiden Eigenschaften des Blutes erst hierdurch eine Bedeutung für die Immunitätsfrage gewonnen haben.

Durch die Beobachtungen von *Gscheidlen* und *Moritz Traube, Grohmann, v. Fodor, Nutall, Nissen, Buchner*, die zu der Anschauung führten, dass die bacterientödtende Fähigkeit eine Eigenschaft sei, die *jedem* Blute qualitativ in ähnlicher oder gleicher Weise zukomme, hätte selbstverständlich Niemand zu der Idee gelangen können, damit die grossen Unterschiede zu erklären, die thatsächlich in der Empfänglichkeit für Infectionskrankheiten bei verschiedenen Thieren existiren.

Erst durch die Constatirung ganz specifischer *Differenzen* im Blut empfänglicher und im Blut unempfänglicher Thiere, wie sie zuerst von *mir* für den Milzbrand, später in *Bouchard's* Laboratorinm für den pyoceaneus, dann von *mir* und *Nissen* für die durch den Vibrio Metschnikovi erzeugte Bacteriensepticämie constatirt wurden, konnte daran gedacht werden, die Existenz bacterienfeindlicher Agentien im Blute für die Erklärung der Immunität zu verwerthen.

Nichts wäre nun einfacher und durchsichtiger gewesen als die Immunitätslehre, wenn sich durchgehends gezeigt hätte, dass vom Blut eines Thieres diejenigen Krankheitserreger, gegen welche es immun ist, abgetödtet werden, diejenigen aber, welche nach ihrer Verimpfung den Tod eines Thieres herbeiführen, im Blut desselben zu wachsen und sich zu vermehren im Stande sind.

Es war eine sehr mühevolle Arbeit, welche *Nissen* und ich unternahmen, um an recht vielen Einzelbeispielen zu sehen, ob solch' ein correspondirendes gesetzmässiges Verhältniss besteht oder nicht; indessen das Endresultat derselben musste dahin lauten, dass nicht immer das Vorhandensein bactericider Eigenschaften des Blutes in erkennbarer Beziehung zur Immunität steht und andererseits dass trotz mangelnder abtödtender Wirkung Immunität vorhanden sein kann.

Für mehrere Krankheiten und bei einzelnen Thierarten liess sich doch ein gesetzmässiges Verhalten derart nachweisen, dass alle immunen Thiere ein Blut lieferten, welches auch extravasculär die in Frage kommenden Krankheitserreger abtödtete, alle nicht immunen Thiere dagegen in ihrem Blute diese Fähigkeit nicht erkennen liessen; freilich war das in vollem Maasse nur für die *künstlich erzeugte* Immunität gegenüber dem Vibrio Metschnikovi der Fall. Beim Milzbrand liessen sich die gefundenen Thatsachen in verschiedener Weise deuten. Wir werden später sehen, dass constante Beziehungen zwischen Immunität und Beschaffenheit der Blutflüssigkeit sich nur für die erworbene Immunität behaupten lassen, nicht für die angeborene.

Zu einer *einheitlichen* Erklärung des differenten Verhaltens verschiedener Thiere gegenüber den einzelnen Infectionskrankheiten kann man demnach auf diesem Wege nicht gelangen.

So wenig erwünscht dieses Ergebniss sein mag, so muss doch damit gerechnet werden. Ausser der Fähigkeit des Blutes Bacterien abzutödten, muss darnach der Organismus noch andere Mittel haben, um sich der krankmachenden Wirkung der Infectionserreger zu erwehren. Solche aufzusuchen, war die nächste Aufgabe, die ich mir stellte.

Nun fielen diese eben geschilderten, mehr negativen Versuchsergebnisse gerade in die Zeit, wo durch die Untersuchungen von *Roux* und *Yersin* für die Diphtherie, von *Kitasato* für den Tetanus in den Bacterienculturen Gifte von solch' unerhörter Wirkung gefunden wurden, dass es einigermassen verständlich sein konnte, wie diese Krankheitserreger den Tod des inficirten Individuums herbeiführen können, ohne dass sie anderswo, als an der Stelle der Infection gefunden werden.

Hier kann von einer deletären Wirkung der Bacterien dadurch, dass sie dem inficirten Körper Nährstoffe entziehen, oder dass sie ihn vermöge ihrer Menge und Vertheilung gewissermassen ersticken, oder endlich dass sie in Folge der Anhäufung in einzelnen Gefässgebieten embolische Processe bewirken, gar nicht mehr die Rede sein; hier drängt sich das Bild einer wahren Intoxication vollständig in den Vordergrund.[1])

Was wir weiter von den Eigenschaften des Tetanusgiftes und des Diphtheriegiftes erfuhren, bezog sich dann vor allem auf seine ausserordentliche Labilität. Verhältnissmässig geringe Temperaturgrade, auch chemische Processe, die wir uns sonst als nur wenig eingreifend vorstellen, heben schon die specifische Wirkung dieser Gifte auf. Dabei besteht durchaus kein correspondirendes Verhältniss zwischen der *bacterien*feindlichen und der *gift*-vernichtenden Wirkung physikalischer und chemischer Agentien.

Angesichts dieser Thatsachen lag die Frage nahe, ob man nicht möglicher Weise zur Erreichung einer erfolgreichen Allgemeinbehandlung der Diphtherie und des Tetanus als Angriffspunkt zweckmässiger die von den Diphtherie- und Tetanusbacterien producirten *Gifte* wählt, als die Bacterien selbst.

Mir selbst war dieser Gedankengang schon bei anderer Gelegenheit geläufig geworden; nämlich bei meinen Studien über das Zustandekommen der Jodoformwirkung, bei welchen ich zu dem Resultat gekommen war, dass viele sehr in die Augen springende Heilwirkungen des Jodoforms nicht sowohl durch seine Beeinflussung der Bacterien, als vielmehr durch die Paralysirung entzündung- und eiterungerregender Bacterien*producte* zu erklären sind.

Als nächste Frucht der experimentellen Prüfung dieser Idee ergab sich, dass es in der That gelingt, mit ver-

1) Bekanntlich ist diese Betrachtungsweise, nach welcher lebende Krankheitserreger durch ihre Giftproduction krankmachend wirken, hauptsächlich auf *Brieger's* experimentelle Arbeiten zurückzuführen.

schiedenen Mitteln diphtherieinficirte Thiere zu heilen, ohne dass die Diphtheriebacillen abgetödtet zu werden brauchen; und die gleiche Beobachtung konnte dann auch für den Tetanus von *Kitasato* gemacht werden.

Indessen musste ich mich bald überzeugen, dass nur die *Localbehandlung* mit Chemikalien einen einigermassen sicheren Heilerfolg erwarten lässt, und dass die Chemikalien ihre Wirkung versagen, wenn man entfernt von der Infectionsstelle diese Mittel applicirt. Ausserdem war für die practische Verwerthung dieser Behandlungsmethode der Umstand wenig erfolgversprechend, dass die Behandlung alsbald nach erfolgter Infection vorgenommen werden musste; schon wenige Stunden später war sie aussichtslos.

Das Eine aber hatte sich mit voller Sicherheit ergeben, dass nämlich eine Heilwirkung erreichbar ist, ohne dass die Krankheitserreger dabei zu Grunde gehen.

Diese Beobachtung warf ein ganz unerwartetes Licht auch auf die Immunitätsfrage.

Wenn lebende und für nicht behandelte Thiere virulente Bacterien im Organismus vorher empfänglicher Individuen *nach* der Behandlung beispielsweise mit Jodtrichlorid oder mit Goldnatriumchlorid existiren und doch nicht den Tod des so behandelten Thieres herbeiführen, dann bleibt kaum eine andere Deutungsweise übrig, als dass durch diese Vorbehandlung Immunität eingetreten ist; und in der That zeigte sich, dass diphtherie- und tetanusinficirte Thiere nach definitiv erfolgter Heilung nachträgliche Infectionen überstanden, oder doch wenigstens viel besser vertrugen, als nicht vorbehandelte Controlthiere. Als nun aber Blutuntersuchungen bei den so immun gewordenen Thieren angestellt wurden, da ergab sich, dass zwar ihr Blut nicht im Stande war, die in Frage kommenden Bacterien abzutödten, dass es dagegen in hervorragendem Grade die Fähigkeit gewonnen hatte, das Diphtherie*gift* bezw. das Tetanus*gift* unschädlich zu machen.

Damit war ein ganz neuer, bis dahin noch gar nicht berücksichtigter Gesichtspunkt für das Verständniss des Zustandekommens der Immunität gewonnen, und es blieb nunmehr nur noch übrig zu prüfen, wie weit die Tragfähigkeit dieses neuen Erklärungsprincips reicht, und ob dasselbe für die Gewinnung therapeutischer Erfolge nutzbar gemacht werden könne.

Bei der enormen giftzerstörenden Fähigkeit, die ich in Gemeinschaft mit Hrn. *Kitasato* am Blut tetanusimmun gewordener Kaninchen constatirte, drängte sich ganz von selbst der Gedanke auf, solches Blut bei anderen tetanusempfänglichen Thieren als Heilmittel zu versuchen; und wenn ich vorher bei der Diphtherie zwar deutlich erkennbare, aber doch nicht befriedigende günstige Beeinflussung des Krankheitsprocesses durch das Blut diphtherieimmuner Thiere gesehen hatte, so war beim Tetanus gleich von vornherein das Resultat ein solches, dass es unsere kühnsten Erwartungen übertraf.

Von jetzt an konnte gar kein Zweifel mehr existiren, dass die Ursache der erworbenen Tetanusimmunität im Blute, und zwar — da wir auch mit dem Serum die gleichen Erfolge erzielten — in den *gelösten* Bestandtheilen des Blutes zu suchen ist; ein schlagenderer Beweis kann kaum gefordert werden, als wenn man zeigt, dass noch mit dem zellenfreien extravasculären Blut immunisirter Thiere die Immunität auf andere frische Thiere übertragen werden kann.

Die weiteren Studien ergaben dann, dass die Leistungsfähigkeit des Blutes in immunisirender und heilender Richtung durchaus abhängig ist von dem Grade der Immunität, welchen die blutliefernden Thiere erhalten haben, und dass auch für die Diphtherie ebenso befriedigende, therapeutische Resultate zu bekommen sind, wenn nur die Immunisirung recht weit getrieben ist.

Nun ist schon beim Tetanus die Aufgabe, ursprünglich leicht empfängliche Individuen in hoch immune zu verwandeln, anfänglich nicht ganz leicht gewesen; noch viel schwerer aber ist sie für die Diphtherie, und es lag der Gedanke nahe zu versuchen, ob man nicht viel leichter zum Ziele gelangen kann, wenn das Blut von solchen Thieren zu therapeutischen Zwecken benutzt wird, die von Natur gegen eine Infectionskrankheit in hohem Grade immun sind.

Es zeigt sich aber immer mehr, dass solche Thiere, welche *angeborene* Immunität gegenüber einer Infectionskrankheit besitzen, kein Blut liefern, mit dem man andere Thiere immunisiren oder heilen kann. Ich lasse es dahin gestellt, ob die Ursache darin gelegen ist, dass die Immunität der von Natur für eine Krankheit nicht empfänglichen Thiere auf einer besonderen Beschaffenheit nicht sowohl der Körperflüssigkeiten, sondern lebender Zellencomplexe beruht, oder ob auch bei ihnen die Ursache zwar im Blut zu suchen ist, wir jedoch die immunitätverleihenden Körper im *extravasculären* Blut, also ausserhalb des lebenden Organismus, nicht mehr nachweisen können; jedenfalls scheinen sich die Angaben derjenigen Autoren, welche mit dem Blut von Thieren *ohne* künstliche Zufuhr immunisirender Substanzen ausgesprochene Heilwirkungen erzielt haben wollten, nicht zu bestätigen.

Weder für den Milzbrand, noch für den Schweinerothlauf und die Mäusesepticämie haben die diesbezüglichen Mittheilungen von *Ogata* und *Jasahura* (Tokio) in den bacteriologischen Laboratorien in *München, Rom* und in *Pasteur's* Institut bei der Nachprüfung sich als stichhaltig erwiesen. Für den Tetanus hat *Kitasato* und nach ihm *Vaillard* gezeigt, dass die von Natur immunen Hühner kein Heilserum liefern. Für die Diphtherie habe *ich* mit Stabsarzt *Wernicke* weder das Blut von diphtherieimmunen Mäusen und Ratten, noch das Blut von Hunden, Pferden, Rindern und von verschiedenem Geflügel wirksam gefunden.

Ob das Blut von Ziegen und Schafen, wie einige französische Autoren behaupten, gegenüber der Tuberculose eine specifische Heilwirkung ausübe, und ob bei dieser Krankheit eine Ausnahme von der im Uebrigen, wie es scheint, allgemein gültigen Regel zu statuiren ist, bleibt noch abzuwarten. Bestätigungen für die diesbezüglichen Mittheilungen stehen noch aus.

Im Gegensatz dazu wächst die Zahl der Beobachtungen von Heilkörpern im Blut künstlich immunisirter Thiere immer mehr.

Abgesehen von den Bestätigungen, welche für *tetanus-immunisirte* Kaninchen und Hunde aus *Bologna* seitens des Prof. *Tizzoni* und Frl. *Cattani,* aus Frankreich von *Vaillard* gekommen sind, abgesehen von den weiteren positiven Resultaten, die ich an Pferden und Hammeln und *Kitasato* gleichfalls an Hammeln bekommen haben, abgesehen ferner von dem Nachweis heilung- und immunitätverleihender Substanzen gegenüber der Diphtherie im Blut immunisirter Meerschweinchen, Kaninchen und Hammel, welchen *Wernicke* und *ich* erbracht haben, sind auch andere Krankheiten durch das Blut immunisirter Thiere geheilt worden; so die durch *A. Fränkel's* Pneumoniekokken erzeugte Infectionskrankheit (*Foa*, *Emmerich*, *Klemperer, Kruse* u. *Pansini*) und der Schweinerothlauf (*Emmerich*). Gegenüber dem Bacillus procyaneus hat *Bouchard* zwar nicht volle Heilung, aber doch günstige Beeinflussung des Krankheitsprocesses bei Kaninchen erzielt; ich selbst habe dann weitere Erfahrungen an Streptokokken gesammelt, welche mir den Beweis liefern, dass es nur darauf ankommt, ursprünglich für eine Infectionskrankheit empfänglichen Thieren recht hohe Immunität zu verschaffen: die Heilwirkung mit dem Blut derselben bei anderen Thieren wird man dann nie vermissen, falls man bei Berechnung der anzuwendenden Blutmenge in gehöriger Weise das Körpergewicht der zu behandelnden Individuen berücksichtigt, wie ich das an anderer Stelle auseinandergesetzt habe.

Auch bei solchen Krankheiten, bei denen die Infectionserreger noch nicht bekannt sind, wie bei der Tollwuth, sind schon immunitätverleihende Wirkungen des Blutes immunisirter Thiere mitgetheilt worden (*Tizzoni*); vor allem aber dürfen in dieser Aufzählung nicht die schönen Untersuchungen *Ehrlich's* fehlen; dieselben beziehen sich zwar nicht auf Infectionen; durch den Nachweis jedoch von Heilwirkungen im Blut solcher Thiere, welche gegen verschiedene giftige *Pflanzeneiweisse* immun gemacht wurden, wird für die Verallgemeinerung meiner Auffassung des Zustandekommens der erworbenen Immunität eine viel breitere Basis geschaffen, als das durch die Hinzufügung einer neuen Infectionskrankheit geschehen könnte, für welche jene Auffassung zutrifft.

Den gegenwärtigen Stand der Immunitätsfrage möchte ich nach alledem dahin präcisiren: *Für die angeborene Immunität ist eine allgemein gültige Erklärungsweise ihres Zustandekommens noch nicht vorhanden. Für die künstlich erzeugte Immunität ist bei einer Reihe von genauer studirten Infectionen das Verständniss so weit gefördert, dass wir dieselbe mit Sicherheit auf eine Eigenschaft des Blutes, und zwar des zellfreien Blutes zurückführen können; bei keiner Krankheit aber, gegen welche ein genügend hoher Grad von Immunität bei ursprünglich leicht empfänglichen Thieren erzeugt worden ist, hat bisher irgend Jemand das Fehlen von immunitätverleihenden Körpern im extravasculären Blut der immunisirten Individuen nachgewiesen.*

Mit der Erreichung dieses Standpunktes ist der weitere Weg für die Gewinnung specifisch wirkender Heilmittel gegen Infectionskrankheiten klar vorgezeichnet. *Man hat zunächst bei empfänglichen Individuen einen hohen Grad von Immunität zu erzeugen und dann zu versuchen, ob das Blut des immunisirten Thieres bei einem anderen schützende und heilende Wirkung hervorzubringen im Stande ist.*

Die Frage, worauf diese Wirkung, wenn sie constatirt wird, beruht, wird zwar wissenschaftlich immer sehr interessant bleiben; vom praktischen Standpunkt aus kann es uns gegenwärtig aber ziemlich gleichgültig sein, ob dabei die bacterientödtenden oder giftvernichtenden Eigenschaften des Blutes oder beide zusammen eine Rolle spielen, oder ob vielleicht gar Kräfte dabei thätig sind, an die wir jetzt noch gar nicht denken; wichtiger als die Entscheidung dieser Frage ist mir selbst gegenwärtig die Gewinnung des heilenden Blutes in solcher Wirksamkeit und Menge, dass es für den leidenden Menschen Anwendung finden kann.

Auf dieses Ziel waren die Arbeiten gerichtet, die ich in Gemeinschaft mit mehreren anderen Herren im Laufe des letzten Jahres unternommen habe.

Berlin, im December 1891.

VII.

Untersuchungsergebnisse betreffend den Streptococcus longus.

Von Behring.

(Aus dem Institut für Infectionskrankheiten.)

Seit mehreren Jahren fahnde ich auf solche Streptokokken, die im mikroskopischen Aussehen, in ihren Wachsthumsbedingungen auf künstlichen Nährboden und in ihrem Verhalten im Thierkörper *wesentliche* Abweichungen von den von *Fehleisen* beschriebenen Erysipelkokken zeigen.

Ein Theil derjenigen Untersuchungen hierüber, welche *von Lingelsheim* in Gemeinschaft mit mir ausgeführt hat, sind in der Dissertation desselben [1]) niedergelegt.

Seitdem sind diese Untersuchungen von mir selbst, von Dr. *von Lingelsheim,* Sanitätsrath *Boer* und Dr. *Knorr* fortgesetzt.

Wir haben im Laufe der Zeit Streptokokken gezüchtet und an Thieren geprüft, die wir bei verschiedenen Krankheiten des Menschen fanden; insbesondere bei Erysipel, Phlegmonen, Abscessen, Anginen, diphtherischen Be-

---

1) Experimentelle Untersuchungen über morphologische, kulturelle und pathogene Eigenschaften verschiedener Streptokokken. (Zeitschr. f. Hygiene. Band X. 1891.)

lägen, Zahnkrankheiten, Ohrenkrankheiten, Hautaffektionen; ferner bei Pleuritiden, Pneumonie, Pericarditiden und Peritonitis; dann bei puerperalen Erkrankungen des Uterus und seiner Adnexa, bei puerperalen und andersartigen Pyämieen mit Embolieen und Infarkten; bei Scarlatina; bei Darmkatarrh u. s. w.

Wir haben weiter Streptokokken untersucht, die in ursächlicher Beziehung zur Pferdepneumonie stehen; auch eine sehr grosse Zahl von Streptokokken, die bei verschiedenartigen Krankheiten von Laboratoriumsthieren zufällig gefunden wurden.

Endlich wurde von uns eine Reihe von Streptokokken aus todtem Nährmaterial, namentlich aus bakterienhaltigem Blute isolirt, gezüchtet und an Thieren geprüft.

Die von *v. Lingelsheim* publicirten Untersuchungen liessen die Frage über die Konstanz der bei vielen dieser Streptokokken sehr stark ausgeprägten Unterschiede offen; hauptsächlich aus dem Grunde, weil die meisten Kriterien, welche auf den ersten Blick eine Sonderstellung für dieselben zu fordern schienen, als solche von *wesentlicher* Bedeutung nicht angesehen werden konnten.

Weder das Aussehen im mikroskopischen Bilde, noch das Verhalten beim Thierexperiment konnte auf die Dauer als Ausgangspunkt für eine Unterscheidung der Streptokokken von einander festgehalten werden.

Auch die Wachsthumsverhältnisse, z. B. das Aussehen der Gelatine- und Agarkulturen, das Temperaturoptimum, die Anforderungen an die Reaktion des Nährbodens und an etwaige wachsthumsbefördernde Zusätze, wie Zucker, Glycerin und Pepton, lieferten bloss Unterscheidungsmerkmale von vorübergehender Bedeutung.

Nur das Wachsthum in frischen Bouillonkulturen erlaubte eine dauernd brauchbare Gruppirung.

Danach sind zunächst zwei Arten von einander zu trennen.

A. *Streptococcus brevis,*
B. *Streptococcus longus.*

An dieser Stelle soll nur von der Streptokokkenart B. die Rede sein.

Dieselbe lässt sich je nach dem Verhalten in frischen Bouillonkulturen wieder in mehrere Unterarten scheiden:

B. I. Die Bouillon trübende Streptokokken (Fundort namentlich Erysipel, manche Anginen und Phlegmonen).

II. Die Bouillon nicht trübende Streptokokken. Diese zweite Gruppe zerfällt wieder in drei Unterabtheilungen:

a) Streptokokken, welche einen schleimigen weichen Bodensatz bilden (Fundort: manche Phlegmonen, Pneumonieen, puerperale Affektionen, Krankheiten der serösen Häute).

b) Streptokokken, welche Schüppchen oder Bröckchen bilden (Fundort: Scarlatina [*Str. conglomeratus Kurth*], schwerer Fall von Pyämie).

c) Streptokokken, die sich zu grossen Konvoluten zusammenballen und die Neigung haben, an der Glaswand zu haften (Fundort: bis jetzt nur Pferdepneumonie).

Nach meinen bisherigen Erfahrungen sind nun die zum *Str. longus* gehörigen Gruppen für *weisse Mäuse* um so mehr virulent, je mehr sie die Neigung zeigen, sich fest zusammenzuballen, und je grösser unter sonst gleichen Wachsthumsbedingungen die Konvolute werden.

Zu der Zeit, als *von Lingelsheim* seine Arbeit publicirte, glaubte ich, dass das für *alle* Streptokokken, auch für die zum *Str. brevis* gehörigen Gruppen, gelte. Inzwischen habe ich aber durch Herrn Stabsarzt *Kurth* einen *Str. brevis* bekommen (von *Boer* genauer für Immu-

---

Anmerkung. Die Unterschiede dieser beiden Arten sind durch *v. Lingelsheim* und unabhängig von demselben durch Stabsarzt *Kurth* genau beschrieben. *Kurth* hat jedoch andere Bezeichnungen gewählt.

nisirungszwecke studirt), der die Bouillon gleichmässig stark trübt und doch für Mäuse sehr virulent ist.

Es ist möglich, dass später auch für den *Str. longus* noch Ausnahmen von der oben ausgesprochenen Regel zur Beobachtung kommen; vorläufig jedoch ist die Koincidenz zwischen der Art des Wachsthums in Bouillon und zwischen der Virulenz für weisse Mäuse überraschend regelmässig, so dass ich geneigt bin, einen *wesentlichen* Zusammenhang zwischen diesen beiden Erscheinungen zu statuiren.

Ich betone ausdrücklich die Virulenz für *weisse Mäuse*. Es besteht nämlich kein Parallelismus zwischen der Virulenz für diese und für andere Thiere, beispielsweise Kaninchen; in Folge dessen sind nothwendiger Weise die Beziehungen zwischen dem Aussehen der Bouillonkulturen und der Virulenz für andere Thiere, als weisse Mäuse, andere, und sie müssen für sich besonders studirt werden.

Das bisher geschilderte Verhalten der verschiedenen Gruppen innerhalb der Streptokokkenarten, die ich und meine Mitarbeiter als *Str. longus* bezeichnen, wurde zum Ausgangspunkte für eine Reihe von Untersuchungen gewählt, welche die Frage entscheiden sollten, ob diese Gruppen etwa bloss Spielarten einer und derselben Art von Streptokokken sind, so dass der früher am genauesten studirte *Erysipelstreptococcus* unter geeigneten Bedingungen die Eigenschaften annehmen kann, welche wir bei Streptokokken finden, die aus Phlegmonen, oder von Scarlatinakranken, oder von pneumoniekranken Pferden u. s. w. stammen, und umgekehrt; oder aber, ob diesen Gruppen specifische und konstant bleibende Differenzen zuzusprechen sind.

Zur Entscheidung dieser Fragen wurden vier wesentlich verschiedene Wege eingeschlagen:

1. Es wurden in einer Reihe von Versuchen viele ursprünglich in Bouillonkulturen und beim Thierexperi-

ment *verschiedene* Streptokokken im Laboratorium unter mannigfaltig wechselnden Bedingungen beobachtet, wobei *v. Lingelsheim,* welcher sich dieser Aufgabe unterzog, besonders darauf achtete, ob beispielsweise ein die Bouillon ursprünglich trübender und für weisse Mäuse nicht virulenter *Erysipelstreptococcus* die Eigenschaften eines die Bouillon nicht trübenden und für weisse Mäuse virulenten *Streptococcus* annahm, und umgekehrt.

2. *v. Lingelsheim* hat dann vornehmlich an Kaninchen Untersuchungen darüber angestellt, ob sich die krankmachenden Wirkungen der Streptokokken dadurch wesentlich verändern, dass diese Thiere in besonderer Weise vorbehandelt wurden. So konnte er durch Beeinflussung der Cirkulationsverhältnisse am Kaninchenohr ein typisches Erysipel mittels solcher Streptokokken erzeugen, die keine Spur von Erysipel am *gesunden* Kaninchenohr hervorbrachten.

3. *Knorr* ging bei seinen Untersuchungen von einem einzigen *Streptococcus* aus (*Str. Märten*), hat denselben in mannigfaltigster Weise weitergezüchtet und durch viele Hundert Thiere passiren lassen; er achtete dabei darauf, ob im Laufe der Zeit Uebergänge in die einzelnen Gruppen des *Str. longus* stattfinden.

4. Die praktisch wichtigsten Untersuchungen, gleichfalls von *Knorr* an *Str. Märten* durchgeführt, waren von folgender Idee geleitet:

Es sollten Thiere gegen diesen *Streptococcus* immunisirt und das Blut der immun gewordenen Thiere sollte dann zu Heilzwecken angewendet werden.

Wenn dann das Blut dieses einen *Streptococcus,* der ursprünglich zur Gruppe II a gehörte, nicht bloss gegenüber den Streptokokken der Gruppe B. II a, sondern auch gegenüber den anderen Heilwirkung zeigte, dann glaubten wir uns zu dem Schlusse berechtigt, dass eine specifische Differenz zwischen den zum *Str. longus* gehörigen Gruppen *nicht* existire.

Ebenso glaubten wir uns zu diesem Schluss berechtigt, wenn beispielsweise Kaninchen, die ohne Vorbehandlung nach Infektion mit dem *Str. Märten* an Streptokokkenseptikämie zu Grunde gehen, nach ihrer Immunisirung auch gegen solche Streptokokken geschützt sind, die bei gesunden Kaninchen Erysipel, Eiterung, Peritonitis, Pleuritis u. s. w. erzeugen.

Indem ich bezüglich der Einzelergebnisse auf die Spezialarbeiten des Herrn Dr. *von Lingelsheim* und des Herrn Dr. *Knorr* verweise, will ich hier nur das Gesammtergebniss vorwegnehmen.

Dasselbe lässt sich kurz dahin zusammenfassen, dass in allen oben aufgezählten Versuchsreihen sich keine Nöthigung zur Annahme einer specifischen Differenz der zum *Str. longus* gehörigen Gruppen ergeben hat.

Das wichtigste Ergebniss aber ist die Bestätigung der Thatsache (Knorr), dass ein Thier, welches gegen den Streptococcus immun geworden ist, der für dasselbe am meisten virulent ist, auch gegen alle anderen Streptokokken der Hauptgruppe B Immunität erlangt hat.

Die Fortführung der Immunisirung von Kaninchen und Mäusen gegen virulente Streptokokken bis zu einem hohen Immunitätsgrade ist eine sehr schwierige Sache; sie ist noch schwerer auszuführen, als die von Meerschweinchen gegen Diphtherie.

Indessen habe ich genügende Veranlassung zu der Annahme, dass unsere Immunisirungsmethode jetzt soweit ausgebildet ist, um sie mit Erfolg bei Pferden anwenden zu können; ja es wird die Immunisirung *dieser* Thiere wahrscheinlich sich leichter und sicherer gestalten, und ich halte mich zu der Behauptung berechtigt, dass die Gewinnung von Heilserum gegen diejenigen Krankheiten, auch des Menschen, die durch Streptokokken erzeugt werden, nur noch eine Sache des Fleisses ist.

Wesentlich Neues, das praktisch von Bedeutung wäre,

wird durch die Laboratoriumsversuche an kleinen Thieren kaum mehr zu Tage gefördert werden.

Zu Immunisirungsversuchen an Pferden zum Zweck der Gewinnung von Heilserum liegt aber um so mehr Veranlassung vor, als eine Streptokokkenkrankheit der Pferde, die Pferdepneumonie, namentlich unter Militärpferden, eine der verderblichsten Krankheiten ist.

Berlin, im Sommer 1892.

VIII.

Ueber die

Prioritätsansprüche des Hrn. Prof. Emmerich (München) in Fragen der Blutserumtherapie.

Von **Behring.**

(Aus dem Institut für Infectionskrankheiten.)

In einem durch Herrn Prof. *Emmerich* freundlichst mir zugeschickten Abdruck seines Vortrags auf dem diesjährigen Kongress für innere Medicin in Leipzig[1]) werden die experimentellen Untersuchungen mit folgenden Worten eingeleitet:

„Schon vor sieben Jahren habe ich gezeigt, dass eine der akutesten und gefährlichsten Infectionskrankheiten, der Milzbrand, durch die Infection der für Kaninchen weniger gefährlichen Erysipelkokken heilbar ist. Ich habe damals schon bewiesen, dass die Milzbrandbacillen im Organismus *nicht* durch die Erysipelkokken selbst vernichtet werden, sondern durch die von den letzteren im Thierkörper verursachte „lebhaftere chemische Umsetzung," welche für die Milzbrandbacillen schädliche oder zu ihrer Ernährung unbrauchbare Produkte liefert." [2])

---

1) „Die Natur der Schutz- und Heilsubstanz des Blutes" von Prof. Dr. *Rud. Emmerich* und Prof. Dr. *Jiro Tsuboi.* Wiesbaden (Verlag von Bergmann).

2) Die Heilung des Milzbrandes. (Arch. f. Hygiene. Band VI. 442.)

Damit war zum ersten Male bewiesen, dass es möglich ist, durch gewisse noch zu erfahrende Modifikationen der chemischen Umsetzung im Organismus pathogene Bacterien in unbegrenzter Zahl innerhalb desselben vollständig zu vernichten, es war zum ersten Male die Heilbarkeit der Infectionskrankheiten dargethan und für die Therapie war eine erfreuliche Aussicht in die Zukunft eröffnet.

Im Jahre 1887 schrieb ich in Fortschritte der Medicin, Bd. V: „Es ist eine wichtige Aufgabe der Forschung, diese chemischen Substanzen, welche die Immunität bedingen, zu ermitteln und es wird dies um so eher gelingen, als wir ja bereits Anhaltspunkte darüber besitzen, in welcher Gruppe von Verbindungen dieselben zu suchen sind. (Ich meine damit die im Blute und im circulirenden Saftstrom vorkommenden gelösten chemischen Verbindungen, da ich dargethan hatte, dass die Milzbrand- und Rothlaufbacillen im Blut und Gewebssaft immunisirter Thiere *durch chemische Stoffe; nicht durch körperliche Elemente* vernichtet werden.)

„Das ist zugleich die Richtung, sagte ich weiterhin, in der wir vorgehen müssen, um zu einer Heilmethode der betreffenden Infectionskrankheiten zu gelangen; denn wir können die Verbindungen, welche im Körper des immunen Thieres in ein paar Stunden Millionen der specifischen Infectionserreger vernichten, auch nach dem Ausbruch der Krankheit in den Organismus einführen, „um dieselbe zu coupiren und zu heilen."

Ich habe also schon im Jahre 1887 nicht nur die Möglichkeit der Serumtherapie erkannt, ich habe vielmehr damals schon, wie aus den citirten Worten hervorgeht, vorausgesehen und ausgesprochen, dass es möglich sein müsse, die immunisirende und heilende Substanz aus dem Gewebssaft zu gewinnen und therapeutisch zu verwenden."

Aus dem vorstehenden Citat entnehme ich folgende Behauptungen, die sich auch an anderen Stellen dieses

Vortrages und in früheren Arbeiten von Prof. *Emmerich* wiederfinden, die ich aber als berechtigt nicht anerkennen kann:

1) *Emmerich* habe schon im Jahre 1887 die Möglichkeit der Blutserumtherapie erkannt und die Gewinnung von solchen Heilkörpern aus dem Blute vorausgesehen, welche jetzt thatsächlich therapeutisch in Thierexperimenten verwendet werden, und die auch für die Heilung des Menschen Aussicht auf Erfolg versprechen.

2) Das immunisirende und heilende Blut, sowie die daraus isolirten heilkräftigen Körper wirken durch ihre bacterientödtenden Eigenschaften, wie *Emmerich* bewiesen habe.

3) Der Ausgangspunkt für diese modernen Heilbestrebungen sei auf die Heilversuche mit Erysipelkokken gegenüber dem Kaninchenmilzbrand zurückzuführen, welche *Emmerich* schon im Jahre 1885 ausgeführt hat.

Ich habe mich der Mühe unterzogen, an der Hand der Originalarbeiten von Prof. *Emmerich* diejenigen Stellen herauszusuchen, welche zu den genannten Behauptungen in Beziehung stehen.

Die wesentlichsten derselben sind folgende:

ad 1. Im V. Bande der Fortschritte der Medicin. No. 20 (1887) „Vernichtung von Milzbrandbacillen im Organismus" von Dr. *Emmerich* und Dr. *di Mattei* sagen die Autoren am Ende der Arbeit:

„Offenbar wird von den Körperzellen des immunen Thieres eine Substanz beständig producirt, welche die Bacillen tödtet. Dieselbe ist wahrscheinlich immer im immunen Thierkörper vorhanden. Viel unwahrscheinlicher ist die Annahme, dass die Bildung derselben erst durch die Reizwirkung der in den immunen Thierkörper injicirten Bacillen veranlasst werde" und

„Es ist denkbar, dass im nicht immunen Organismus die von den Schweinerothlaufbacillen auf die Körperzellen ausgeübten Reize die Production eines für die Körperzellen giftigen, für die Bacterien aber unschädlichen Alkaloids verursachen, während die Körperzellen des immunen Thieres in Folge geringfügiger Veränderungen, welche die erste Infection hinterlassen hat, auf die gleichen Reize hin ein für sie selbst ungiftiges, für die Bacterien aber giftiges Alkaloid produciren."

Von den verschiedenen denkbaren Möglichkeiten, durch welche die Immunität zu Stande kommen kann, erklären demnach *Emmerich* und *di Mattei* in der hier in Frage stehenden Arbeit diejenige für die wahrscheinlichste, dass die immunitätbedingenden Agentien von chemischer Art sind und dass es Alkaloide seien, welche bacterienfeindliche Wirkung besitzen; endlich dass diese Alkaloide im Organismus beständig vorhanden seien, solange die Immunität andauere.

Obwohl nun der vollgiltige Beweis geliefert werden kann, dass die *erworbene* Immunität gegenüber dem Milzbrand und dem Schweinerothlauf bei künstlich immunisirten Thieren *nicht* auf dem Vorhandensein bacterienfeindlicher, chemisch wirksamer Körper beruht, und obwohl ferner *Emmerich* selbst jetzt nicht der Ansicht ist, dass die Immunität verleihenden Körper Alkaloide sind, so kommen doch jene Bemerkungen *Emmerich's* über das Wesen der Immunität den von mir und meinen Mitarbeitern experimentell begründeten Thatsachen in einem sehr wesentlichen Punkte sehr nahe: sie betonen nämlich in ganz entschiedener Weise, dass die Immunität durch das dauernde Vorhandensein gelöster chemischer Körper im Blute bedingt werde; und es lässt sich wohl denken, dass Jemand bei zielbewusster und konsequenter Verfolgung einer solchen Auffassung der Immunität auch dann zur Blutserumtherapie hätte gelangen können, wenn er über die Natur und Wirkungsweise der Immunität verleihenden chemischen Körper ursprünglich irrige Anschauungen hatte.

Ich stehe nicht an, zu erklären, dass wenn Emmerich in Bezug auf das Zustandekommen der Immunität seit dem Jahre 1887 nichts mehr publizirt hätte, dass ich dann mich verpflichtet fühlen würde, ihn als einen Autor zu citiren, der zuerst Anschauungen vertreten hat, in deren Verfolg schliesslich die von mir sogenannte Blutserumtherapie gefunden worden ist.

Emmerich hat aber in sehr anerkennenswerther Weise versucht, die von ihm hier aufgestellten Möglichkeiten experimentell auf ihre Richtigkeit zu prüfen.

Seine Versuchsergebnisse sind im VI. Bande der Fortschritte der Medicin (1888) No. 19 mitgetheilt in der Arbeit von *Emmerich* und *di Mattei:* „Untersuchungen über die Ursache der erworbenen Immunität".

Diese Versuchsergebnisse sind so prägnanter Art gewesen, dass die Autoren sich dieses Mal mit grosser Bestimmtheit aussprechen konnten. Sie sagen:

„In unserer Abhandlung über die „Vernichtung von Milzbrandbacillen im Organismus" hatten wir eine Ansicht über die Ursache der Immunität aufgestellt, die wir auf Grund der obigen Versuchsresultate wesentlich modificiren müssen. Wir sagten nämlich damals: „Offenbar wird von den Körperzellen des immunen Thieres eine Substanz beständig producirt, welche die Bacillen tödtet. Dieselbe ist wahrscheinlich immer im immunen Thierkörper vorhanden. Viel unwahrscheinlicher ist die Annahme, dass die Bildung derselben erst durch die Reizwirkung der in den immunen Thierkörper injicirten Bacillen veranlasst werde."

Heute nun müssen wir gerade diese letztere Annahme, welche wir früher für die unwahrscheinlichere hielten, als die einzig zutreffende und richtige bezeichnen. Wir müssen also heute unsere damalige Hypothese modificiren, nicht auf Grund von Spekulationen, sondern auf Grund der Ergebnisse von Untersuchungen, die wir über diese wichtige Frage angestellt haben. Jede Hypothese, sagt *John*

Stuart Mill, ist anfangs unvollkommen. Dieselbe wird sodann nach den Resultaten des Experiments korrigirt. „Die Vergleichung der von der korrigirten Hypothese ableitbaren Konsequenz mit den beobachteten Thatsachen führt auf eine neue Korrektion und so fort, bis die deduktiven Resultate zuletzt mit den Erscheinungen übereinstimmen."

Wir haben über die Frage, ob das gelöste antibacterielle Gift, welches im immunisirten Körper die Bacillen vernichtet, zur Zeit der Invasion schon präformirt ist, oder ob es erst in Folge des Bacterienreizes von den Körperzellen bereitet wird, experimentelle Untersuchungen angestellt."

(Folgen Experimente von *Emmerich, di Mattei* und *Kurloff*, deren Resultat so zusammengefasst wird):

„*Die cirkulirenden Parenchymsäfte des immunisirten Thieres enthalten also nicht zu jeder Zeit das antibacterielle Gift, dasselbe ist im immunisirten Thierkörper nicht präformirt. Das Resultat der obigen Versuche bestätigt vielmehr die Annahme, dass das antibacterielle Gift, welches die Körperzellen erzeugen, erst auf den specifischen Zellenreiz hin entsteht, welchen die abermals in den Thierkörper eindringenden Rothlaufbacillen verursachen*" und

„Wäre das antibacterielle Gift im immunisirten Körper fertig gebildet, dann müsste das Blut, welches man dem Thierkörper entnimmt, die Rothlaufbacillen auch ausserhalb des Organismus vernichten.

Dies ist aber nicht der Fall."

Zum Beweise dessen werden (S. 16 des Separatabdruckes) wieder Experimente angeführt.

Die Verff. lassen also gar keinen Zweifel darüber, dass nach ihrer jetzt geläuterten und durch ganz eindeutige Experimente begründeten Auffassung Immunität verleihende Körper im extravaskulären Blut nicht nachweisbar und nicht vorhanden sind.

Ich finde es da ganz unverständlich, wie *Emmerich*

auf Grund seiner experimentellen Untersuchungen zu einer Blutserumtherapie gelangen wollte, die doch zur unumgänglich nothwendigen Voraussetzung das Vorhandensein von Heilkörpern im *extravasculären* Blut hat.

Man kann, wenn man wohlwollend *Emmerich's* Arbeiten beurtheilt, sagen, dass er schon im Jahre 1887 eine Idee concipirt hatte, die im Keime Einiges enthält, was zu einer Bluttherapie hätte führen können, dass er aber bedauerlicher Weise sich zu sehr auf solche Heilkörper caprizirt hatte, welche bacterienvernichtende Eigenschaften haben sollten, während bekanntlich alle bisher daraufhin einwandsfrei untersuchten Heilkörper diese Eigenschaften *nicht* besitzen.

Wer schärfer kritisiren wollte, könnte aber sagen, dass *Emmerich* zwar mit grossem Eifer die Erforschung von Immunitätsfragen in Angriff genommen hat, dass er gewissermassen die Immunitätskarre eine Weile sehr energisch fortgeschoben, sie schliesslich aber so in den Sumpf verfahren hat, dass man von einem ganz anderen Ende erst sie wieder herausholen konnte.

In der That datiren denn auch die ersten Versuche *Emmerich's*, mit Parenchymsäften und mit Blut immunisirende und heilende Wirkungen hervorzubringen, nachweislich erst aus einer Zeit, wo *meine* mit *Kitasato* veröffentlichte Arbeit über das Zustandekommen der Tetanusimmunität und die von mir allein publicirte Arbeit über das Zustandekommen der Diphtherie-Immunität schon eine Weile im Druck vorlagen.

In der 1891 von *Emmerich* und *Mastbaum* im Archiv für Hygiene erschienenen Arbeit: *„Ueber die Ursache der Immunität, die Heilung von Infectionskrankheiten, speziell des Rothlaufs der Schweine und ein neues Schutzimpfungsverfahren gegen diese Krankheit"* hat *Emmerich* nach Ausweis der Protokolle das im I. Versuch aufgeführte immunisirte Kaninchen behufs Gewinnung von Heilsaft am 30. Januar 1891, das im Versuch II beschriebene Thier am 24. Januar 1891, zwei Thiere aus Versuch III am 28. Januar 1891, ein Thier aus Versuch IV am 13. März getödtet.

Die Heilversuche konnten demnach keinenfalls früher, als am 24. Januar 1891 begonnen sein.

Meine erste Mittheilung über gelungene Heilresultate mit dem Blute immunisirter Thiere war erfolgt 1890 am 4. December in No. 49 der deutschen medicinischen Wochenschrift.

Unter Berücksichtigung dieser Daten und bei richtiger Würdigung des oben citirten Inhalts der früheren Arbeiten von *Emmerich* wird man es begreiflich finden, dass ich einen Prioritätsanspruch *Emmerich's* in Bezug auf die Blutserumtherapie nicht gelten lassen kann, und dass ich es einigermassen verwunderlich finde, wenn derselbe meint, dass „auf Grund seiner experimentellen Untersuchungen über die Ursache der erworbenen Immunität das Fundamentalgesetz der Schutzübertragung mittelst Serum künstlich immunisirter Thiere erschlossen gewesen sei.“

Wie ich die Sache auffasse, möchte ich noch an folgendem Beispiel illustriren. *Emmerich* betont in seinem *Leipziger* Vortrage mit grosser Entschiedenheit, dass die „Schutz- und Heilsubstanz“ „einzig und allein an das Serumalbumin gebunden sei“ (S. 14 des Abdrucks). 1887 dachte er sich die Heilkörper als Alkaloide. Gesetzt den Fall nun, es gelänge durch spätere Untersuchungen der Nachweis, dass die Heilkörper im Blute immunisirter Thiere den Alkaloiden näher stehen, als dem Serumalbumin, so könnte *Emmerich* genau mit dem gleichen Rechte Prioritätsrechte an die Ergründung der Natur der „Schutz- und Heilsubstanz“ im Blute in Anspruch nehmen, wie er das jetzt bezüglich der „Erschliessung“ der Blutserumtherapie thut; aber ich denke, dass eine Berechtigung dazu nach den für wissenschaftliche Arbeiten und wissenschaftliche Resultate geltenden Anschauungen nicht vorliegen würde.

Ich will auf eine Kritik der Ausführungen *Emmerich's* über „die Natur der Schutz- und Heilsubstanz des Blutes" erst eingehen, wenn ich meine eigenen Resultate hierüber und die meiner Mitarbeiter publiciren werde, hier jedoch schon betonen, dass ich mich nicht in der Lage sehe, für die von mir untersuchten Heilkörper aus dem Blute mich den Anschauungen *Emmerich's* anzuschliessen.

Ausser *Emmerich* haben bisher nur noch *Tizzoni* und *Cattani* (Bologna) Gelegenheit genommen, auf Grund von experimentellen Studien Ansichten über die Natur dieser Heilkörper zu äussern.

Die letzteren Autoren stimmen für die Serum-*Globuline*, *Emmerich* und *Tsuboi* für die Serum- und Muskel-*Albumine.* Alle aber halten es für ausgemacht, dass nur die genuinen Eiweisssubstanzen des Blutes hierbei in Frage kommen, und sie rechnen gar nicht mit der Möglichkeit, dass *weder die Globuline noch die Albumine das wirksame Princip darstellen.*

Meine eigenen Versuchsergebnisse sind bisher aber durchaus nicht geeignet, eine solche Möglichkeit auszuschliessen.

ad 2. Ueber die Beziehungen der Immunität verleihenden und heilenden Substanzen im Blute von Natur immuner und künstlich immunisirter Thiere zu bacterienfeindlichen Eigenschaften des Blutes glaube ich deswegen autorisirt zu sein, ein Urtheil abzugeben, 1) weil der Nachweis von chemisch wirksamen, gelösten Heilkörpern im extravasculären Blut von mir stammt, 2) weil ich der erste gewesen bin, der einen Zusammenhang gezeigt hat zwischen Immunität und zwischen bacterienfeindlichen Wirkungen des Blutes, 3) weil ausser den von mir bezw. den von *Nissen* und mir gefundenen Beispielen eines solchen konstanten Zusammenhanges (Rattenserum und Milzbrandimmunität, Serum von Meerschweinchen, die gegen den *Vibrio Metschnikovi* immunisirt sind, und Meerschweinchenimmunität gegen diese Vibrionenseptikämie) meines

Wissens keine anderen Fälle bekannt geworden sind, in denen die Nachprüfung durch andere sachverständige Autoren die thatsächlichen Angaben hierüber rückhaltlos bestätigt hat.

Meine Meinung über dasjenige, was durch die Studien über bacterienfeindliche Wirkungen des Blutes für die Blutserumtherapie geleistet worden ist, geht nun dahin, dass dieselben einen ganz ausserordentlichen propädeutischen Werth gehabt haben, und dass ohne das Voraufgehen dieser Studien die Blutserumtherapie in ihrer jetzigen Gestalt wahrscheinlich nicht gefunden worden wäre; dass aber ein weitergehender kausaler Zusammenhang zwischen bacterienfeindlicher Blutwirkung und zwischen Blutserumtherapie nicht existirt.

Die Erklärung der Immunität durch bacterienentwickelungshemmende und abtödtende Fähigkeiten des zellenfreien Bluts musste für mich erst ein überwundener Standpunkt werden, ehe ich dazu gelangen konnte, Thiere so vorzubehandeln, dass ihr extravasculäres Blut zur Immunisirung und Heilung anderer Individuen brauchbar wurde.

Angesichts dieser Thatsache, welche ich in allen meinen Arbeiten über Blutserumtherapie, gestützt auf Experimente, auf's Nachdrücklichste betont habe, könnte man doch erwarten, dass Prof. *Emmerich* wenigstens ein einziges einwandfreies Experiment anführt, welches seiner gegentheiligen Behauptung, dass das extravasculäre heilkräftige Blut durch seine bacterientödtenden Eigenschaften wirke, zur Stütze dienen könnte. *Ich habe in keiner seiner Arbeiten ein solches Experiment gefunden.*

ad 3. Was endlich *Emmerich's* Heilversuche mit Erysipelkokken gegenüber dem Kaninchenmilzbrand (aus dem Jahre 1886) betrifft, so haben dieselben nicht den geringsten Zusammenhang mit der Blutserumtherapie. Soweit dabei überhaupt positive Resultate, d. h. günstige Beeinflussung der Milzbrandinfection zu beobachten sind, handelt es sich nach meinen Erfahrungen um einen Vorgang, der mit Immunisirung nichts zu thun hat; denn die geheilten Thiere wurden in den von mir beobachteten Fällen nicht immun.

Selbstverständlich konnten sie dann auch kein Blut liefern, welches andere Thiere milzbrandimmun macht.

Danach kann ich nicht recht einsehen, wie sich aus diesen Versuchen eine Blutserumtherapie hätte entwickeln sollen.

Ich hoffe im Interesse der Sache gehandelt zu haben, wenn ich durch diese Auseinandersetzungen den Versuch unternommen habe, diejenigen Stellen in *Emmerich's* Arbeiten herauszuheben, welche mir geeignet scheinen, nicht bloss ihn selbst, sondern auch andere Untersucher in ein falsches Fahrwasser zu bringen.

Im Uebrigen brauche ich wohl nicht erst zu versichern, dass ich mit aufrichtiger Anerkennung die in der That sehr mühsamen experimentellen Untersuchungen auf diesem Gebiete verfolge, welche Herr Prof. *Emmerich* schon frühzeitig begonnen und die er unermüdlich im Laufe der Jahre fortgesetzt hat.

Dass man dabei sehr leicht auf eine falsche Fährte gelangen kann, habe ich selbst nur zu oft erfahren, und wenn das in meinen Veröffentlichungen nicht zum Ausdruck gekommen ist, so habe ich es nur dem Umstande zuzuschreiben, dass das kritische Urtheil meines hochverehrten Lehrers, des Herrn Geheimrath *Koch*, mich vor vorzeitigem Publiciren geschützt hat.

Berlin, im Sommer 1892.

Druck von Fischer & Wittig in Leipzig.

IX.

Beiträge zur Aetiologie des Milzbrandes.

Ueber die milzbrandfeindlichen Wirkungen von Säuren und Alkalien im Blutserum.

Von **von Lingelsheim,**
Studirendem der med.-chir. Akademie für das Militär.

(Aus dem hygienischen Institut der Universität zu Berlin.)

Die nachfolgenden Untersuchungen, welche unter Leitung und Controle von Hrn. Stabsarzt Dr. *Behring* ausgeführt wurden, schliessen sich an die Angaben an, welche derselbe über die milzbrandfeindlichen Wirkungen verschiedener Säuren und Alkalien in mehreren unter dem Titel „Beiträge zur Aetiologie des Milzbrandes" in dieser Zeitschrift veröffentlichten Aufsätzen gemacht hat, und sie können als eine Fortsetzung dieser Beiträge gelten.

Die Prüfung der einzelnen Präparate geschah nach der von *Behring*[1]) genau beschriebenen Untersuchungsmethode im hängenden Tropfen.

Der entwickelungshemmende Werth der untersuchten Mittel gegenüber Milzbrand im Blutserum bei 36° C. im Thermostaten und bei dreitägiger Beobachtungsdauer zeigte zwar kleine Abweichungen, wenn das Blutserum

---

1) *Behring*, Ueber die Bestimmung des antiseptischen Werthes chemischer Präparate mit besonderer Berücksichtigung einiger Quecksilbersalze. (Deutsche medicinische Wochenschrift.)

von verschiedenen Thieren stammte, und wenn das Impfmaterial von verschiedener Herkunft war, die Abweichungen betrugen jedoch nie über 6 Procent bis höchstens 8 Procent der hier angegebenen Werthe.

Für die Säuren, mit Ausnahme der Phosphorsäure, sowie für Natronlauge und Ammoniak erwies sich als vortheilhaft, diejenigen Mengen von Normalsäure und Normallauge zu bestimmen, welche genügten, um im Blutserum die Entwickelung von Milzbrandbacillen gänzlich zu verhindern.

Wie die Tabelle ergiebt, hat sich dabei herausgestellt, dass von den 12 untersuchten Säuren die Salzsäure, Schwefelsäure, Salpetersäure, Oxalsäure, Milchsäure, Valeriansäure, Essigsäure, Ameisensäure, Weinsäure, Malonsäure fast den gleichen entwickelungshemmenden Werth besitzen, während Citronensäure und Buttersäure etwas geringere Wirkung ergaben.

Das Gesammtresultat lässt sich für die Säuren dahin zusammenfassen, dass in einem Serum von der Alkalescenz des Rinderserums (18 ccm pro Liter) zur Aufhebung des Milzbrandwachsthums ein Säurezusatz nothwendig ist, der für alle Säuren ziemlich gleichmässig 50 bis 75 ccm Normalsäure beträgt, dass also in einem Serum mit durchschnittlich 40 ccm Normalsäuregehalt pro Liter Milzbrandbacillen sich nicht vermehren können.

Der Titer der Säurelösungen wurde jedes Mal vor dem Gebrauche genau bestimmt, wobei Rosolsäure als Indicator gewählt wurde. Die Phosphorsäure lässt sich in dieser Weise nicht titriren; es wurde daher die Phosphorsäure abgewogen und dann in destillirtem Wasser eine genau dosirte Lösung hergestellt. Es ergab sich, dass die Entwickelung von Milzbrandbacillen verhindert wurde, wenn das Serum auf 350 Volumtheile einen Gewichtstheil feste Phosphorsäure enthielt. Die Titrirung eines solchen Serums ergab gleichfalls einen Gehalt von 40 ccm Normalsäure auf das Liter.

Während so für die entwickelungshemmende Wirkung der Säuren ein einigermassen gesetzmässiges Verhalten gefunden wurde, stellte sich das Verhalten der Alkalien ganz anders.

Von dem Bariumhydroxyd genügte ein Zusatz gleich 5 ccm, von der Natronlauge 11 ccm, Calciumhydroxyd 12 · 5 ccm Normallauge auf das Liter, während vom Ammoniak 70 ccm auf das Liter zugesetzt werden mussten, um das Milzbrandwachsthum im Blutserum zu verhüten.

Aus dem Resultat der Titration lässt sich daher bei den Alkalien nicht in gleicher Weise wie bei den Säuren voraussehen, ob ein Serum die Vermehrung von Milzbrandbacillen gestatten wird oder nicht. Auf Normallauge berechnet, muss, wie man ersieht, der Laugenzusatz ca. 7 mal grösser sein, wenn Ammoniak genommen wird, als wenn man Natronlauge hinzusetzt.

Kohlensaure und phosphorsaure Alkalien konnten nicht in ihrem entwickelungshemmenden Werthe in der Weise berechnet werden, dass der Gehalt der Lösungen auf Normallauge bezogen wurde. Die Kohlensäure würde beim Titriren mit stärkeren Säuren ausgetrieben werden, und man würde zu hohe Werthe für den Laugengehalt bekommen.

Bekanntlich reagiren die ihrer Zusammensetzung nach neutralen kohlensauren und phosphorsauren Salze deutlich alkalisch, während das saure kohlensaure Natron und Kali (doppelt kohlensaures) und die secundären phosphorsauren Salze neutral oder ganz schwach alkalisch gegenüber den üblichen Indicatoren reagiren; die primären phosphorsauren Salze zeigen deutlich saure Reaction.

Für diese Präparate wurde daher das für die Phosphorsäure angegebene Verfahren eingeschlagen. Es wurde eine bestimmte Quantität der festen Salze genau abgewogen, in destillirtem Wasser gelöst und dann dem Blutserum zugesetzt.

Wie zu erwarten, ergab die Prüfung der entwickelungshemmenden Dosis für die verschiedenen Salze sehr differente Werthe: Für kohlensaures Natron 1 : 500, für doppelt kohlensaures 1 : 150, für kohlensaures Kali 1 : 400, für das secundäre phosphorsaure Natron 1 : 5, für das alkalisch reagirende tertiäre dagegen war der Werth ein 25 mal höherer, nämlich 1 : 125.

Wurde nun aber *nach* dem Zusatze der Natronsalze das Serum titrirt, so liess sich die bemerkenswerthe Thatsache feststellen, dass die kohlensauren und phosphorsauren Alkalien in gewissem Sinne ebenso stark wirksam sind wie Natronlauge. *Eine Zunahme der Alkalescenz um ca. 11 ccm Normallauge im Serum, wenn dieselbe durch die genannten Salze bedingt wurde, genügte, um die Entwickelung von Milzbrandbacillen gänzlich zu verhindern.* So konnte dementsprechend auch festgestellt werden, dass Ammoniumcarbonat erst, wenn es etwa um das 7fache mehr die Alkalescenz vermehrte — also um ca. 70 ccm Normallauge — dasselbe leistete wie die Natron- und Kalisalze.

Für die Alkalien hatte sich demnach ergeben, dass die Natur des die Alkalescenz bedingenden Mittels von ausschlaggebender Bedeutung ist für die entwickelungshemmende Wirkung, und während jede neue Säure, die ich untersuchte — mit Ausnahme der eine eigenartige Stellung einnehmenden Arsen- und Antimonsäure, sowie der arsenigen Säure — sofort in ihrem Werthe ziemlich genau erkannt wurde, wenn ich mir von derselben eine Normallösung herstellte, verhielt es sich mit den Alkalien ganz anders.

Ich habe noch mehrere Alkalisalze untersucht und darunter einige gefunden, welche einen ungeahnt hohen entwickelungshemmenden Werth gegenüber Milzbrand besitzen.

An dieser Stelle erwähne ich zunächst das kohlensaure Thallium. Es ist das ein in Wasser lösliches Salz, welches ich von *Kahlbaum* bezog. Mit Blutserum giebt es keine Niederschläge. Dasselbe kommt in der entwickelungshemmenden Wirkung dem Quecksilbersublimat nahe, indem es schon in einer Verdünnung von 1:7500 jedes Wachsthum von Milzbrandbacillen verhindert.

Ein anderes in hohem Grade interessantes Präparat ist das kohlensaure Lithion. Das Präparat ist in Wasser sehr schwer löslich, seine Prüfung demgemäss erschwert, und die erhaltenen Werthe sind in Folge des beträchtlichen Zusatzes der Lösung weniger genau. Ich fand, dass das Milzbrandwachsthum verhindert wurde schon bei relativ sehr geringem Zusatze des Präparates, ca. 1:2000, woraus eine 3 bis 4 mal energischere Wirkung als die der Carbolsäure resultirte.

Diese ausschlaggebende Bedeutung der Natur der Alkalisalze kommt auch zum Ausdruck, wenn man die neutralen Chlor-, Jod- und Bromsalze untersucht.

Während z. B. Kochsalz erst bei einem Zusatze von 1 : 12·5 Blutserum, chlorsaures Kali gar erst bei 1:5 das Milzbrandwachsthum gänzlich verhinderte, leistete Calciumchlorid dasselbe schon bei 1:50 und das Lithiumchlorid schon bei 1:500.

Bekanntlich ist Lithium als Carbonat und Chlorid in manchen therapeutisch verwertheten Quellen vorhanden, und noch mehr verbreitet in den Heilquellen sind die Erdalkalien; die Untersuchuug mehrerer aus einer hiesigen Apotheke bezogener Brunnen (Wildunger Wasser, Salzbrunner [Oberbrunnen], Kreuznacher [Elisabethbrunnen], Hunyady-Janos, Kissinger [Rakoczy]) hat aber ergeben, dass — wenigstens Milzbrandbacillen gegenüber — den in diesen Wässern enthaltenen Salzmengen eine antiseptische Wirkung nicht zukommt; selbst drei Theile Wasser mit einem Theil Blutserum vermischt liessen eine Entwickelungshemmung nicht deutlich erkennen.

Die in der nachfolgenden Tabelle wiedergegebenen Werthe für die einzelnen Säuren und Alkalien sind, um sie mit denen anderer Untersucher vergleichen zu können, in dreifacher Weise berechnet worden.

In Colonne *a* ist ausgerechnet worden, wieviel Gewichtstheile der geprüften Präparate zu 100 Gewichts-

	a.	*b.*	*c.*
Präparat	Entwickelungshemmung trat ein bei einem Procentgehalt von	Entwickelungshemmung trat ein bei einem Verhältniss von	Normallauge- bez. Normalsäurezusatz in 1 Liter Blutserum, welcher zur Entwickelungshemmung ausreicht.
Natronlauge (NaOH)	0·044	1 : 2270	11·00
Calc. hydroxyd $Ca(OH)_2$	0·046	1 : 2175	12·40
Bar. hydroxyd $Ba(OH)_2$	0·4	1 : 250	4·64
Ammoniak NH_3	0·245	1 : 417	70·00
Salzsäure HCl	0·18	1 : 555	50·00
Schwefelsäure H_2SO_4	0·25	1 : 400	50·00
Salpetersäure HNO_3	0·26	1 : 384	50·00
Phosphorsäure H_3PO_4	0·28	1 : 350	—
Ameisensäure CH_2O_2	0·276	1 : 370	60·00
Essigsäure $C_2H_4O_2$	0·36	1 : 275	60·00
Oxalsäure $C_2H_2O_4$	0·22	1 : 440	50·00
Milchsäure $C_3H_6O_3$	0·40	1 : 250	45·00
Malonsäure $C_3H_4O_4$	0·26	1 : 384	50·00
Buttersäure $C_4H_8O_2$	0·65	1 : 156	80·00
Weinsäure $C_4H_6O_6$	0·45	1 : 222	60·00
Valeriansäure $C_5H_{10}O_2$	0·50	1 : 200	50·00
Citronensäure $C_6H_8O_7$	0·45	1 : 222	70·00
Kochsalz NaCl	8·00	1 : 12·5	—
Calciumchlorid $CaCl_2$	2·00	1 : 50	—
Lithiumchlorid LiCl	0·2	1 : 500	—
Sec. Natron-Phosphat Na_2HPO_4	20·00	1 : 5	—
Bas. Natron-Phosphat Na_3PO_4	0·8	1 : 125	—
Kohlensaures Natron Na_2CO_3	0·2	1 : 500	11·00
Doppelt kohlens. Natron $NaHCO_3$	0·7	1 : 150	—
Kohlensaures Kali K_2CO_3	0·25	1 : 400	—
Kohlensaures Thallium Tl_2CO_3	0·013	1 : 7500	—
Kohlensaures Lithion Li_2CO_3	0·05	1 : 2000	—
Chlorsaures Kali $KClO_3$	20·00	1 : 5	—
Ammoniumcarbonat $(NH_4)_2CO_3$	2·00	1 : 50	70·00

theilen Blutserum zugesetzt werden mussten, um die Entwickelung von Milzbrandbacillen und Sporen zu verhindern. In dieser Weise hat z. B. *Kitasato* in seiner Arbeit über die Wirkung von Säuren und Alkalien gegenüber Typhus- und Cholerabacterien die gefundenen Werthe berechnet.

Colonne *b* giebt die Resultate in derselben Weise wieder, wie das in der Desinfectionsarbeit von *R. Koch*[1]) geschehen ist.

Colonne *c* endlich giebt an, welche Vermehrung der Alkalescenz, bezw. welche Verminderung derselben — in Normallauge pro Liter Blutserum ausgedrückt — die zur Entwickelungshemmung ausreichenden Mengen der einzelnen Präparate bewirkt hatten.

Für mehrere Präparate, unter anderen für die kohlensauren Alkalien, habe ich auch die abtödtende Wirkung gegenüber Milzbrandbacillen im Blutserum festgestellt, und zwar in der Weise, wie das in neuerer Zeit zur Feststellung des bacterienvernichtenden Einflusses von Blut und defibrinirtem Blut durch *Nutall* und *Nissen* in *Flügge's* Laboratorium zuerst ausgeführt wurde.

Zu 1 ccm Blutserum im Reagensglase aus Milzbrandblut, das bacillenreich ist, fügte ich eine kleine Menge mittelst einer Platinöse hinzu, mischte die Flüssigkeit gut, säete von der Mischung zwei Platinösen in Gelatineplatten aus und zählte die Zahl der gewachsenen Keime nach 2 bis 3 Tagen. In der Regel wurden 5000 bis 15000 Keime gefunden. Nach der Entnahme der zwei Oesen Serum-Milzbrandblutmischung fügte ich nun derselben soviel von dem zu prüfenden antiseptischen Präparate zu, dass die gewünschte Concentration erreicht wurde. Dann wurden nach Ablauf bestimmter Zeiträume wieder Platten mit zwei Platinösen der Mischung gegossen und das stattfindende oder ausbleibende Wachsthum der Keime constatirt. Wenn im Verlaufe von fünf

---

1) *R. Koch,* Mittheilungen aus dem Kaiserl. Gesundheitsamt. Bd. I.

Tagen nichts auf der Platte gewachsen war, nahm ich an, dass sämmtliche Keime abgetödtet waren.

Das erhaltene Resultat lässt sich nun kurz dahin zusammenfassen, dass zur Abtödtung sämmtlicher Keime die doppelte Menge von derjenigen genügte, welche sich als zur Entwickelungshemmung ausreichend erwiesen hatte. Für Natron carbonicum z. B. wurde ein Gehalt von 1 : 250 zur Abtödtung von ca. 10000 Keimen genügend gefunden, wenn die Einwirkung im Blutserum sich auf ca. 6 Stunden erstreckte.

Es verdient besonders bemerkt zu werden, dass viele Keime schon bei dem zur Entwickelungshemmung ausreichenden Concentrationsgrade eines Mittels absterben, und dass zur Vernichtung *sämmtlicher* Keime eine um so grössere Concentration des zu prüfenden Mittels sich als nothwendig erweist, je grösser die Anzahl der eingebrachten Keime gewesen ist.

Berlin 1890.

X.

Experimentelle Untersuchungen
über morphologische, culturelle und pathogene Eigenschaften verschiedener Streptokokken.

Von Dr. **von Lingelsheim.**

(Aus dem hygienischen Institut der Universität Berlin.)

I. Verhalten der Streptokokken in Culturen.

Während meine Untersuchungen Anfangs auf das Studium der Organismen des menschlichen Eiters im Allgemeinen gerichtet waren, wandte ich mich später ausschliesslich den Streptokokken zu, da diese mir vor allen noch einer weiteren Aufklärung bedürftig schienen. In der That giebt es wohl kaum noch eine andere Gruppe von Bacterien, die so wichtig, über die so viel geschrieben ist, und über deren Natur und Eigenschaften doch noch so grosse Meinungsverschiedenheiten bestehen, als gerade die der Kettenkokken. In einem Punkte nur begegnen sich die Ansichten fast aller Beobachter, das ist in der Anerkennung der hohen pathogenen Diginität dieser Organismen gegenüber dem menschlichen Körper, in der Annahme, dass dieselben in einer grossen Reihe wichtiger Krankheiten nicht unwesentliche Begleiter, sondern das ätiologische Moment darstellen. Das ist der Eindruck, den man bei der Durchsicht der ziemlich umfangreichen Litteratur über diesen Gegenstand gewinnt.

Schon aus einem verhältnissmässig frühen Entwickelungsstadium der bacteriologischen Wissenschaft finden sich Nachrichten über Kokkenbefunde bei verschiedenartigen Erkrankungen, so bei Erysipelas (*Nepveu* (1), *Hüter* (2), bei Pyämie und Puerperalfieber (*v. Reklinghausen* (3), bei Diphtherie (*Tomasi Crudeli* (4), *Nasiloff* (5), *Oertel* (6). Doch bleibt es in Rücksicht auf den damaligen Stand der Kenntnisse zweifelhaft, ob es sich bei allen diesen Beobachtungen schon wirklich um die hier in Betracht kommenden Streptokokken gehandelt hat.

Die Epoche der exacten Forschung brach auch für die Streptokokken erst an, nachdem *Koch* (7) in seiner Lehre über die Aetiologie der Wundinfectionskrankheiten die Wege angegeben und zugleich durch seine Methodik den Untersucher in den Stand gesetzt hatte, dieselben zu verfolgen. *Koch* (8) ist es auch, dem wir die ersten sicheren Mittheilungen über das constante Vorkommen von Streptokokken bei Erysipelas verdanken. Hieran schloss sich die Arbeit *Fehleisen's* (9), der ziemlich gleichzeitig und unabhängig von *Koch* Streptokokken bei Erysipelas nachwies und zugleich durch Cultur und Impfung auf Mensch und Thier den unumstösslichen Beweis erbrachte, dass in den gefundenen Organismen auch das ätiologische Moment des Erysipels gefunden sei.

Von da ist die Streptokokkenlitteratur in ein schnelleres Tempo gekommen. Es wurden nicht nur die Angaben *Fehleisen's* von anderer Seite bestätigt, sondern man suchte nun auch wieder auf Grund der gemachten Erfahrungen bei solchen Krankheiten nach Streptokokken, die schon früher damit in Zusammenhang gebracht waren. So veröffentlichte *Doléris* (10) eine Arbeit über die niederen Organismen beim Puerperalfieber, in der auch über Streptokokkenbefunde des weiteren berichtet wird. Ziemlich gleichzeitig stellte *Ogston* (11) durch mikroskopische Untersuchung Streptokokken im Abscesseiter fest. Doch dauerte es immerhin noch fast fünf Jahre nach der Entdeckung *Fehleisen's*, bis es *Rosenbach* (12) und unabhängig von diesem *Passet* (13) gelang, auch die Streptokokken des Eiters durch Cultur zu isoliren und ihre pathogene Bedeutung durch das Thierexperiment festzustellen. Ziemlich in dieselbe Zeit fallen dann auch die Mittheilungen von *Garré* (14), der Streptokokken gerade in einer Reihe schwerer phlegmonöser Processe nachwies. Immer mehr bricht sich die Anschauung Bahn, dass gerade Streptokokken es sind, die bei den schweren Formen der Wundinfection die entscheidende Rolle spielen. So hält *Cushing* (15) dieselben für die häufigste Ursache der puerperalen Erkrankungen. Diesen Standpunkt schränkt *Besser* (16) drei Jahre später etwas ein, indem er auf Grund seiner bacteriologischen Untersuchungen zu dem Schlusse kommt, dass typische Pyämie ebenso gut durch Staphylokokken als Streptokokken bedingt werden können, dass dagegen typische Septicämie ausschliesslich auf Streptokokkeninfection zurückzuführen sei. Bemerkenswerth dürfte vielleicht noch die Mittheilung von *Schulz* (17) sein, wonach Streptokokken auch im Eiter von Furunkeln, der im Allgemeinen doch als die ausschliessliche Domäne der Staphylokokken betrachtet wird, vorkommen sollen. Ausserdem sind noch häufig Streptokokken gefunden worden bei Eiterungen im Gefolge anderer Krankheiten, so nach Abdominaltyphus (*Dunin* (18), bei Pyothorax auf tuberculöser Grundlage u. s. w.

Vor allem sind es aber noch zwei Krankheitsgebiete, die schon ziemlich früh mit Streptokokkeninfection in Zusammenhang gebracht wurden, das ist die Diphtherie und der Scharlach. Aus der ziemlich umfangreichen Litteratur über diesen Gegenstand, aus der ich nur die Arbeiten von *Klebs* (19), *Löffler* (20), *Fränkel* und *Freudenberg* (21), *Thaon* (22), *Rasskin* (23) erwähne, geht jedenfalls so viel hervor, dass nach den Ansichten namhafter Autoren namentlich für die schweren Formen von Secundäraffectionen nach Scharlach und Diphtherie die Streptokokken das ätiologische Moment abgeben. Zu erwähnen wäre auch vielleicht noch, dass auf der Ausstellung des internationalen medicinischen Congresses in der Abtheilung des Kaiserlichen Gesundheitsamtes ein Streptococcus conglomeratus ausgestellt war, der aus der Milz einer Scharlachleiche gezüchtet war.

In neuester Zeit war es dann noch besonders die grosse Influenzaepidemie, welche die Streptokokkenlitteratur um ein beträchtliches bereichert hat. Es seien hier zunächst erwähnt die Arbeiten von *Ribbert* (24) und *Finkler* (25), welch' letzterer namentlich die Influenzaepidemieen mit Streptokokkeninvasion in Zusammenhang brachte. Von ähnlichen Befunden berichten *Duponchel*, *Vaillard* und *Vincent*, nur mit dem Unterschiede, dass diesen der gefundene Streptokokkus mit dem des Erysipels identisch erschien, während die erstgenannten Forscher den Streptococcus pyogenes vor sich zu haben glaubten. Einen nach Ansicht des Autors neuen Streptococcus züchtete *Friedrich* (26) aus dem katarrhalischen Secrete der Athmungsorgane bei Influenza.

Wäre hiermit die kurze Uebersicht über die Streptokokkenlitteratur vom klinischen Standpunkte aus geschlossen, so blieben die Mittheilungen übrig, in denen uns über Streptokokkenbefunde berichtet wird ohne Bezugnahme auf eine ätiologische Bedeutung zu einer menschlichen Krankheit. So züchtete *Flügge* (27) aus den nekrotischen Herden einer leukämischen Milz einen Streptococcus pyogenes malignus, der sich vor den Streptokokken des Eiters durch seine Malignität gegenüber Mäusen und Kaninchen auszeichnet. *Nicolaier* und *Guarneri* (28) züchteten aus unreiner Gartenerde einen Streptococcus septicus, der sich gleichfalls als sehr virulent gegen Mäuse erwies. Auch im menschlichen Speichel sind Streptokokken häufig angetroffen, so von *Netter* (29), der sie in

5% der Fälle fand, ferner von *Biondi* (30), der aus Speichel einen Streptococcus septihopyämicus züchtete u. s. w.

Die Frage, die uns bei der Durchsicht dieses so reichhaltigen litterarischen Materiales in erster Linie interessirt, ist die, ob es sich bei den bisher gefundenen Streptokokken nur um eine einzige Art handelt, die vielleicht nur je nach der Eingangspforte, nach der Quantität des Infektionsstoffes und nach der localen und allgemeinen Disposition des befallenen Individuums so verschiedenartige Effecte herbeiführt — eine Anschauung, wie sie z. B. *Ernst* (31) für die pyogenen Bacterien vertritt — oder ob es sich bei den verschiedenen Affectionen um verschiedene wohl definirte Arten handelt, deren Trennung auch experimentell möglich ist. Mag nun die eine oder die andere Anschauung zur Zeit mehr Vertreter zählen, soviel lässt sich wohl mit Sicherheit behaupten, dass der strikte und allgemein anerkannte Nachweis von constanten und experimentell demonstrirbaren Unterschieden zwischen auch nur zwei Streptokokkenarten bis dahin nicht erbracht worden ist.

Unter diesen Umständen schien es mir wohl der Mühe werth zu sein, unter Vernachlässigung der übrigen Eiterorganismen die Streptokokken nochmals einer Prüfung nach ihren culturellen und biochemischen Eigenschaften sowie nach ihrem Verhalten gegen den Thierkörper zu prüfen. Gelegentlich meiner Thierexperimente glaubte ich, auch die in neuester Zeit gemachten Erfahrungen über Immunisirung nicht vernachlässigen zu dürfen. Die von mir nach dieser Richtung gemachten Beobachtungen finden sich, soweit sie ein Interesse für die ganze Frage beanspruchen dürften, an entsprechender Stelle aufgeführt.

Der Erörterung dieser Fragen habe ich dann noch einen Abschnitt über Entwickelungshemmung und Abtödtung der Streptokokken durch chemische Agentien angefügt, nicht nur, weil die Sache praktisch wichtig erschien, sondern auch, weil meines Wissens keine genaueren

Untersuchungen hierüber existiren. Die Desinfectionsarbeiten beispielsweise von *Koch* (32), *Gärtner* und *Plagge* (33), *Behring* (34) berücksichtigen entweder die Streptokokken überhaupt nicht oder nur für einige gerade praktisch wichtige Präparate.

Das meinen Untersuchungen zu Grunde liegende Material an Streptokokken habe ich in der folgenden Tabelle A zusammengestellt. In der Columne 1 derselben finden sich die Streptokokken mit Zahlen von 7 bis 19 bezeichnet. Was diese Bezeichnungen betrifft, so will ich bemerken, dass schon früher im hiesigen hygienischen Institute sieben ihrer Herkunft nach verschiedene Streptokokken gezüchtet und mit den Zahlen 1 bis 7 unterschieden wurden. Dieser Umstand, sowie die Absicht, nicht durch Beifügung einer anderen Bezeichnung bestimmte Eigenschaften von vornherein meinen Streptokokken zu prävindiciren, war der Grund, dass ich die Zahlen zunächst zur Unterscheidung beibehielt. Die Columne 2 enthält dann Angaben über die Zeit, in der der betreffende Streptococcus zuerst zur Beobachtung kam, und die Columne 3 den Fundort.

Ueber die Methoden der Reincultivirung der einzelnen in der Tabelle A aufgeführten Streptokokken möchte ich noch kurz Folgendes bemerken.

Tabelle A.

1.	2.	3.
Bezeichnung der Streptokokken	Datum der ersten Beobachtung	Angabe des Fundortes
Streptococcus erysipelatis	—	Sammlung des hygienischen Instituts.
„ pyogenes	—	Sammlung des hygienischen Instituts.
7	—	Sammlung des hygienischen Instituts.
8	Januar 1890	Mundspeichel eines gesunden Menschen.
9	„ 1890	Mundspeichel eines gesunden Menschen.
10	Februar 1890	Altes Rinderblutserum.
11	März 1890	Pleuraexsudat e. Meerschw.

(Fortsetzung.)

1.	2.	3.
Bezeichnung der Streptokokken	Datum der ersten Beobachtung	Angabe des Fundortes
Streptococcus 12	Juni 1890	Diptheriemembranen.
„ 13	„ 1890	
„ 14	„ 1890	
15	August 1890	Diphtheriemembranen.
16	December 1890	Alte Pyocyaneuscultur.
17	„ 1890	Phlegmone d. Oberschenkels.
18	Januar 1891	Gesichtserysipel.
19	„ 1891	Alte Diphtheriecultur.

In den Besitz des Streptococcus 9 gelangte ich in der Weise, dass ich einer weissen Maus 0·3 ccm Mundspeichel eines gesunden Menschen injicirte. Von dem Blute des nach zwei Tagen verendeten Thieres wurden Gelatineplattenculturen angelegt. Auf diesen erschienen nach Verlauf von drei Tagen kleine graugelbliche Colonien, die sich bei näherer Untersuchung als aus Streptokokken bestehend erwiesen. Aus demselben Speichel wurde der Streptococcus 8 vermittels des Plattenverfahrens isolirt.

Die Streptokokken 12, 13, 14 stammen aus den Pseudomembranen, die bei Diphtherie des Rachens vermittels sterilisirter Cürette abgenommen waren. Dieselben wurden in der bekannten Weise auf verschiedene Agarröhrchen nacheinander ausgestrichen. Nach 24 stündigem Aufenthalte der Röhrchen im Brütschranke zeigten sich die schrägen Agarflächen wie übersät mit Streptokokkencolonieen, zwischen denen die wohl vorhandenen Diphtheriebacillencolonieen nicht nachweisbar waren. Aus diesen Streptokokkencolonieen wurde dann eine einzelne herausgefischt und durch Ausgiessen von Gelatineplatten der Charakter als Reincultur festgestellt.

Der Streptococcus 15 wurde mittels des Plattenverfahrens aus einer Diphtheriemembran isolirt, die ausserdem noch reichlich Diphtheriebacillen enthielt.

Aus einer schweren, schnell letal verlaufenden Phlegmone des Oberschenkels, die sich an eine Verletzung anschloss, stammt der Streptococcus 17. Ein Stückchen der phlegmonösen Hautpartie unter entsprechenden Cautelen excidirt und in Gelatine gebracht, liess in seiner Umgebung nach Verlauf von drei Tagen und bei einer Temperatur zwischen 18 und 22° C. zahlreiche Streptokokkencolonieen erscheinen.

In ganz ähnlicher Weise wurde der Streptococcus 18 aus einem Stückchen der Randzone eines Gesichtserysipelas erhalten.

Die Streptokokken 10, 16, 19, von denen sich die beiden letzteren als Verunreinigungen anderer Culturen, und zwar 16 einer Agarpyocyaneus, 19 einer Diphtheriecultur vorfanden, wurden in der gewöhnlichen Weise durch das Plattenverfahren isolirt, resp. ihre Reinheit durch dasselbe festgestellt.

Mikroskopisches Verhalten.

Zum Studium des mikroskopischen Verhaltens eignen sich am besten die Bouillonculturen, in denen sich das charakteristische Kettenwachsthum zu vollster Deutlichkeit entfaltet. Weder der feste Nährboden, noch der Thierkörper liefern nach dieser Richtung so schöne Präparate, als gerade die Bouilloncultur.

Untersuchen wir z. B. einen Tropfen von der Bouilloncultur des in der Tabelle A als Streptococcus 9 bezeichneten Organismus im hohlen Objectträger, so gewahren wir hier die bekannten chrakteristischen Kettenformen. Bisweilen erreichen die Ketten eine sehr beträchtliche Länge und gehören solche von fünfzig und mehr Kokken nicht zu den Ausnahmen. Sehr häufig präsentiren sie sich in dichten Conglomeraten, die in ihrem Innern nichts von der charakteristischen Reihenordnung verrathen. Diese ist dann nur deutlich in den medusenartig vom Rande der Conglomerate ausgehenden Ausläufern zu beobachten. Auf die Neigung zur Conglomeratbildung, die sich auch makroskopisch in den Bouillonculturen zu erkennen giebt, werde ich noch später zurückzukommen haben.

Die Gestalt der einzelnen Kokken variirt etwas; meist nicht ganz rund, reihen sie sich bei den von mir beobachteten Streptokokkenarten stets mit ihren breiten Seiten nebeneinander. Hierbei tritt eine Anordnung zu Diplokokken innerhalb der Ketten häufig deutlich hervor. Die Grösse der Kokken schwankt zwischen 0·3 bis 0·5 μ. Grössenunterschiede zwischen den Kokken in demselben Präparate habe ich nur bei ganz alten Culturen beobachten können. Eigenbewegungen der Kokken oder Ketten habe ich niemals wahrnehmen können.

Untersucht man statt im hängenden Tropfen im gefärbten Präparate, so zeigen sich im ganzen auch hier die eben angegebenen Verhältnisse, manches tritt sogar entschieden deutlicher hervor.

Ein ganz ähnliches mikroskopisches Verhalten wie der Streptococcus 9 zeigen die in der Tabelle A als Streptococcus pyogenes — 11, 12, 13, 14, 15, 17, 18, aufgeführten Organismen. Die Streptokokken des Erysipels liessen nach der Richtung gewisse Differenzen erkennen, als sie entschieden weniger Neigung zu der oben geschilderten Conglomeratbildung verriethen.

Dagegen erhalten wir ganz andere miskroskopische Bilder bei Betrachtung des in der Tabelle als Streptococcus 8 aufgeführten Organismus. Wir gewahren hier Kokken, die, abgesehen von der etwas beträchtlicheren Grösse, sich nicht von denen unterscheiden, die wir bei dem Streptococcus 9 u. s. w. kennen lernten, die aber durch eine sehr geringe Neigung zur Kettenbildung ausgezeichnet sind. Waren dort Ketten von höherer Gliederzahl die Regel, so sind sie hier die Ausnahme. Ketten, die 8 bis 10 Kokken enthalten, sind schon ziemlich selten. Dahingegen finden sich recht viele Diplokokken und auch einzelne Kokken vor. Von Eigenbewegung ist auch hier bei der Untersuchung im hängenden Tropfen nichts wahrnehmbar.

Noch abweichender von den zuerst beschriebenen Streptokokken verhält sich seinem mikroskopischen Aussehen nach der Streptococcus 7 meiner Tabelle. Es ist dies der von *Doehle* als Antagonist des Milzbrandes beschriebene Organismus. Hier sind selbst die kurzen Ketten eine Ausnahme, Diplokokken die Regel, so dass die Bezeichnung als Streptococcus vielleicht etwas gewagt erscheinen kann. Um so mehr sind hier Zweifel berechtigt, als dieser Organismus auch auf den später zu betrachtenden Serumnährboden keine charakteristischen Kettenbildungen liefert.

Jedenfalls wird es schon nach den bisherigen Betrachtungen gerechtfertigt erscheinen, nicht nur den Streptococcus 7, sondern auch den Streptococcus 8 und die sich mikroskopisch gleich verhaltenden Streptokokken 10, 16, 19 als besondere Arten von den übrigen zu trennen und sie als Streptococcus brevis dem Streptococcus longus gegenüber zu stellen. Die Berechtigung einer solchen Unterscheidung wird sich noch evidenter bei der späteren Betrachtung der culturellen und pathogenen Eigenschaften ergeben.

Verhalten der Streptokokken in Culturen.

Die Nährböden, mit denen ich gearbeitet habe, waren zum Theil die heute allgemein üblichen, also Fleischwasser mit Zusatz von einem Procent Pepton und einem halben Procent Kochsalz als Bouillon, ferner Fleischwasser mit denselben Zusätzen und einem Gehalte von einem Procent Agar, resp. 10 bis 15 Procent Gelatine als feste Nährsubstrate.

Ausserdem wurden Zusätze von Traubenzucker 2 Procent, ameisensaurem Natron $1/2$ Procent, Glycerin 2 bis 5 Procent versucht. Auch der Peptongehalt wurde für besondere Zwecke zwischen einem halben und fünf Procent variirt. Ferner habe ich verschiedene Blutserumarten im flüssigen und erstarrten Zustande mit und ohne Zusatz anderweitiger Stoffe zu Züchtungszwecken verwendet, und kann ich manche derselben, z. B. Kaninchenserum, für Streptokokken sehr empfehlen.

Besondere Sorgfalt habe ich auf den Titer meiner Nährsubstrate gelegt. Ich habe mich nicht einfach mit der Constatirung der alkalischen Reaction begnügt, sondern habe für jeden Nährboden auch den Grad der Alkalescenz titrimetrisch festgestellt, was ja nach der von *Behring* geübten Methode der Titrirung eiweisshaltiger Flüssigkeiten nicht nur sehr einfach, sondern auch mit ziemlicher Genauigkeit ausführbar ist.

Meine Nährböden, abgesehen von den Blutserumarten, enthielten, falls ich nicht für besondere Zwecke hiervon abwich, auf das Liter berechnet nie mehr als 7·5 cm und nie weniger als 5 ccm Normallauge. Annähernd richtig trifft man dies Verhältniss, wenn man das Fleischwasser nicht wie üblich mit concentrirter Sodalösung bis zur schwach alkalischen Reaction versetzt, sondern auf das Liter Fleischwasser 25 ccm Normalnatronlauge zusetzt, ein Verfahren, was auch im Interesse der Einfachheit zu empfehlen ist.

Für das Studium der culturellen Eigenschaften kommen in erster Linie die flüssigen Nährböden in Betracht, nicht nur, weil sich auf ihnen entschieden das üppigste Wachsthum entfaltet, sondern auch weil sie diagnostisch am meisten verwerthbar sind.

In der That sind wir durch die alleinige Züchtung eines Streptococcus auf der gewöhnlichen Nährbouillon ohne jede mikroskopische Untersuchung im Stande zu entscheiden, mit welcher der oben aufgestellten Gruppen von Streptokokken wir es zu thun haben, mit anderen Worten, ob es sich um einen Streptococcus longus oder brevis handelt. Der erstere hat nämlich die Eigenthümlichkeit, seine Nährbouillon klar zu lassen, während der letztere dieselbe constant gleichmässig trübt.

Es kann allerdings auch bei frischen Culturen des Streptococcus longus, namentlich des Streptococcus longus erysipelatis, vorkommen, dass leichte Wölkchen in den oberen Flüssigkeitsschichten schweben, aber nie findet sich diese diffuse Trübung, die bei den Bouillonculturen des Streptococcus brevis die ausnahmslose Regel ist. Hier setzen sich erst nach Tagen, bisweilen erst nach Wochen die Pilzmassen am Boden des Culturgefässes ab; ein leichtes Schütteln ist dann wieder ausreichend, um Tage lang andauernde Trübungen zu veranlassen.

Dies so leicht anwendbare diagnostische Hülfsmittel kann besonders da von Werth sein, und ist es mir wiederholt schon gewesen, wo sich in offenen Abscessen, auf Impf- und Injectionsstellen, resp. in davon angelegten Culturen Streptokokken vorfinden, deren Bedeutung doch in jedem Falle einer Aufklärung bedarf. Die Bouilloncultur belehrt uns hier ohne jedes umständliche und zeitraubende Thierexperiment, ob wir es mit einem Streptococcus brevis oder longus zu thun haben, oder was, wie wir später sehen werden, dasselbe bedeutet, mit einem weit verbreiteten Saprophyten oder einem wenigstens für gewisse Thiergattungen pathogenen Mikroorganismus.

Eine Erscheinung, die man häufig in den Bouillonculturen des Streptococcus longus beobachten kann, ist das Wachsthum der Streptokokken in mehr oder weniger consistenten Flöckchen oder Bröckeln, die auch bei stärkerem Schütteln nur wenig Neigung haben, sich zu zertheilen. In besonders starkem Maasse besass z. B. der Streptococcus longus 9 der Tabelle diese Eigenthümlichkeit, so dass ich Anfangs Mangels anderer Erfahrungen in Versuchung war, hierin die morphologische Besonderheit eines Streptococcus „conglomeratus“ zu suchen. Später jedoch überzeugte ich mich, dass einerseits die gleiche Neigung zur Bildung von Conglomeraten auch bei anderen Streptokokken vorkommt, und dass andererseits diese Eigenthümlichkeit ohne wesentliche Aenderung der sonstigen Beschaffenheit bis zu einem gewissen Grade sich verlieren kann.

Immerhin lässt sich aber doch soviel mit Sicherheit sagen, dass der Streptococcus erysipelatis die geringste Neigung zur Conglomeratbildung zeigte, die grösste dagegen der Streptococcus longus 9 und die übrigen für Thiere sehr pathogenen Streptokokken.

Im Allgemeinen fand ich ausserdem mehr Neigung zur Conglomeratbildung bei frisch aus dem Thierkörper gezüchteten Streptokokken, als bei solchen, die schon lange auf künstlichen Nährböden gehalten waren. Ihr Vorhandensein habe ich immer als ein für Lebensfähigkeit und namentlich Virulenz günstiges Zeichen angesehen.

Von ziemlich beträchtlichem Einflusse auf die Wachsthumsenergie der Streptokokken ist die Reaktion der Nährboden.

Ich arbeitete im Allgemeinen, wie schon mitgetheilt, mit Nährböden von einem Alkaligehalte gleich 5 bis $7^1/_2$ ccm Normallauge pro Liter, die sich bei sonstiger guten Beschaffenheit als recht günstig erwiesen. Eine gewisse Menge Alkali ist dem Streptokokkenwachsthum sehr förderlich, während Säurezusatz schon in ganz geringen Mengen die Entwickelung des Streptococcus longus beeinträchtigt, in etwas grösseren es aufhebt. Zahlenmässige Angaben hierüber werden später in Tabelle C folgen.

Bekanntlich haben manche Bacterien die Fähigkeit, auch auf einer stark verdünnten Bouillon üppig zu gedeihen. Nach dieser Richtung hin angestellte Versuche ergaben, dass der Streptococcus longus 9 schon bei einer dreifachen Verdünnung der gewöhnlichen Nährbouillon sehr spärlich wächst im Gegensatze zu allen übrigen Streptokokken. Bei einer fünffachen Verdünnung zeigen auch die übrigen lange Ketten bildenden Streptokokken nur ein sehr spärliches Fortkommen, während die kurze Ketten bildenden noch üppig gedeihen und selbst bei zehnfacher Verdünnung der Bouillon noch ausreichende Existenzverhältnisse finden.

Sehr zweckmässig erwies sich für die Herstellung kräftiger Culturen ein erhöhter Peptonzusatz. Auch Zusatz von Traubenzucker beeinflusst das Wachsthum im günstigen Sinne. Eine Bouillon mit einem Gehalt von drei Procent Pepton und zwei Procent Traubenzucker giebt einen ausgezeichnet günstigen Nährboden für alle Arten von Streptokokken ab.

Zum Schluss bemerke ich noch, dass in gewöhnlicher Nährbouillon nach 24- bis 36stündigem Aufenthalte bei Brüttemperatur das Wachsthum der Streptokokken abgeschlossen ist. Wenigstens konnte ich auf einer solchen Bouillon, wenn sie vorsichtig abpipettirt und von Neuem geimpft wurde, kein Wachsthum mehr constatiren.

Die zweite Categorie meiner flüssigen Nährböden bestand aus verschiedenen Serumarten. Ausser mit Rinderserum arbeitete ich mit Schweine-, Kaninchen- und Rattenserum. Die beiden ersteren waren acht Tage in der üblichen Weise sterilisirt, während ich mich bei den beiden letzteren Arten auf Constatirung der Keimfreiheit beschränkte, nachdem dieselben 48 Stunden der Brüttemperatur ausgesetzt waren.

Bekannt ist, dass auf Rinderblutserum die Streptokokken des Erysipels und der Phlegmone gut gedeihen. Dasselbe konnte ich in Bezug auf sämmtliche übrigen von mir untersuchten Streptokokken constatiren mit Ausnahme des Streptococcus longus 9, der niemals darin ein Fortkommen zeigte. Das Wachsthum der übrigen lange

Ketten bildenden Streptokokken ist in Rinderblutserum ganz ähnlich wie in Bouillon, d. h. Bildung langer Ketten ohne jede Trübung des Substrates.

Ein ganz anderes Verhalten als in Bouillon zeigen dahingegen die kurze Ketten bildenden Streptokokken im Rinderblutserum. Zunächst zeigt sich schon eine makroskopisch sichtbare Verschiedenheit. Die Serumcultur zeigt nämlich keine Spur von Trübung; die Pilzmassen ruhen wie beim Streptococcus longus am Boden des Culturgefässes. Wichtiger jedoch und auffallender als dies Verhalten, welches in ähnlicher Weise auch manche andere Organismen, wie der Streptococcus pyogenes, zeigen, ist eine Aenderung der morphologischen Charaktere.

Wir gewahren nämlich bei mikroskopischer Betrachtung einer solchen Serumcultur nichts von Diplokokken und Einzelkokken, wie sie die Bouilloncultur in grösster Massenhaftigkeit zeigt, sondern wir sehen die Kokken sämmtlich in langen schönen Ketten angeordnet, die dann selbst häufig wieder zu Conglomeraten zusammentreten. Eine Unterscheidung von einer Serumcultur des Streptococcus longus ist jetzt kaum möglich.

Dieser Befund ist in so fern besonders von grosser Wichtigkeit, als er keinen Zweifel mehr über die Zugehörigkeit der in Rede stehenden Organismen zu den Streptokokken zulässt.

Ein durchaus ähnliches Verhalten wie das eben beschriebene zeigen die Streptokokken auch im Kaninchenserum, auf dem aber auch der Streptococcus 9 üppig gedeiht. Auch Rattenserum erwies sich als ein ziemlich günstiger Nährboden. Dagegen konnte ich auf dem mir zur Verfügung stehenden Schweineserum kein nennenswerthes Wachsthum bei sämmtlichen Streptokokken constatiren.

Die folgende Tabelle B soll eine Uebersicht über die Wachsthumsverhältnisse der von mir untersuchten Streptokokken in den verschiedenen Serumarten geben. Die darin zur Verwendung kommenden Zeichen haben dieselbe Bedeutung wie in den *Behring*'schen Tabellen über die entwickelungshemmenden Wirkungen chemischer Präparate.

Tabelle B.

Wachsthums-Uebersicht der Streptokokken in verschiedenen Serumarten.

1.	2.	3.	4.	5.	6.
Nr.	Streptococcus	Rinder-serum	Schweine-serum	Kaninchen-serum	Rattenserum
1	Streptococcus 8	+	+*	+	+*
2	„ 9	—	—	+	+*
3	„ 12	+	—	+	+
4	„ 15	+	—	+	vacat
5	„ 17	+*	—	+	„
6	„ 18	+	—	+	„

Es bedeutet + reichlich gewachsen, +* ziemlich reichlich gewachsen, +** spärlich gewachsen, — nicht gewachsen.

Es blieb also das Wachsthum aus in Rinderblutserum beim Streptococcus 9, in Schweineserum bei sämmtlichen lange Ketten bildenden Streptokokken.

Es fragte sich nun, worin der Grund für diese Erscheinung zu suchen sei, ob in einer entwickelungshemmenden resp. abtödtenden Wirkung dieser Serumarten auf die genannten Streptokokken, etwa wie dies für das Rattenserum in Bezug auf Milzbrand seiner Zeit von *Behring* nachgewiesen wurde, oder in einer mangelhaften Erfüllung der für die Vermehrung erforderlichen Bedingungen.

Im letzteren Falle stand zu erwarten, dass ein gewisser Bouillonzusatz zum Serum Abhülfe schaffte. In der That zeigte es sich nun, dass der Streptococcus 9 gut gedieh, wenn man zu 3 Theilen Rinderserum einen Theil gewöhnlicher Bouillon zusetzte. Durch blossen Zusatz von sterilisirtem Wasser liess sich der genannte Effect nicht erzielen.

Anders verhielt sich jedoch das Schweineserum. Auch durch Zusatz von Bouillon zu gleichen Theilen blieb noch bei den lange Ketten bildenden Streptokokken das Wachsthum aus, und erst bei einem Verhältniss von 4 Theilen Bouillon zu 1 Theile Serum waren die Bedingungen für eine reichlichere Vermehrung gegeben.

Einen noch für manche Zwecke ganz günstigen Nährboden giebt das mit Wasser um das Zehnfache verdünnte, im strömenden Dampfe sterilisirte Rinderserum ab. Der Streptococcus brevis wächst darin noch ganz gut, hat aber die ihm im unverdünnten Serum zukommende morphologische Eigenthümlichkeit der langen Kettenbildung wieder abgelegt und nähert sich wieder in seinem Aussehen den für die Bouilloncultur charakteristischen Formen. Es finden sich wieder zahlreiche Diplokokken, während die Zahl der langen Ketten abgenommen hat. Wir haben es also bei diesen Organismen in der Hand, willkürlich durch Zusammensetzung des Nährbodens vorübergehende morphologische Veränderungen hervorzurufen.

Während so die Culturversuche auf den flüssigen Nährböden manches Interessante und Charakteristische erkennen lassen, zeichnen sich die Wachsthumsverhältnisse auf den festen Nährböden im Allgemeinen durch grössere Monotonie aus. Selbst die Unterscheidung der auf den flüssigen Nährböden so leicht erkennbaren Gruppen des Streptococcus longus und brevis kann hier auf Schwierigkeiten stossen.

Was zunächst die Wachsthumsverhältnisse in der Agar- und Gelatineplatte betrifft, so präsentiren sich bekanntlich hier die Streptokokken in gelblichen, punktförmigen, die Gelatine verflüssigenden Colonieen, die bei mikroskopischer Betrachtung einen leichten Chagrin zeigen. Liegt die Colonie isolirt, so hat sie eine fast vollkommen runde Gestalt, während sie natürlich entsprechend unregelmässige Formen annimmt, wenn sie durch Confluenz mehrerer entstanden ist.

Diese unregelmässigen Formen gewahrt man meist, wenn man aus Culturen übergeimpft hat, in denen die Kokken in ziemlich festen Verbänden zusammenhingen, also vor Allem aus Bouillonculturen. Hat man dagegen Blut oder Organstückchen zur Impfung benutzt, so ist die runde Form die Regel, da im Thierkörper die Neigung zur Kettenbildung und zur Bildung von festeren Conglomeraten viel weniger als in Culturen ausgesprochen ist.

Der Rand der Colonieen erscheint bei schwacher Vergrösserung glatt, bei stärkerer durch hervorragende Ketten etwas gezähnelt. Doch findet sich diese Unebenheit des Randes hauptsächlich bei den lange Ketten bildenden Streptokokken, gar nicht oder nur sehr wenig bei den Colonieen des Streptococcus brevis. Ausserdem erreichen die letzteren eine etwas beträchtlichere Grösse (0.75 bis 1 mm) und zeigen nur selten die durch Confluenz mehrerer Colonieen bedingten unregelmässigen Formen, eine Folge der geringen Neigung dieser Kokken zur Kettenbildung.

In der Agarplatte tritt die beschriebene Entwickelung meist schon nach 24 bis 36 stündigem Aufenthalt bei Brüttemperatur ein. Auf der bei 18 bis 22° C. gehaltenen Gelatineplatte dauert es etwas länger, bis sich die Colonieen zu makroskopisch sichtbarer Grösse entwickelt haben.

Am schnellsten wuchs der Streptococcus brevis, am langsamsten die hochpathogenen Streptokokken der lange Ketten bildenden Gruppe. Auch bei diesen zeigen sich wieder Unterschiede, weniger jedoch nach der Richtung, dass die eine Art unter allen Umständen früher makroskopisch sichtbar wurde als die andere, als nach der Richtung, dass eine Art, die schon lange auf künstlichem Nährboden gezüchtet war, sich ceteris paribus durchschnittlich auf der Gelatine schneller entwickelte, als wenn sie direct aus dem Thierkörper überimpft worden war. Es ist also nicht gerechtfertigt, aus der Entwickelungszeit in Gelatine — Berücksichtigung der Temperatur dabei als selbstverständlich angenommen — diagnostische Schlüsse ziehen zu wollen.

Im Allgemeinen fand ich, dass auf der bei 18 bis 22° C. gehaltenen Gelatineplatte schon nach 24 Stunden die Colonieen des Streptococcus brevis als Pünktchen sichtbar wurden, nach 36 bis 48 Stunden erst die Colonieen des Streptococcus longus und zwar auch nur dann, wenn als Impfmaterial schon Culturen benutzt wurden. Dahingegen konnte es 3 und 4 Tage dauern, bevor ein makroskopisch sichtbares Wachsthum constatirt werden konnte, wenn direct vom Thierkörper abgeimpft worden war, und dem Durchgang durch den Thierkörper noch keine längere Cultivirung auf künstlichen Nährböden vorangegangen war.

Etwas ausgesprochenere Unterschiede als in der Platte manifestiren sich in den Strich- und Stichculturen auf Agar und Gelatine. Leider sind jedoch auch diese Differenzen nur zur Unterscheidung der beiden aufgestellten Hauptgruppen zu verwerthen, nicht etwa zur sicheren Unterscheidung von besonderen Arten innerhalb dieser Gruppen. Trotz aller Bemühungen hat es bis jetzt nicht gelingen wollen, die pathogenen Streptokokken nach ihrem culturellen Verhalten auf festen Nährböden zu sondern, nachdem sich die Angaben der ersten Forscher, die uns über krankheitserregende Kettenkokken berichteten, als nicht stichhaltig nach dieser Richtung erwiesen haben.

Im Strich auf die schräge Agarfläche verimpft und 24 bis 48 Stunden bei Brüttemperatur gehalten, wachsen die Streptokokken bekanntlich in Colonieen aus, die bald als kleine graugelbliche, runde, schwach erhabene Auflagerungen längs des ganzen Impfstrichs noch scharf differenzirbar bleiben, bald in ihrer Gesammtheit einen mehr continuirlichen Streifen darstellen. Ob das eine oder das andere der Fall ist, hängt nicht von der Art des Streptococcus, sondern von gleich zu betrachtenden zufälligen Verhältnissen ab.

Häufig, aber keineswegs immer, beobachtet man, dass, während in der Mitte der Cultur die Colonieen confluiren, der Rand stärker entwickelte und discretere Colonieen aufweist. Um diese verdickte Randzone findet sich dann bisweilen wieder eine flachere, peripherische Zone, und, wenn sich diese Erscheinung nach aussen noch wiederholt, so sehen wir den ganzen Rand aus von innen nach aussen sich abflachenden Terassen bestehend.

Das eben beschriebene Verhalten der Strichcultur, sowie bräunliche Färbung und geringe Neigung zur Confluenz der Colonieen wurden für charakteristische Eigenthümlichkeiten der Eiterstreptokokken gegenüber denen des Erysipels gehalten.

Schon *Hayek* (37) hat auf die mangelhafte Stichhaltigkeit dieser Kriterien hingewiesen. Ich kann mich dessen Ausführungen nach dieser Richtung nur anschliessen. Sowohl bräunliche Färbung der Cultur als auch die geschilderte Terassenbildung finden sich auch beim Streptococcus des Erysipels und anderen vor und zwar ebenso häufig als bei den Eiter erregenden Streptokokken.

Das Moment, welches das Aussehen der Streptokokkenculturen wesentlich beeinflusst, ist neben der Reichlichkeit des überimpften Materiales noch vor Allem das Verhältniss der überimpften Kokken zu einander und zu der gleichzeitig übergebrachten Flüssigkeitsmenge. Das Aussehen der Cultur wird ein ganz anderes sein, wenn wir mit viel Flüssigkeit wenig Kokken, als wenn wir umgekehrt mit wenig Flüssigkeit viel Kokken überimpfen.

Ebenso wird es für die spätere Configuration der Cultur wesentlich sein, ob in dem Impfmateriale die Kokken isolirt oder nur in lockeren Verbänden gelagert sind, oder in relativ festen Ketten und Conglomeraten. Wir werden also ceteris paribus im letzteren Falle eine Cultur zu erwarten haben, die sich aus vielen discreten Colonieen zusammensetzt, im ersteren Falle eine solche mit mehr homogenem Charakter. Welche diagnostischen Schlüsse uns das eine oder das andere Verhalten einer Cultur gestattet, ist hiernach klar. Wir können aus dem mehr oder weniger homogenen Verhalten der Strichcultur schliessen auf die Lagerung der Keime zu einander innerhalb des Impfmateriales.

In der That ist es auf diese Weise möglich, Agarstrichculturen des Streptococcus brevis von denen des Streptococcus longus zu unterscheiden. Homogene Beschaffenheit weist stets auf Streptococcus brevis, leichte Differenzirbarkeit der einzelnen Colonieen auf Streptococcus longus hin. Nur die aus Blutserum übergeimpften Culturen des Streptococcus brevis zeigen nach dieser Richtung kaum Unterschiede von denen des Streptococcus longus, ein Verhalten, das nach dem oben Mitgetheilten leicht verständlich ist. Ebenso gelingt es auch nach diesen Kriterien innerhalb der Gruppe Streptococcus longus die zur Conglomeratbildung neigenden Arten von den anderen zu unterscheiden; die ersteren weisen eben ceteris paribus immer leichter differenzirbare Colonieen auf als die übrigen, vorausgesetzt natürlich, dass man immer nur aus Bouillon überimpfte Culturen in Vergleich zieht.

Dieselben Momente, die sich für das Aussehen der Agarstrichcultur so bedeutsam erwiesen, sind es auch für die Stichcultur.

Je nach der Menge des überimpften Materiales, der Vertheilung der Keime innerhalb der Impfflüssigkeit u. s. w. wachsen die Streptokokken längs des Impfstiches bald in feinsten mit dem blossen Auge kaum zu isolirenden Pünktchen, bald in gelblichweissen, deutlich von einander gesonderten, runden, stecknadelkopf- und darüber grossen Colonieen aus. Die Colonieen des Streptococcus brevis sind häufig nicht ganz rund, sondern von oben nach unten abgeplattet, bisweilen auch ganz unregelmässig.

In der Tiefe des Impfstiches sind die Colonieen meist grösser als nach der Einstichöffnung zu. Zum Theil rührt das gewiss daher, dass die Streptokokken, wie schon frühere

Erfahrungen lehrten, bei geringer Sauerstoffzufuhr besser gedeihen als bei reichlicher. Dann aber kommt wohl hier auch ein Umstand in Betracht, auf den schon *Hayek* aufmerksam macht, das ist die Abnahme der gegenseitigen Wachsthumsbehinderung, wie sie in Folge der in der Tiefe des Stiches geringer werdenden Keimzahl eintreten muss. Diese gegenseitige Wachsthumsbehinderung scheint mir gerade bei den Streptokokken weniger auf der gegenseitigen Wegnahme von Nährstoffen zu beruhen, als vielmehr auf der Bildung irgend welcher specifisch entwickelungshemmender Producte. Damit würde wenigstens am besten die schon oben mitgetheilte Thatsache im Einklang stehen, dass die Streptokokken in einer Bouillon, in der sie sich ca. 24 Stunden bei Brüttemperatur vermehrt haben, nicht mehr zu wachsen vermögen, obwohl noch andere Organismen, wie z. B. Staphylococcus pyogenes u. s. w. ausreichende Existenzbedingungen darin finden.

Häufig beobachtet man, namentlich bei reichlicher Ueberimpfung und reichlicher Ausscheidung von Condenswasser, eine Hofbildung um die Einstichöffnung herum. Auch hier lassen sich dann oft mehrere peripherische Zonen erkennen, die sich terrassenförmig von einander absetzen, in ganz ähnlicher Weise, wie wir das bei den Strichculturen beschrieben haben. Auch in diesen Bildungen wurden von manchen Beobachtern für bestimmte Arten charakteristische Eigenthümlichkeiten gefunden. Bei näherer Beobachtung lassen sie sich aber leicht auf die schon genannten zufälligen Umstände zurückführen.

Ganz unzweifelhafte und durchaus constante Unterschiede zeigen sich zwischen den kurze und den lange Ketten bildenden Streptokokken bei Cultivirung auf Gelatine. Hinsichtlich des Verhaltens des Streptococcus longus, kann ich hier auf das über die Agarculturen Gesagte verweisen. Dahingegen zeigt der Streptococcus brevis in Stich und Strich auf Gelatine Eigenthümlichkeiten, die allein schon geeignet wären, diesem Streptokokken eine besondere Stelle anzuweisen.

Gehen wir hier von einer Gelatinestichcultur des Streptococcus brevis 16 aus, so zeigt dieselbe, bei 18 bis 22° gehalten, in den ersten 2 bis 3 Tagen keine merklichen Differenzen im Aussehen von den gleichalterigen Culturen der übrigen Streptokokken. Dann aber macht sich in den folgenden Tagen um die Einstichöffnung herum eine trichterförmige Einziehung der Gelatine bemerklich, die sich schliesslich 4 bis 5 mm in die Tiefe erstreckt. Unterhalb des Trichtergrundes beginnen dann, meist durch eine wachsthumsfreie Schicht von diesem abgesetzt, die Streifen der stecknadelkopfgrossen, runden oder unregelmässigen Colonieen.

Die verflüssigenden Eigenschaften bei dem hier in Betracht gezogenen Organismus sind so gering, dass sie nur da deutlich in Erscheinung treten, wo die Streptokokken in grosser Menge auf die Gelatine einwirken. Dies ist in der Stichcultur um die Einstichöffnung der Fall, in der Strichcultur da, wo die mit dem Infectionsmateriale beladene Oese zuerst auf die Gelatine aufgesetzt wird. In der That kann man bei genauerem Nachsehen an dieser Stelle der schrägen Gelatinefläche eine leichte Aushöhlung wahrnehmen, die sich jedoch wie bei der Stichcultur in engen Grenzen hält. Im Uebrigen zeigt die Gelatinestrichcultur den bei der Agarcultur beschriebenen homogenen Charakter.

Uebrigens besitzen nicht alle kurze Ketten bildenden Streptokokken die leimlösende Fähigkeit im gleichen Grade. Beim Streptococcus brevis 7 z. B. bemerken wir kaum mehr als einen feuchten Glanz längs der ganzen Strichcultur, wie auch *Doehle* in seiner Arbeit über diesen Organismus bemerkt. Andererseits kommt es wieder bei einigen Streptokokken dieser Gruppe, wie beim Streptococcus brevis 8, zur Bildung ziemlich tiefer Verflüssigungskrater um die Einstichsöffnung herum und zu grösseren Aushöhlungen an dem unteren Ende der Strichcultur.

Auf erstarrtem Rinderblutserum wachsen sämmtliche Streptokokken mit Ausnahme des Streptococcus longus 9, der auch hier kein Fortkommen zeigt. Besondere Eigenthümlichkeiten sind jedoch auf diesem Nährboden nicht zu bemerken.

Dagegen führt uns die Kartoffelcultur wiederum in charakteristischer Weise die Verschiedenheit des Streptococcus longus und brevis vor Augen. Bekanntlich zeigen die Streptokokken des Erysipels und des Eiters auf der Kartoffel entweder gar kein oder nur ein sehr kümmerliches Wachsthum. Dasselbe lässt sich auch bei den anderen lange Ketten bildenden Streptokokken beobachten. Dem gegenüber bildet die Kartoffel für den Streptococcus brevis einen ausgezeichneten Nährboden, auf dem derselbe bei ein- bis zweitägigem Aufenthalte bei Brüttemperatur üppige, grauweisse, confluirende, leicht abziehbare Beläge bildet.

Das Temperaturoptimum liegt, meinen Beobachtungen nach, für alle Streptokokken zwischen 25° bis 37° C., die unteren Grenzen dagegen, bei denen noch Wachsthum eintreten kann, sind für die beiden Hauptgruppen recht verschieden. Der Streptococcus longus verlangt wenigstens eine Temperatur von 14° bis 16° C., während der Streptococcus brevis noch bei 12° und sogar 10° C. ein wenn auch langsames Wachsthum auf Gelatine zeigt. Bei 7° C. habe ich jedoch auch bei den Vertretern dieser Gruppe selbst nach 8 Tagen keine makroskopisch sichtbare Colonieenbildung mehr wahrnehmen können. Eine Abtödtung von Streptokokkenculturen liess sich jedoch durch solche Temperaturen selbst nach längerer Einwirkung nicht erzielen, vielmehr zeigten sich dieselben bei entsprechender Prüfung unter günstiger Temperatur noch stets als vollkommen lebensfähig.

Um nichts unversucht zu lassen, was vielleicht noch zu weiteren Unterscheidungen der Streptokokken unter einander führen könnte, suchte ich mir noch zwei Fragen zu beantworten, die beide auf die biochemischen Verhältnisse Bezug haben.

Zunächst wollte ich erfahren, ob nicht vielleicht manche Streptokokken eine für sie specifische Aenderung in der Reaction des Nährbodens, in qualitativer oder auch nur in quantitativer Richtung hervorriefen, sodann ob die Streptokokken, resp. manche von ihnen, nachweisbare Reduktionswirkungen bei Cultivirung im tiefen Impfstich auszuüben vermöchten.

Der Beantwortung der ersten Frage suchte ich nun nicht dadurch näher zu treten, dass ich wie *Hayek* und Andere entsprechende Reagentien, wie Lackmustinctur, u. s. w. den Nährböden zusetzte, sondern durch eine möglichst genaue Titrirung der Nährböden vor und nach stattgehabtem Wachsthum. Dies Verfahren wählte ich einerseits, weil sich die genannten Zusätze dem Streptokokkenwachsthum als wenig günstig erwiesen, andererseits weil ich quantitative Bestimmungen zur Hand haben wollte.

Die nach dieser Richtung hin angestellten Versuche ergaben, dass sämmtliche Streptokokken Säure produciren, dass sich diese Säureproduction aber in engen Grenzen hält und dass innerhalb dieser engen Grenzen Unterschiede in der Säureproduction zwischen den einzelnen Streptokokken, wenn überhaupt vorhanden, so nicht sicher nachweisbar sind. Durchschnittlich betrug die Säureproduction in der gewöhnlichen Nährbouillon von 5 bis 7·5 ccm Normalnatronlauge Alkalescenz pro Liter zwischen 2 bis 4 ccm Normalsäure pro Liter. Die untersuchten Culturen waren alle 24 Stunden bei Brüttemperatur gewachsen. Vergleiche mit älteren Culturen ergaben keine nennenswerthen Abweichungen.

Die Reductionswirkungen wurden nach dem von *Kitasato* und *Weyl* empfohlenen Verfahren des Zusatzes von indigsulfosaurem Natron zu Agarnährböden geprüft. Anstatt des von jenen Forschern empfohlenen Zusatzes von

0·1 Procent jener Substanz setzte ich nur die Hälfte, also 0·05 Procent, zu. Bei diesen Versuchen ergab sich nun die Thatsache, dass der Streptococcus brevis erhebliche Reductionswirkungen in der Stichcultur auszuüben vermag. Schon nach eintägigem Aufenthalte bei Brüttemperatur färben sich die unteren Partieen der Cultur grünlich und nach 3 bis 4 Tagen ist die Entfärbung bis auf die obersten Schichten eine nahezu vollständige. Dagegen liess sich bei keiner mit jenem Zusatz versehenen Cultur des Streptococcus longus eine deutliche Farbenveränderung wahrnehmen.

Hieraus lässt sich zunächst natürlich nur das schliessen, dass die Vertreter des Streptococcus longus gegenüber der hier in Frage gekommenen Substanz keine ausgiebigen Reductionswirkungen zu entfalten vermögen. Reducirende Fähigkeit geringeren Grades ist nicht nur aus früher genannten Gründen wahrscheinlich, sondern auch von anderen Untersuchern mit Zuhülfenahme anderer Indicatoren als der von mir benutzten erwiesen worden.

Bevor ich meine Mittheilungen über die culturellen Eigenschaften der von mir untersuchten Streptokokken schliesse, möchte ich noch kurz die wesentlichsten Punkte daraus hervorheben.

Nach meinen Beobachtungen giebt es zwei grosse Gruppen unter den Streptokokken. Dieselben sind in stark eiweisshaltigen Nährböden (Eiter, Serum) nicht von einander zu unterscheiden, dagegen bieten sie constante Unterschiede bei Cultivirung in Bouillon. Die ausschlaggebenden Kriterien sind hier makroskopisch: Vorhandensein einer Trübung des Substrates, mikroskopisch: die Kettenlänge. In Agarculturen sind die beiden Gruppen schwer, leichter in Gelatineculturen zu unterscheiden, in denen die kurze Ketten bildenden Streptokokken eine geringe Verflüssigung bewirken, die der Streptococcus longus stets vermissen lässt. Auf Kartoffeln zeigt nur der Streptococcus brevis makroskopisch sichtbares Wachsthum. In bio-chemischer Beziehung ist diese Gruppe zugleich aus-

gezeichnet durch ihre starken reducirenden Fähigkeiten gegenüber gewissen chemischen Präparaten.

Innerhalb der beiden aufgestellten Hauptgruppen sind die culturellen Differenzen sehr gering. Bei den Streptokokken der Gruppe Streptococcus brevis konnten quantitative Unterschiede der leimlösenden Fähigkeit constatirt werden. Bei den Streptokokken der anderen Gruppe zeigen sich Verschiedenheiten in der Neigung zur Bildung fester Conglomerate bei Züchtung auf Nährbouillon. Ist diese Neigung eine ausgesprochene, so überträgt sie sich auch auf die von den Bouillonculturen angelegten Culturen auf festen Nährböden und manifestirt sich dann hier in der leichten Differenzirbarkeit der einzelnen Colonieen.

II. Verhalten der Streptokokken im Thierkörper.

Bei der Mangelhaftigkeit der Kriterien, die die mikroskopische Betrachtung und das Culturverfahren für die Unterscheidung der Streptokokken an die Hand gab, war es selbstverständlich, dass man sich um so eifriger dem Thierexperimente zuwandte. Doch auch hier hat sich eigentlich nur wenig Brauchbares ergeben, und auch dieses harrt noch der Anerkennung.

Die ersten sicheren Experimente verdanken wir auch wieder *Fehleisen,* dem es gelang, durch Einimpfung des von ihm gefundenen Streptococcus unter die Haut des Kaninchenohres typisches Erysipelas hervorzurufen. Dieser Effect sollte ein specifischer und ein von dem durch Verimpfung des Streptococcus pyogenes hervorgerufenen verschiedener sein. Dieser Ansicht vermochten sich jedoch *Passet* und Andere nicht anzuschliessen. *Rosenbach* legte Werth auf die pathogenen Eigenschaften des Streptococcus pyogenes gegenüber Mäusen; dieselben sollten bei Impfung minimster Mengen nach einigen Tagen „an einer flachen progredienten Eiterung“ zu Grunde gehen. Kaninchen hielt er für wenig empfänglich gegen seinen Streptococcus. Nach *Hoffa* (39) sollte der Streptococcus pyogenes ausser der wandernden Röthung auch entzündliche Knoten ohne Vereiterung bilden, eine Fähigkeit, die dem Erysipelstreptococcus abgehen sollte. *Hayek* begründet die Verschiedenheit der beiden in Rede stehenden Organismen damit, dass der Streptococcus pyogenes vor dem Erysipelstreptococcus die Fähigkeit voraus habe, schrankenlos das Gewebe zu durchdringen und Allgemeininfection hervorrufen zu können. *Biondi* (40), *v. Eiselsberg* (41), *Baumgarten* (42) vermochten wiederum die Beobachtungen von *Hoffa* und *Hayek* nur sehr theilweise zu bestätigen und nehmen eine mehr gleichartige Wirkung beider Kokkenarten auf das thierische Gewebe an. *Kranzfeld* (43) sah bei seinen Experimenten am Kaninchenohr niemals Eiterung nach Einimpfung des Eiterstreptococcus eintreten, während er die Mäuse unter dem Bilde der progressiven Gewebsnekrose daran zu Grunde gehen sah. Zu etwas von den übrigen Beobachtungen abweichenden Resultaten kommt *Hartmann* (44), der bei Impfung mit Streptococcus erysipelatis bei Mäusen immer tödtliche Allgemeininfection eintreten sah, niemals bei einem der anderen Versuchsthiere (Kaninchen, Meerschweinchen, Ratten). Da sein Streptokokkenmaterial zum Theil aus den „inneren puerperalen Erysipelen“ gestammt hat, so erscheint es mir doch nicht ganz ausgemacht, dass es sich hier wirklich um Erysipelstreptokokken gehandelt hat.

Ueber die Resultate meiner eigenen Thierexperimente werde ich im Folgenden kurz berichten.

Schon im ersten Theile meiner Arbeit machte ich gelegentlich darauf aufmerksam, dass im Gegensatze zu den lange Ketten bildenden Streptokokken der Streptococcus brevis sich durch den Mangel jeglicher pathogenen Wirkungsfähigkeit auszeichne. Ist diese Behauptung richtig, so wäre damit die zunächst rein morphologische Eintheilung der Streptokokken nach ihrer Neigung zur Bildung kürzerer oder längerer Ketten auch in Bezug auf das pathogene Verhalten als durchaus gerechtfertigt erwiesen. In der That kann man nun den üblichen Versuchsthieren, als Kaninchen, Meerschweinchen, Mäusen u. s. w., sehr beträchtliche Mengen frischer Bouillonculturen von Streptococcus brevis injiciren, ohne dadurch sichtbare Krankheitssymptome oder gar den Tod der Thiere hervorzurufen. Eine derartige Indifferenz gegenüber dem Thierkörper liess sich bei keinem Streptococcus longus constatiren. Vielmehr vermögen alle Repräsentanten dieser Gruppe bei entsprechender Application wenigstens bei *einer* Thierspecies gewisse Krankheitserscheinungen hervorzurufen, die im Folgenden ihre Erörterung finden sollen.

Eine Sonderstellung nimmt unter den von mir untersuchten pathogenen Streptokokken der Streptococcus longus 9 ein, der ja auch culturell, z. B. durch sein Verhalten gegen Rinderserum, Abweichungen von den anderen darbot. Derselbe zeichnet sich nämlich durch eine sehr hohe Virulenz gegenüber weissen Mäusen aus. Impfungen mit einer kleinen Lanzette, die in frische Bouillonculturen oder Blut getaucht ist, lassen Mäuse ausnahmslos nach Verlauf von zwei Tagen unter dem Bilde der Septicämie zu Grunde gehen. In dem Blute der verendeten Thiere sowie in den Organen, vor allem in der stark vergrösserten Milz, finden sich Kokken, Diplokokken und kurze Ketten in reichlicher Menge vor.

Anders verläuft gewöhnlich die Erkrankung, wenn wir statt mit einer frischen Bouilloncultur mit dem Sediment einer fünf Tage bei Brüttemperatur gehaltenen Cultur impfen. In diesem Falle tritt der Tod der Thiere erst fünf bis sechs Tage nach der Impfung ein, und der Sectionsbefund ist dann ein ganz anderer. Es finden sich dann fast immer eiterig-seröse, pleuritische und peritonitische Exsudate, sehr starke Milzvergrösserung und eiterige Herde in der Leber und den Lungen vor.

Auch Kaninchen zeigen sich recht empfänglich bei jeder Art der Application. Allerdings sind blosse Impfungen mit der Lanzette, wie sie bei Mäusen ausreichten, nicht immer von Erfolg. Die Thiere starben zwar ziemlich häufig, ohne dass sich jedoch weder gröbere Veränderungen in den Organen, noch Streptokokken irgendwo nachweisen liessen. Nur die in solchen Fällen immer angebrachte genaue Durchsuchung der Lungen ergab dann noch positive Resultate. Man stösst dabei auf vereinzelte Herde, namentlich an der Pleuragrenze, während dieselben nach innen zu sich seltener vorfinden.

Spritzt man dagegen 0·5 bis 1·0 Bouilloncultur subcutan ein, so sterben die Thiere nach fünf bis sechs Tagen, und dann sind regelmässig die Streptokokken in grosser Menge im Blute und in den Organen zu finden, am meisten jedoch in den Gefässen. An der Injectionsstelle finden sich anfangs Röthung, Schwellung, später häufig Eiterherde vor.

Aendert man weiter den Applicationsmodus in der Weise ab, dass man anstatt unter die Haut 0·5 bis 0·75 ccm einer Bouilloncultur in eine Ohrvene injicirt, so sterben die Thiere schon nach 36 bis 48 Stunden, und die Streptokokken sind dann in ansserordentlich grosser Menge in den Blutgefässen anzutreffen. Die Milz ist in der Mehrzahl der Fälle bei Kaninchen kaum vergrössert, während sie bei Mäusen eine Grösse erreicht, wie man sie bei Milzbrand beobachtet.

Sehr wechselnd ist das Verhalten der Meerschweinchen. Subcutane Impfungen bringen bei denselben in der Regel nur eine locale Infiltration zu Stande mit nachträglicher Bildung eines Abscesses, welcher dann bald zur partiellen Nekrose und Ansiedelung anderer Mikroorganismen, meist von Staphylococcus pyogenes, führt. Auch bei subcutaner Injection etwas grösserer Mengen lässt sich der Erfolg nicht voraussehen. Es kann sechs bis acht Tage dauern, ehe man den Thieren Krankheitserscheinungen anmerkt. Manche überstehen bis auf locale Abscessbildung die Injection ganz gut. Andere aber sterben nach 6 bis 10 bis 14 Tagen unter wechselnden Erscheinungen.

Im Blute werden die Streptokokken verhältnissmässig selten angetroffen. In drei Fällen hatten wir Gelegenheit, zahlreiche partielle Hepatisationen namentlich in den unteren Lungenpartieen zu beobachten, in einem Falle dagegen totale Hepatisation der Lunge und daneben ein sehr starkes fibrinöses Exsudat im Pleurasacke mit starker Schwartenbildung auf der Pleura.

Von anderen Thieren reagirten nicht merklich auf Impfung und Injection drei Ratten, zwei Hunde, eine Katze, zwei Hühner und zwei Tauben.

Obwohl so der Streptococcus longus 9 auch gegenüber anderen Thierarten als Mäusen intensive pathogene Wirkungen zu entfalten im Stande ist, so möchte ich doch als sein Charakteristikum die hohe Virulenz gegen Mäuse hinstellen und ihn als Streptococcus longus murisepticus den übrigen pathogenen Arten gegenüberstellen.

Hieraus darf man jedoch nicht den Schluss ziehen dass ich damit sämmtlichen übrigen Streptokokken jegliche pathogene Eigenschaften gegenüber Mäusen absprechen wollte. Ich betrachte vielmehr eine gewisse Virulenz für Mäuse als die Eigenthümlichkeit einer ganzen Gruppe, zu der alle diejenigen Streptokokken gehören, die sich ihrer Herkunft und ihren sonstigen Eigenschaften nach als Streptococcus pyogenes der Autoren ansprechen liessen. Zu dieser Gruppe gehören nach meiner Tabelle der Streptococcus pyogenes (aus der Sammlung des Institutes), der Streptococcus 11, 12, 13, 14, 15, 17. Alle diese Streptokokken rufen in Mengen von 0·1 bis 0·2 ccm einer frischen Bouilloncultur Mäusen subcutan injicirt eine in drei bis vier Tagen verlaufende tödtliche Allgemeininjection hervor. Eine blosse Impfung mit der Lanzette blieb entweder ganz erfolglos oder bewirkte eine starke, aber mit Genesung endende, locale Abscessbildung.

Versuche mit Ratten, denen 1·0 ccm einer frischen Bouilloncultur subcutan injicirt wurde, blieben ganz erfolglos. Dagegen zeigten auch hier wieder Kaninchen sich ziemlich empfänglich. Dieselben wurden entweder in der Weise inficirt, dass ihnen 0·3 bis 1·0 ccm Bouilloncultur unter die Ohrhaut oder in eine Ohrvene injicirt wurde.

Hinsichtlich der Krankheitserscheinungen, welche die so inficirten Kaninchen darbieten, kann ich wohl in der Hauptsache auf die vielen Mittheilungen anderer Beobachter verweisen, die über die pathogenen Wirkungen des Streptococcus pyogenes beim Kaninchen berichtet haben. Um so mehr möchte ich aber hier auf eine detaillirte Darstellung nach dieser Richtung verzichten, als sich in meinen Versuchen brauchbare und durchschlagende Kriterien für eine sichere Unterscheidung nicht ergeben haben.

Die Incubationszeit schwankte zwischen einem und drei Tagen. Einige Kaninchen zeigten dann das typische Bild des Erysipels, also wandernde Röthung, die vom Ohr ausgehend zum Nacken und bisweilen noch ziemlich weit auf den Rücken fortschritt, und dabei eine geringe Schwellung verursachte. Unter Abschilferung der Epidermis trat dann, meist schon nach fünf bis sechs Tagen, Heilung ein.

In anderen Fällen zeigte sich eine mehr circumscripte Röthung ohne Tendenz zur Wanderung und beträchtlichere Schwellung. Diese ging dann entweder nach sieben bis acht Tagen völlig zurück oder es bildeten sich rundliche Knoten mit eiterigem, später käsigem Inhalte. Mochte nun die Erkrankung mehr nach der einen oder mehr nach der anderen Art verlaufen, so war das Allgemeinbefinden immer wenig gestört und die Thiere blieben sämmtlich am Leben.

Diesen mit Restitution endenden Erkrankungen standen jedoch auch andere gegenüber. Hier sah ich meist das inficirte Ohr in seiner Totalität entzündlich infiltrirt. Das ganze Organ, das seiner Schwere folgend schlaff herabhing, fühlte sich dick und teigig an und hatte gegen das Licht gehalten alle Transparenz verloren. Das Allgemeinbefinden der Thiere war meist sehr schlecht. Meist sassen sie ganz zusammengekauert in einer Ecke ihres Stalles und waren nur sehr schwer zu Bewegungen zu veranlassen. Fast ausnahmslos beendigte hier der Tod nach acht bis zehn Tagen die Scene.

Das Sectionsresultat ergab in diesen Fällen ziemlich übereinstimmend sehr ausgedehnte Hepatisationen in den Lungen, ferner eiterige Pleuritis, auch Pericarditis, während Milz und Darmcanal keine auffallenden Veränderungen erkennen liessen.

Injectionen in die Ohrvene blieben meist erfolglos, in einem Falle jedoch fand sich eine eiterige Gelenkentzündung darnach vor, die sich auch intra vitam schon bemerkbar gemacht hatte.

Als wichtig möchte ich hervorheben, dass keine von den aufgeführten Krankheitserscheinungen sich als specifisch für irgend einen Streptococcus dieser Gruppe ergeben hätte, dass vielmehr derselbe in einem Falle Erysipel, in einem anderen schwere Allgemeininfection mit letalem Ausgange hervorrufen konnte. Die Quantität der injicirten Cultur schien auch nach dieser Richtung von Einfluss zu sein. Jedenfalls illustriren die angegebenen Thatsachen die Unmöglichkeit, aus dem Experimente am Kaninchenohre einen Schluss auf die Natur des Streptococcus ziehen zu können.

Aehnliche Wirkungen, wie die mitgetheilten, rufen bei gleichem Modus der Application auch die Streptokokken hervor, die wir ihrer Herkunft nach als Streptococcus erysipelatis ansprechen müssten. Auch diese Organismen rufen beim Kaninchenohre nicht nur eine wandernde, durch Röthung und geringe Schwellung ausgezeichnete Entzündung hervor, sondern auch Erkrankungen mit starker stationär bleibender Schwellung. Allerdings muss ich zugeben, dass ich schwere Allgemeininfectionen, wie ich sie so häufig nach Infection mit den Streptokokken der vorigen Gruppe beobachtet habe, beim Streptococcus erysipelatis niemals constatiren konnte. Immerhin scheint mir die individuelle Disposition des betreffenden Thierkörpers sowohl in quantitativer wie qualitativer Hinsicht die durch Einverleibung von Streptokokken ausgelösten Erkrankungen wesentlich zu beeinflussen.

Die Gründe, die mich bewogen haben, die Streptokokken des Erysipels nicht einfach in die vorige Gruppe hineinzuziehen, waren weniger die geringen Differenzen im Verhalten gegen den Kaninchenkörper, als vielmehr der verschiedene Ausfall des Mäuseexperimentes. Während, wie oben mitgetheilt, die Gruppe Streptococcus pyogenes in Dosen von 0·1 bis 0·2 ccm einer frischen Bouilloncultur Mäusen subcutan einverleibt, schnell tödtlich verlaufende Septicämieen hervorrief, wurden stets von Bouillonculturen der Erysipelstreptokokken, die sich für Kaninchen als ganz virulent erwiesen, 0·3 ccm und mehr von den Mäusen ohne Schaden vertragen. Mit diesen Beobachtungen stimmen übrigens im Ganzen auch die Angaben anderer Untersucher überein. Jedenfalls würde ich stets bei der Diagnose, ob Streptococcus pyogenes oder Streptococcus erysipelatis vorliegend, mehr Werth auf das Experiment an der Maus als auf das an dem Kaninchen legen. Auf Grund ihres Verhaltens gegen die von mir benutzten Versuchsthiere würde ich also die Streptokokken meiner Tabelle nach fogendem Schema eintheilen.

Streptokokken

- nicht pathogen: Streptococcus brevis
- pathogen: Streptococcus longus
  - pathogen für Mäuse und Kaninchen
    - a) Streptoc. murisepticus
    - b) Streptoc. pyogenes.
  - pathogen für Kaninchen
    - Streptoc. erysipelatis.

Um so mehr scheint mir eine derartige Eintheilung berechtigt zu sein, als ihr das Culturexperiment zur Seite

boden nicht eingebüsst hatten, wohl aber ihre Virulenz, wenigstens bei einfacher Verimpfung durch die Lanzette.

Eine weitere Verfolgung der Sache zeigte jedoch, dass einerseits die Virulenz in den abgeimpften Culturen spontan wiederkehrte, dass es sich also um eine Abschwächung im Sinne der Terminologie nicht handeln konnte, und dass andererseits jener Verlust der Virulenz sich in manchen Nährböden überhaupt nicht oder nur unvollkommen und viel später zeigte. Züchtet man, statt auf Bouillon, auf Kaninchenserum[1]), so hält sich bisweilen die Virulenz über Wochen auf gleicher Höhe selbst bei Aufenthalt in Brüttemperatur.

Die Züchtung der Streptokokken auf Kaninchenserum ist übrigens nach *Roger* nicht nur ein Mittel, die Virulenz zu erhalten, sondern sie soll, in Serien durchgeführt, dieselbe sogar erhöhen. Ebenso soll eine dauernde Züchtung auf Bouillon zu einer Abschwächung führen. Beides kann ich nach meinen Beobachtungen in gewissen Grenzen als richtig bestätigen. Es ist mir jedoch nie gelungen, durch consequente Serumzüchtungen, z. B. einen Streptococcus pyogenes so virulent zu machen, dass Mäuse schon einer blossen Impfung unterlegen wären.

Ausser auf die vorbenannte Art und Weise, suchte ich eine Abschwächung meiner Streptokokken durch chemische Mittel hervorzurufen. Ich setzte sie eine Zeit lang, meist 2 Stunden, starken Antisepticis wie Carbolsäure, Sublimat, Wasserstoffsuperoxyd, Jodtrichlorid u. s. w. in verschiedenen Concentrationen aus und spritzte dann je einer Maus 0·2 ccm der so behandelten Culturen ein. Hierbei zeigte sich dann, dass die Thiere entweder am Leben blieben, dann war die Menge des Desinficiens die abtödtende Dosis gewesen, oder die Thiere starben, dann handelte es sich entweder um Intoxication durch

1) Gleich gute Dienste wie das Kaninchenserum leistete mir das leichter zu beschaffende Rinderserum, wenn demselben 25 Procent einer 1 bis 3 Procent peptonhaltigen Bouillon zugesetzt waren.

das zugleich eingeführte Präparat, oder um regelrechte Septicämie.

Ob sich andere Resultate ergeben werden hinsichtlich der Abschwächung bei Züchtung in höherer Temperatur u. s. w., lasse ich dahingestellt. Vor der Hand halte ich an der Constanz der Virulenz fest. Dieselbe kann bei längerem Aufenthalt in Brütwärme, in alten Culturen, auf ungeeignetem Nährmaterial etwas geringer werden, jedoch nicht im Sinne einer dauernden Abschwächung. Geeignete Züchtung (Serum), Durchschicken der Streptokokken durch den Thierkörper u. s. w., wird stets das alte Maass der Virulenz wieder herstellen.

Mit der Frage der Abschwächung eines pathogenen Organismus hängt seit Alters die der Immunisirung eng zusammen. Meine Untersuchungen hierüber sind nicht zu einem Abschluss gekommen, und ich will daher nur kurz darauf eingehen.

Die Immunisirung gegenüber den Streptokokken stösst schon deshalb auf besondere Schwierigkeiten, als ein einmaliges Ueberstehen einer Streptokokkenerkrankung keineswegs Unempfänglichkeit gegen weitere Infectionen bedingt. Erst nach wiederholt überstandenem Erysipel lässt sich nach *Roger* eine gewisse Indifferenz der Versuchsthiere auch gegenüber grösseren Mengen infectiösen Materiales erkennen, nie aber eine völlige Immunität.

Trotzdem mich dies Verhalten eigentlich nicht viel hoffen liess, habe ich doch sowohl nach der von *Fränkel* (40), wie nach der von *Behring* bei Diphtherie empfohlenen Methode Immunisirungsversuche angestellt. Nach der ersteren Methode verfuhr ich in der Weise, dass ich vier Wochen alte Bouillonculturen von Streptococcus murisepticus 1 Stunde auf 65° erhitzte und dann 6 Mäusen je 0·3 ccm in die Bauchhöhle spritzte. Nach Verlauf von 14 Tagen wurden 2 Mäuse subcutan mit Streptococcus murisepticus geimpft. Dieselben starben nach 2 Tagen ebenso wie die Controlthiere. Die übrigen 4 Mäuse erhielten ebenfalls je 0·3 ccm der besagten Bouilloncultur in die Bauchhöhle. Nach 14 Tagen ergab der Impfversuch ebenfalls noch keine Abnahme der Empfänglichkeit. Es wurde wieder injicirt, nach 14 Tagen wieder geprüft und derselbe negative Erfolg erzielt.

Bessere Resultate ergab nach längerer consequenter Prüfung das *Behring*'sche Verfahren. Nach vielen vergeblichen Versuchen gelang es mir auf folgende Weise zu befriedigenderen Resultaten zu gelangen. Ich liess auf 10 Tage alte reichlich gewachsene Bouillonculturen von Streptococcus murisepticus Jodtrichlorid im Verhältniss von 1:750 eine Viertelstunde einwirken und injicirte einer Anzahl Mäuse je 0·3 ccm subcutan. Nach 10 Tagen erhielten dieselben Mäuse wieder je 0·3 ccm einer gleichen Bouilloncultur, auf die jedoch Jodtrichlorid nur im Verhältniss von 1 : 2000 und zwar 4 Stunden eingewirkt hatte. Nach Ablauf von 10 Tagen wurde wieder injicirt, diesmal aber eine Bouilloncultur, die nur 2 Stunden einem Jodtrichloridzusatze von 1 : 5000 unterworfen gewesen war. Wurden hierauf nun die überlebenden Mäuse nach 14 Tagen geimpft, so blieben sie am Leben, während nicht behandelte Controlmäuse starben.

Im Folgenden gebe ich einen kurzen Auszug aus dem letzten hierauf bezüglichen Protokolle.

Datum 1891	Infection resp. Impfung	Resultat	Bemerkungen
6./1.	12 weisse Mäuse erhalten je 0·3 ccm einer Bouilloncultur von Strept. murisept. (14 Tage alt), auf die Jodtrichlorid im Verhältniss von 1 :750 1/4 Stunde eingewirkt hat.	† ein Thier nach 24 Stunden.	Todesursache unbekannt. Im Blut keine Strept. nachweisbar.
16./1.	Nach 10 Tagen werden 2 Thiere geimpft mit Bouilloncultur Strept. murisept.	† 2 Thiere je nach 2, resp. 3 Tagen	Die 2 Controlthiere starben nach 2 Tagen.

(Fortsetzung.)

Datum 1891	Injection resp. Impfung.	Resultat	Bemerkungen.
16./1.	Die übrigen erhalten je 0·3 ccm Bouilloncultur, auf die Jodtrichlorid 1:2000 vier Stunden eingewirkt hat.	—	—
26./1.	Nach 10 Tagen werden 2 Thiere geimpft mit Strept. murisept.	† 2 Thiere je nach 3, resp. 4 Tagen.	Die 2 Controlthiere starben nach 2 Tagen.
	Die übrigen erhalten je 0·3 ccm Bouilloncultur, auf die Jodtrichlorid 1:5000 zwei Stunden eingewirkt hat.	† 2 Thiere je nach 3, resp. 4 Tagen.	—
5./2.	Nach 10 Tagen werden 1. 2 Thiere mit Strept. murisept. geimpft.	*Beide Thiere leben.*	Die 2 Controlthiere starben nach 2 Tagen.
	2. 2 Thiere erhalten je 0·1 ccm frische Bouilloncultur von Strept. murisept.	† nach 4, resp. 5 Tagen.	Controlthier stirbt nach 24 Stunden.
	3. Ein Thier erhält 0·2 ccm derselben Cultur.	† nach 3 Tag.	Controlthier stirbt nach 24 Stunden.

Aus diesen allerdings nicht hinreichend zahlreichen Versuchen glaube ich jedenfalls das mit Sicherheit schliessen zu dürfen, dass eine Immunisirung der Mäuse gegen Impfung mit meinem Streptococcus murisepticus nach dieser Methode möglich ist. Auch bei Einverleibung sehr grosser Mengen des Infectionsmateriales lässt sich eine bemerkenswerthe Herabsetzung der Empfänglichkeit der Thiere constatiren.

III. Versuche über Entwickelungshemmung und Abtödtung der Streptokokken.

Die Prüfung der entwickelungshemmenden Wirkungen der chemischen Präparate geschah nach der zuerst von *Behring* empfohlenen Untersuchungsmethode im hängenden Tropfen. Die hierbei in Betracht gezogenen Organismen waren der Streptococcus 8 als Repräsentant der einen und Streptococcus longus erysipelatis und Streptococcus longus 9 als Repräsentanten der anderen Gruppe. Als Nährmedium diente ausschliesslich die gewöhnliche Bouillon von 5 bis 7,5 ccm Normalnatronlauge pro Liter Alkalescenz. Zur Impfung wurden entweder kleinste sterilisirte und mit den Bouillonculturen der betreffenden Organismen imprägnirte Seidenfäden benutzt, oder bei Versuchen mit Streptococcus longus 9 das Blut von an diesem Streptococcus verendeten Thieren. Als entwickelungshemmend wurde die Concentration eines Mittels betrachtet, bei der nach ein- bis zweitägigem Aufenthalte der hohlen Objectträger im Brütschranke kein Wachsthum mikroskopisch zu constatiren war.

Die chemischen Präparate, um die es sich bei diesen Versuchen handelte, waren zunächst Natronlauge und verschiedene Säuren. Diese Körper wurden an den Repräsentanten beider Gruppen geprüft. Für den Streptococcus erysipelatis und Streptococcus-longus 9, welche beide sich gleich verhielten, wurden noch einige praktisch wichtige Antiseptica, Carbolsäure und verschiedene Metallsalze in Betracht gezogen. Auch die in neuerer Zeit in Aufnahme gekommenen Farbstoffe, das Malachitgrün und Pyoktanin, fanden Berücksichtigung.

Es ergab sich nun bei diesen Versuchen, dass der Streptococcus longus im Gegensatze zu seinem Verhalten zu Alkalien sehr empfindlich gegen einen, wenn auch nur geringen Zusatz an Säure, besonders an organischer Säure ist. Demgegenüber vertrug der Streptococcus brevis wieder weniger Alkali, aber etwas mehr Säure. Es stehen diese Resultate also ganz im Einklange zu dem, was oben über das Verhalten der Streptokokken in alkalischer und saurer Bouillon mitgetheilt wurde.

Von den übrigen Präparaten zeigten eine sehr hohe entwickelungshemmende Wirkung die Farbstoffe, besonders das Malachitgrün, das noch höhere Werthe ergab, als das wirksamste Metallsalz, das Goldkaliumcyanid. Nach dem Goldkaliumcyanid folgen dann mit etwas geringerer antiseptischer Kraft die Quecksilberpräparate, das Sublimat und das Quecksilberoxycyanid. Etwa die Hälfte der Wirksamkeit des Malachitgrüns besass der andere Farbstoff, das Pyoktanin. Zwei andere Präparate, über deren entwickelungshemmende Eigenschaften ich schon in einer kleinen Arbeit im VIII. Bande dieser Zeitschrift berichtete, das Lithiumchlorid und das Thalliumcarbonat, ergaben in Bouillon gegenüber Streptokokken ähnliche Werthe wie in Serum gegenüber Milzbrand. Diese Mittel haben eben vor manchen anderen den Vorzug, auch in stark eiweisshaltigen Nährböden eine gleiche Wirksamkeit wie in Bouillon zu entfalten.

Die folgende Tabelle C giebt eine Uebersicht über das bei meinen Versuchen über Entwickelungshemmung gewonnene Zahlenmaterial.

In Colonne a) dieser Tabelle ist ausgerechnet worden, wieviel Gewichtstheile der geprüften Präparate zu 100 Gewichtstheilen Bouillon zugesetzt werden mussten, um die Entwickelung der Streptokokken zu verhindern. Colonne b) giebt das Verhältniss des Präparates zu der Bouillonmenge an, und Colonne c) zeigt, durch welche Vermehrung resp. Verminderung der Alkalescenz, in Normallauge resp. Normalsäure pro Liter Bouillon ausgedrückt, der angegebene Effect erreicht wurde.

Tabelle C.

		a.	*b.*	*c.*
Präparat	Streptococcus	Entwickelungshemmung trat ein bei einem Procentgehalte von	Entwickelungshemmung trat ein bei einem Verhältniss von	Normallauge resp. Normalsäurezusatz pro Liter, welcher zur Entwickelungshemmung ausreicht.
Natronlauge . .	Streptococcus 8	0·208	1 : 500	55
	Streptoc. erysipel.	0·244	1 : 416	65

Präparat	Streptococcus	a. Entwickelungshemmung trat ein bei einem Procentgehalte von	b. Entwickelungshemmung trat ein bei einem Verhältniss von	c. Normallauge resp. Normalsäurezusatz pro Liter, welcher zur Entwickelungshemmung ausreicht.
Salzsäure . . .	Streptococcus 8	0·055	1 : 1809	15
	Streptoc. erysipel.	0·032	1 : 3125	10
Schwefelsäure .	Streptococcus 8	0·068	1 : 1428	15
	Streptoc. erysipel.	0·049	1 : 2040	10
Oxalsäure . .	Streptococcus 8	0·088	1 : 1111	20
	Streptoc. erysipel.	0·066	1 : 1492	15
Sublimat . . .	„	0·0015	1 : 65000	—
Quecksilberoxycyanid . . .	„	0·0014	1 : 70000	—
Goldkaliumcyanid	„	0·0011	1 : 85000	—
Thalliumcarbonat		0·018	1 : 5500	—
Lithiumchlorid .		0·25	1 : 400	—
Carbolsäure . .		0·18	1 : 550	—
Malachitgrün .		0·001	über 1 : 100000	—
Pyoktanin . . (Methylviolett)		0·0025	über 1 : 40000	—

Eine grössere Reihe von Versuchen habe ich dann ferner über die Abtödtung der Streptokokken angestellt. Ich benutzte zu diesen Versuchen der praktischen Bedeutung wegen lediglich den Streptococcus erysipelatis, über dessen Verhalten zu Desinfectionsmitteln ja auch schon frühere, wenn auch weniger ausführlichere Angaben vorlagen.

Schon sein Entdecker hat einige diesbezügliche Experimente veröffentlicht. *Fehleisen* fand, dass Erysipelstreptokokken in dünner Schicht der Platinnadel anhaftend, durch 10 bis 15 Secunden langen Contact mit Sublimatlösung 1 : 1000 getödtet wurden, während die 3 procentige Carbolsäure diese Wirkung erst nach 45 Secunden haben sollte. *Gärtner* und *Plagge* wiederum, die bei ihren Untersuchungen in der Weise verfuhren, dass sie Bouillonculturen mit den Desinficientien mischten und dann Proben davon auf Nährgelatine resp. Blutserum brachten, fanden, dass eine 3 procentige Carbolsäure Erysipelstreptokokken schon nach 8 bis 10 Secunden vernichtete. Die Angaben der Autoren gehen also hier ziemlich auseinander.

Die Prüfung an der Platinnadel, wie sie *Fehleisen* ausführte, hatte wohl nur den Zweck einer vorläufigen Orientirung. Aber auch die Ueberimpfung aus der mit dem Desinfectionsmittel gemischten Cultur in das neue Nährmaterial mit einer Platinöse habe ich für meine Zwecke weniger geeignet gefunden, als die Impfung mit frisch imprägnirten Seidenfäden. Ich stellte mir dieselben in der Weise dar, dass ich 10 ccm frische Bouilloncultur bis auf den fünften Theil abpipettirte. In den Rest der Cultur nun, der sämmtliche Streptokokken der Cultur in seinem Sedimente enthielt, legte ich sterilisirte Seidenfäden. Nach einstündigem Aufenthalte darin haben sich dieselben reichlich schon mit Streptokokken imprägnirt und sind dann fertig zur Verwendung.

Als ganz unbrauchbar erwiesen sich zu Desinfectionsversuchen Seidenfäden, an denen die Streptokokken *angetrocknet* waren. So gut sich die Trockenmethode bewährt, wo es sich um Versuche mit sporenhaltigem Materiale oder mit Staphylococcus pyogenes handelt, so war sie für meine Zwecke völlig unbrauchbar. Die Streptokokken vertragen, meinen Erfahrungen nach, Eintrocknung sehr schlecht, sodass reichlich damit imprägnirte Fäden schon nach 14 Tagen bis 3 Wochen keine lebenskräftigen Keime mehr enthalten. Daraus ergiebt sich ohne Weiteres, dass solche Fäden für Versuche, wo es sich um Abtödtung weniger widerstandsfähiger Pilzindividuen handelt, nicht zu verwerthen sind.

Vor der directen Ueberimpfung vermittelst der Platinöse hat die Verwendung der Fäden den Vorzug, dass man dabei im Stande ist, das Desinfectionsmittel durch Abspülung zu entfernen. Es ist zwar die Gefahr eines Ausbleibens des Wachsthums in Folge gleichzeitiger Ueberbringung antiseptisch wirkender Mengen des Abtödtungsmittels bei nachheriger Prüfung *in Bouillon und bei Brüttemperatur* geringer, als wenn man das Wachsthum in Gelatine zum Maassstab der gelungenen Desinfection wählt, immerhin bleibt doch die Möglichkeit bestehen, dass auch sehr geringe Mengen chemischer Antiseptica auf schon geschwächte, aber noch lebensfähige Organismen hier entwickelungshemmend einwirken und Abtödtung vortäuschen können. Diese Möglichkeit ist aber auf ein verschwindend kleines Maass reducirt, wenn man die noch feuchten kleinen Seidenfäden vor dem Hineinbringen in die Bouillon in sterilisirtem Wasser oder in steriler Bouillon abspült.

Ferner geben auch wohl die Resultate, die bei Verwendung der feuchten frischen Seidenfäden gewonnen sind, ceteris paribus mehr Chancen, die *sicher* desinficirende Dosis eines Mittels anzugeben, aus dem Grunde, weil die Anzahl der in das neue Nährmedium übergebrachten Keime hier offenbar eine grössere ist, als bei Ueberimpfung durch die Oese.

Mag man nun mit frischen Seidenfäden arbeiten, oder die Uebertragung der Keime durch die Oese vornehmen, immer wird das *Alter* der benutzten Cultur von Bedeutung sein. Manche Bacterien haben ja bekanntlich die Fähigkeit bei Brüttemperatur gehalten, in der gewöhnlichen Nährbouillon sich über Tage und Wochen zu vermehren. Die alten Culturen sind dann natürlich auch die keimreichsten. Bei den *Streptokokken macht sich der Einfluss des Alters in umgekehrter Weise geltend, indem die älteren Culturen durch Absterben vieler Kokken keimärmer werden. Aus diesem Grunde habe ich für meine Versuche durchgängig frische Culturen gewählt, die 24 bis 36 Stunden bei Brüttemperatur gewachsen waren.*

Es wurde ferner darauf gehalten, dass zur Imprägnirung der Seidenfäden gleiche Bouillonmengen benutzt wurden, in denen die Streptokokken unter genau den gleichen Bedingungen gewachsen waren. Die Bouillonculturen wurden vor der Benutzung durch Abpipettiren der oberen klaren Schichten keimreicher gemacht, und ich darf annehmen, dass es bei allen Versuchen sich um eine ziemlich gleichmässige Anzahl der der Desinfectionskraft eines jeden Präparates unterworfenen Keime gehandelt hat.

Nach dem von *Behring* aufgestellten Schema kommt nun als weiteres wesentliches Moment bei Desinfectionsversuchen in Betracht die chemische Beschaffenheit des Substrates, in welchem und die Temperatur, bei welcher das Präparat wirkt. Die letztere betrug bei meinen Versuchen ca. 16° C., die gewöhnliche Zimmertemperatur. Das Medium, in welchem die Desinfection vorgenommen würde, war wieder die gewöhnliche Nährbouillon von 5 bis 7.5 ccm Normalnatronlauge pro Liter Alkalescenz.

Besonderen Werth legt *Behring* ferner auf Temperatur und Beschaffenheit derjenigen Nährflüssigkeit, in welche die dem Desinfectionsmittel ausgesetzt gewesenen Keime eingebracht werden zum Zweck der Entscheidung, ob die Abtödtung gelungen ist oder nicht. Nur bei Gewährung bester Chancen für das Wachsthum der betreffenden Organismen (Bouillon bei Brüttemperatur), sind sichere Schlüsse über den Erfolg der Desinfection gestattet.

Unter Berücksichtigung aller genannten Verhältnisse habe ich also meine Versuche in der Weise angestellt, dass ich nach der oben angegebenen Methode hergestellte Streptokokkenseidenfäden vermittelst hakenförmig gebogener Platinnadel in die mit dem Desinfectionsmittel versehene Bouillon brachte und darin $^1/_4$ resp. 2 Stunden liegen liess. Dann wurden sie vermittelst der Platinnadel herausgenommen, in einer Schale mit Bouillon abgespült und darauf in die Culturröhrchen, die wieder je 5 ccm Bouillon enthielten, eingelegt. Zeigte sich nun bei mehrmalig wiederholten Versuchen nach 24stündigem Aufenthalte der Röhrchen bei Brüttemperatur kein Wachsthum, so wurde die betreffende Concentration des Mittels als ausreichend zur Desinfection angenommen.

Unter den von mir nach dieser Methode untersuchten chemischen Präparaten finden sich zunächst die Repräsentanten der mineralischen Säuren und Alkalien. Die ersteren erwiesen sich als gleich wirksam, während unter den Laugen die Natronlauge weit energischer abtödtete, als Ammoniak und kohlensaures Natron.

Tabelle D.

Präparat	*a.* Abtödtung trat ein nach $^1/_4$stündiger Einwirkung bei einem Procentgehalt von	*b.* Abtödtung trat ein bei $^1/_4$stündiger Einwirkung bei einem Verhältniss von	*c.* Abtödtung trat ein bei zweistündiger Einwirkung bei einem Procentgehalt von	*d.* Abtödtung trat ein bei zweistündiger Einwirkung bei einem Verhältniss von
Salzsäure	0·66	1 : 150	0·40	1 : 250
Schwefelsäure	0·66	1 : 150	0·40	1 : 250
Natronlauge	1·18	1 : 85	0·76	1 : 130
Ammoniak	6·66	1 : 15	4·00	1 : 25
Kohlens. Natron	10·00	1 : 10	6·66	1 : 15
Sublimat	0·066	1 : 1500	0·040	1 : 2500
Sublimat 1 Gewthl. Lithionchlorid 2 Gewthle.	0·066	1 : 1500	0·036	1 : 2750
Quecksilberoxycyanid	0·066	1 : 1500	0·040	1 : 2500
Goldkaliumcyanid	0·090	1 : 1100	0·066	1 : 1500
Kupfersulfat	0·80	1 : 125	0·50	1 : 200
Eisenchlorid	0·28	1 : 350	0·20	1 : 500
Jodtrichlorid	0·20	1 : 500	0·133	1 : 750
Wasserstoffsuperoxyd	2·86	1 : 35	2·00	1 : 50
Carbolsäure	0·50	1 : 200	0·33	1 : 300
Kresol	0·56	1 : 175	0·40	1 : 250
Lysol	0·50	1 : 200	0·33	1 : 300
Creolin	1·25	1 : 80	0·76	1 : 130
Rotterin	1·53	1 : 65	1·00	1 : 100
Naphthylamin	1·33	1 : 75	0·80	1 : 125
Malachitgrün	0:055	1 : 1800	0·03	1 : 3000
Pyoktanin	0·22	1 : 450	0·14	1 : 700

Unter den Metallsalzen steht als Desinficiens obenan das Sublimat, dann folgen Goldkaliumcyanid, Eisenchlorid und Kupfer, das letztere mit ziemlich geringer Wirksamkeit. Eine Verbindung des Quecksilbersublimates mit Lithionchlorid schien keine Vortheile zu gewähren.

Als sehr brauchbares Desinficiens, auch gegenüber den Streptokokken, erwies sich das Jodtrichlorid, während das Wasserstoffsuperoxyd hinter den gehegten Erwartungen zurückblieb.

Von den untersuchten Körpern aus der aromatischen Reihe ergaben Carbolsäure und Lysol ziemlich gleiche Resultate. Etwas geringer wirksam fand ich Cresol, das ich in Form der von Gude & Co., Leipzig, hergestellten 15 procentigen Cresolseife der Bouillon zusetzte. Weit hinter diesen verwandten Präparaten zurück stand das Creolin, das noch nicht die Hälfte der abtödtenden Kraft der Carbolsäure besass. Ziemlich auf gleichem Niveau standen Rotterin und Naphthylamin.

Als recht kräftige Desinficientien erwiesen sich hingegen die Farbstoffe Malachitgrün und Methylviolett, insbesondere das Malachitgrün, doch schien mir, dass die Wirksamkeit dieser Präparate bei Verwendung verschiedener Bouillon etwas schwankte. Ob dies Verhalten durch Verschiedenheiten im Gehalt der Bouillon an reducirenden Stoffen zu erklären ist, lasse ich dahingestellt.

In der vorstehenden Tabelle D. sind die bei meinen Desinfectionsversuchen zahlenmässig gewonnenen Resultate zusammengestellt.

In den Colonnen *a* und *b* ist ausgerechnet worden, wieviel Gewichtstheile der geprüften Präparate zu 100 Gewichtstheilen gewöhnlicher Nährbouillon zugesetzt werden mussten, um darin befindliche Erysipelstreptokokken bei $^1/_4$ resp. 2 stündiger Einwirkungsdauer abzutödten. Die Colonnen *c* und *d* dagegen geben an, bei welchem Gewichtsverhältniss des Präparates zu der Nährbouillon derselbe Erfolg nach $^1/_4$ resp. 2 stündiger Einwirkung eintrat.

Für die Desinfectionsversuche durch Hitze habe ich zum Vergleich mit dem auch nach dieser Richtung untersuchten Streptococcus erysipelatis noch einen kurze Ketten bildenden Streptococcus und zwar den Streptococcus brevis 8 mit herangezogen. Für den erstgenannten Streptococcus ergab sich, dass derselbe seine Entwickelungsfähigkeit in Bouillon einbüsste nach 20 minutigem Aufenthalte bei 55° C., nach 10 minutigem bei 60° C., nach 5 minutigem bei 67° C., während der Streptococcus brevis 8 den besagten Effect erst erkennen liess, wenn er 20 Minuten bei 65°, 10 Minuten bei 70° und 5 Minuten bei 80° C. gehalten war. Also auch hinsichtlich der Widerstandsfähigkeit gegen Hitze verhalten sich die eben genannten Repräsentanten unserer beiden Gruppen von Streptokokken beträchtlich verschieden.

Litteratur-Verzeichniss.

1. Nepveu, *Des bactéries dans l'erysipèle.* Paris 1870.

2. Hüter, *Grundriss der Chirurgie.* 1880.

3. v. Recklinghausen, *Sitzungsberichte der phys.-méd. Gesellschaft zu Würzburg.* Sitzung vom 10. Juni 1871.

4. Hüter und Tomasi-Crudeli, Ueber Diphtheritis. *Centralblatt für die medicinischen Wissenschaften.* 1868. S. 531.

5. Nasiloff, Ueber die Diphtheritis. Virchow's *Archiv.* 1870. Bd. I.

6. Oertel, Studien über Diphtheritis. *Bayerisches ärztliches Intelligenzblatt.* 1868. Nr. 31.

7. Koch, *Untersuchungen über die Aetiologie der Wundinfectionskrankheiten.* Leipzig 1878.

8. Derselbe, Zur Untersuchung von pathogenen Mikroorganismen. *Mittheilungen aus dem Kaiserl. Gesundheitsamt.* 1881. Bd. I. S. 38.

9. Fehleisen, *Verhandlungen der Würzburger medicin. Gesellschaft.* 1881. — *Deutsche Zeitschrift für Chirurgie.* Bd. XVI. — *Aetiologie des Erysipels.* Berlin 1883.

10. Doléris, *La fièvre puerpérale et les organismes inferieurs Thèse.* Paris 1880.

11. Ogston, Ueber Abscesse. *Archiv für klinische Chirurgie.* 1880. Bd. XXV. — Report on microorganis. in surgical diseases. *British med. Journal.* 1881. p. 369.

12. Rosenbach, *Die Mikroorganismen der Wundinfectionskrankheiten des Menschen.* Wiesbaden 1884.

13. Passet, *Untersuchungen über die Aetiologie der eitrigen Phlegmone des Menschen.* Berlin 1885.

14. Garré, Zur Aetiologie acut-eitriger Entzündungen. *Fortschritte der Medicin.* 1885. Nr. 6.

15. Cushing, *Boston Medical and Surgical Journal.* 12. Novbr. 1885.

16. Besser, *Die Mikrobien der Pyämie.* Wratsch 1888. Nr. 19—20. — *Die Mikrobien der Septicämie.* Wratsch 1888. Nr. 20.

17. Schulz, Furunculus im Nacken. *Neurolog. Centralblatt.* 1886. Nr. 18 und 19.

18. Dunin, Ueber die Ursachen eitriger Entzündungen und Venenthrombosen im Verlaufe des Abdominaltyphus. *Deutsches Archiv für klinische Medicin.* 1886. Bd. XXIX. Hft. 3 u. 4.

19. Klebs, *Archiv für experimentelle Pathologie.* Bd. IV. — *Verhandlungen des Congresses für innere Medicin.* Wiesbaden 1883. — *Allgemeine pathol. Aetiologie.* Jena 1887.

20. Löffler, Untersuchungen über die Bedeutung der Mikroorganismen für die Entstehung der Diphtherie beim Menschen. *Mittheilungen aus dem Kaiserlichen Gesundheitsamte.* Bd. II. S. 421.

21. Fränkel und H. Freudenberg, Ueber Secundärinfection beim Scharlach. *Centralblatt für klinische Medicin.* 1885. Nr. 45.

22. Thaon, A propos des Broncho-Pneumonies de. l'enfance et de leurs microbes. *Revue de méd.* 10 décembre 1885. p. 1015.

23. Rasskin, *Ueber die Entstehung der wichtigsten Complicationen des Scharlachs.* Wratsch 1888. Nr. 37—44.

24. Ribbert, *Deutsche medicin. Wochenschrift.* 1890. Nr. 4 u. 15.

25. Finkler, *Ebenda.* 1890. Nr. 5.

26. Friedrich, Untersuchungen über Influenza. *Arbeiten aus dem Kaiserl. Gesundheitsamte.* 1890.

27. Flügge, *Die Mikroorganismen.* Leipzig 1886.

28. Nicolaier und Guarneri. Göttinger hygien. Institut.

29. Netter, Présence du streptococce pyogène dans la salive de sujets rains. *Bulletin médical.* 1888. II. N. 59.

30. Biondi, Die pathogenen Organismen des Speichels. *Diese Zeitschrift.* 1887. Bd. II. S. 194—238.

31. Ernst, A consideration of the bacteria of surgical diseases. *Philadelphia medical Times.* 1886. Octob. 16 and 30.

32. Koch, Ueber Desinfection. *Mittheilungen aus dem Kaiserl. Gesundheitsamte.* Bd. I. S. 234.

33. Gärtner u. Plagge, *Verhandlungen d. deutschen Gesellschaft für Chirurgie.* 1885.

34. Chamberland et Roux, *Comptes rendus.* 1883. T. XCVI. Nr. 15.

35. Behring, Ueber Desinfection, Desinfectionsmittel und Desinfectionsmethoden. *Diese Zeitschrift.* Bd. IX.

36. Doehle, Ueber einen neuen Antagonisten des Milzbrandes. *Kieler Habilitationsschrift.* 1889.

37. Hajek, *Sitzungsberichte d. K. K. Gesellschaft d. Aerzte in Wien.* Nov. 1885.

38. Kitasato und Weyl, *Diese Zeitschrift.* 1890. Bd. VIII. Hft. 1. S. 41.

39. Hoffa, *Fortschritte der Medicin.* 1886. Nr. 3. S. 77.

40. Biondi, *Deutsche medicinische Wochenschrift.* 1886. Nr. 8. S. 132.

41. v. Eiselsberg, v. Langenbeck's *Archiv.* Bd. XXXV. Heft 1.

42. Baumgarten, *Lehrbuch der pathologischen Mycologie.* 1890.

43. Kranzfeld, Zur Frage über die Aetiologie acuter Eiterungen. *Inaugural-Dissertation.* St. Petersburg 1886.

44. Hartmann, Ueber die Aetiologie des Erysipelas und des Puerperalfiebers. *Archiv für Hygiene.* 1887. Bd. VII.

45. Roger, Modifications du sérum à la suite de l'erysipèle. *Extrait des comptes rendus des séances de la société de Biologie.* Octobre 1891.

46. Brieger und Fränkel, *Berliner klinische Wochenschrift.* 1891.

47. Behring, Ueber das Zustandekommen der Diphtherie-Immunität und der Tetanus-Immunität bei Thieren. *Deutsche med. Wochenschrift.* 1891. Nr. 19.

48. Derselbe, Ueber die Bestimmung des antiseptischen Werthes chemischer Präparate. *Ebenda.* 1889. Nr. 41—43.

Berlin 1891.

XI.

Beiträge zur Streptokokkenfrage.

Von Dr. **von Lingelsheim.**

(Aus dem Institute für Infectionskrankheiten zu Berlin.)

Während meiner Thätigkeit als Unterarzt auf der Station von Hrn. Stabsarzt *Behring* unter der Oberleitung von Hrn. Geheimrath *Koch* hatte ich Gelegenheit, die in meiner früheren Arbeit über Streptokokken gesammelten Erfahrungen an weiterem Materiale zu prüfen und durch neue Beobachtungen zu ergänzen. Die folgenden Mittheilungen sollen einen kurzen Bericht hierüber abgeben.

Reichliches Untersuchungsmaterial lieferte mir zunächst eine grössere Anzahl von Anginen, die in der Zeit von ca. sechs Wochen (September bis Mitte October 1891) aufgenommen wurden und deren bacteriologische Untersuchung ich im Auftrage von Hrn. Geheimrath *Koch* vornahm. Mit einigen später noch hinzugekommenen handelte es sich im Ganzen um 22 Fälle.

Die grösste Anzahl der Patienten stand in jugendlichem Alter (15 bis 25 Jahre) und war in 90 Procent zum ersten Male von der Krankheit befallen.

Ueber die Entstehungsursache der Erkrankung liess sich nie etwas Positives feststellen, weder aus dem, was die Kranken selbst hierüber annahmen, noch aus dem, was sich aus ihren Angaben auf bestimmte Fragen ergab. Eine

Ansteckung von Person zu Person liess sich in keinem Falle nachweisen. Auch eine Herderkrankung war nicht anzunehmen, weil die Personen aus den verschiedensten Theilen Berlins stammten.

Ein längere Zeit dauerndes Kranksein vor der Aufnahme liess sich nur in einem Falle nachweisen, wo eine schwerere phlegmonöse Entzündung des peritonsillären Gewebes mit Ausgang in Abscedirung, anscheinend in Folge vorausgehender schwerer Angina, vorlag.

Sonst hatte die Erkrankung ganz plötzlich eingesetzt und zwar meist unter Hervortreten allgemeiner Erscheinungen, namentlich Kopfschmerz, Mattigkeit, Frost. Nur in zwei Fällen von Tonsillarabscess und in drei leichten Fällen ohne Belag im Rachen waren von vornherein die localen Erscheinungen in den Vordergrund getreten.

Der Krankheitsverlauf war im Allgemeinen ein leichter. Temperaturen über 39° C. wurden nicht beobachtet. Kopfschmerz bestand meist bis zur Entfieberung fort, die am vierten, häufig auch schon am zweiten und dritten Krankheitstage eintrat. Milztumor fehlte in allen Fällen, einmal wurde Herpes labialis beobachtet.

Die localen Beschwerden bestanden, wie immer, in stechenden Schmerzen im Halse, besonders beim Schlucken. In dem schon erwähnten schwereren Falle von phlegmonöser Entzündung bestanden ausserdem Ohrensausen und hohe Druckempfindlichkeit in der Gegend des Kieferwinkels.

Die Tonsillarabscesse wiederum machten sich hauptsächlich bemerklich durch die Schwierigkeit bei der Kieferöffnung und dyspnoische Erscheinungen.

Was nun den localen Befund betrifft, so fanden sich in drei von den 22 zur Untersuchung gekommenen Fällen nur entzündliche Röthung und starke Schwellung der Rachenorgane, namentlich auch der Tonsillen, ohne Belag. In acht Fällen zeigten sich die Lakunen der stark geschwollenen Tonsillen mit gelben Eiterpfröpfen bis zu Linsengrösse gefüllt. Siebenmal fanden sich confluirende

Beläge auf den Tonsillen vor, die zum Theil auch auf Gaumensegel und Zäpfchen übergingen. Bei vier Kranken waren dieselben von grau-gelblicher Farbe, weicher Consistenz und leicht entfernbar, während sie bei den übrigen drei etwas derber erschienen und bei ihrer Entfernung eine wunde Schleimhautfläche zurückliessen. Hieran schliesst sich mit gleichem Befunde ein Fall von nekrotisirender Scharlachangina und drei Fälle, wo ein Gaumensegel durch eine fluctuirende Geschwulst vorgewölbt war. Bei den letzteren bestand wiederum einmal eine weiter ausgebreitete phlegmonöse Entzündung der benachbarten Theile, die sich als derbe Infiltration von aussen durchfühlen liess. Die Submaxillardrüsen waren mit Ausnahme der drei erwähnten leichten Fälle ohne Belag immer geschwollen.

Bei der bacteriologischen Untersuchung dieses Materiales zeigte es sich nun, dass neben den technisch exacten Ausführungen vor Allem auch die richtige Wahl des Zeitpunktes in Betracht kam. War das Fieber im Schwinden, die localen Erscheinungen im Rückgange, so waren die Resultate ganz andere, als auf dem Höhepunkte der Erkrankung. Das liess sich leicht durch vergleichende Untersuchungen an demselben Kranken feststellen. Nur ganz frische Fälle mit acut fieberhaftem Beginn und nicht zu kärglichen Entzündungsproducten eignen sich für die bacteriologische Untersuchung.

Die Methode der Untersuchung betreffend möchte ich zunächst auf die Unzulänglichkeit der bloss *mikroskopischen* Betrachtung des Belages hinweisen. Dieselbe ist ja zur vorläufigen Orientirung event. auch zur Unterscheidung von Diphtherie ganz brauchbar, zur differentiellen Diagnose der vorgefundenen Organismen aber, namentlich der Kokken unter einander, völlig unbrauchbar. Ich will hier nur auf die Eigenthümlichkeit z. B. der Streptokokken hinweisen, dass sie häufig im thierischen Körper gar nicht in Ketten auswachsen, sondern sich nur in Diplokokken oder in unregelmässige Haufen zusammengeballt präsentiren.

Ausschlaggebend kann also hier nur der *Culturversuch* sein. Hierzu ist vor Allem die möglichst vollständige Entfernung der dem Belag nur äusserlich anhängenden Bacterien erforderlich. Zu diesem Zwecke liess ich die Patienten sich 2 bis 3 mal hinter einander mit einem antiseptischen Wasser, z. B. Jodtrichlorid 1 : 2000, ausspülen. Eine abtödtende Wirkung auf irgend welche Bacterien wird bei diesem Verfahren nicht erreicht. Die Hauptsache ist das mechanische Fortreissen durch eine Flüssigkeit, die selbst keine lebensfähigen Keime enthält.

War so der Rachen nach Möglichkeit gereinigt, so wurde schnell ein Partikelchen des Belages resp. Lakuneninhaltes auf schräge Agarröhrchen (Agarfleischwasser mit 1 Procent Pepton, 0·5 Procent Kochsalz, 2 bis 5 ccm Normallauge Alkalescenz) ausgestrichen. Gelatine ist hier ungeeignet, da manche Organismen, wie gerade die pathogenen Streptokokken, sich auf diesem Nährboden zu langsam entwickeln und erheblich gestört werden können, wenn auch nur einzelne verflüssigende Bacteriencolonieen sich ausbreiten. Selbstverständlich wurde auch das bekannte Verdünnungsverfahren benutzt, wonach mit derselben Oese mehrere Röhrchen bestrichen werden.

Die nach diesen Principien vorgenommenen Untersuchungen ergaben nun, dass in den Producten der Angina, sei es, dass es sich um flächenhafte Beläge oder lakunäre Pfröpfe handelte, wenn der Zeitpunkt der Abimpfung richtig gewählt war, *eine* Art von Bacterien absolut das Feld beherrschte, und dies waren *Streptokokken*. War das Resultat ein anderes, so handelte es sich um im Ablauf begriffene Erkrankungen. Hier fanden sich dann — es handelt sich um zwei Fälle — mehrere Arten von Bacterien vor. Nur ein einziges Mal fanden sich auch mehrere Staphylokokkencolonieen neben Streptokokken vor. Ich will an dieser Stelle nicht unerwähnt lassen, dass in den Fällen mit nekrotisirendem Charakter die Anzahl der Streptokokkencolonieen ceteris paribus eine entschieden beträchtlichere war als bei den übrigen Formen, besonders auch der lakunären. Diphtheriebacillen fanden sich niemals vor.

Absolute Reinculturen von Streptokokken ergaben die Ausstriche des Eiters aus den drei Tonsillarabscessen.[1])

Weiteres Streptokokkenmaterial lieferten mir drei Fälle von puerperaler Sepsis. In dem einen dieser Fälle bestand neben hochgradigen Allgemeinerscheinungen diphtherisch aussehenden Endometritis und Colpitis. Ein Stückchen der diphtherischen Schleimhaut unter entsprechenden Cautelen entfernt und auf Agar ausgestrichen ergab eine Reincultur von Streptokokken. In dem zweiten Falle trat am 11. Tage des Wochenbettes der Tod unter den Erscheinungen einer foudroyanten Peritonitis ein. Hier wurden die Streptokokken aus dem Tubeneiter gezüchtet. Die bacteriologische Untersuchung eines Uterusthrombus von einer ebenfalls an Sepsis gestorbenen Wöchnerin lieferte den dritten Streptococcus aus dieser Kategorie von Erkrankungen.

Aus Erysipelen wurden dreimal die Streptokokken durch Cultur gewonnen und zwar zweimal aus einem excidirten Stückchen der Randzone, einmal aus dem Grunde einer Blase bei Erysipelas bullosum. In diesem letzteren Falle erwies sich der Blaseninhalt selbst bacterienfrei, wogegen ein kleines Partikelchen des serös durchtränkten Gewebes aus dem Grunde der Blase, mit starker Platinnadel entfernt, eine Reincultur von Streptokokken ergab.

Ich habe mehrfach bei Erysipelen versucht, der Streptokokken auf andere Weise als vermittelst der für den

---

1) In einer Arbeit aus dem Jahre 1886, Nr. 17 der *Berliner klin. Wochenschrift*, über Angina lacunaris und diphtherica macht *B. Fränkel* auch Mittheilung über eigene bacteriologische Untersuchungen, nach denen sich in den Entzündungsproducten der Angina neben einem nicht verflüssigenden Micrococcus vorwiegend Staphylokokken vorfanden. Woraus die Verschiedenheit dieser Resultate von den meinigen beruht, lasse ich dahingestellt.

Patienten nicht sonderlich angenehmen Procedur der Excision von Hautstückchen habhaft zu werden, jedoch ohne Erfolg. So versuchte ich mehrfach durch Scarificationen der Randzone und Verarbeitung der hierbei gewonnenen serös-blutigen Flüssigkeit die Streptokokken zu gewinnen. Es ergab sich jedoch niemals ein positives Resultat, ebensowenig wie beim Aussäen grösserer Blutmengen. Die einzig sichere Methode scheint mir bis jetzt nur die Excision von Hautstückchen zu sein.

An die bisher genannten Krankheitsfälle, wo die Streptokokken allein das Feld beherrschen, schliessen sich nun solche an, wo man den Streptokokken nach Lage der Dinge nur eine mehr oder minder wichtige complicirende Bedeutung für den Gesammtproces beimessen konnte.

So wurden Streptokokken gezüchtet:

1. aus pneumonischem Sputum,
2. aus dem Sputum einer Person mit chronischer, fieberfreier Lungentuberculose,
3. aus dem Sputum eines hochfiebernden Phthisikers,
4. aus Pemphigusblasen,
5. aus dem Pleuraexsudat eines alten Phthisikers,
6. aus einem hepatisirten Lungenabschnitte einer Diphtherieleiche.

Einige von den hier genannten Streptokokken wurden mir schon in Reincultur von Herren des hiesigen Institutes behufs Vergleichung übergeben.

Ein besonderes Interesse verdient vielleicht die Geschichte des unter Nr. 29 der Tabelle aufgeführten Streptococcus als Beitrag zu den oft so unerklärlichen Fiebererregungen bei Phthisikern. Es handelte sich hier um einen Mann, der schon Jahre lang an chronischer Lungentuberculose litt, die aber im Ganzen immer fieberfrei verlaufen war. Während seines Aufenthaltes auf hiesiger Abtheilung bekam dieser Kranke plötzlich hohes Fieber, Fröste u. s. w., ohne nachweisbar gröbere Veränderung des physikalischen Lungenbefundes und ohne irgend eine sonst ersichtliche Ursache. Bei der Untersuchung des Sputums ergab sich nun, dass dasselbe überschwemmt war mit einer kleinen Kokkenart, die meist zu Diplokokken geordnet, an einzelnen Stellen auch in grösseren Haufen lagen. Das Sputum hatte früher ausser Tuberkelbacillen keine Bacterien enthalten. Nach Rückkehr der Temperatur zur Norm, was in ca. fünf Tagen der Fall war, verschwanden auch die Kokken wieder vollständig. Vermittelst des Plattenverfahrens liessen sich Reinculturen der mikroskopisch beobachteten Kokken herstellen, bei deren weiterer Untersuchung sich denn ergab, dass wir es hier mit einem recht virulenten Streptococcus longus zu thun hatten.

Was nun die Eigenschaften der verschiedenen reingezüchteten Streptokokken betrifft, so vermag ich hier nur wenig zu sagen, was nicht schon in meinen früheren Mittheilungen über den Streptococcus longus enthalten ist.

Auch diesmal habe ich der Herstellung der Nährböden meine besondere Aufmerksamkeit zugewandt. Es handelt sich hier in erster Linie um die flüssigen Nährböden, und bei diesen bin ich von der früheren Herstellung abgewichen.

Zunächst suchte ich die Alkalescenz meiner Nährbouillon zu erhöhen, ein Factor, dessen Bedeutung für das Streptokokkenwachsthum ich schon früher hinlänglich betont habe. Man stösst jedoch bei der Bereitung alkalischer Bouillon auf bedeutendere technische Schwierigkeiten, die Jeder kennt, der seine Nährböden selbst herstellt. Immer wieder entstehen Trübungen, immer wieder muss man absetzen lassen oder es mit fällenden Mitteln versuchen, um schliesslich doch nur einen noch opalescirenden und durch die vielen Proceduren geschädigten Nährboden zu erhalten.

Diesem Uebelstande lässt sich nun abhelfen, wenn man den Peptongehalt erhöht. Hierbei ist es ja zunächst gleichgültig, worauf es beruht, dass Trübungen ausbleiben — Thatsache ist es jedenfalls, dass es auf diese Weise möglich ist, sich leicht stark alkalische und dabei durchaus klare Bouillon zu verschaffen.

Es ist leicht einzusehen, dass bei der Erhöhung des Peptongehaltes auch noch ein anderes Moment zu berücksichtigen ist, nämlich die Vermehrung der Nährsubstanzen. Man kann sich jedoch durch vergleichende Untersuchungen davon überzeugen, dass in der letzterwähnten Richtung nicht der Schwerpunkt der erzielten Wachsthumsbegünstigung liegt.

Selbstverständlich hat die Steigerung dieser das Wachsthum befördernden Potenzen auch ihre Grenzen. So kann ich für Züchtungszwecke nicht empfehlen, im Peptongehalte über 2 Procent hinauszugehen. Nimmt man noch mehr, so kann das Wachsthum zwar unter Umständen noch reichlicher werden, aber es verliert sich zum Theil das charakteristische Aussehen, namentlich bei ganz frischen Culturen. Wo sonst beim Wachsthum der Streptokokken die Bouillon klar bleibt, stellt sich dann hier etwas Trübung ein. Auch mikroskopisch ist das Aussehen ein anderes, indem statt der langen Ketten solche mit sehr geringer Gliederzahl auftreten. Ebenso erscheint die Lebensenergie in solchen Culturen herabgesetzt, und wir treffen häufig schon bei einem Gehalte von 3 Procent Pepton die Streptokokken nach 4 bis 5 Tagen abgestorben.

Ebenso wirkt auch ein allzuhoher Alkaligehalt schliesslich nicht mehr förderlich. Hier bin ich über 20 ccm Normallauge pro Liter für gewöhnliche Züchtungszwecke nicht hinausgegangen. Am günstigsten schien mir eine Nährbouillon, die auf 1 Liter Fleischwasser 5 gr Kochsalz, 15 bis 20 gr Pepton und 20 gr Traubenzucker enthielt und deren Alkalescenz zwischen 15 und 20 ccm Normallauge betrug.

Nicht zu unterschätzen ist dabei für manche Zwecke der Vortheil, dass die meisten anderen Bacterien keineswegs auf diesen Nährböden günstig gedeihen, namentlich in Concurrenz mit den üppig wachsenden Staphylokokken und dass man so ein Mittel hat, schon durch die Eigenheiten des Nährbodens andere Bacterien auszuschliessen. Für bacteriologische Untersuchungen im Allgemeinen werden also diese Nährböden sich nicht ohne Weiteres empfehlen lassen.

Die Lebensdauer erwies sich in solchen Culturen bei den Streptokokken verschiedener Herkunft etwas verschieden. Sie schwankte zwischen 5—14—20 Tagen, wenn ich als Kriterium annehme die Möglichkeit der Uebertragung mit einfacher Oesenimpfung auf Bouillon. Darnach ist die Lebensdauer auf diesen Nährböden etwas kürzer als auf gut gelungenen der früheren Beschaffenheit.

Ich erwähne hier noch, dass die Säureproduction eine dem stärkeren Wachsthum entsprechend gesteigerte ist und bis 20 ccm Normallauge-Verbrauch pro Liter und mehr nach 24stündigem Wachsthum betragen kann. Hierbei ist natürlich eine hohe Alkalescenz der Nährbouillon (20 ccm Normallauge pro Liter) vorausgesetzt.

Makroskopisch präsentiren sich dann die Culturen in der schon früher von mir beschriebenen Weise, d. h. in einer durchaus klaren Bouillon haben sich die Streptokokken zu mehr oder weniger grossen Verbänden vereinigt, die bald von lockererem Gefüge und specifisch leicht in den höheren Flüssigkeitsschichten schweben, bald fest verfilzt sich mehr am Boden des Gefässes aufhalten. In manchen Culturen tritt eine solche festere Vereinigung der Kettenverbände erst später ein, so dass das, was Anfangs einen mehr flockigen Eindruck machte, später mehr bröcklig aussieht. Nicht selten wiederum sieht man die Verbände oder, wie es auch vorkommt, den einzigen, grösseren, am Boden ruhenden Klumpen, bei Bewegung sich mehr fädig ausziehen, als sich flockig oder bröcklig zertheilen.

Ich will jedoch auf diese verschiedenen Wachsthumsformen hier nicht weiter eingehen, weil denselben in neuerer Zeit schon in der Arbeit aus dem Reichsgesundheitsamte von Stabsarzt *A. Kurth*[1]) eine detaillirte Darstellung gewidmet ist.

Ich habe schon oben darauf aufmerksam gemacht, dass bei höherem Gehalte der Bouillon an Pepton (über 2 Procent) und an Alkali das Aussehen ein anderes sein kann, als das eben beschriebene, indem die Bouillon getrübt erscheint und statt langer Ketten nur eine Unzahl kurzer — zwei-, drei- und viergliedriger — enthält. Aber erstens habe ich dies Verhalten nur bei der angegebenen Zusammensetzung der Bouillon gesehen und zweitens nur zu einer Zeit, wo die Cultur noch im intensiven Wachsthum begriffen war, also bei ganz jungen Culturen (nach 12- bis 24stündigem Aufenthalt im Brütschrank). Ich fasse also auch nach den bis jetzt gemachten Erfahrungen Klarheit der Bouillon und Länge der Ketten als die zusammengehörenden und charakteristischen Eigenthümlichkeiten einer Classe von Streptokokken auf, wodurch dieselbe sich von einer anderen mit dem entgegengesetzten Verhalten morphologisch abgrenzen lässt. Auch wenn, wie ich das einzeln beobachtet habe, die Klarheit der Bouillon durch die Bildung zahlreicher kleiner und dabei sehr leichter Bröckelchen, die dann namentlich bei jungen Culturen Neigung haben, in den oberen Flüssigkeitsschichten zu schweben, Einbusse erlitten hat, wird sich bei genauerem Zusehen eine diffuse Trübung — und um diese handelt es sich hier doch nur — leicht ausschliessen lassen.

Mikroskopisch präsentirten sich also sämmtliche von mir untersuchten Streptokokken in grösseren Ketten, einzeln oder meist zu mehreren zusammenliegend. In den Culturen, wo sich auch makroskopisch festere Verbände gezeigt hatten, die auch beim Schütteln sich nicht zu einer diffusen Trübung auflockerten — also nicht bei dem ein-

---

1) Ueber die Unterscheidung der Streptokokken und über das Vorkommen derselben, insbesondere des Streptococcus conglomeratus bei Scharlach. Von Dr. *A. Kurth*, Königl. preuss. Stabsarzt. *Arbeiten aus dem Kaiserlichen Gesundheitsamte.* 1891. Bd. VII.

fachen flockigen Wachsthum — findet man diese Verhältnisse auch mikroskopisch wieder.

Die Grösse der einzelnen Kokken schwankt in gewissen, jedoch nicht allzu weiten Grenzen. Ich gab früher 0·3 bis 0·5 μ an und halte diese Zahlen auch noch für dem Durchschnitt entsprechend. Der Gestalt nach sind die Kokken selten ganz rund, meist mit einem grösseren Querdurchmesser versehen, mit dem sie sich auch aneinander lagern.

Auf flüssigem Rinderblutserum wuchsen meine Streptokokken sämmtlich, wenn auch nicht gerade reichlich, und ohne die für das Bouillonwachsthum charakteristischen Bilder zu liefern.

Was ich kurz über die Wachsthumsverhältnisse der Streptokokken gesagt habe, bezieht sich auf alle, die ich aus dem oben angegebenen Materiale gewonnen habe. Constante Unterschiede zwischen diesen Streptokokken verschiedener Herkunft haben sich für mich weder culturell noch mikroskopisch ergeben.

Keineswegs will ich jedoch hiermit die Ansicht ausgesprochen haben, als gäbe es überhaupt keine nach jenen Methoden unterscheidbare Streptokokken. Abgesehen von dem Streptococcus brevis habe ich in meiner früheren Arbeit einen Streptococcus longus abgegrenzt, der nicht auf Rinderserum wuchs; später habe ich auch im Speichel Streptokokken gefunden, die mikroskopisch durch ihre ausserordentlich geringe Korngrösse auffielen u. s. w. Das jedoch glaube ich mit einiger Sicherheit sagen zu können, dass die weitaus grösste Zahl der für den Menschen in Betracht kommenden pathogenen Streptokokken weder culturell noch mikroskopisch von einander trennbar sind. Zu dieser Auffassung muss auch das Studium der umfangreichen Litteratur führen, vorausgesetzt, dass man nur solche unterscheidende Kriterien gelten lässt, die constant sind, und die jeder der Technik kundige andere Beobachter mit den gleichen Mitteln wieder auffinden und bestätigen kann. Alle anderen Beobachtungen können wohl beschreibenden Werth haben, und das vielgestaltige Bild des Streptococcus noch etwas compliciren — zur Charakterisirung einer Art werden sie schwerlich eine Bedeutung beanspruchen können.

Der Grund, dass man immer wieder nach einer weiteren Differenzirung der pathogenen Streptokokken sucht, liegt wohl hauptsächlich in der Vielgestaltigkeit des durch Streptokokken hervorgerufenen *Krankheitsbildes.* Bei den meisten übrigen parasitären Erkrankungen haben wir ein gewisses typisches und für einen gewissen Organismus charakteristisches Krankheitsbild. Das Typische bei diesen Krankheitsbildern wird nun mit in erster Linie dadurch bedingt, dass die meisten pathogenen Mikroorganismen von bestimmten und für sie eigenthümlichen Punkten aus ansetzen, sei es, dass sie überhaupt nur die Fähigkeit haben, von hier aus zu wirken, sei es, dass bei ihnen die Bahnen der natürlichen Infection dort auslaufen. Ganz anders liegen die Verhältnisse bei den Streptokokken. Ueberall verbreitet, zu jedem Kampfe gewaffnet, sind sie befähigt, überall einzusetzen, hier einen neuen Process einzuleiten, dort einen schon vorhandenen zu compliciren. Damit ist gesagt, dass es eigentlich so viel verschiedene Krankheitsbilder geben muss, als es Orte giebt, wo die Streptokokken angreifen können. Ausserdem kommen nun noch die Verschiedenheit der Virulenz, sowie allgemeine und locale Disposition des Individuums in Betracht.

Für die Wichtigkeit der Disposition geben uns die Kaninchenexperimente, die ich in grösserer Zahl ausgeführt habe, ganz werthvolle Anhaltspunkte. Wenn auch das Kaninchen im Allgemeinen ganz empfänglich ist für die Streptokokkeninfection, so sind die einzelnen Individuen dies doch in sehr ungleichem Grade. Dass weisse Kaninchen, namentlich die Albinos, reagiren am heftigsten, dann kommen die bunten hellfarbigen und am widerstandsfähigsten sind die grauen und schwarzen. Hierbei können jedoch noch besondere individuelle Unterschiede bestehen.

So kann es also vorkommen, dass von zwei auf dieselbe Weise mit der gleichen Cultur inficirten Thieren das eine nach drei Tagen, das andere nach vier Wochen stirbt.

Wichtig für die erste Entwickelung der Krankheitserscheinungen ist der Modus der Infection, insofern er den ersten Angriffspunkt und die ersten Bahnen bei der Ausbreitung bestimmt.

Wählt man die tiefe Infection, d. h. spritzt man Culturen in die untersten Partieen des Unterhautzellgewebes, so kann jede palpable locale Reaction unterbleiben und schnell verlaufende Septicämie eintreten. Dies findet man nur bei den virulentesten Streptokokken und ganz empfänglichen Versuchsthieren. Häufiger schon findet man in diesen ganz schnell (2 bis 3 Tagen) verlaufenden Fällen eine ausgebreitetere ödematöse Durchtränkung des Unterhautzellgewebes. In vielen Fällen beobachtet man am Orte der Infection eine mehr oder minder ausgebreitete harte Infiltration, die in Eiterung übergehen kann, öfter jedoch sich unter Bildung eines kleineren harten (häufig käsige Massen enthaltenden) Knotens zurückbildet. In diesen Fällen lebt das Thier oft über Wochen, und der Sectionsbefund ergiebt eitrige Herde in der Leber, eitrige Pleuritis und Pericarditis, bisweilen neben anderen seltener vorkommenden Complicationen. Sehr selten beobachtet man bei der tiefen Infection Erysipel.

Anders gestaltet sich das Bild, wenn man oberflächlich impft. Ich führte dies in der Weise aus, dass ich frische Bouilloncultur in die rasirte und leicht scarificirte Ohrspitze einrieb. Hier ist das Auftreten eines Erysipels die Regel, wenn der Streptococcus eine bestimmte Virulenz besass. Ist die Virulenz zu gering, so heilen die leichten Scarificationswunden reactionslos, ist sie zu gross, so kann tödtliche Allgemeininfection eintreten, ehe das Erysipel zur vollen Entwickelung kommt. Am geeignetsten sind frische Bouillonculturen von Streptokokken, die weisse

Mäuse bei Impfung mit der Oese oder bei Injection von 0·1 bis 1·0 ccm in 2 bis 3 Tagen tödten. *Ob dabei der Streptococcus anfänglich aus einem Erysipel stammte oder nicht, ist dabei ganz gleichgültig.*

Jedoch auch ohne diesen Grad von Virulenz lässt sich mit ziemlich wenig virulenten Streptokokken Erysipel hervorrufen, wenn man in dem geimpften Ohre kleine Kreislaufsstörungen hervorruft. Zu diesem Zwecke umzog ich nach der Impfung die Ohrwurzel mit einem schmalen Collodium- oder Heftpflasterstreifen, ein Eingriff, der sich bei nicht geimpften Ohren kaum bemerkbar macht. Nach Impfung dagegen, selbst mit Bouillonculturen, von denen noch eine Injection von 0·75 ccm ohne Weiteres vertragen wurde, trat ein heftiges Erysipel ein. Bei einem weissen Kaninchen, das in dieser Weise mit einem wenig virulenten Streptococcus (aus Angina gezüchtet) geimpft war, trat nach einem heftigen Erysipel schnell der Tod ein und das Blut des Thieres enthielt zahlreiche Streptokokken. In Gestalt einer schweren Phlegmone verläuft der Process, wenn man statt der Impfung eine geringe Culturmenge (0·2 ccm) peripherisch von der comprimirten Stelle injicirt. Tritt der Tod hier nicht ein, so finden sich schwere locale Zerstörungen (Verlust des halben Ohres u. s. w.) vor.

Es sind diese Versuche experimentelle Illustrationen zu den Erfahrungen der Praxis. Wie oft sieht man nicht Erysipel von Stellen ausgehen, die unter ungünstigen Circulationsverhältnissen leiden!

Auch für die puerperalen Erkrankungen kommen als infectionsbegünstigendes Moment neben dem Wundsein der Schleimhaut die besonderen Circulationsverhältnisse im Genitalapparate in Betracht. Diese ermöglichen, wie in unserem obigen Experimente, auch weniger virulenten Streptokokken der Situation Herr zu werden, und, einmal heimisch, das Gewebe mit zahllosen Bacterien zu überschwemmen.

Immerhin wird man auch bei Berücksichtigung aller dieser Verhältnisse noch nicht alles in dem wechselvollen Bilde der Streptokokkenerkrankungen erklären können ohne die Annahme einer verschiedenen Virulenz. Die Virulenz aber ist keine absolute Eigenschaft, sie muss immer, gerade bei den Streptokokken, in Beziehung gesetzt werden zu einer ganzen Anzahl anderer Factoren, zu denen neben frischer Beschaffenheit und Menge des Infectionsmateriales vor Allem Thierspecies, Disposition, Infectionsmodus gehören. Die Bedeutung dieser Verhältnisse habe ich ja schon oben versucht darzuthun, nur was die Thierspecies betrifft, so möchte ich noch Folgendes hinzufügen. Wenn man einen Streptococcus, der Anfangs für Mäuse und Kaninchen virulent war, in einer grossen Reihe von Generationen von Maus zu Maus überträgt, so steigt die Virulenz für Mäuse bis zu einem gewissen Grade, während sie für Kaninchen abnimmt oder = 0 wird. Das Umgekehrte lässt sich durch fortgesetzte Züchtung im Kaninchenkörper, wenn auch nicht so prägnant, erreichen.

Trotz alledem glaube ich, dass man die Virulenz zu einer Unterscheidung der langen Streptokokken gebrauchen kann, wenn man dieselbe mit genauer Berücksichtigung der oben aufgestellten Grundsätze feststellt. Am geeignetsten wird für diese Versuche dann nach meiner Ansicht eine Thierart sein, die gleichmässig empfänglich und möglichst frei von den Einflüssen der individuellen Disposition immer mit der gleichen uncomplicirten tödtlichen Erkrankung reagirt. In der That erfüllt nun das Experiment mit der weissen Maus ziemlich die aufgestellten Bedingungen, indem dieselbe geimpft oder nach subcutaner Injection an einer in 36 bis 72 Stunden tödtlich verlaufenden Septicämie erkrankt.

Prüft man in dieser Weise die Streptokokken durch, so kommt man leicht zur Aufstellung von drei Gruppen, deren Abgrenzung ja natürlich immer eine willkürliche sein muss.

Mit Virulenz I bezeichne ich nun diejenige Virulenz eines Streptococcus, bei der 0·01 bis 0·05 ccm Bouilloncultur subcutan einverleibt genügte, um eine weisse Maus durch Septicämie in 3, höchstens 4 Tagen zu tödten. Bei Virulenz II war unter den gleichen Bedingungen die

Tabelle.

Nr.	Name und Krankheit des Patienten		Fundort	Virulenz
1	Erxleben	Angina	Belag im Rachen	III
2	Kästner	"	desgl.	III
3	Heitmann		desgl.	III
4	Redeke	"	desgl.	III
5	Gildner		desgl.	II
6	Lücke		desgl.	III
7	Laue		desgl.	III
8	Borchert	"	desgl.	II
9	Hinze		desgl.	III
10	Dummar		desgl.	II
11	Roick	"	desgl.	II
12	. . . . . .	"	desgl.	III
13	. . . . . .	"	desgl.	III
14	Klenke	Scarlatina	desgl	II
15	Marx	Abscess tonsill.	Eiter	II
16	Langhammer	" "	desgl.	II?
17	Frenz	" "	desgl.	II
18	Märten	Seps. puerper.	Tubeneiter	I
19	Werner	" "	diphtherische Uterusschleimhaut	I
20	Müller	" "	Uterusthrombus	II
21	Wolter	Erysipel faciei	Hautstückchen	II
22	Zerm	" "	desgl.	II
23	Napirella	" migrans	desgl.	II
24	Neumann	Pneum. post part.	Sputum	III
25	Voss	Lungentuberculose	desgl.	III
26	Kirchhoff	"	Pleuraexsudat	III
27	. . . . . .	Pemphigus	Eiter	III
28	Müller	Diphtherie	Lungeninfiltrat	III?
29	Wilke	Lungentuberculose	Sputum	II

entsprechende Dosis 0·05 bis 0·15. Mit Virulenz III bezeichnete ich die Virulenz der Streptokokken, bei denen bis 0·3 ccm Bouilloncultur zur tödtlichen Infection nöthig waren, und bei denen der beabsichtigte Effect auch dann noch nicht sicher eintrat.

Nun findet man allerdings Streptokokken, wo die Einverleibung einer geringen Culturmenge zwar keine Septicämie hervorruft, wohl aber starke Eiterung, die dann schliesslich auch zum Tode, bisweilen erst nach Wochen, führen kann. Ein derartiges Verhalten ist sogar fast die Regel, wenn man sich älterer Culturen bedient oder solcher, die schon mehrere Tage bei Brüttemperatur gestanden haben. Aber auch bei frischen Culturen, die ja hier lediglich in Vergleich gezogen werden dürfen, kann man derartige Beobachtungen machen. Häufig gelingt es jedoch dann durch Einverleibung grösserer Culturmengen den beabsichtigten Effect zu erreichen.

Mein Streptokokkenmaterial würde sich nach der Virulenz ordnen lassen, wie es vorstehende Tabelle angiebt.

Die Colonne 2 der Tabelle enthält die Bezeichnung des Streptococcus nach Namen und Krankheit des Patienten, von dem er stammt, Colonne 3 den Fundort und Colonne 4 die nach den angegebenen Principien festgestellte Virulenz.

Jedenfalls glaube ich, dass man mit derartigen kurzen Angaben über die Virulenz, besonders unter Hinzufügung etwaiger eitererregender Eigenschaften sich schneller und sicherer über die Identität eines Streptococcus verständigen wird, als mit den langathmigsten Beschreibungen seiner Wachsthumsformen.

Berlin 1892.

XII.

Experimentelle Untersuchungen über den Streptococcus longus.

Von Dr. **Knorr.**

(Aus dem Institut für Infectionskrankheiten in Berlin.)

1. Ueber die veränderlichen Eigenschaften eines und desselben Streptococcus longus[1] (Str. Märten).

Vor Beginn meiner im Folgenden mitzutheilenden Untersuchungen erfuhr ich durch Hrn. Stabsarzt *Behring*, dass es möglich ist, Kaninchen gegen Streptokokken, die für diese Thiere infectiös sind, zu immunisiren, und dass in einem Falle das Blut eines immunisirten Thieres an Mäusen immunisirende Wirkung gegen Streptokokkeninfection erkennen lies.

Bei der Schwierigkeit, die Thiere gegen Streptokokkeninfection in hohem Grade immun zu machen, erschien es zweckmässig, dass dieser Aufgabe eine volle Arbeitskraft gewidmet würde, und so habe ich mich im Einverständniss mit Hrn. Stabsarzt *Behring* nach gemeinsam mit demselben entworfenen Plan und mit der gütigen Erlaubniss des Hrn. Geheimrath *Koch* seit etwa einem Jahre fast aus-

---

1) *Lingelsheim* und *Behring*.

schliesslich mit Streptokokkenuntersuchungen beschäftigt. Ich muss erwähnen, dass es sich hier ausschliesslich um Streptococcus longus (Lingelsheim) handelt.

Der Endzweck der Untersuchungen war, wie oben bereits bemerkt, von vornherein die Immunisirung von Kaninchen zum Zweck der Blutserumgewinnung behufs Heilung anderer Individuen.

Um an diese Arbeit mit Aussicht auf praktischen Erfolg herantreten zu können, stellte ich mir vor Allem die Aufgabe, einen möglichst virulenten Streptococcus aus dem menschlichen Körper auf seiner Virulenz zu erhalten, eventuell ihn noch virulenter zu züchten, und überhaupt mit Streptokokken umgehen zu lernen.

Dass das letztere nicht so leicht ist, wird wohl Jeder, der sich mit Streptokokken näher beschäftigt hat, zugeben.

Nebenbei hoffte ich, dass sich im Laufe der Arbeit Anhaltspunkte ergeben würden, ob die Merkmale, die bisher als Unterscheidung einzelner Arten der Streptokokken angenommen wurden, constant oder variabel seien, d. h. ob die Notwendigkeit vorliege, verschiedene Arten von Streptococcus longus anzunehmen oder nicht. Wie wichtig diese Entscheidung für die Hoffnung auf praktischen Erfolg der Immunisirungsarbeit sein musste, ist von *Behring*[1]) bereits auseinander gesetzt worden.

Welche Veränderungen in der Ansicht über die Variabilität oder Artverschiedenheit der Streptokokken im Laufe der Zeit sich ergeben haben, will ich mit wenig Worten hier zusammenfassen.

Als man Streptokokken als ursächliche Erreger bei Erysipel und den verschiedensten Eiterungsprocessen entdeckte, da war es bei der grossen Verschiedenheit der Krankheitsbilder wohl naheliegend, nach Unterschieden zwischen den beiden zu suchen.

---

1) *Centralblatt für Bacteriologie.* 1892. Bd. XII. S. 195.

Das nähere Eingehen auf alle Resultate der Arbeiten auf diesem Gebiete würde hier zu weit führen. Einige Bemerkungen werden genügen.

Als hauptsächlichste Unterschiede stellten *Fehleisen* und *Rosenbach* das verschiedene Wachsthum auf festen Nährböden und die verschiedene Reaction des Thierkörpers, namentlich des Kaninchens, auf. Es entstanden der Streptococcus Erysipelatis und Pyogenes.

Später, als die Fundstätten der Streptokokken immer zahlreicher wurden, kam man oft in Verlegenheit, zu welcher der beiden Arten man einen Streptococcus zählen sollte, da die bisher festgestellten Unterschiede der Culturen auf festen Nährböden und das Thierexperiment meist keine sichere Entscheidung zuliessen.

Man suchte nach besseren Mitteln und da wiesen *v. Lingelsheim*[1]) und später *Kurth*[2]) auf das eigenthümliche Wachsthum in Bouillon hin. Es entstand die vor Allem praktisch sehr brauchbare Unterscheidung in Streptococcus longus und brevis (Lingelsheim) und die vielen von *Kurth* so scharf beobachteten makroskopischen und mikroskopischen Unterschiede im Bouillonwachsthum. Ich weise bezüglich des damaligen Standes der Differenzirung und der Litteratur auf die Arbeiten dieser beiden Autoren hin.[3])

Darin waren diese beiden Autoren einig, dass die Streptokokkenfrage durch die bis dahin geltende Unterscheidung zwischen Streptococcus Erys. und Streptococcus pyog. nicht erschöpft sei, dass vielmehr eine grosse Zahl gradweise verschiedener Streptokokken in der Natur und im Organismus kranker Individuen vorhanden sind. Aber ob nun die vielen durch Culturversuch und Thierexperiment von einander zu trennenden Streptokokken nur

---

1) *Zeitschr. f. Hyg. u. Inf.-Kr.* 1891. Bd. X. Hft. 2.

2) *Arbeiten aus dem Kaiserl. Gesundheitsamt.* 1891. Bd. VII. Hft. 2 u. 3.

3) *v. Lingelsheim. Zeitsch. f. Hyg. u. Inf.-Kr.* A. a. O. u. 1892. Bd. XII. Hft. 3. — *Kurth's Arbeiten aus dem Kaiserl. Gesundheitsamt.* 1892.

Varietäten ein und derselben Art sind, die eventuell in einander übergehen können, oder ob es sich um specifisch differente Arten handelt, darüber ging die Ansicht beider Autoren auseinander. *Kurth* war der letzteren Ansicht, wie aus folgendem Satz hervorgeht:

„Dem Einwurf gegenüber: Alle diese Streptokokkenculturen sind nur Variationen einer und derselben Art, kann mit grösserer Berechtigung behauptet werden: Es giebt vielleicht eine sehr grosse Anzahl verschiedener Streptokokkenarten, welche zu unterscheiden uns mit den jetzigen Untersuchungsmethoden nur unvollkommen gelingt."

v. Lingelsheim betrachtete (darin *Behring* folgend) die Frage zunächst noch als eine offene. Wenn man nun aber aus einer einzigen Streptokokkencultur, beispielsweise unserem Streptococcus Märten, nach und nach solche Formen züchten kann, dass sie alle wesentlichen Eigenschaften der bisher beobachteten verschiedenen pathogenen Streptokokken zeigen, also 1. verschiedenes Wachsthum auf Bouillon, 2. verschiedene Virulenz für Thiere und damit eng zusammenhängend, 3. verschiedenen Krankheitsverlauf und Sectionsbefund bei Thieren, dann ist die Wahrscheinlichkeit doch schon sehr gross, dass wir es in der Natur eben auch nur mit Varietäten zu thun haben. Wird nun zum Schluss noch der Beweis geliefert, dass mit einer Streptokokkenart (der für das betreffende Thier virulentesten) auch gegen alle anderen Streptokokken immunisirt werden kann, so ist jedenfalls praktisch keine Nothwendigkeit vorhanden, noch eine Artverschiedenheit anzunehmen.

Um nun der Lösung aller dieser Fragen näher zu treten, habe ich einen einzigen Streptococcus ausgewählt und diesen in Virulenz- und Wachsthumsverhältnissen auf künstlichen Nährböden und im Thierkörper beobachtet.

Es wurde dieser Weg auch deshalb gewählt, weil Vergleichungen verschiedener Streptokokken schon von anderer Seite in eingehendster Weise angestellt wurden und auch *v. Lingelsheim*[1]) im Auftrag von Stabsarzt *Behring* solche fortsetzte.

Ich beobachtete also meinen Streptococcus im Wachsthum auf künstlichen Nährböden und bei Züchtung durch den Mäuse- und Kaninchenkörper und bekam besonders in dem wechselseitigen Einfluss dieser beiden Thierarten die auffallendsten Resultate. Gerade diese Thiere wurden gewählt aus dem einfachen Grunde, weil sie bisher fast ausschliesslich für Streptokokkenuntersuchungen gedient hatten. Ich glaube, dass bei Hereinziehung noch anderer Thierarten wohl noch mehr Variabilität erzielt worden wäre, besonders in Erwägung der Thatsache, dass der Einfluss des menschlichen Körpers auf die Streptokokken scheinbar ein noch anderer ist, als der jeder der beiden Thierarten.

Bei Auswahl der zu verwendenden Nährböden haben sich verschiedene Gesichtspunkte ergeben, je nach dem Zweck, dem dieselben dienen sollten.

Um die Einflüsse der *Züchtung* auf künstlichen Nährböden zu studiren, erschien es nützlich, den Nährboden nicht immer gleich zu wählen, sondern wenigstens die Bouillon mit verschiedenen Zusätzen zu versehen. Es wurde unter anderm einfache Rinderbouillon mit 1 Procent Pepton und 0·5 Procent Kochsalz, solche mit mehr Peptongehalt (bis zu 4 Proc.), mit $^1/_2$—2 Proc. Traubenzuckerzusatz, mit Zusatz von Calcium carbonicum, verwandt. Agar und Gelatine erhielten die gewöhnlichen Zusätze. Ausserdem benutzte ich Rinderserum.

Wenn jedoch die künstlichen Nährböden dazu dienen sollten, um von Thier zu Thier sichere Reinculturen zu übertragen oder das morphologische Verhalten des Wachsthums, besonders auf Bouillon, zu constatiren, so war es unerlässlich, immer die möglichst gleiche Zusammensetzung

---

1) *v. Lingelsheim. Zeitschrift für Hygiene.* 1892. Bd. XII.

der Nährböden zu haben. Dabei wurden immer nur frische Culturen verwendet und erst wenig Generationen gezüchtet, um den Einfluss des Nährbodens möglichst auszuschalten. (Es ist daher, wenn in den Tabellen nicht eigens bemerkt, immer eine ein-, höchstens zweitägige Bouilloncultur zur Infection verwendet.)

Zu diesem Zwecke eignete sich sehr gut gewöhnliches, etwas stark alkalisches Agar und Gelatine und eine Bouillon, der 2 Procent Pepton, 1 Procent Traubenzucker, 0·5 Procent Kochsalz zugesetzt war und deren Alkalescenz etwa 12 ccm Normallauge auf den Liter betrug.

Ebenso hatten die Mäuseversuche einen doppelten Zweck. Einmal sollten etwaige Veränderungen der Streptokokken durch Mäusezüchtung studirt werden. Dabei wurde oft ganz auf zwischenliegende Reinculturen verzichtet und durch Ueberimpfung von Herzblut von Maus zu Maus die Krankheit weiter getragen. Ich machte nämlich die Erfahrung, dass sich im Herzblut fast ohne Ausnahme eine Reincultur von Streptokokken fand. Jedesmal wurden selbstverständlich zur Controle auch Culturen angelegt.

Ausserdem dienten die Mäuse, besonders im Anfang der Untersuchungen, zur Prüfung der Virulenz der Streptokokken, wozu sie von *Lingelsheim* und *Kurth* fast ausschliesslich benutzt wurden. Mäuse eignen sich ausser wegen ihrer Billigkeit auch durch ihre Empfänglichkeit für Streptokokkeninfectionen. Jedoch ergaben sich im Laufe der Arbeit manche Nachtheile bei ihrer Benutzung. Einestheils sind feinere Unterschiede der Virulenz, wenn dieselbe einmal über den Grad I (Lingelsheim) hinausgeht, nicht mehr gut zu prüfen, dann fällt bei Mäusen die Beobachtung des Krankheitsverlaufes und feinerer Nüancen des Sectionsbefundes, die oft sehr wichtige Resultate liefert, weg, und endlich können, wie wir später sehen werden, durch Mäusevirulenzbestimmungen Streptokokken völlig gleich erscheinen, während sie bei Kaninchen und im Bouillonwachsthum die grössten Unterschiede zeigen.

Als feinstes Reagens für Virulenzbestimmungen hat sich dagegen das Kaninchen bewährt. Auch kam es ja besonders darauf an, gerade für dieses Thier, das zum Zweck der Heilserumgewinnung immunisirt werden sollte, die Virulenzveränderungen kennen zu lernen. Es stehen deshalb die Kaninchenversuche besonders in der zweiten Abtheilung im Vordergrund.

Es wurden dabei drei Infectionsmodi angewandt; principiell sind dieselben in ihrem Resultat nicht verschieden, ergeben jedoch im Krankheitsbild stark von einander abweichende Befunde.

1. Die Injection in die Bauchhöhle erwies sich als sehr wirksam und weitaus am constantesten im Erfolg. Leider wurde sie im ersten Theil der Arbeit sehr vernachlässigt.

2. Die Injection unter die Haut war in Bezug auf Eintritt des Todes und Dauer der Krankheit am wenigsten verlässig, jedoch gab die Beobachtung des localen Krankheitsverlaufs, des Eintritts oder Ausbleibens von Eiterung, desto interessantere Resultate.

3. Die Impfung am Ohr war auch nicht ganz zuverlässig; hier spielte die Beschaffenheit des Ohres eine beachtenswerthe Rolle. Recht grosse, weiche Ohren reagirten im Allgemeinen stärker, als kleine, harte. Die Impfung wurde ausgeführt, um die Bedingungen, unter denen Erysipel entsteht, zu studiren.

Die Injectionen und Impfungen wurden möglichst gleichmässig ausgeführt und es wurden, wie oben bereits bemerkt, dazu nur ein- bis zweitägige Bouillonculturen verwendet. Bei der Impfung am Ohr wurde in der Nähe der Spitze, an der Aussenseite nach Entfernung der Haare und Alkoholdesinfection, mit einem Scalpell die Haut scarificirt, so dass der Knorpel frei lag. Dabei wurde jede Blutung vermieden. Dann wurde eine Oese Bouilloncultur leicht eingerieben.

Eine verschiedene Disposition der einzelnen Kaninchenrassen (nach *v. Lingelsheim*) konnte ich gegenüber dem Str. Märten nicht constatiren.

Im Laufe meiner Untersuchungen ergaben sich von selbst zwei Abschnitte: zu Beginn der Arbeit musste es mir daran gelegen sein, vor Allem möglichst viel Erfahrungen zu sammeln, um einen einigermassen festen Boden unter die Füsse zu bekommen. Ich beschränkte mich hauptsächlich darauf, alle Beobachtungen zu registriren. Dass ich diese Beobachtungen hier grossentheils anführe, möchte ich damit entschuldigen, weil sie Vieles enthalten, was besonders im Lichte der späteren Experimente wichtig ist, und was ich später wegen des grossen Thierverbrauchs nicht mehr so eingehend wiederholte.

Der zweite Abschnitt enthält dann die mehr mit Aussicht auf ein festes Ziel angestellten Experimente.

Abtheilung I. Streptococcus M.

Das Ausgangsmaterial meiner Untersuchungen war der Pleuraeiter einer an puerperaler Sepsis gestorbenen Frau (bei *Lingelsheim* Nr. 18). Der Eiter wurde sowohl auf Mäuse verimpft als auch direct culturell verarbeitet und mit Reincultur wurden dann wieder Mäuse inficirt. Wegen seines eigenartigen Verhaltens zum Mäusekörper im Gegensatz zum Kaninchenkörper werde ich den Streptococcus mit M. = Mäusestreptococcus bezeichnen.

Das Wachsthum desselben auf Bouillon war schleimig fadenziehend, dem Bilde *Kurths* Nr. 2 entsprechend. Am ersten Tage trübte sich die Bouillon ziemlich stark, mit mässigem Bodensatz. Doch konnte man erkennen, dass es sich um keine gleichmässig wolkige Trübung handelte, sondern dass lauter feinste Stäubchen in der Flüssigkeit suspendirt schwammen. Nach weiteren 24 Stunden war die Bouillon völlig klar und am Boden hatte sich ein reichlicher, schleimigfadenziehender Satz gebildet. Durch Schütteln des Glases war derselbe leicht zu zerstören.

Mikroskopisch zeigten sich schöne, sehr lange, mässig geschlängelte Ketten.

Auf Agar das gewöhnliche Wachsthum.

Auf Gelatinestrich- und -stichcultur bei gewöhnlicher Zimmertemperatur gutes Wachsthum.

Die Virulenz für Mäuse war eine sehr hohe. 0·1 einer frischen Bouilloncultur tödtete eine Maus in $1^1/_2$ Tagen.

Maus 21. 0·1 von Reincultur aus Eiter. † in 36 Stunden.

Section: An Injectionsstelle kaum etwas Eiter. Von derselben gehen auf beiden Seiten je ein dicker Lymphgefässstrang zum Bauch, wo sie in je einer etwa hirsekorngrossen Lymphdrüse, die aus infiltrirtem, aber nicht eiterigem Gewebe besteht, enden. Injection der Hautgefässe nicht vorhanden. Milz etwas vergrössert.

Wie man sieht, zeigte die Maus schon einen Sectionsbefund, wie ihn *Kurth* für seine virulentesten Arten beschreibt.

Geringere Mengen von Infectionsstoff hatten noch einen anderen Krankheitsverlauf zur Folge:

Maus 22. Geimpft mit Oese Reincultur aus Eiter. † nach 5 Tagen.

Während der Krankheitsdauer Oedem und Parese der Hinterextremitäten, Blaufärbung des Schwanzes, offenbar durch Stase in den Schwanzwurzelgefässen, Eiterung der Impfstelle und starke Röthe der umgebenden Haut mit Haarverlust.

Section: Ausgedehnte Nekrose der Haut an Infectionsstelle. Viel dicker Eiter. Bauchdrüsen geschwellt und theilweise vereitert. Milz etwas vergrössert.

Die Virulenz für Kaninchen war ebenfalls sehr gross. Kaninchen 1, dem 0·1 ccm subcutan injicirt wurde, starb in 36 Stunden, Kaninchen 2, geimpft am Ohr, in 4 Tagen (Sectionsbefund vgl. Tabelle A).

Dieser Streptococcus war also mindestens auf der gleichen Höhe der Virulenz zu erhalten.

Ob es möglich und auch vortheilhaft wäre, dies allein auf künstlichem Nährboden zu erreichen, war von vornherein unwahrscheinlich. Vor Allem war die kurze Lebensdauer der Streptokokken von allen Forschern betont worden. Dann erfährt der Streptococcus durch das Wachsthum auf künstlichen Nährböden eine starke Abschwächung, die durch alle Zusätze, die versucht wurden, nicht hintan gehalten werden konnte. *Kurth* giebt zwar an, dass wenn man die Bakterien, so lange sie überhaupt noch lebensfähig sind, durch den Thierkörper schickt, dieselben wieder ihre alte Virulenz erhalten. Ich konnte das im Allgemeinen wohl bestätigen. Doch bei längerer Züchtung auf künstlichen Nährböden kam es vor, dass die Streptokokken eben für Thiere ganz unvirulent wurden und sie gar nicht mehr zu tödten vermochten. Ich will hier meine Versuche nicht näher beschreiben, da sie gegenüber den früheren Arbeiten nichts wesentlich Neues bieten. Ich will nur die prägnantesten Fälle hier aufführen:

Aus einer Gelatinecultur, die noch von den ersten Mäusen angelegt war, wonach die Streptokokken etwa 8 Monate meist in Gelatine fortgezüchtet waren, wuchsen in Bouillon üppige Streptococci longi (schleimigfadenziehend). Eine Maus (447) mit 0·3 einer eintägigen Cultur inficirt, starb in $2^1/_2$ Tagen mit starker Eiterung an der Injectionsstelle. Daraus wieder Reincultur gut wachsender Streptokokken. 0·1 davon einer Maus (451) injicirt blieb ohne Erfolg. Die Cultur wurde nun täglich weiter übertragen und noch einige Male versucht:

Maus 498 bekommt 0·5 von 48. Generation lebt.
" 505 " 0·5 " 54. " "

In viel kürzerer Zeit noch gingen die Streptokokken ihrer Virulenz verlustig:

Aus Maus 342 († in 26 Stunden) wurde eine Gelatinecultur angelegt am 31./III. Am 22./IV. davon Agarcultur, am 30./IV. davon Bouilloncultur, üppig gewachsen. Am 1./V. bekam eine Maus (396) 0·1, lebt.

Aus Maus 140 († in 36 Stunden) wurde Bouilloncultur angelegt. Diese blieb vom 5./1.—11./II. im Brütschrank, dann wuchs in neuer Bouillon üppige Cultur aus. Eine Maus (224) mit 0·1 inficirt, † nach 41 Tagen. Culturen negativ.

Diese neue Bouilloncultur vom 11./II. wurde am 12./II. wieder übertragen und wuchs schön. Eine Maus (225) bekommt 0·1, stirbt ebenfalls nach 41 Tagen. Cultur negativ.

Wenn die Streptokokken durch längeres Wachsthum schwächer wurden, änderte sich auch der Sectionsbefund bei Mäusen und ich will hier einige Fälle aufführen, in der Absicht, zu zeigen, dass der Sectionsbefund bei Mäusen auch bei derselben Streptokokkenart variiren kann.

Die Menge des Infectionsstoffes hat dabei einen grossen Einfluss, wie schon die Verschiedenheit des Sectionsbefundes bei Maus 21 und 22 (s. dort) beweist. Ebenso wird durch grössere Widerstandsfähigkeit des Mäusekörpers, z. B. durch theilweise Immunisirung, eine Aenderung der Krankheitsdauer und zugleich des klinischen Bildes hervorgebracht.

Es würde allerdings ein Theil der Fälle wohl in einen späteren Abschnitt gehören, doch will ich der Uebersicht halber hier alle zusammenstellen.

Maus 161 bekommt 0·0025 einer virulenten 1 tägigen Cultur. † nach $5^1/_2$ Tagen.

Section: An der Injectionsstelle bohnengrosses, eiterndes Geschwür. Sonst nichts Besonderes. Virulenz der aus der Maus gezüchteten Culturen normal.

Maus 162 bekommt ca. 0·0006 derselben Cultur. † nach 7 Tagen.

Section: Ebenfalls starke Eiterung und Nekrose an der Injectionsstelle. Virulenz der Culturen normal.

Maus 388 bekommt 0·04 von Maus 379 († in 24 Stunden), stirbt nach 12 Tagen.

Section: Das Unterhautbindegewebe des ganzen Rückens in profuse Eiterung verwandelt. Culturen aus Herzblut anfangs negativ, später einzelne Colonien. Aus Eiter reichlich. Virulenz normal.

Maus 118 bekommt 0·5 einer Bouilloncultur (2% Pepton. Kein Traubenzucker), die vom 12./XI. bis 1./XII. im Brütschrank stand. (Cultur daraus wächst gut und ist normal virulent.) Während des Krankheitsverlaufes entwickelt sich eine ausgedehnte Nekrose der Injectionsstelle und des Schwanzes.

Nach 14 Tagen Tod der Maus.

Section: Schwanz bis ca. 5 mm von der Wurzel völlig nekrotisch. An Injectionsstelle dicke Borke, darunter dicker, käsiger Eiter. Eine Bauchdrüse, etwa erbsengross und ganz in käsig eiterige Masse verwandelt. Milz um's dreifache vergrössert.

Aus Milz und Eiter wachsen sehr schöne Culturen, aus Herzblut nur ganz wenig Colonieen erst am 3. Tage. Virulenz der Culturen normal.

Maus 124 bekommt 0·5 derselben Bouilloncultur wie Maus 118, nachdem diese noch 5 Tage länger im Brütschrank gestanden hatte; kein Wachsthum mehr.

Die Maus wird leicht krank, bleibt leben und erholt sich rasch. 1 1/2 Monate nach erster Injection bekommt sie 0·1 von Cultur aus Maus 182 (Controle stirbt in 1 1/2 Tagen).

Anfangs nur leichtes Unwohlsein. Nach 1 Monat beginnt der Schwanz nekrotisch zu werden, der rechte Hinterfuss wird zuerst ödematös, dann ebenfalls nekrotisch. An der Injectionsstelle wird ebenfalls die Haut nekrotisch ohne rechte Eiterbildung. Nach 72 Tagen nach der zweiten Infection Tod der Maus. Ausser obigen Befunden nichts Besonderes. Aus keinem Organe konnte irgend etwas gezüchtet werden.

Maus 386 hatte 1 ccm Blut eines nicht hoch immunisirten Kaninchens erhalten und ohne Reaction vertragen. 3 Tage darauf bekommt sie 0·004 einer virulenten Cultur (Controlen † nach 4 Tagen), stirbt nach 22 Tagen.

Section: Kein Eiter an Injectionsstelle. Lymphdrüsen am Bauch sehr gross, röthlich, keine Eiterbildung. Milz mindestens um's fünffache vergrössert, brüchig. Leber anämisch, fettig degenerirt. Ein Abscess etwa hirsekorngross, mit käsigem Eiter darin.

Aus allen Organen Streptokokken-Reinculturen, aber nur sehr wenig Colonieen. Culturen sehr virulent (0·1 in 20 Stunden).

Bei Kaninchen trat die Abschwächung der Streptokokken durch künstliche Nährböden in noch verstärktem Maasse zu Tage.

Ich möchte hier auf die Kaninchen Nr. 53, 54, 55, 56, 60, 61, 62, 86 und 87 der Tabelle A verweisen.

Was die morphologische Veränderung durch diese Einflüsse betrifft, so ist wenig Neues beobachtet worden. Meistens wuchsen die Streptokokken unverändert, wenn auch langsamer und weniger reichlich.

War das Wachsthum schlecht, so waren die Zeichen der Degeneration auch mikroskopisch zu sehen. Einzelne Kettenglieder waren zu unförmlichen Kugeln aufgequollen, andere Glieder färbten sich schlecht oder gar nicht.

In manchen Fällen veränderte sich das Wachsthum in der Weise, dass der Boden bedeckt war von feinstem, flugsandähnlichem Satz. Beim Schütteln wirbelte derselbe in Form feinster Körnchen in die Höhe. Diese Veränderung hat übrigens auch schon *Kurth* beobachtet, und wie dieser, konnte ich constatiren, dass es sich dabei um eine vorübergehende Eigenschaft handelt, welche sich beim Passiren durch den Thierkörper wieder verliert. Dasselbe Wachsthum wurde auch oft beobachtet, wenn die Streptokokken aus alten Eiterherden bei Kaninchen gezüchtet wurden.

Wie wir sehen, war es also nicht möglich, auf künstlichen Nährböden allein die Streptokokken in ihren Eigenschaften constant zu erhalten. Von Zeit zu Zeit mussten sie immer wieder den Thierkörper passiren. Doch geht zugleich aus den Versuchen hervor, dass eine kurze Dauer der künstlichen Züchtung sie nicht beeinflusst. Am besten bewährte sich da, wie auch von anderer Seite schon angegeben, die Gelatinestichcultur mit etwa dreiwöchentlicher Umimpfung.

Als Thierkörper nun, welcher zur Wiedererlangung, eventuell Erhöhung der Virulenz dienen sollte, kam vor Allem der Mäusekörper in Betracht.

Anfangs schien sich die Züchtung bei Mäusen auch vortrefflich zu bewähren. Es stieg die Virulenz der Streptokokken für Mäuse anfangs etwas und hielt sich dann durch die langen Reihen von Mäuseversuchen constant. Das Wachsthum blieb ebenso unverändert, weshalb ich eben den Streptococcus M = Mäusestreptococcus nenne.

Bei Injection von 0·1 ccm einer frischen Cultur starben die Mäuse regelmässig in spätestens 36 Stunden, auf Impfung mit einer Oese Herzblut einer frisch gestorbenen Maus allerdings nicht ganz so regelmässig, anfangs durchschnittlich in drei Tagen, später in durchschnittlich zwei Tagen.

Der Sectionsbefund war, die oben angeführten Ausnahmefälle abgerechnet, bei allen Mäusen der gleiche: An der Injectionsstelle höchstens ein geringes Oedem. Unter der Haut der Seiten und des Bauches starke Gefässinfection und besonders an den Schenkelbeugen meist ein starkes, etwas blutig-seröses Oedem. Meist eine der Bauchlymphdrüsen geschwollen, der zu ihr führende Lymphgefässstrang entzündet, aber keine Eiterbildung. Mässige Milzvergrösserung. Der Krankheitsverlauf bot wenig Eigenthümliches. Die Mäuse begannen schon nach ca. sechs Stunden träge zu werden, die Lider schwollen an und die Augen verklebten, die Mäuse sassen dann mit gesträubten Haaren und zusammengezogenem Körper theilnahmslos da und starben in derselben Stellung. (Siehe *Kurth,* Seite 436).

Ich führe in Tabelle Nr. I drei Reihen an ohne Angabe des Sectionsbefundes, da derselbe immer gleich war. Man sieht, dass die Lebensdauer von Maus zu Maus eher kürzer als länger wurde, also der Streptococcus an Virulenz mindestens gleich blieb.

Um so mehr musste ich überrascht sein, als schon die ersten Versuche, die Virulenz des Streptococcus M am Kaninchen zu prüfen, ganz andere, als die erwarteten Resultate gaben.

Wie man aus Tabelle II sieht, wurden die Streptokokken, je mehr Mäusekörper sie passirten, desto weniger virulent für Kaninchen, obwohl die Virulenz für Mäuse, auch nach Passiren des Kaninchenkörpers, immer gleich blieb.

Es lag nun der Gedanke nahe, dass durch Züchtung im Kaninchenkörper die ursprüngliche Virulenz für Kaninchen doch wieder hergestellt, oder wenigstens auf dem gleichen Stand erhalten werden könnte.

Tabelle Nr. I.

a)			b)		
Nr. der Maus	Art der Infection	Gestorben in	Nr. der Maus	Art der Infection	Gestorben in
22	Oese Reincultur	5 Tag.	22	Oese Reincultur	5 Tagen
45	0·2 ccm Bouilloncultur (8tägig)	4 „	47	0·2 ccm Bouilloncultur (2tägig)	3 „
49	Oese Herzblut	1½ „	50	Oese Herzblut	3 „
51	„	3 „	58	„	2½
62	„	2½ „	66	„	2½ „
67		1 Tag	68	„	1½ „
69	„	1½ Tag.	72		1½
73		20 Stund.	78		1½
76	„	2 Tag.	83	„	2 „
82	„	2½ „	85	„	1½
86		1½ „	87		3½
91		30 Stund.			
94		24 „			
96	„	2½ Tag.			

c) Art der Impfung: Oese Herzblut. Sectionsbefund gleich (ausgenommen Maus 118 († in 14 Tagen), 161 († in 5½ Tagen), 162 († in 7 Tagen). Ursache der Verzögerung siehe dort). Gesammtzahl 46 Mäuse. Durchschnittliche Krankheitsdauer 1½ Tage.

Maus 118 †. in 14 Tagen. — Maus 138 † in 2½ Tagen. — Maus 140 † in 1½ Tagen. — Maus 161 † in 5½ Tagen. — Maus 162 † in 7 Tagen. — Maus 174 † in 24 Stunden. — Maus 180 † in 2 Tagen. — Maus 182 † in 2 Tagen. — Maus 185 † in 3 Tagen. — Maus 202 † in 2½ Tagen. — Maus 206 † in 24 Stunden. — Maus 207 † in 2½ Tagen. — Maus 210 † in 1½ Tagen. — Maus 212 † in 3 Tagen. — Maus 217 † in 1½ Tagen. — Maus 218 † in 30 Stunden. — Maus 219 † in 1½ Tagen. — Maus 221 † in 2½ Tagen. — Maus 226 † in 24 Stunden. — Maus 232 † in 24 Stunden. — Maus 236 † in 1½ Tagen. — Maus 240 † in 1½ Tagen. — Maus 261 † in 1½ Tagen. — Maus 262 † in 28 Stunden. — Maus 270 † in 36 Stunden. — Maus 273 † in 26 Stunden. — Maus 279 † in 36 Stunden. — Maus 280 † in 30 Stunden. — Maus 291 † in 24 Stunden. — Maus 295 † in 1½ Tagen. — Maus 298 † in 24 Stunden. — Maus 302 † in 1½ Tagen. — Maus 306 † in 5 Tagen. — Maus 314 † in 2½ Tagen. — Maus 317 † in 24 Stunden. — Maus 320 † in 3 Tagen. — Maus 329 † in 1½ Tagen. — Maus 334 † in 1½ Tagen. — Maus 337 † in 1½ Tagen. — Maus 342 † in 26 Stunden. — Maus 343 † in 24 Stunden. — Maus 345 † in 28 Stunden. — Maus 356 † in 24 Stunden. — Maus 368 † in 28 Stunden. — Maus 372 † in 36 Stunden.

Davon wurde die Virulenz geprüft durch Cultur:

Aus Maus 182: Maus 186 bekommt 0·1 ccm † in 1½ Tagen.
„ „ 232: „ 242 „ „ „ † in 20 Stunden.
„ „ 236: „ 243 „ „ „ † in 24 Stunden.
„ „ 236: „ 244 „ „ „ † in 30 Stunden.
„ „ 279: „ 281 „ 0·008 „ † in 30 Stunden.
„ „ 372: „ 374 „ 0·1 „ einer 19täg. Agarcultur, mit 9 ccm Wasser aufgeschwemmt, † in 1½ Tagen.

Tabelle Nr. II.

Abnahme der Virulenz für Kaninchen während der Mäusezüchtung.

a) Injection subcutan.

Nummer des Kaninchen	Herkunft der Cultur	Menge des Inf.-Stoffes	Localreaction	Ausgang
1	Reincultur aus d. ersten Mäusen	0·1	nichts	† in 1½ Tagen
3	Maus 45	0·3	ziemlich stark	lebt
7	„ 140	0·75	stark	† in 12 Tagen
8	„ 140	0·5	ziemlich stark	lebt
9	„ 161	0·6	gering	† in 12 Tagen
46	„ 342	0·6	gering	lebt
49	„ 372	0·6	ziemlich stark	lebt
57	„ 379	0·8	gering	lebt
58	„	„	sehr gering	lebt
66	„ 399	0·5	sehr gering	lebt

b) Impfung am Ohr.

Nummer des Kaninchen	Herkunft der Cultur	Menge des Inf.-Stoffes	Localreaction	Ausgang
2	Reincultur aus d. ersten Mäusen		Erysipel	† in 4 Tagen
4	Maus 49		„	† in 9 Tagen
10	„ 161		„	† in 11 Tagen
17	„ 217		„	lebt
26	„ 262		nichts	lebt
34	„ 305		Erysipel	lebt
44	„ 342		leichte Röthe	lebt

Tabelle Nr. III.

Abnahme der Virulenz bei Züchtung durch den Kaninchenkörper.

a) Stammt aus Maus 140, die auf Impfung mit Oese Herzblut in $1^1/_2$ Tagen eingegangen war (s. Tabelle Nr. I).

Nummer des Thieres	Abstammung und Menge der Cultur in ccm	Art der Infection	Localreaction	Ausgang	Culturbefund
Kan. 7	M. 140 0·75	sub-cutan	etwa thalergrosse flache Eiterung	† am 12. Tage	überall Streptokokken
„ 11	K. 7 0·6	„	ganze eine Seite vereitert	† am 11. Tage	„
„ 20	K. 11 0·6 aus Eiter	„	sehr starke zahlreiche Knoten	lebt	
„ 15	K. 11 0·6 aus Eiter	„	erbsengrosser harter Knoten	lebt	
„ 21	K. 11 0·6 aus Herzblut	„	ganze eine Seite vereitert	† am 14. Tage	überall Streptokokken
„ 27	K. 21 0·6 aus Eiter	„	etwa wallnussgrosse Atheromknoten	lebt	
„ 28	K. 21 0·6 aus Herzblut	„	ziemlich starke flache Eiterung	† am 10. Tage an Stallkrankheit	keine Streptokokken

b) Stammt aus Maus 161, die auf 0·0025 ccm in $5^1/_2$ Tagen eingegangen war. Virulenz der Culturen für Mäuse normal (s. Tabelle Nr. I).

Nummer des Thieres	Abstammung und Menge der Cultur in ccm	Art der Infection	Localreaction	Ausgang	Culturbefund
Kan. 9	M. 161 0·6	sub-cutan	thalergrosse, flache Eiterung	† am 12. Tage	überall Streptokokken
„ 13	K. 9	„	viele getrennte, harte Knoten, ausserdem flache Eiterung	† am 37. Tage	aus Herzblut sehr spät wenige Colonien. Aus Eiter reichlich
„ 36	K. 13 0·5 aus Blut	„	sehr starke Eiterung	lebt	
„ 37	K. 13 aus Eiter	am Ohr geimpft	kein Erysipel	lebt	
„ 35	K. 13 0·7 aus Eiter	sub-cutan	handtellergrosse Eiterung	† am 8. Tage	„
„ 40	K. 35 Eiter	Ohr sc.	leichte Röthe	lebt	
„ 41	K. 35 Herzblut	„	„	„	
„ 42	K. 35 0·6 aus Herzblut	sub-cutan	sehr starke Knoten	„	
„ 39	K. 35 0·6 Eiter	„	haselnussgrosser, harter Knoten	† am 9. Tage an Stallkrankheit	aus Eiter Streptokokken
„ 48	K. 39 0·7 Eiter	„	fast nichts	lebt	

c) Stammt aus Maus 217, die auf Impfung mit Oese Herzblut in $1^1/_2$ Tagen eingegangen war.

Nummer des Thieres	Abstammung und Menge der Cultur in ccm	Art der Infection	Localreactien	Ausgang	Culturbefund
Kan. 17	M. 217	Ohr scarificirt	leichte Röthe	lebt	
„ 16	M. 217 0·5	intra-perit.	eitrige Peritonitis	† am 5. Tage	Aus Eiter viel, aus Herzblut wenig Streptoc.
„ 22	K. 16 0·6 aus Eiter	subcutan	Heftigste Eiterung	lebt	

d) Stammt von Maus aus Tabelle Ic. Bouilloncultur (ohne Trz) hatte 12 Tage im Brütschrank gestanden.

Nummer des Thieres	Abstammung und Menge der Cultur in ccm	Art der Infection	Localreactien	Ausgang	Culturbefund
Kan. 19	M. ? 1·0	subcutan	thalergrosse, flache Eiterung	† am 6. Tage	Aus Eiter Streptokokken
„ 24	K. 19 0.9 aus Eiter	„	heftigste Localreaction	lebt	Bei Lebzeiten wurden am 36. Tage nach Infect. Strept. aus Eiter gezüchtet
„ 47	K. 24 0·9 aus Eiter	„	etwa wallnussgrosser, ziemlich harter Knoten	† nach 9 Tagen an beginnender Stallkrankheit	keine Streptokokken

Doch die Streptokokken, die anfangs noch ein Kaninchen zu tödten im Stande waren, nahmen, statt an Virulenz zu gewinnen, von Thier zu Thier ab. (Siehe Tabelle Nr. III.)

Zugleich änderte sich das ganze Krankheitsbild in höchst charakteristischer Weise (Tabelle II und III und Tabelle A).

Der ausgesprochen allgemeine, septicämische Process, dem Kaninchen 1 erlag, wandelte sich mehr und mehr in einen *rein localen* Eiterungsprocess um. Im Einklang damit steht der Culturbefund, der immer weniger Bakterien im Herzblut gegenüber der Zahl derselben in dem localen Krankheitsheerd erkennen liess, sowie die Gewichts- und Temperaturcurven, die immer flacher wurden. Analog dieser Localisirung erlosch immer mehr die Fähigkeit der Streptokokken, Erysipel zu erzeugen.

Sehr störend auf die Gesetzmässigkeit dieser Beobachtungen wirkte eine Krankheit, die besonders in den Monaten December bis März in den Kaninchenställen herrschte. Es handelte sich dabei vorzüglich um eine Affection der Luftwege, die sich in starkem Schnupfen, Bronchitis, Pneumonie und eiteriger Pleuritis äusserte. Dieselbe ergriff gerade mit Vorliebe schon geschwächte Individuen, und war dadurch, besonders da sie auch von leichter Temperatursteigerung begleitet war, sehr geeignet, die Krankheitsbilder zu trüben.

Auch auf den Eiterungsverlauf hatte sie Einfluss. Sie schien nämlich mit Vorliebe in schon vorhandenen Eiterherden sich anzusiedeln und verursachte dann ein Aufbrechen des Eiterherdes. Wenigstens wurde ein solches nur bei Thieren, die an der Stallkrankheit litten, beobachtet, und es konnten in dem Eiter auch immer die Bakterien der Krankheit nachgewiesen werden. In schon stark abgekapselte Eiterherde pflegte sie dagegen nicht einzudringen. Es ist in den Tabellen immer angegeben, wenn ein Thier an dieser Krankheit litt.

Bezüglich des Verlaufs der Eiterung möchte ich hier die betreffenden Resultate der Tabellen kurz zusammenfassen. Die Stärke der Eiterung war durchaus nicht abhängig von der Krankheitsdauer, sondern nur vom Virulenzgrad des Streptococcus. Die Eiterung entstand bereits in den allerersten Tagen und hatte meist am dritten oder vierten Tag schon ihren Höhepunkt erreicht. Sie präsentirte sich der Untersuchung zuerst als weiche, teigige Schwellung. Darüber war die Haut meist in mässiger Ausdehnung geröthet. Nach kürzerer oder längerer Zeit, meist zwischen zwei und zehn Tagen, trat dann allmählich ein Härterwerden der Geschwulst ein. Es kam zu bindegewebiger Einkapselung und zu Abschnürungen. Es bildeten sich harte Stränge und einzelne Knoten, deren

Zusammenhang man später nicht mehr constatiren konnte. Dementsprechend war anfangs der Eiter dünner, verdickte sich dann immer mehr, und kamen Thiere mit solchen harten Knoten zur Section, so zeigten diese das typische Bild der Athérome mit dicker Bindegewebskapsel und breiigem Inhalt. Allmählich wurden diese Knoten immer kleiner und konnten ganz verschwinden, oft aber blieben sie Monate lang bestehen.

Ein Aufbrechen der Eiterung und Entstehen offener Geschwüre wurde bei Kaninchen fast nie beobachtet. Geschah es einmal, so war jedesmal das Kaninchen an der oben erwähnten Stallkrankheit krank. Es handelte sich also offenbar um eine Mischinfection, wie auch immer der Culturbefund erwies.

Ueber das Verhalten der Bakterien in diesen localen Processen wurden manche Erfahrungen gemacht.

Dass die Eiterknoten noch lange lebende Keime enthalten können, darauf lässt schon der Krankheitsverlauf bei Kaninchen 13 (s. Tab. III u. A.) schliessen, bei dem es sich offenbar um ein Recidiv, ausgehend von der alten Eiterung, handelt.

Bei Gelegenheit von Sectionen der an der Stallkrankheit eingegangenen Kaninchen konnten oft solche Eiterknoten von verschiedenem Alter untersucht werden. Es ergab sich, dass die mittleren Partien des teigigen Eiters meist schon sehr bald keine lebensfähigen Streptokokken mehr enthielten, dass aber an der Kapsel meist noch bis etwa zu drei Wochen Streptokokken, die ihre Virulenz für Mäuse noch gut erhalten hatten, gezüchtet werden konnten. Natürlich ist die hier angegebene Zeit keine genaue, da ja ein negatives Culturresultat nicht ausschliesst, dass nicht an einer nicht untersuchten Stelle doch noch lebensfähige Keime sassen.

Auch während des Lebens wurden mehrere Male Knoten geöffnet und untersucht. So bei Kaninchen 20 und 22. Meist waren da die untersuchten Eiterpartien steril oder es bildete sich in Bouillon ein spärlicher Bodensatz von feinsten Körnchen, die aus Kokkenhaufen ohne Anzeichen von Kettenbildung bestanden. Sie färbten sich schlecht und waren für Mäuse unvirulent.

Nur Kaninchen 24 gab einen positiven Erfolg. Am 36. Tage nach der Infection, nachdem sich harte Knoten gebildet hatten, wurde ein solcher geöffnet und aus dem Eiter, möglichst nahe der Kapsel, Streptokokken gezüchtet. Dieselben wuchsen anfangs sehr langsam und bildeten in Bouillon ebenfalls einen feinen, sandartigen Bodensatz. Doch war ihre Virulenz gut erhalten:

Maus 349 erhielt 0·1 und starb in zwei Tagen unter starker Eiterung.

Kaninchen 47 erhielt 0·8 subcutan. Eiterbildung. Starb nach acht Tagen, offenbar an Stallkrankheit (s. Tabelle A).

Auch das Wachsthum erholte sich nach Uebertragung mehrere Generationen hindurch in Bouillon und nach Züchtung aus dem Thierkörper.

Es schien anfangs, als ob Culturen aus Herzblut ihre Virulenz besser bewahrt hätten, als solche aus Eiter (Kaninchen 20 und 21; Kaninchen 27 und 28). Später jedoch wurde diese Beobachtung wieder zweifelhaft. Ueberhaupt kann man hier wohl keine mathematische Genauigkeit erwarten, wo es sich doch offenbar um Gemische nicht ganz gleich stark beeinflusster Streptokokken handelt. Dieser Zustand drückt sich auch bildlich in den Agarculturen aus, die aus Blut oder Eiter angelegt wurden. Es fanden sich immer ziemlich starke Grössenunterschiede in den einzelnen Colonieen, obwohl sich alle als in Bouillon gleichwachsende Streptococci longi zeigten. Allerdings führten Vergleiche der Virulenz solcher *einzelner* Colonieen zu keinem nachweisbaren Unterschied.

Ich nahm nun absichtlich für gewöhnlich von solchen Culturen immer mehrere Colonieen zur Herstellung von Bouillonculturen ab, da ich glaube, dass das Gesammtresultat der Virulenz mehrerer Keime ein richtigeres Bild geben müsste.

Tabelle A.

Verzeichniss aller in Abtheilung I vorkommender Kaninchen.
1. Art der Infection; 2. Krankheitsverlauf, mit Temperatur- und Gewichtstabelle; 3. Sectionsbefund; 4. Culturbefund.

Kaninchen 1.

1. Am 6./X. 91 0·1 von Cultur aus ersten Mäusen subcutan. Temperatur und Gewicht nicht gemessen.
2. 7./X. nichts besonderes zu sehen.
   8./X. Morgens todt gefunden nach ca. 36 Stunden.
3. Section: Unter der Haut nichts zu sehen. Abdomen aufgetrieben. Milz vergrössert.
4. Culturen aus Herzblut geben Streptococcus longus. Virulenz für Mäuse: M. 46 stirbt auf 0·2 ccm in 36 Stunden.

Kaninchen 2.

1. Am 8./X. 91 am Ohr geimpft mit Cultur aus ersten Mäusen. Temperatur und Gewicht nicht gemessen.
2. 9./X. leichte Schwellung und Röthe an Scarif.-Stelle.
   10./X. Erysipel über ganzes Ohr, leichte Schwellung.
   11./X. Starke Schwellung und Röthe.
   † Morgens 12./X. am 4. Tage.
3. Section: Ausser dem Erysipel am Ohr nichts zu finden.
4. Culturen aus Ohrsaft und Herzblut geben Streptococcus longus.

Kaninchen 3.

1. Am 27./X. 91 0·3 von Culturen aus Maus 45 vom 24./X. subcutan. Gewicht nicht bestimmt.

		Temperatur	
	27./X.	—	40·5
2. 28./X. Local nichts zu fühlen.	28./X.	39·6	39·6
	29./X.	39·3	39·3
	30./X.	40·3	39·8
	31./X.	40·3	—
	1./XI.	40·6	39·5
2./XI. Sehr starker Haarverlust an Injectionsstelle.	2./XI.	40·3	40·5
	3./XI.	40·0	41·0
	4./XI.	41·0	39·5
	5./XI.	39·5	—
	9./XI.	39·5	—
	10./XI.	39·3	40·1
		u. s. w.	
14./XI. erholt sich langsam.	14./XI.	normal.	

Kaninchen 4.

1. Am 30./X. 91 am Ohr geimpft mit Cultur aus Maus 49 vom 29./X.
2. 31./X. Infectionsstelle geschwollen und geröthet.

		Temperatur		Gewicht
1./XI. Ueber ganzes Ohr Erysipel.	2./XI.	—	40·5	—
3./XI Erysipel unverändert. Diarrhoe.	3./XI.	39·7	40·7	—
4./XI. An der Spitze des Ohrs beginnt Abblassung und Schuppung. Der Erysipel ist auf's Auge fortgeschritten. Schwellung und Röthung des oberen Lids.	4./XI.	40·0	40·7	—
	5./XI.	39·5	38·5	—
6./XI. Augenlid abgeschwollen, starke Schuppung.	6./XI.	39·0	39·8	—
	7./XI.	39·0	—	—

† Morgens 8./XI. am 9. Tag.

3. Section: Milz etwas vergrössert, sonst nichts ausser localem Process.
4. Culturen aus allen Organen geben Streptococcus longus. Virulenz für Mäuse: M. 92 stirbt auf 0·1 in 20 Stunden.

Kaninchen 7.

1. Am 4./I. 92 0·75 von Maus 140, Cultur 2./I. subcutan.

		Temperatur		Gewicht
2. 6./I. Starke weiche Schwellung und Röthe an der Injectionsstelle.	4./I.	39·0	39·6	1730
	5./I.	39·1	39·2	1680
	6./I.	40·1	39·2	1660
7./I. Schwellung und Röthe gehen zurück.	7./I.	39·4	39·8	1560
	8./I.	38·8	39·7	1425
	9./I.	38·9	40·0	1490
	10./I.	40·5	—	1480
	11./I.	40·7	40·9	1510
	12./I.	40·4	40·9	1510
	13./I.	40·4	40·4	1510
	14./I.	40·9	38·6	1450
15./I. Starke Diarrhoe.	15./I.	38·4	—	1315

† Morgens 16./I. am 12. Tag.

3. Section: Unter der Haut an Injectionsstelle etwa thalergrosse, flache Eiterung. Eiter ist ziemlich dick. Milz klein. Leber blutleer.
4. Culturen aus allen Organen: Streptococcus longus.

Kaninchen 8.

1. Am 4./I. 92 0·5 von Maus 140, Cultur 2./I. subcutan.

		Temperatur		Gewicht
2. 6./I. Mässige weiche Schwellung an der Injectionsstelle und Röthung.	3./I.	39·0	—	1700
	4./I.	39·1	39·5	1670

	Datum	Temperatur		Gewicht
	5./I.	38·8	39·2	1695
	6./I.	38·8	39·2	1660
	7./I.	39·3	39·6	1620
8./I. Röthe und Schwellung gehen zurück.	8./I.	39·3	40·1	1630
	9./I.	39·7	39·9	1610
	10./I.	40·3	—	1560
	11./I.	39·8	39·9	1590
	12./I.	39·7	39·9	1630
	13./I.	39·4	39·3	1650
	14./I.	39·3	39·8	1660
	15./I.	39·4	39·1	1680
	16./I.	39·2	—	1710

Kaninchen 9.

1. Am 13./I. 92 0·6 von Maus 161, Cultur 12./I. subcutan.

	Datum	Temperatur		Gewicht
	13./I.	39·5	39·6	880
2. 14./I. Schwellung an der Injectionsstelle.	14./I.	40·0	40·2	830
	15./I.	40·1	41·2	845
	16./I.	41·0	41·4	840
	17./I.	41·5	—	830
	18./I.	41·2	41·4	795
	19./I.	41·0	40·5	780
	20./I.	40·7	40·8	780
	21./I.	40·5	40·7	815
	22./I.	40·4	40·7	800
	23./I.	40·0	41·0	770
	24./I.	40·5	—	760
† Abends 25./I. nach 12 Tagen	25./I.	38·5	—	725

3. Section: An Injectionsstelle subcutan thalergrosse flache Eiterung. Rahmiger Eiter. Sonst nichts Besonderes.
4. Culturen aus Eiter viel, aus Herzblut wenig Colonieen. Reincultur von Streptococcus longus
   Virulenz für Mäuse: M. 280 Oese Cultur aus Eiter, stirbt in 2 Tagen. M. 209 Oese Cultur aus Herzblut, stirbt in $1^1/_2$ Tagen

Kaninchen 10.

1. Am 13. I. 92 am Ohr geimpft mit Maus 161, Cultur 12./I.

	Datum	Temperatur		Gewicht
2. Kaninchen hatte schon vor Infection etwas erhöhte Temperatur.	12./I.	39·4	39·8	1750
	13./I.	39·5	39·6	1820
14./I. Schwellung und Röthe an Injectionsstelle.	14./I.	39·6	40·2	1805

		Temperatur		Gewicht
15./I. Breitet sich aus.	15./I.	40·1	40·5	1770
	16./I.	40·3	40·6	1740
17./I. Schnupfen und Diarrhoe.	17./I.	40·0	—	1685
18./I. Starkes Erysipel.	18./I.	39·0	39·1	1630
	19./I.	39·0	39·3	1575
	20./I.	39·0	39·5	1520
	21./I.	38·5	39·4	1470
	22./I.	39·1	39·6	1450
	23./I.	39·3	39·6	1490
† Abends 24./I. nach 11 Tagen.	24./I.	39·3	—	1500

3. Section: Stallkrankheit! Nicht sehr fortgeschritten.
4. Culturen geben Stallkrankheit.

Kaninchen 11.

1. Am 18./I. 92 0·6 von Kaninchen 7, Cultur aus Eiter vom 17./I.

		Temperatur		Gewicht
	18./I.	38·9	39·1	1920
2. 19./I. Starke weiche Schwellung und	19./I.	40·3	40·6	1940
Röthe an Injectionsstelle.	20./I.	40·0	40·6	2050
	21./I.	39·1	40·7	1950
22./I. Etwas Diarrhoe. Sehr starke	22./I.	40·7	41·3	1950
Röthe im Umkreis einer Handfläche.	23./I.	40·4	41·3	1920
	24./I.	40·5	40·2	1890
	25./I.	40·2	40·7	1800
26./I. Röthe zurückgegangen, die	26./I.	39·7	40·5	1800
Schwellung, die immer stärker ge-	27./I.	39·6	39·8	1740
worden war, beginnt hart zu werden	28./I.	39·6	38·8	1585

und Knoten abzuschnüren.

† Morgens 29./I. am 11. Tage.

3. Section: An der Seite, wo Injection gemacht war, kolossale Eiterung. Fast ganze rechte Seite eingenommen. Mässige Bindegewebskapsel. Sonst nichts zu finden.
4. Culturen aus Eiter und Herzblut: zahlreiche Colonieen. Reincultur von Streptococcus longus.

Kaninchen 13.

1. Am 28./I. 92 0·7 von Kaninchen 9, Cultur aus Eiter vom 27./I.

		Temperatur		Gewicht
	28./I.	39·1	39·4	1430
	29./I.	39·5	39·7	1470
2. 30./I. Röthe und weiche Schwellung	30./I.	39·3	39·6	1445
an der Injectionsstelle.	31./I.	40·2	—	1475

Bemerkungen	Datum	Temperatur		Gewicht
Allmählich Nachlassen der Röthe, Verbreitung der Schwellung. Diese wird härter.	1./II.	39·6	39·7	1390
	2./II.	39·2	39·7	1345
	3./II.	39·7	39·9	1335
	4./II.	39·5	39·7	1320
	5./II.	39·5	40·3	1300
	6./II.	39·6	39·9	1260
	7./II.	39·7	—	1210
	8./II.	39·7	39·9	1150
	9./II.	39·5	39·9	1160
10./II. Faustgrosser Knoten an Injectionsstelle.	10./II.	39·3	39·6	1180
	11./II.	39·4	39·6	1140
12./II. Ebenso bis zum recht. Hinterfuss, bis zur Schenkelbeuge harte Geschwulst zu fühlen. Fuss nicht mehr willkürlich beweglich.	12./II.	39·4	39·6	1150
	13./II.	39·4	39·6	1200
	14./II.	40·0	—	1200
	15./II.	40·2	40·4	1205
	16./II.	40·0	40·2	1210
	17./II.	40·6	40·9	1210
	18./II.	40·2	40·7	1200
	19./II.	40·4	40·6	1200
	20./II.	40·5	40·8	1250
	21./II.	39·6	—	1220
22./II. Geschwulst ist kleiner geworden, beginnt sich in einzelne Knoten zu trennen.	22./II.	39·6	39·6	1250
	23./II.	39·3	39·8	1240
	24./II.	40·8	40·9	1270
	25./II.	40·6	40·8	1270
	26./II.	40·7	40·9	1250
	27./II.	39·2	39·8	1240
	28./II.	39·7	—	1270
	29./II.	38·8	40·7	1130
	1./III.	39·2	40·3	1210
2./III. Die einzelnen Knoten sind viel kleiner geworden	2./III.	39·9	40·8	1170
	3./III.	40·2	40·5	1130
	4./III.	40·0	40·8	1070
† Abends 5./III. nach 37 Tagen.	5./III.	40·4	—	1040

3. Section: An Injectionsstelle nur mehr ein kleiner harter Knoten. In der Nähe des Kniees (rechter Hinterfuss) haselnussgrosses, stark eingekapseltes Atherom. Ebenso an der rechten Thoraxseite. Beide von ursprünglichem Knoten getrennt. Der ganze Rücken bis zur Mamillarlinie links bedeckt von flacher, ziemlich flüssiger Eiterung. Sonst alles normal.
4. Culturen aus Eiter aus allen Theilen, altem und jungem Eiter: Reinculturen von Streptococcus longus. Aus altem Eiter krümliges Wachsthum in Bouillon.

Aus Herzblut auf Agar gar nichts gewachsen. In Bouillon erst nach mehreren (ca. 4) Tagen Streptokokken.
Virulenz für Mäuse: Maus 309 bekommt 0·1 von Cultur aus Herzblut, stirbt nach 20 Stunden. Maus 310 bekommt 0·1 von Cultur aus Eiter, stirbt nach $1^1/_2$ Tagen.

Kaninchen 15.

1. Am 30./I. 92 0·6 von Kaninchen 11, Cultur aus Eiter vom 29./I. subcutan.

		Temperatur		Gewicht
	30./I.	39·1	40·0	1285
	31./I.	39·5	—	1240
	1./II.	39·5	39·7	1260
	2./II.	39·3	39·7	1280
	3./II.	39·7	39·9	1270
2. 4./II. Noch nichts rechtes zu fühlen.	4./II.	39·6	39·6	1290
Etwas weiche Infiltration.	5./II.	39·5	39·5	1300
	6./II.	39·5	39·7	1280
	7./II.	39·3	—	1270
	8./II.	39·2	39·6	1270
	9./II.	39·5	39·6	1300
10./II. Ein erbsengrosser harter Knoten	10./II.	39·3	39·6	1300
an Injectionsstelle zu fühlen.	11./II.	39·5	39·7	1270
	12./II.	39·7	39·9	1310
	13./II.	39·7	39·9	1230
	14./II.	39·7	—	1250
	15./II.	39·6	39·9	1260
	16./II.	39·6	36·8	1280
	17./II.	39·4	39·7	1300
	18./II.	39·6	39·6	1290
	19./II.	39·3	39·5	1320
	20./II.	39·3	39·4	1300
	21./II.	39·0	—	1330
		u. s. w.		bleibt constant.

Kaninchen 16.

1. Am 9. II 92 0·5 von Maus 217, Cultur 8./II. intraabdominell.

		Temperatur		Gewicht
	9./II.	39·0	41·0	1890
2. 10./II. An Injectionsstelle etwas	10./II.	39·8	39·8	1840
Röthung der Haut.	11./II.	40·0	40·8	1820
	12./II.	39·9	40·2	1870
	13./II.	39·9	40·5	1700

† Morgens 14./II. am 5. Tag.

3. Section: An Injectionsstelle unter der Haut in Bauchwand kleiner Fünfpfennigstück-grosser Eiterherd. Ist mit den anliegenden Därmen verklebt. Hochgradige eiterige Peritonitis. Starke fibrinöse Auflagerungen auf allen Organen.
4. Aus allen Organen Reinculturen von Streptococcus longus. Virulenz für Mäuse: Maus 233 bekommt 0·1 von Cultur aus Eiter, stirbt in 2½ Tagen. Maus 234 bekommt 0·1 von Cultur aus Herzblut, stirbt in 1½ Tagen.

Kaninchen 17.

1. Am 9./II. 92 am Ohr geimpft mit Maus 217, Cultur 8./II.

		Temperatur		Gewicht
2. 10./II. Röthe und Schwellung der Scarif.-Stelle.	9./II.	38·9	38·9	1560
	10./II.	39·3	39·6	1540
11./II. Ueber ganzes Ohr Erysipel. Starke Schwellung: Ohr hängt herab.	11./II.	39·7	39·8	1500
12./II. Ohr dick infiltrirt.	12./II	39·7	39·9	1530
	13./II	39·8	40·9	1560
	14./II.	39·9	—	1580
	15./II.	40·2	40·3	1520
	16./II.	40·0	40·1	1480
17./II. Erysipel abgelaufen. Schuppung. Schwellung noch da, geht	17./II	39·6	39·8	1420
nicht mehr zurück.	18./II.	39·1	39·6	1420
	19./II	39·0	—	1460
Später bekommt Thier Schnupfen und		u. s. w.		1480

stirbt am 19./III. an vorgeschrittener Stallkrankheit.

Kaninchen 19.

1. Am 11./II. 1 ccm von B.-Cultur (ohne Traubenzucker), die vom 30./I. bis 11./II. im Brütschrank bei 37° gestanden, subcutan.

		Temperatur		Gewicht
2. An Injectionsstelle nichts rechtes zu fühlen.	11./II.	38·8	39·2	1580
	12./II.	39·3	39·2	1570
	13./II.	39·1	39·4	1520
	14./II.	39·0	—	1500
	15./II.	39·0	39·2	1420
	16./II.	39·0	39·2	1310

† Morgens 17./II am 6. Tag.

3. Section: Unter der Haut an Injectionsstelle etwa Handtellergrosse, flache, nicht scharf abgegrenzte Eiterung.
4. Culturen: Aus Eiter Reincultur von Streptococcus longus. Aus Herzblut nichts gewachsen. Maus 257 bekommt 0·1 von Cultur aus Eiter, stirbt in 26 Stunden.

Kaninchen 20.

1. Am 12./II. 92 0·6 von Kaninchen 11, Cultur aus Eiter vom 11./II. subcutan.

2. 13./II. Schwellung und Röthe an der Injectionsstelle.

   16./II. Bereits Knotenbildung.

   19./II. Mindestens 5 cm lange, zweifingerdicke harte Geschwulst.

   26./II. Eiterherd wird immer kleiner.

   3./III. Locale Reaction fast ganz verschwunden.

   4./III. An der Injectionsstelle Schuppung und Haarverlust.

   10./III. Schnupfen.

   11./III. Letzter Rest von Eiterknoten geöffnet und zu Culturen verarbeitet.

4. Es wächst in Bouillon spärlicher, feinster, sandiger Bodensatz. Mikroskopisch Kokkenknäuel, die sich schlecht färben. Für Mäuse unvirulent.

	Temperatur		Gewicht
12./II.	39·5	39·8	2000
13./II.	40·3	40·6	1980
14./II.	40·2	—	1970
15./II.	40·3	40·5	1950
16./II.	40·5	41·2	2010
17./II.	40·4	39·8	1970
18./II.	39·6	40·0	2010
19./II.	39·8	40·2	2010
20./II.	39·5	39·5	2000
21./II.	39·2	—	1950
22./II.	39·8	39·9	1950
23./II.	39·6	39·8	2050
24./II.	39·5	39·8	1950
25./II.	39·6	39·9	1960
26./II.	39·7	39·8	1930
27./II.	39·6	39·4	1940

u. s. w. noch 1 Monat 1970
höhere Temperatur u. s. w.
Mittel 39·5.

Kaninchen 21.

1. Am 12./II. 92 0·6 von Kaninchen 11, Cultur aus Herzblut vom 11./II. subcutan.

2. 16./II. Etwas weiche Infiltration an Injectionsstelle zu fühlen.

   19./II. Starke ziemlich weiche Geschwulst.

	Temperatur		Gewicht
12./II.	39·2	39·4	2640
13./II.	38·6	39·7	2530
14./II.	39·4	—	2550
15./II.	39·4	39·7	2550
16./II.	40·4	40·8	2550
17./II.	40·5	40·6	2500
18./II.	40·3	40·7	2400
19./II.	40·4	40·6	2360
20./II.	40·2	40·6	2280
21./II.	39·7	—	2210

		Temperatur		Gewicht
22./II. Starke Knotenbildung.	22./II.	39·8	39·9	2140
	23./II.	39·8	39·9	2050
	24./II.	40·4	40·8	1970
	25./II.	40·6	40·8	1940
	26./II.	40·4	40·7	1910
† Morgens 28./II. am 14. Tag.	27./II.	40·2	41·4	1840

3. Section: An Injectionsstelle unter der Haut Kindsfaust-grosser Abscess mit flüssigem Eiter. An der ganzen rechten Seite, am Rücken, bis zur Mamillarlinie der linken Seite flache Eiterung im Unterhautbindegewebe.
4. Culturen aus Eiter reichlich Streptococcus longus, aus Herzblut nur einzelne Colonieen.
   Auf 0·1 der Culturen aus Herzblut und Eiter sterben die Mäuse (287 und 288) in $1^{1}/_{2}$ Tagen.

Kaninchen 22.

1. Am 16./II. 92 0·6 von Kaninchen 16, Cultur aus Eiter vom 15./II. subcutan.

		Temperatur		Gewicht
	16./II.	39·1	39·4	2120
2. 17./II. Etwas Infiltration an Injec-	17./II.	39·8	39·9	1990
tionsstelle.	18./II.	40·0	40·2	2010
	19./II.	39·6	39·9	2040
	20./II.	40·2	40·4	1960
	21./II.	39·8	—	1930
	22./II.	39·9	39·9	1910
23./II. Sehr starke Schwellung, noch	23./II.	40·2	40·6	1930
nicht recht abzugrenzen.	24./II.	40·5	40·6	1880
25./II. Sehr starke Eiterung auf der	25./II.	40·4	40·6	1790
ganzen rechten Seite bis zum rechten	26./II.	40·4	40·8	1710
Knie.	27./II.	40·1	40·8	1690
	28./II.	40·1	—	1710
	29./II.	40·4	39·5	1670
	1./III.	39·7	40·5	1770
	2./III.	39·7	39·9	1740
	3./III.	39·7	40·2	1680
4. III. Mehrere Knoten. Besonders	4./III.	39·6	39·8	1750
in der rechten Schenkelbeuge faust-	5./III.	39·4	39·9	1760
grosser Knoten.	6./III.	39·5	—	1770
	7./III.	39·6	39·8	1770
	8./III.	39·5	39·7	1750
	9./III.	40·2	40·2	1690
	10./III.	40·5	40·8	1680

11./III. Knoten beginnen zu schrumpfen.

15./III. Knoten am Bein nur mehr wallnussgross.

26./III. Ein Knoten wurde geöffnet.

28./III. Bleibt offen. Eiter wird dünnflüssig.

28./III. Neuer harter Knoten am Rücken entdeckt.

† am 1./IV. an Stallkrankheit.

	Temperatur		Gewicht
11./III.	39·7	39·8	1740
12./III.	39·5	40·0	1730
13./III.	39·6	—	1760
14./III.	39·4	40·1	1760
15./III.	39·3	40·3	1790
16./III.	39·7	39·8	1750
17./III.	39·4	39·7	1780
18./III.	39·6	39·5	1810
19./III.	39·4	39·4	1780
20./III.	39·2	—	1800
normal, vom 26./III. Stallkrankheit mit leichter Temperaturerhöhung			1850

3. Section: An Injectionsstelle nur mehr Narbengewebe. In der rechten Schenkelbeuge mehrere nicht mehr zusammenhängende haselnussgrosse Atheromknoten. Am Rücken ein isolirter wallnussgrosser Atheromknoten. Sonst Stallkrankheit.
4. Während des Lebens und nach dem Tode in den Atheromen nichts gefunden. In den Organen Stallkrankheit.

Kaninchen 24.

1. Am 19./II. 92 0·9 von Kaninchen 19, Cultur aus Eiter vom 18./II.

2. 24./II. Starke Localreaction.

26./II. Schnupfen.

3./III. Localreaction wird hart.

7./III. Drei harte haselnussgr. Knoten.

26./III. Einer d. Knoten wird geöffnet.

28./III. Starke Schwellung von neuem an Injectionsstelle.

20./IV. Sehr starke harte Knoten.

† Morgens 9./VI. an Stallkrankheit.

	Temperatur		Gewicht
19./II.	—	39·4	2430
20./II.	39·4	39·5	2330
21./II.	39·4	—	2400
22./II.	41·2	41·5	2340
23./II.	40·1	40·8	2300
24./II.	39·5	39·8	2200
25./II.	39·6	39·8	2190
26./II.	39·6	39·8	2180
27./II.	39·6	39·9	2100
28./II.	39·5	—	2030
29./II.	—	—	2000
u. s. w. Fieber zwischen 39·5 und 40·0. Gewicht geht langsam in die Höhe.			2030

3. Section: Unter der Haut dicker harter Strang, ca. 6 cm lang und daumensdick. Besteht in der oberen Hälfte aus einer, in der unteren aus zwei gespaltenen Massen. Viele Einschnürungen darin. Sonst vorgeschrittene Stallkrankheit.

4. Culturen: Bei Lebzeiten aus Eiter Streptococcus longus. Siehe Maus 349 und Kaninchen 47. Nach dem Tode nichts mehr zu finden in Atherom. In den Organen Stallkrankheit.

Kaninchen 26.

1. Am 25./II. am Ohr geimpft mit Maus 262, Cultur 24./II.

		Temperatur		Gewicht
	25./II.	39·2	39·2	1500
2. 26./II. Infectionsstelle roth und geschwollen.	26./II.	39·6	39·9	1530
	27./II.	39·9	40·6	1480
28./II. Nach innerem Ohrrand hin etwas fortschreitende Röthe.	28./II.	39·8	—	1460
29./II. Process geht zurück.	29./II.	39·5	39·8	1480
	1./III.	39·2	39·4	1520
2./III. Fast nichts mehr, etwas Eiterung an Infectionsstelle.	2./III.	39·2	39·4	1510
	3./III.	39·2	—	—
		u. s. w.		

Kaninchen 27.

1. Am 1./III. 0·6 von Kaninchen 21, Cultur aus Eiter vom 29./II.

		Temperatur		Gewicht
	1./III.	39·6	39·8	1770
	2./III.	39·4	39·6	1730
2. 3./III. Mässige weiche Infiltration.	3./III.	40·2	40·2	1770
4./III. Schnupfen.	4./III.	39·8	39·9	1720
	5./III.	40·3	40·5	1730
	6./III.	40·5	—	1800
7./III. Harter Knoten, etwa wallnussgross, an Injectionsstelle	7./III.	40·0	40·0	1660
8./III. Knoten faustgross, Schnupfen sehr stark.	8./III.	40·3	40·7	1650
	9./III.	40·1	40·4	1620
	10./III.	39·8	39·8	1610
15./III. Viele harte Knoten an Injectionsstelle u. in recht. Schenkelbeuge.	11./III.	39·3	39·6	1600
	12./III.	39·4	40·5	1640
25./III. Knoten fast vollständig geschwunden.	13./III	40·2	—	1630
	14./III.	39·5	39·7	u.s.w.
	u. s. w. zwischen 39·5 und 40·0 bis 15./IV., dann normal.			bis 2./IV. dann normal.

Kaninchen 28.

1. Am 1./III. 92 0·6 von Kaninchen 21, Cultur aus Herzblut v. 29./II.

	Temperatur		Gewicht
1./III.	—	39·4	2120
2./III.	39·7	39·9	2050

		Temperatur		Gewicht
2. 3./III. Einzelne, sehr oberflächliche Knoten.	3./III.	39·4	39·6	2050
4./III. Schnupfen.	4./III.	39·2	39·5	2000
	5./III.	39·8	39·9	1950
	6./III.	39·7	—	1970
7./III. Geschwulst gross und weich.	7./III.	41·0	40·4	1990
	8./III.	40·2	40·7	1920
	9./III.	40·3	40·6	1860
†. Morgens 11./III. am 10. Tag.	10./III.	40·2	40·4	1770

3. Section: An Injectionsstelle subcutan, ziemlich flache, handtellergrosse Eiterung. Keine Abkapselung. Vorgeschrittenes Stadium der Stallkrankheit.
4. Culturen: Ueberall Stallkrankheit, nirgends Streptokokken.

Kaninchen 34.

1. Am 9./III. 92 am Ohr geimpft mit Maus 305, Cultur 8./III.

		Temperatur		Gewicht
	9./III	—	39·3	910
2. 10./III. Beginn eines Erysipels.	10./III.	39·4	39·5	880
11./III. Starkes Erysipel.	11./III.	39·8	40·2	810
	12./III.	39·6	40·5	850
13./III. Erysipel beginnt abzublassen.	13./III.	39·4	—	840
	14./III.	39·3	39·7	790
	15./III.	39·6	39·4	820
	16./III.	39·2	39·4	790
	17./III.	39·2	—	800
18./III. Alles vorüber. Keine Schuppung.		u. s. w.		830 u. s. w.

Kaninchen 35.

1. Am 10./III. 92 0·7 von Kaninchen 13, Cultur aus Eiter vom 9./III.

		Temperatur		Gewicht
	10./III.	39·4	39·6	1320
2. 11./III. An Injectionsstelle etwa haselnussgrosser Knoten.	11./III.	39·4	39·6	1220
	12./III.	39·2	39·3	1220
	13./III.	39·4	—	1180
14./III. Starker Schnupfen.	14./III.	40·0	39·8	1130
	15./III.	39·2	39·9	1050
	16./III.	39·6	39·8	1050
† 9 Uhr 18./III. am 8. Tag.	17./III.	39·4	39·9	1000
				940

3. Section: An Injectionsstelle etwa handtellergrosse flache Eiterung, mit dicker Bindegewebskapsel umgeben.

Lungen indurirt, eitrige Bronchitis (Anfangsstadium der Stallkrankheit).

4. Culturen aus Eiter: ziemlich viel Streptococc. long., aus Herzblut nur einzelne Colonieen. Aus Lunge Stallkrankheit.
Virulenz für Mäuse: Maus 324 bekommt 0·1 von Cultur aus Herzblut, stirbt nach 3 Tagen. Maus 325 bekommt 0·1 von Cultur aus Eiter, stirbt nach 22 Stunden

Kaninchen 36.

1. Am 10./III. 0·5 von Kaninchen 13, Cultur aus Herzblut vom 9./III. Temperatur und Gewicht: Da das Kaninchen schon bei Einspritzung krank war, nicht von Bedeutung.
2. 11./III. Ganz weiche Localreaction.
12./III. Mindestens faustgrosse Geschwulst (weich) am Bauch.
22./III. An der Geschwulst am Bauch sind an zwei thalergrossen Stellen die Haare ausgefallen und die Haut geröthet. An einer Stelle ist die Geschwulst aufgebrochen und entleert dünnflüssigen Eiter. Enthält nur Stallkrankheit.
29./III. Eiter wird dick und Geschwulst geht zurück.

Kaninchen 37.

1. Am 11./III. am Ohr geimpft mit Kaninchen 13, Cultur aus Eiter 10./III.

2. Am Ohr bleibt die Infectionsstelle völlig reactionslos.

	Temperatur		Gewicht
11./III.	39·5	39·7	910
12./III.	39·4	39·7	880
13./III.	39·5	—	880
	u. s. w.		870
			880
			930
			930
			940
			u. s. w.

Kaninchen 39.

1. Am 20./III. 0·6 von Kaninchen 35, Cultur aus Eiter vom 19./III.

2. 22./III. Ganz leichte Infiltration.
25./III. Nichts zu fühlen. Starker Schnupfen.
† 2 Uhr am 29./III.

	Temperatur		Gewicht
20./III.	39·0	—	1970
21./III.	39·2	39·8	1970
22./III.	39·6	39·8	1800
23./III.	39·4	39·8	1780
u. s. w.	(Schnupfen)		1780
			1820
			u. s. w.

3. Section: An Injectionsstelle unter der Haut bohnengrosser harter Knoten. Sonst vorgeschrittene Stallkrankheit.

4. Culturen aus Eiter (Injectionsstelle) geben Streptococcus longus In den Organen Stallkrankheit.
Virulenz für Mäuse: Maus 367 bekommt 0·1 aus Cultur Eiter, stirbt nach 2½ Tagen.

Kaninchen 40.

1. Am 21./III. 0·6 von Kaninchen 35, Cultur aus Herzblut vom 20./III.

	Datum	Temperatur		Gewicht
	21./III.	39·1	39·8	1820
2. 22./III. Röthung an Injectionsstelle und weiche Infiltration.	22./III.	39·6	39·9	1860
26./III. Ziemlich starke weiche Schwellung gegen den Bauch zu. Injectionsstelle stark geröthet, scheint aufbrechen zu wollen.	23./III.	39·4	39·8	1860
	24./III.	39·6	39·6	1800
	25./III.	39·3	39·7	1890
	u. s. w. zwischen 39·3 und 39·8 bis 23./IV.			1920 u. s. w.
28./III. Localreaction hart und viel kleiner. Ein erbsengrosser Knoten liegt dicht unter der Haut.				

31./III. Der an der Haut liegende Knoten an einer kleinen Stelle, etwa wie Furunkel, aufgebrochen.
Jetzt verschwindet die Localreaction rasch.

Kaninchen 41.

1. Am 20./III. am Ohr geimpft mit Kaninchen 35. Cultur aus Eiter vom 19./III.
Temperatur und Gewicht: Hatte Schnupfen schon bei Infection, daher nicht von Bedeutung.

2. 21./III. Infectionsstelle roth und geschwellt.
22./III. Leichte erysipelatöse Röthe über halbes Ohr Keine Schwellung.
24./III. Hat sich über ganzes Ohr ausgebreitet, immer noch keine Schwellung.
28./III. Am Ohr Schuppung. Die Röthe ist über das betreffende Schulterblatt weiter gewandert.
31./III. Erysipel ist zu Ende.
† Am 6./IV. an Stallkrankheit.

4. Culturen aus Ohr geben Streptococcus longus, sonst Stallkrankheit.

Kaninchen 42.

1. Am 21./III. am Ohr geimpft mit Kaninchen 35, Cultur aus Herzblut vom 20./III.

		Temperatur		Gewicht
	21./III.	39·1	39·6	1840
2. 22./III. Röthe und Schwellung an der Infectionsstelle.	22./III.	39·7	39·9	1850
	23./III.	39·6	39·2	1840
	23./III.	39·4	39·2	1790
25./III. Geht zurück.	25./III.	39·0	39·4	1820
	26./III.	39·2	39·5	1820
27./III. Sehr starker Schnupfen.	27./III.	39·5	—	1830
30./III. Am Ohr nichts mehr.		u. s. w.		u. s. w.
† 15./IV. an Stallkrankheit.	starker Schnupfen.			

Kaninchen 44.

1. Am 29./III. am Ohr geimpft mit Maus 342, Cultur 28./III. Temperatur: Wegen Stallkrankheit nicht von Bedeutung.

		Gewicht
2. Hatte seit längerer Zeit bereits Schnupfen.	29./III.	2250
30./III. Etwas Röthung an Injectionsstelle, keine Schwellung.	30./III.	2200
31./III. Röthe etwas fortgeschritten.	31./III.	2280
1./IV. Röthe weicht bereits wieder zurück (war Zehnpfennig-Stück gross.)		
4./IV. Nichts mehr.		

Kaninchen 45.

1. Am 29./III. 0·1 von Maus 342, Cultur 28./III. subcutan.

		Temperatur		Gewicht
	29./III.	—	39·0	780
	30./III.	39·0	39·6	770
	31./III.	39·0	39·5	730
2. 1./IV. Unbedeutende, weiche Localreaction.	1./IV.	39·2	39·4	710
	2./IV.	39·0	39·2	710
22./IV. Einige erbsengrosse Knoten.	3./IV.	39·0	—	—
		u. s. w.		

Kaninchen 46.

1. Am 29./III. 0·6 von Maus 342, Cultur 28./III. subcutan.

		Temperatur		Gewicht
	28./III.	39·4	39·6	1300
	29./III.	39·3	38·3	1310
2. 30./III. Leichte Infiltration an der Injectionsstelle.	30./III.	39·0	39·8	1270
31./III. Nichts mehr.	31./III.	39·0	39·4	1270

		Temperatur		Gewicht
	1./IV.	39·3	39·7	1290
	2./IV.	39·3	39·6	1320
	3./IV.	38·5	—	—
	4./IV.	38·9	39·3	—
	5./IV.	39·0	—	—

22./IV. Ein etwa erbsengrosser Knoten.

Kaninchen 47.

1. Am 29./III. 0·8 von Kaninchen 24, Cultur aus Eiter (bei Lebzeiten entnommen) vom 28./III.

		Temperatur		Gewicht
	28./III.	—	39·8	—
	29./III.	39·3	39·2	920
2. 30./III. Ziemlich starke, mässig harte Localreaction.	30./III.	38·8	39·4	850
	31./III.	40·0	40·7	840
	1./IV.	39·2	39·7	850
2./IV. Geschwulst wird hart.	2./IV.	39·6	39·6	830
	3./IV.	39·3	—	860
	4./IV.	39·2	39·3	860
	5./IV.	39·2	39·5	820
† Abends 7./IV. an Stallkrankheit.	6./IV.	39·4	—	790

3. Section: Zwei getrennte Knoten unter der Haut; an der Injectionsstelle und am Bauch. In Lunge mässiger Grad von Stallkrankheit.
4. Culturen aus Eiter geben Streptococcus longus, aus Herzblut nichts. Aus Lunge Stallkrankheit.

Kaninchen 48.

1. Am 31./III. 0·7 von Kaninchen 39, Cultur aus Eiter vom 30./III.

		Temperatur		Gewicht
	31./III.	39·0	39·2	1290
2. 1./IV. Nichts zu fühlen.	1./IV.	39·0	39·4	1290
	2./IV.	39·2	39·4	1270
3./IV. Etwa haselnussgrosser harter Knoten.	3./IV.	39·2	—	1220
4./IV. Schnupfen.	4./IV.	39·4	39·8	1260
5./IV. An der Injectionsstelle nichts mehr zu fühlen.	5./IV.	39·0	39·3	1220

u. s. w. Schnupfen.

Kaninchen 49.

1. Am 5./IV. 0·6 von Maus 372, Cultur vom 4./IV.

	Temperatur		Gewicht
5./IV.	39·2	39·4	1430

	Temperatur	Gewicht
2. 6./IV. Leichte weiche Infiltration an Injectionsstelle. 22./IV. Viele kleine harte Knoten an rechter Seite.	Nicht mehr gemessen	1470

Kaninchen 53.

1. Am 24./IV. 0·8 von Kaninchen 47, Cultur 23./IV. aus Gelatinecultur subcutan.

		Temperatur		Gewicht
	24./IV.	39·2	—	1470
2. 25./IV. Ziemlich starke, weiche Localreaction.	25./IV.	39·3	39·6	1380
	26./IV.	39·3	39·6	1430
27./IV. Nichts mehr, keine Knoten.	27./IV.	39·5	39·6	1430
	28./IV.	39·4	39·5	1480
	29./IV.	39·3	39·3	1470
	30./IV.	39·0	39·1	1410
	1./V.	38·9	—	1450
	2./V.	38·7	38·7	1390
	3./V.	38·8	39·0	1440
	4./V.	39·0	—	1470
				1470
				1480
				1520

Kaninchen 54.

1. Am 24./IV. 0·5 von Kaninchen 35' Cultur 23./IV. aus Gelatinecultur intraperitoneal.

		Temperatur		Gewicht
	24./IV.	39·1	—	2070
	25./IV.	39·4	39·9	2050
	26./IV.	39·6	39·7	2060
2. 27./IV. Schnupfen (wenig).	27./IV.	39·5	39·6	2040
	28./IV.	39·4	39·6	1990
	29./IV.	40·4	40·4	1950
	30./IV.	40·7	40·1	1940
	1./V.	40·0	—	1965
	2./V.	39·3	39·6	1975
	3./V.	39·0	40·1	2015
	4./V.	39·4	39·7	2005
	5./V.	39·5	39·2	2010
	6./V.	38·9	40·5	2000
	7./V.	39·6	39·9	2005
	8./V.	39·4	—	1970
	9./V.	39·2	39·3	2030
	10./V.	39·2	39·2	2100
25./V. Ein kleines hartes Knötchen an Injectionsstelle unter der Haut.	11./V.	39·0	—	—
		u. s. w.		

Kaninchen 55.

1. Am 25./IV. 0·9 von Kaninchen 4, Cultur 24./IV. aus Gelatinecultur subcutan.

2. Starke weiche Localreaction.

Nach einiger Zeit unbedeutender Knoten.

	Temperatur		Gewicht
25./IV.	39·1	39·4	1510
26./IV.	39·2	39·5	1470
27./IV.	39·3	39·6	1510
28./IV.	39·3	39·4	1550
	u. s. w.		

Kaninchen 56.

1. Am 25./IV. 0·9 von Kaninchen 4, Cultur 24./IV. aus Gelatinecultur subcutan.

2. 26./IV. Starke weiche Infiltration und Röthung der Injectionsstelle.

6./V. Infiltration wird hart. Starker Schnupfen.

	Temperatur		Gewicht
25./IV.	39·3	39·5	2200
26./IV.	39·0	39·5	1970
27./IV.	39·4	39·4	2030
28./IV.	39·2	39·5	2110
29./IV.	40·1	39·8	2070
30./IV.	39·5	39·6	2055
1./V.	39·4	—	2070
2./V.	39·2	39·2	1990
3./V.	39·1	39·0	2050
	u. s. w.	11./V.	2130

Kaninchen 57.

1. Am 26./IV. 0·8 von Maus 379, Cultur vom 25./IV.

2. 27./IV. Ziemlich unbedeutende Localreaction. Keine Knoten. Aber vom 4./V. an Schnupfen.

	Temperatur		Gewicht
26./IV.	38·7	39·2	1590
27./IV.	39·0	39·2	1590
28./IV.	38·4	39·2	1630
29./IV.	39·1	—	1610
	u. s. w.		

Kaninchen 58.

1. Am 26./IV. 0·8 von Maus 379, Cultur vom 25./IV. Temperatur: Normal.

2. 27./IV. Unbedeutende Localreaction. Keine Knoten.

	Gewicht
26./IV.	1310
27./IV.	1260
28./IV.	1270
29./IV.	1310
30./IV.	1350

Kaninchen 60.

1. Am 3./V. 0·5 von Kaninchen 4, Cultur vom 2./V. aus Gelatine, intraperitoneal.

2. Munter.

Am 6./V. etwas Schnupfen.

	Temperatur		Gewicht
3./V.	39·0	40·0	1690
4./V.	39·4	39·7	1690
5./V.	39·3	39·5	1700
6./V.	40·4	40·6	1745
7./V.	39·6	40·0	1775
8./V.	39·9	—	1830
9./V.	39·6	39·7	u.s.w.
10./V.	39·1	40·1	
11./V.	39·2	—	
	u. s. w.		

Kaninchen 62.

1. Am 3./V. 0·5 von Cultur aus ersten Mäusen vom 2./V. aus Gelatine, subcutan.
2. Anfangs starke weiche Localreaction. Nach ein paar Tagen gar nichts mehr.

	Temperatur		Gewicht
3./V.	38·9	40·2	1895
4./V.	38·9	39·1	1830
5./V.	39·4	39·5	1955
6./V.	39·2	39·2	1910
7./V.	38·7	39·3	1885
8./V.	39·0	—	1900
9./V.	39·0	—	1915
	u. s. w.		

Kaninchen 64.

1. Am 4./V. am Ohr geimpft mit obigem (Kaninchen 62).
2. Keine Störung im Allgemeinbefinden. Kein Erysipel.

Kaninchen 66.

1. Am 6./V. 0·5 von Maus 399, Cultur vom 5./V. subcutan.
2. Anfangs starke weiche Localreaction. Nach einigen Tagen nichts mehr.

	Temperatur		Gewicht
6./V.	39·0	40·0	1820
7./V.	39·5	39·7	1810
8./V.	40·3	—	1825
9./V.	39·5	40·3	1755
10./V.	39·6	40·2	1830
11./V.	39·5	40·0	1780
12./V.	40·2	39·5	1825
13./V.	40·0	40·0	1710
14./V.	39·8	40·5	1710
15./V.	39·6	—	1735
16./V.	39·4	39·5	1750
17./V.	39·3	39·5	1795
18./V.	39·1	—	1800
			1855

Wie oben bereits erwähnt und wie auf Tabelle A zu sehen, nahm während dieser Versuche die Virulenz der Streptokokken *für Mäuse* nicht nachweisbar ab. Auch längeres Verweilen im Kaninchen-Eiter hatte keinen grossen Einfluss, die unklaren Fälle ausgenommen, in denen völlig unvirulente Kokken, in Haufen wachsend, gefunden wurden.

Auch das Wachsthum in Bouillon blieb immer gleich, oder kehrte wenigstens (wie bei Kaninchen 24) rasch wieder zur Norm zurück.

Dagegen war der Streptococcus M. nach und nach für *Kaninchen* völlig unvirulent geworden und so für die Behandlung verloren gegangen.

Da war mir unterdessen ein glücklicher Zufall zu Hülfe gekommen.

Abtheilung II. Streptococcus K.

Ich hatte aus Kaninchen 5 einen Streptococcus züchten können, der für Kaninchen höchst virulent war und auch blieb.

Das Kaninchen war zum Zweck der Immunisirung mit Culturen des Streptococcus M., denen JCl_3 zugesetzt war, behandelt worden. (Siehe Tabelle IV.) Es hatte schon ziemlich grosse Dosen der Culturen mit 0·2 Procent JCl_3 vertragen.

Plötzlich nach rasch wiederholter Injection grösserer Mengen Cultur, der 0·1 Procent JCl_3 zugesetzt war, starb es.

Bei der Section wurde ein ziemlich vorgeschrittener Grad von Stallkrankheit constatirt. Ob diese die Todesursache, oder nur accidentell war, lässt sich wohl nicht entscheiden. Doch konnten aus dem Herzblut neben den Bacillen der Stallkrankheit Streptococci longi gezüchtet werden.

Dass dieselben mit den ursprünglich eingespritzten

Streptocci M. identisch waren, schliesse ich aus folgenden Gründen:

1. Ein Zusatz von 0·1 Proc. JCl_3 zu einer Bouilloncultur vermag nicht alle Keime abzutödten, wie der Fall des Kaninchen 143 (Tabelle IV) zeigt. Es war also die Möglichkeit einer Infection mit lebenden Streptokokken durch die Injection der Cultur gegeben.

2. Eine spontane Infection eines Kaninchens in den Ställen mit Streptokokken wurde nie beobachtet, obwohl viele Kaninchen mit offenen Wunden, z. B. Bissen, mit streptokokkenkranken Thieren zusammensassen. Auch wurden alle an Stallkrankheit gestorbenen Thiere secirt und genau untersucht und nie ein Anhaltspunkt zu einer Autoinfection mit Streptokokken gefunden. In dem gegebenen Fall dagegen sass das Kaninchen allein in einem gesonderten Stall.

3. Zeigte der aus Kaninchen 5 gezüchtete Streptococcus eine Virulenz, wie sie wohl überhaupt noch nicht beobachtet wurde, jedenfalls nicht während der Zeit meiner Untersuchungen im Institut. Man müsste also für einen spontan hinzugekommenen Streptococcus auch eine Virulenzsteigerung annehmen.

4. Gelang es, den neuen Streptococcus wieder in einen dem früheren Streptococcus M. ähnlichen, umzuwandeln.

5. Endlich zeigte der Streptococcus M. immunisirende Eigenschaften gegen den neuen Streptococcus K., ein Factor, der die Frage nach der Identität der beiden mit grösster Wahrscheinlichkeit in positivem Sinne entscheidet.

Tabelle Nr. IV.

a) Kaninchen 5.

Datum	Art der Behandlung	Temperatur			Gewicht
6./XI. 91	20 ccm Bouilloncultur (2 Proc. Pept.) vom 26./X. bis 6./XI. im Brütschrank. 6./XI. 0·3 Proc. JCl_3: intraperitoneal	9./XI.	38·5		1610
		10./XI.	38·2	39·3	1585
		11./XI.	39·0	39·4	1550
		12./XI.	38·9	39·5	1521
		13./XI.	39·0	38·8	1545
		14./XI.	38·7	39·2	1583
		15./XI.	39·7	—	1668
		16./XI.	38·9	39·3	1622
		17./XI.	39·6	38·5	1598
		18./XI.	39·1	39·7	1570
		19./XI.	39·5	39·7	1663
		20./XI.	39·2	39.6	1685
		21./XI.	39·1	—	1772
		etc. normal			etc.
8./XII. 91	5 ccm Bouilloncultur (2 Proc. Pept.) ca. 8 Tage im Brütschrank, dann 0·2 Proc. JCl_3 etwa 3 Tage lang eingewirkt, subcutan	8./XII.	39·0	39·1	1710
		9./XII.	39·0	39·2	1880
10./XII. 91	10 ccm idem	10./XII.	39·1	39·3	1910
		11./XII.	38·6	39·5	1910
		12./XII.	38·9	39·3	1880
		13./XII.	38·9	—	1950
14./XII. 91	10 ccm idem	14./XII.	—	—	1900
		15./XII.	—	—	1910
16./XII. 91	5 ccm Bouilloncultur (2 Proc. Pept.) ca. 5 Tage im Brütschrank, dann 0·1 Proc. JCl_3 etwa 3 Tage lang eingewirkt, subcutan	16./XII.	—	—	1990
		17./XII.	—	39·7	2002
		18./XII.	39·2	39·7	1980
		19./XII.	38·9	39·4	1980
		20./XII.	39·5	—	1950
21./XII. 91	20 ccm Blut aus Carotis. Hatte keine immunisirende Wirkung. Ob Blut allein infectiös, nicht untersucht	21./XII.	39·2	39·6	1910
		22./XII.	39·2	—	
		23./XII.	—	39·7	
		24./XII.	39·7	39·8	
		26./XII.	40·8	—	1910
		27./XII.	40·1	—	1820
		28./XII.	39·9	41·0	1750
		29./XII.	41·6	41·5	1730
		30./XII.	41·4	41·6	1700
		31./XII.	41·5	41·4	1660
		1./I.	41·5	—	1680
	† Morgens 2./I. 92.				

Section: starke Eiterung (ziemlich dünnflüssig) im Unterhautbindegewebe der Brust, offenbar von Hautwunde ausgehend.

Eiterige Pleuritis. Heftige Stallkrankheit.

Aus Eiter nur Stallkrankheit.

Aus Herzblut neben Stallkrankheit Streptococcus longus.

b) Kaninchen 143.

Datum	Art der Behandlung	Temperatur	Gewicht
15./VII.	2 ccm von Kan. 108. Cultur v. 11./VII. bis 13./VII. im Brütschrank. 13./VII. 0·2 Proc. JCl_3		
30./VII.	2 ccm von Kan. 108. Cultur 28./VII. bis 29./VII. im Brütschrank. 29./VII. 0·5 Proc. JCl_3		
31./VII.	starke Diarrhoe		
10./VIII.	2 ccm von Kan. 108. Cultur 8./VIII. bis 9./VIII. im Brütschrank. 9./VIII. 0·1 Proc. JCl_3		
	† am 5./IX.		
	Section: Aus Herzblut Streptokokken.		

Eine Erklärung zu versuchen für diese merkwürdige Virulenzsteigerung, halte ich hier für fruchtlos. Immerhin möchte ich darauf hinweisen, dass *Kurth*[1]) in seiner letzten Arbeit und *Roger*[2]) ähnliche Virulenzveränderungen schon beobachtet haben, allerdings bei Züchtung auf künstlichem Nährboden.

Doch wie dem auch sei, jedenfalls gab dieser Streptococcus eine erwünschte Gelegenheit, auf Grund der gemachten Erfahrungen die Variabilität der Streptokokken zu prüfen.

Es war dies deshalb mit Aussicht auf günstige Resultate möglich, weil er *im Gegensatz zum Streptococcus der ersten Abtheilung constant erhalten werden konnte.* Es blieb das Wachsthum, die Virulenz und besonders das ausserordentlich charakteristische Krankheitsbild bei Züchtung durch mehr als 20 Kaninchen gleich, und befestigte sich immer mehr gegen andere Einflüsse, die wir später kennen lernen werden.

Ich nenne deshalb diesen Streptococcus K. und gebe die Beschreibung seines Verhaltens für alle Thiere, die mit ihm inficirt wurden, gemeinsam. (Siehe Tabelle Nr. V.)

1) Arbeiten aus dem Kaiserl. Gesundheitsamt. 1892.

2) Sem. medicale. 1892. Nr. 39.

Tabelle Nr. V.

Mit Streptococcus K. inficirte Thiere.

Nummer des Kaninchens	Datum der Infection	Herkunft des Infectionsstoffes	Art der Infection. Menge des Inf.-Stoffes in ccm	Localreaction und Krankheitsverlauf	Ausgang	Sectionsbefund
5	6./XI. 91	s. Tab. IV.	s. Tab. IV.	s. Tab. IV.	† am 2./I. 92 an Stallkrankheit	s. Tab. IV.
12	19./I. 92	Kan. 5	am Ohr geimpft	starkes Erysipel. Mässiges Fieber	† am 27./I. am 8. Tag	nichts besonderes
14	30./I.	Kan. 12	0·6 subcutan	keine Reaction, mässiges Fieber	lebt	
38	11./III.	„	1·0 in Ohrvene	heftigstes Erysipel bis über Brust und Nacken	† am 21./III. am 10. Tag	Därme aufgetrieben, Milz gross u. livid.
43	26./III.	„	0·5 intrap.	starkes Fieber	† am 28./III. nach 48 Std.	Peritoneum bedeckt mit klebrigem röthlichem Saft. Keine freie Flüssigkeit. Milz gross u. livid.
51	23./IV.	Kan. 43 24 täg. B. Cult. (1 Tag im Brütschrank)	1·5 „	keine Temperaturerhöhung	† am 25./IV. nach ca. 40 St.	typisch. Starke Exsudate

(Fortsetzung.)

Nummer des Kaninchens	Datum der Infection	Herkunft des Infectionsstoffes	Art der Infection. Menge des Inf.-Stoffes in ccm	Localreaction und Krankheitsverlauf	Ausgang	Sectionsbefund
52	24./IV.	Kan. 43 1 täg. Cultur von obiger	0·5 intrap.	mässige Temperaturerhöhung	† am 28./IV. nach ca. $3^1/_2$ Tagen	typisch. Heftige Exsudate auch ins Unterhautbindegewebe
59	30./IV.	Kan. 52	0·2 „	bis 41·0	† am 2./V. nach 36 Std.	typisch
63	3./V.	„ 59	0·01 „	keine Temperaturerhöhung	† am 4./V. nach 19 Std.	typisch. Starker Erguss ins Unterhautbindegewebe
65	6./V.	„ 63	0·004 „	bis 40·2	† am 9./V. n. ca. 60 Std.	typisch
67	10./V.	„ 65	0·004 „	mässiges Fieber, theilweise subnorme Temperatur, geringer Gewichtsverlust	lebt	
68	14./V.	„ 63	0·1 „	bis 40·8, starke Diarrhoe	† am 15./V. nach 30 Std.	Wenig Exsudat, sonst typisch
76	24./V.	„ 68	0·1 „	Temperaturerniedrigung bis 38·4	† am 25./V. n. ca. 30 Std.	typisch
77	24./V.	„ 68	0·8 subcutan	Temperaturerhöhung bis 41·0	† am 26./V. n. ca. 50 Std.	
78	28./V.	„ 76	0·1 „	Temperaturerhöhung bis 40·3, 3 Tage Fieber	lebt	

79	28./V.	Kan. 76	0·5 subcutan	Temperaturerhöhung bis 40·9, 3 Tage Fieber	lebt	
82	„	„ 76	0·1 intrap.	Temperaturerhöhung bis 41·5	† am 30./V. nach 36 Std.	typisch
85	2./VI.	„ 82	0·1 „	Temperaturerhöhung bis 40·7	† am 3./VI. n. ca. 16 Std.	„
90	6./VI.	„ 85	0·1 „	Temperaturerhöhung bis 41·9	† am 8./VI. nach 50 Std.	„
93	10./VI.	„ 90	0·1 „	keine Temperaturerhöhung	† am 11./VI. n. ca. 16 Std.	„
96	„	„ 90	0·1 „	Temperaturerniedrigung bis 38·5, wenig Gewichtsverlust	lebt	
98	13./VI.	„ 93	0·1 „	Temperaturerhöhung bis 41·0	† am 16./VI. nach 60 Std.	Wenig Exsudat, sonst typisch
103	17./VI.	„ 98	0·1 „	Temperaturerhöhung bis 40·1	† am 20./VI. nach 36 Std.	starker Blutaustritt aus der Nase, Conjunctivae blutunterlaufen, typisch
108	22./VI.	Kan. 103	0·1 „	Temperaturerhöhung bis 41·5	† am 24./VI. nach 36 Std.	typisch
109	„	„ 103	0·1 subcutan	Temperaturerhöhung bis 41·6	† am 27./VI. nach 4½ Tag.	„
110	„	„ 103	0·1 „	Temperaturerhöhung bis 40·9	† am 24./VI. nach 50 Std.	„
133	7./VII.	„ 108 13. Gen.	0·1 „	Temperaturerhöhung unbedeutend	lebt	
150	19./VII.	Kan. 108 25. Gen.	0·1 „	Temperaturerhöhung bis 41·2	† am 21./VII. nach 48 Std.	„
151	„	„	0·1 „	Temperaturerhöhung bis 40·7	† am 20./VII. nach 26 Std.	„
152	„	„	0·1 „	Temperaturerhöhung bis 41·0	† am 22./VII. nach 60 Std.	,
153	„	„	0·1 „	Temperaturerhöhung bis 41·1	† am 21./VII. nach 36 Std.	„

(Fortsetzung.)

Nummer des Kaninchens	Datum der Infection	Herkunft des Infectionsstoffes	Art der Infection. Menge des Inf.-Stoffes in ccm	Localreaction und Krankheitsverlauf	Ausgang	Sectionsbefund
154	19./VII.	Kan. 108 25. Gen.	0·6 subcutan	Temperaturerhöhung bis 41·1, sehr starke Remissionen	† am 24./VII. nach 5 Tag.	typisch
155	12./VII.	Kan. 151	0·1 intra-abdominell	Temperaturerhöhung bis 40·9	† am 23./VII. nach 26 Std.	typisch. Ausfluss von blutiger Flüssigkeit aus Nase und After
159	26./VII.	„ 155	0·1 intrap.	Temperaturerhöhung bis 41·3	† am 29./VII. nach 60 Std.	typisch
167	31./VII.	„ 159	0·1 „	Temperaturerhöhung bis 41·2	† am 1./VIII. nach 24 Std.	besonders starkes subcutanes Oedem, typisch
174	4./VIII.	„ 167	0·1 „	Temperaturerhöhung bis 40·9	† am 7./VIII. nach 60 Std.	typisch
183	9./VIII.	„ 174	0·1 „	keine Temperaturerhöhung, plötzlicher Tod	† am 10./VIII. nach 20 Std.	„
188	12./VIII	„ 183	0·1 „	Temperaturerhöhung bis 40·8	† am 13./VIII. nach 24 Std.	„
191	15./VIII.	„ 188	0·1 „		† am 16./VIII. nach 18 Std.	„
196	2./X.	„ 188 Gel. Cultur v. 18./VIII. verflüssigt	5·0 „	Temperaturerhöhung bis 41·3	† am 4./X. nach 48 Std.	kein Erguss, sonst typisch

197	2./X.	Kan. 191 Gel. Cultur v. 17./VIII. verflüssigt	2·0 intrap.	Temperatur nicht erhöht	† am 3./X. nach 24 Std.	in Bauchhöhle braune Flüssigkeit, ebenso i. Brustraum. Unter der Haut bekanntes Exsudat
198	5./X.	Kan. 197	0·1 „	Temperaturerhöhung bis 40·4	† am 6./X. nach 24 Std.	typisch
199	„	„ 197	Ohr geimpft	Temperatur: 39·1 40·4 40·4 38·8 38·0 kein rechtes Erysipel	† am 8./X. nach 2 1/2 Tag.	typisch. Conjunctivae blutunterlaufen
200	9./X.	„ 199	„	beginnendes Erysipel, Temperaturerhöhung bis 41·3	† am 12./X. nach 2 1/2 Tag.	typisch
201	„	„ 198	„	kein Erysipel, Temperaturerhöhung bis 40·7	† am 14./X. nach 4 1/2 Tag.	„
202	12./X.	„ 199	0·1 intrap.	Temperatur: 39·4 38·9 41·2	† am 14./X. n. ca. 36 Std.	„
206	16./X.	„ 201	Ohr geimpft	am Ohr beginnendes Erysipel	† am 18./X. nach 48 Std.	„

Wachsthum.

Bei reichlicher Impfung traten bereits nach 24 Stunden in Bouillon eine grosse Anzahl dicker, weisser Flocken auf, die theils am Boden in Gestalt einer dicken weissen Haut lagen, theils *an der Wand des Reagensglases hafteten*, und zwar so fest, dass sie selbst bei heftigem Schütteln nicht ganz abgetrennt werden konnten. War wenig geimpft worden, so lagen oft nur 2 oder 3, dann noch grössere Flocken am Boden. Die Bouillon blieb unter allen Umständen völlig klar. Eine solche Flocke, die nach Umständen, wie gesagt, sehr gross, bei reichlichem Wachsthum auch klein sein konnte, bestand meist aus einem compacten weissen Kern, den eine zartere, durchscheinende Hülle umgab. Bei mässigem Schütteln blieben die Flocken meist gut erhalten, bei stärkerem Schütteln lösten sich allerdings die Verbände, doch trat nie, wie bei Streptococcus M., eine anscheinend diffuse Trübung auf, sondern nur langsam zerfielen die Flocken in grössere und kleinere Bröckel. Mikroskopisch ergaben sich sehr schöne lange Ketten. Auch konnte die Wahrnehmung *Kurth's* bestätigt werden, dass analog der stärkeren Cohäsion der makroskopischen Gebilde mikroskopisch eine stärkere Schlängelung auftrat.

Dieses Bild ergab sich mit grösster Constanz. Nur insofern trat eine Modification ein, als bei längerer Züchtung im Kaninchenkörper die Flocken weniger Neigung zeigten, am Glase zu haften, sondern mehr am Boden lagen. Sie schienen noch compacter und deshalb schwerer geworden zu sein. Auch wurde das Wachsthum mit wachsender Virulenz etwas verzögert und die Bouillon zeigte jetzt oft erst nach 48 Stunden das charakteristische Bild.

Auf Agar war das Wachsthum wenig verschieden von dem des Streptococcus M. Die Colonieen kamen auch hier etwas später zur Entwickelung, waren also durchschnittlich zur selben Zeit kleiner. Auch zeigten sie eine grosse Homogenität, wenn sie aus dem Kaninchenkörper kamen, im Gegensatz zu dem oben beschriebenen Verhalten des Streptococcus M.

Auf Gelatine wuchsen die Streptokokken Anfangs (Januar) bei der damaligen Zimmertemperatur nicht. Später, als die Zimmertemperatur höher wurde, wuchsen sie eben so gut, wie Streptococcus M.

Diesem scharf ausgeprägten Bild des Bouillonwachsthums entspricht nun ein ebenso charakteristisches Krankheitsbild bei Kaninchen.

Es handelte sich um typische Septicämie.

Dabei war der Sectionsbefund völlig unabhängig von der Wahl der Infectionsstelle.

Ob am Ohr geimpft wurde, ob subcutan oder intraperitoneal injicirt, stets fand sich blutigseröse Durchtränkung des Unterhautbindegewebes, blutigseröser Erguss in Brust- und Bauchhöhle und im Herzbeutel. Selten fehlte dabei eine nachträgliche Auspressung von derselben Flüssigkeit aus Maul und Nase durch die Todtenstarre. Manchmal trat auch noch blutige Imbibition der Conjunctivae auf. Hier will ich auch gleich die profusen Diarrhöen erwähnen, die wenigstens bei nicht allzu rapid verlaufenden Fällen fast immer vorhanden waren und manchmal ebenfalls blutig waren.

Von weiteren constanten Befunden bei der Section erwähne ich noch die grosse bläulichroth gefärbte Milz und die eigenthümlich lackfarbene flüssige Beschaffenheit des Herzblutes. Häufig wurde eine starke fettige Degeneration der Leber beobachtet. Der mikroskopische und culturelle Befund ergab in allen Organen reichlich Streptokokken und zwar immer am meisten im Herzblut. Dem entsprach ein rapider Krankheitsverlauf, wie die Tabelle Nr. V zeigt. Dauerte die Krankheit nur einige Tage, so war die Temperatur sehr hoch. Sehr charakteristisch sind auch die starken Remissionen zu subnormalen Graden, meist als Vorläufer des nahen Todes. Verlief der Process sehr rasch, so konnte die Temperaturerhöhung gar nicht zur Geltung kommen. Der Gewichtsverlust war meist nicht bedeutend, wegen der kurzen Krankheitsdauer. Der Tod trat oft blitzartig unter heftigem Aufspringen und Aufschrei des Thieres ein.

Ich möchte hier noch einmal ausdrücklich erwähnen, dass niemals eine Eiterung beobachtet wurde. Dass dies nicht etwa aus der Kürze des Krankheitsverlaufs erklärt werden kann, dafür sprechen Fälle, in denen die Krankheit wegen grösserer Widerstandsfähigkeit des Thieres oder zu geringer Dosis des Infectionsstoffes länger dauerte, oder gar nicht zum Tode führte.

Kaninchen 6 war 6 Tage krank
" 109 " 4½ " "

Auch ist bemerkenswerth, dass bei Thieren, bei denen eine zu kleine Dosis gegeben wurde, um sie zu tödten, die Krankheitserscheinungen rasch vorübergingen, nicht wie bei Streptococcus M. in demselben Falle sich lange Zeit hinzogen.

Wie oben schon bemerkt, unterschieden sich im allgemeinen klinischen Bilde die verschiedenen Infectionsarten nicht von einander. Dagegen traten erhebliche Unterschiede in der Empfänglichkeit auf. Weitaus am empfindlichsten zeigten sich die Kaninchen bei Injection in die Bauchhöhle. Auf 0·1 einer eintägigen Cultur starben die Kaninchen durchschnittlich in 36 Stunden. Nie dauerte die Krankheit länger als 60 Stunden, oft auch kürzer als 20 Stunden. Versuche, die Minimaldosis zu finden, ergaben einmal noch bei 0·004 tödtliche Wirkung in 60 Stunden.

Aehnlich an Wirksamkeit war die Impfung am Ohr. Dieselbe tödtete *regelmässig* und zwar in zwei bis acht Tagen. Dabei entstand anfangs ein starkes Erysipel.

Später, als der Streptococcus noch virulenter wurde, kam es oft gar nicht zur Localisation, es bildete sich meist gar kein Erysipel, sondern die Krankheit wurde sogleich allgemein.

Mit diesem Befund verglichen, muss die verhältnissmässig schwache Wirkung der subcutanen Injection um so mehr auffallen. Anfangs musste bis zu 1 ccm eingespritzt werden, um den Tod herbeizuführen. Später allerdings genügte meist 0·1 ccm, doch war der Erfolg sehr unsicher.

An dieser Stelle möchte ich noch einen Fall erwähnen, bei dem ein dem obigen Streptococcus sehr ähnlicher gefunden wurde, und zwar ohne dass diesmal irgend eine Veranlassung vorhanden war, an eine Spontaninfection des Thieres zu denken, da keine äussere Verletzung nachweisbar war. Es handelt sich um Kaninchen 18 (Tabelle Nr. VI). Dasselbe schien, wie angegeben, von Anfang an nicht sehr widerstandsfähig zu sein. Es litt an einer eigenthümlichen cerebralen Störung, die sich in leichteren Fällen, wie hier, in Schiefstellung des Kopfes äusserte, in schweren Fällen mit höchst charakteristischen Zwangsbewegungen einherging. Es kamen mehrere Thiere, die diese Störung hatten, zur Section und fiel der Sectionsbefund, auch culturell, immer negativ aus.

Diesen Thieren wurde 1 ccm einer 37 Tage alten Bouilloncultur (ohne Traubenzucker) des Streptococcus M. (aus Maus der Tabelle Nr. Ib gezüchtet), in der offenbar die meisten Keime abgestorben waren, injicirt zum Zwecke der Immunisirung.

Die Reaction des Kaninchens war sehr gering, doch kam es immer mehr herunter und starb nach 22 Tagen.

Sectionsbefund war negativ, dagegen konnte aus allen Organen ein Streptococcus longus gezüchtet werden, der in Bouillon genau wie Streptococcus K. wuchs. Die Virulenz für Mäuse schien auch ziemlich die gleiche zu sein: Maus 307 bekam 0·1 und starb in $1^1/_2$ Tagen.

Für Kaninchen dagegen war er entschieden weniger virulent, wie die Tabelle VI zeigt. Doch hatte er das typische Charakteristicum, keinen Eiter zu erzeugen.

Die Reaction der *Mäuse* auf diesen Streptococcus K. hatte nichts besonders Charakteristisches. Auf 0·1 ccm schienen die Mäuse im Allgemeinen etwas früher zu sterben, wie auf dieselbe Dosis von Streptococcus M. Bei dieser Dosis war der Sectionsbefund nicht anders, wie bei Streptococcus M. Es wurde nun versucht, die Minimaldosis fest-

Tabelle Nr. VI.

Kaninchen 18 und die mit diesem Streptococcus inficirten Kaninchen.

Nummer des Kaninchens	Datum der Infection	Herkunft des Infectionsstoffes	Art der Infection. Menge des Inf.-Stoffes in ccm	Localreaction und Krankheitsverlauf	Ausgang	Sectionsbefund
18	11./II.	2 Proc. Pept. B. vom 5./I. bis 11./II. im Brütschrank	1 subcutan	hatte bei Injection etwas Schiefstellung des Kopfes, ziemlich mager. Anfangs wenig Fieber, langsame Abnahme des Gewichts. Am 1./III. bis 41·4 rascher Abfall des Gewichts	† am 4./III. am 22. Tage	An Injectionsstelle nichts. Organe anscheinend normal, aus allen Organen Streptococcus longus
30	8./III.	Kan. 18, 1 tägige Cultur	Ohr geimpft	Temperatur bis 40·6, ca. 14 Tage krank. Erysipel am Ohr, das langsam beginnt, ziemlich stark ist	lebt	
31	8./III.	Kan. 18	0·7 subcutan	Temperatur bis 39·8, ca. 8 Tage krank. An Injectionsstelle nichts.	lebt	

zustellen, wie dies früher bei Streptococcus M. geschehen war. Dabei zeigte sich, dass im Allgemeinen keine so starken Verdünnungen angewandt werden durften. Die Mäuse starben bis etwa zu 0·004 in ziemlich kurzer Zeit, bis zu vier Tagen. Weiter nach abwärts aber wurden sie kaum mehr sichtbar krank. Die länger hingezogenen Eiterungen, die bei Streptococcus M. bei 0·0025 und 0·0006 entstanden, fielen hier weg. Doch traten auch schon bei dreitägiger Krankheitsdauer leichte Eiterungen an der Injectionsstelle auf, so dass also bei Mäusen ein prägnanter Unterschied zwischen Streptococcus K. und Streptococcus M. nicht constatirt werden konnte.

Es musste nun von grösstem Interesse sein, die Constanz dieses Streptococcus K. gegenüber verschiedenen Einflüssen zu beobachten. Nach den Erfahrungen, die im ersten Theile der Arbeit niedergelegt sind, lag es nahe, dies in Bezug auf Wachsthum in künstlichen Nährböden und Züchtung im Mäusekörper zu studiren.

Schon im ersten Theil erwähnte ich die Beobachtung, dass längeres Verweilen auf künstlichen Nährböden allerdings nach und nach die Virulenz erheblich herunterzusetzen vermag, dauernde Veränderungen in den Streptokokken aber wohl kaum hervorbringt. Auch hier wurden ähnliche Verhältnisse gefunden. Nur schien der Streptococcus K. viel zäher seine Virulenz festzuhalten gegenüber den schädigenden Einflüssen des längeren Wachsthums, so dass bis jetzt eine wesentliche Abnahme der Virulenz überhaupt noch nicht beobachtet wurde. Doch habe ich diesmal den Einfluss des Wachsthums ausserhalb des Thierkörpers noch in anderer Weise versucht und zwar ähnlich, wie dies *Kruse* und *Pansini*[1]) bei ihren Pneumonieuntersuchungen thaten, durch längere tägliche Uebertragungen und ich habe dadurch etwas ausgesprochenere Resultate erhalten.

1) *Zeitschrift für Hygiene*, Bd. XI, Hft. 3.

Tabelle Nr. VII.

Einfluss längerer Züchtung auf Bouillon.

I. Reihe aus Kaninchen 43 (s. Tabelle Nr. V).

Der Streptococcus war vom 29./III. bis 20./IV. auf Bouillon im Brütschrank gewachsen. Dann bis 23./IV. bei gewöhnlicher Zimmertemperatur gehalten. Daraus Generation 1 vom 23./IV. (Kaninchen 52).

Nummer des Kaninchens	Datum der Infection	Herkunft des Infectionsstoffes	Art der Infection. Menge des Inf.-Stoffes in ccm	Localreaction und Krankheitsverlauf	Ausgang	Sectionsbefund
51	23./IV.	B.-Cultur v. 29./III. bis 30./III. im Brütschrank v. Kan. 43	1·5 intrap.	keine Temperaturerhöhung	† am 25./IV. n. ca 40 Std.	typisch Streptokokkus K
52	24./IV.	B.-Cultur, 1 tägige aus obiger. 1. Generat.	0·5 „	Temperaturerhöhung bis 39·3	† am 28./IV. n. ca. 90 Std.	typisch
72	23./V.	28. Gener.	1·0 subcutan	Temperaturerhöhung bis 41·3	† am 1./VI. nach 8 Tagen	
94	10./VI.	45. „	0·1 intrap.	Temperaturerhöhung bis 41·5	† am 13./VI. nach 3 Tagen	
105	20./VI.	54. „	0·1 „	Temperatur: 39·5 38·4 36·9	† am 21./VI. nach 33 Std.	
111	24./VI.	58. „	0·5 subcutan	Temperaturerhöhung bis 41·5	† am 29./VI. nach 5 Tagen	
112	29./VI.	63. „	0·5 „	Temperaturerhöhung bis 39·9 4 Tage Fieber, langedauernder, schwach. Gewichtsverlust	lebt	
141	15./VII.	78. „	2·0 „	Temperaturerhöhung bis 40·4, ca. 14 Tage mässig krank	„	

II. Reihe aus Kaninchen 108. Virulenz s. Tabelle Nr. V.

133	7./VII.	13. Gener.	0·1 subcutan	unbedeutende Erkrankung	lebt	typisch
150 } 153 }	19./VII.	25. „	0·1 „	s. Tab. VI.	† in 24 bis 60 Stunden	
154	„	25. „	0·1 „	„	† in 5 Tagen	
168	2./VIII.	39. „	0·1 intrap.	Temperaturerhöhung bis 41·0	† am 4./VIII. n. ca. 36 Std.	
169	„	39. „	1·0 subcutan	Temperaturerhöhung bis 39·6	† am 4./VIII. nach 48 Std.	
192	17./VIII.	53. „	0·1 intrap.	Temperaturerhöhung bis 40·1	† am 19./VIII. n. c. 36 Std.	

III. Reihe aus Kaninchen 126. (S. Tabelle Nr. VIII b).
Der Streptococcus war einmal durch Mäusekörper gegangen.

146	18./VII.	3. Gener. v. Kan. 126	1·0 subcutan	Fieber bis 41·2	† am 25./VII. n. 6 1/2 Tagen	keine Ergüsse, sonst der Befund des Streptococcus K
193	15./VIII.	29. Gener.	1·0	mässiges Fieber, etwa 8 Tage krank, starke, ziemlich weiche Localreaction	lebt	
194	,	29.	0·5 intrap.	Fieber bis 39·7	† am 22./VIII. n. 6 1/2 Tagen	nicht secirt

Wichtig scheint mir hier der *Vergleich* der drei Reihen auf Tabelle Nr. VII zu sein. Diese erste Reihe ist angestellt mit einem Streptococcus K., der noch nicht viele Kaninchenkörper passirt hatte, und vor Beginn der täglichen Uebertragung von Bouillon zu Bouillon schon einige Zeit auf einem und demselben Nährboden gewachsen war, also noch nicht sehr gefestigt und schon etwas beeinflusst war.

Wie die Tabelle zeigt, blieb anfangs die Virulenz völlig auf ihrer Höhe. Erst allmählich nach der 60. Generation begann dieselbe herabzugehen, um zuletzt bei der 100. Generation fast zu erlöschen.

Diesem Herabgehen der Virulenz parallel ging eine Veränderung des Wachsthums. Bis zur 52. Generation blieb dasselbe ganz unverändert. Dann begannen die Flocken kleiner zu werden, die Bouillon war nach 24 Stunden nicht völlig klar, sondern körnig getrübt. Zugleich wurden die Ketten im mikroskopischen Bild immer kürzer. Erst nach 48 Stunden klärte sich dann die Bouillon und es befand sich dann am Boden ein streusandförmiger, feiner Satz in grösserer Menge. Diese Umwandlung ging ganz allmählich vor sich und war erst etwa von der 80. Generation an ausgeprägt. Eine tiefer gehende Veränderung, z. B. die Anzüchtung eitererregender Eigenschaften für Kaninchen, trat nicht ein.

In der zweiten Reihe handelt es sich um einen völlig typischen, frischen Streptococcus K. Derselbe wurde leider nur bis zur 60. Generation gezüchtet, blieb aber diese Zeit über völlig constant.

Bei Reihe III nun handelt es sich um einen Streptococcus, der einen Mäusekörper passirt hatte: Maus 468 (s. Tab. VIII a). Dann war er durch zwei Kaninchenkörper gegangen, ohne dass dabei irgend eine Virulenzverminderung beobachtet worden wäre. Dass trotzdem die Passage der einen Maus schon eine schädigende Wirkung ausgeübt hatte, geht daraus hervor, dass er schon bei der 25. Generation eine beginnende Trübung der Bouillon am ersten Tage zeigte und die 30. Generation in ihrem ganzen Verhalten im Bouillonwachsthum identificirt werden konnte mit Streptococcus M.

Analog dieser raschen Wachsthumsänderung nahm die Virulenz auch sehr rasch ab.

Ueber die Beeinflussung durch Züchtung im Mäusekörper wurden nun Experimente angestellt und sollen die Tabellen VIII a und b davon ein Bild geben.

Tabelle VIII a zeigt zunächst, dass durch längere Fortzüchtung des Streptococcus K. im Mäusekörper derselbe allerdings für diese Thierart seine Virulenz erhalten hatte, dagegen für Kaninchen an Virulenz allmählich abnahm.

Als prädisponirendes Moment für diese Umwandlung muss ein vorhergehendes längeres Wachsthum auf künstlichem Nährboden, auch wenn es die Streptokokken scheinbar noch nicht geschädigt hat, angesehen werden. In Reihe I dieser Tabelle wurde ein Streptococcus K. verwendet, der seit längerer Zeit auf künstlichem Nährboden gewachsen war. Doch hatte dieses Wachsthum seine Virulenz für Kaninchen noch nicht beeinträchtigt, wie Kan. 105 (Tabelle Nr. V) zeigt, und dieselbe blieb bei einer längeren Züchtung durch eine Reihe von Kaninchen auf ihrer Höhe.

Nachdem er jedoch einen einzigen Mäusekörper passirt hatte, war schon eine deutliche Abnahme seiner Virulenz für Kaninchen zu constatiren und es konnte am Ende der Reihe nach Passage von sechs Mäusen bereits mindestens das Fünffache der sonst sicher tödtlichen Culturmenge eingespritzt werden, obwohl die Culturen immer reichlicher wuchsen.

Aehnliches noch ausgeprägteres Verhalten zeigt der Streptococcus in Reihe III, wo erst nach längerer Züchtung im Mäusekörper (Reihe II) das Wachsthum auf künstlichen Nährböden eingewirkt hatte.

Tabelle Nr. VIIIa.

Einfluss des Mäusekörpers auf Streptococcus K.

I. Reihe. Streptococcus gezüchtet aus Kaninchen 43 (Tabelle Nr. V) wurde vom 28./III. bis 9./VI. auf künstlichen Nährböden gezüchtet.

(Kaninchen 105 bekommt 0·1 von 1 tägiger Cultur intraperitoneal, stirbt innerhalb 33 Stunden.)

Maus-Nr., Herk. und Menge der Infection	Gestorben in	Wachsthum der daraus gezüchteten Cultur	Nummer des Kaninchens	Art und Menge der Infection in ccm	Krankheitsverlauf	Ausgang	Sectionsbefund
459 0·1 von Kan. 43	ca. 18 St.	bereits etwas schleimige Flocken	99	1 subcutan	Geringe Infiltration an der Injectionsstelle. Fieber b. 40·6	† nach $3^1/_2$ Tagen	Unbedeutende flache Eiterung an Injectionsstelle. In Bauchhöhle etwas seröse Flüssigkeit, ebenso im Herzbeutel. Milz sehr gross, livid. Culturen Streptokokkus M.
			100	0·1 intraperitoneal	Fieber bis 39·7, krank etwa 8 Tage	lebt	
462 0·1 v. M. 459	ca. 28 St.	schleimig-fadenziehend	101	1 subcutan	geringe Infiltration an Injectionsstelle, kurze Krankheit, nach 14 Tagen Auftreten eines harten, haselnussgr. Knotens	lebt	
			102	0·1 intraperitoneal	Fieber bis 41·5, Schnupfen	† nach $7^1/_2$ Tagen	an Einstichstelle thalergrosse Eiterung mit flüssigem Eiter. In Bauchhöhle kein Eiter, keine Flüssigkeit. Milz normal, ebenso Leber, Lungen normal. Aus Eiterculturen: Stallkrankheit; aus Herzblutculturen: Stallkrankheit, keine Streptokokken.

463 0·1 v. M. 462	ca. 28 St.		106	1 subcutan	leichte, weiche Infiltration, kurze Krankheit, ca. 8 Tage, Fieber bis 39·7	lebt	
			107	0·5 intraperitoneal	Fieber bis 40·5	† nach 4 Tagen	in Bauchhöhle keine Flüssigkeit, aber auch kein Eiter. Milz sehr gross und livid. Lungen normal. Culturen: Streptokokkus M.
466 0·1 v. M. 463	ca. 30 St.		115	2 subcutan	starke Localreaction, nach ca. 8 Tagen wallnussgrosse, harte Knoten. Temperatur bis 38·5, keine Erhöhung, ca. 14 Tage krank	lebt	
			116	0·5 intraperitoneal	leicht krank. Temperatur bis 39·5, starke Diarrhoe.	lebt	
467 0·1 v. M. 466	ca. 1 1/2 Tag.						
469 Oese Hrzbl. M. 467	2 Tag.						
470 Oese Herzblut von M. 469	1 1/2 Tag.	„ einige schleimige Flocken	122	2 subcutan	Anfangs nicht besonders krank. Starke Localreaction, wird hart. Nach 6 Tagen plötzlich Steigerung des Fiebers bis 41·3, wird gebissen	† nach 13 1/2 Tagen	unter der Haut breiter, harter Eiterstrang von Injectionsstelle herab bis zur Symphyse. Im Abdom. keine Flüssigkeit. Milz normal. Lungen frei. Aus Eiter und Herzblut wachsen nur einige Stallkrankheitscolonieen.
			123	1 intraperitoneal	Temperatur bis 40·6	† nach 1 1/2 Tagen	in Bauchhöhle zieml. grosse Menge seröser, flockig getrübter Flüssigkeit. Milz normal. Leber venöse Stauung. Culturen: Streptokokkus.

(Fortsetzung.)

Maus-Nr., Herk. und Menge der Infection	Gestorben in	Wachsthum der daraus gezüchteten Cultur	Nummer des Kaninchens	Art und Menge der Infection in ccm	Krankheitsverlauf	Ausgang	Sectionsbefund
					II. Reihe. Streptococcus gezüchtet aus Kaninchen 105 (Tabelle Nr. V). (Inficirt mit 54. Generation vom Kaninchen 43.)		
					Kaninchen 114 bekommt 1 ccm subcutan: † in $1^1/_2$ Tagen. Section: typische Streptococci K.		
468 0·1 v. K. 105	$1^1/_2$ Tag.	flockig, Streptoc. K.	119	1 subcutan	starke, weiche Localreaction, Fieber bis 41·7	† nach $3^1/_2$ Tagen	Section typisch. Streptococcus K.
			120	0·1 intraperitoneal	Fieber bis 41·4	„	in Bauchhöhle keine Flüssigkeit, sonst typisch, Streptococcus K.
471 0·1 v. M. 468	$1^1/_2$ Tag.		124	1 subcutan	starke, mässig weiche Localreaction, Fieber bis 40·6	† nach $1^1/_2$ Tagen (36 Stunden)	an Injectionsstelle über thalergrosse, flache Eiterung, sonst kein Oedem unter der Haut. In Bauchhöhle keine freie Flüssigkeit. Milz gross und livid. Leber normal.
			125	0·1 intraperitoneal	Fieber bis 40·4	† nach 2 Tagen (50 Stunden)	Section typisch. Streptococcus K. Viel Blutflüssigkeit in den serösen Höhlen.
472 0·1 v. M. 471	$1^1/_2$ Tag.	schleimige Flocken	129	1 subcutan	starke, weiche Localreaction, nach 6 Tagen harte Knoten. Fieber gering	† nach $24^1/_2$ Tagen	etwas schwielige, mit dickem Eiter gefüllte Verdickung an Injectionsstelle. Keine Flüssigkeitsergüsse. Mitz etwas vergrössert. Cultur: Streptococcus K.

	130	0·1 intraperitoneal	Temperatur bis 41·7	† nach $5^1/_2$ Tagen	keine Flüssigkeit in den serösen Höhlen. Milz vergrössert. Culturen: Streptococcus K.
474 0·1 v. M. 472	134	1 subcutan	starke, weiche Localreaction	† nach 3 Tagen	sehr ausgebreitete (über ganze rechte Seite) ganz flache Eiterung. Im Abdom. und anderen serösen Höhlen keine Flüssigkeit. Milz gross und livid. Culturen: Streptococcus K.
	135	0·1 intraperitoneal	Fieber bis 41·1	† nach $2^1/_2$ Tagen	Section typisch. Streptococcus K.
475 0·1 v. M. 474	38	1 subcutan	starke, weiche Localreaction, nach ca 9 Tagen kleine harte Knoten. Fieber bis 40·5, meist nieder, krank etwa 14 Tage	lebt	
	3	0·1 intraperitoneal	Fieber: bis 39·0 40·7 40·3 41·7 40·5 40·5	† nach $2^1/_2$ Tagen (ca. 60 Std.)	unter der Haut colossale Eiterung, ganz flüssiger Eiter. Im Bauch eitrige Peritonitis. Lungen normal. Konnte nur Stallkrankheit gezüchtet werden.
476 0·1 v. M. 475		1 subcutan	starke, weiche Infiltration, Fieber nicht über 39·4	† nach $1^1/_2$ Tagen (ca. 36 Std.)	an Injectionsstelle thalergrosse, flache Eiterung. Keine Flüssigkeit in den serösen Höhlen. Milz normal. Culturen: Streptococcus K.
		0·2 intraperitoneal	Fieber 39·0 40·3 39·4 41·0	† nach $1^1/_2$ Tagen (ca. 40 Std.)	keine freie Flüssigkeit in den Körperhöhlen. Milz etwas vergrössert.
477 0·1 v. M					

Maus-Nr., Herk. und Menge der Infection	Gestorben in	Wachsthum der daraus gezüchteten Cultur	Nummer des Kaninchens	Art und Menge der Infection in ccm	Krankheitsverlauf	Ausgang	Sectionsbefund
495 0·1 v. M. 477	1 1/2 Tag.	schleimige Flocken					
500 0·1 v. M. 495	„	„					
506 0·1 v. M. 500	„	„					
508 0·1 v. M. 506	„	schleimig-fadenziehend	180	2 subcutan	sehr starke, ziemlich harte Localreaction, nach ca. 5 Tagen harter, wallnussgrosser Knoten, nach 4 bis 5 Tagen wird dieser ganz klein. Nach 1 1/2 Monaten am Hals wallnussgrosser, steriler Atheromknoten	lebt	
			181	0·5 intraperitoneal	Temperatur bis 41·8, sehr starke Abmagerung	† nach 8 Tagen	unter der Haut an Einstichstelle flache Eiterung. Keine freie Flüssigkeit. Milz normal. Culturen: Streptoc. K.
			184	2 v. Str. K. 1 täg. mit 0·1 % JCl_3 1 Tag später 1 ccm v. M. 508 subcut.	starke, weiche Localreaction. Nach 4 Tagen colossale harte Eiterknoten. Nach 1 1/2 Monaten mehrere wallnussgrosse Knoten. Fieber bis 40·5	lebt	nach 2 1/2 Monaten ein haselnussgross., harter Knoten an Injectionsstelle. Ein apfelgrosses Atherom am rechten Sprunggelenk.

III. Reihe: Streptococcus gezüchtet aus Mäusen, dann längere Zeit auf Gelatine gezüchtet.
(Maus 511: Cultur vom 18./VIII. bis 13./X. auf Gelatine, davon 1täg. Bouilloncultur.)

M. 511 0·1 v. M. 509 (siehe Reihe II).	$1^1/_2$ Tag.	schleimig-fadenziehend	203	0·5 intraperitoneal	Fieber durchschnittlich 39·8. Am 7. Tage Schnupfen bekommen	lebt	
			204	am Ohr scarif.	keine Reaction am Ohr. Temperatur bis 39·6, ca. 4 Tage krank, dann Schnupfen: dadurch Gewichtsabfall neuerdings	„	
			205	2 subcutan	sehr starke Localreaction. Wird ca. am 5. Tage hart. Am 10. Tage wallnussgrosse Knoten am Bauch, einige kleine Knoten an Injectionsstelle. Temperatur meist subnormal		
M. 520 0·1 v. M. 511 Cultur 1 täg.	$1^1/_2$ Tag.		207		starke, weiche Localreaction, nach 4 Tagen harter, haselnussgrosser Knoten. Temperatur anfangs über 40·0, geht rasch zur Norm, ca. 4 Tage krank, dann Schnupfen	„	
			208	am Ohr geimpft	am 2. Tage etwas Schwellung und Entzündung an Infectionsstelle. Am nächsten Tage nichts mehr. Temp. ca. 39·8. Kein Gewichtsverlust	„	
			209	0·5 intraperitoneal	Temperatur durchschnittlich 39·6. Gewichtsverlust unbedeutend, ca. 8 Tage krank	„	
M. 521 0·1 v. M 520	$1^1/_2$ Tag.		211	0·6 subcutan	Anfangs etwas weiche Infiltration und Röthung. Nach ca. 6 Tagen bis auf kleinen harten Knoten unter der Haut alles verschwunden. Temp. am ersten Tag 41·3 u. 40·5. Nach 3 Tagen normal. Gewichtsverl. unbedeutend	„	
			212	1 intraperitoneal	Temperatur fast nicht gestiegen: höchste 39·5. Gewichtsverlust mässig		

Tabelle Nr. VIII b. Weiterzüchtung von Streptoc. K. aus dem Mäusekörper im Kaninchenkörper.

a) Kaninchen aus Reihe I (Tabelle Nr. VIII a).

Nummer d. Kaninchens, das als Ausgang dient	Nummer des Kaninchens	Datum der Infection	Art u. Menge d. Infectionsstoffes in ccm	Krankheitsverlauf	Ausgang	Sectionsbefund
99	104	20./VI.	1·6 subcutan	starke, weiche Localreaction. Nach 3 Tagen dicker, harter Strang unter der Haut. Fieber bis 39·7, ca. 8 Tage krank	lebt	nach 1 Monat an Immunisirungsversuchen gestorben. An ursprüngl. Injectionsstelle haselnussgrosser Atheromknoten
107	117	27./VI.	2 „	wenig weiche Infiltration. Fieber bis 39·6, kein Gewichtsverlust. Bekommt dann 6 Junge, stirbt an Stallkrankheit	† nach 16 Tagen	an Injectionsstelle nichts zu sehen. Bauchorgane normal. In Brustraum: Stallkrankheit. Culturen nur Stallkrankheit.
	118		0·5 intraperitoneal	anfangs Fieber bis 39·6, dann in den letzten zwei Tagen bis 40·9	† nach 7 Tagen	in Bauchh. etw. serös. Flüssigkeit, einige Eiterflock. An d. Därmen kleb. ein. weisse fibrin. Gerinnsel. Milz wenig vergrössert. Culturen geben Streptococcus longus
118	131	6./VII.	1 subcutan	zieml. stark. Localreact, die in erbsengr. hart. Knoten übergeht. Fieber bis 40·1, dauert ca. drei Wochen. Kein Gewichtsverlust	lebt	
	132		0·5 intraperitoneal	Fieb. b. 39·8, stark. Gewichtsverlust. Krankh. dauert ca. 3 W.		
123	127	5./VII.	1 subcutan	an Injectionsstelle keine Reaction. Fieber bis 40·6	† nach $2^1/_2$ Tagen	an Injectionsstelle nichts zu finden. In Bauchhöhle nichts. Milz normal. Leber sehr saftreich. Durchsetzt v. bis erbsengrossen Eiterherden, mit ziemlich flüssigem Inhalt. Sonst alles normal. Trotz sorgfältiger Durchsuchung alle Culturen steril.

b) Kaninchen aus Reihe II.

Abstammung aus Kan. d. Reihe II	Abst. aus Kanin. dieser Reihe	Nummer des Kaninchens	Datum der Infection	Art und Menge des Infectionsstoffes in ccm	Krankheitsverlauf	Ausgang	Sectionsbefund
119	→	126 (Tabelle)	4./VII.	1 subcutan	Temperatur anfangs bis 39·9. Vom 5. Tage an meist bis 41·0. Ständiger, starker Gewichtsverlust	† nach $10^1/_2$ Tagen	ziemlich starke, mässig flache Eiterung subcut. in Ausdehnung einer Handfläche. Sonst alles normal. In Herzbeutel etwas seröse Flüssigkeit
	126	146 [1]	18./VII.		starke, weiche Infiltration. Fieber bis 41·1	† nach $6^1/_2$ Tagen	unter der Haut an Injectionsstelle nichts zu sehen. Milz sehr gross, livid.
124	→	128	6./VII.		starke Localreaction. Fieber bis 40·8	† nach 3 Tagen	an Injectionsstelle etwa thalergrosse, ziemlich flache Eiterung. Milz gross, livid. Culturen: aus Eiter M.-Wachsthum, aus Herzblut K.-Wachsthum.
	128	137	11./VII.		starke, weiche Localreaction. Fieber ziemlich constant über 40·0 bis 41·2	† nach $13^1/_2$ Tagen	an Injectionsstelle nichts. Milz etwas vergrössert und livid. Leber durchsetzt v. bis erbsengrossen Eiterknoten (starke Kapsel, teigiger Inhalt) In Herzbeutel seröse Flüssigkeit. Culturen geben überall wenig, aber gut wachsende Streptococcus-Colonien.

1) Keine deutliche Abnahme der Virulenz.

(Fortsetzung.)

Abstammung aus Kan. d. Reihe II	Abst. aus Kanin. dieser Reihe	Nummer des Kaninchens	Datum der Infection	Art und Menge des Infectionsstoffes in ccm	Krankheitsverlauf	Ausgang	Sectionsbefund
	137	165	27./VII.	1 subcutan	sehr starke, weiche Localreaction. Fieber bis 41·8	† nach 4 Tagen	an Injectionsstelle thalergrosse flache Eiterung. In Bauchhöhle typisches Bild v. Streptococcus K.
134	→	147	18./VII.	„	starke, [illegible] Infiltration. Nach 2 Tagen hart, apfelgross. Geht rasch zurück, Fieber bis 39·9. Gewichtsverl. ganz unbedeutend	lebt	
135	→	142	15./VII.	„	Localreaction wird rasch hart. Temperatur anfangs hoch, über 40·0, am 3. Tage Abfall nach 38·6, am 9. Tage stark g[illegible]en		wird am 11. Tag getödtet. An [illegible] im Umkreis eines Thalers alte schwielige Bindegewebswucherung, in der Mitte ein haselnussgrosses Atherom. Sonst alles [illegible]. Culturen geben nichts.
130	→	140	14./VII.	„	hat keine Temperatursteigerung. Bekam am Abend desselben Tages 6 todte Junge.	† nach $1^3/_4$ Tagen	unter der Haut nichts [illegible] zu sehen. In Bauchhöhle Erguss: typisch Streptococcus K.
	140	148	18./VII.	„	wenig Localreaction. Nach einiger Zeit kleine harte Knötchen. [illegible] am 3. Tage starken Schnupfen. Fieber anfangs mässig, bis 40·0, dann höher. Gewichtsverlust anfangs sehr gering, erst in den zwei letzten Tagen stark	† nach $7^1/_2$ Tagen	von Injectionsstelle aus bis zur Symphyse abwärts und auch unten weit über die [illegible] flache, dünne Eiterung. Bauchorgane normal, ebenso Lungen. Aus Organen nichts zu züchten. Aus Eiter konnten neben Stallkrankheit keine Streptrokokken gefund. werden.

144	→	156	22./VII.	1 subcutan	starke, weiche Localreaction, verschwindet ziemlich vollständig wieder. Fieber bis 39·5. Unbedeutender Gewichtsverlust, ca. sechstägige Krankheit	lebt	
145	→	157		0·1 intraperitoneal	keine Temperaturerhöhung, sondern Herabsetzung: 39·0 38·7 39·2 38·9 38·7 38·9 38·9 38·5 38·6 38·0 39·0 etc. Gewichtsverlust nicht sehr stark, Krankheit etwa 11 Tage		
		158		0·5 intraperitoneal	Fieber bis 40·8. Rapider Gewichtsabfall	† nach $3^1/_2$ Tagen	unter der Haut keine Oedem. In den Körperhöhlen starke typische Exsudate.
	158	163	28./VII.	„	Fieber: 40·8 41·2 40·0 39·0 39·7 41·4 ! 39·6 41·6 41·3 kein Gewichtsabfall	† nach $5^1/_2$ Tagen	keine Exsudate in den serösen Höhlen. Milz etwas vergrössert und livid. Leber blutleer und fettig degenerirt.
			5./VIII.		Fieber: 39·3 39·6 39·7 40·4 39·5 41·5 40·8 40·5 Gewichtsabfall ziemlich stark	† nach $4^1/_2$ Tagen	keine Exsudate. Milz etwas gross, livid. Leber normal.

(Fortsetzung.)

Abstammung aus Kan. d. Reihe II	Abst. aus Kanin. dieser Reihe	Nummer des Kaninchens	Datum der Infection	Art und Menge des Infectionsstoffes in ccm	Krankheitsverlauf	Ausgang	Sectionsbefund
	178	189	12./VIII.	0·5 intraperitoneal	Fieber continuirlich zwischen 41·0 und 41·8. Gewichtsverlust anfangs sehr gering, dann stark, am zweiten Tage der Krankheit Schnupfen	† nach 4 Tagen	keine Exsudate. Milz gross und livid. Linke Lunge stark infiltrirt. Herzblut und Bauchorgane geben Streptokokkus longus. Lunge giebt Stallkrankheit.
	189	195	18./VIII.		Fieber nicht stark, einmal 40·5, sonst unter 40·0. Gewichtsverlust mässig, aber lange dauernd, am 10. Tage Schnupfen	† nach 39 Tagen	Stallkrankheit.

In der Reihe II wurde derselbe Streptococcus, aber nachdem er durch Passage eines Kaninchens seine charakteristischen Eigenschaften wieder gefestigt hatte, verwendet. Hier ging die Minderung der Virulenz für Kaninchen nur ganz langsam von Statten. Doch trat sie am Ende der Reihe deutlich zu Tage, da subcutan mindestens das Doppelte der sicher tödtlichen Culturmenge vertragen wurde und intraperitoneal der Krankheitsverlauf trotz fünffacher Culturmenge ein sehr verzögerter war.

Sehr deutlich tritt nun diese Aenderung des relativen Virulenzverhältnisses für Mäuse gegenüber Kaninchen in Tabelle VIII b hervor, in der der Versuch mitgetheilt ist, den Streptococcus, der Mäusekörper passirt hatte, nun durch Kaninchen weiter zu züchten. Wie die Tabelle beweist, nahm nun hier nicht etwa die Virulenz wieder zu, sondern im Gegentheil von Kaninchen zu Kaninchen ab. Wieder tritt der Unterschied zwischen der Reihe I und II aus Tabelle VIII a zu Tage.

Was aber in dieser Tabelle VIII b noch viel prägnanter zur Geltung kommt, als in VIII a, das ist die *Aenderung des Krankheitsbildes und Sectionsbefundes* bei Kaninchen und des *Wachsthumsbildes in Bouillon.*

Es trat von Kaninchen zu Kaninchen mehr eine *eitererregende* Eigenschaft des Streptococcus K., die, wie oben bemerkt, vorher absolut fehlte, zu Tage und zugleich verlor das Wachsthum in Bouillon immer mehr den Charakter der eng zusammenhängenden Verbände und ging allmählich in die, schleimigen weichen Bodensatz bildende Wachsthumsform des Streptococcus M. über. Es ist diese Coincidenz von Wachsthum und Virulenz eine weitere Stütze der von *Behring* erwähnten Thatsache, dass die Streptokokken um so virulenter zu sein scheinen, je mehr sie Neigung zeigen, sich fest zusammenzuballen. Allerdings scheinen die Formen des durch längeres Wachsthum auf künstlichen Nährböden abgeschwächten Streptococcus K., die ihre Wachsthumseigenthümlichkeit noch ziemlich gut bewahrt hatten, dagegen zu sprechen, doch darf man Formen, welche nicht direct aus dem lebenden Organismus stammen, hier nicht in Vergleich ziehen.

Der Grad der Verschiedenheit der Krankheitsbilder zwischen dem ursprünglichen Streptococcus K. und diesem modificirten ist ausserordentlich gross. Wie oben am Anfang der Abtheilung II ausgeführt, stellt der Streptococcus K. einen typischen Vertreter der Septicämie dar. Niemals wurde eine Spur Eiterung beim Kaninchen beobachtet, unabhängig von Menge und Eintrittstelle des Infectionsstoffes. Das hohe Fieber, die eigenthümliche Beschaffenheit des Blutes u. s. w. zusammen mit dem charakteristischen Bouillonwachsthum stellen eine scharf umschriebene Art dar. Und nun ging dieser Streptococcus allmählich in einen höchst inconstanten, Eiterung in aller möglichen Stärke und Ausdehnung erregenden Streptococcus über.

Die Erzeugung von Erysipel war allerdings beiden Streptokokken, ebenso wie dem Streptococcus M. eigen. Doch schien ein gewisser Virulenzgrad Bedingung zu sein, da weniger virulente Culturen kein Erysipel mehr erzeugten und die virulentesten Streptococci K. ohne Localisirung am Ohr eine Allgemeinerkrankung, eine Blutvergiftung bewirkten.

Ich möchte hier auch noch auf einen Unterschied des Verlaufes des durch Streptococcus M. und K. erzeugten Erysipels hinweisen.

Bei ersterem blieb dasselbe fast immer beschränkt, d. h., es ging fast nie über die Ohrwurzel hinaus. Die Schwellung war meist sehr bedeutend, die Röthe dunkler. Auch kam es nicht selten zur Vereiterung und Nekrotisirung der Infectionsstelle, oft auch, wenn sich kein Erysipel mehr entwickelte.

Bei Streptococcus K. dagegen konnte mehrere Male eine Ausbreitung des Erysipels über Brust und Nacken constatirt werden. Niemals trat Verschorfung der Infectionsstelle ein. Die Schwellung erreichte keine so hohen Grade wie bei Streptococcus M..

Bei dem durch den Einfluss des Mäusekörpers umgezüchteten Streptococcus K. erlosch sehr bald die Fähigkeit, Erysipel zu erzeugen. Ob es sich bei demselben um ein Wiederauftreten des ursprünglichen Streptococcus M. handelt, wage ich nicht zu entscheiden. Allerdings sind die typischsten Eigenthümlichkeiten des Streptococcus M. sein Virulenzverlust bei Züchtung durch Kaninchen, seine eitererregende Eigenschaft und sein Wachsthum in Bouillon auch wieder hier zu finden. Immerhin aber waren die Krankheitsbilder der langwierigen Eiterung, die dem Streptococcus M. eigen waren, hier nicht so ausgeprägt zu finden.

Ob das als massgebender Unterschied angesehen werden muss, oder ob es nur in der weniger eingehenden Prüfung aller möglichen Virulenzgrade in der zweiten Abtheilung, vielleicht auch theilweise in der geringeren Sterblichkeit der Thiere an der intercurrenten Krankheit, die deshalb weniger chronische Processe zur Section brachte, ihren Grund hat, lasse ich dahingestellt.

Es ist also, um die Resultate der zweiten Abtheilung nochmals zusammenzufassen, gelungen, durch Züchtung im *lebenden Organismus*, theilweise mit Benützung der durch künstliche Nährböden, also durch saprophytisches Wachsthum der Streptokokken, aus einer einzigen Cultur zwei in Wachsthum, Virulenz und Krankheitsbild völlig verschiedene Streptococci longi zu erhalten, und zwar sind die Unterschiede so prägnant, wie sie bei Streptokokken, die aus dem menschlichen Körper stammen und als verschiedene Arten angesprochen werden, wohl nie zur Beobachtung kommen.

Ich glaube deshalb mit Recht behaupten zu dürfen, dass bis jetzt constante, sichere Merkmale, um eine Artverschiedenheit der Streptococci longi annehmen zu können, noch nicht gefunden wurden; vielmehr ist durch die obigen Experimente die *Möglichkeit* einer Beeinflussung der Virulenz der Streptokokken und damit zusammenhängend eine Veränderung des Krankheitsbildes und Wachsthums bewiesen, welche ohne Kenntniss dieses Zusammenhanges qualitative Differenzen und eine Artverschiedenheit der Streptokokken vortäuschen kann.

Natürlich bin ich weit davon entfernt, von den hier bei Kaninchen und Mäusen gefundenen Thatsachen Schlüsse über die Art der Beeinflussung, die beim Menschen in Betracht kommt, zu ziehen. Ich will auch die Frage ganz offen lassen, ob es sich dabei um Einflüsse auf die Streptokokken ausserhalb des menschlichen Körpers handelt, ob sie also schon mit fertig gebildeter Virulenz an den Menschen herantreten, oder ob sich eine Erhöhung oder Herabsetzung der Virulenz innerhalb des Körpers vollzieht, etwa wie bei Kaninchen 5 eine Erhöhung eintrat oder durch Wachsthum im Mäusekörper eine Herabsetzung. Beide *Möglichkeiten* werden wohl vorhanden sein.

Darüber wird hoffentlich die Fortsetzung meiner Versuche einige Aufklärung bringen.

Jedenfalls aber sehe ich ein praktisches Ergebniss für das am Beginn gesteckte Ziel darin, dass es geglückt ist, einen für Kaninchen sicher tödtlichen, in jeder Beziehung constant zu erhaltenden Streptococcus zu finden und einige Ursachen kennen zu lernen, die diese Constanz beeinträchtigen.

Diese letztere Erfahrung hat bereits ihre Früchte getragen, indem ich in dem durch Züchtung im Mäusekörper für Kaninchen fast ganz indifferent gewordenen Streptococcus ein ausgezeichnetes und völlig gefahrloses Mittel gefunden habe, gegen den höchst virulenten Streptococcus K. zu immunisiren.

Berlin, Februar 1893.

XIII.

Ueber den Immunisirungswerth und Heilwerth des Tetanusheilserums bei weissen Mäusen.

Von Stabsarzt Prof. Dr. **Behring** und prakt. Arzt Dr. **Knorr.**

(Aus dem Institut für Infectionskrankheiten zu Berlin.)

Für den Immunisirungswerth eines Serums kommen bei ausgewachsenen weissen Mäusen von ca. 20 grm Körpergewicht hauptsächlich folgende Factoren in Betracht:

I. Die Beschaffenheit des den Tetanus erzeugenden Materials und die Dosirung desselben.

II. Die Herstammung des Serums und der Zeitraum, welcher zwischen der Serumeinspritzung und der Infection bezw. Intoxication verstrichen ist.

ad. I. Bei weissen Mäusen kann der Tetanus auf zwei wesentlich verschiedene Arten erzeugt werden; einmal durch die giftfreien lebenden Tetanusbakterien und zweitens durch das bakterienfreie Tetanusgift.

Wir haben uns überzeugt, dass für unsere Zwecke die erste Art der Tetanuserzeugung gänzlich ungeeignet ist, da eine Dosirung der lebenden Bakterien auch nicht einmal mit *annähernder* Genauigkeit möglich ist, ganz abgesehen davon, dass die wechselnde Virulenz, die Vermehrungsfähigkeit, die differenten localen Wachsthumsbedingungen u. s. w. für *uns* wenigstens es aussichtslos machten, die Infection so zu gestalten, dass bei einer grösseren Zahl von gleich inficirten Thieren in verschiedenen Versuchsreihen ein übereinstimmendes Resultat zu Tage gefördert wurde; befriedigende Ergebnisse sind dagegen durch die zweite Art der Tetanuserzeugung mittels des bakterienfreien Tetanusgiftes zu erreichen.

Freilich müssen auch hier noch eine Reihe von Voraussetzungen erfüllt werden, ehe man die Dosirung des Tetanusgiftes so bemessen kann, dass die Wirkung desselben sich genau voraussagen lässt.

Es ist bis jetzt in der Tetanusliteratur weniger, als es im Interesse der Sache nothwendig wäre, auf die Thatsache aufmerksam gemacht worden, dass ohne besondere Cautelen das Tetanusgift in den Bouillonculturen nicht mit constantem Wirkungswerth erhalten werden kann.

Während z. B. das bakterienfreie *Diphtheriegift* in der decantirten oder filtrirten Bouilloncultur sich Jahre lang so conserviren lässt, dass ein Unterschied der Wirkung auf Versuchsthiere nicht zu Tage tritt, und dass der am ersten Tage der Gewinnung bestimmte Giftwerth noch nach Jahren genau der gleiche bleibt, wenn man das Decantat oder Filtrat mit 1 proc. Carbolsäuregehalt vor dem Licht geschützt bei Zimmertemperatur in geschlossener Flasche aufbewahrt, verhält es sich mit dem Tetanusgift ganz anders.

Wird eine Tetanusbouilloncultur, welche in paraffingedichteten Gefässen unter Sauerstoffabschluss gezüchtet wurde, nach Oeffnung des luftdichten Verschlusses schnell filtrirt und sofort dann der Wirkungswerth des bakterienfreien Filtrats geprüft, so ist das Ergebniss keineswegs präjudicirend für den Giftwerth des sich selbst überlassenen Filtrats auch nur für den folgenden Tag. Man kann da in 24 Stunden schon einen um's 10fache und noch mehr verringerten Giftwerth finden, und wenn dann weiterhin an den folgenden Tagen und in den folgenden Wochen die Verringerung des Giftwerthes auch nicht mehr so rapide vor sich geht, so darf man auf ein Constantbleiben der Wirkung sich doch nicht verlassen.

Wir haben noch nicht *alle* Einflüsse auf die Veränderung der Tetanusgiftlösungen so weit eruiren können, dass sich Bestimmtes darüber aussagen liesse, aus welchem Grunde der Wirkungswerth der einen Cultur in wenigen Tagen um das 100fache, der einer anderen vielleicht bloss um's 10fache heruntergeht.

Die Reaction der Flüssigkeit, die Einwirkung des Luftsauerstoffs, der Einfluss der Temperatur und des Lichtes sind hier zweifellos viel bedeutsamer als beim Diphtheriegift; aber alle diese Momente genügen nicht, um die Thatsache dieser gewissermassen spontanen Giftabschwächung zu erklären. Am meisten scheint uns die Sauerstoffeinwirkung zu berücksichtigen zu sein, da wir schon ein Umgiessen der Flüssigkeit aus einem Gefäss in ein anderes von Bedeutung fanden. Auf Oxydationsvorgänge möchten wir auch die Beobachtung zurückführen, dass langsames Filtriren durch Filtrirpapier eine ganz enorme Giftabschwächung zur Folge haben kann und dass bei alkalischer Reaction die Labilität des Giftwerthes grösser ist als bei neutraler.

Auf diese unsere Annahme von der Abschwächung des Tetanusgiftes durch die oxydirende Wirkung des Luftsauerstoffs führen wir auch unsere jetzt etwas besseren Resultate der Giftconservirung zurück. Seitdem wir nämlich unsere Culturflüssigkeiten in *denselben* Gefässen ruhig stehen lassen, dafür Sorge tragen, dass die Flüssigkeitsschicht eine hohe ist, und dass ein gut passender Korkpfropf die Gefässe verschliesst, haben wir in den letzten Monaten mit *derselben* Tetanusgiftlösung arbeiten können, ohne dass der Wirkungswerth um mehr als das 40fache, nämlich von 1 : 4 Millionen auf 1 : 100000 herunter gegangen ist.

Dass wir mit diesem Ergebniss noch recht zufrieden

sind, daraus mag man schliessen, wie gross die Abnahme des Wirkungswerthes in anderen Fällen gewesen ist.

Zum Schutz vor Verunreinigung durch Mikroorganismen setzen wir unseren Culturflüssigkeiten 0·6 Procent Carbolsäure hinzu. Zu vorübergehender, nicht länger als etwa 3 bis 5 Tage währender Conservirung ist vielleicht Chloroform noch mehr geeignet als die Carbolsäure. Allmählich zersetzt sich aber das Chloroform, und die aus demselben frei werdenden chemischen Körper haben dann eine schnelle Giftabschwächung zur Folge.

Der Gehalt von 0·6 proc. Carbolsäure ist an sich wohl nicht gleichgültig für die Wirkung des Tetanusgiftes; indessen vorläufig haben wir ein zweckmässigeres antiseptisches Mittel noch nicht ausfindig machen können.

Wenn wir nun auch unter genügender Berücksichtigung aller dieser bisher aufgezählten Cautelen die Möglichkeit bekommen haben, mit einiger Genauigkeit prognosticiren zu können, welches diejenige kleinste Giftdosis ist, die in einer neu anzustellenden Versuchsreihe den Tetanustod ausgewachsener weisser Mäuse herbeiführt, so unterlassen wir es doch nie, mehrere Controlthiere jedes Mal in den Versuch hineinzunehmen, an denen wir erkennen können, ob unsere Berechnung auch richtig war.

Man kann aus alledem ersehen, dass die Versuche, welche darauf ausgehen, aus dem Ausbleiben des Tetanustodes, aus dem Ausbleiben von Tetanussymptomen und aus der Schnelligkeit der Entwickelung derselben Schlüsse auf den Einfluss immunisirender oder heilender Agentien zu ziehen, nach unserer Meinung aufs Sorgfältigste vorbereitet sein müssen, auch wenn man nur *qualitativ* ein Urtheil gewinnen will. Für *quantitative* Berechnungen aber, bei denen wir mit genau zutreffenden tödtlichen Minimaldosen operiren müssen, ist die vorbereitende Arbeit eine ausserordentlich mühsame; und wir unternehmen dieselbe immer erst dann, wenn wir eine Reihe von wichtigeren Fragen auf einmal zu entscheiden haben.

Daher kommt es, dass unsere Versuchsreihen für den Tetanus etwas gross ausfallen, und dass jede einzelne selten weniger als 20 Mäuse auf einmal in Anspruch nimmt.

Als tödtliche Minimaldosis würde naturgemäss diejenige zu bezeichnen sein, bei welcher eine Maus noch unter tetanischen Erscheinungen stirbt; da jedoch auch bei ausgewachsenen Mäusen diese Dosis nicht genau die gleiche ist, und da wir für unsere therapeutischen und immunisirenden Versuche eine solche Dosirung wählen müssen, bei welcher *jede* Maus, wenn sie nicht specifisch beeinflusst ist, stirbt, so bezeichnen wir als tödtliche Minimaldosis diejenige, an welcher Mäuse in durchschnittlich 3 bis 5 Tagen sterben. Es beträgt diese für *alle* Mäuse *sicher* tödtliche Minimaldosis für die meisten Mäuse ein Mehrfaches der individuell tödtlichen Minimaldosis. An dieser sterben die Mäuse erst nach 6 bis 8 Tagen.

Die Bestimmung der tödtlichen Minimaldosis wird immer etwas Willkürliches behalten; wenn man aber, wie wir das bei allen wichtigeren Experimenten thun, mit oft geprüfter Giftlösung unter genau den gleichen Versuchsbedingungen gleichzeitig an einer grossen Zahl von Thieren arbeitet, dann sind die hierdurch gegebenen Fehlergrenzen ziemlich eng gezogen.

Um die Dosirung der Flüssigkeit genau genug vornehmen zu können, spritzen wir nie weniger als 0.2 ccm ein; es müssen dementsprechend von der Originallösung Verdünnungen hergestellt werden. Es ist recht bemerkenswerth, dass der Giftwerth der Verdünnungen sich mindestens ebenso gut erhält, wie der der Originallösung.

Alle Giftinjectionen werden von uns subcutan gemacht.

ad II. Da die Heilserumanwendung bei verschiedener Art der Incorporirung einen verschiedenen Heileffect hat, so bedarf es für quantitative Bestimmungen des Immunisirungs- und Heilwerths einer Angabe, wie dieselbe erfolgt ist, ob subcutan, intraperitoneal, intravenös u. s. w. Alle unsere Mittheilungen beziehen sich auf die subcutane Application des Heilserums.

Wir injiciren ferner das Serum stets nach der Achselgegend hin und stets auf die der Giftinjection entgegengesetzte Seite.

Was die Gewinnung und Conservirung eines Serums mit constantem Wirkungswerth betrifft, so haben wir bei unserem jetzt geübten Verfahren stets das Ziel im Auge behalten, unser Tetanusheilserum zu einer für den *Menschen* absolut unschädlichen Flüssigkeit zu machen.

Wie wir zur Erreichung dieses Zieles vorgehen, wollen wir an dieser Stelle zum ersten Male im Zusammenhang genau an einem concreten Falle mittheilen, indem wir hinzufügen, dass sich die einzelnen hier zu beschreibenden Phasen der Heilserumgewinnung bei jeder Blutentnahme immer wiederholen.

Wir wollen gleichzeitig bei dieser Gelegenheit dem Leser ein Bild davon entwerfen, was alles wir zu berücksichtigen für nöthig erachten, wenn wir uns zur Abgabe von Heilserum zur Behandlung tetanuskranker Menschen entschliessen.

Das gegenwärtig von uns benutzte Serum stammt von einem immunisirten Pferde in der thierärztlichen Hochschule zu *Berlin*, und zwar von einer Blutentnahme, die am 23. November 1892 stattgefunden hat. Die Hauptmenge desselben wird in einer mit Korkstopf verschlossenen Flasche, an deren Boden sich Chloroform (1 Volumprocent der gesammten Flüssigkeitsmenge) befindet, im Eisschrank aufbewahrt.

Ausserdem werden einige kleinere gleichfalls mit Korkstopf zu verschliessende Fläschchen, mit je 50 ccm Serum gefüllt, vorräthig gehalten. Der Inhalt derselben stammt aus der grossen Flasche, aus welcher das Serum, ohne vorher geschüttelt zu sein, abgegossen und mit einem Carbolsäuregehalt von 0·6 Procent versehen worden ist.

Das abgegossene Serum ist vollkommen klar und durchsichtig; durch den Carbolsäurezusatz erfährt es aber eine leichte Opalescenz; im Laufe der Zeit kann auch eine Trübung und mässige Niederschlagbildung eintreten, die auf Coagulirungsvorgänge, durch die Carbolsäure eingeleitet, zurückzuführen ist. Eine wesentliche Beeinträchtigung der specifischen Wirkung des Heilserums wird hierdurch nicht bedingt.

Auch in der grossen Flasche, deren Serum Chloroform allein, ohne Carbolsäurezusatz, enthält, bildet sich allmählich ein Niederschlag. Derselbe hat jedoch eine andere Bedeutung, als der durch den Carbolsäurezusatz bewirkte. Es handelt sich hier um eine Emulsionirung des Chloroforms. Man kann das daran erkennen, dass dieser Niederschlag verschwindet, wenn man das Chloroform aus demselben verdunsten lässt. Am besten verfährt man dabei in der Weise, dass nach dem Decantiren des überstehenden Serums der Niederschlag in eine flache Schale geschüttet und in einen Wärmeschrank gestellt wird, der auf 37° eingestellt ist. Lässt man hier die Schale mehrere Stunden stehen, so bleibt eine klare Flüssigkeit zurück, die sich in nichts von dem abgegossenen klaren Serum unterscheidet; auch nicht in dem Wirkungswerthe; denn auf tetanusinficirte Mäuse übt dieser klar gewordene Niederschlag dieselbe heilende Wirkung aus, qualitativ und quantitativ, wie jenes decantirte Serum.

So lange noch Chloroform im Ueberschuss im Serum vorhanden ist, hat es eine sehr starke antiseptische Wirkung, und man könnte, wenn es allein darauf ankäme, das Serum vor Bakterienvegetationen und Fäulniss zu schützen, allenfalls auch ohne den Carbolsäurezusatz diesen Zweck erfüllen.

Es hat sich aber gezeigt, dass Pferdeserum, welches bloss durch Chloroform conservirt wird, ebenso wenig, wie solches Pferdeserum, das ohne jeden conservirenden Zusatz steril geblieben ist, als eine unter allen Umständen indifferente Flüssigkeit für subcutane Injection beim *Menschen* angesehen werden kann. Zuweilen nämlich treten nach der Injection grösserer Mengen solchen Serums ähnliche Erscheinungen auf, wie wir sie bei besonders disponirten Individuen nach dem Genuss von Erdbeeren, Krebsen u. s. w. beobachten; unter leichten Fiebererscheinungen sieht man grössere Hautflächen in der Nähe der Injectionen oder auch am ganzen Körper von einem Exanthem befallen werden; und wenn nun auch bisher gefahrdrohende Folgen davon nicht eingetreten sind, so werden wir selbstverständlich doch derartige Complicationen vermeiden wollen, wenn wir dazu im Stande sind.

Das ist aber der Fall, wenn wir dem Serum einen Carbolsäurezusatz geben. Wenn wir nicht gleich von vornherein dem gesammten Serumvorrath Carbolsäure zusetzen, so geschieht das deswegen, weil bei langem Stehen carbolsäurehaltiges Serum in seiner heilkräftigen Wirkung etwas beeinträchtigt wird, was bei dem mit Chloroform conservirten Serum nicht, oder wenigstens nicht in gleichem Grade, der Fall ist.

Wir tragen also in zwei Hauptrichtungen Sorge dafür, dass unser Tetanusheilserum für den Menschen keine schädlichen Nebenwirkungen hat; einmal indem wir dasselbe, welches ja an sich in hohem Grade fäulnissfähig ist, vor dem Eindringen von Bakterienvegetationen und vor der Decomposition durch dieselben schützen, zweitens dadurch, dass wir eigenthümliche, in ihrer Natur noch nicht bekannte Acria, die sich im sterilen Pferdeblute und auch im Blute von anderen Thieren vorfinden, auf irgend eine Weise unschädlich zu machen suchen.

Den ersten Zweck erreichen wir durch peinlichste antiseptische Cautelen bei der Blutentnahme, bei dem Auffangen des Blutes in Gefässen, bei dem Aufbewahren des Blutes bis zur Gerinnung und bis zur vollständigen Serumabscheidung; endlich beim Abgiessen des Serums und den späteren Manipulationen mit demselben.

Die Principien, nach denen überall hier am zweckmässigsten vorzugehen ist, können wir als allgemein bekannt voraussetzen. Freilich bietet das Bekanntsein mit den Principien der Antisepsis noch keine genügende Gewähr dafür, dass alle Klippen glücklich vermieden werden, welche hier in so grosser Zahl unsere Bestrebungen, aus dem Blute steriles Serum zu erhalten, zum Scheitern bringen können. Es gehört dazu eine Uebung, die erst durch sehr häufiges Wiederholen dieser Arbeit erworben wird. Indessen schliesslich kann man doch seiner Sache dabei so sicher sein, dass ein Misslingen als ausgeschlossen zu betrachten ist.

Von da ab, wo wir dem fertigen steril gewonnenen Serum Chloroform zusetzen, ist die Gefahr des Verderbens desselben nur noch eine minimale, auch wenn keine besonderen Cautelen angewendet werden.

Das Unschädlichmachen der im Serum etwa vorhandenen Acria bewirken wir gegenwärtig dadurch, dass wir Carbolsäure hinzusetzen bis zu einem Gehalt von 0·6 Procent. Dieser Carbolsäuregehalt hat daneben auch noch die sehr erwünschte Wirkung, dass das Verderben des Serums auch dann verhindert wird, wenn in den an Aerzte abgegebenen Fläschchen, bei den verschiedenen Manipulationen mit denselben, der Chloroformgehalt zur Conservirung ungenügend geworden sein sollte.

Es war bis jetzt von denjenigen Arbeiten die Rede, welche darauf gerichtet sind, das Heilserum so zu gewinnen und zu conserviren, dass es unbedenklich an jeden Arzt abgegeben werden kann, der dasselbe zur subcutanen Injection bei tetanuskranken Menschen anwenden will.

Wir haben nunmehr das zu berücksichtigen, was zur Bestimmung des specifischen Wirkungswerthes unseres Serums zu geschehen hat und beispielsweise bei dem gegenwärtig zur Behandlung von Menschen abgegebenen Serum geschehen ist.

Die den Wundstarrkrampf heilende Substanz ist ein chemisch wirksames Agens: wir kennen jedoch dasselbe noch nicht soweit, um eine Aussage darüber machen zu können, welcher Classe von chemischen Körpern sie einzureihen ist.

Sie wird ausschliesslich im lebenden thierischen Organismus gefunden, und auch da nur, wenn derselbe eine specifische krankmachende Einwirkung erfahren und dieselbe durch Naturheilung überstanden hat. *Sie ist das Product einer specifischen Reaction des lebenden thierischen Organismus auf die von dem Tetanusgift hervorgerufenen biologischen Veränderungen, sei es nun, dass dieses Gift als solches dem in Frage kommenden thierischen Individuum einverleibt wird, oder sei es, dass dasselbe erst im Thierkörper in Folge des Eindringens des Tetanusbacillus erzeugt wird.*

Nur insoweit als das Tetanusgift Reactionen besonderer Art im Thierkörper hervorruft, die sich in gewissen Krankheitssymptomen äussern, welche in stärkerem oder geringerem Grade ausgesprochen sein können —, nur insoweit wird in diesem Thierkörper die tetanusheilende Substanz producirt.

Die Menge der producirten Heilsubstanz ist nicht von der Menge des incorporirten oder durch Tetanusbacillen im Thierkörper erzeugten Giftes abhängig; sondern sie ist abhängig von der Stärke der durch das Tetanusgift erzeugten Reactionen. Man kann daher bei Individuen, welche leicht auf das Tetanusgift reagiren, und die schon durch geringe Mengen desselben krank werden, mit denselben Giftdosen eine viel ergiebigere Production von Heilsubstanz erzielen, als bei Individuen mit geringer Reactionsfähigkeit gegenüber dem Tetanusgift.

Je stärker die Reaction war, d. h. je länger die durch das Tetanusgift hervorgerufenen krankhaften Veränderungen andauerten, und je intensiver sie als Blutveränderungen, Modification der Herzthätigkeit, der Athmung, der Wärmeregulirung, ferner als eigentliche specifische Tetanussymptome sich bemerkbar machten, um so grösser ist hinterher die Menge der im Blute zu findenden Heilsubstanz, falls diese krankhaften Veränderungen vollkommen geheilt werden. In den Fällen, in welchen die Sanatio completa nicht eintritt, kann zwar die Heilsubstanz im Blute auch vorhanden sein; ihre Existenz wird dann aber durch das gleichzeitige Vorhandensein krankmachender Stoffe verdeckt.

Durch mehrfaches Ueberstehen solcher specifischer Reactionen häuft sich die Menge der Heilsubstanz im Blute immer mehr an, und wir können diese Anhäufung so lange steigern, als wir noch im Stande sind, durch das Tetanusgift krankhafte Veränderungen hervorzurufen. Dabei müssen wir es aber vermeiden, die Blutentnahme behufs Nachweis der Heilsubstanz zu solcher Zeit vorzunehmen, wo noch die Beeinflussung der Lebenserscheinungen durch das Tetanusgift statthat, weil zu solcher Zeit eben ausser der Heilsubstanz auch noch krankmachende Stoffe im Blute vorhanden sind, und weil in Folge dessen bei der Prüfung des Blutes die Heilsubstanz nicht in ihrer vollen Wirkung in Erscheinung treten kann.

Wir können dabei es dahingestellt sein lassen, ob durch die neue Giftwirkung die früher vorhandene Heilsubstanz thatsächlich verschwindet, oder ob sie bloss durch das circulirende Tetanusgift für uns bis jetzt nicht nachweisbar ist; für unsere praktischen Zwecke ist der Effect in beiden Fällen derselbe, und wir müssen daher für die Blutentnahme behufs Heilserumgewinnung eine solche Zeit wählen, in welcher das blutliefernde Thier ganz gesund geworden ist. Als Kriterien hierfür gelten uns folgende:

1. Normales allgemeines Aussehen.
2. Normales Verhalten von Temperatur und Puls.
3. Normales Körpergewicht, als welches dasjenige angesehen wird, welches vor der Einleitung der letzten Reactionsperiode notirt war.
4. Normaler Ablauf des Gerinnungsprocesses und der Serumabscheidung in Blutproben, die durch Aderlass gewonnen sind.

Man kann auch noch andere Kriterien verwerthen, die aus dem Verhalten des Urins, aus der Zahl der rothen und weissen Blutkörperchen und ihrem Verhältniss zu einander gewonnen werden u. A.; wir sind jedoch bis jetzt mit den vier oben genannten Kriterien für unsere Zwecke ausgekommen.

Nachdem nun unter Berücksichtigung der bisher aufgezählten Momente von dem mit Tetanusgift vorbehandelten und dadurch immun gemachten Pferde in der thierärztlichen Hochschule am 23./XI. 92 Blut in einer Menge von $1^1/_2$ Liter durch Venäsection entnommen war und wir aus demselben 700 ccm Serum gewonnen hatten, welches wir am 26./XI. 92 mit Chloroform versetzten, trat an uns die Aufgabe heran, dieses Serum auf seinen Wirkungswerth zu prüfen.

Diese Aufgabe wurde dadurch erleichtert, dass gleich am 23./XI. 92 eine Vorprüfung mit dem Blut vorgenommen war (Dr. *Knorr*), welche als ungefähren *Werth* desselben für Mäuse die Zahl 1 : 1 000 000 ergeben hatte.

Diese Zahl besagt, dass eine mit der sicher tödtlichen Tetanusgift-Minimaldosis behandelte Maus vor dem Tetanustode geschützt wird, wenn sie $^1/_4$ Stunde nach der Injection der Giftlösung soviel Tetanusheilserum subcutan injicirt bekommt, dass die Serummenge dem $^1/_{1000000}$ Theil des Körpergewichts entspricht.

Ob man einen solchen Tetanusschutz mehr als Immunisirungs- oder mehr als Heileffect bezeichnen will, dürfte auf den ersten Blick als blosse Wortklauberei erscheinen; wir glauben jedoch durch die folgenden Darlegungen den Beweis liefern zu können, dass man diese Leistung des Heilserums nicht als eine immunisirende, sondern als eine therapeutische auffassen muss, und wir schicken gleich voraus, dass diese Zahl für den wirklichen Immunisirungswerth, der sinngemäss die Leistungsfähigkeit eines zur *Vor*behandlung benutzten Serums ausdrückt, nicht die richtige ist.

Spritzen wir nämlich das Serum einer mit der Tetanusgift-Minimaldosis vergifteten Maus statt $^1/_4$ Stunde *nach* der Giftapplication $^1/_4$ Stunde oder mehrere Stunden *vorher* ein, so ist die Wirkung dieses Serums eine grössere, nämlich ca. 1 : 5 Millionen.

Tritt nun schon gegenüber der tödtlichen *Minimaldosis* in dem Werth des Serums als eines tetanusverhütenden Mittels ein ziemlich bedeutender Unterschied zu Tage, je nachdem wir dasselbe kurz vor oder kurz nach der Giftinjection appliciren, so werden die Unterschiede immer grösser, je mehr die Minimaldosis überschritten wird.

Wie enorm schliesslich die Differenzen sich gestalten, haben wir in einer grösseren Versuchsreihe gezeigt, welche wir im Beisein des Herrn Professor *Gad* im hiesigen physiologischen Institut anstellten, und die wir durch weitere Versuche im Institut für Infectionskrankheiten ergänzten. Die weiter unten mitgetheilten Tabellen geben genauer Aufschluss über unsere Resultate. Hier wollen wir zur Illustrirung derselben nur einen einzelnen Fall hervorheben.

Wenn wir eine grössere Zahl von Mäusen mit dem 100fachen der tödtlichen Minimaldosis vergiften und die Serumbehandlung $^1/_4$ Stunde *nachher* eintreten lassen, so brauchen wir zur Verhütung des Tetanustodes nicht etwa, wie man a priori annehmen könnte, das 100fache der Serummenge, sondern das 10000fache. *In diesem Fall steigt, allgemein ausgedrückt, der Serumbedarf zur Verhütung des Tetanustodes in geometrischer Progression, wenn man die Giftdosis in arithmetischer Progression ansteigen lässt.*

Wird dagegen Mäusen das Serum $^1/_4$ Stunde *vor* der Injection des 100fachen der tödtlichen Tetanusgift-Minimaldosis eingespritzt, so braucht man zur Verhütung des Tetanustodes zwar auch noch mehr als die 100fache Serummenge, aber doch sehr viel weniger als in dem vorher citirten Falle; nämlich bloss ca. das 400 bis 1000fache.

Wenn nun jemand davon spricht, dass er *gleichzeitig* mit der Tetanusvergiftung die Serumbehandlung eingeleitet und dabei einen zahlenmässig ausdrückbaren Immunisirungs-Werth erhalten habe, so müssen wir schon a limine eine solche Werthbestimmung als ungenau nach unserer gegenwärtigen Kenntniss der Sachlage zurückweisen. Wir können bei dieser Kritik, die sich darauf stützt, dass eine *Gleichzeitigkeit* streng genommen gar nicht existiren *kann*, dass aber die Differenz von $^1/_2$ Stunde schon einen Unterschied der Werthe bis zum 25fachen zu bewirken vermag, um so weniger beabsichtigen, damit einen Tadel zu verbinden, als wir selbst diesen bedeutungsvollen thatsächlichen Verhältnissen erst in letzter Zeit genügend Rechnung tragen.

Wir glauben nunmehr aber nicht zu weit zu gehen, wenn wir an Werthbestimmungen, die auf Exactheit Anspruch machen, die Forderung erheben, dass genau gesagt wird, welcher Zeitraum zwischen der Giftinjection und der Serumbehandlung verstrichen ist. Nur dann dürfen wir hoffen, dass die Resultate verschiedener Autoren mit einander vergleichbar sind.

Nun könnte man sagen, dass unter so beschaffenen Verhältnissen, wo schon wenige Minuten Differenz in der Grösse dieses Zeitraumes erhebliche Werthschwankungen im Gefolge haben, eine exacte Werthbestimmung überhaupt unmöglich ist.

Da ist uns aber eine andere Thatsache zu Hülfe gekommen, um diesen principiellen Einwand zu eliminiren.

Wir haben nämlich gefunden, dass schon bei einer wenige Stunden vor der Vergiftung eingeleiteten Serumbehandlung die Sache sehr viel einfacher liegt, insofern als da der Serumbedarf fast genau in dem gleichen Verhältniss wächst mit dem Ansteigen der Giftdosis; und wenn wir 24 Stunden vor der Vergiftung die Seruminjection behufs Bestimmung des Immunisirungswerthes vornehmen, so ist die Genauigkeit in dieser Beziehung eine vollständige.

Für die Verhütung des Tetanustodes bei einer mit dem 100fachen der tödtlichen Minimaldosis vergifteten Maus genügt das 100fache derjenigen Serummenge, die zur Immunisirung gegen die einfache Minimaldosis erforderlich ist, falls man die Seruminjection 24 Stunden vor der Vergiftung macht.

Wir werden bei anderer Gelegenheit darauf zurückzukommen haben, welche fundamentale Bedeutung die Kenntniss dieser merkwürdigen Verhältnisse gewinnt; an dieser Stelle haben wir nur deswegen davon Notiz genommen, um daraus die Berechtigung zu entnehmen, von nun an zu verlangen, dass zur Bestimmung des Immunisirungswerthes eines Heilserums die Application desselben mindestens mehrere Stunden, am besten aber 24 Stunden vor der Tetanusvergiftung zu erfolgen hat.

Nach diesen Vorbemerkungen gehen wir dazu über, einige Versuchsreihen mitzutheilen, die uns zur Beantwortung mehrerer wichtiger Fragen, betreffend die Bestimmung des Immunisirungs- und Heilwerthes, geeignet erscheinen.

Die nachstehend mitgetheilten Versuchsreihen gestatten es, den Giftwerth unserer Tetanuscultur und den Immunisirungswerth unseres Heilserums mit ziemlich grosser Genauigkeit anzugeben.

Die tödtliche Minimaldosis der carbolsäurehaltigen Giftlösung würde nach den im Text gegebenen Erklärungen auf ca. 1 : 200 000 zu bestimmen sein.

A. Versuch vom 24./XI. 1892.

Immunisirungswerth des Pferdeserums. Abnahme 23./XI. 1892.

Tetanusvergiftung mit 1 : 200 000 (0·2 von 1 : 2000 Verdünnung) einer alten Tetanuscultur.

Das Serum wurde 1/4 Stunde nach der Giftapplication eingespritzt.

	Menge des Serums auf Körpergewicht berechnet		
Controle 1	—	† nach 3 1/2 Tagen	†
„ 2	—	† nach 3 1/2 Tagen	†
Maus 1	1 : 250000	ohne Krankheitserscheinungen geblieben	lebt
„ 2	1 : 500000	leichteste Tetan.-Erscheinungen	lebt
„ 3	1 : 1 Mill.	zieml. starker Tetan., der chronisch wird, bleibt am Leben	lebt
„ 4	1 : 5 Mill.	† nach 7 1/2 Tagen, also Verzögerung des Todes	†
„ 5	1 : 10 Mill.	† nach 8 Tagen, Verzögerung des Todes	†
„ 6	1 : 50 Mill.	† nach 6 Tagen, Verzögerung des Todes	†
„ 7	1 : 100 Mill.	† nach 4 1/2 Tagen	†

B. Versuch vom 5./XII. 1892.

Verwendetes Serum: Pferdeserum. Abnahme 23./XI. 1892 (s. Versuch 24./XI. 1892).

Verwendete Cultur: Alte Tetanuscultur (s. Versuch 24./XI. 1892). Von Neuem geprüft 2./XII. 1892:

Vorversuch:

Maus 1	1 : 100 000	† in 3	Tagen
„ 2	1 : 200 000	† in 6 1/2	„
„ 3	1 : 300 000	† in 7 1/2	„

a) Wirkungswerth der Cultur genauer geprüft:

Nummer der Maus	Menge der Cultur auf Körpergewicht berechnet	Erfolg
1	1 : 20000	† nach 48 Stunden
2	1 : 40000	† nach 45 „
3	1 : 100000	† nach 52 „
4	1 : 100000	† nach 2½ Tagen
5	1 : 100000	† nach 3½ „
6	1 : 100000	† nach 3½ „
7	1 : 100000	† nach 3½ „
8	1 : 200000	† nach 5½ „
9	1 : 400000	† nach 6½ „
10	1 : 800000	leichter chronischer Tetanus.

b) Werth des Serums bei verschieden starker Vergiftung und nachher erfolgter Einspritzung (ca. ¾ Stunden).

I. 1 : 100 000. (2 fache Minimaldosis.)

Nummer der Maus	Menge des Serums auf Körpergewicht berechnet	Erfolg
1	1 : 10000	ohne Krankheitserscheinungen geblieben
2	1 : 100000	leichte Tetanus-Erscheinungen
3	1 : 1 Mill.	† nach 5½ Tagen
4	1 : 5 Mill.	† nach 9½ Tagen.

II. 1 : 20 000. (10 fache Minimaldosis.)

Nummer der Maus	Menge des Serums auf Körpergewicht berechnet	Erfolg
1	1 : 500	ohne Krankheitserscheinungen
2	1 : 5000	leichte tetanische Erscheinungen
3	1 : 50000	† nach 8½ Tagen
4	1 : 500000	† nach ca. 44 Stunden.

III. 1 : 10 000. (20 fache Minimaldosis.)

Nummer der Maus	Menge des Serums auf Körpergewicht berechnet	Erfolg
1	1 : 100	leichte tetanische Erscheinungen
2	1 : 1000	ziemlich starker chronischer Tetanus, bleibt am Leben
3	1 : 10000	† nach 3½ Tagen
4	1 : 100000	† nach ca. 36 Stunden.

IV. 1 : 4000. (50fache Minimaldosis.)

Nummer der Maus	Menge des Serums auf Körpergewicht berechnet	Erfolg
1	1 : 50	ziemlich starker chronischer Tetanus, † nach $9^1/_2$ Tagen
2	1 : 500	starker chronischer Tetanus, bleibt am Leben
3	1 : 5000	† nach $2^1/_2$ Tagen
4	1 : 50000	† nach $1^1/_2$ Tagen.

V. 1 : 2000. (100fache Minimaldosis.)

Nummer der Maus	Menge des Serums auf Körpergewicht berechnet	Erfolg
1	1 : 20	schwerer chronischer Tetanus, bleibt am Leben
2	1 : 100	schwerer chronischer Tetanus, bleibt am Leben
3	1 : 1000	† nach $3^1/_2$ Tagen
4	1 : 10000	† nach $1^1/_2$ Tagen.

c) Werth des Serums bei verschieden starker Vergiftung und vorher (3 Tage) erfolgter Einspritzung.

Zu vergleichen mit b) I. und Versuch A vom 24./XI. 1892.

Maus Nr.	Menge des Infections-Stoffes	Multiplum der tödtlichen Minimal-dosis	Menge des vorher injicirten Serums	Entspricht einer Menge in b) I.	Erfolg
1	1 : 500	= 400 ×	1 : 10000	400 × 10000 = 1 : 4 Mill.	† nach ca. 30 Std.
2	1 : 1000	= 200 ×	1 : 10000	200 × 10000 = 1 : 2 Mill.	† nach $9^1/_2$ Tagen
3	1 : 2000	= 100 ×	1 : 10000	100 × 10000 = 1 : 1 Mill.	ziemlich stark. chronischer Tetanus, bleibt am Leben
4	1 : 4000	= 50 ×	1 : 10000	50 × 10000 = 1 : 500000	ohne Krankheitserscheinungen geblieben

C. Versuch vom 14./XII. 1892.

Einfluss der Injectionszeit des Serums.

Vergiftung mit 1 : 500 (ca. das 400 fache der Minimaldosis).
Serum vom 23./XI. 1892.

Die mit I bezeichneten Mäuse haben die betreffende Serummenge 19 Stunden vorher bekommen,

die mit II bezeichneten Mäuse ca. 1/4 Stunde vor der Vergiftung,

die mit III bezeichneten Mäuse ca. 1/2 Stunde nach der Vergiftung.

Gang des Versuchs: Am 13. December 3 Uhr bekommen die Mäuse I die Seruminjection.

Am 14. December 9 Uhr werden die Mäuse II mit Serum behandelt, dann alle Mäuse vergiftet, und zwar zuerst die Mäuse III, dann II, dann I. Dann erst werden die Mäuse III mit Serum behandelt.

Die Mäuse I und III wiegen durchschnittlich gleich viel, ca. 20 grm; die Mäuse II sind kleiner, wiegen durchschnittlich ca. 15 grm.

Am 14./XII. 1892 werden 10 Mäuse mit dem 400 fachen der sicher tödtlichen Minimaldosis vergiftet (1 : 500).

1 Controle † nach 24 Stunden.

Menge des Serums	Nummer der Maus	Ausgang
1.	I	ohne Krankheitserscheinungen geblieben
1 : 20	II	ohne Krankheitserscheinungen geblieben
	III	ganz leichte tetanische Erscheinungen
2.	I	ohne Krankheitserscheinungen
1 : 100	II	ganz leichte tetanische Erscheinungen
	III	sehr starker chronisch. Tetanus, bleibt am Leben
3. 1 : 1000	I	schon bei Infection krank, ohne Tetanussymptome nach ca. 2 Tagen †
	II	ziemlich schwerer chronischer Tetanus, bleibt am Leben
	III	starb nach ca. 2 1/2 Tagen

(Fortsetzung.)

Menge des Serums	Nummer der Maus	Ausgang
4.	I	ganz mässiger chronischer Tetanus
1 : 10000	II	† nach ca. $4^1/_2$ Tagen
	III	† nach ca. $1^1/_2$ Tagen
5.	I	† nach ca. $1^1/_2$ Tagen
1 : 100000	II	† nach ca. $1^1/_2$ Tagen
	III	† nach 27 Stunden.

Es ist nämlich in Versuch B. a) bei 1 : 200000 die Maus Nr. 8 nach fünf Tagen gestorben, bei 1 : 100000 ist von fünf Mäusen (Nr. 3 bis 7) keine später, als nach $3^1/_2$ Tagen gestorben.

Bei 1 : 800000 (Nr. 10) trat der Tod überhaupt nicht ein und bei 1 : 400000 (Nr. 9) war er erst spät eingetreten.

Die Dosis 1 : 100000 ist als tödtliche Minimaldosis zu hoch gegriffen, die Dosis 1 : 400000 liegt zu nahe derjenigen, welche nicht mehr sicher tödtlich wirkt, sondern bloss noch chronischen Tetanus verursacht, von welchem die Mäuse zuweilen sich noch wieder erholen. Da nun überdies in ausserordentlich zahlreichen anderweitigen Versuchen bei 1 : 200000 zwar alle Mäuse ausnahmslos an Tetanus verendet sind, andererseits aber der tetanische Krankheitsprocess nicht einen so rapiden Verlauf nahm wie bei 1 : 100000, so haben wir diese Dosis von 1 : 200000 als sicher tödtliche Minimaldosis bezeichnet.

Unsere sicher tödtliche Minimaldosis des Tetanusgiftes für weisse Mäuse besitzt darnach zwei wesentliche Eigenschaften: einmal sterben nach subcutaner Einspritzung derselben alle nicht immunisirten Mäuse an Tetanus. Andererseits aber ist diese Minimaldosis möglichst wenig höher, als diejenige Giftdosis, an welcher weisse Mäuse nicht mehr sterben, sondern bloss noch tetanisch erkranken.

Die sicher tödtliche Minimaldosis ist nach unseren Erfahrungen etwa um's sechsfache grösser, als diejenige Dosis, an welcher unter vielen Mäusen keine mehr stirbt, und um's vierfache grösser, als diejenige, an welcher bloss noch junge und für den Tetanus besonders empfängliche Mäuse sterben.

Man erkennt ohne Weiteres, dass die in der obigen Weise herausgefundene sicher tödtliche Minimaldosis ein Multiplum repräsentiren kann der wirklichen Minimaldosis für eine einzelne Maus.

Selbst wenn das Körpergewicht, der Ernährungszustand und das Alter ganz gleich gewählt werden, so findet man doch die individuelle Disposition bis zu einem gewissen Grade variirend, so dass von ganz gleich aussehenden Mäusen eine das doppelte, sogar das dreifache zur Herbeiführung des Tetanustodes vom Tetanusgift bekommen muss, als die anderen. Die *individuelle* tödtliche Minimaldosis fällt daher nicht zusammen mit der für *alle* Mäuse sicher tödtlichen Minimaldosis.

Unter Zugrundelegung dieser sicher tödtlichen Minimaldosis (1 : 200 000) zeigt der Versuch A, dass unser im Text beschriebenes Heilserum den Tetanustod noch verhütet, wenn es auf das Körpergewicht der Mäuse berechnet im Verhältniss von 1 : 1 000 000 subcutan eingespritzt wird.

Dass dieser Wirkungswerth nicht als richtiger Ausdruck für den Immunisirungswerth zu betrachten ist, zeigt die Versuchsreihe C. 4) I, wo 1 : 10 000 Serum noch gegenüber der 400 fachen tödtlichen Minimaldosis sich wirksam erwies = 1 : 4 Millionen. Durch Vergleichung der dort angegebenen Ziffern tritt aufs deutlichste zu Tage, dass die Schutzkraft unseres Serums grösser ist, wenn dasselbe vor der Vergiftung eingespritzt wird.

In B. b) sehen wir, dass bei *nachheriger* Serumbehandlung, trotzdem dass dieselbe sehr bald nach der Vergiftung erfolgte, die Serummenge von 1 : 10 000 höchstens gegenüber der zehnfachen Minimaldosis sich wirksam erwies, dagegen nicht mehr bei der zwanzigfachen Minimaldosis (B. b) III. 3.).

Als wichtigstes Ergebniss aller dieser Versuche möchten wir dasjenige bezeichnen, dass der volle Immunisirungswerth des Serums nur dann in Erscheinung tritt, wenn die Serumbehandlung mindestens so lange vor der Infection, bezüglich Intoxication erfolgt, dass noch eine vollkommene Resorption des Serums vorher sicher gestellt ist. Wir selbst haben nach Kenntnissnahme der eben berichteten Thatsachen die Serumeinspritzung behufs exacter Feststellung des Immunisirungswerthes einen Tag vor der Tetanusgiftapplication ausgeführt.

Wie aus den obigen Versuchen hervorgeht, sind die am Leben bleibenden Mäuse häufig noch mehr oder minder deutlich tetanisch geworden, und es entsteht da für uns die Frage, ob wir als immunisirend diejenige Serumdosis bezeichnen, welche den Tetanustod zwar verhütet, aber nicht die Erkrankung an Tetanus, oder ob wir als Kriterium einer ausreichenden Schutzwirkung nicht bloss das Ausbleiben des Todes, sondern auch die Verhütung jeder Erkrankung ansehen.

In dieser Beziehung haben wir zu erwähnen, dass unsere Berechnung des Immunisirungswerthes stets in ersterem Sinne erfolgt. Unter diesen Voraussetzungen hat unser Serum vom 23./XI. 92 einen Immunisirungswerth von ca. 1 : 5000000. Wir fügen an dieser Stelle hinzu, dass wir im Monat August 1892 mit wirksamerem Serum gearbeitet haben, und dass gegenwärtig (Anfang Januar 1893) der Immunisirungswerth des Serums von dem hier in Frage kommenden Pferde auch wieder höher ist.

Mit dem Serum vom 23./XI. 92 wurde ein Heilversuch bei bereits tetanisch erkrankten Mäusen im December 1892 angestellt. Diese Mäuse, fünf an der Zahl, waren mit 1 : 100000, also mit dem doppelten der sicher tödtlichen Minimaldosis vergiftet und sie wurden erst in Behandlung genommen ca. 12 Stunden nach dem Auftreten deutlicher Tetanussymptome. In diesem Heilungsversuch erwies sich das Serum vom 23./XI. 92 weder zur Heilung, noch zur Verzögerung des Todes ausreichend.

Ebendasselbe Serum hat sich aber als ausreichend zur Heilung solcher tetanischer Mäuse gezeigt, die nur mit der einfachen, sicher tödtlichen Minimaldosis krank gemacht waren. Im Januar dieses Jahres wurden neben anderen Versuchsreihen auch folgende, im physiologischen Institut des Herrn Geheimrath *du Bois-Reymond* angestellt, die zum Beweise dafür dienen kann.

Von 14 Mäusen, die sämmtlich mit der tödtlichen Minimaldosis (im vorliegendem Fall 1 : 75000) zu gleicher Zeit am 9./I. 93 vergiftet waren, wurden nach weniger als 24 Stunden 12 Stück leicht tetanisch gefunden; nach 28 Stunden waren sämmtliche Mäuse deutlich tetanisch.

Diejenigen Mäuse, welche am spätesten tetanisch wurden (zwei Stück), also das längste Incubationsstadium hatten, wurden unbehandelt gelassen und blieben mit zwei anderen Mäusen mit kürzerem Incubationstadium zur Controle. Die zehn anderen Mäuse wurden in Behandlung genommen, zum Theil zur Zeit, als die ersten Tetanussymptome sich bemerkbar machten (drei Stück), zum Theil, nachdem der Tetanus schon sehr deutlich in Erscheinung getreten war, spätestens aber fünf Stunden nach der Constatirung der ersten Tetanussymptome. Die zur Behandlung gewählte Serumdosis betrug bei sechs Mäusen 0·4 ccm, bei vier Mäusen 0·04 ccm. Die Behandlung mit diesen Serumdosen wurde an mehreren Tagen hintereinander fortgesetzt. Das Resultat dieses Heilversuchs war folgendes: Während bei den vier Controlmäusen der Tetanus von einer Muskelgruppe auf die andere übergriff und bis zum Tode dieser Thiere (von denen das erste am Morgen, das zweite am Mittag, das dritte am Nachmittag des 15./I., das vierte in der Nacht vom 15./I. zum 16./I. an Tetanus verendete) progredient blieb, war der

Tetanus bei sämmtlichen zehn behandelten Mäusen am 13./I. zum Stillstand gekommen. Bei drei von denselben trat der Stillstand schon am 11./I. ein, bei vier am 12./I., bei drei erst am 13./I. An diesem Tage hatten wir Gelegenheit, ausser anderen Versuchen, auch diesen Heilversuch in der *physiologischen Gesellschaft* zu demonstriren. Wir führten damals nur diejenigen behandelten Mäuse vor, bei denen der Stillstand des Tetanus erst zuletzt für uns bemerkbar geworden war. Drei von diesen Mäusen sahen so schwerkrank aus, dass wir in der Sitzung vom 13./I. 93 Abends die Prognose nur mit einiger Vorsicht quoad vitam günstig stellen konnten. In der That aber sind sämmtliche zehn behandelte Mäuse durch die Serumbehandlung vor dem Tetanustode geschützt worden. Von einer wirklichen Heilung können wir zur Zeit des Abschlusses dieser Notizen (bei der Correctur) nur bei zwei Mäusen sprechen. Die übrigen acht sind noch mehr oder minder tetanisch, aber wir haben genügende Erfahrung durch anderweitige Heilversuche gewonnen, um nicht bloss quoad vitam, sondern auch quoad sanationem completam die Prognose günstig zu stellen. [1])

Bei einzelnen Mäusen werden wir allerdings nicht bloss wochen-, sondern monatelang darauf warten müssen, bis die Muskelcontracturen bis auf den letzten Rest verschwunden sind.

Dass bei der Anwendung eines wirksameren Heilserums der Heileffect entsprechend schneller eintritt und noch bei stärkerer Vergiftung sich bemerkbar macht, bezw. bei einem späteren Stadium der Erkrankung, darüber geben unsere schon früher mitgetheilten Erfahrungen Aufschluss.

---

1) Sämmtliche 10 behandelten Mäuse wurden am 3./II. cr. von Herrn Prof. *Gad* (in der Sitzung der phys. Gesellschaft) als geheilt vorgeführt.

Wir möchten an dieser Stelle zuletzt noch auf einen Punkt aufmerksam machen, der für die Frage nach dem Heilwerth eines Tetanusheilserums von grosser Wichtigkeit sein dürfte. Wir haben bei der Feststellung des Immunisirungswerthes gesehen, wie derselbe in hohem Grade abhängig ist von der Grösse der krankmachenden Dosis, von der Zeit der Serumanwendung und davon, was man als Kennzeichen der gelungenen Immunisirung ansieht: die Verhütung jeder Erkrankung, oder die Verhütung des Todes, oder gar bloss eine Verzögerung des Eintritts des Todes.

Wenn nun verschiedene Autoren für die Berechnung des Immunisirungswerthes nicht die gleichen Versuchsbedingungen wählen wie wir, dann ist es ganz unmöglich, solche Zahlenangaben mit den unserigen in Vergleich zu stellen.

Wir möchten ganz besonders hervorheben, dass das Misslingen der Heilung schon tetanischer Mäuse in Versuchen, wie sie beispielsweise von *Paris* aus mitgetheilt sind, wo angeblich das zur Behandlung gewählte Serum einen Immunisirungswerth von 1 : vielen Millionen besass, möglicherweise auf eine andersartige Berechnung des Immunisirungswerthes zurückzuführen ist.

Aus den vorausgeschickten Auseinandersetzungen dürfte aber auch hervorgehen, dass eine absolute Genauigkeit in der Bestimmung des Immunisirungswerthes überhaupt nicht zu erreichen ist, und wir haben daher für die Beurtheilung des *Heilwerthes* von jetzt ab auch für unsere eigenen Versuche eine neue und, wie es uns scheint, praktisch sehr brauchbare Methode eingeführt, die wir im Folgenden beschreiben und zum Zweck einer besseren Verständigung mit anderen auf diesem Gebiete arbeitenden Autoren empfehlen möchten.

Das oben beschriebene Tetanusheilserum stammt, wie erwähnt, von einem immunisirten Pferde aus dem pathologischen Institut der thierärztlichen Hochschule, und wir haben gesehen, wie sich an demselben durch Mäuseversuche ein specifischer *Heilwerth* feststellen liess.

Aus den mitgetheilten Versuchen kann aber weiter auch erkannt werden, dass wochenlang dauerde, äusserst mühsame Vorversuche voraufgehen mussten, ehe wir uns getrauen durften, im physiologischen Institut Heilversuche mit diesem Serum anzustellen, ohne befürchten zu müssen, dass dieselben missglückten.

Wir mussten vorerst ganz genau den Wirkungswerth unserer Culturflüssigkeit kennen, mit der die Mäuse krank zu machen waren; wir mussten dann den Immunisirungswerth dieses Serums kennen; wir mussten endlich den Grad der Vergiftung und das Stadium der Erkrankung nach derselben herausbekommen, in welchem eine Serumbehandlung noch mit einiger Aussicht auf Erfolg von uns vorgenommen werden konnte.

Nun haben wir noch von mehreren Thieren Serum, an welchem gleiche Prüfungen vorzunehmen sind; gegenwärtig gleichzeitig von 3 Pferden und 4 Schafen; müssen da für jeden einzelnen Fall wieder von Neuem Wochen anstrengender Arbeit vergehen, ehe wir über den Heilwerth dieser Serumarten ein Urtheil gewinnen? Da können wir jetzt sagen, dass dies nicht nöthig ist, dass das neue Verfahren uns schneller zum Ziele führt, und dabei ebenso einfach wie zweckentsprechend ist.

Wir benutzen dieses genau geprüfte Pferdeserum vom 23./XI. 92 als Normalmaass und bezeichnen rein willkürlich, aber von jetzt ab ein für alle Male, seinen Heilwerth durch die Zahl 1. Dieses Normalserum wird nun in hinreichend grosser Menge unter solchen Bedingungen aufbewahrt, dass sein Heilwerth lange Zeit constant bleibt.

Wollen wir dann ein neues Serum prüfen, so stellen wir unter beliebigen, aber genau den gleichen Versuchsbedingungen mit dem Normalserum und mit dem neu zu prüfenden Serum Heilversuche an, deren Ausfall zunächst nur darüber orientiren soll, welches Serum wirksamer ist.

Ist das neue Serum weniger wirksam, dann lässt sich aus mehreren Verdünnungen des Normalserums diejenige durch ein weiteres Experiment herausfinden, welche in ihrem Werth mit dem ersteren übereinstimmt. Beträgt diese Verdünnung beispielsweise 1 : 10, so hat das neue Serum den Werth = $^1/_{10}$ Normalserum.

Für praktische Zwecke, ich meine für Heilversuche beim Menschen, würde bei geringerem Heilwerth als 1 eine genauere Bestimmung gar nicht mehr nothwendig sein, da wir ein solches Serum nicht mehr für die Behandlung des Menschen abgeben.

Ist das neue Serum wirksamer als das Normalserum, so wird durch Bestimmung der dem Normalserum gleichwerthigen Verdünnung des neu zu prüfenden Serums dasjenige Multiplum von 1 gefunden, welches den Heilwerth zum Ausdruck bringt.

Wenn wir also künftig von Normal-Tetanus-Heilserum sprechen, so ist das immer ein Serum mit solchem Heilwerth, wie wir ihn bei den im hiesigen physiologischen Institut im Beisein von Herrn Prof. *Gad* ausgeführten Versuchen kennen gelernt und in der Sitzung der physiologischen Gesellschaft vom 13. Januar dieses Jahres demonstrirt haben.

Wir erklären uns zum Schluss bereit, im Institut für Infectionskrankheiten solche vergleichende Prüfungen auch mit Tetanusheilserum aus anderen Laboratorien mit wirklichem *Heil*werth anzustellen, eventuell Proben von unserem Normalheilserum an andere *Centralstellen* für solche vergleichenden Untersuchungen abzugeben.

Berlin, Januar 1893.

XIV.

Ueber die Heilung tetanuskranker Mäuse.

Von Stabsarzt Professor Dr. **Behring.**

(Verhandlungen der physiologischen Gesellschaft zu Berlin.
Vom 13. Januar 1893 und 3. Februar 1893.)

Nach Darlegung der Aetiologie des Tetanus traumaticus, der Gewinnung von Reinculturen, der Bestimmung des Wirkungswerthes derselben unter Berücksichtigung der in den Culturen enthaltenen lebenden Tetanusbacterien und des Tetanusgiftes, demonstrirt der Vortragende solche weisse Mäuse, die mit Tetanus*gift* krank gemacht sind und danach zum Theil unbehandelt blieben, zum Theil einer Behandlung mit Tetanusheilserum unterzogen wurden.

Das zur Anwendung gekommene Serum stammte von einem Pferde aus der thierärztlichen Hochschule.

Die Schutzwirkung desselben wurde an Mäusen demonstrirt, die eine absolut sicher tödtliche Giftdosis bekommen hatten, und die noch vor dem Tetanustode bewahrt wurden, nachdem sie vorher Serum in solcher Menge bekommen hatten, dass auf mehr als 1 Million Gramm lebend Mäusegewicht 1 ccm Serum kam.

Mit diesem Serum sind auch Heilungsversuche an schon tetanischen Mäusen ausgeführt worden, von denen namentlich folgender ausführlich besprochen wurde.

Von 14 Mäusen, die sämmtlich mit einer durch Vorversuche als sicher tödtlich erkannten Giftdosis (1 : 75000) am 9. Januar 1893 im physiologischen Institut des Herrn Geheimrath Prof. *Du Bois-Reymond,* im Beisein des Herrn Prof. *Gad,* zu derselben Zeit von Herrn Dr. *Knorr* vergiftet waren, wurden nach weniger als 24 Stunden 12 Stück leicht tetanisch gefunden; nach ca. 28 Stunden waren sämmtliche Mäuse deutlich tetanisch.

Diejenigen Mäuse, welche am spätesten tetanisch geworden waren (zwei Stück), also das längste Incubationsstadium hatten, wurden unbehandelt gelassen und blieben mit zwei anderen Mäusen mit kürzerem Incubationsstadium zur Controlle. Die zehn anderen Mäuse wurden in Behandlung genommen — *zum Theil zur Zeit als die ersten Tetanussymptome sich bemerkbar machten, zum Theil nachdem der Tetanus schon sehr deutlich in Erscheinung getreten war, spätestens aber fünf Stunden nach der Constatirung der ersten Tetanussymptome.* Die zur Behandlung gewählte Serumdosis betrug bei sechs Mäusen 0·4 ccm, bei vier Mäusen 0·04 ccm., auf das Körpergewicht dieser Thiere berechnet in letzterem Falle also 1 : 500. Die Behandlung mit diesen Dosen wurde an mehreren Tagen hintereinander fortgesetzt. Das Resultat dieses Versuches war folgendes:

Während bei den vier Controllmäusen der Tetanus von einer Muskelgruppe auf die andere übergriff, und bis zum Tode dieser Thiere progredient blieb, war der Tetanus bei sämmtlichen zehn behandelten Mäusen zur Zeit des Vortrages zum Stillstand gekommen, und zwar war dies bei drei Mäusen schon am 11. Januar, bei vier Mäusen am 12. Januar, bei drei Mäusen erst am 13. Januar der Fall gewesen.

Es werden dann diejenigen Mäuse, bei welchen der Stillstand am spätesten eintrat, und die in Folge dessen am schwersten krank erscheinen, der Gesellschaft demonstrirt; daneben auch die vier Controllmäuse. Die letzteren sind sämmtlich schwerer krank, als die behandelten Mäuse; es ist bei ihnen fast keine Muskelgruppe vom Tetanus frei geblieben, und auf den Rücken gelegt, sind sie nicht im Stande, sich von selbst wieder auf die Beine zu bringen.

Der weitere Verlauf des Versuches, welcher von Herrn Prof. *Gad* zusammen mit Herrn Dr. *Knorr* im Laboratorium des physiologischen Instituts von Tag zu Tag weiter verfolgt wurde, ist der Gesellschaft in der Sitzung vom 3. Februar 1893 durch Herrn Prof. *Gad* geschildert worden.

Sämmtliche vier Controllmäuse waren bis zum 15. Januar, abends, an typischem Tetanus gestorben.

Von den behandelten zehn Mäusen sind alle zehn am Leben geblieben; und selbst die der Gesellschaft am 13. Januar 1893 in so sehr schwer krankem tetanischen Zustande gezeigten drei Mäuse konnten von Herrn Prof. Gad als geheilt vorgeführt werden. Nur eine leichte Rückenkrümmung deutete für den sehr aufmerksamen Beobachter die überstandene Krankheit an.

Bei zwei von den geheilten Mäusen war schon am 20. Januar 1893 die Heilung ziemlich perfect; bei den übrigen war die Restitutio ad integrum erst im Laufe von drei Wochen ganz allmählich eingetreten.

Nach weiteren Bemerkungen des Vortragenden *(Behring)* von mehr allgemeiner Natur, betreffend die Wirkungsweise des Heilserums und die für die Behandlung des Menschen sich ergebenden Consequenzen, bespricht derselbe eine neue Methode der Werthbestimmung neu zu prüfender Serumsorten, indem er dabei gleichzeitig für seinen Mitarbeiter, Herrn Dr. *Knorr*, das Wort führt.

XV.

Experimentelle Beobachtungen an immunisirten Schafen über Bacterien-Immunität und Gift-Immunität
und über
protrahirte und recidivirende Wirkung von Bacteriengiften.

Von Stabsarzt Prof. Dr. **Behring.**

(Nach einem in der Charité-Gesellschaft vom 29. Juni 1893 gehaltenen Vortrag *„Ueber Heilserumgewinnung von Schafen“.*)

Meine Herren! Unter Heilserum verstehe ich ein von immunisirten Individuen stammendes Blutserum, welches die Fähigkeit besitzt, eine solche Krankheit zu heilen, die ohne Anwendung des Serums sicher zum Tode führen würde. Die Verwendung eines solchen Heilserums zur Behandlung kranker Menschen bezeichne ich als Blutserumtherapie.

Bis jetzt kann von einer Blutserumtherapie nur bei der *Diphtherie* und dem *Tetanus* die Rede sein. Für andere Krankheiten, wie für die *Cholera*, den *Typhus*, die *Streptokokkenkrankheiten* haben die Bemühungen, ein für die Behandlung des Menschen ausreichendes, heilendes Serum zu bekommen, noch nicht zum Ziele geführt; auch für die *Pneumonie* hat die Blutserumtherapie noch nicht ein actuelles Interesse gewonnen, und falls man die früheren *Klemperer*'schen Heilversuche gegen dieses Urtheil anführen will, so ist wenigstens *gegenwärtig* die Serumbehandlung der Pneumonie ohne Bedeutung für die Praxis. Ob die von Erfolg begleiteten Bemühungen *Tizzoni's* in Italien, für die *Hundswuth* ein im Thierexperiment heilendes Serum herzustellen, schon für kranke Menschen nutzbar zu machen sind, geht aus den letzten Mittheilungen *Tizzoni's* darüber nicht deutlich hervor.

Am weitesten gediehen sind in meinen eigenen Arbeiten die auf die Diphtherieheilung gerichteten Bemühungen. Die Tetanusheilung mittelst der Serumtherapie betrachte ich zwar auch als ein im Princip gelöstes Problem; in Anbetracht des Umstandes aber, dass mir sowohl die Zeit, wie die Mittel fehlen, um *gleichzeitig für beide Krankheiten*, für die Diphtherie und den Tetanus, mit der erforderlichen Intensität zu arbeiten, steht in meinen Versuchen gegenwärtig die Tetanusheilserumgewinnung etwas zurück; es kann das auch ganz ohne Schaden für die Sache geschehen, nachdem in Frankreich und in Italien der Staat sich der Tetanusheilungsfrage angenommen hat. Im *Pasteur*'schen Institut sowohl, wie in *Tizzoni's* Institut in Bologna wird auf Staatskosten mit grossem Eifer und mit Sachverständniss die Herstellung grosser Mengen von Tetanusheilserum betrieben. Freilich sind bis jetzt weder *Roux* und *Vaillard* in Paris, noch *Tizzoni* und seine Mitarbeiter in Bologna so weit gekommen, wie das in den Arbeiten von Prof. *Schütz*, Dr. *Knorr* und mir der Fall ist; namentlich die Pariser Autoren arbeiten noch immer mit einem Serum, welches tetanuskranke, leicht empfängliche Thiere nicht zu heilen vermag. Ich habe jedoch keinen Zweifel daran, dass wir bald von weiteren Fortschritten der genannten Autoren hören werden; handelt es sich doch jetzt bloss noch darum, die hier in Berlin gelungenen Pferdeimmunisirungsversuche zum Zweck der Heilserumgewinnung nachzumachen.

Wenn ich im Folgenden über meine eigenen Versuche

Bericht erstatte, so will ich nur denjenigen Theil der blutserumtherapeutischen Arbeiten hier beleuchten, welcher die Gewinnung des Heilserums von Schafen betrifft. Vornehmlich wird dabei von Beobachtungen die Rede sein, welche an solchen Schafen gemacht sind, die *Diphtherieheilserum* liefern sollen; gelegentlich werde ich aber auch, zur besseren Illustration jener Beobachtungen, auf Erfahrungen bei *tetanusimmunisirten* und *milzbrandimmunisirten* Schafen zu sprechen kommen.

M. H. Die auf die Heilserumgewinnung gerichteten Arbeiten sind seit ca. 2 Jahren aus der engbegrenzten Laboratoriumsthätigkeit herausgetreten. In Gemeinschaft mit Herrn Prof. *Schütz* habe ich dieselben früher, soweit sie ein landwirthschaftliches Interesse haben, in Stallungen der thierärztlichen Hochschule ausgeführt; im Uebrigen sind diese Arbeiten in Privatställen, in Gemeinschaft mit Herrn Stabsarzt *Wernicke*, von mir unternommen und durchgeführt worden. Als der immer grösser werdende Umfang der Versuche eine Centralisation der Arbeit nothwendig machte, staatliche Mittel und Räume hierfür aber nicht zu bekommen waren, habe ich schliesslich einen Stadtbahnbogen in der Nähe des Instituts für Infectionskrankheiten mit privaten Mitteln für die Heilserumgewinnung so eingerichtet, dass mehrere Pferde und 40 bis 50 Schafe darin bequeme Unterkunft finden können.

Die Einrichtung der Räume in diesem Stadtbahnbogen ist einerseits so beschaffen, wie man sie in guten Stallungen von gewöhnlicher Art vorfindet, andererseits ähnelt sie den Laboratoriumseinrichtungen unserer Institute, nur dass bei mir Alles auf den rein praktischen Zweck der Heilserumgewinnung zugeschnitten ist. Was in irgend erheblicher Weise diesen Zweck zu fördern geeignet ist, hat sorgfältige Berücksichtigung gefunden. Für die Temperaturmessung und Gewichtsbestimmung der Thiere, für Blutentziehungen, Blutuntersuchung und Blutconservirung sind ebenso umfassende Vorkehrungen getroffen, wie für die Behandlung der Thiere mit medicamentösen Stoffen zum Zweck ihrer Immunisirung, welche ja bekanntlich der Heilserumgewinnung voraufgehen muss. Ebenso sind für die Desinfection der Thiere, der Utensilien und aller festen Gegenstände in den Ställen einfache aber durchaus genügende Vorbereitungen getroffen. Dagegen haben andere Einrichtungen unserer gewöhnlichen Laboratorien, die mehr für Lern- und Lehrzwecke bestimmt sind, keinen Platz gefunden.

Bevor ich es wagte, eine so umfangreiche und kostspielige Unternehmung in's Werk zu setzen, hatte ich schon viele Erfahrungen gesammelt darüber, was Alles zu beachten ist, um Misserfolge und unglückliche Zufälle zu vermeiden. Obenan in diesen Erfahrungen steht die Thatsache, dass man auf's Sorgfältigste den Gesundheitszustand der Versuchsthiere controlliren muss. Für diesen Zweck sind zeitweise so ziemlich alle Hilfsmittel benutzt worden, die auch bei der klinischen Beobachtung des Menschen angewendet werden: Die regelmässige Registrirung des allgemeinen Status, die Feststellung des Verhaltens der Herzthätigkeit und des Respirationsapparats sowie der übrigen lebenswichtigen Organe, die localen und allgemeinen Reactionen nach der jedesmaligen medicamentösen Behandlung, Blutuntersuchungen zum Zweck der Bestimmung etwaiger Abweichungen vom normalen Blutbefund, Harnuntersuchungen u. s. w.; zuletzt aber haben sich für meine Zwecke als am wichtigsten zwei Beobachtungsreihen ergeben, die einen zahlenmässigen Ausdruck gestatten, nämlich die Temperaturmessung und die Gewichtsbestimmung. Bei jedem Versuchsthiere werden ganz regelmässig, gleichgiltig ob dem äusseren Anschein nach dasselbe gesund ist oder nicht, Temperatur und Gewicht von ganz zuverlässigen und geübten Leuten bestimmt, in besondere Bücher eingetragen und schliesslich in Tabellen eingezeichnet, von denen ich einige hier herumreiche (No. 9, 16, 24, 31, 32.).

Sie finden auf diesen Tabellen eine Temperaturcurve, darunter eine Rubrik für die Eintragung der medicamentösen Behandlung. Ausserdem ist noch eine Rubrik für besondere Bemerkungen in den Tabellen enthalten, in welcher namentlich etwaige Blutentnahmen eingezeichnet sind. Zum weiteren Verständniss der herumgereichten Tabellen füge ich noch hinzu, dass die Curven, welche durch eine *ausgezogene Linie* dargestellt werden, solche Thiere betreffen, die gegen Diphtherie immunisirt sind; die *einfach unterbrochenen* Linien (— — —) betreffen tetanusimmunisirte Thiere; die *durch einen Punkt unterbrochenen* (—·—·—) milzbrandimmunisirte. Aus einzelnen der Tabellen können Sie entnehmen, dass ein und dasselbe Thier zu verschiedenen Zeiten gegen alle drei Krankheiten, gegen Diphtherie, Tetanus und Milzbrand, immunisirt worden ist.

Die Tabellen sind lithographirt; ihre Herstellung hat viele Monate gedauert, trotz anhaltender und fleissiger Arbeit des Lithographen; ich hoffe, dass sie in dieser Form ein recht übersichtliches Bild geben von dem, was ich Ihnen im Folgenden als Resultat meiner Gesammtbeobachtungen über die Immunisirung von Schafen zu sagen habe.

M. H. Schon ein flüchtiger Anblick der Curven wird Ihnen Bilder in die Erinnerung rufen, wie Sie dieselben von den Temperaturcurven tuberkulinbehandelter kranker Menschen kennen. Je genauer Sie aber meine Curven von diphtherie-, tetanus- und milzbrandimmunisirten Schafen studiren, um so mehr wird die Aehnlichkeit zu Tage treten; ja, man kann sagen, dass im Princip ein Unterschied in der Wirkung des Tuberkulins und in der Wirkung der von mir zur Immunisirung bei Thieren angewendeten Stoffe gar nicht existirt.

Hier ist beispielsweise die Tabelle No. 45, welche die Temperaturcurven von einem mittelgrossen Schaf enthält. Dasselbe hatte ein Anfangsgewicht von 42 kgrm.

Regelmässige Temperaturmessungen im Laufe des Monats Juli 1892 hatten ergeben, dass die Temperatur dieses Thieres, 7 Minuten lang im Rectum gemessen, im Mittel 39,4° C. betrug, zu keiner Zeit 39,6° C. überschritt und zu keiner Zeit niedriger war als 39,1° C. Am 27. Juli 1892 begann die Behandlung mit Diphtheriegift zum Zweck der Immunisirung. Ich schicke voraus, dass das Zeichen „F" das Filtrat einer giftigen Diphtheriebouilloncultur bedeutet, „M" eine Mischung von todten Diphtheriebacillen mit Filtrat, „FM" eine Mischung verschiedener Filtrate, „DB" eine Suspension von abgetödteten Bacillen. Der Giftwerth dieser vier verschiedenen Präparate ist vorher sehr genau an Meerschweinchen bestimmt worden und erwies sich in „M" „FM" und „DB" als gleich gross, während „F 14./7. 91" d. h. das Filtrat, welches zum ersten Male am 7. Juli 1891 geprüft war und danach seinen Giftwerth constant beibehalten hat, 5 Mal stärker wirksam war, so dass 1 ccm „F" 17./4. 91 = 5 ccm „M", „FM" und „DB" zu setzen ist. Die mit ICl_3 (Jodtrichlorid) behandelten Gifte sind, je nach dem Procentgehalt an Jodtrichlorid, erheblich schwächer wirksam.

Die Behandlung begann bei No. 45 mit 4 ccm F 14./7. 91; sie sehen darauf über 4 Tage hingezogenene, unregelmässige Temperaturerhebungen eintreten, die nicht sehr bedeutend sind; als dann am 1. August eine Einspritzung von bloss 0,75 ccm gemacht wird, erfolgt eine starke, aber glatte Reaction; und das Gleiche ist der Fall nach der Einspritzung von 0,75 ccm am 4. August. Durch einen Vergleich dieser Curve mit den Curven No. 42, 43 und 44 können Sie erkennen, dass die Anfangsdosis von 4 ccm eine zu hohe gewesen ist; Gewichtsverlust und Abnahme der Fresslust nebst starkem Oedem an der Stelle der Einspritzung waren nach Ausweis meines Protokolls die Folge derselben; auch ging das Thier auf dem linken Vorderbein lahm. Es war das eine Schulterlähme, bedingt durch entzündliche Schwellung in der Nähe des linken Schulterblatts, wo das Filtrat unter die Haut gespritzt war.

Sie sehen dann weiter, wie spätere Injectionen in der Höhe von 0,75 cm F 14./7. 91 und von 5 ccm M. nennenswerthe Reactionen nicht mehr machen, und wie ich dann ziemlich schnell mit den Dosen anstieg, um nach 13,5 cm F 14./7 91 schliesslich wieder deutlich toxische Nebenwirkungen zu bekommen; noch während des Bestehens derselben ergiebt eine Einspritzung von 0,75 ccm virulenter Diphtheriebouilloncultur (DBC), dass der Immunisirungsprocess gegenüber den lebenden Diphtheriebacillen so weit vorgeschritten war, dass auf eine um's Mehrfache die sicher tödtliche Minimaldosis übersteigende Einspritzung von denselben kaum eine Reaction erfolgte. Nach 0,2 ccm meiner stark virulenten Diphtheriebouilloncultur, wenn dieselbe 2 Tage im Brütschrank gewachsen ist, sterben nämlich Schafe von mittlerem Körpergewicht schon nach wenigen Tagen. Wie die Temperaturcurve eines Schafes aussieht, welches an *kleinen* Culturmengen mit den typischen Erscheinungen der Diphtherie stirbt, mag Ihnen No. 36 zeigen. Ich will hinzufügen, dass nach sehr schnell zum Tode führender Diphtherie, in Folge von stärkerer Infection, die Temperatur bald abnorm niedrig wird. Recht bemerkenswerth ist dabei, dass auch bei subcutaner Application der inficirenden Cultur die Diphtherie der Schafe sich, ähnlich wie beim Menschen, im Respirationsapparat und in der Trachea lokalisiren kann.

Nachdem nun in Folge der Behandlung ausschliesslich mit Diphtheriegift nicht bloss ein gewisser Grad von *Giftimmunität,* sondern auch von *Bacterienimmunität,* d. h. eine erhöhte Widerstandsfähigkeit gegenüber einer Infection mit lebender, giftfreier Cultur, bei dem Schaf No. 45 constatirt war, wurde die Weiterbehandlung mit Diphtheriegift fortgesetzt; im December 1892 bin ich dabei schon auf 100 ccm M. gekommen, ohne dass, zunächst wenigstens, toxische Nebenwirkungen eintraten, und ohne dass die Reaction so ausgesprochen war, wie nach den kleinen Dosen in der Anfangsperiode der Immunisirung.

Aehnlich wiederholt sich die Sache bei *allen* diphtherieimmunisirten Thieren, deren Geschichte Sie in ca. 40 Tabellen graphisch dargestellt finden. Ueberall lassen sich folgende Ergebnisse als sichergestellt durch das Experiment nachweisen.

Erstens: Durch geeignete Wiederholung der Behandlung mit Diphtheriegift erlangen Schafe eine höhere Wiederstandsfähigkeit gegen dasselbe (Giftimmunität).

Zweitens: Schafe, welche gegen das Diphtheriegift eine höhere Wiederstandsfähigkeit bekommen haben, sind gleichzeitig auch gegenüber der Infection mit lebenden und virulenten Diphtheriebacillen wiederstandsfähiger geworden. (Bacterienimmunität).

M. H. Es ist Ihnen bekannt, dass die Gewinnung von Heilserum an den Besitz von hochimmun gemachten Thieren geknüpft ist; ich setze auch die weitere Thatsache als bekannt voraus, dass es für den Grad der heilenden Leistungsfähigkeit des Serums nicht so sehr auf den Grad der Immunität an sich ankommt, als vielmehr auf die Grösse der Differenz zwischen dem ursprünglichen Grad der Widerstandsfähigkeit und dem der später erworbenen. Es bedarf an dieser Stelle bloss eines einfachen Hinweises darauf, welches Interesse für die Heilserumgewinnung alles besitzt, was wir über die Bedingungen einer gefahrlosen, schnellen und hohen Immunisirung erfahren können. Ich selbst habe nun durch das fortwährende Studium der vorliegenden Tabellen grossen Nutzen für die zweckmässige Wahl der Immunisirungsmethoden zur Heilserumgewinnung gehabt, und ich hoffe, dass das auch für andere Experimentatoren der Fall sein wird. Hier will ich bloss auf einige principielle Fragen noch etwas näher eingehen.

Ich habe schon erwähnt, wie ein wesentlicher Zusammenhang besteht zwischen *Gift-Immunität* und *Bacterien-Immunität,* und füge hinzu, dass ganz ausnahmslos die erstere auch die zweite im Gefolge hat. Aber ich muss ausdrücklich betonen, dass man recht oft fehlgehen würde, wenn man umgekehrt schliessen wollte — wenn man die Bacterien-Immunität unauflöslich verknüpft halten wollte mit einer erhöhten Gift-Immunität. Es ist zwar richtig, dass eine sehr hohe Immunität gegenüber der krankmachenden Wirkung lebender Diphtheriebacterien mit grosser Wahrscheinlichkeit darauf schliessen lässt, dass auch die *Giftwiderständigkeit* eine beträchtliche ist. Aber schon das Studium *dieser* Tabellen lässt erkennen, wie Thiere, welche schon auf kleine Giftdosen stark reagiren und krank werden, trotzdem ganz bedeutende Culturmengen vertragen können; noch mehr wird diese bemerkenswerthe Thatsache zu Tage treten, wenn ich in späterer Zeit das *weitere* Schicksal meiner Versuchsthiere schildern werde.

Das Gleiche, was ich hier von der Diphtherie und von Schafen gesagt habe, gilt auch von anderen Krankheiten und von anderen Thierarten. Resumirend kann ich danach sagen: *Erhöhte Gift-Immunität eines Individuums lässt ohne Weiteres darauf schliessen, dass dieses Individium einen stärkeren Infectionsschutz (gegenüber den lebenden Bacterien, von welchen das Gift herstammt) besitzt. Das Umgekehrte trifft in der Mehrzahl der Fälle, aber nicht ausnahmslos zu.*

Im Zusammenhang mit den eben erwähnten Verhältnissen steht die zweite wichtige Beobachtung, die mit besonderer Deutlichkeit an den Schafen No. 1 bis 6, 37, 38, 43 gemacht werden konnte, dass durch Einspritzung von solchen Dosen lebender Cultur, die für die Thiere an sich unschädlich sind, und die zu einer *erhöhten Bacterien-Immunität* führen, *die Giftwiderständigkeit herabgesetzt werden kann.* Ferner die dritte Beobachtung, dass *nach relativ zu grossen Giftdosen die Giftwiderständigkeit abnorm niedrig wird, ohne dass deswegen die Bacterien-Immunität herabgesetzt zu sein braucht.*

Diese drei Versuchsergebnisse, welche zuerst bei den Immunisirungsversuchen an Schafen von mir eruirt worden sind, konnten später an einer grossen Zahl von kleineren Laboratoriumsthieren bestätigt werden, und sie sind der Ausgangspunkt von neuen Untersuchungen geworden, welche meine gegenwärtigen Immunisirungen für praktische Zwecke in ein ganz neues Fahrwasser gelenkt haben.

An dieser Stelle wollte ich durch die vorstehenden Bemerkungen nur den gegenwärtigen Stand der Frage nach den Beziehungen zwischen Gift-Immunität und Bacterien-Immunität kurz präcisiren, ohne in eine Diskussion der Einzelheiten einzutreten.

Eine andere Reihe von bemerkenswerten Ergebnissen betrifft die *protrahirte und die recidivirende Wirkung von Bacteriengiften,* die sowohl in den Immunisirungsversuchen gegenüber der Diphtherie, wie in denen gegenüber dem Tetanus sich erkennen lässt.

Ausgezeichnete Beispiele für eine protrahirte Giftwirkung liefern die Tabellen No. 3 (6. August bis 22. September 1892) No. 7 (1. bis 11. September 1892, wo gleichzeitig eine Art von Incubationsstadium der eigentlichen Reaction voraufgeht), No. 33 (Tetanus) No. 34 (Tetanus) No. 37, vor Allem aber No. 42 (5. September bis 5. Oktober).

Auch für die Recidivirung der Giftwirkung, d. h. für den Eintritt neuer typischer Reactionen ohne Dazwischenkunft einer neuen Giftapplication, lassen sich in den vorliegenden Tabellen Beispiele herausfinden. Vollgiltige Beweise für die Richtigkeit der Deutung solcher Wiederholungen von Fieberreactionen, Gewichtsverlusten und anderen toxischen Erscheinungen als Recidive lieferte mir aber erst die spätere Beobachtung solcher Schafe, welche nach gelungener Immunisitung mehrere Monate lang ohne jede Behandlung gebliebea sind, *und bei denen der causale*

Zusammenhang der Spätreactionen mit früheren Gifteinspritzungen durch Blutuntersuchungen unwiderleglich erwiesen wird. Auch diese Thatsache will ich hier nur constatiren.

M. H. Die Feststellung des Verhältnisses zwischen Bacterien-Immunität und zwischen der Immunität gegenüber den von den Bacterien erzeugten Giften einerseits, zwischen heilender Leistungsfähigkeit seines Blutes und zwischen Bacterien- und Gift-Immunität andererseits gehört zu den Grundproblemen nicht bloss der Immunisirungsarbeiten, sondern der Lehre von den parasitären Krankheiten überhaupt. *Dass* causale und specifische Beziehungen zwischen diesen drei Dingen existiren, darüber herrscht jetzt wohl nirgends mehr ein Zweifel. Welcher Art dieselben aber im concreten Falle sind, und wie wir dieselben zum Wohle der kranken Menschen ausnützen können, das herauszubekommen, ist eine überaus mühsame Arbeit, und nichts ist dabei verderblicher, als aus Einzelbeobachtungen weitgehende Schlüsse abzuleiten. Sie können gegenwärtig bei Gelegenheit der Bestätigung der von mir mitgetheilten blutserumtherapeutischen Thatsachen die Beobachtung machen, wie geborene Theoretiker z. B. *Buchner* und *Metschnikoff*, mit unverwüstlichem Optimismus die neuen Thatsachen in ihre liebgewonnenen Theorien einzufügen suchen, und ich mache mich darauf gefasst, dass auch die hier mitgetheilten Thatsachen zum Gegenstand aller möglichen und unmöglichen Erklärungsversuche gemacht werden. Bei *Metschnikoff* machen Alles die Phagocyten, bei *Buchner* kommt jetzt Alles auf die räthselhaften Functionen des lebenden Eiweiss hinaus.

Metschnikoff ist dabei etwas besser daran, als *Buchner*. *Metschnikoff* kann nämlich nie in Verlegenheit gerathen. Einmal existiren die Phagocyten wirklich, und da sie lebende Wesen sind und als solche alle geheimnissvollen Kräfte belebter Organismen besitzen, u. A. nach *Metschnikoff* auch die Wahlfreiheit, zu thun und zu lassen, was sie wollen, so treten sie wie ein deus ex machina sofort in Scene, wenn die mechanischen Erklärungsversuche insufficient werden. Einerseits sind sie die Angreifer, andererseits die Angegriffenen, einmal die Sieger, das andere Mal die Besiegten; wird ein körperliches, krankmachendes Agens incorporirt, ohne den Tod herbeizuführen, und findet man die Trümmer hinterher in den Phagocyten, dann ist es klar, dass die Phagocyten eine Schutzvorrichtung darstellen; tritt keine Gesundung ein, sieht man an Stelle dessen, wie die Phagocyten lebende Bacterien im Organismus verschleppen und die Quelle der Weiterverbreitung von Parasiten werden, dann liegt das an der Unvollkommenheit alles Schönen auf der Erde, und wir werden auf eine bessere Zukunft vertröstet. Etwas schwieriger war schon die Präcisirung der Rolle, welche die Phagocyten den löslichen Giften gegenüber zu spielen haben, wo nämlich von einer *Phagocytose* eigentlich nicht die Rede sein kann. Da muss denn die Chemotaxis aushelfen; hier freilich wird auch *Metschnikoff's* Lehre insufficient. Bekanntlich unterscheidet man eine positive und eine negative Chemotaxis und der Begründer der Lehre von derselben, *Pfeffer,* war weit davon entfernt, den amöboiden Zellen die Wahl zu lassen, sich nach den wirksamen chemischen Agentien hinzubewegen, oder sich davon zu entfernen; nach *Pfeffer* ist in dieser Beziehung ein *gesetzmässiges* Verhalten zu constatiren. Für *Metschnikoff* war in dieser Form die Chemotaxis nicht zu brauchen, und so hat er auch hier wieder seinen Phagocyten Willensfreiheit gelassen.

Immerhin rechnet *Metschnikoff,* z. Th. wenigstens, wie gesagt, mit thatsächlich existirenden Dingen, und wenn er auch mit Hilfe von seiner Phagocytenlehre uns neue Wege zur Behandlung kranker Individuen noch nicht gezeigt hat, so ist doch seine Zuverlässigkeit in Bezug auf thatsächliche und wissenschaftlich interessante Beobachtungen in vielfacher Beziehung der Immunitätslehre förderlich gewesen.

Von *Buchner* kann man nicht das Gleiche behaupten. Seine Alexine sind chimärische Existenzen; was er von der Eiweissnatur der Antitoxine behauptet hat, ohne dieselben in Händen gehabt zu haben, ist von ihm selbst jetzt widerrufen; was er von den chemischen Eigenschaften der Bacteriengifte sagt, ist unbewiesen. Wenn er neuerdings die Lehre aufstellt, dass die Antitoxine umgewandelte Bacteriengifte sind (wodurch implicite seine früheren Behauptungen betreffend das Vorkommen specifischer Antitoxine im Blute normaler Individuen widerrufen werden), so vermisst man jede Spur eines Beweises dafür, und verwundert muss jeder Unbefangene fragen, wie es denn kommt, dass *Buchner* noch immer gläubige Zuhörer für seine neuen Theorien findet, obwohl das Schicksal seiner alten Theorien von der Umwandlung der Milzbrandbacillen in Heubacillen; von der Bekämpfung der Tuberculose und anderer parasitärer Krankheiten mit allgemeinen Entzündungsreizen, wie sie durch Phosphor, Antimon und Arsen erzeugt werden sollten; von den allgemeinen bactericiden Eigenschaften des Blutes; von dem Einfluss verschiedener Thierspecies auf die qualitativen Eigenschaften der Antitoxine; von der Entstehung der Cholera durch ein noch zu entdeckendes Wesen im Darm u. s. w. vorsichtig machen sollte!

Wem daher die nüchterne und vorsichtige Art der Darstellung Seitens der Entdecker neuer Thatsachen nicht genügt, wer durchaus eine mundgerechte Universaltheorie haben will, dem rathe ich zu *Metschnikoff's* Phagocytentheorie. Dieselbe erklärt in naturwissenschaftlichem Sinne zwar auch nichts; sie kommt aber wegen ihrer Dehnbarkeit und wegen den in ihr enthaltenen metaphysischen Principien nicht so leicht in die Lage, desavouirt zu werden, wie das bei *Buchner's* Erklärungsprincipien bis jetzt noch immer geschehen ist.

XVI.

Zur

Behandlung diphtheriekranker Menschen mit Diphtherieheilserum.

Von

Behring, Boer und Kossel.

(Aus dem Institut für Infectionskrankheiten des Prof. Dr. R. Koch in Berlin.)

---

1. Stand der Diphtherie-Heilungsfrage.

Von

Stabsarzt Prof. Dr. **Behring,**

commandirt zum Institut für Infectionskrankheiten.

Die Beschaffenheit des mir gegenwärtig zur Verfügung stehenden Diphtherieheilserums ist von solcher Art, dass dasselbe nach der Ansicht competenter Beurtheiler, vor Allem nach der Ansicht meines hochverehrten Lehrers, des Herrn Geheimrath *R. Koch,* auf seine Leistungsfähigkeit gegenüber der Diphtherie des Menschen in einer grossen Zahl von Fällen geprüft werden kann und geprüft werden muss.

Ueber die absolute Unschädlichkeit desselben bei subcutaner Injection hat Herr Geheimrath *Henoch* sich schon öffentlich ausgesprochen, und Herr Prof. *Heubner* aus Leipzig, welcher im Laufe des letzten Jahres die Serumbehandlung an ca. 60 Fällen durchführen konnte, hat mich ermächtigt, nach dieser Richtung gleichfalls ein ganz sicheres Urtheil in seinem Namen abzugeben. Ueber die Erfahrungen, welche im hiesigen Institut für Infectionskrankheiten gemacht sind, wird im Auftrage von Herrn

Geh. Rath *Koch* sich Herr Dr. *Kossel* in dem folgenden Aufsatz aussprechen.

Es sind zum Theil sehr grosse Serumquantitäten kleinen Kindern eingespritzt worden, 90 ccm und darüber; in Zukunft kommt aber die Injection so grosser Mengen nicht mehr in Frage, nachdem der Wirkungswerth bis zu dem Grade gesteigert ist, welchen ich weiter unten genauer präcisiren werde, und es lässt sich schon jetzt das definitive Urtheil nach alledem abgeben:

„Das von mir hergestellte Diphtherieheilserum, welches von diphtherieimmunisirten Schafen stammt, ist bei der praktisch in Frage kommenden Menge und Applicationsweise für den Menschen eine ebenso unschädliche Flüssigkeit, wie eine sterilisirte physiologische Kochsalzlösung.“

In welcher Weise man vorzugehen hat, und welche Cautelen anzuwenden sind, um das Auftreten *accidenteller* Noxen im Serum zu verhüten und zu beseitigen, darüber kann ich an dieser Stelle hinweggehen, nachdem ich im ersten und zweiten Theil meiner *Blutserumtherapie* (Thieme, Leipzig 1892) hierüber, gelegentlich der Besprechung des *Tetanusheilserums*, detaillirt berichtet habe.

Die Unschädlichkeit eines Heilmittels bei der in Frage kommenden Art der Anwendung ist *eine* der Vorbedingungen für die Berechtigung, dasselbe zur Einführung für die Behandlung des Menschen zu empfehlen. Die zweite, wichtigere Vorbedingung ist dann der Nachweis des Nutzens, welchen man von dem Gebrauch desselben in Aussicht stellen kann; und dies ist der Punkt, auf welchen ich hier bei der Besprechung meines Diphtheriemittels näher einzugehen gedenke.

Ich darf als bekannt voraussetzen, dass mein Heilserum anerkanntermaassen ein *specifisches* Mittel ist, welches lebensrettende Wirkung gegenüber einer nachfolgenden oder voraufgegangenen Infection nur bei der einen Krankheit, bei der Diphtherie, besitzt; wer die Beweise hierfür im Zusammenhange studiren will, der findet dieselben genauer mitgetheilt in meiner *Geschichte der Diphtherie* (Thieme, Leipzig 1893), namentlich im Cap. VIII („Das Diphtherieheilserum und seine Eigenschaften" pag. 182 ff.). Daselbst sind vornehmlich aber nur *qualitative* Angaben über die immunisirende und heilende Leistungsfähigkeit meines Mittels enthalten; es wird nunmehr meine Aufgabe sein, an dieser Stelle *quantitativ* zu zeigen, was dasselbe gegenüber der Diphtherie auszurichten vermag.

Diese Aufgabe zerfällt in zwei Theile. Einerseits handelt es sich darum, zu erfahren, wie gross die Menge des Serums ist, unter welche nicht heruntergegangen werden darf, wenn man beim *Menschen* einen Heilerfolg erzielen will. Dies festzustellen, dass das Mittel überhaupt ein Heilmittel für diphtheriekranke Menschen ist, und event. dann, in welcher Dosirung es das ist, kann als der Endzweck unserer ganzen Arbeit bezeichnet werden; und wenn wir dies durch *directe* Versuche und ohne Weiteres am *Menschen* feststellen wollten, ähnlich wie das bei der Neueinführung der meisten anderen Mittel von Klinikern und Aerzten thatsächlich gemacht wurde und gemacht wird, so würde sich die Entscheidung über den Prüfungsmodus auf diese *eine* Aufgabe reduciren. Nun hat sich aber gezeigt, dass wir bei der Heilserumprüfung sehr viel exacter und rationeller vorgehen können, als das bei den sonstigen Arzneimittelprüfungen der Pharmakologen und Kliniker bisher geschieht. Als beispielsweise Resorcin, Kairin, Thallin, Antipyrin, Antifebrin und die Unzahl anderer Chemikalien in die Behandlung von Krankheiten des Menschen eingeführt wurden, ging man in folgender Weise vor.

Die Chemiker stellten das Mittel künstlich dar; die physiologischen Chemiker eruirten gewisse Wirkungen desselben auf die Temperaturregulirung und auf gewisse Nervenfunctionen u. s. w., oder ein bacteriologisch arbeitender Mediciner fand bacterienwidrige Eigenschaften an ihm; Kliniker unternahmen dann die Prüfung bei vielen Krankheiten und vielen Menschen; auf Grund ihrer

Empfehlungen wurde die Industrie darauf aufmerksam, und das neue Mittel wurde ein gesuchter Handelsartikel; nunmehr finden Tausende von Aerzten Gelegenheit, ihre Specialbeobachtungen zu machen, und je nach dem Ausfall derselben ist entweder unser Arzneischatz damit bereichert worden, nachdem die Pharmokopoe-Commission das Urtheil gefällt hatte, dass ein werthvolles Medicament gefunden sei, oder — was häufiger vorkommt — nach kurzem glanzvollen Dasein fallen die neuen Präparate einer ruhmlosen Vergangenheit anheim.

Aber auch die Erfahrungen mit den werthvolleren Acquisitionen, welche wir auf diesem Wege gemacht haben, berechtigen nur zu sehr zu dem Urtheile *Rossbach's*, welches derselbe auf dem II. Congresse für innere Medicin in Wiesbaden über diese sogenannte rein „empirische" Methode abgab: „Es ist jetzt Jahrtausende lang von unzähligen Menschen in dieser Richtung empirisch geprobt worden, und das Ergebniss war nur die Kennenlernung von vier Mitteln gegen drei Krankheiten. Der Gedanke wäre schrecklich, noch einmal Jahrtausende nöthig zu haben, um wieder vier weitere Mittel zu finden. Der bis jetzt eingeschlagene Weg bietet zu viel Gefahren; namentlich schlimm wirkt immerfort der Sanguinismus, ich will nicht sagen — die Unredlichkeit vieler Beobachter. Ein Arzt oder irgend ein anderer sich mit dem Heilgeschäfte beschäftigender Mensch wendet bei einem einzigen oder in wenigen Fällen einer Infectionskrankheit ein neues oder bislang noch nicht versuchtes Mittel an, welches ihm durch Zufall in die Hände kommt; er sieht diese Fälle rascher in Genesung übergehen und glaubt, dass dies eine Folge des gegebenen Mittels sei. Er prüft nicht an weiteren tausend Fällen, ob diese schnellere Heilung wirklich dem Mittel und nicht etwa der leichteren individuellen Infection der beobachteten Fälle zuzuschreiben ist, und das neue Specificum ist fertig und wird oft mit grosser Emphase empfohlen. Wie viele Mittel sind allein in den letzten drei Jahren gegen Diphtheritis empfohlen worden! Und das Facit aller dieser Anpreisungen war und ist doch eigentlich nur das, dass gegenwärtig die Aerzte allen neu empfohlenen Mitteln gegenüber kopfscheu geworden sind und alles Vertrauen verloren haben."

Die Trostlosigkeit, welche aus diesen Worten eines hervorragenden Vertreters der Pharmakologie und inneren Medicin herausklingt, brauchen wir jetzt nicht mehr zu theilen, nachdem durch *R. Koch* die *directe* Arzneimittelprüfung am Menschen aus der Methode des Aufsuchens neuer Specifica in seinem Institut für Infectionskrankheiten verbannt ist.

Wir schlagen hier einen anderen Weg ein, als den, welchen ich oben schilderte, und welcher so wenig befriedigende Resultate zu Tage gefördert hat. Wir machen uns unsere Heilmittel selber, wir prüfen sie selber, und zwar zunächst nicht am Menschen, sondern an Thieren; wir stellen selber die Bedingungen fest, unter welchen sie unschädlich sind, und die Grenzen, innerhalb deren das der Fall ist; wir erproben ihren Einfluss auf den Verlauf der nach *R. Koch's* Vorgang experimentell bei Thieren zu erzeugenden Krankheiten des Menschen, und wenn wir einen specifisch heilenden Einfluss constatirt haben, so bemühen wir uns, die neugefundenen Specifica so zu vervollkommnen, bis ihre Anwendung auf den Menschen gleichfalls eine ganz specifische Wirkung verspricht; nun erst wird von uns selbst auf der Krankenabtheilung des Instituts für Infectionskrankheiten zunächst die Unschädlichkeit der zu prüfenden Specifica festgestellt. *Dass es Specifica sind, die wir anwenden, das brauchen wir durch die Beobachtung am Menschen nicht erst festzustellen, sondern wir haben nur nöthig, das zu bestätigen.* Das Nächste ist dann die Entscheidung der Frage, ob das neue Mittel schon wirksam genug ist, um auch beim Menschen unzweideutige Heileffecte erkennen zu lassen, und wenn das feststeht, so tritt endlich die Aufgabe an uns heran, die

Dosirungsfrage und die Frage nach der zweckmässigsten Applicationsweise zu entscheiden. Erst wenn all' das von uns geleistet ist, wagen wir es, unser Mittel solchen Aerzten zur eigenen Prüfung in die Hand zu geben, welche in dieser Art der Arzneimittelprüfung noch nicht geschult sind.

Bei dieser Methode des Aufsuchens und Prüfens neuer Specifica greifen wir also auf den Thierversuch zurück, statt direct den Menschen als Versuchsobject zu wählen, und es geht auch der Aufgabe, die Dosirungsfrage für den Menschen zu entscheiden, die andere Aufgabe vorauf, quantitative Heilwerthbestimmungen durch Thierexperimente zu machen.

Ich selbst bevorzuge bei meinem Diphtherieheilserum gegenwärtig für diesen Zweck folgende Methode.

Nachdem ich zunächst durch Orientirungsversuche an diphtherieinficirten Meerschweinchen mich davon überzeugt hatte, dass mein von immunisirten Schafen gewonnenes Serum überhaupt einen specifischen Heilwerth besitzt, suche ich diejenigen Serumsorten heraus, welche denselben am stärksten documentiren.

Vor nunmehr fast $1^1/_2$ Jahr war dieser Werth zwar gross genug, um Meerschweinchen gegen die Diphtherie zu immunisiren und von derselben zu heilen; aber die hierzu erforderlichen Quantitäten waren so gross, dass — unter der Voraussetzung eines auf das grössere Körpergewicht eines Menschen berechneten, entsprechend grösseren Serumbedarfs — für die Bedürfnisse der Praxis nur dann ein brauchbares Resultat erwartet werden konnte, wenn die Diphtherie des Menschen sich erheblich leichter mit Serum heilbar erwies, als die Diphtherie der Meerschweine. Ich habe mich aber durch Versuche, welche zuerst vor $1^1/_2$ Jahr in der *v. Bergmann*'schen chirurgischen Klinik, dann vor 1 Jahr auf der Kinderstation des Herrn Geh. Rath *Henoch* in der Charité, etwas später auch auf der Krankenabtheilung des Instituts für Infectionskrankheiten angestellt wurden, davon überzeugt, dass erst bei der Anwendung von solchem Serum, welches kranke Thiere auch bei Anwendung kleinerer Mengen zu heilen vermag, ein Erfolg für den diphtheriekranken Menschen gehofft werden kann.

Orientirende Versuche sind weiterhin noch an 42 Fällen in der Universitäts-Kinderklinik des Herrn Prof. *Heubner* in Leipzig mit einem *annähernd* genügend wirksamen Serum angestellt worden; jedoch erreichte dasselbe noch nicht die Leistungsfähigkeit desjenigen Serums, welche ich als „*Normalserum*“ bezeichne.

Ich werde sofort zu erörtern haben, was ich unter einem „Normal-Diphtherieheilserum“ verstehe, welches nach meiner persönlichen Ueberzeugung für die Behandlung diphtheriekranker Menschen gerade ausreichend wirksam bei mässiger Dosirung ist, und füge hier die Bemerkung hinzu, dass in den Versuchen in der *v. Bergmann*'schen Klinik ein Serum zur Anwendung gelangte, welches etwa 40 mal weniger bei Thierversuchen leistete, als das Normalserum: in den drei anderen genannten Krankenhäusern aber bis zum Monat Februar bezw. März d. J. mindestens 5 mal, durchschnittlich aber 10—15 mal weniger. Zum Theil wurde versucht, diese geringere Wirksamkeit durch die Anwendung grösserer Quantitäten zu erhöhen.

Seit Anfang März d. J. habe ich nun eine Reihe von Thieren unter meinen immunisirten Schafen herausgefunden, deren Serum *mindestens* folgende Leistungsfähigkeit gegenüber der Diphtherie von Meerschweinen zeigt.

Wenn Meerschweine mit dem zehnfachen der für sie tödtlichen Minimaldosis einer zwei Tage im Brütschrank gewachsenen Diphtheriebouilloncultur bei subcutaner Injection inficirt werden, so sterben die unbehandelten Thiere in sehr kurzer Zeit; nach weniger als zwanzig Stunden schon lassen sie an der Stelle der Cultureinspritzung ein weiches Oedem erkennen; meist sind sie dann im Laufe des der Infection folgenden Tages deutlich dyspnoïsch und nicht imstande, von selbst wieder auf die Beine zu kommen, wenn sie auf den Rücken oder die Seite gelegt werden. Thiere unter 400 g Körpergewicht findet man nach 36, spätestens aber nach 48 Stunden todt. Grössere Meerschweine sterben nach solch' einer Infection nach 48 bis spätestens 60 Stunden. Bei der Section wird local in den am schnellsten tödtlich verlaufenden Fällen oft bloss eine reichliche Ecchymosirung, in den etwas weniger rapide ablaufenden reichlich sulziges Exsudat gefunden. Zur Ausscheidung fester, fibrinöser Exsudate, die bei weniger stark inficirten und erst vier bis acht Tage nach der Infection sterbenden Meerschweinen ausnahmslos gefunden werden, kommt es in den oben citirten Fällen nie.

Bei allen an Diphtherie verendeten Thieren, welche mit jenem Multiplum der tödtlichen Minimaldosis inficirt wurden, findet man ferner ein klares Transsudat in den Pleurahöhlen und die Nebennieren dunkelroth gefärbt, gewissermaassen splenisirt.

Spritzt man nun Meerschweinen, welche mit dem zehnfachen der tödtlichen Minimaldosis einer zweitägigen Diphtheriebouilloncultur inficirt sind, an einer beliebigen anderen Körperstelle von einem solchen Serum, welches ich als „*Normaldiphtherieheilserum*" bezeichne, so viel unter die Haut, dass auf das Körpergewicht dieser Thiere berechnet 1 : 5000 Serum kommt, so sterben dieselben nicht an der Infection; sie werden aber noch krank; das anfänglich in ähnlicher Weise wie bei den Controllthieren sich einstellende locale Oedem wird von Tag zu Tag härter, nimmt an Umfang zu, und es entsteht zunächst ein derbes, fibrinöses Exsudat. Nach frühestens acht Tagen, oft aber erst nach mehreren Wochen beginnt sich die Stelle der Infiltration zu demarkiren; die Demarkationslinie umgrenzt dabei das ganze, oft kinderhandgrosse Infiltrat; allmählich schrumpft aber dasselbe ein, bis schliesslich die Haut mit den oft noch gut erhaltenen Haaren im Zusammenhang mit dem darunter liegenden Infiltrat einen trockenen dünnen Schorf bildet, der von selber abfällt, worauf die Wunde schnell sich mit einer zuerst glatten

Narbe überzieht, die aber meist strahlig wird bei zunehmendem Alter und noch Jahr und Tag nach Ablauf der Infection haarlos bleibt. *Solche Thiere mit einer strahligen, haarlosen Narbe habe ich nie diphtherieimmun gefunden.* In anderen Fällen beobachtet man aber auch eine glatte Verheilung und schnellen Wiederersatz der Haare. *Diese Thiere, die nach Abstossung eines nekrotischen Schorfes wieder vollständige, bis zur Unkenntlichkeit der ursprünglichen Infectionsstelle erfolgende Localheilung erfahren, sind es, bei denen man bei der Prüfung durch erneute Infection eine grössere oder geringere Diphtherieimmunität antrifft.*

Der eben beschriebene Verlauf gleicht genau demjenigen, welchen man beobachten kann, wenn die Diphtherieinfection ein wenig unter der individuell tödtlichen Minimaldosis geblieben war, und wenn dann ohne jede Behandlung die Genesung der schwer krank werdenden Thiere durch *Naturheilung* eintritt. Durch die Injection des Normalserums in einem Verhältniss von 1 : 5000 wird die Infection, welche wir mit dem zehnfachen der tödtlichen Minimaldosis bei einem Meerschwein verursachen, nicht gänzlich verhütet, sondern sie ist bloss in eine leichtere Infection verwandelt, die etwa derjenigen entspricht, welche wir willkürlich hervorrufen können, wenn wir einem Meerschwein ca. $^3/_4$ bis $^1/_2$ der für dasselbe tödtlichen Minimaldosis appliciren.

Spritzen wir einem Meerschwein statt 1 : 5000 mehr Serum kurz vor jener starken Infection unter die Haut, so wird der Krankheitsverlauf immer leichter, und die Genesung vollzieht sich immer schneller. Bei 1 : 2000 kommt es bloss noch zu einem mässigen Infiltrat, das ohne Nekrose wieder durch Resorption verschwindet, und zwar so schnell, dass nach etwa 10 Tagen nichts mehr davon zu sehen ist.

Bei 1 : 500 ist weder local noch allgemein eine krankmachende Wirkung zu beobachten.

Nehmen wir statt der zehnfachen Minimaldosis zur

Infection die einfache *individuell* tödtliche, an welcher ein Meerschwein erst nach 5 bis 7 Tagen stirbt, so erreichen wir ähnliche lebensrettende Erfolge schon bei der Anwendung viel kleinerer Serummengen. Es wäre nicht richtig, wenn man a priori sagen wollte: „die lebensrettende Wirkung des Normalserums ist gleich 1 : 5000 gegenüber der zehnfachen Minimaldosis 1 : 50000.“ Ich habe mich durch besondere Versuche davon überzeugen können, dass gegenüber der letzteren der Immunisirungswerth mindestens 1 : 200000 beträgt, wenn das Serum eine Viertelstunde vor der Infection zur Anwendung gelangt; es haben jedoch diese nur bis zu einem gewissen Grade einer genauen Berechnung zugänglichen Bestimmungen jetzt keinen grossen Werth mehr, seitdem ich den specifischen Immunisirungswerth, welcher seinerseits einen Maassstab abgiebt für den Heilwerth, nicht mehr gegenüber der Diphtherie*infection*, sondern gegenüber der Diphtherie*intoxication* berechne. Die Gründe für diese Wahl der Werthbestimmung sind die gleichen, wie diejenigen, welche ich in meiner gemeinschaftlich mit *Knorr* publicirten Arbeit ‚Ueber den Immunisirungswerth und Heilwerth des Tetanusheilserums bei weissen Mäusen (Zeitschr. f. Hyg. u. Infectionskrankh. Bd. XIII 1893) näher ausgeführt habe.

Das Diphtheriegift, welches ich zur Erzeugung der Intoxication bei Meerschweinen anwende, ist jetzt älter als zwei Jahre; es hat fast unverändert seinen Giftwerth in dieser Zeit behalten und kann für die Zeiträume, um die es sich bei der Werthbestimmung des Heilserums handelt, die — wie ich beiläufig erwähne — in etwa 14 Tagen zu Ende geführt sein kann, als ein Gift von absolut constanter Wirkung angesehen werden. Dadurch hat es einen grossen Vorzug vor dem Tetanusgift, welches viel weniger sicher gleichwerthig conservirt werden kann.

Mein Diphtheriegift nun tödtet Meerschweine in der Dosis von 0·05 ccm nach etwa 8 Tagen, von 0·1 ccm nach 4—6 Tagen, von 0·2—0·4 ccm nach 3—4 Tagen, von 0·5—0·8 ccm nach 2—3 Tagen. Der Krankheitsverlauf ist genau der gleiche, wie der nach der Infection mit lebender Diphtheriebacillencultur; aber in einer Beziehung tritt ein wesentlicher Unterschied zu Tage. *Bleibt man unter der tödtlichen Maximaldosis, und erholen sich die Meerschweinchen nach Abstossung eines nekrotischen Schorfs von ihrem Kranksein, so wird nach vollständiger Wiedergenesung ausnahmslos ein beträchtlicher Grad von Immunität gefunden. Ich unterlasse jedoch nicht, besonders hinzuzufügen, dass dies nur in vollem Maasse gilt für mein mehrere Jahre altes Diphtheriegift; die immunisirende Wirkung einer Reihe vou frisch gewonnenen Giften war erheblich geringer; auch für das Tetanusgift spielt nach den Beobachtungen von Dr. Knorr für die immunisirende Leistungsfähigkeit der aus Tetanusbouilloncultur zu gewinnenden Substanzen das Alter der Cultur bezw. des Giftes eine ausschlaggebende Rolle.*

Was die Schnelligkeit des Eintritts des Todes und den Charakter des Verlaufs der Erkrankung betrifft, so entsprechen dem zehnfachen Multiplum der tödtlichen Minimaldosis einer zweitägigen Diphtherie-Bouilloncultur ziemlich genau 0·8 ccm meines Diphtheriegiftes.

Sucht man nun aber diejenige Dosis des Serums festzustellen, welche zur Paralysirung einer durch 0·8 ccm Diphtheriegift erzeugten *Intoxication* genügt, so erweist sich dieselbe ganz bedeutend grösser, als die zur Verhütung des Diphtherietodes nach einer *Infection* ausreichende; hier kamen wir mit einer Serumquantität von 1 : 5000 aus; dort leisten wir dasselbe erst mit 1 : 100. Wenn demnach für ein schwer *inficirtes* Meerschwein von 500 g Körpergewicht 0·1 ccm Normalserum zur Lebensrettung ausreicht, so brauchen wir für ein ebenso stark *vergiftetes* 50 mal mehr, also statt 0·1 ccm 5·0 ccm.

Was endlich den *Heilwerth* des Normalserums betrifft, so gelten hier genau dieselben Grundsätze *im Princip,* wie die, welche ich in meiner Blutserumtherapie II (Thieme,

Leipzig) für das Tetanusheilserum auseinandergesetzt habe. Nur sind die mit dem Vorgeschrittensein und der Schwere der Erkrankung wachsenden Multipla der Immunisirungsdosis viel kleiner, als beim Tetanusheilserum. Diphtherieinfectionen mit dem fünffachen der tödtlichen Minimaldosis sind mit dem 20- bis 40fachen der Immunisirungsdosis (gegenüber der zehnfachen tödtlichen Minimaldosis) der Heilung selbst dann noch zugänglich, wenn die Dyspnoe und das allgemeine Kranksein der Thiere anzeigt, dass sie schon Transsudat in den Pleurasäcken haben. Ich verweise in dieser Beziehung auf das, was Stabsarzt *Wernicke* in der physiologischen Gesellschaft (am 3. Februar cr.) über die Heilwirkungen eines Hundeserums gesagt und demonstrirt hat, und füge hinzu, dass mein Normalserum ziemlich genau in seinem Wirkungswerth mit dem von *Wernicke* damals zu seinen Versuchen benutzten Hundeserum übereinstimmt.[1])

Es kann aus dem Studium des von *Wernicke* in der physiologischen Gesellschaft gehaltenen Vortrags auch ersehen werden, dass die Beurtheilung des Heilwerths und seine exacte experimentelle Feststellung viel Zeit und viel Thiere erfordert; nachdem das aber einmal geschehen, und durch vergleichende spätere Untersuchungen auf die Richtigkeit controllirt ist, können wir uns jetzt damit begnügen, indirect den Heilwerth dadurch zu fixiren, dass wir den Immunisirungswerth eines neu zu prüfenden Serums

---

1) Ich will schon hier erwähnen, dass ich über Serumsarten verfüge, welche beträchtlich höhere Leistungsfähigkeit besitzen, als das „Normalserum“. In meiner Arbeit mit *Boer*, welche in der nächsten Nummer dieser Zeitschrift gebracht werden wird, ist beispielsweise von einem Serum die Rede (H. S. 43), welches bei einem Immunisirungswerth von 1 : mehreren Millionen das Normalserum um *mindestens* das fünffache übertrifft; dasselbe würde als *„fünffaches Normalserum“* zu bezeichnen sein. Stabsarzt *Wernicke* hat von anderen Thierarten gleichfalls Serum mit höherem Werth als dem des Normalserum's; *Wernicke* wird hierüber in besonderen Arbeiten berichten.

bestimmen, und das geschieht am meisten einwandsfrei, am schnellsten und ohne erheblichen Thierverbrauch, wenn wir die Immunisirung gegenüber einer bei Controllthieren schnell tödtlich verlaufenden *Intoxication* zum Maassstab für die Leistungsfähigkeit wählen.

So lässt sich denn der Wirkungswerth meines Normalserums mit kurzen Worten dahin präcisiren:

„Der tödtliche Ausgang der Vergiftung eines Meerschweins von mittlerem Körpergewicht (ca. 500 g) mit 0,8 ccm von meinem alten Diphtheriegift wird durch das Diphtherie-Normalheilserum verhütet, wenn ¼ Stunde vor der subcutanen Injection der Giftlösung demselben Meerschwein an einer von der Giftinfectionsstelle entfernten Hautpartie das Serum in einer Menge von 1:100 (ca. 5 ccm) subcutan applicirt wird."

Wie im Einzelnen sich die Versuchsanordnung gestaltet, um ein noch nicht in seinen Eigenschaften bekanntes Blutserum daraufhin zu prüfen, welchen Bruchtheil oder welches Multiplum des Werthes von dem Normalheilserum es besitzt, das ergiebt sich aus den in Gemeinschaft mit Herrn Sanitätsrath *Boer* angestellten und hierunter im experimentellen Theil mitzutheilenden Versuchen.

Seitdem ich ein Serum, welches weniger leistet, als das im Vorstehenden charakterisirte Normalserum zur Behandlung diphtheriekranker Kinder nicht mehr abgegeben habe, ist der Procentsatz der geheilten Fälle im Verhältniss zu dem Procentsatz der letal verlaufenen ein ganz auffallend günstiger geworden. Man wird wohl nicht fehl gehen, wenn man die Durchschnittszahl für die Mortalität der ohne nutzenbringende Behandlung gebliebenen Diphtheriefälle bei Kindern unter 8 Jahren weit über 50 % setzt; aber auch die Zuhilfenahme der bisher am zweckmässigsten angesehenen localen und allgemeinen Therapie, einschliesslich der Tracheotomie, ändert nicht gar zu viel daran. Soweit ich mich bisher habe orientiren können, gehören Krankenhausstatistiken mit einer Mortalität an

Diphtherie, die sich *unter* 50% hält und dem Procentsatz von 40 nähert, schon zu den allergünstigsten.

Nun sind mit meinem Normalserum (bezw. mit dem gleichwerthigen Hunde-Diphtherieheilserum des Herrn Stabsarzt *Wernicke*) in den letzten Monaten behandelt worden 30 Fällen; 14 in Berlin, davon drei auf der Kinderstation des Herrn Geheimrath *Henoch;* bei allen ist die Diagnose „Diphtherie“ sicher gestellt worden, speciell in unserem Institut ist jeder Fall ausgeschaltet worden, in welchem Diphtheriebacillen in den Krankheitsproducten nicht nachgewiesen werden konnten. Von diesen 30 Fällen starben 6 und sind geheilt 24; das macht eine Mortalität von 20%.

Die Zahlen sind noch viel zu klein, um ein abschliessendes Urtheil über die Serumtherapie zu gestatten; aber sie sind doch ermuthigend und fordern dazu auf, die Serumbehandlung im grösseren Maassstabe fortzusetzen. Erst wenn dann eine Statistik über Hunderte und Tausende serumbehandelter Diphtheriekranker vorliegt, wird es an der Zeit sein, endgiltige Schlüsse betreffend die Leistungsfähigkeit des Diphtherieheilserums gegenüber dieser, besonders für das kindliche Alter so mörderischen Krankheit abzuleiten.

Inzwischen aber gilt es, dem Theil der Aufgabe näher zu treten, welchen ich in dieser meiner Mittheilung als Endzweck der gegenwärtigen Arbeit bezeichnete, nämlich die kleinste Menge eines Serums von bekanntem specifischem Heilwerth zu erfahren, unter die nicht heruntergegangen werden darf, wenn man einigermaassen gesicherte Erfolge haben will.

Diese Aufgabe, glaube ich, kann aus mehrfachen Gründen nirgends besser gelöst werden, als hier im Institut für Infectionskrankheiten auf der Krankenabtheilung desselben. Hierzu aber fehlt es uns jetzt an Kranken. Nur während der Universitätsferien hat die Krankenabtheilung des Instituts das Recht gehabt, diphtheriekranke

Kinder aufzunehmen; nach Beendigung derselben bekommen wir Diphtheriefälle nur dann auf unsere Kinderabtheilung, wenn seitens der Angehörigen die Verlegung dorthin ausdrücklich gewünscht wird.

Dieser Umstand hat, im Einverständniss mit der Königlichen Charité-Direction, Herrn Geheimrath Koch veranlasst, mich zu beauftragen, von dieser Stelle aus in Gemeinschaft mit dem Oberarzt der Kinderstation, Herrn Dr. Kossel, einen Bericht über die bisher behandelten Fälle abzufassen und im Anschluss an denselben die directe Ueberweisung diphtheriekranker Kinder seitens der behandelnden Aerzte bezw. seitens der Eltern zu erbitten.

Dem von Dr. *Kossel* hierunter mitgetheilten Krankenbericht wird eine experimentelle Arbeit (in Gemeinschaft mit Sanitätsrath *Boer*) folgen, welche ein eingehendes Urtheil über die Leistungsfähigkeit des Diphtherieheilserums bei Thieren und einige damit eng zusammenhängende Fragen ermöglichen soll.

2. Ueber die Behandlung diphtheriekranker Kinder mit „Diphtherieheilserum".

Von

Dr. H. Kossel, Assistenten am Institut.

Im Auftrage von Herrn Geheimrath *Koch* habe ich während der Aufnahmezeit des Instituts im März und April dieses Jahres sämmtliche mit Diphtherie eingelieferten Kinder (elf an der Zahl) mit *Behring-Wernicke*'schem Diphtherieheilserum behandelt.

In der auf S. 328/329 stehenden Tabelle finden sich die wichtigsten Angaben über die behandelten Fälle.

Wenn wir die aufgeführten Fälle kurz zusammenfassen, so ergiebt sich, dass von elf Kindern neun die Diphtherie überstanden, zwei starben. Von den neun geheilten Kindern zeigten No. 3, 4, 6, 7, 8, 9, 11 charakteristische Beläge auf beiden Tonsillen, No. 7 gleichzeitig Larynxstenose, Nr. 8, 9 und 11 starke Verstopfung der Nase durch eitriges Secret, No. 3, 4 und 8 starken Foetor ex ore. Bei No. 2 und 10 befanden sich nur geringe Zeichen der Rachendiphtherie. Bei beiden machte hochgradige Erstickungsgefahr die sofortige Tracheotomie nothwendig. Bei No. 2 war starke Nasendiphtherie vorhanden.

Albuminurie bestand bei dem Knaben No. 10, bei den übrigen fehlte Albumen im Harn und trat auch während der Behandlung nicht auf.

Bei sämmtlichen neun Kindern blieb die diphtherische Erkrankung auf die zuerst ergriffenen Theile des Rachens resp. des Larynx und der Trachea beschränkt. Der Wundverlauf war bei den drei tracheotomirten Kindern ein guter, nur das Mädchen No. 7 zeigte schmutzig-graues Secret auf der ganzen Wundoberfläche, aber ohne Infiltration der Wundränder.

Von den zwei Kindern, bei welchen der Tod eintrat, stand das erste im Alter von vier Jahren.

Das Kind wurde mit der Angabe gebracht, dass es seit drei Tagen krank sei. Es bestand schmutzig-grauer Belag auf beiden Tonsillen, am Zäpfchen und dem angrenzenden Theil des weichen Gaumens, starker, eitriger Ausfluss aus der Nase, Temperatursteigerung bis 39^0 bei einer Pulsfrequenz von 130. Am 10. März wurden 20 ccm Serum injicirt. Am 11. März war die Temperatur von 39 auf 37·5 gesunken. Während in den nächsten Tagen die Membranen im Rachen losgestossen wurden, blieb die Temperatur subfebril und die Pulsfrequenz abnorm hoch. Es trat Albuminurie ein, welche am 18. schon wieder in Abnahme begriffen war. Seit dem 16. hatte jedoch der Puls auffallend an Frequenz abgenommen (bis zu 60 Schlägen pro Minute), während die Temperaturkurve Steigerungen bis über 38 zeigte. Zu gleicher Zeit trat eine Schwellung der Submaxillardrüsen auf. Am 19. zeigte sich leichtes Oedem des Gesichts; das Allgemeinbefinden verschlechterte sich stetig, während die Pulsfrequenz bei unregelmässigen Schwankungen der Temperatur bis 48 Schläge per Minute sank. Am 20. März trat der Tod unter Erscheinungen der Herzschwäche plötzlich ein.

Die Obduction ergab, dass der Rachen und die Nase völlig frei von diphtherischen Erscheinungen waren. Die rechten submaxillaren Lymphdrüsen bildeten ein hartes Packet von ungefähr Wallnussgrösse, in dessen innerstem Theil ein Eiterheerd von geringem Umfange lag. Die mikroskopische Untersuchung der Organe ergab hoch-

					Befund 1 der Aufnahme	Ausgang der Krankheit
m.		4	9. März	4	diphtherischer Belag auf beiden Tonsillen, Zäpfchen und angrenzenden Partieen der Gaumenbögen Nasendiphtherie	gestorben am 26. März
	w.	3	16. März	7	Schwellung und Röthung der Tonsillen, kein Belag Nasendiphtherie Larynxstenose starke Cyanose	geheilt
m.		7	18. März	2	diphtherischer Belag auf beiden Tonsillen. Starker Foetor ex ore	geheilt
	w.	4	21. März	2	diphtherischer Belag auf beiden Tonsillen. Starker Foetor ex ore	geheilt
m.		3	22. März	4	scrophulöser Habitus. Geringer diphtherischer Belag auf der rechten Tonsille Larynxstenose	gestorben am 26. März
	w.	8	23. März	2	diphtherischer Belag in geringer Ausdehnung auf beiden Tonsillen	geheilt
	w.	9	27. März	4	diphtherischer Belag auf beiden Tonsillen Larynxstenose	geheilt
m.		5	28. März	2	diphtherischer Belag auf beiden Tonsillen starke Secretion aus der Nase Foetor ex ore	geheilt
	w.	11	28. März	2	diphtherischer Belag auf beiden Tonsillen. Starke Schwellung der Tonsillen Nase verstopft durch eiteriges Secret	geheilt
m.		5	12. April	7	geringe Reste von Belag auf beiden Tonsillen Larynxstenose. Albuminurie. Cyanose	geheilt
	w.	5	16. April	2	auf beiden Tonsillen und Uvula diphtherischer Belag Nase d. eiteriges Secret verstopft	geheilt

März Injection von)·o Serum (Hunde- rum Wernicke)	nie ganz entfiebert	7 Tage	Trotz völliger Rückbildung des Krankheitsprocesses im Rachen keine Besserung des Allgemeinbefindens. Auftreten von Albuminurie und starker Schwellung der Submaxillardrüsen. *Section:* siehe unten.
acheotomie sofort ach der Aufnahme; 5. März Injection von)·o Serum (Serum 43 om 6. März)	2 Tage	19. März letzte Membranstücke entleert	Diphtheriebacillen im Trachealsecret bis zum zwölften Tage nachweisbar. Am zehnten Tage Canüle dauernd entfernt, am elften Tage darauf Wunde verschorft.
März Injection von 5·o Serum (15·o Serum 43, 10·o Serum 6)	2 Tage	5 Tage	
März Injection von)·o Serum 6; 25. März)·o Serum 6; 27. März)·o Serum 6	23 Tage	9 Tage	Entfieberung verzögert durch Vereiterung der submaxillaren Lymphdrüsen, welche am 1. April indicirt wurden, u. durch Auftreten v. Bronchopneumonieen mit hohem intermittirendem Fieber. Seit 31. März näselnde Sprache. Am 22. April Wohlbefinden. Incisionswunde gut granulirend.
März Injection von)·o Serum 6; Nach- ittag Tracheotomie.	—	—	Bald nach der Tracheotomie wurden Membranstücke entleert, häufige Erstickungsanfälle in den nächsten Tagen. Tod unter Zunahme der Dyspnoe. Section siehe unten.
März Injection von)·o Serum 6	3 Tage	4 Tage	Der Belag hat an Ausdehnung überhaupt nicht zugenommen. 4, 5, 6 sind Geschwister.
März Tracheotomie; ·o Serum (Hundeserum ernicke); 28. März 10·o rum (Hundeserum ernicke); 29. März 10·o rum 23; 31. März 10·o rum 9	4 Tage	5 Tage	Entleerung von Membranstücken durch die Canüle hörte am fünften Tage auf. Canüle am siebenten Tage entfernt, elf Tage darauf Wunde verschorft.
März Injection von ·o Serum 23; 29. März ·o Serum (Hundeserum ernicke); 31. März 10·o rum 9	4 Tage	5 Tage	1. April Auftreten von lockerem Husten und Heiserkeit. Ordination: Inhalationen mit Salzwasser. 5. April Husten u. Heiserkeit verschwunden.
März Injection von)·o Serum 23; 29. März 5 Serum 23; 31. März)·o Serum 9	6 Tage	9 Tage	2. April Auftreten von Heiserkeit und feuchtklingendem Husten. Inhalation von Salzwasser. 8. April Heiserkeit verschwunden. 7, 8, 9 sind Geschwister.
fort Tracheotomie; 2. April Injection von)·o Serum 2 + 6; 15. pril 10·o Serum 43	1 Tag	5 Tage	Canüle entfernt am sechsten Tage. Albuminurie am sechsten Tage verschwunden.
April Injection von)·o Serum 43; 17. pril 10·o Serum 43	3 Tage	6 Tage	

Anmerkung. In sämmtlichen Fällen wurden aus den Krankheitsproducten Diphtheriebacillen gezüchtet.

gradige Verfettung des Herzmuskels, der Nieren und der Leber. Bei der bacteriologischen Untersuchung konnten nirgends mehr Diphtheriebacillen nachgewiesen werden, während aus dem Blut und den Organen zahlreiche Streptococcen gezüchtet wurden.

Wahrscheinlich von den tiefen Halsdrüsen aus war eine Invasion von Eitercoccen in die Blutbahn erfolgt, und der Tod somit nicht unmittelbar durch Diphtherie, sondern durch eine ihrer häufigsten Complicationen, durch die Streptococcensepticämie herbeigeführt.

Der zweite letal verlaufene Fall betraf einen dreijährigen Knaben (No. 5 der Tabelle) mit stark scrophulösem Habitus.

Er war mit Halsschmerzen vor drei Tagen erkrankt. Bei der Aufnahme am 22. März wurde nur geringer Belag auf der rechten Tonsille constatirt. Hochgradige Larynxstenose machte die sofortige Tracheotomie nothwendig. Vor und nach derselben wurden je 10·0 Serum injicirt.

Da bald nach der Operation Membranen ausgehustet wurden, welche zu Erstickungsanfällen führten, so musste angenommen werden, dass der Process bereits die Bronchien ergriffen hatte. In den nächsten Tagen verschlechterte sich das Aussehen der Tracheotomiewunde, die Wundränder wurden infiltrirt, ihre Oberfläche bedeckte sich mit schmutzigem Secret, in welchem Diphtheriebacillen nachweisbar waren. Allmählich erlahmten die Körperkräfte, der Puls wurde klein, es trat Cyanose ein, und am 26. früh 3 Uhr erfolgte der Tod.

Hier ergab die Section, dass die Bronchien bis zu solchen von mittlerer Grösse durch Membranen fast ganz verlegt waren. Die Bronchialdrüsen an der Bifurcation der Trachea bildeten eine wallnussgrosse Geschwulst und erwiesen sich auf dem Durchschnitt als vollständig verkäst. Hart am Hilus der Lunge fanden sich mehrere kleinere verkäste Drüsen. Die Lunge selbst war an dem diesen Drüsen zunächst gelegenen Theil ihrer Oberfläche mit der

Brustwand durch ziemlich feste Adhäsion verklebt. Unmittelbar unter der Pleura fand sich hier ein erbsengrosser tuberculöser Heerd. Bei der bacteriologischen Untersuchung konnten in den Membranen, im Blut und in den Organen Diphtheriebacillen nachgewiesen werden. Die verkästen Bronchialdrüsen und der Lungenheerd enthielten zahlreiche Tuberkelbacillen.

Die Verbreitung der Diphtheriebacillen im Körper[1]), die mechanischen Hindernisse durch die Membranen und die Complication mit Tuberculose kennzeichnen den Fall als zu der Gruppe der allerschwersten Diphtherieen gehörig.

Was die Anwendungsweise des Serums betrifft, so geschah die Injection mit einer 10 ccm Flüssigkeit haltenden *Koch*'schen Spritze und wurde mit Vorliebe unter die Haut über den Brustmuskeln vorgenommen. Durch leichtes Massiren lassen sich selbst 20 ccm bei Kindern so vertheilen, dass die Haut kaum gespannt erscheint. Jedenfalls lässt sich die Injection so handhaben, dass auch nicht die geringste üble Einwirkung stattfindet.

Eine allgemeine Reaction auf die Injection erfolgt nicht; eine leichte Empfindlichkeit an der Injectionsstelle ist oft am Tage nach der Injection vorhanden.

Eine objectiv wahrnehmbare Einwirkung des Serums auf die *Krankheit* könnte eine locale oder allgemeine sein.

Ein sichtbarer Einfluss auf den *localen* Krankheitsprocess, etwa in der Form einer localen Reaction, ist nicht vorhanden. Ob das Serum auf die Art der Abstossung der Membranen einwirkt, möchte ich bei der kleinen Zahl von Beobachtungen noch dahingestellt sein lassen.

Die Frage nach dem Verlauf der *Allgemeinerkrankung* bei der Serumbehandlung fällt mit der des Heilwerths des Serums zusammen, so dass hierüber erst nach einer weit grösseren Zahl von Fällen, als sie mir zur Verfügung stehen, geurtheilt werden kann.

---

1) Siehe *Frosch*, Zeitschr. f. Hygiene u. Infectionskrankh. Bd. XIII.

Wenn wir aus unseren bisherigen Erfahrungen das Facit ziehen, so steht vor allen Dingen fest, dass wir in dem Serum ein Mittel haben, dem nicht der geringste nachtheilige Einfluss auf den Körper zukommt. Der Verlauf der meisten behandelten Fälle ist ein durchaus günstiger gewesen, obgleich nicht mehr als höchstens zwei von ihnen (No. 6 u. 11) als weniger schwere Formen anzusehen sind.

Der Umstand, dass von vier *tracheotomirten* Kindern drei genesen sind, berechtigt an sich gewiss noch nicht zu weitergehenden Schlüssen. Aber wenn wir fragen, bei welcher Kategorie von Fällen von einem specifisch wirkenden Mittel am eclatantesten ein zahlenmässig nachweisbarer Einfluss auf die Statistik erwartet werden kann, so würden wir in erster Linie an die tracheotomirten Diphtheriekinder denken. Dasjenige, was die Prognose der Tracheotomie so ungünstig macht, ist ja nicht die Operation an sich, sondern das Uebergreifen des diphtheritischen Processes auf die Bronchien. Wenn nun das in Frage kommende Mittel die Wirkung hat, dass es dem Fortschreiten der Krankheit Einhalt gebietet, so dürfen wir vor allen Dingen eine Verbesserung der Tracheotomiestatistik erwarten.

Auch der Umstand, dass im Beobachtungsjahr 1891/92 von 32 durch die bacteriologische Untersuchung als solchen festgestellten Diphtheriefällen nur 11 am Leben blieben, demnach also über 65% starben, während von den mit Serum behandelten Kindern *einschliesslich* des nicht an Diphtherie verstorbenen Kindes nur 18% starben, veranlasst uns durchaus nicht zu voreiligen Schlüssen.

Aber wenn durch den experimentellen Nachweis des heilenden Einflusses des Serums auf den diphtheritischen Process bei Thieren einerseits und durch den Beweis der Unschädlichkeit andererseits eine Berechtigung für die Anwendung desselben hergeleitet werden konnte, so werden wir durch die bisherigen Resultate in unseren Bemühungen, das Mittel bei einer möglichst grossen Zahl von Fällen zu prüfen, nur bestärkt werden.

3. Die Werthbestimmung des Diphtherieheilserums.

Von

Stabsarzt Prof. Dr. Behring und Sanitätsrath Dr. O. Boer.

Um dem Leser eine Vorstellung von der Art unseres Vorgehens zu verschaffen, wenn wir ein Serum zum Gebrauch für die Heilung diphtheriekranker Menschen präpariren, wollen wir an dieser Stelle zunächst von einem einzelnen Fall ausgehen und an einem bestimmten diphtherieimmunisirten Thier (Hammel No. 43) demonstriren, was alles zu beobachten und zu thun ist, bis der im Blute desselben enthaltene Heilkörper zur Verwendung für den kranken Menschen in die geeignete Form gebracht ist.

Dieser Hammel verträgt, bei einem Körpergewicht von 54 kg, Blutentziehungen von circa 250—500 ccm in vierzehntägigen Intervallen sehr gut. Dieselben wurden unter antiseptischen Cautelen schon sehr oft bei diesem Thier ausgeführt, und nachdem sich gezeigt hatte, dass das aus dem Blute gewonnene Serum einen zur Heilung diphtheriekranker Menschen ausreichenden Wirkungswerth besass, entnahm Herr Stabsarzt Dr. *Wernicke* am 8. April cr. von neuem eine *grössere* Blutquantität (nämlich 750 ccm) durch Aderlass.

Diese Blutquantität wurde im Eisschrank zwei Tage lang stehen gelassen, das ausgeschiedene Serum dann in eine Flasche abgegossen, an deren Boden sich Chloroform befand, und nachdem am 11. April cr. das ursprünglich noch leicht getrübte Serum vollkommen klar geworden war in Folge des Niedersinkens der dasselbe trübenden rothen Blutkörperchen, wurde die klare, überstehende

Flüssigkeit umgefüllt und mit 0·6% Carbolsäuregehalt versehen; durch denselben wird ganz sicher und dauernd die Verunreinigung durch Mikroorganismen verhütet.

Solch' ein carbolsäurehaltiges Serum ist bei subcutaner Injection für den Menschen absolut unschädlich, wenn man *pro die* dasselbe im Verhältniss von 1 g auf 1 kg Körpergewicht anwendet. Ein erwachsener Mensch mit 50 kg Gewicht würde dabei 50 mal 0·006 g = 0·3 g Carbolsäure erhalten; diese Dosis bleibt aber *unter* der von der Pharmakopoe gestatteten Maximaldosis und erreicht auch nicht entfernt diejenigen Dosen, welche bei der Wundbehandlung tagtäglich angewendet werden. Carbolharn ist bis jetzt nach den Serumeinspritzungen noch nicht beobachtet worden.

Es galt nunmehr, dieses Serum im Thierversuch auf seinen specifischen Wirkungswerth zu prüfen.

Derselbe wird erkannt an seiner Beeinflussung des diphtherischen, experimentell erzeugten Krankheitsprocesses.

Wir können das Krankheitsbild einer Meerschweinchendiphtherie, die ganz sicher in wenigen Tagen zum Tode der Versuchsthiere führt, erzeugen durch *Infection*, indem wir die lebenden *Löffler*'schen Bacillen denselben unter die Haut bringen, oder auch durch *Intoxication*, indem wir das bacterienfreie Diphtheriegift zur Resorption gelangen lassen.

In beiden Fällen bleibt dann für eine vollständige Werthbestimmung des Serums zu entscheiden, einmal, welches der krankheitverhütende, dann, welches der krankheitheilende Einfluss desselben ist. Eine solche Werthbestimmung ist eine quantitative, und sie läuft darauf hinaus, zahlenmässig anzugeben, bei wieviel Gramm lebendem Körpergewicht der beabsichtigte immunisirende oder therapeutische Effect noch erreicht wird.

Für eine *vollständige* Werthbestimmung sind demnach mindestens vier Versuchsreihen anzustellen, welche eine Entscheidung geben müssen über die Fragen:

1. nach dem Immunisirungswerth gegenüber einer Infection,

2. nach dem Heilwerth gegenüber einer Infection,
3. nach dem Immunisirungswerth gegenüber einer Intoxication,
4. nach dem Heilwerth gegenüber einer Intoxication.

Sehr zahlreiche frühere Versuche haben ergeben, dass ein stabiles Verhältniss zwischen diesen vier Werthen besteht, so dass, wenn wir *einen* derselben genau kennen, auf die anderen drei Rückschlüsse gemacht werden können. Indessen diese Thatsache hält uns doch nicht davon ab, immer von neuem auch direkt durch das Experiment bei Serumprüfungen die einzelnen Werthe, jeden für sich, festzustellen; allerdings nicht alle jedesmal und nicht alle mit gleicher Genauigkeit; denn das wäre, wie man erkennen wird, eine Arbeit, welche die Leistungsfähigkeit selbst mehrerer, sich unausgesetzt damit beschäftigender Personen übersteigen würde.

Im vorliegenden Falle sind die sub 1 und sub 3 aufgeführten Werthe direkt bestimmt, die sub 2 und sub 4 dagegen bloss berechnet.

ad 1. *Versuche zur Bestimmung des Immunisirungswerthes gegenüber einer Infection.*

Wir erzeugen die Diphtherieinfection bei Meerschweinchen mittels einer zwei Tage lang im Brütschrank gewachsenen Diphtheriebouilloncultur, von welcher erfahrungsgemäss 0·0025 ccm die tödtliche Minimaldosis repräsentirt für ein Meerschwein von nicht mehr als 500 g Körpergewicht. Da aber nach dieser Minimaldosis der Krankheitsverlauf sehr protrahirt ist, und da es auch vorkommt, dass manche Thiere darnach im Laufe von Wochen oder Monaten sich noch erholen, so wählen wir für unsere Zwecke ein Multiplum der Minimaldosis, in der Regel das zehnfache derselben, also 0·025 ccm. An dieser gehen alle gesunden Meerschweine, auch die grössten, schon nach weniger als drei Tagen ein, und man bekommt daher schnell und sehr sicher darüber Aufschluss, ob eine irgendwie geartete Behandlung der inficirten Thiere einen Erfolg gehabt hat. Schon die Verzögerung des Todes lässt uns denselben erkennen. Wir betrachten jedoch als immunisirenden Effect nur einen solchen, der nicht bloss den tödtlichen Ausgang hinausschiebt, sondern der ihn definitiv verhütet.

Die Cultur, welche wir im vorliegenden Falle zur Anwendung brachten, war reichlich gewachsen; auf ihre Reinheit wurde sie mikroskopisch im hängenden Tropfen geprüft und ausserdem auf Nähragar ausgestrichen. Danach verdünnten wir 1 ccm derselben mit 19 ccm sterilisirtem Wasser und spritzten von der Verdünnung fünf Thieren je 0·4 ccm unter die Haut an eine von den Haaren befreite Stelle der linken Seite. Zwei dieser Thiere, das grösste und das kleinste, blieben zur Controlle unbehandelt; den drei anderen war vier Stunden vorher Serum 43 auf der rechten Seite eingespritzt worden, dem ersten 0·1 ccm (1 : 5000), dem zweiten 0·01 ccm (1 : 31 000), dem dritten 0·0002 ccm (1 : 1 500 000).

Ueber die näheren Daten geben die folgenden Tabellen Auskunft.

No. 275 (280 g), 19. Controllthier	April 1893	0·025 ccm D. B. C.	gestorben 21. April 1893
No. 293 (620 g), 19. Controllthier	April 1893	0·025 ccm D. B. C.	gestorben 21. April 1893
No. 298 (500 g) 19.	April 1893	Heilserum 43 (vom 8. April 1893) 0·1 ccm [1:5000] 0·05 ccm D. B. C.	21. April 1893 geringes Oedem, 24. April 1893 gesund, kleines hartes Infiltrat.
No. 363 (310 g) 19.	April 1893	Heilserum 43 (vom 8. April 1893) 5 ccm (1/500 Verd.) 0·01 = 1 : 31 000	21. April 1893 geringes Oedem, 22. April 1893 mässige Infiltration. 24. April 1893 hartes, ziemlich grosses Infiltrat; sonst gesund.
19.	April 1893	0·025 ccm D. B. C.	
No. 297 (300 g) 19.	April 1893	Heilserum 43 (vom 8. April 1893) 0·1 ccm (1/500 Verd.) 0·0002 = 1 1/2 Million. 0·025 ccm D. B. C.	21. April 1893 Oedem, 22. April 1863 sehr starkes locales und Bauchödem; Mittags gestorben (nach 72 Stunden.

Wir erkennen aus diesen Daten, dass selbst bei 1 : $1^1/_2$ Million noch eine lebensverlängernde Wirkung sich gegenüber dieser starken Infection bemerklich macht. Dieselbe ist um so höher anzuschlagen, als das in Frage stehende Thier sehr klein war (300 g). Bei 1:31000 ist die lebensrettende Wirkung ganz sicher, und der Krankheitsverlauf ist ein ziemlich leichter; wir können daraus entnehmen, dass hierbei die immunisirende Wirkung des Serum 43 noch nicht erschöpft ist. Setzen wir dieselbe zu 1 : 50000 gegenüber der zehnfachen tödtlichen Minimaldosis an, so kommen wir — entsprechend den Auseinandersetzungen in der vorigen Nummer dieser Wochenschrift — zu einem Immunisirungswerth, welcher ausreicht, um mehrere Millionen Gramm lebend Meerschweinchengewicht durch 1 ccm Serum gegen die tödtliche Minimaldosis zu schützen.

ad 3. *Versuche zur Bestimmung des Immunisirungswerthes gegenüber einer Intoxication.*

Zur Erzeugung der Intoxication benutzen wir ein Diphtheriegift, welches aus einer Bouilloncultur stammt, die Ende des Jahres 1890 in den Brütschrank gestellt war, und welches zuerst am 14. Juli 1891 genau auf seine Wirksamkeit geprüft worden ist; 0·05 ccm von demselben ist eine tödtliche Dosis für die meisten Meerschweine; aber auch hier wählen wir ein Multiplum der tödtlichen Minimaldosis zur Vergiftung, und zwar nehmen wir in der Regel 0·8 ccm.

Diese Dosis wurde vier Meerschweinen subcutan auf der linken Brustseite injicirt. Zwei davon, wiederum das grösste und das kleinste, liessen wir zur Controlle unbehandelt, die beiden anderen bekamen Serum injicirt, das eine 3 ccm (1 : 175), das andere 1 ccm (1 : 425), beide auf der rechten Seite; die folgenden Tabellen illustriren das Resultat dieses Versuches.

No. 277 (360 g), Controllthier	19. April 1893	0·8 ccm D. G.	gestorben 21. April 1893
No. 287 (830 g), Controllthier	19. April 1893	0·8 ccm D. G.	21. April 1893 sehr starkes, weiches Oedem, 22. April 1893 todt.
No. 288 (520 g)	19. April 1893	3 ccm Heilserum 43 (vom 8. April 1893) (1 : 175) 0·8 ccm D. G.	21. April 1893 keine Reaction. 24. April 1893 gesund.
No. 299 (425 g)	19. April 1893	1 ccm Heilserum 43 (vom 8. April 1893) (1 : 425) 0·8 ccm D. G.	21. April 1893 Oedem, 24. April hartes Infiltrat von mässiger Ausdehnung; leicht-krank, 27. Aqril gesund.

Beide behandelten Thiere sind also durch das Serum vor dem Diphtherietode geschützt worden.

Wir erkennen aus den Versuchen 1—5 die sehr grosse immunisirende Leistungsfähigkeit des Serums 43 gegenüber einer *Infection*. Bei Zugrundelegung der Zahl 1 : 5 Millionen gegenüber der *einfachen* tödtlichen Minimal-dosis, kommen wir zu Verdünnungen des Serums, um dasselbe noch dosiren zu können, bei welchen die Möglichkeit aufhört, irgend welche darin enthaltene Blutbestandtheile durch chemische Methoden nachzuweisen; höchstens würde noch die Spectralanalyse im Stande sein, die *mineralischen* Blutelemente erkennen zu lassen, und wir lernen bei dieser Gelegenheit, wie viel feiner das physiologische Experiment ist, als das chemische. Dabei haben wir aber allen Grund zu der Annahme, dass wir noch lange nicht an der Grenze der Vervollkommnungsfähigkeit des Diphtherieheilserums angekommen sind. Und noch eine andere Ueberlegung lässt sich hier anstellen. Wenn wir nicht schrittweise von kleinen Immunisirungswerthen zu immer grösseren gekommen wären, dann hätte bei den gegenwärtig zu constatirenden wohl der Gedanke nahe gelegen, dass man mit den kleinsten Stoffmengen eine fast unbegrenzte Wirkung specifischer Art hervorrufen könne, und dann wäre die Analogie der Heilserumwirkung mit derjenigen, welche man fermentirenden Substanzen zuschreibt, eine vollständige gewesen. Aber solche Schlussfolgerung würde, wie wir ganz sicher wissen, der Begründung entbehrt haben.

Das zeigt sich sofort, wenn wir nicht den Immunisirungswerth gegenüber einer *Infection* für die Werthbestimmung als Maassstab nehmen, sondern gegenüber einer *Intoxication* von etwa dem gleich rapiden Verlauf wie bei jener; hier ist erst bei einer Seruminfection von etwa 1 : 500 lebensrettende Wirkung zu erwarten.

Der grosse Unterschied in der Fähigkeit des Serums, den tödtlichen Ausgang einer Infection mit lebenden Keimen und den einer Intoxication mit Diphtheriegift zu verhüten, liess sich voraussehen; da die Wirkung des Heilkörpers in beiden Fällen darauf zurückzuführen ist, dass er das Gift unschädlich macht — mag nun diese Wirkung auf einer directen Giftzerstörung oder auf einer derartigen Beeinflussung vitaler Apparate beruhen, welche dieselben gegen die specifische Giftwirkung unempfindlich macht — so ist es ohne Weiteres verständlich, dass es leichter sein muss, die erst allmählich im Organismus von den *Löffler*schen Bacillen erzeugten kleinen Giftmengen gewissermaassen abzufangen, als die auf einmal fertig incorporirte Giftmasse zu paralysiren.

ad 2. Aus dem gleichen Grunde hat auch das Verständniss dafür keine grosse Schwierigkeit, dass grössere Serummengen dazu gehören, um eine schon längere Zeit bestehende Infection zu *heilen*, als zur Verhütung einer eben erst begonnenen, oder der Serumbehandlung nachfolgenden Infection. Die Bacillen haben eben in dem ersten Fall schon Zeit gehabt, eine beträchtliche Giftmenge zu produciren. Wie gross das Multiplum des Serumbedarfs ist, welches im Vergleich zu dem zur *Immunisirung* ausreichenden nothwendig zur *Heilung* ist, das hängt dann naturgemäss von dem Vorgeschrittensein und der Schwere des Einzelfalles ab. In den Versuchen von Herrn Stabsarzt *Wernicke,* welche derselbe am 3. Februar cr. in der hiesigen Physiologischen Gesellschaft demonstrirte, betrug dasselbe das 20—100fache des Immunisirungswerthes. Für unser Serum harrt bei Thieren dieser Werth noch der Feststellung. Es ist aber fraglich, ob wir diese Feststellung überhaupt ausführen werden; präcise Bestimmungen können für den *Heilwerth* überhaupt nicht gemacht werden, wegen der Unmöglichkeit, die Factoren zu fixiren, welche durch das Stadium der Erkrankung und die Schwere des Falles gegeben sind. *Ueberdies werden wir das, worauf es uns ankommt, nämlich den Heilwerth für diphtheriekranke Menschen zu erfahren, nie anders, als durch die directe Beobachtung am Menschen selbst erreichen.*

ad 4. *Den Heilwerth gegenüber einer Intoxication haben wir früher an mehreren Meerschweinchen zu bestimmen gesucht; dieselben befanden sich in schwer krankem, zum Theil im letzten Stadium der Erkrankung; wir spritzten ihnen etwa das sechsfache der zur Immunisirung gegenüber der Intoxication genügenden Dosis ein und haben dadurch die Heilung von drei Thieren herbeiführen können. Danach scheint es, als ob es mit verhältnissmässig geringerer Steigerung der Serummenge gelingt, diphtherievergiftete Thiere zu heilen, als diphtherieinficirte.*

Also weder der Heilwerth gegenüber einer Infection, noch der gegenüber einer Intoxication ist dazu geeignet, uns einen sicheren Maassstab für die therapeutische Leistungsfähigkeit des Diphtherieheilserums zu geben. Nur der Immunisirungswerth, bei welchem wir vom *gesunden* Zustande des Versuchsthieres ausgehen, kommt für diesen Zweck in Frage, und es bleibt blos noch übrig zu entscheiden, ob wir dazu den Immunisirungswerth gegenüber einer Infection nehmen wollen, oder gegenüber einer Intoxication.

Hierüber haben wir uns jetzt auf Grund von sehr zahlreichen Experimenten ein ganz bestimmtes Urtheil bilden:

können, und das geht dahin, dass einzig und allein der Immunisirungswerth gegenüber einer sicher und schnell tödtlichen Intoxication vollkommen brauchbare Resultate zu liefern im Stande ist.

Das Arbeiten mit lebenden Culturen schliesst eine solche Menge von uncontrollirbaren Zufälligkeiten in sich ein, dass für Präcisionsarbeiten, als welche unsere Werthbestimmungen zu betrachten sind, die unerlässliche Voraussetzung der constant gleichen Beschaffenheit und genau zu dosirenden Quantität des in Rechnung zu ziehenden krankmachenden Agens durchaus fehlt. Wir wollen nur zwei Beispiele als Beweis dafür hier citiren.

Als im Winter 1891/92 *Behring* und *Wernicke* in der *v. Bergmann*'schen chirurgischen Klinik (zum Zweck der Demonstration eines Immunisirungsversuchs) von einer Cultur Meerschweinen die sicher tödtliche Minimaldosis appliciren wollten, da wurden die Thiere kaum krank und starben nicht an Diphtherie. Eine Ursache für diesen Misserfolg war nicht aufzufinden; vermuthungsweise nur konnte gesagt werden, dass die Brütschränke nicht in Ordnung und wahrscheinlich auf zu hohe Temperatur eingestellt gewesen waren. Indessen als in *Wiesbaden* bei den Arbeiten *Behring's* mit *Frank* im Februar 1892 von neuem Aehnliches passirte, und als dieses Mal mit grosser Wahrscheinlichkeit das vorübergehende Stehen der Cultur im Eisschrank angeschuldigt werden musste, schien es doch erforderlich, hierüber genauere Untersuchungen anzustellen. Wir haben uns in Arbeiten, die viele Monate lang fortgesetzt worden sind, dieser Aufgabe unterzogen und sind dabei zu sehr merkwürdigen Ergebnissen gekommen. Wir fanden, dass schon nach verhältnissmässig kurzer Zeit eine Temperatur, wie sie in unserem Eisschrank vorhanden ist ($+2^0$) eine beträchtliche Abschwächung virulenter Diphtheriecultüren zur Folge hat; nach 14 Tagen kann man schon das 100fache der ursprünglich tödtlichen Minimaldosis den Thieren beibringen, ohne auch nur die

Spur einer Reaction dadurch zu erzeugen. Dabei beweist die Ueberimpfung auf einen frischen Nährboden die Lebensfähigkeit der Cultur. Indessen, wir haben uns doch bei der *Zählung* der ursprünglich in der Cultur vorhandenen und der zur Zeit der Virulenzabnahme zu findenden lebenden Keime davon überzeugt, dass ziemlich genau der letzteren entsprechend auch die Zahl der lebensfähigen Keime abgenommen hat. Jedenfalls haben wir hierbei die gewiss auch epidemiologisch nicht unwichtige Thatsache kennen gelernt, dass Diphtheriebacillen selbst mässige Kältegrade nur schlecht vertragen, und dass das Arbeiten im Winter mit Diphtherieculturen, wenn man diese Thatsache nicht kennt, zu den grössten Fehlerquellen führen kann.

Eine andere Ursache für die Inconstanz des Wirkungswerthes der Culturen ist die Beschaffenheit der Bouillon; zwar sind hier die Unterschiede nicht von gar zu grosser Bedeutung. Aber sie fallen für genaue Arbeiten doch schon ins Gewicht, und als wir in gleichfalls über lange Zeit ausgedehnten Studien hierauf genauer Acht gaben, zeigte sich noch in manchen anderen Richtungen der Einfluss von kleinen Verschiedenheiten in der Zusammensetzung der Bouillon. Wir erwähnen hier blos den Umschlag der alkalischen Reaction in die saure, und der lefzteren wieder zurück in die alkalische, der durch die wachsenden Diphtheriebacillen bedingt wird. Der Zeitpunkt für diese Ereignisse wechselt sehr; zuweilen findet man den doppelten Reactionswechsel schon in die ersten 48 Stunden verlegt, wenn die Diphtheriebacillen ungewöhnlich reichlich sich vermehren; und damit geht dann eine sehr erhebliche Zunahme der krankmachenden Wirkung Hand in Hand.

Alle solche der Berechnung schwer zugänglichen Factoren fallen weg, wenn man als krankheiterzeugendes Agens das fertige Diphtheriegift wählt. Weder durch die Kälte, noch durch irgend welche andere atmosphärische Einflüsse haben wir bisher an demselben eine merkliche

Abnahme des specifischen Giftwerthes wahrgenommen; wir können daher für orientirende Vorversuche auf die Zuhilfenahme von Controllthieren gänzlich verzichten, und das ermöglicht eine ganz erhebliche Verminderung des Thierverbrauches. Nur in besonders wichtigen Versuchen, wie in den oben citirten, in welchen wir ausser dem Serum von Hammel 43 gleichzeitig noch das von neun anderen Schafen zu prüfen hatten, nehmen wir jetzt noch Controllmeerschweine hinein.

Was schliesslich die *Werthbezeichnung* betrifft, so empfiehlt sich eine solche, welche keinen Zweifel zulässt über ihre Bedeutung; wir haben für unsere Zwecke als Einheitsmaass das *„Diphtherienormalheilserum"* angenommen, welches in der vorigen Nummer dieser Zeitschrift charakterisirt ist. Solch' ein Normalserum, welches nach unseren Erfahrungen hinreichend wirksam ist, um beim *Menschen* die Diphtherie zu *heilen*, halten wir uns zum Vergleich immer in grösserer Menge vorräthig; dadurch wird eine weitere Garantie gegeben, dass für neuzuprüfende Serumarten der Heilwerth für den Menschen in durchaus gleichmässiger Weise berechnet werden kann.

Wir wollen hier nur noch kurz erwähnen, dass die im Laufe der letzten vier Wochen vorgenommene Prüfung des Serums von 21 Schafen ergeben hat, dass bei sieben von denselben das Serum einen höheren Werth hat, als den des Normalserums. Wir bezeichnen abgekürzt das letztere als N I, das oben beschriebene Serum 43 ist bis jetzt das wirksamste; sein Werth würde als N V, d. h. *„fünffaches Diphtherienormalheilserum"* zu bezeichnen sein.

Es war bis jetzt nur die Rede von dem zahlenmässig zu bestimmenden, lebensrettenden Werth des Serums 43, ohne dass dabei die Art der Beeinflussung des Krankheitsprocesses näher beschrieben worden ist. Darüber lässt sich, genau genommen, aber auch nichts Rechtes sagen. Eine irgendwie markante, qualitative Abänderung der Krankheitssymptome tritt als Folge der Serumbehandlung nie zu Tage, und man kann einem serumbehandelten Thier es auf keine Weise ansehen, dass es unter dem Einfluss des Diphtheriemittels steht, wenn man nicht wüsste, wie stark die Infection oder Intoxication gewesen ist, und wenn man nicht das Verhalten von Controllthieren zum Vergleich heranziehen würde. Ein salicylsäurebehandelter Fall von Gelenkrheumatismus lässt aus dem veränderten Verhalten der Temperatur, aus der Turgescenz der Gesichtshaut, aus der Schweisseruption auf die besonderen Wirkungen des Mittels schliessen, und ebenso lässt die Quecksilberbehandlung, ausser an der specifischen Beeinflussung des luetischen Krankheitsprocesses, an den Veränderungen am Zahnfleisch und manchen anderen Begleiterscheinungen Allgemeinwirkungen erkennen. Derartiges ist bei der Serumbehandlung der Versuchsthiere nicht der Fall. Ihre gesammte Action betrifft einzig und allein den Krankheitsprocess als einheitliche Erscheinung genommen, und die Analyse dieser Action findet weder bei den einzelnen *Symptomen* der Krankheit Angriffspunkte, noch bei Begleiterscheinungen, die sich auf das Serum zurückführen liessen.

Was aber die Beeinflussung der Gesammterkrankung betrifft, so lässt sich dieselbe auf folgende drei Typen zurückführen, die bei ausreichender Serumbehandlung unterschieden werden können:

I. *Die Verhütung der Krankheit, wenn das Serum vor dem Ausbruch der einzelnen Symptome zur Anwendung kommt.*

II. *Die Verhütung des Fortschreitens und Schlimmerwerdens der manifest gewordenen Erkrankung.*

III. *Das Rückgängigwerden schwerer und vorgeschrittener Infectionen und ihre Umwandlung in günstig verlaufende.*

Der erste Typus handelt also vom gesunden Zustande des zu behandelnden Individuums, bei dem zweiten und dritten Typus haben wir es mit dem Beginn der Erkrankung, bez. mit leichteren Fällen zu thun, während beim dritten Typus diejenigen Fälle in Betracht gezogen werden, bei welchen es sich um nachweisbar schwere, bezw. um sehr vorgeschrittene Fälle handelt.

4. Ueber sogenannte „septische" Fälle von Diphtherie.

Von

Behring.

Immerfort sehe ich mich genöthigt, Zweifel und Bedenken betreffend die Leistungsfähigkeit des von mir für die Behandlung der Diphtherie abgegebenen Heilserums mündlich oder brieflich zu bekämpfen. Bald handelt es sich um die principielle Frage, ob es überhaupt specifische Heilmittel geben könne, die, ohne zu individualisiren, bei *jedem* Menschen nutzbringend sind; bald wird der Satz, welcher für die Arzneimittel der Pharmakopoe Geltung hat, dass jedes Mittel, welches nützt, unter Umständen auch schaden könne, auf mein Heilserum mit Unrecht angewendet. Am häufigsten aber bin ich gezwungen, mich über die Grenzen der heilenden Leistungsfähigkeit des Serums auszusprechen und immer von neuem darauf hinzuweisen, dass das Tetanusheilserum nur die durch das Tetanusgift, das Diphtherieheilserum nur die durch das Diphtheriegift hervorgerufenen krankhaften Störungen zu heilen vermag, dass aber alle Complicationen des Tetanus und der Diphtherie durch mein Mittel in keiner Weise beeinflusst werden, weder günstig noch ungünstig.

Auf die beiden ersten Punkte gedenke ich in besonderen Arbeiten einzugehen, in denen die Geschichte der therapeutischen Specifica und der zu Heilzwecken benutzten Gifte historisch-kritisch betrachtet werden soll. An dieser Stelle will ich nur von den Bedingungen sprechen, unter welchen die Heilwirkung des Diphtherieheilserums eintritt.

Wenn ein Krankenhausarzt die Erfahrung gemacht hat, dass von den Diphtheriefällen bei Kindern diejenigen prognostisch besonders ungünstig zu beurtheilen sind, welche einen sogenannten „septischen“ Charakter an sich tragen, so haben wir uns daran zu erinnern, dass bei der Diphtherie die Sepsis von Fäulnissprocessen in der Mundhöhle und im Nasenrachenraum auszugehen pflegt, und dass Fäulniss und Gangrän *nicht* durch die *Diphtheriebacillen* und ihre Stoffwechselproducte entstehen, sondern durch *andere Krankheitserreger.* Wir können ganz sicher sein, dass die Mundfäule, die sich in widerwärtigem Geruch der Athemluft und in Zerstörung der Schleimhaut äussert, ätiologisch nichts mit der Diphtherie zu thun hat. Man kann mit verschiedenen Mitteln, vor allem mit Kali chloricum und mit Jodoform diese Mundfäule wirksam bekämpfen, *das Diphtherieheilserum aber hat auf dieselbe auch nicht den geringsten heilenden Einfluss.*

Schlimmer noch als die eigentliche Sepsis, von welcher der Begriff der stinkenden Zersetzung unzertrennlich ist, macht die Complication der Diphtherie mit Pyämie die Prognose. Es ist jetzt durch unzählige Untersuchungen immer wieder — speciell auch bei der Kinderdiphtherie — bestätigt, dass der pyämische Charakter der Diphtherie nicht durch die Diphtheriebacillen zu Stande kommt, sondern fast ausnahmslos durch *Streptococcen.* Die pathogenen Streptococcen sind es in der grossen Mehrzahl der Fälle, welche bei der Diphtherie dasjenige Krankheitsbild hervorrufen, welches bei hohem remittirendem und intermittirendem Fieber auch ohne Gangrän und stinkende Mundfäule das Aussehen einer *Blutvergiftung* darbietet. Man findet dabei alle Uebergänge; die schlimmsten Fälle sind diejenigen, in welchen diese Streptococcen vermöge einer besonders grossen Virulenz im Blute zu vegetiren die Fähigkeit gewonnen haben und in kürzester Zeit den Tod des befallenen Individuums herbeiführen, ohne dass es zu Organerkrankungen und zur Localisation an den

Eingangspforten. kommt; nächstdem am gefährlichsten sind die Fälle, in welchen der Tod erst nach einer Reihe von Tagen erfolgt, und bei denen man bei der Obduction Heerderkrankungen in den Nieren, der Leber, den Lungen in Form von eitrigen Metastasen vorfindet. In einer dritten Kategorie von Streptococcenerkrankungen bei diphtherischen Kindern ist die Prognose nicht ganz so trostlos. Bronchitiden und Bronchopneumonieen lassen sich hier als Ursache eines hohen, mehr continuirlichen Fiebers, beständiger Dyspnoe und anderer allarmirender Symptome nachweisen. Am wenigsten gefährlich sind endlich die Localisationen in der Nähe der Eingangspforten der Streptococcen, vornehmlich an den submaxillaren und den tiefgelegenen Lymphdrüsen am Halse; hier documentirt sich der Krankheitsprocess in einer solchen Drüsenschwellung, welche im Gegensatz zu der diphtherischen schnell zu erweichen und zu vereitern die Neigung hat. Findet man derartige abscedirende Drüsen bei pyämischem Charakter des Fiebers rechtzeitig auf und entleert durch breiten Einschnitt den Eiter, dann sieht man die Patienten schnell der Heilung entgegengehen. Das war beispielsweise der Fall in No. 4 der *Kossel*'schen Tabelle (Deutsche med. Wochenschr. 1893 No. 17), während in No. 1 derselben Tabelle der pyämische Charakter der Krankheit erst durch den Sectionsbefund erwiesen wurde.

Auf alle diese so oft die Diphtherie complicirenden Krankheitsformen hat mein Heilserum auch nicht die geringste Wirkung, und wenn in einer Diphtherieepidemie einem Arzt, der mein Mittel anwendet, eine grössere Zahl von gangränescirenden und schweren pyämischen Krankheitsformen hintereinander zur Behandlung kommt, dann ist ziemlich sicher vorauszusagen, dass er auf statistischem Wege zu dem Resultat gelangt, „das Heilserum nützt bei den schweren „septischen" Formen der Diphtherie nichts, auch nicht das Geringste." Dies Urtheil ist an sich in der That auch ganz gerecht; aber man würde dabei nur das *Eine* übersehen, dass ich auch nie, an keiner Stelle meiner Publicationen und in keinen mündlichen und brieflichen Auseinandersetzungen für diese Fälle einen Heilerfolg durch das Serum in Aussicht gestellt habe, dass ich im Gegentheil stets mich bemüht habe, den ganz *specifischen* Charakter meines Mittels zu betonen, durch welchen bedingt wird, dass ausschliesslich die durch das *Diphtheriegift* erzeugten Krankheitsformen durch dasselbe geheilt werden; diese aber auch sicher und ausnahmlos, wenn nur das Mittel in hinreichender Wirksamkeit und Dosis zur Anwendung kommt.

Ich hielt es für zweckmässig, den eben dargelegten Sachverhalt auch von dieser Stelle aus zum Ausdruck zu bringen, um die Kenntniss desselben in weitere Kreise dringen zu lassen, was durch meine bisherigen monographischen Publicationen [1]), wie ich vielfach erfahren habe, noch nicht geschehen ist. Gleichzeitig benutze ich diese Gelegenheit, um noch eine andere sehr wichtige Frage zu erörtern, die unwillkürlich sich jedem in der Praxis stehenden Arzte aufdrängen muss; das ist die Frage, was denn unter diesen Umständen, wo eingestandenermaassen schwere *„septische“* Diphtheriefälle nicht durch das neue Mittel geheilt werden, soviel an demselben zu rühmen sei; ob denn nicht nach wie vor der traurige Zustand in der Diphtherietherapie bestehen bleibe, der durch die Worte charakterisirt wird: *„die leichten Fälle kommen durch, die schweren Fälle sterben.“*

Nach beiden Richtungen kann ich eine Auskunft geben, die zu den besten Hoffnungen berechtigt.

Was zunächst die beiden obengenannten Formen von deletären Complicationen der Diphtherie betrifft, so ist die Gangrän eine Krankheitsform, deren Auftreten allermeist vermieden, und wenn sie vorhanden ist, beseitigt

---

1) *Behring,* Blutserumtherapie I und II. — Die Geschichte der Diphtherie. Verlag von Georg Thieme, Leipzig.

werden kann. Stinkende Mundfäule findet man nur bei vernachlässigten Patienten mit hohlen Zähnen und anderen „todten" Räumen, wie sie durch lacunäre Bildungen an geschwollenen Mandeln oder durch Unreinlichkeiten und Borkenbildung in dem Nasenrachenraume hergestellt werden, und auch da nur, wenn nicht durch die so leicht auszuführenden Gurgelungen und Ausspülungen mit Kali chloricum-Lösung oder anderen Mundwässern die Mundhöhle reingehalten wird. Von den Fremdkörpern dieser todten Räume ausgehend, tritt dann Fäulniss, eigentliche *„Sepsis"* ein, die bei einem schon bestehenden anderweitigen Krankheitsprocess so oft den Tod herbeiführt, während sie gesunde Menschen bloss durch die widerlich stinkende Beschaffenheit ihrer Athemluft der näheren Umgebung ekelhaft macht. Es besteht eben eine ganz differente Empfänglichkeit zu verschiedenen Zeiten und in verschiedenen Zuständen des menschlichen Organismus für die septische Intoxication. Gesunde Individuen bezw. deren Schleimhäute sind immun gegen viele Bacterien, die in unserer Mundhöhle vegetiren, während ebendieselben Individuen, wenn bei ihnen die Schleimhaut des Respirationstractus durch atmosphärische Einflüsse oder durch Krankheitsgifte pathologisch verändert sind, auf's äusserste durch diese Mikroorganismen gefährdet werden können. Die Mundfäule ist aber eine Krankeitsform, welche erfahrungsgemäss durch eine locale Behandlung ziemlich sicher gehoben werden kann. Von in Wasser löslichen Mitteln hat sich am meisten dabei das Kali chloricum bewährt, welches oft, nach der treffenden Bemerkung eines englischen Autors, „charm-like" die Fäulniss beseitigt; von unlöslichen Mitteln ist das Jodoform allen anderen weit überlegen; es kann geradezu als Specificum gegen locale Fäulnissprocesse bezeichnet werden.

Es ist selbstverständlich, dass ich diese Mittel bei einer Complication der Diphtherie mit gangränescirender Mundfäule (Sepsis) *neben* dem Diphtherieheilserum anzuwenden anrathe.

Was die Blutvergiftung nach Streptococceninfection betrifft, so sind die schlimmsten Fälle derselben für die Therapie noch nicht zugänglich. Das specifisch wirkende Streptococcenheilserum ist bis jetzt noch nicht practisch anwendbar, und alle anderen Mittel sind erfolglos. Trotzdem wäre es gänzlich verfehlt und unverantwortlich, wenn wir gegenüber dieser Complication die Hände in den Schooss legen wollten. *Wir dürfen nur nicht die Augen vor der Thatsache verschliessen, dass diese Krankheit vermeidbar ist.*

Wenn früher eine Pyämie in manchen Krankenhäusern fast jede Puerpera dahinraffte und fast jeden Wundkranken in seinem Leben bedrohte, so kann, seit der epochemachenden That *Lister's*, seit der Erkenntniss von der Vermeidbarkeit der accidentellen Wundkrankheiten — jetzt ein Arzt für solche Unglücke in der Geburtshilfe und in der Gynäkologie, ebenso wie in der Chirurgie, sogar strafgesetzlich verantwortlich gemacht werden. Bloss in der inneren Medicin betrachtet man solche „Unglücke" als eine mit Ergebung hinzunehmende Schicksalstücke.

Aber wenn wir zurückdenken, wie es gekommen ist, dass solche berüchtigten Pestlocale, wie es früher manche Gebäranstalten und manche chirurgische Krankensäle waren, aus der Welt verschwunden sind, dann fällt uns trotz der Schnelllebigkeit und Leichtvergesslichkeit der Jetztzeit ein, dass solches nicht von selbst geschah; dann werden wir dankbar eines Mannes, wie *Richard v. Volkmann*, gedenken, welcher mit der Macht seiner ganzen Persönlichkeit für die Ausmerzung solcher Infectionslocale eintrat, ohne durch den Widerstand der im alten Schlendrian beharrenden Leute sich beirren zu lassen. Jetzt ist jede chirurgische Anstalt, jede gynäkologische und geburtshilfliche so gebaut und so gehalten, dass in denselben auch ohne die Anwendung antiseptischer Maassnahmen eine Weile pyämische und septische Infectionen ausbleiben, und man darf jetzt sogar auch dann noch auf eine antiseptische

Wundbehandlung Verzicht leisten, wenn das regelmässige Auftreten von specifischen Mikroorganismen, wie des Bacillus pyocyaneus, in den Wunden bezw. in den Wundverbänden den Beweis liefert, dass die sogenannte Asepsis insufficient geworden ist.

Aber viele Krankenhäuser für *innerlich* Kranke sind wahre Brutstätten für manche anerkannt auch für den Menschen deletären Mikroorganismen, ohne dass eine Reformation dieser traurigen Zustände ebenso energisch angebahnt wird wie die, welche seit *Lister's* Erfolgen für *äusserlich* Kranke thatsächlich überall durchgeführt ist.

Vielleicht liegt die Ursache darin, dass in einer grossen Zahl von Fällen die secundären Krankenhausinfectionen sich schleichend entwickeln und deswegen der Beobachtung leicht entgehen; vielleicht aber auch liegt die Ursache darin, dass es bei innerlich kranken Menschen bis vor Kurzem viel schwerer war, als bei chirurgischen und gynäkologischen Fällen, herauszuerkennen, was im Krankenhause zu der ursprünglich bestehenden Affection hinzugekommen ist, weil der Begriff der specifischen Natur der Krankheiten und ihrer ätiologischen Einheit den pathologisch-anatomisch denkenden Aerzten abhanden gekommen war. Gegenwärtig aber lassen sich bei tuberculösen, typhösen, scarlatinösen, diphtherischen, pneumonischen Kranken schwere secundäre Processe als *accidentelle* Infectionen durch die bacteriologische Diagnose mit Sicherheit nachweisen. Und doch ist kaum noch bisher ernsthaft die Frage erwogen worden, inwieweit dabei die schlechten sanitären Verhältnisse in den Spitälern als Ursache anzuschuldigen sind. Es ist hier nicht der Ort, diese Frage für *alle* inneren Krankheiten zu erörtern; aber für die Diphtherie habe ich genügende Veranlassung, in eindringlicher Weise auf die Vermeidbarkeit der accidentellen Krankenhausinfectionen aufmerksam zu machen.

Es hat sich mir nämlich nach sorgfältigen litterarischen Studien und nach Beobachtungen, die ich selbst machen konnte, gezeigt:

Erstens, dass in Privathäusern die Complicationen der Diphtherie mit bösartigen Streptococcenkrankheiten viel seltener sind, als in manchen Krankenhäusern.

Zweitens, dass von den Fällen, die in Krankenhäusern tödtlich endigen, die Sectionsbefunde ausserordentlich verschieden sind — auch in derselben Epidemie und bei gleichartiger Beschaffenheit des Zuganges an Kranken —, wenn die tödtlich verlaufenden Fälle aus dem einen oder dem anderen Krankenhause stammen. Vielleicht wird das in dieser Beziehung mir zur Verfügung stehende Material in extenso später mitgetheilt werden können. Gegenwärtig muss ich mich darauf beschränken, hier anzuführen, *dass im Institut für Infectionskrankheiten, in dessen Krankenbaracken genügende Vorkehrungen getroffen sind, um die Bildung von Infectionsheerden zu verhüten, sodass daselbst solche „septische“ Fälle von Diphtherie, wie sie in den Sectionsbefunden aus anderen Krankenhäusern häufig erwähnt werden, kaum vorkommen.* Complicationen werden naturgemäss auch hier beobachtet, da sie oft in unsere Baracken schon mit hinein gebracht werden. Dass aber Fälle, die nicht schon „septisch“ hineinkommen, in den Baracken „septisch“ *werden,* das ist ein Ereigniss, welches doch zu ernstlichen Nachforschungen darüber Veranlassung geben würde, wer oder was die Schuld an diesem *Septischwerden* trägt. Und wenn sich dieses Ereigniss wiederholen sollte, dann, glaube ich, würde ohne jeden Zweifel das Wartepersonal gründlich über die Gefahren einer Contactinfection der lädirten Schleimhäute in der Mundhöhle eventuell auch der Tracheotomiewunde instruirt, und der Krankenraum, in welchem solches passirt, so lange ausser Dienst gestellt werden, bis nach Reinigung und Desinfection desselben, sowie aller darin befindlichen Utensilien, auf das Ausbleiben solcher „Unglücke“ gerechnet werden könnte.

Was nun die voraussichtliche Leistungsfähigkeit meines Mittels in einem Krankenhause mit häufig vorkommenden Fällen von septischer und pyämischer Diphtherie betrifft, so würde ich auf dieselbe weniger zuverlässig rechnen, als im Institut für Infectionskrankheiten.

Muss man nun aber wegen dieser eingestandenen Einschränkung in Bezug auf die Heilkraft des Diphtherieheilserums gegenüber den „septischen" und „pyämischen" Fällen sagen: „Die leichten Fälle kommen durch, die schweren sterben?" Darauf ist zu antworten, dass man zu unterscheiden hat zwischen der Schwere der Erkrankung, welche durch Sepsis und Pyämie bedingt wird, und zwischen derjenigen, die auf Rechnung der Diphtherie selbst zu setzen ist. Was die erstere betrifft, so meine ich, dass Jedermann, nach sorgfältiger Erwägung dessen, was ich vorher ausführte, mit mir zu dem Schlusse kommen wird, *dass eine Krankenstation, auf welcher hinter einander mehrere schwere und tödtlich verlaufene accidentelle Infectionen, „septische" und „pyämische", vorgekommen sind, unweigerlich zu schliessen ist; selbst die Rücksicht auf die Lehrzwecke der Kliniken dürfte davon nicht abhalten.*

Dass aber die Schwere der Diphtherie nicht bloss von den Complicationen abhängt, sondern durch die Natur dieser Krankheit selbst bedingt sein kann, das haben wir zur Genüge an den tödtlich verlaufenden Fällen zu der Zeit in unserem Institut gesehen, in welcher mein Mittel noch nicht zur Anwendung kam. Die Ausdehnung des membranbildenden Processes der Diphtherie bis in die kleinsten Bronchien, der Nachweis der Diphtheriebacillen im Blute und in den Organen zeigte in nicht wenigen uncomplicirten Fällen, dass die Diphtherie allein für sich genügt hatte, um den Tod der Patienten in kurzer Zeit herbeizuführen.

Diese „schweren" Fälle aber können, wie die Erfahrung gezeigt hat, durch mein Mittel geheilt werden.

Man kann nach alledem die Leistung des Diphtherieheilserums in folgender Weise präcisireen: *Diejenigen Fälle von Diphtherie, deren Schwere und bisherige Unheilbarkeit durch den specifisch diphtherischen Krankheitsprocess bedingt sind, können durch die im Blute diphtherieimmunisirter Thiere befindlichen Heilkörper gerettet werden.*

Was aber solch' eine *aetiologische* Therapie bedeutet, welche durch eine Ausschaltung der krankmachenden Wirkung der Krankheitsursache wirkt, das lehrt uns die Chirurgie.

Wenn bei dem diphtheriekranken Menschen durch das Heilserum, mit der unschädlichen Beseitigung des Diphtheriegiftes, ein gesundheitswidriges, lebensgefährliches Moment ausgeschaltet wird, so ist das aetiologische Therapie —, gerade so gut, wie es aetiologische Therapie ist, wenn der Geburtshelfer durch den Kaiserschnitt die Mutter von einer auf natürlichem Wege nicht zu gebärenden Frucht befreit, wenn der Gynäkolog aus der Uterushöhle die faulenden Placentarreste entfernt, oder, wenn der Chirurg einen Volvulus und eine Brucheinklemmung operativ beseitigt.

Die Zulässigkeit nicht bloss, sondern auch die Nothwendigkeit der Erfüllung solcher aetiologischer Indicationen, wie sie bei Vergiftungen und bei der Lebensbedrohung durch Fremdkörper gegeben sind, wird gegenwärtig auch dann anerkannt, wenn nach der antitoxischen oder chirurgischen Operation — nach Beseitigung des chemischen oder mechanischen Fremdkörpers — die Möglichkeit einer anderweitigen Lebensbedrohung noch nicht ausgeschlossen ist.

Es gab eine Zeit, wo die Zweckmässigkeit einer Laparotomie in der That in Frage gestellt wurde wegen der für fast unvermeidbar gehaltenen und fast ausnahmslos tödtlich verlaufenden *Nachkrankheiten*; und nicht viel anders verhielt es sich früher mit manchen lebensrettenden Kriegsverletzungen.

Diese Zeiten sind vorüber. Was früher als ein besonderes „Glück“ des Operateurs angesehen wurde, das ist seit *Lister's* Eintreten in die operative Therapie eine strenge Forderung an das Pflichtgefühl des Arztes geworden: „Die Vermeidung der Complication einer lebensrettenden Operation und der durch dieselbe geschaffenen Wunde mit einer lebensgefährlichen Infection."

Kein Geburtshelfer, kein Gynäkolog, kein Chirurg wird heute seine operirten Patienten unter Bedingungen lassen, durch welche eine Secundärinfection erleichtert wird: noch viel weniger wird er sich dem Vorwurf aussetzen, sie in Krankenräume bewusster Weise hineingebracht zu haben, in welchen eingestandenermaassen tödtlich verlaufene septische und pyämische Infectionen vorgekommen sind.

Aber noch ist die Nothwendigkeit der gleichen Vorsicht im Interesse der Diphtheriekranken nicht in das Bewusstsein aller Aerzte eingedrungen; sind denn aber diese Patienten mit ihren durch den diphtherischen Localprocess lädirten Schleimhäuten weniger gefährtet? Sehen wir nicht fort und fort, wie in manchen Krankenhäusern die Zahl der „*septischen*" Diphtheriefälle in erschreckender Weise gross ist? Sollen wir demgegenüber weniger energisch einschreiten, als *Volkmann* es mit Erfolg that, indem er die Schäden der alten chirurgischen Klinik in Halle schonungslos aufdeckte? Sollten wir weniger es versuchen, durch peinlichste Desinfectionsmaassregeln die inficirten Krankenräume ungefährlich zu machen, als *Schroeder* es für nothwendig hielt, bevor er sich zu Laparotomieen entschloss in der alten Charité?

Solange noch tracheotomirte und nicht tracheotomirte diphtheriekranke Kinder nicht bloss am Fortschreiten des diphtherischen Processes, sondern in grosser Zahl noch an Septicaemie und Pyaemie — an Cocceninvasionen in die Lungen, die Bauchorgane und in das Blut — zu Grunde gehen, so lange wird den behandelnden Aerzten der Vorwurf nicht erspart werden können, dass sie *Lister's* segensreiche Entdeckung von der Vermeidbarkeit der Hospitalkrankheiten in ihren Consequenzen noch nicht zu würdigen vermögen. In Krankenhäusern aber, wo das noch nicht der Fall ist, da kann auch das Diphtherieheilserum nicht diejenigen Heilresultate haben — auch bei voller Leistung seiner Aufgabe, die in der Ausschaltung der Giftwirkung von Seiten der Diphtheriebacillen besteht, nicht —, welche die lebensrettenden Eingriffe der Chirurgen aufweisen, nachdem die chirurgischen Krankenräume aufgehört haben, Brutstätten zu sein für Secundärinfectionen.

Man wende nicht ein, dass bei der Diphtherie wesentlich andere Verhältnisse existiren, als bei chirurgischen Krankheiten und dass bei jener nicht sowohl die *exogene*, als vielmehr die *Autoinfection* in Frage komme; man würde bei einem solchen Einwand die Thatsache ausser Acht lassen, dass das Seltenerwerden der sogenannten kryptogenetischen und Autoinfectionen, als Ursache von Septicaemie und Pyaemie, in den Krankenhäusern gleichen Schritt gehalten hat mit dem Seltenerwerden der *accidentellen* Wundinfectionen. Und das kann ja auch gar nicht überraschen, seitdem wir durch die moderne Immunitätslehre Kenntniss bekommen haben von der Gewöhnung an die Infectionsstoffe.

Die in einem Organismus schon lange existirenden Infectionserreger bedingen ausserordentlich selten eine Neuinfection: Die Hauptgefahr droht immer durch die von aussen stammenden, unter ganz besonderen Bedingungen hochvirulent gezüchteten Infectionserreger. Wir sehen das namentlich auch bei der Tuberculose in der Thatsache, dass die schwindsüchtigen Patienten beim Aufenthalt in reiner Luft und unter günstigen sanitären Verhältnissen viel weniger den secundären Infectionen und complicirenden Erkrankungen ausgesetzt sind, als in überfullten und schlecht gehaltenen Krankenhäusern.

Erfahrungsgemäss giebt es keine besseren Brutstätten für die Züchtung bösartiger, das Blut vergiftender Mikroorganismen, als die Krankenhäuser, in welchen nicht rücksichtslos diejenigen Krankenräume, in welchen Septicaemie und Pyaemie häufig vorgekommen sind, so lange ausser Dienst gestellt werden, bis eine sachverständige und gründliche Desinfection aller festen Gegenstände in diesen Räumen die Hoffnung auf das Ausbleiben weiterer Infectionen berechtigt erscheinen lässt. Wer aber heutzutage noch die den Tuberculoseprocess und die specifisch-diphtheritische Erkrankung complicirenden Fieber und Eiterungen für geduldig zu ertragende unglückliche Zufälle ansieht, dem ist das Verständniss für die Bedeutung der aetiologischen Krankheitslehre noch nicht aufgegangen.

5. Ueber den Begriff der „Reinheit“ beim Diphtherieheilserum nebst einer Zurückweisung von mehreren Einwänden gegen die Serumtherapie.

Von

Behring.

Die chemische Constitution des specifischen Heilkörpers im Diphtherieheilserum ist uns noch nicht bekannt; ja, wir wissen noch nicht einmal, in welche Kategorie von chemischen Verbindungen derselbe gehört; wir wissen von ihm nur das Eine, dass er die krankmachende Wirkung der lebenden Diphtheriebacillen und des von ihm erzeugten Diphtheriegiftes zu verhüten und zu beseitigen im Stande ist. Es ist möglich, dass unser Heilkörper zu den Eiweissstoffen des Blutes in näherer oder entfernterer Beziehung steht; *keinesfalls ist er ein Albumin oder Globulin, da er nach erfolgter Peptonisirung noch wirksam bleibt.* Indessen alles, was sonst sich darüber sagen liesse, gehört in das Gebiet der Vermuthungen. Trotzdem sind wir aber in Bezug auf seine Prüfung nicht übler daran, als bei den meisten anderen Heilmitteln.

Nur eine sehr oberflächliche Betrachtungsweise kann bei der Frage nach dem wirksamen Princip im Opium, in der Digitalis, in der Nux vomica zu der Meinung führen, dass dasselbe *identisch* ist mit dem Morphium, dem Digitalin, dem Strychnin. Diese Alkaloide sind abgespaltene Producte, die nur einen Theil, und nicht immer den werthvollsten Theil der ganzen Drogue repräsentiren; sie werden durch chemische Proceduren aus dem Originalkörper extrahirt, die eine gewisse Aehnlichkeit haben mit den Extractionsmethoden, die aus den Bacterienculturen sogenannte Ptomaïne gewinnen lassen; hier wie dort lässt sich oft, wenn man den schliesslich nach der Retortenbehandlung übrig bleibenden Körper, der als die Quintessenz des Rohproducts angepriesen wird, vergleicht mit den specifischen Eigenschaften des Ausgangsmaterials, das Wort anwenden: „Verflogen ist der Spiritus, das Phlegma ist geblieben." Die unheilbringenden Wirkungen des Morphiums lassen kaum noch ahnen, welchen Schatz die alten Aerzte zu haben glaubten am Opium, und welche Wohlthat für kranke Menschen sie damit zu verabfolgen verstanden. Mit Recht sagt *Hufeland* (Enchiridion medicum 1842 p. 507): „Weder das Morphium allein ist Opium, noch das Meconium, noch das Narcotin, noch der Extractivstoff (auch nicht das Codeïn und das Apomorphin), sondern die Wirkung des Opiums geht hervor aus der Vereinigung aller dieser Stoffe, und ich setze hinzu: *aus der ganz eigenthümlichen Art der Verbindung und des Daseins, die aber die chemische Analysis zerstört. Und die Lehre für die Praxis ist: Wer Opium brauchen will, der brauche das Opium selbst. Dann ist er sicher, alle Stoffe anzuwenden, die es enthält, und eben in jener eigenthümlichen organischen Verbindung, die wahrscheinlich bei allen Körpern die Hauptursache und der Grund ihrer Wesenheit ist.*" Der Hymnus, den *Hufeland* zum Preise des Opiums anstimmt, welches er den „Heros" unter den Arzneimitteln nennt und von dem er gelegentlich sagt, dass er ohne dasselbe nicht Arzt sein möchte, muss für diejenigen Aerzte von heute, die sich gewöhnt haben, bloss noch symptomatologisch den kranken Menschen zu behandeln und die Arzneimittelwirkung bloss noch nach einzelnen hervorstechenden, dabei aber vielleicht nebensächlichen Kriterien zu beurtheilen, ganz unverständlich sein.

Wir machen die gleiche Erfahrung gegenwärtig, wo

man anfängt, mit den angeblich überflüssigen Mitteln aus dem Arzneischatz aufzuräumen.

Die alten Aerzte schätzten den Tartarus stibiatus als ein durch andere Medicamente ganz unersetzliches Heilmittel bei manchen Krankheitsformen, und *Hufeland* hat in einem besonderen Kapitel seines Lehrbuchs sich bemüht zu zeigen, wie überaus verschiedenartig seine Wirkung von der ist, welche durch andere Brechmittel hervorgebracht wird. Heute können wir von einem hervorragenden Pharmakologen (*Harnack*, Münchener med. Wochenschr. 1893 No. 11) hören, dass alle Einzelwirkungen der Antimonpräparate durch andere Medicamente auch erzielt werden können; die hautentzündende sowohl wie die brechenerregende, die expectorirende, schweisstreibende und fieberherabsetzende. Darum weg mit den Antimonpräparaten aus der Medicin! Ist das nicht ähnlich, wie wenn man das Quecksilber von der Liste der Arzneimittel streichen wollte, weil wir ja im Pilocarpin ein Mittel haben, welches gleichfalls Speichelfluss erzeugt? Wissen wir denn überhaupt, ob solche symptomatische Action der Medicamente nicht blosse Nebenwirkung ist, die mit ihrer heilenden Leistungsfähigkeit gar nichts Wesentliches zu thun hat? Wir sind ja auch nicht der Meinung, dass zur Heilwirkung des Chinins und der Salicylsäure das Ohrensausen durchaus erforderlich ist, und andererseits glauben wir auch nicht, das jedes Ohrensausen erzeugende Präparat therapeutisch gleichwerthig ist mit jenem! *Möglicherweise gehört die Toxicität gar nicht zum Wesen eines heilbringenden Agens.*

Nun, beim Diphtherieheilserum kann diese Frage ganz sicher beantwortet werden. Der Heilkörper im Diphtherieheilserum hat ausser seiner specifisch heilenden und krankheitsverhütenden Wirkung gegenüber dem diphtherischen Krankheitsprocess keine, auch nicht die geringste Nebenwirkung; man mag ihn in einer Quantität anwenden, welche um's tausendfache diejenige übersteigt, welche zur Erreichung des beab-

sichtigten Effectes genügend ist: die Folge einer solchen Steigerung der Dosis ist bloss, dass der krankheitverhütende und der krankheitheilende Effect nur um so sicherer erreicht wird; aber irgend welche toxische Nebenwirkung kommt dabei nicht zur Beobachtung.

Nachdem wir das erst wissen, sind wir bei der Prüfung unseres Diphtheriemittels nicht allein nicht übler daran als bei anderen Arzneimittelprüfungen, sondern viel besser. Die Arzneimittel der Pharmakopoe werden, wenn man überhaupt bei ihrer Prüfung mehr thut, als dass man sie durch den Geruchssinn, durch die makroskopische und allenfalls mikroskopische Betrachtung und chemische Analyse identificirt, bei *physiologischer* Untersuchung nur an solchen Wirkungen erkannt, die man als *giftige* bezeichnen muss; ob dieselben irgend etwas mit den *heilenden* zu thun haben, ist noch nicht sicher; keinenfalls werden wir a priori aus den ersteren auf die letzteren schliessen wollen. Die heilende Leistungsfähigkeit für sich festzustellen, ist aber bei den pharmakologischen Prüfungen bis jetzt noch eine Aufgabe, an die man kaum denkt, und deren methodische Begründung noch der Zukunft angehört. Bei unserem Diphtheriemittel dagegen ist der Begriff der „Reinheit" identisch mit dem des Fehlens aller toxischen und unerwünschten Eigenschaften und Fähigkeiten; er ist ein rein negativer Begriff. Das positive Kriterium aber zur Identification des Mittels ist gegeben durch die Feststellung derjenigen Eigenschaft, auf die es uns einzig und allein ankommt, durch die Feststellung seiner heilenden Leistungsfähigkeit.

Wenn wir bei Medicamenten gegenwärtig von „reinen" Präparaten sprechen, so denken wir zunächst immer wohl an schöne, womöglich krystallinische Verbindungen von bekannter chemischer Constitution. Das war nicht immer so in der Medicin. Die Zeit der „Latwergen" liegt noch gar nicht so sehr weit hinter uns, und im Volksbewusstsein findet man noch recht häufig die Vorstellung, dass ein Mittel, dem der Reiz des Geheimnissvollen genommen ist, von seiner Kraft, an die man *glauben* müsse, ohne sie verstehen zu wollen, das Beste verloren hat, und diese Kraft muss dann womöglich noch recht drastisch zu Tage treten in irgend welchen leicht und schnell wahrnehmbaren „kritischen“ Entleerungen.

Gegenüber dieser Auffassung muss es in der That als ein wahrer Fortschritt angesehen werden, dass aus vielen in ihrer Gesammtwirkung uncontrollirbaren Droguen chemische Individuen isolirt worden sind, von denen einige wenige die Heilwirkung der Rohproducte unzweifelhaft noch besitzen. Es gilt das vor allem vom Chinin, obwohl selbst bei diesem segenspendenden Präparat es noch nicht sicher ist, ob es alle Heilkräfte an sich trägt, welche der Chinarinde und Chinawurzel zukommen.

Nicht selten wird aber seit dem glücklichen Gelingen der Herstellung dieses zugleich reinen und therapeutisch wirksamen Alkaloids vergessen, worauf es uns ankommt in der Medicin. Wenn wir peritonitiskranke Menschen behandeln wollen, werden wir schwerlich das Morphium vorziehen dem Opium, bloss deswegen, weil jenes ein „reines“ Präparat ist, das Opium aber nicht; und viele von den heilbringenden Kräutern, welche in früheren Jahrhunderten und Jahrtausenden den Ruhm der Medicin und der Aerzte ausmachten, scheinen dies wirksame Princip in so labiler Form zu enthalten, dass die „Reindarstellung“ desselben vorläufig noch, und vielleicht noch für lange Zeiten ein frommer Wunsch bleiben wird. Immerhin ist es ein *berechtigter* Wunsch, die Heilkräfte, welche sich in der vegetabilischen und animalischen Natur vorfinden, nicht bloss auf Flaschen zu ziehen, sondern sie auch chemisch zu individualisiren, vorausgesetzt, dass das ohne Schädigung ihrer specifischen Eigenschaften geschehen kann.

Bei den Heilkräften, die im Blute immunisirter Thiere und Menschen sich nachweisen lassen, sind wir erst zur

Erfüllung des ersten Theiles jenes Wunsches gelangt: wir verschaffen uns aus dem Blute ein klares Serum und bewahren es bacterien- und giftfrei in Flaschen auf; genau genommen aber ist es noch überhaupt fraglich, ob wir mehr verlangen und wünschen sollen; die Heilkörper befinden sich hier in einer dem menschlichen Organismus so adäquaten Lösung, dass selbst eine physiologische Kochsalzlösung dieselbe an Unschädlichkeit nicht übertrifft. Wenn es auch wirklich gelänge, irgendwie gestaltete „reine" Heilkörper aus dem Serum zu isoliren: wir müssten sie hinterher doch wieder auflösen, um sie dem kranken Menschen incorporiren zu können, und mir kommt dieses Bestreben, das wirksame Princip erst rein darzustellen und dann gelöst wieder zu verwenden, so vor, als ob man aus einem edlen Rheinwein das wirksame Princip künstlich extrahiren wollte, nicht etwa zum Zweck wissenschaftlicher Untersuchung, sondern um es hinterher in Wasser aufgelöst zu trinken an Stelle des urwüchsigen Rebensaftes. Unter keinen Umständen besteht irgend welche Veranlassung, auf die practische Anwendung des Diphtheriemittels und anderer Heilmittel im Serum immunisirter Individuen so lange zu warten, bis dieselben rein dargestellt sind. Dass die Lösung Eiweiss enthält, kann sogar als ein Vortheil angesehen werden; wenigstens kann man bei Thieren sich davon überzeugen, dass das incorporirte Serum, abgesehen von seiner specifisch heilenden Action, auch noch eine günstige ernährende ist.

So bliebe denn hauptsächlich der Umstand übrig, welcher allenfalls für die Anwendung einer anderweitigen Lösung des Diphtheriemittels angeführt werden könnte, dass die Serumlösung eine der Zersetzung sehr leicht zugängliche Flüssigkeit ist, die in Folge von accidentell hinzukommenden Bacterienvegetationen unerwünschte Noxen aufnehmen kann. Das ist nun allerdings ein Umstand, welcher die allersorgfältigste Berücksichtigung verdient; aber hier haben eingehende, Jahr und Tag dauernde

Studien uns absolut sichere Maassnahmen kennen gelehrt, um alle accidentellen Schädlichkeiten zu verhüten. Wir sind, ohne jede Schädigung der specifischen Heilwirkung, im Stande, das Heilserum *bacterienrein* und *giftrein* zu erhalten, wenn wir uns zu diesem Zweck der combinirten Zusätze von Carbolsäure und Chloroform bedienen, und unangenehme Zufälle, wie sie durch die nur zur häufig erfolgende subcutane Injection nicht steriler Morphiumlösungen passiren, sind bei der Anwendung unseres Heilserums ausgeschlossen. Wenn aber die subcutane Injection carbolsäurehaltiger Flüssigkeiten *principiell* perhorrescirt wird, dann berücksichtigt man nicht die sorgfältigen Vorarbeiten, durch die ich mich davon überzeugte, innerhalb welcher Grenzen eine schädliche Wirkung der Carbolsäure überhaupt möglich ist, und dass ich weit *unter* der Grenze desjenigen Carbolzusatzes bleibe, bei welchem an eine Vergiftungsgefahr nur gedacht werden kann. Es erinnert übrigens dieser Einwurf ein wenig an die nur scheinbar wissenschaftliche Denkungsweise, welche gelegentlich einmal durch *J. v. Liebig* charakterisirt wird, wenn derselbe einen überklugen Mann das Essen von Mandelgebäck oder Kirschkernen deswegen vermeiden lässt, weil er sich dabei eine Blausäurevergiftung zuziehen könnte. Aber man muss auf jeden Einwand gefasst sein. Unerwartet freilich kam mir der, dass die Verdünnungen meines Mittels, bei denen noch eine specifische Wirkung desselben nachweisbar ist, an die Homöopathie erinnern, und dass so etwas doch bedenklich machen müsse. Ich bin darauf aufmerksam gemacht worden, dass man auch solche Argumente gegen die Anwendung meines Heilverfahrens nicht mit Stillschweigen übergehen dürfe; es könne in der That ein Odium auf dasselbe zurückfallen durch seine Charakterisirung als eines homöopathischen. Ich will daher auch an dieser Stelle noch, wie ich es schon in der physiologischen Gesellschaft vom 13. Januar cr. gegenüber Herrn Professor *Baginsky* gethan, darauf aufmerksam machen, dass insofern ein fundamentaler Unterschied besteht zwischen meinem Mittel und den homöopathischen und isopathischen, als die letzteren in grossen Dosen dieselben Krankheitssymptome erzeugen, die sie in sehr kleinen heilen sollen, dass dieses bei dem Diphtherie- und Tetanusmittel aber nicht der Fall ist; im Uebrigen aber erkläre ich offen, dass, selbst angenommen, die Bemerkung des Herrn *Baginsky* würde zutreffend sein, ich darin noch nicht genügenden Grund finden würde, auf die Heilwirkung eines Specificums zu verzichten. *Wie* wir den Menschen heilen sollen, ob durchaus bloss nach den momentan in der Wissenschaft herrschen Theorieen: diese Frage zu erörtern, halte ich für ziemlich deplacirt in Anbetracht der Thatsache, dass wir einen Ueberfluss an wirklichen Heilmitteln noch nicht besitzen.

Und so würde ich auch den möglicherweise noch zu erhebenden Vorwurf nicht scheuen, dass meine Heilmethode eine Art von Naturheilungsmethode sei; diese Characterisirung dürfte sogar ziemlich zutreffend sein, wenn man berücksichtigt, dass mein Mittel genau dasselbe ist, dessen der lebende Organismus von selbst sich bedient, wenn er einer Krankheit Herr wird.

Aber alle diese Einwände haben nichts mit der Sache zu thun, und ich meine, dieselbe ist wichtig genug und wohl auch an sich schon schwierig genug, um das Hineintragen unmotivirter und unsachlicher Einwürfe nach Kräften zurückzuweisen.

Das Wesentliche, was ich mir von Anfang an bei meinen Arbeiten zum Ziele setzte, war immer das Auffinden von Heilmitteln gegen bis dahin nicht heilbare Krankheiten; als mir das bei dem Durchsuchen der *antiseptisch* wirkenden Präparate trotz jahrelanger, unausgesetzter Bemühung nicht gelang, da schlug ich eben andere Wege ein und kam zunächst zu den in Bacterienculturen enthaltenen, specifisch giftig wirkenden und immunisirenden Stoffen; schliesslich stiess ich gelegentlich dieser Studien auf die antitoxischen Substanzen im Blut immunisirter Thiere, die eine Tragweite im Laufe verhältnissmässig kurzer Zeit bekommen haben, welche auch in rein wissenschaftlicher Beziehung nirgends mehr unterschätzt wird. Aber mein Endziel hat mit „rein wissenschaftlichen" Forschungen nur wenig zu thun; das bleibt nach wie vor ein practisches und ist auf die Heilung kranker Menschen gerichtet; allerdings habe ich dabei die Erfahrung gemacht, dass intensive wissenschaftliche Arbeit für das *Auffinden* practisch verwerthbarer Thatsachen eines der werthvollsten Mittel ist. Jetzt, nachdem die specifischen Heilkörper im Blute immunisirter Thiere aufgefunden *sind*, ist die Arbeit eine ziemlich mechanische, deswegen aber nicht weniger intensive geworden. Es handelt sich darum, die Heilkörper in solcher Concentration und in solcher Menge zu bekommen, dass sehr viele Menschen davon Nutzen haben. Die Methoden hierfür sind vorhanden, und die Aufgabe der nächsten Zukuft wird es sein, da, wo für die Erreichung jenes Zieles die Kräfte und Mittel des Einzelnen nicht ausreichen, die Mitwirkung anderer bei der Sache interessirter Personen zu gewinnen.

Lightning Source UK Ltd.
Milton Keynes UK
UKHW010945211118
332724UK00008B/195/P